KB088310

EASY SIMPLE SAFE EXTRACTION of WISDOM TOOTH

AUTHOR
Young-Sam Kim DDS, MSD, PhD

Gangnam Style

CO-AUTHORS
Jae-Wook Lee
Min-Gyo Seo
Jonathan Jong-Hwan Lim
Dae-Young Kim
Young-Hoon Pyun

SUPERVISION
Seung-O Ko

쉽고 빠르고 안전한

사랑니 발치

첫째판 1쇄 발행 2018년 01월 15일
첫째판 2쇄 발행 2018년 09월 15일
첫째판 3쇄 인쇄 2019년 09월 03일
첫째판 3쇄 발행 2019년 09월 16일
첫째판 4쇄 발행 2022년 07월 20일

지 은 이 김영삼
발 행 인 장주연
출 판 기 획 한인수
편집디자인 유현숙
표지디자인 김재욱
일 러 스 트 유학영
발 행 처 군자출판사(주)
등록 제 4-139호(1991. 6. 24)
본사 (10881) 경기도 파주시 회동길 338(서패동 474-1)
Tel. (031) 943-1888 Fax. (031) 955-9545
홈페이지 | www.koonja.co.kr

ISBN 979-11-5955-266-3

정가 150,000원

Easy Simple Safe Extraction of wisdom tooth

GANGNAM STYLE

AUTHOR

김 영 삼

전주고등학교 졸업
전북대학교 치과대학 졸업
전북대학교 치과대학 치의학박사
토론토 치과대학 치주임플란트과 CE 과정
UCLA 치과대학 치주과 preceptorship
강남 사람사랑치과 원장

現

전북대학교 치과대학 외래교수
연세대학교 치과대학 외래교수
부산대학교 치과대학 외래교수
오스템 임플란트 패컬티
덴티스 임플란트 교육 총괄디렉터
강남사랑니 발치연구회(GAWE) 디렉터
강남임플란트연구회(GADI) 디렉터
강남레옹치과 대표원장

연락처

E-mail : doctorkimys@gmail.com, **C.P. :** +82-10-7582-1848(business phone)
카카오톡 아이디 : 〈치과의사 김영삼〉입니다.
홈페이지 : www.a18032.com 네이버에 **〈치과의사 김영삼〉**을 검색하세요.

CO-AUTHORS

이 재 욱

경희대학교 치과대학 졸업
경희치대병원 구강악안면외과 수료
구강외과 전문의

現

강남사랑니 발치연구회 패컬티
수원 닥터이치과 원장

서 민 교

전북대학교 치과대학 졸업
전북치대병원 구강악안면외과 수료
구강외과 전문의

現

강남사랑니 발치연구회 패컬티
송도 서민교치과 원장

임 종 환

서울대학교 치과대학 졸업
서울삼성병원 구강악안면외과 수료
구강외과 인정의

現

덴티스임플란트 패컬티
부천 서울삼성치과 원장

김 대 용

경북대학교 치과대학 졸업
덴티스 임플란트 패컬티
강남사랑니 발치연구회 패컬티
강남임플란트연구회 패컬티

現

김포 조은미래치과 원장

편 영 훈

조선대학교 치과대학 졸업
인하대학교병원 구강악안면외과 수료
구강외과 전문의

現

강남사랑니 발치연구회 패컬티
강남레옹치과 원장

김영삼

강남레옹치과
대표원장

이 책을 내면서....

드디어 우여곡절 끝에 두껍고 지루하기 짝이 없는 이 책이 나오게 되었습니다. 감히 건방지게 네 따위가 뭔데 이런 책을 내느냐는 분도 계실 것이고, 이런 책을 기다리고 있었는데 왜 이제야 나오나 하는 분도 계실 겁니다. 제가 왜 사랑니 발치를 좋아하고 많이 하게 되었는지는 책 본문에 너무 장황하게 많이 나와있으니 그 이야기는 생략하고, 많은 분들께 감사의 말씀을 드리고 싶습니다.

가장 먼저 모교인 전북대학교 치과대학에 감사하고 싶고, 학창시절 필자에게 발치가 멋있을 수도 있다는 것을 보여주시고, 이 부족한 책을 기꺼이 감수해주신 존경하는 전북대학교 치과대학 구강악안면외과 고승오 교수님께 감사의 말씀을 드립니다.

5년 전부터 별로 인기 없던 사랑니 발치 세미나를 함께해주고 이 책을 내는데도 많은 도움을 준 서민교 원장님과 이재욱 원장님께도 감사의 말씀을 드립니다. 두 분이 나이는 저보다 어리지만 필자에게는 선배같은 존재입니다. 거칠고 두서 없던 필자의 발치 테크닉을 좀 더 정밀하고 체계화시켜 주셨습니다. 필자보다 발치를 더 잘하면서도... 선배 체면 세워 주면서 함께 공부하고 토론하고 세미나를 진행하면서 여기까지 왔습니다.

서민교 원장님은 정통 외과적인 발치 방식을 저에게 가장 잘 전수해준 분이라 후배지만 선배 같고 고맙게 생각하고 있습니다. 서민교 원장님은 발치 뿐만 아니라 임플란트 시술이나 봉합 등 기타 외과적인 테크닉이 뛰어나고 강의도 매우 유머러스하게 잘하시며, 사람들과 소통하는 것을 즐기는 필자에게는 보물같은 존재입니다.

이재욱 원장님은 필자와 함께 일한 세월이 오래됩니다. 구강외과에 수련하러 가기 전에 함께 일한 인연으로 지금 여기까지 오게 되었네요. 이재욱 원장님은 근거중심적이고 신중한 면이 필자같이 성질 급하고 충동적이고 경험의존적인 사람에게는 큰 도움이 되었습니다. 이재욱 원장님은 공간감각이 뛰어나서 발치 뿐만 아니라 임플란트 시술도 매우 잘 하셔서 향후 우리 패컬티 그룹이 임플란트로도 영역을 넓히는데 도움이 될 것이라고 생각합니다.

임종환 원장님은 센스와 소통의 달인이라고 불립니다. 원칙적으로 진료 잘하시는 걸로 유명하니 그 이야기는 각설하고, 어릴 때 외국에 살다 오셔서 영어도 잘하시고 노래도 잘하시고 다재다능한 분입니다. 그런 다양한 분야의 재능을 우리와 함께 발휘해주시는 것이 너무 고마울 뿐입니다. 이 책을 영어로 번역하시는데도 큰 역할을 해주실 것으로 기대합니다. 영어로 번역하는데도 센스가 필요할테니까요. ^^

김대용 원장님은 사실 발치가 아니라 모든 진료를 다 잘하십니다. 레진 필링부터 프렙까지 거의 완벽에 가깝습니다. 필자가 늘 영입 1순위라고 할 만큼 모든 진료를 다 잘하십니다. 사실 김대용 원장님의 매력은 진료내용보다는 다양하고 잡다하고 세세하기까지한 치과적인 지식입니다. 세간에 화자되는 치과적인 이야기는 모르는 게 없으실 만큼 공부하고 메모하는 것을 좋아하십니다. 제가 뭔가 궁금한 게 있어서 여쭤보면 모르는 것이 없을 만큼... 김대용 원장님은 치과계 잡학박사 재야학자이십니다. ^^

그리고 필자가 왕초보일 때 발치의 기본을 알려주신 조은치과 김석영 원장님... 특히 포셉을 미끄러지지 않도록 꽉 잡아야 한다는... 그것이 포셉 발치에서 가장 중요하다는 것을 강조해주신 것이 필자가 많은 발치를 하면서 다른 치아를 손상시키지 않은 비결인 듯하여 지금도 감사하게 생각하고 있습니다. 그리고 필자 개원 초기에 직접 현장에서 개인멘토식으로 가르쳐주신 중앙대병원 최영준 교수님... 상악에서 포셉 발치가 절대 촌스러운 게 아니고 더 잘하는 사람이 하는 것이라는 말씀을 지금까지 가슴 속에 감사하는 마음과 함께 간직하고 있습니다. 기본적인 외과스킬 뿐만 아니라 외과치료의 두려움을 없애준 분이라 누구보다 감사하는 마음입니다. 그리고 필자와 함께 일하면서 많은 지식을 나누고 전수해주신 공감치과 이진 원장님, 사람사랑치과 김은주 원장님, 융치과 안융 원장님... 지금은 모두 다른 곳에서 일하고 있지만 늘 감사하는 마음입니다. 필자에게 보철, 치주, 보존, 교정에 관한 지식을 후배들 가르치듯이 잘 전해주신 사람사랑치과의 김지혜, 박정주, 박소영, 성의향 원장님께도 진심으로 감사를 드립니다.

마지막으로 함께 근무하면서 병든 저를 보살피며 부족한 부분도 채워주며 함께 발치해준 강남레옹치과 구강외과 김동성, 편영훈, 이경진, 보철과 장현민 원장님께도 진심으로 감사드립니다. 이 많은 사진을 군소리 없이(없는데서는 많이 했겠지만... 어쨌든 앞에서는 참아준) 잘 찍고 정리해준 우리 강남레옹치과 정현이랑 새희, 하름, 라이브서저리 환자 관리 잘해준 나래와 소담, 재영이 모두 고맙습니다(지금 이 마음 너희들은 변해도 나는 안 변할 거라고 약속한다).

언제나 한결같은 마음으로 책 출간을 맡아주신 군자출판사(주) 장주연 대표님, 10여년 이상 도서출판의 든든한 파트너로서 함께 해주신 한인수 부장님... 우리 치과에도 여러 번 오셔서 함께 그림 그려주신 디자이너 유학영 과장님 등 군자출판사 편집진 여러분께 감사드립니다. 이 책의 성공으로 보답하겠습니다. 모두 감사합니다.

추천사...

부천 서울삼성치과 원장 **임종환**

2008년에 '구강악안면외과의사'로서 개원을 하였을 때에는, 사랑니 발치 역시 매우 중요한 영역이자 자부심이라 믿고 나름 열심히 해왔다. 물론 하면 할수록 손실이 나는 '건강급여항목진료'의 특성에도 불구하고, 환자의 병원에 대한 신뢰와, 의사의 환자에 대한 '최선'이라는 신념 하에 하다 보니, 어느 새 주위 치과들도 치주치료와 사랑니 발치를 한다고 붙여놓은(?) 곳들이 하나 둘 씩 늘어나기 시작하였다. 수련받는 동안 여러 교수님들과 선배님들, 동기, 후배님들의 다양한 방식의 술기들을 접하면서, 어떻게 하면 환자에게 쉽고, 편하고, 빠르고, 안전하게 시술할 수 있을까를 연구하곤 했었고, 개원가 현실에 맞는 방식을 찾느라 늘 고심하였다.

그러던 어느 날, SNS 상에서 친해진 김영삼 선생님에게 사랑니 발치 세미나에 연자로 참여해달라는 부탁을 받게 되었고, 개원가에서 사랑니 발치를 잘하면 좋은 점들을 뼈저리게 느끼고 있던 본인으로서는 0.1초의 망설임도 없이 흔쾌히 (솔직히 말하자면, 무명의 점빵 원장으로서는 영광이다) 함께하게 되었고, 이런 좋은 기회까지 얻게 되었다. 벌써 연자로 활동하는 것이 세 번째 시즌. 김영삼 선생님의 강의와 평소 철학들을 들으면 들을수록 배우는 것도 많고, 무엇보다 내가 수련받으면서 느끼던 점들, 고민하던 점들을 빠짐없이, 그리고 웬만한 그 누구보다도 심도 있게 고민하고 연구하고 또 정리하시는 모습을 보면서. GP와 '전공의사'간의 '존중'이나 '인정'의 문제가 아닌, 같은 치과의사로서 '존경'의 차원까지 이르게 되었다.

이번에 나오는 이 책을 감수하고 보완해달라는 부탁에 꼼꼼하게 훑어보았다. 그냥 놀라움의 연속이었다. 내가 고민하고 생각하고 연구하던 것들, 경험상의 노하우들, 고스란히 담겨있으면서 그 이상으로 배울 것들도 많았다. 특히 치과의사들 대부분이 구강악안면외과 수련을 받지 않은 입장임을 감안할 때, 김영삼 선생님의 엄청난 노고가 오롯이 녹아 있는 이 책의 내용들은 같은 '비-구강외과' 입장에서 임상이든 지식이든 모든 면에서 크나큰 도움이 되리라 믿어 의심치 않는다. 그리고 같은 '구강악안면외과 전공' 치과의사라 해서 모든 임상 실력이나 지식이 비슷하다는 보장 역시 없다는 가정 하에, 전공자 입장에서도 자만감을 버리고 '내가 정말 내 생각만큼 잘하고 있는지'를 다시 한 번 정리해볼 수 있는 기회도 될 수 있을 거라 믿는다.

비록 외견상 이 책의 페이지 분량은 방대하지만, 김영삼 선생님의 '발치 인생'에 대한 회고록과 각종 임상 케이스와 지식들을 집대성한 노련함에, 편하게 줄줄 읽다보면 그냥 눈 앞에서 강의를 듣듯이 결코 지루함이나 길다는 느낌 없이 쏙쏙 녹아드는 것도 이 책의 크나큰 장점일 것이다.

사랑니 발치를 잘 하고 싶은 모든 치과의사 선생님들에게, 나름 사랑니 발치에 있어서 누구에게도 뒤지지 않는다고 자부하던 한 구강악안면외과 전공한 개원의 입장에서, 이 책을 강력하게 권유하고자 한다. RESPECT!

김포 조은미래치과 원장 **김대용**

사랑니 발치에 있어서 단순히 뺄 수 있는 것과 잘 빼는 것에는 큰 차이가 있다고 생각한다. 이 책에는 저자인 김영삼 원장님의 사랑니 발치에 대한 깊은 고민과 방대한 노하우가 담겨 있다. 김영삼 원장님을 치과계의 천재라고 말하는 사람들이 많다. 그들이 말하는 천재는 남들이 만들어놓은 길을 가기보다는 새로운 무엇인가를 만들어내는 측면에서는 대단한 창의력과 추진력에 있다고 생각한다. 이 책은 사랑니 발치에 대한 노하우라기보다는 사랑니 발치의 백과사전에 가깝다. 사랑니 발치를 하면서 애를 먹어본 적이 있거나 사랑니 발치를 시작하려는 원장님들께 큰 선물이 될 것이다.

CONTENTS

CONTENTS

07
CHAPTER

근심 경사 매복 사랑니의 발치

CONTENTS

08 CHAPTER 완전 수평 매복치

이 책을 읽는 방법 ★★★

필자는 사랑니 발치를 잘하는 사람이라기보다는 사랑니 발치를 잘 가르치는 사람이고 싶다.

10년 전부터 사랑니 발치를 교육해왔고, 우리나라에서는 거의 최초로 사랑니 발치 과정을 만들어서 세미나를 운영한지도 5년이 넘어가고 있다. 필자가 이런 이야기를 하는 이유는 정말 사랑니 발치를 잘하고 싶으면... 또는 이 책을 효율적으로 읽고 싶다면 필자 말대로 한 번 해보라는 것이다. 어느 정도 숙련된 분들은 필자의 몇 개의 팁만 제대로 자기 방법에 접목하면 큰 도움이 될 거라고 생각한다. 그러나 초보자라면 절대 이 책을 한 번 본 정도로는 실력이 쉽게 늘지 않을 것이다. 필자는 그래서 사랑니 발치 교육을 위해서 한 달에 한 번씩 하는 장기 과정을 가장 추천한다. 절대 한 번에 실력이 늘지 않기 때문에 세미나 때 배우고 또 자기 치과에서 직접 해보는 것을 반복하면서 실력을 키워야 하기 때문이다.

이 책을 읽는 방법도 비슷하다. 한 번에 쭉~ 읽으면 며칠이면 되겠지만, 초보자라면 크게 도움이 안 될 수도 있다. 그래서 꼭 필자가 하라는 대로 해보기를 권한다.

앞에서부터 낑낑대고 잡고 있지 말고 우선은 별표 세 개(★★★)있는 것부터 쭉 간단히 훑어보기 바란다. 별표는 이 책의 페이지 상단에 표시되어 있다. 앞부분과 뒷부분에 반복되는 부분도 많고, 특히 연관된 것이 너무 많기 때문에 앞에서부터 정독하는 것은 좋지 않다. 뒷부분을 읽고 다시 앞부분을 읽으면 오히려 더 쉽게 이해가 갈 수 있다. 그리고 나서 발치 몇 케이스 정도 해보는 정도의 시간이 지난 뒤에 별표 두 개(★★)까지 읽어보자. 별표 한 개(★) 정도는 안 읽어도 좋다. 나중에 발치가 너무 재미 있어지고 발치 자체에 대해서 좀 더 알고 싶다면 그때 읽어도 충분하다. 또는 필자의 발치 스타일이 이해가 가고, 하나 둘 본인의 스타일에 접목시켜 가는 중이라면, 그때 별표 하나(★)까지 다시 읽어도 늦지 않는다고 생각한다. 막상 그림 위주이고 글자는 별로 없기 때문에 그렇게 읽기 어렵지 않을 것이다. 필자는 발치를 잘하는 사람이 아니라 발치를 잘 가르치는 사람이라고 생각하고, 필자 말대로 이 책을 읽어보자.

기본적으로 이 책은 필자의 사랑니 발치 강의(기본 12시간 분량)의 파워포인트 파일을 변환하여 집필되었으므로, 말투나 용어나 문체도 책 내용마다 많이 다를 수 있다. 모두 오랜 기간 만들어 놓은 PPT 파일이 기본이기 때문이다. 또한 겹치는 내용이나 반복되는 말들이 자주 나올 수 있다. 기본적으로 강의를 처음부터 끝까지 길게 이어서 하기도 하고, 특정 주제별로 특강식으로도 하기 때문에 내용이 조금은 반복될 수 있음을 양해해 주기 바란다. 그러나 일부러 강조하기 위해서 지나치게 다시 반복한 말들도 있으니... 그러려니 하고 너그럽게 이해해주기 바란다.

우선 당신이 이 책을 첫번째로 읽는다면 먼저 ★★★만 골라서 우선 쭉~ 읽어보자.

시작 전 양해 말씀! ★★★

최대한 쉬운 우리말을 쓰도록 하였습니다.

제가 사랑니 발치 강의를 온라인으로 동영상도 올리고 하면서 많은 분들이 관심을 보여주었다. 특히 미국이나 호주 등 외국에 계시는 교포 치과의사분들이 관심을 많이 보여주셨는데, 그 분들이 치관, 근심, 원심, 관상면 등 한국에서 쓰는 치과용어들을 거의 잘 모르셨다. 대부분 중학생 전후로 이민을 가셔서 한자화된 치과단어들을 잘 모르는 것이었다. 그래서 이러한 질문을 많이 하셔서 이 책에는 최대한 우리말을 많이 쓰려고 노력하였다. 이 책을 영어로 번역하는 게 최종 목표이지만, 언제 그것이 실현될지는 모르기 때문에 외국에서 이 책을 읽으시는 분들 위해서 치아 머리, 치아 목 부위 등 우리말로 쓰고, 정말 우리말 번역이 어렵다면 차라리 크라운, Mesial 등 영어 발음 그대로 또는 스펠링까지 영어로 쓰도록 하였다. 다만 앞서 언급했듯이 이 책의 바탕이 필자의 오랜 강의용 PPT 파일이다 보니, 용어의 일관성이 좀 떨어지는 경우가 있다. 문체가 너무 품위 없어 보이는 구어체라 부끄럽기도 하지만, 그래서 술술 부담 없이 쉽게 읽혀서 좋다는 의견도 있어서 굳이 좀 더 격식 있는 문장으로 바꾸지는 않았다. 이 점도 너그럽게 이해해 주기 바란다.

사진이 부족합니다.

이 책에 사용된 사진은 어떠한 이미지 수정도 하지 않았다. 사실 인쇄물이 모니터보다 화질이 떨어지기 때문에 조금 더 특징을 부각시키거나 예쁘게 보정하고 싶은 충동이 없었던 건 아니지만, 무엇보다 있는 그대로가 더 중요할 듯하여 어떠한 수정도 하지 않은 점 참고하시기 바란다.

필자의 치과가 대학병원이 아니다 보니 발치 전 사진이나 과정 사진을 찍는 게 쉽지 않다. 그래서 발치 후에 환자가 진료실 밖으로 나가고 나서 조각내서 발치한 치아를 퍼즐 맞추듯이 수술포에 위치시키고 사진 찍는 습관이 들었다. 물론 필자의 치과는 건강보험 진료를 많이 하다보니 매우 바빠서 사진 찍을 사진도 별로 없기도 하다. 가끔 직원들한테 부탁하는데 발치한 조각들의 퍼즐을 잘못 맞춰서 거의 쓸모 없는 사진이 되고 만다.

사랑니는 주로 한쪽을 빼면 대부분 반대쪽도 다시 빼러 오기 때문에 처음 발치한 치아의 사진을 찍어 놓는 것은 다음에 반대쪽을 빼러 왔을 때 예전 발치 방식을 짐작할 수 있다. 발치 과정에서 치아 삭제 없이 그냥 뺀 것들은 사진을 안 찍지만, 그것도 반대쪽을 뺄 때 삭제 없이 뺀 것임을 알 수 있으니 도움이 된다.

필자가 사랑니 발치 책을 쓰려고 계획한 것이 거의 4~5년이 되어 가는데, 마무리를 못한 이유가 모두 발치 후 사진밖에 없기 때문이었다. 어쨌든 이 책을 쓰면서 발치 과정이나 발치 전 사진을 좀 찍었지만 생각보다 쉽지 않다. 그래서 발치 전이나 과정 사진이 적더라도 이해해주기 바란다. 여기서 발치 후 사진이 아닌... 발치과정 등을 찍은 사진은 대부분 필자의 친척이나 지인, 직원이나 직원 가족, 친구들이 대부분이다. 물론 환자가 지인이라도 치과가 너무 정신없이 바쁘기 때문에 직원들에게 그런 지시를 하기도 쉽지 않다. 그래서 계획한 것이 사랑니 발치 세미나이다. 세미나를 하면서 라이브 서저리를 하고, 그 환자들의 사진을 찍으면서 조금 더 책에 필요한 사진과 영상을 얻을 수 있었다.

Dr. 김영삼의 ESSE 진료철학 ★★★

김영삼의 ESSE 컨셉

Easy
Simple and Speedy
Safe
Economic

Extraction
&
Implant

ESSE Extracion of Wisdom tooth

필자의 발치 철학은 한마디로 Easy, Simple, Safe, Economic라고 할 수 있다.

필자가 발치하는 장면을 보는 사람들은 늘 같은 이야기를 한다. 발치를 잘한다기보다는 발치를 쉽게 한다고 말한다. 한두 개 정도 간단히 빼면 우연일 수 있지만, 오래 지켜봐도 힘들여서 뽑는 사랑니가 거의 없다. 모든 사랑니를 나만의 공식대로 어떤 케이스든 비슷한 방식으로 뽑기 때문이다. 이 책을 끝까지 읽고 나면 왜 모든 발치를 쉽고 간단하게 하는지 알 수 있게 될 것이다.

또 안전이라는 말을 넣었는데, 안전하게 진료하지 않으면 아무리 쉽고 빠르다고 해도 경제적일 수가 없다. 결국 환자에 대한 보상 뿐만 아니라 나의 정신적 스트레스까지 피해가 엄청나게 되는 것이다. 마지막으로 E는 그 자체로 Extracion이기도 하지만 Economic라는 말로도 쓰고 있다. 굳이 Economic이라고도 넣은 이유는 우리나라의 치과건강보험 수가가 너무 저렴하기 때문이다. 필자가 개원할 때 선배들이 모두 같은 말을 했다. 사랑니는 뽑을수록 손해이니까, 그 시간에 차라리 쉬거나 운동을 하라고 말이다. 그만큼 너무 저렴한 발치 비용 때문에 우리나라 현실에서는 발치에 필요한 경비를 최대한 아끼는 경제적인 발치 스타일을 하지 않을 수 없다. 물론 이렇게 발치 비용이 너무 낮은 덕에 별 볼일 없는 필자같은 사람이 발치를 많이 할 수 있게 되기도 했으니 덕을 본 것이라고도 하겠다.

이제 이 책에서 나의 ESSE 컨셉에 맞게 사랑니 발치하는 것부터 배워보자. 여기에 S하나를 더 넣어서 Speedy를 표현해보자고 하는 분도 계시는데, 쉽고 간단하면 빠르지 않을 수 없기 때문에 생략하기도 하지만 여기에는 충분한 지면이 있기 때문에 굳이 Speedy는 작게 하였다.

외발자전거를 배우지 마라~

치과의사의 실력은 모두 다르다. 타고난 체격과 체력이 다르고, 운동신경, 공간감각 모두 다르다. 누군가는 외발자전거를 몇 시간 만에 배워서 탈 수 있지만, 누군가는 아무리 열심히 연습한다고 해도 탈 수 없을 것이다.

그래서 필자는 두발자전거만 탄다. 두발자전거는 대부분의 사람이 조금만 연습하면 탈 수 있기 때문이다. 물론 두발자전거도 못 배우는 사람도 있지만, 그렇다면 치과의사라는 직업에 대해 다시 한 번 생각해보는 것이 좋을 것 같다. 또한 자신의 실력이 어느 정도 되는지를 아는 것도 중요하지만, 자신의 실력이 어느 정도까지 향상될 것인가도 고민해봐야 한다.

지금 자신의 능력을 고민해보자. 사랑니 발치에서 있어서는 공간감각이 가장 중요한 능력이라고 생각한다. 거기에 적당한 힘도 발치에 큰 도움이 될 수 있다고 본다.

어쨌든 필자는 이 책에 두발자전거를 타는 방법 정도로 설명했다고 생각한다. 물론 두발자전거도 못 타는 사람이 있긴 하지만, 대부분의 사람들은 충분한 연습과 시행착오를 거쳐서 두발자전거를 타게 된다.

자 이제 필자와 두발자전거로 여행을 떠나보자.

이 책을 읽기 전에 반드시 지금 구매하자 ★★★

이 책을 읽기 전에 위의 도구가 없다면 꼭 구매하자. 하악용 Hu-Friedy 222번, 상악은 Hu-Friedy 10S를 기본적으로 사용한다. 지금 포셉으로 충분하다면 굳이 안 사도 되지만, 지금 맘에 드는 포셉이 없다면 하나 구입해 보자. 아무리 발치 비용이 저렴하다고 해도, 발치 한두 케이스면 포셉 하나 정도는 살 수 있다. 그 다음이 Hu-Friedy 엘리베이터(Hu-Friedy EL3C)인데, 이거 없으면 이 책 보나마나라고 할 정도이다. 꼭 사자. 비용도 별로 안 비싸고, 필자가 오랫 동안 사랑니 발치 강의를 하면서 추천하고 후회하는 이야기를 들어본 적이 거의 없다. 내키지 않더라도 필자를 믿고 사길 바란다. 페이닥터라도 썩는 거 아니니까, 자기 돈 주고라도 하나 사서 발치를 배워보시길...

그 밑에는 Periosteal elevator (Hu-Friedy P9)와 함께 사용하는 Surgical curette (Hu-Friedy CM 11)인데, 뭐 비슷하게 생긴 거면 뭐든 크게 상관 없다. 다만 페리오스티얼 엘리베이터는 한쪽은 꼭 날카로워서 잇몸을 제끼기 좋게 생긴 걸 추천하고, 서지컬 큐렛은 크기가 2.5 mm 정도로 너무 크지 않은 것을 권장한다. 다만 크기가 작을수록 잘 부러질 수 있으므로, 초보자일수록 Hu-Friedy 제품을 권장한다. 그리고 뒤에서 따로 언급하지만 롱쉥크 서지컬 라운드 버가 없다면 반드시 지금 같이 주문하자. 필자는 KOMET 회사의 6번과 4번 버를 권장한다.

종종 다른 회사제품도 같이 추천하라고 하는 분들도 계시는데... 안 써본 제품을 추천할 수가 없으니... 판단은 독자가 할 것이라 맡기고...

이 기구들은 자동차로 따지면 벤츠나 BMW, 포드처럼 워낙 세계적으로 유명한 제품이기 때문에 아마 거래하는 치과재료업체 어디나 쉽게 구할 수 있을 것이다. 그래도 아직 마땅한 거래처가 없다면 아래의 연락처로 연락해보기 바란다. 필자의 사랑니 발치 세미나를 도와주고 있는 업체라 필자가 사용하는 기구를 이미 잘 알고 있고 세트로도 판매를 하는 등 가격적인 면에서도 유리할 듯하다.

삼성샤인덴탈 010-2767-9959
㈜준영메디케어 010-3294-7576, 070-4255-2875

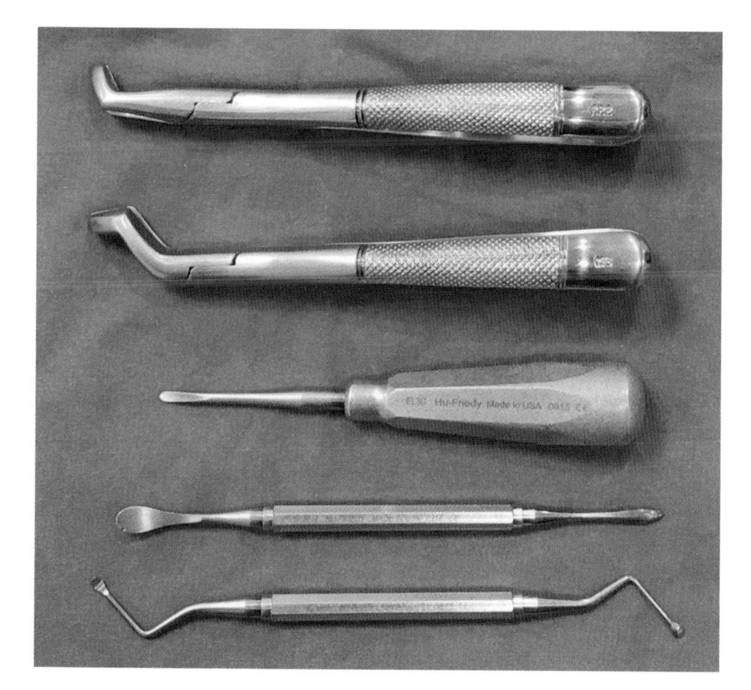

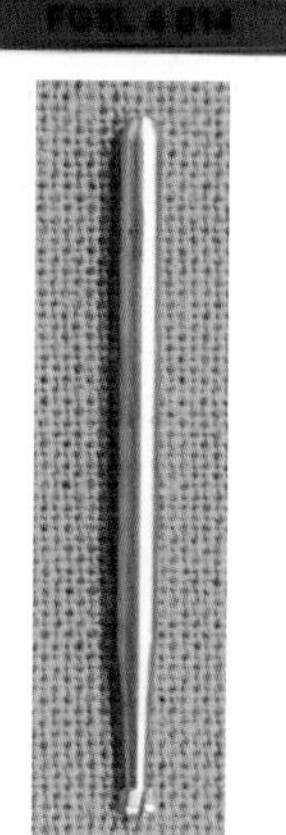

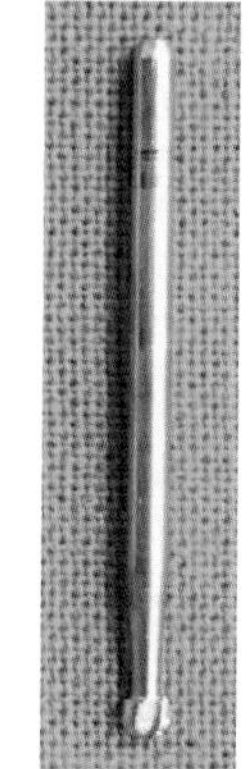

이 책을 읽고 발치 따라하기 ★

필자는 사랑니 발치에 너무 관심이 많아서 발치의 고수들을 많이 만나보고 이야기도 나누는 걸 좋아한다. 그러면서 필자가 느낀 바는 명확하다. 모두 자기만의 독특한 발치 방식이 있고, 모두 자기 방식이 가장 훌륭하다고 생각하고 산다는 것이다. 그리고 지금 현재 자기가 하고 있는 자기 방식만으로도 모든 사랑니를 잘 뽑고 지내고 있다. 굳이 다른 사람들의 방식을 알 필요가 없는 것이다. 자기만의 방식으로도 충분하기 때문에, 자신의 방법이 최선이라고 믿고 있었다. 심지어 자기가 우리나라에서 사랑니 발치를 가장 잘한다고 말하는 사람도 너무 많았다. 필자 또한 같은 생각이었는데, 많은 고수들과 이야기를 나눠보고 나서 필자는 그런 생각을 버리기로 했다. 요즘은 스스로 <나보다 사랑니 발치 잘하는 사람은 너무 많다. 그러니 더 열심히 해야 한다.>, <나는 사랑니 발치를 가장 잘하는 사람이 아니다. 그리고 내 방식은 오히려 나에게만 맞는 방법일 수도 있다.> 이런 생각들을 일부러 많이 했다.

그래서 이 책을 읽는 치과의사 독자들에게 말하고 싶은 건 굳이 모두 필자의 방식을 따라할 필요는 없다는 것이다. 오히려 자기만의 방식을 하나씩 만들어가면서, 필자의 방식 가운데 자기에게 맞는 방식을 하나씩 접목해 나가면 될 듯하다. 그래서 오히려 이 책은 완전 초보 치과의사들보다는 어느 정도 사랑니 발치를 해본 치과의사들에게 한 두 가지 본인에게 맞는 방법을 채택해 나가는 데 도움을 주는 책이다. 그러나 본인이 왕초보라면 하나하나 필자의 방식대로 하나씩 차근차근 따라해보자. 필자는 발치만 많이 한 게 아니라... 발치 교육 또한 많이 해본 사람이기 때문에 초보들이 어떠한 면에서 힘들어하는지도 잘 알고 있는 편이다.

Dr. 김영삼의 사랑니 발치 건수 ★

뭐하나 내세울 거 없는 일반치과를 개원하고 그 중에서도 별볼일 없는 치과의사였던 나... 그저 나는 잘 나가는 치과의사들이 관심 없던 사랑니를 빼는 방법밖에 없었다. 개원 초부터 사랑니 환자는 엄청 많았다. 2002년 말부터 2004년 중순에 구강외과 의사를 영입하기 전까지 한 달에 몇 백 개씩은 뺀 듯하다. 당시에 하루 최고 기록이 교정 발치를 포함해서 27개였다. 그 기록을 2016년 2월 어느 날 32개로 갱신하였다. 모두 진료시간의 반절 정도는 일반진료를 하면서 보냈고, 마취와 봉합도 모두 필자 혼자하면서 세운 기록이다.

어쨌든 2004년 봄에 구강외과의사를 영입한 뒤로는 100개 전후로 꾸준히 10년 정도 사랑니 발치를 해온 듯하다. 건강보험프로그램을 이용한 통계로 대략적으로 직원들이 보고하는 수치이다. 그러나 강남이라는 지역적 특성상 외국인환자도 많고, 지금은 별로 없지만 예전에는 교정 등의 이유로 보험적용을 하지 않는 사랑니 발치도 많았다. 그러나 지금은 대부분 거의 모두 건강보험을 적용하고 있다.

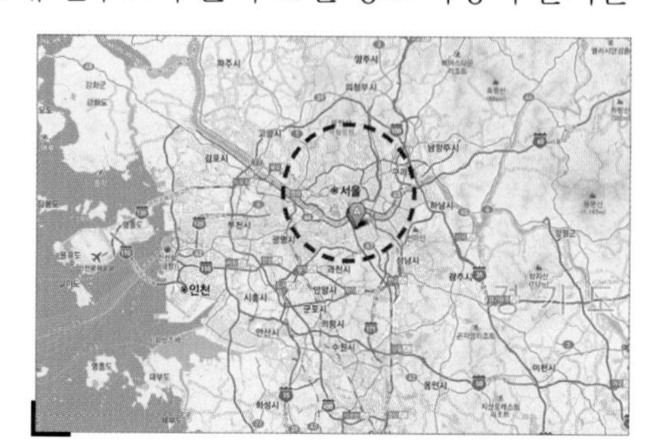

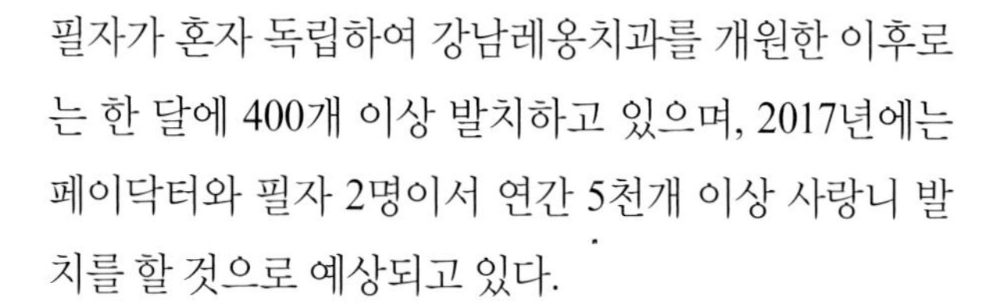

필자가 혼자 독립하여 강남레옹치과를 개원한 이후로는 한 달에 400개 이상 발치하고 있으며, 2017년에는 페이닥터와 필자 2명이서 연간 5천개 이상 사랑니 발치를 할 것으로 예상되고 있다.

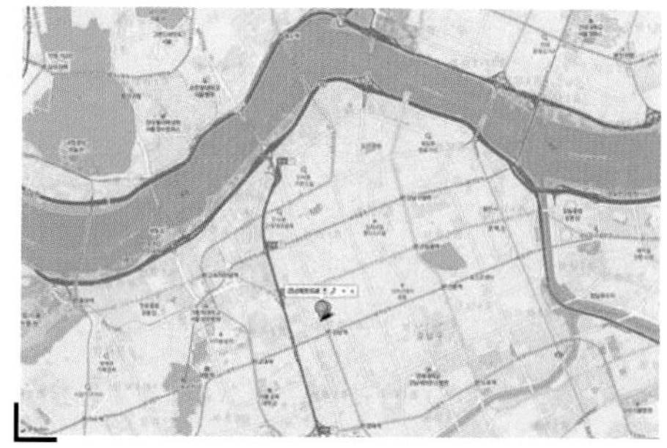

본인이 사랑니를 몇 개 빼는지 궁금하다면 건강보험 프로그램을 돌려보자. 본인이 생각하는 건수보다 훨씬 적게 뽑고 있는 것을 확인하게 될 것이다. 필자도 한 달간 발치하고 통계치를 보면 필자가 피부로 느꼈던 숫자의 반정도 밖에 안 되는 것을 확인한다. 대학병원 수련의들도 마찬가지이고, 아마 이 글을 읽는 여러분들도 마찬가지일 것이다. 앞으로는 사랑니 발치 건수를 논하려거든 꼭 건강보험 프로그램으로 조회를 해보고 이야기하자.

서울 지도에서 강남역과 강남레옹치과를 단계별로 확대해서 본 모습. 유동인구가 많은 지하철 뿐만 아니라 서울과 경기도 곳곳으로 가는 많은 버스정류장이 있다. 월세가 무지 비싸지만, 그 동안의 환자들 때문에 필자가 이곳을 떠나지 못하고 있다. 다시 개원하라면 절대 강남엔 안 하겠지만...

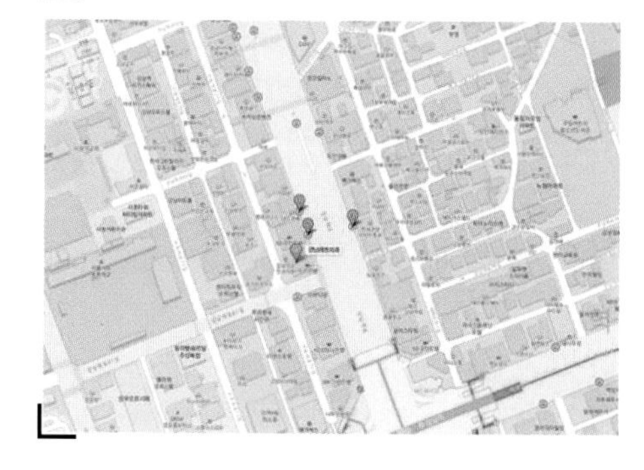

우리나라 사랑니 발치 건수 ★★

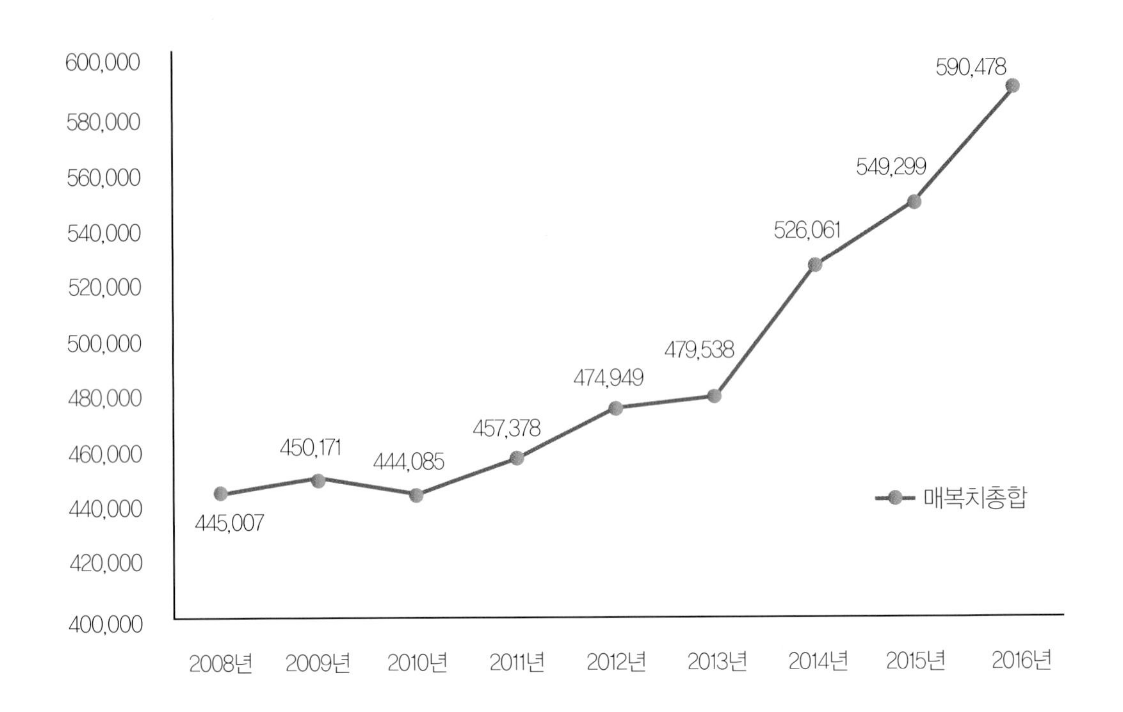

그렇다면 우리나라 치과의사들은 사랑니를 몇 개나 뺄까? 위 그래프가 최근 몇년간 치과의원에서 시행하는 매복치 발치 건수이다. 가장 최근 자료인 2016년을 기준으로 하면 총 590,478개를 발치하였으므로 당시 치과의원수 17,000개로 나눠보면 치과의원당 연 34.7개로 월평균 2.89개 정도 수준이다. 사랑니 중에서도 단순발치로 청구되는 것까지 감안해도 치과의원당 월평균 한달에 4~5개 정도 된다고 보면 될 듯하다.

앞서 언급했듯이 사랑니도 매복치가 아닌 단순발치로 청구되는 경우도 많고, 치과대학병원이나 상급종합병원 등을 다 포함하면 전국적으로 사랑니는 연간 80~90만개 정도 발치하는 것으로 생각된다.

사실 사랑니 발치를 많이 하는 청년층 인구가 급감하고 있음에도 불구하고 매복치 발치 건수가 증가하는 양상의 그래프가 신기하기도 하다. 그러나 이는 필자가 건강보험강의에서도 종종 언급하는 내용인데, 대한민국 치과의사들이 요즘 모두 건강보험을 열심히 공부하고 있어서 예전에는 그냥 일반 단순발치로 청구하던 사랑니도 이제는 모두 매복치로 맞게 청구하고 있는 것이라고 생각된다. 그래서 실제 전체 발치 건수의 증가 비율보다 매복치 발치 건수의 증가 비율이 점점 더 높아지는 것이라고 생각된다.

우리나라의 사랑니 발치 비용 ★★★

우리나라에서 사랑니 발치 비용은 모두 건강보험에 적용되며, 여기에 어떠한 명목으로도 임의로 비급여를 할 수 없게 되어 있다. 심지어 수면 마취나 기타 다른 수많은 편의(?)를 제공한다고 해도, 진료비를 추가로 받는 것은 모두 불법이다.

그럼 예를 들어서 한번 보자.

가장 간단한 사랑니 발치 진료비가 옆에 그림처럼 7,360원 정도의 수준이다. 마취와 방사선촬영료를 모두 합해도 3만원 정도 수준이다. 세계적으로 이렇게 저렴한 발치 비용은 없다. 보통 선진국 평균 수가는 가장 저렴해도 100~500달러 수준으로, 우리나라가 속해 있는 OECD 회원국들과 비교해도 엄청나게 저렴한 수준이다.

가장 비싼 사랑니 발치 비용은 아래 그림과 같다.

사랑니가 방사선 사진상으로 치관이 골 내에 2/3 이상 매복되어 있는 경우이며, 가장 비싼 완전매복치를 청구할 수 있는데, 그 비용도 59,750만원 정도 수준이다. 진찰료에 의료기관 종별가산금에, 마취, 파노라마, 치근단 방사선촬영료 등을 모두 합해도 11만원 수준이다. 이러한 완전매복 발치비용은 다른 나라들과 비교하면 어떤 수준일까? 필자가 알아본 바로는 가장 저렴한 나라도 500달러 이상이고, 우리와 가장 교류가 많은 미국의 경우는 1,000~5,000달러 수준이었다.

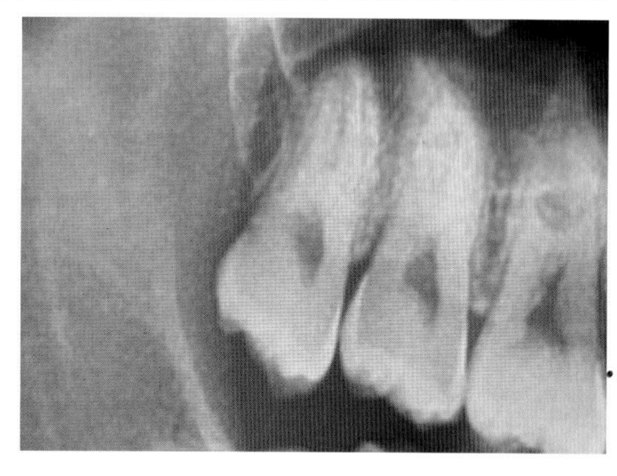

처치순번	1 2
진료의사	김영삼
진 료 과	구강악안면외과
상 병 명	[K05.30] 만성 단순치주염
내역설명	

구분	진료항목	회	일	금액
행위	구치발치	1	1	7,360
행위	전달마취(나) - 하치조신경블록크	1	1	4,090
약제	리도카인(1:10만)(광명)	2	1	712
행위	의약품관리료 1일분 (의원)	1	1	180
행위	치근단 촬영판독	1	1	3,170

수납 | 총진료비: 30,860원 | 본인부담금: 9,200원

우리나라에서의 가장 저렴한 사랑니 발치 비용
그냥 포셉으로 뽑는 가장 저렴한 단순발치 비용으로 방사선 사진과 마취 비용을 별도로 하여 합한 금액이다.

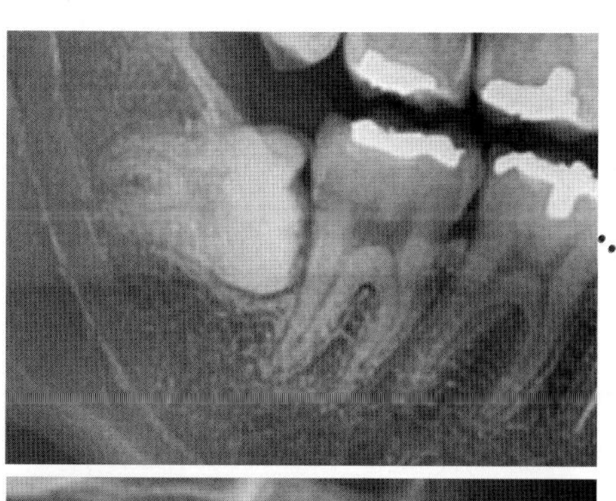

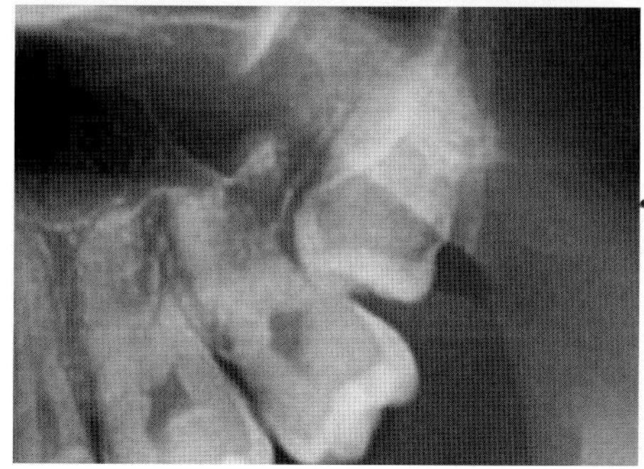

처치순번	1 2
진료의사	김영삼
진 료 과	구강악안면외과
상 병 명	[K01.173] 하악 제3대구치의 매복
내역설명	치아분리술과 골삭제 시행함

구분	진료항목	회	일	금액
행위	매복치발치(골삭제, 분리)	1	1	59,750
행위	전달마취(나) - 하치조신경블록크	1	1	4,090
약제	리도카인(1:10만)(광명)	2	1	712
행위	의약품관리료 1일분 (의원)	1	1	180
행위	치근단 촬영판독	1	1	3,170
행위	파노라마 촬영판독	1	1	10,490
재료	100:100 발치, 치근, 치조골성형술 ...	1	1	6,980

수납 | 총진료비: 110,150원 | 본인부담금: 33,000원

사랑니가 골 내에 2/3 이상 매복되어 치아 분리 및 골 삭제를 실시하여 발치한 경우로, 대한민국에서 가장 비싼 사랑니 발치이다. 마취와 방사선을 모두 포함한 금액으로 통상 여기에 스켈링 등 치주치료 비용과 CBCT 금액 정도만 추가로 청구할 수 있다.

필자는 여기서 마취나 방사선 등을 포함한 금액도 같이 표기를 했는데, 필자가 말한 다른 나라의 사랑니 발치 비용 등도 모두 마취와 방사선 촬영료 등을 빼고 이야기한 것이다. 다른 나라의 경우도 마취와 방사선 비용은 대부분 별도이며, 우리나라는 발치 행위료에 포함되어 있는 봉합 비용도 별도로 청구하는 경우도 많고, 심지어 발치 후 주의사항 설명 비용, 발치 후 거즈 물려주는 비용마저도 별도로 청구하는 외국 치과도 있었다.

거기에 최근 세계적인 추세로 맨 정신에 사랑니 뽑으면 엄청나게 공포스럽고 통증이 있을 수 있다고 환자에게 겁을 엄청 줘서, 전신마취나 수면마취를 통해서 무통으로 사랑니를 뽑는 것을 적극적으로 시행하여 비용을 두 배 이상 늘려나가고 있다.

어쨌든 필자는 발치가 좋아서 하고 있고, 그로 인해서 힘들지만 치과가 망하지는 않고 운영되고 있다. 그러기 위해서는 사랑니의 보험청구에 대해서도 알 필요가 있다. 어쨌든 이제 개원을 꿈꾸고 있는 젊은 치과의사라면 사랑니 발치를 연습해보자. 몸은 좀 힘들고 대박은 없을지 몰라도, 망하지는 않는다. 그러면서 자기도 모르게 외과적 실력이 부쩍부쩍 느는 걸 알 수 있게 될 것이다.

사람들이 필자를 우리나라에서 최초로 치과건강보험 책을 쓰고 강의를 한 사람으로 알고 있지만, 청구만 그렇게 열심히 한 게 아니라 청구할 거리를 만들기 위해서 사랑니 발치를 누구보다 열심히 하였다.

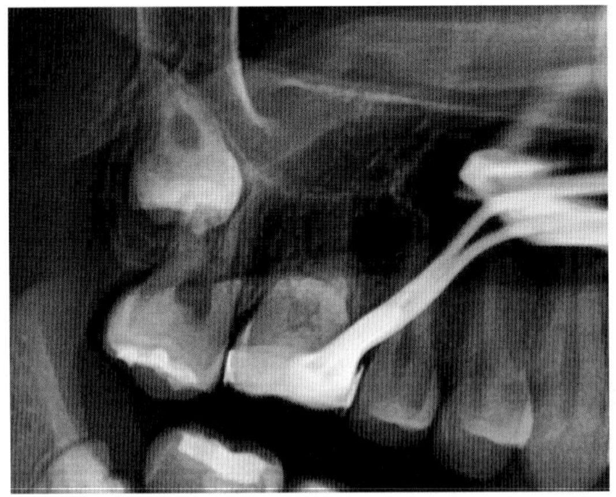

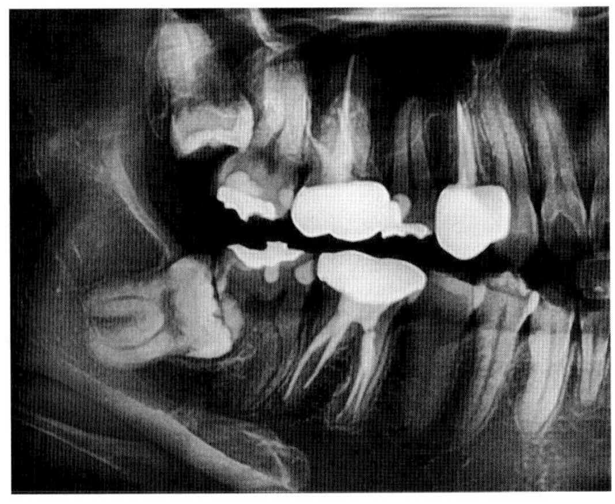

위의 케이스와 같은 좀 더 난이도가 높은 사랑니들을 빼도 추가로 진료비용을 청구할 수 없다. 당장 발치 수가를 인상해야 겠지만, 난이도가 더 높은 발치 수가의 신설이 필요하다.
너무나도 저렴한 수가를 만회하기 위해서 발치 후 각종 지혈제나 PRP 등을 시술하고 추가로 비용을 청구하는 경우가 있는데, 모두 불법이라고 간주하는 것이 좋다.
필자가 미국이나 다른 곳에 개원하고 있었더라면 아마도 떼부자가 되었을 듯하다. 평생 사랑니만 뽑고 사는 행복한 인생을 살면서 말이다.

왜 사랑니 발치 세미나가 인기가 많을까? ★★

우선 정답부터 말하면…

임플란트가 대중화되면서 치과의사라면 이제 외과적인 치과치료를 안 하고 살 수 없기 때문이다.

필자는 오래 전부터 사랑니 발치를 많이 하면서, 여러가지 세미나도 진행해왔다. 그런데 요즘 특히 사랑니 발치 세미나가 인기가 많아지고 있다. 단순히 경기가 안 좋아져서 적은 비용이라도 벌기 위해서 그런 걸까? 얼마 전에는 미국과 캐나다에서 한국인 치과의사들을 상대로 강의했고, 이 책이 출판되서 나오자마자 이 책을 교재로 호주에서 강의하기로 했다. 이런 선진국 치과의사들도 요즘 들어서 사랑니 발치 등에 관심이 더 늘었다.

왜 그럴까? 바로 임플란트의 대중화 때문이다.

우리나라에서도 외과적인 치과치료를 거의 안 하고 사는 치과의사들이 많았다. 하물며 전문의제도가 발달된 선진국에서는 그런 측면이 더 심했을 것이다. 그런데 임플란트가 대중화되고 치과의사라면 누구나 임플란트를 하는 시대가 되었다. 평균적으로 보면 임플란트가 발치보다 더 쉬운 경우가 대부분일 것이다.

사실 임플란트는 식립이 핵심이라고 알려져 있다 보니, 식립하고, 보철과에 의뢰하는 외과나 치주과의사들이 늘 손해보는 느낌이었을 것이다. 외과나 치주과 의사들이 임플란트 보철이 어렵지 않음을 깨닫고 스스로 임플란트 보철을 하기 시작하니, 가만히 기다리고 있던 보철과의사들이 그럼 이제 우리도 심어볼까? 하게 되고… 양쪽을 지켜보던 GP들도 내가 보철과의사보다는 잘 심고, 치주과나 외과의사들보다는 보철을 잘하는 것 같으니... 이제 우리도 직접 임플란트를 심고 직접 보철을 하자... 는 생각으로 변하는 것이다. 거기다 요즘은 컴퓨터 가이디드 임플란트가 대중화되면서 심지어 풀마우스 케이스라도 GP들이 쉽게 접근하고 자신감을 갖게 되었다.

세계적으로 임플란트 진료비가 하향 평준화되고 있는 것도 중요한 원인 중의 하나일 것이다.

환자를 유치하는 면에서도 차이가 있었을 것이다.

필자는 사랑니를 많이 뽑다 보니 7번 임플란트를 하는 환자가 많다. 대부분 동시에 진행하기도 한다. 또한 발치 후 즉시식립도 추세적으로 증가하고 있다. 이런 측면에서 내원한 환자를 다른데 보내서 발치만 진행한다는 것도 쉽지 않을 것이다. 이제 GP들도 직접 발치를 하게 되고, 그러다 보니 발치 세미나나 사랑니 발치 세미나에 관심이 함께 증가한 것으로 생각된다. 실제로 수강생들의 이야기를 들어보면 발치 세미나에 오게 된 이유가 이렇다. 심지어 환갑이 훌쩍 넘으신 원장님들도 그 동안은 외과적인 건 안 하고 살았는데, 임플란트가 대중화되고 심지어 보험화되면서 임플란트 못하면 바보 소리 들어서... 앞으로 치과의사를 5년을 하든 10년을 하든 외과적인 치료를 해야겠다고 맘먹고 세미나 등록하셨다는 분들도 계시다.

이제 사랑니 발치는 단순히 사랑니 발치만의 문제가 아니다. 기본적인 외과적인 치과치료의 시작이다. 사랑니 발치만 잘해도 임플란트나 플랩, 골이식술 등 모든 외과적치료가 쉬워진다.

그렇다고 모든 사랑니를 다 빼자는 것도 아니다, <모든 사랑니를 포기하지는 말자>로 시작해야 한다. 간단한 것부터 안전하게 발치하는 것이 몸에 배면 임플란트를 포함한 기본적인 외과치료에 점점 더 자신감을 갖게 될 것이다.

강남 사랑니 발치 연구회★

필자는 일반 치과의사들을 교육(함께 나누면서)하면서 더 많이 배우고 깨닫게 되었다. 교육학자 에드거 데일(Edgar Dale)이라는 사람이 "가르치는 것이 배우는 것이다." 라고 말하였다. 필자는 이 말을 약간 수정하여 "배우는 가장 좋은 방법은 가르치는 것이다." 라고 말한다. 필자가 부족한 실력임에도 사랑니 발치 세미나를 하지 않았다면, 아마 실력이 지금보다도 형편없었을 것이다. 물론 이 책을 쓰지 않았다면 이 많은 케이스를 정리하는 일도 없었을 것이다. 그래서 필자는 사랑니 발치 세미나를 무척이나 좋아한다.

필자가 운영하는 「강남 사랑니 발치 연구회」 로고이다. 사랑니 발치 강의는 오래 전부터 해왔지만, 최초로 광고를 내고 유료로 모집해서 운영한 것이 2013년이라 since 2013이라고 넣었다. 원래는 이런 것도 없었는데, 세미나 후에 써티피케이트를 원하는 분들이 계셔서 한 번 제작해보았다. 사랑니 발치 연구회 앞에 붙일 말로는 한국, 대한, 서울 등을 고민하다가 강남으로 하였다. 필자가 16년째 사랑니 발치를 하고 있는 곳이고, 이제 강남이 어느 지역보다 글로벌하게 유명한 지명이 되었기 때문이다. 그 옆은 자매품 「강남임플란트연구회」 로고이다. 아직 우리나라에서 사랑니 발치에 관심이 많은 사람들은 대부분 임플란트에도 관심이 많기 때문에 대부분 겹치는 부분이 많아서 임플란트 세미나도 병행하고 있다. 영문이름 등은 영어 잘하시는 임종환 선생님께서 패컬티로서 작명하셨다.

이 책과 함께 부디 이 로고가 쓰일 일이 많기를 바라며 ^^

YouTube[KR] 유튜브 채널

강남사랑니발치연구회

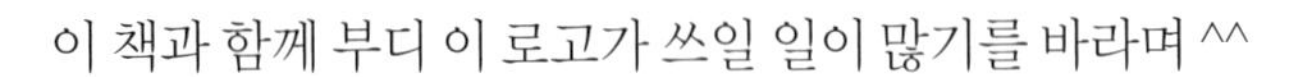

네이버 까페 http://cafe.naver.com/dentalschool

홈페이지 같은 거 만들 형편은 안 되어서 유튜브 채널과 네이버 까페 하나 만들어서 만들어서 운영하고 있다. 관심 있다면 가입해주시길 바란다.

EASY
SIMPLE
SAFE
EXTRACTION
of
wisdom
tooth

01 CHAPTER

GANGNAM STYLE

사랑니 발치의 장점

이 chapter의 제목을 무엇으로 할까 고민을 했다.
〈사랑니 발치를 하면 뭐가 좋을까?〉, 〈사랑니 발치를 하면 좋은 점〉,
〈사랑니 발치와 치과 경영〉, 〈사랑니 발치와 성공개원〉 등 여러 제목으로
고민을 하다가 위와 같이 〈사랑니 발치의 장점〉이라고 정해봤다.
사랑니 발치를 잘하게 되면 환자들로부터 신뢰를 받게 된다.
또한 요즘같은 불경기에는 아무리 저렴한 수가라도 작은 수입은 된다.
또한 반복된 사랑니 발치술식으로 임플란트나 치주치료 등의 실력도 많이
향상된다. 이 chatper에서는 그러한 부분에서 몇 가지를 언급해보려고
한다.

01
이런 치료를 존중할 수 있을까? ★★

사랑니를 안 뽑고 7번을 크라운한 경우

사랑니 뽑으러 온 환자들의 방사선 사진에서 사랑니 때문에 7번 치료가 제대로 되지 않거나, 원심면 마진이 잘 안 맞는 경우를 종종 보게 된다. 이런 사진들을 보면 환자에게 뭐라고 설명을 해야 할지 고민이 된다. 왜 사랑니를 안 빼고 7번을 치료했을까?
그다지 어려운 케이스로 보이지도 않는다. 물론 너무 어린 나이에 치료한 것이라 그럴 수도 있지만, 환자들의 진술에 의하면 대부분 성인이 되어서 한 것이다. 이런 경우 사랑니 발치를 필수가 아니라 선택의 수준으로 설명을 하였거나, 아예 사랑니 존재 자체를 설명도 하지 않는 경우가 대부분이다. 내가 치과의사라는 사명으로 살아야 한다면, 7번 크라운이 필요한 경우의 사랑니 발치는 필수가 아닐까?

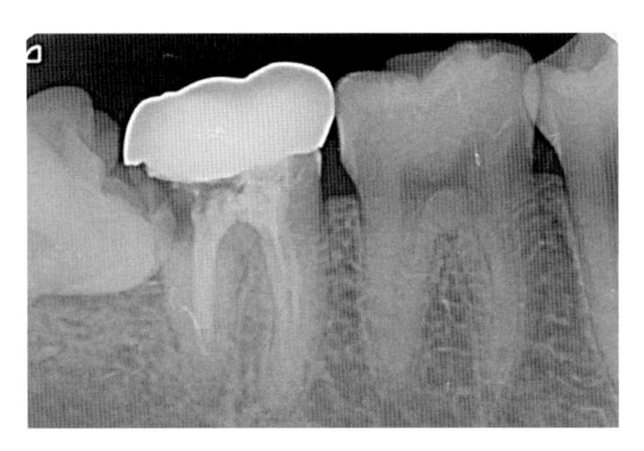

사랑니를 안 빼고 7번 치료를 마쳐서 7번 치아의 원심면이 심한 충치가 생겼다.

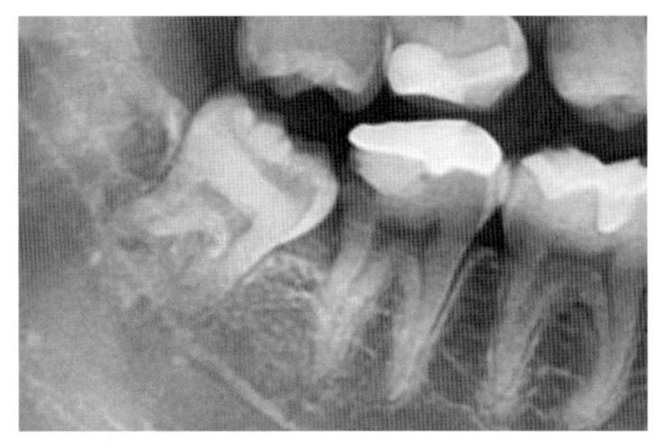

사랑니를 안 빼고 치료하다보니 7번 치아의 원심면 마진이 잘 맞지 않는다.

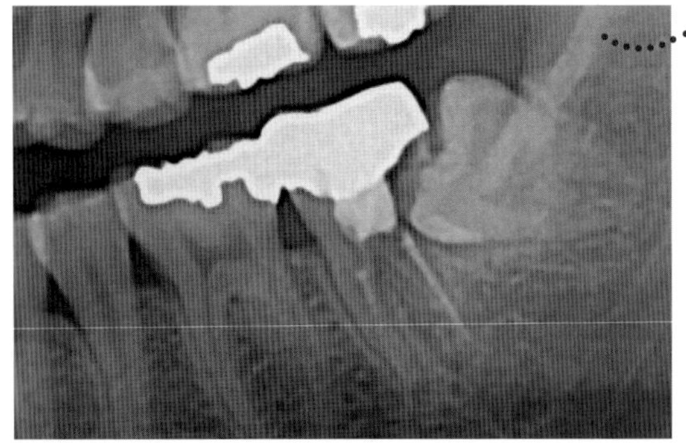

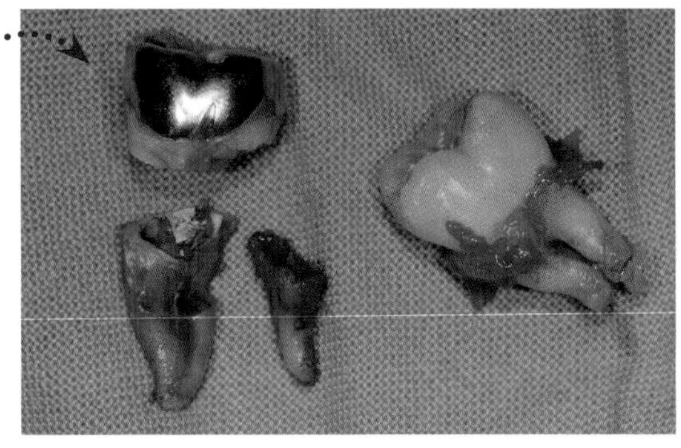

사랑니를 발치하지 않고 7번 치아를 치료해서 결국 둘 다 빼게 된 경우이다. 이런 케이스에서 본인이 사랑니를 못 뽑거나 안 뽑는다 하더라도 반드시 사랑니 뽑는 치과에 의뢰해서 발치하고 치료를 마무리하는 것이 좋을 듯하다.
필자는 이렇게 7번 치료하면서 8번만 발치해달라고 의뢰되어 오는 환자를 보면 무조건 의뢰한 원장님을 칭찬한다. 정말 좋은 원장님 만나서 제대로 치료받는 것이라고...

★

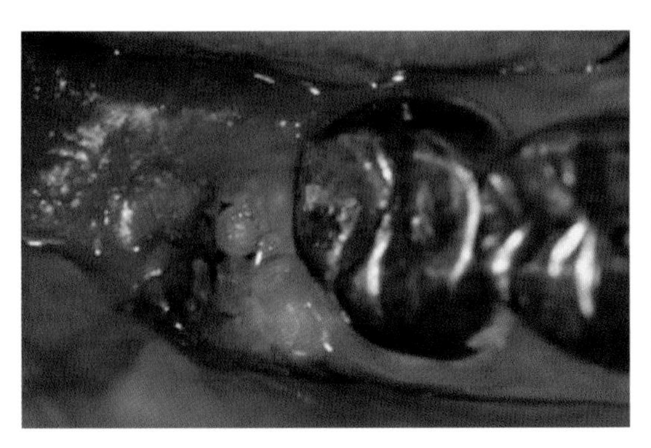
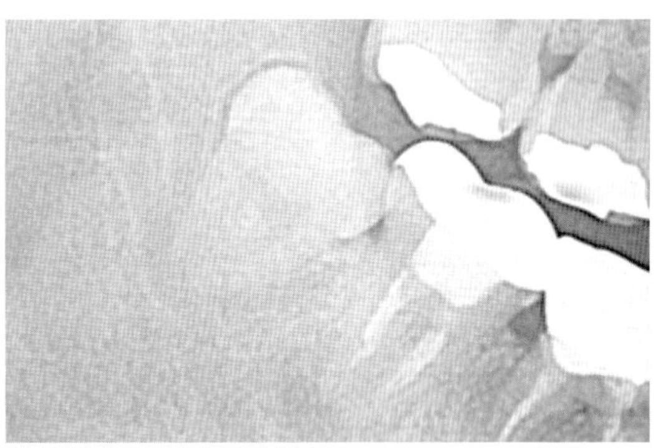

사랑니를 안 빼고 치료해서 염증이 생긴 경우이다. 또한 사랑니 발치 과정에서 앞 어금니의 크라운이 벗겨질까 매우 조심하면서 발치해야 한다. 필자는 이런 경우는 엘리베이터만으로 발치가 가능하겠지만, 앞 크라운이 벗겨질 수 있으므로 아래 케이스처럼 사랑니의 앞 쪽을 삭제하고 언더컷을 없앤 후에 발치하기도 한다.

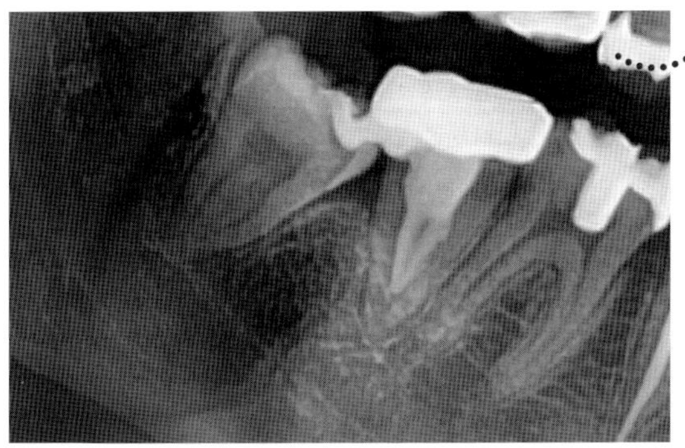
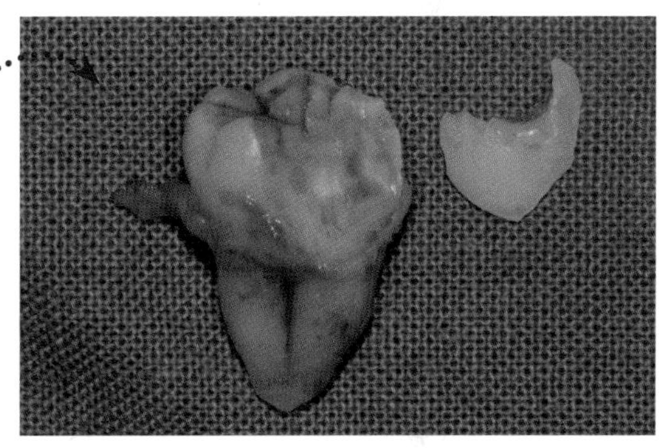

바로 위 케이스와 비슷한 케이스이다. 마찬가지로 사랑니 발치를 위해서 7번 원심면 하방의 8번 근심면을 삭제하였다. 종종 이렇게 7번에 크라운이나 인레이가 있다면 필자는 대부분의 경우에 언더컷 하방의 치관을 제거한 뒤에 발치를 시행해야 혹시라도 앞의 보철물이 빠지는 것을 막을 수 있다. 물론 발치 전에 보철물이 탈락될 수 있다는 내용을 발치 동의서에 받는다. 무엇보다 중요한 건 이렇게 8번을 발치하지 않고 7번 치료하는 짓(?)을 하지 않는 것이다.

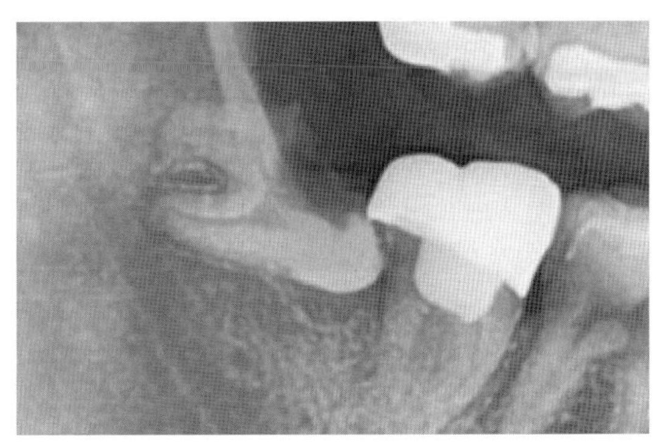
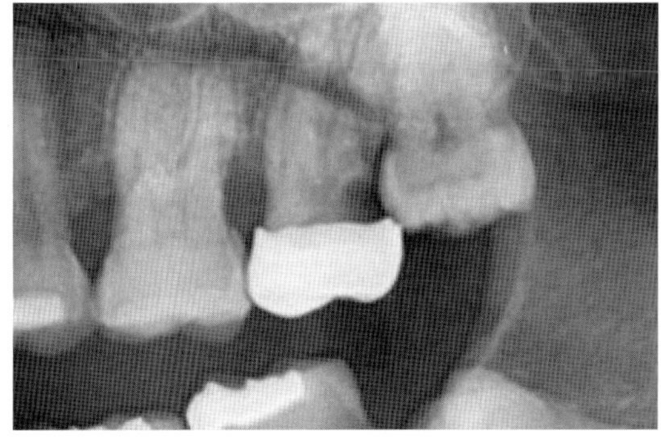

사랑니를 뽑지 않고 7번 치아를 치료한 경우이다. 두 케이스 모두 바람직하다고 보기 어렵고, 특히 7번 크라운의 원심면의 적합도는 매우 떨어지게 된다.

잠깐!

사랑니 발치를 많이 하면 다른 수술도 잘하게 된다. ★★★

개원 초에 플랩 수술과 임플란트 수술 등을 배워도 따라하기가 쉽지 않았다. 그런데 사랑니 발치를 많이 하다 보니 절개와 봉합, 골막, 박리 등을 피할 수 없었다. 이렇게 사랑니 발치를 위한 절개와 봉합을 반복하면서 자연스럽게 임플란트나 치주 등 다른 수술 실력도 함께 향상되었다. 더구나 사랑니는 가장 안 보이는 안쪽에 있다 보니, 남들은 힘들다는 7번 임플란트마저도 쉽게 접근하게 되는 것이다.

필자가 페이닥터하던 2001년... 12년차 여자 원장님께서 앞으로는 임플란트 시대가 올 것이라면서 발치하고 난 뒤에 모든 케이스에서 봉합을 열심히 하시기 시작했다. 심지어 상악 단순발치 후에도 아주 힘들게 봉합을 하셨다. 임플란트 수술을 잘하려면 봉합을 잘해야 한다면서 봉합연습을 하신 것이다. 어찌 보면 필자도 그때 깨달은 바가 있어서 사랑니 발치를 임플란트 수술 연습한다는 마음으로 열심히 했나 보다 싶다.

필자는 후배들에게 그 원장님 이야기를 해주면서 전반적인 치과 실력을 향상시키기 위해서 가장 먼저 사랑니 발치를 많이 해보라고 한다. 사랑니 발치는 예전만큼은 아니지만 아직도 남들이 많이 기피하는 치료이기 때문에 자기가 마음만 먹으면 얼마든지 케이스를 골라가면서 할 수 있다. 그러면서 절개, 박리, 골삭제, 봉합 등을 다양하게 시도하고 익히라고 한다. 그런 식으로 사랑니 발치를 많이 하면서 배워나가다 보면, 같은 느낌이면서 훨씬 접근도 쉬운 임플란트나 치주수술도 좀 더 쉽게 잘할 수 있게 되는 것이다.

잠깐!

왜 사랑니 발치는 자기가 최고라고 말하는 사람이 많을까? ★★

치과의사들 중에 자기가 크라운 프렙을 가장 잘한다. 자기가 근관치료를 가장 잘한다고 말하는 사람을 본 적은 없다. 정말 최고수준의 임상가도 겸손하게 말을 하지 자기가 최고라고 말하지 않는다. 하물며 비슷한 외과적인 수술인 임플란트도 자기가 최고라고 환자에게 말하는 치과의사는 있어도 같은 치과의사들에게 그렇게 말하는 사람은 거의 본 적이 없다. 왜 그럴까?
그것은 아마도 사랑니 발치는 흔적이 남지 않기 때문일 것이다. 사랑니를 뽑고 나면 아무도 모르고, 어떻게 얼마나 힘들게 뽑았는지 아는 사람은 본인 뿐이다. 그렇다 보니 다들 자기가 가장 잘 뽑는다고 말을 한다. 심지어 정말 발치를 잘한다고 생각되지 않는 사람도 자기가 우리나라에서 사랑니 발치로 손 꼽으면 열 손가락 안에 들어갈 거라고 말하는 사람도 몇 명 봤다. 필자가 이런 말을 하는 이유는 그런 사람들이 모두 뻥쟁이라는 게 아니라... 여러분도 노력하면 자기 발치 실력이 최고라고 말하는 그런 사람이 충분히 될 수 있다는 것이다.

02
사랑니 발치에 대한 자신감이 성공개원의 필수 ★

필자가 생각하는 사랑니 발치를 잘하면 좋은 점

- 발치만 잘해도 내게 내원하는 환자를 안 놓친다.
- 발치만 잘하면 환자 수를 늘리기 쉽다.
- 발치를 많이 하면 건강보험청구에도 유리하다.
- 사랑니 발치를 잘하면 환자들은 다른 치과치료도 잘하는 줄 안다.
  그런데, 사랑니 발치 실력이 늘면 늘수록 정말로 다른 진료도 잘하게 된다.
- 사랑니 발치를 잘하다 보면 특히 치주수술과 임플란트도 잘하게 된다.
- 개원 초기 자리잡기 위해 발치를 했으나 요즘은 먹고 살기 위해 발치를 한다.

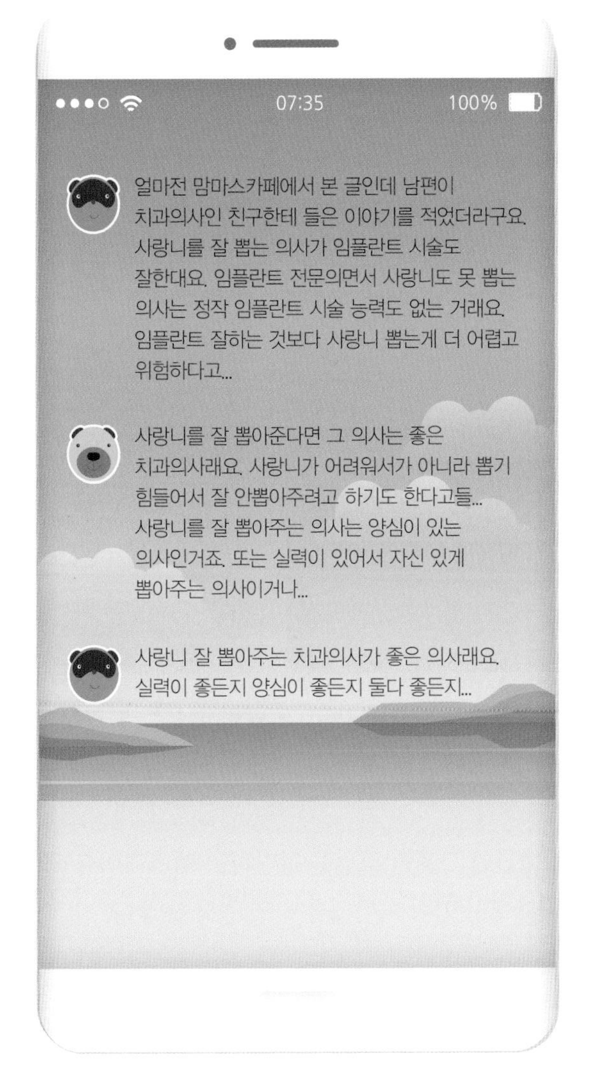

전해 듣기로는 강남 엄마들 사이에서는 '사랑니 발치 할 수 있나 없나'로 의사 실력을 판단한다고 하던데요. 선생님 실력 인정 받고 계신겁니다. ^^
24분 전 · 좋아요 취소 · 1

온라인상에서 필자가 본 내용으로 위의 그림은 제 사랑니 발치 세미나를 응원하는 원장님의 페이스북 댓글이다.
왼쪽 그림은 집사람이 친구들한테서 들은 이야기를 캡쳐해서 보내준 것으로서, 일반인들도 사랑니 발치 잘하는 치과의사가 다른 치과진료도 잘하는 것임을 알고 있다는 것을 보여준다.

03
사랑니를 잘 뽑으면 환자의 신뢰를 얻는다. ★★★

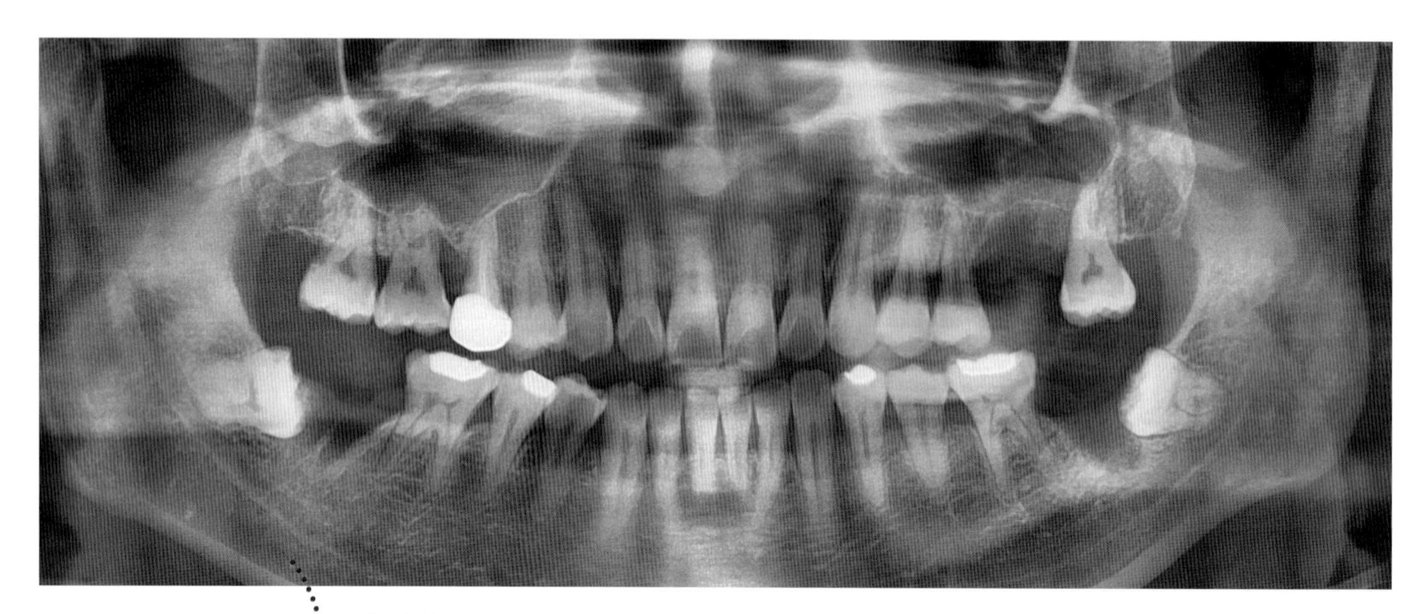

초진 내원 시 #26, 37, 47 치아를 타 치과에서 발치하고 내원하신 환자이다. 자기네 치과에서는 사랑니를 발치할 수 없으니 다른 치과에 가라고 해서 내원한 환자이다. 그런데 환자는 그 치과에 신뢰가 떨어져서 가기가 싫으니 임플란트도 필자에게 해달라고 하였다. 치과에서 의뢰받은 환자가 아니고 환자 스스로 찾아온 경우라 환자가 원하는대로 발치와 임플란트를 진행하였다.

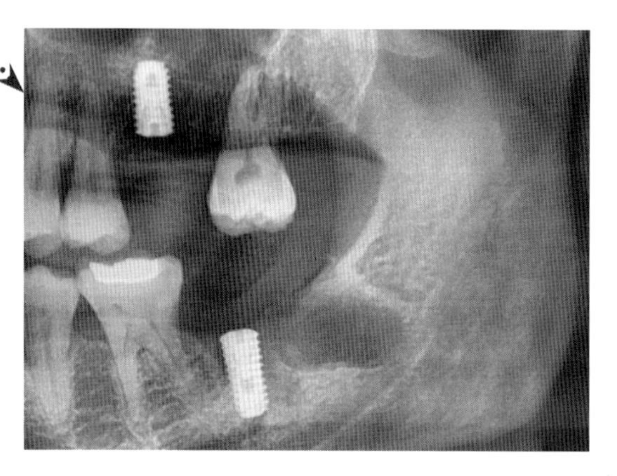

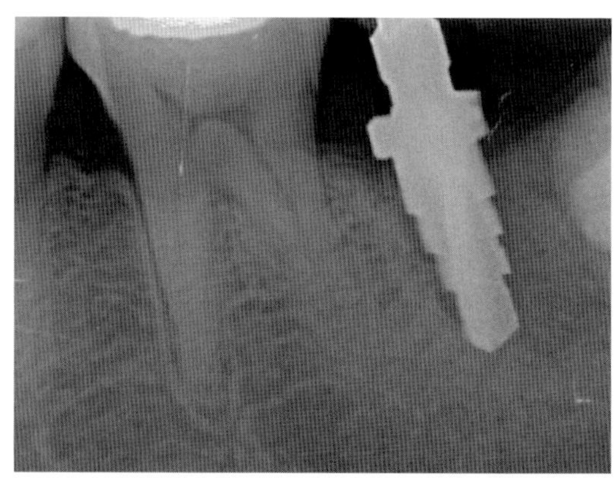

임플란트를 식립 후에 사랑니를 발치한 모습이다. 발치 후에는 블리딩이 많이 되기 때문에, 가장 먼저 #26 상악동 엘레베이션과 임플란트 식립을 먼저 시행하였고, 이어서 #37 임플란트 식립과 #38 발치를 같이 시행하였다.

참고로 필자는 가이드핀 대신에 사용한 드릴을 장착하고 엑스레이를 찍어서 위치를 보는 경우가 많다. 필자가 임플란트 세미나에서 이런 이야기를 하면 반응이 좋다.

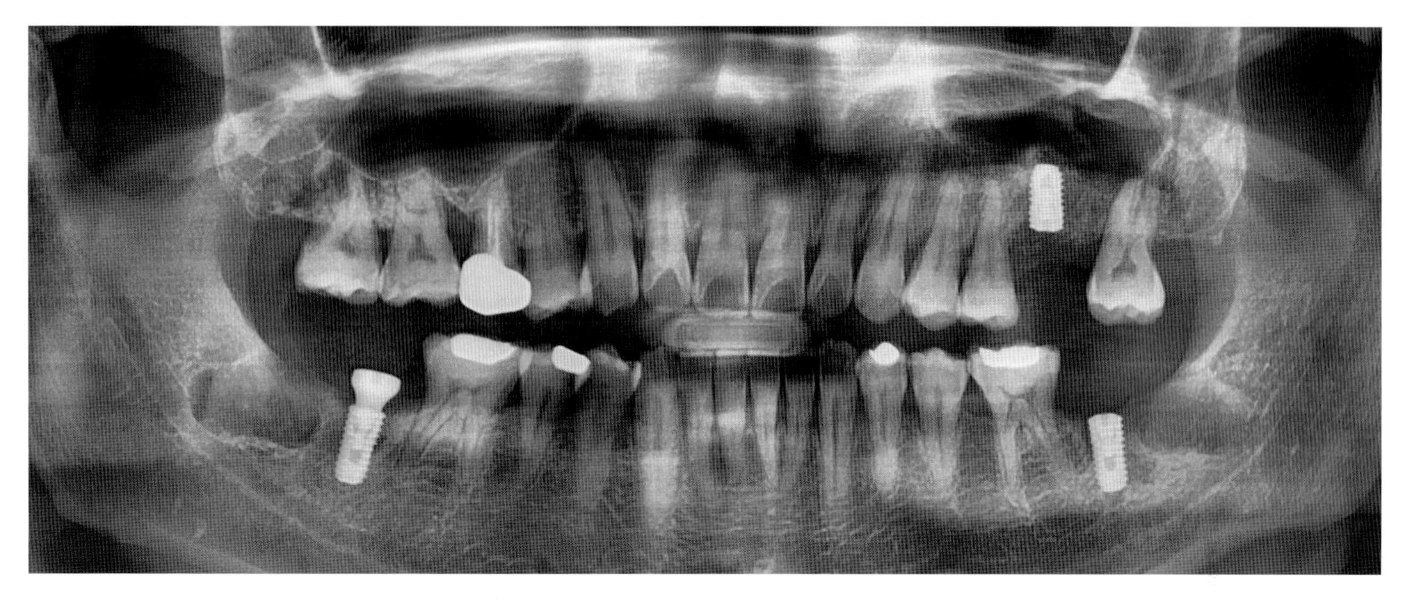

한달 뒤에 #48 사랑니 발치를 시행하고 이어서 #37 임플란트를 함께 시행하였다. 다만 #47번 임플란트의 안정성을 위해서 #48번 사랑니 치관 주변의 치조골을 삭제하지 않고, 평소 수평 매복치를 발치하듯이 치관부를 분리하여 발치하였다. 이런 경우 사랑니 발치와 임플란트 중 무엇을 먼저할 것인가를 고민하게 되는데, 필자는 위와같이 임플란트 원심쪽의 치조골이 건전하면 임플란트를 먼저 식립하고 발치하는 편이다.

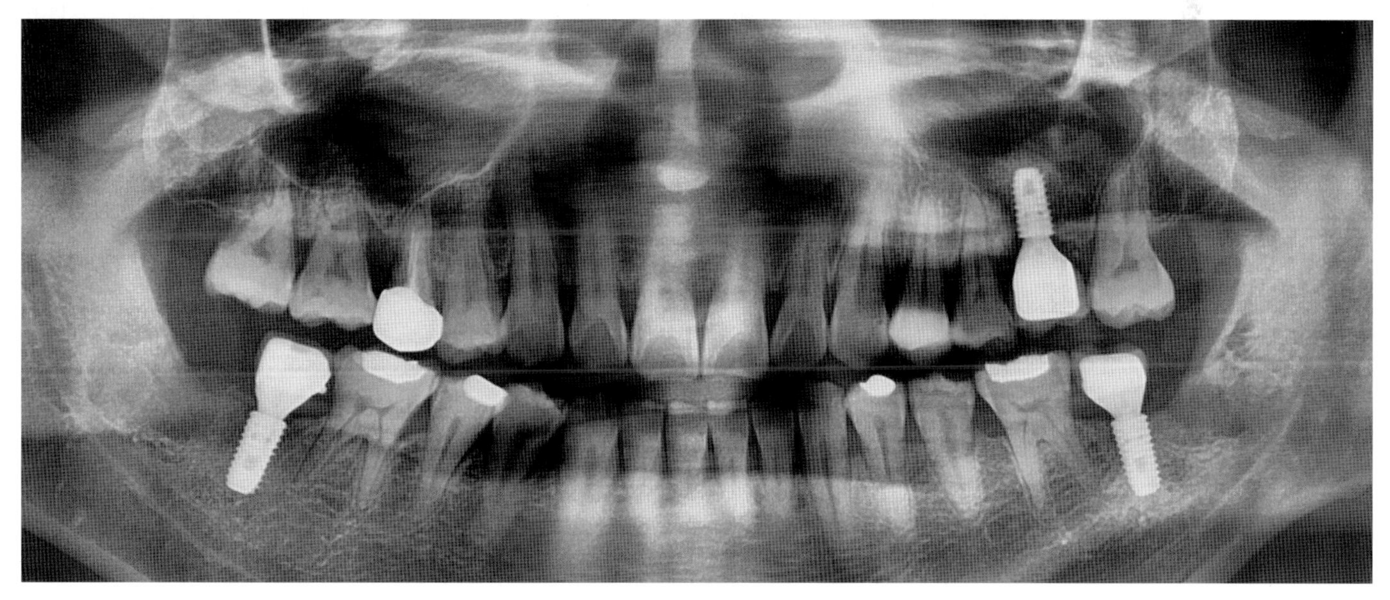

보철 올라가고 한달 후 방사선 사진이다. 환자의 만족도는 생각보다 매우 높으며, 몇 년이 지난 지금도 잘 사용하고 있다.

04 사랑니 발치는 = 치과의사에 대한 절대적 신뢰 ★

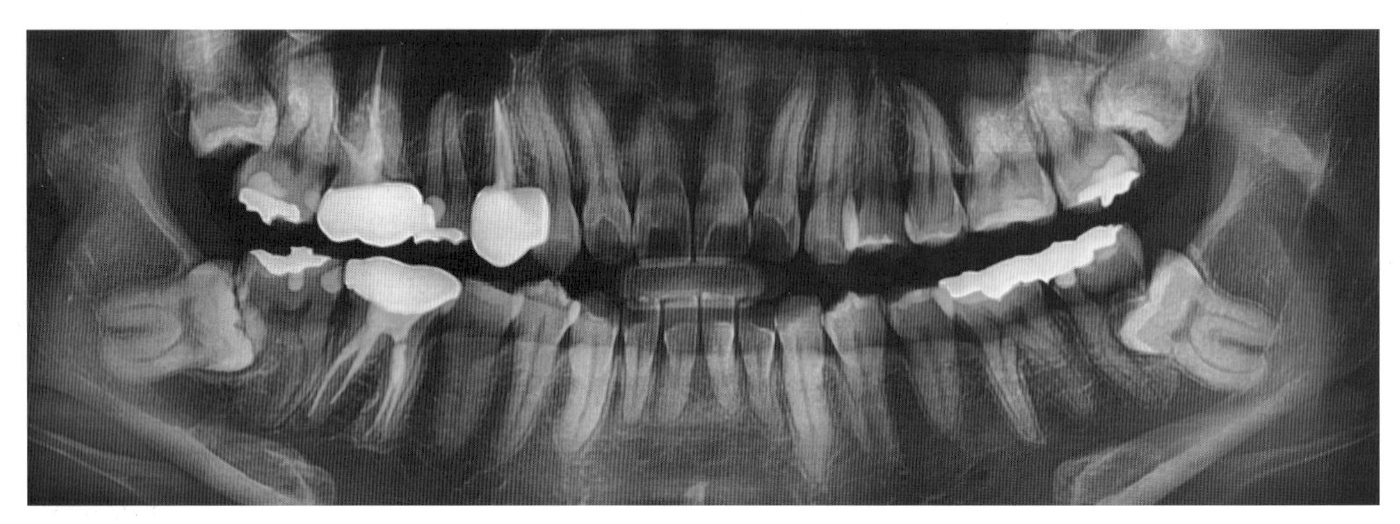

타 치과에서 #37, 38 모두 발치하라는 진단을 받았지만, 우리치과를 검색해서 찾아온 환자로 내원 당일에 #37, 38을 발치하였다.

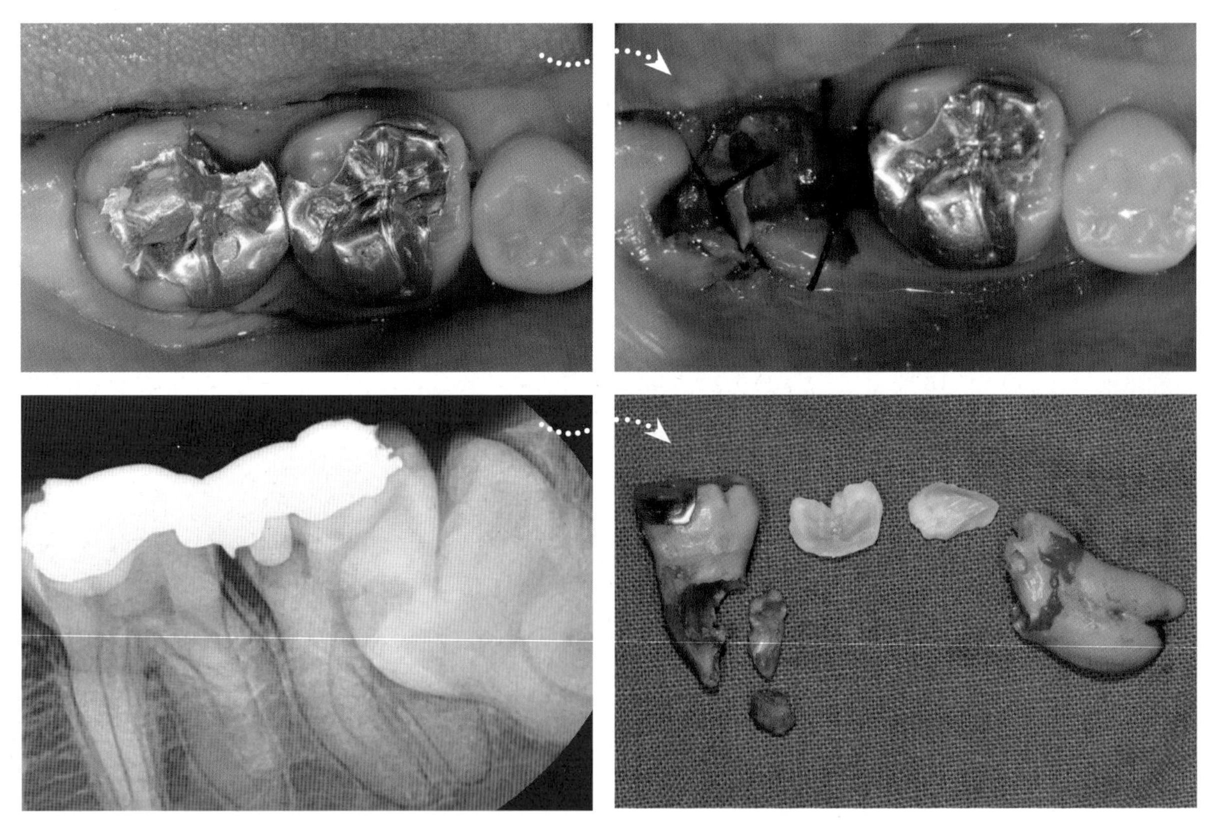

별도의 절개 없이 발치한 모습, 발치 후에는 발치 부위 회복을 위해서 콜라겐(Terplug M 사이즈 – 일본 올림푸스테루모)을 넣고 봉합하였다.

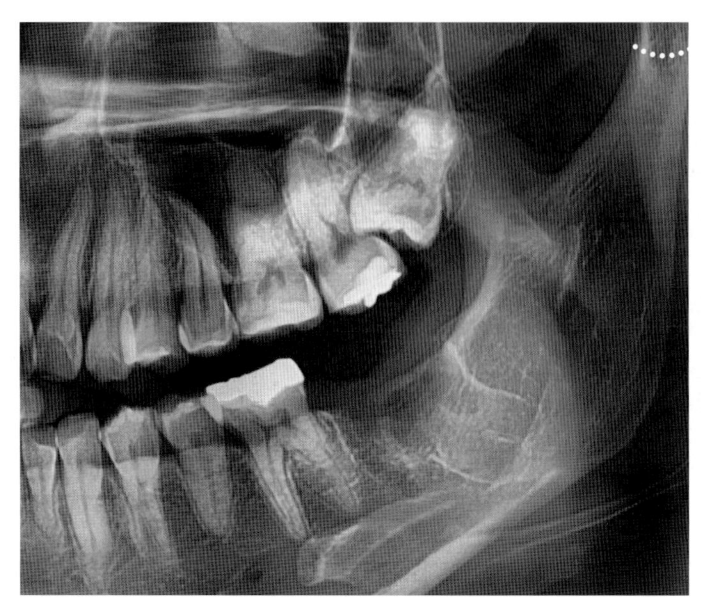
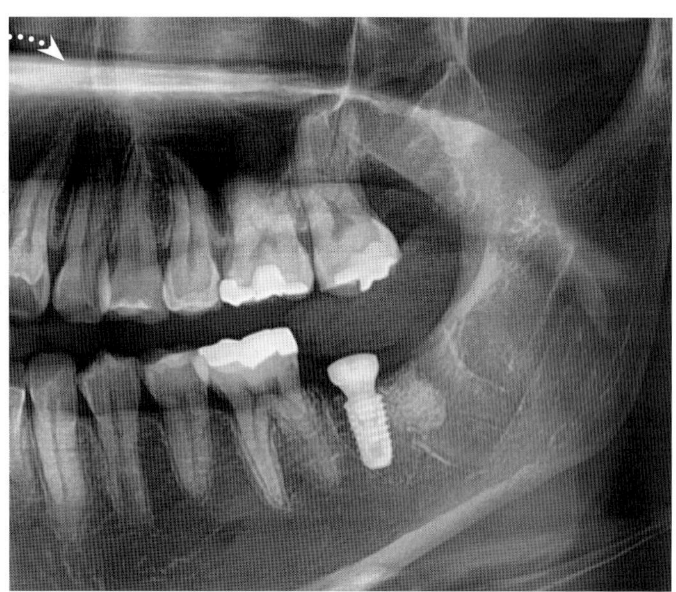

발치 후 2개월 후 #37 임플란트를 식립하고 #28번 사랑니를 발치한 모습이다. 2개월이 지났어도 원심쪽에는 골이 형성되어 있지 않아서 초기고정이 좋음에도 불구하고 이종골(cerabone 0.25g)을 이식하였으며, 별도의 Membrane은 사용하지 않았다. 필자가 임플란트 강의에서 가장 강조하는 것으로 <가장 좋은 Membrane은 깨끗하게 절개, 박리된 Periosteum이다> 라는 철학 때문이다.

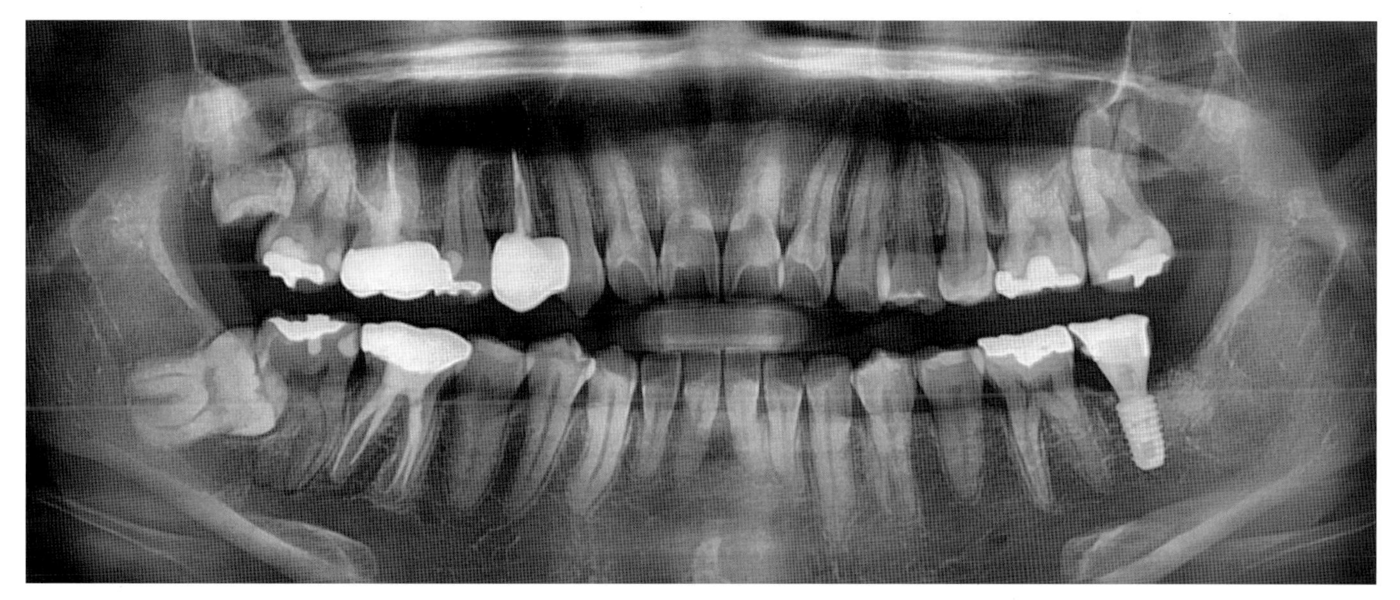

2개월 후에 임플란트 크라운을 완료하였다. 그런데 환자가 나머지 #48번 사랑니 발치를 해달라고 하였다.

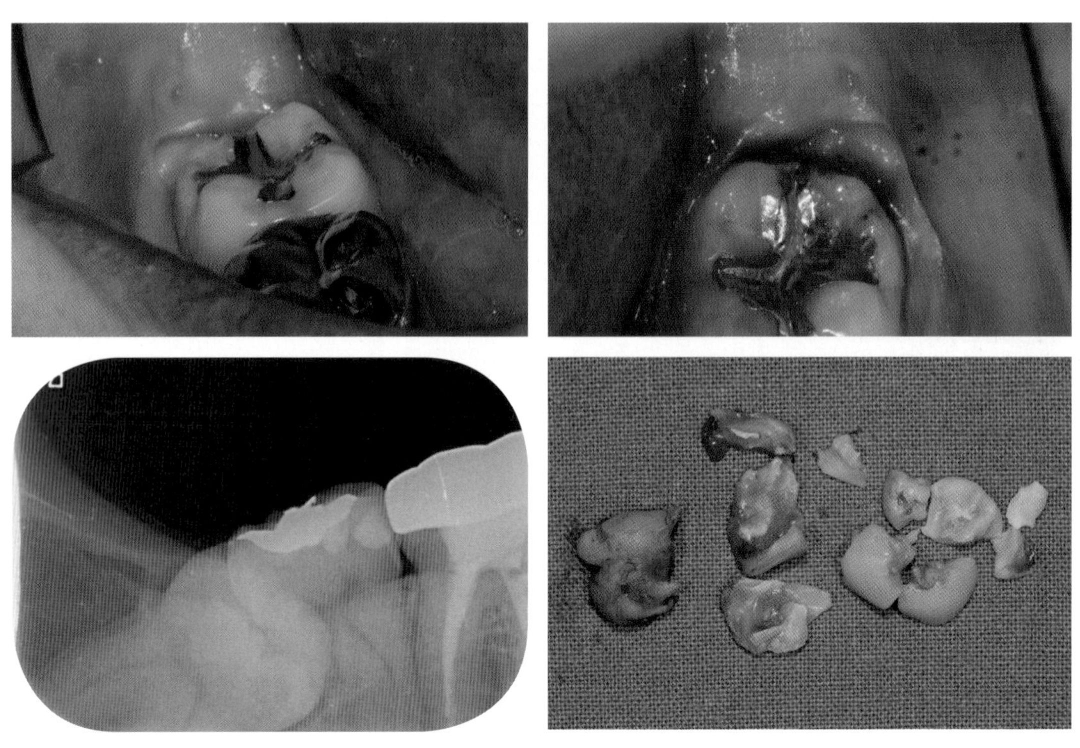

#48번 사랑니가 살짝 잇몸 밖으로 나와 있어서 어쩔 수 없이 조심해서 발치하였다. 2~3일까지는 감각이 얼얼하고 소구치 부분이 아프다고 하였으나 2주 정도 경과 후부터는 별다른 증상이 없다고 하였다. 뒤에서도 언급하는 내용이지만 신경관과 사랑니의 치근이 닿아 있는 경우에는 치아가 나오는 과정에서 약간 시큰하다는 표현을 자주 하는데, 대부분 순간적이고 바로 회복된다.

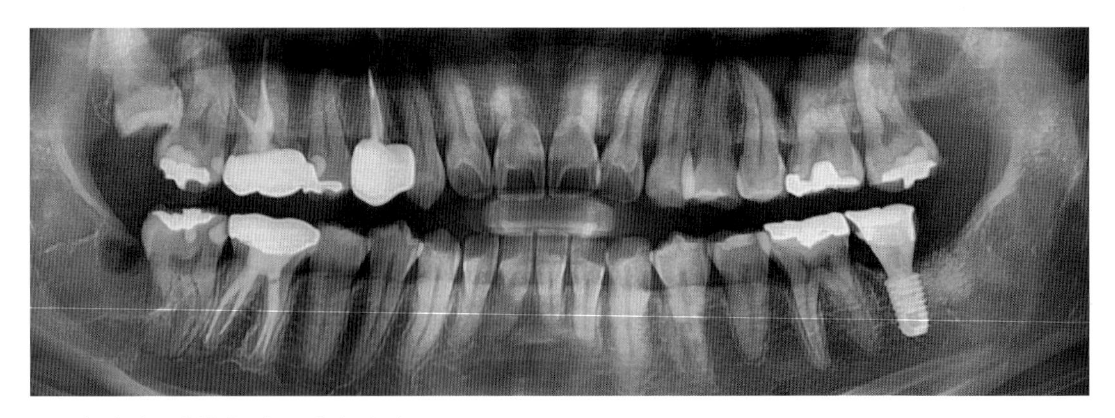

#48번 발치 1개월 후 파노라마 사진

05
다른 치과에서 사랑니 뽑은 자리가 아파요. ★★★

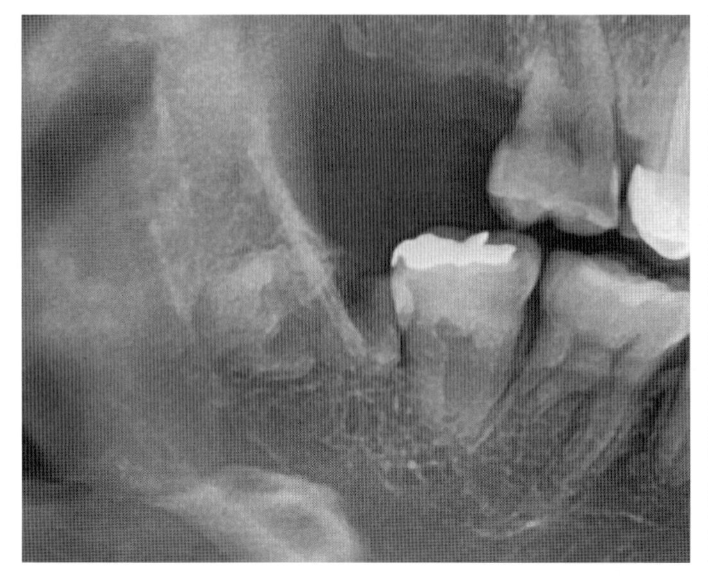
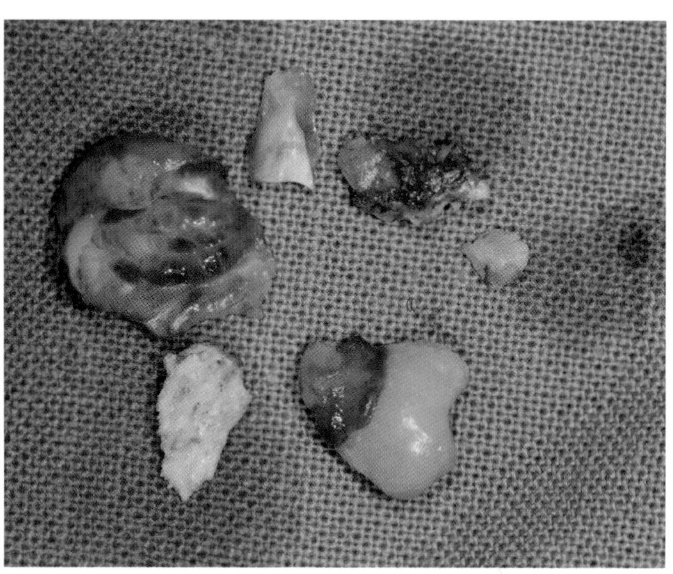

타 치과에서 사랑니를 뽑았는데 계속 아프다는 주소로 내원하였으나, 방사선 촬영 결과 사랑니가 많이 남아 있는 것으로 확인되어 남은 사랑니를 제거하였다.

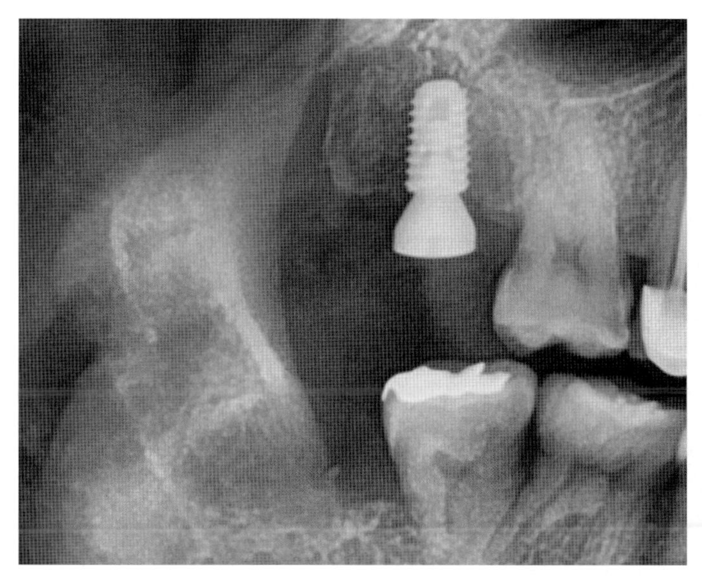
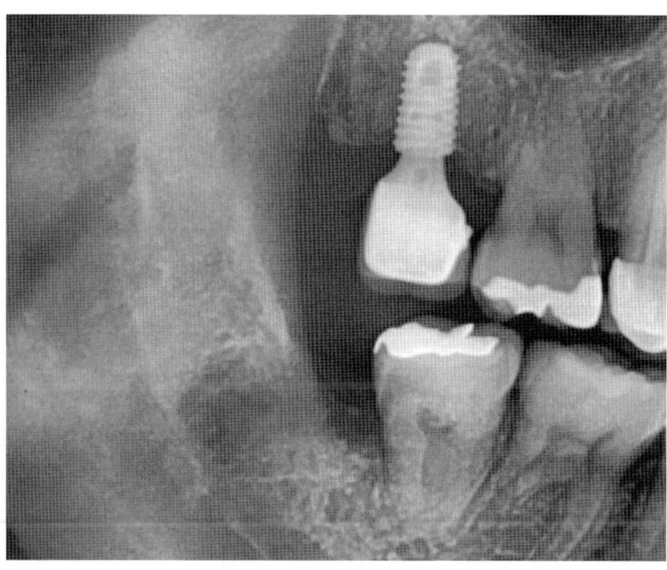

미국 유학을 준비 중이던 20대 후반의 여학생으로 치과치료를 다 하고 미국에 가야 한다며, #17번 임플란트 시술을 요구하였다. 사랑니 발치를 잘하면 환자의 무한 신뢰를 받게 된다. 이 환자는 임플란트 시술 후에 미국으로 유학 갔지만, 다른 가족들도 모두 우리 치과에 소개하였다.

06
사랑니를 주소로 내원한 환자들의 치료 ★★

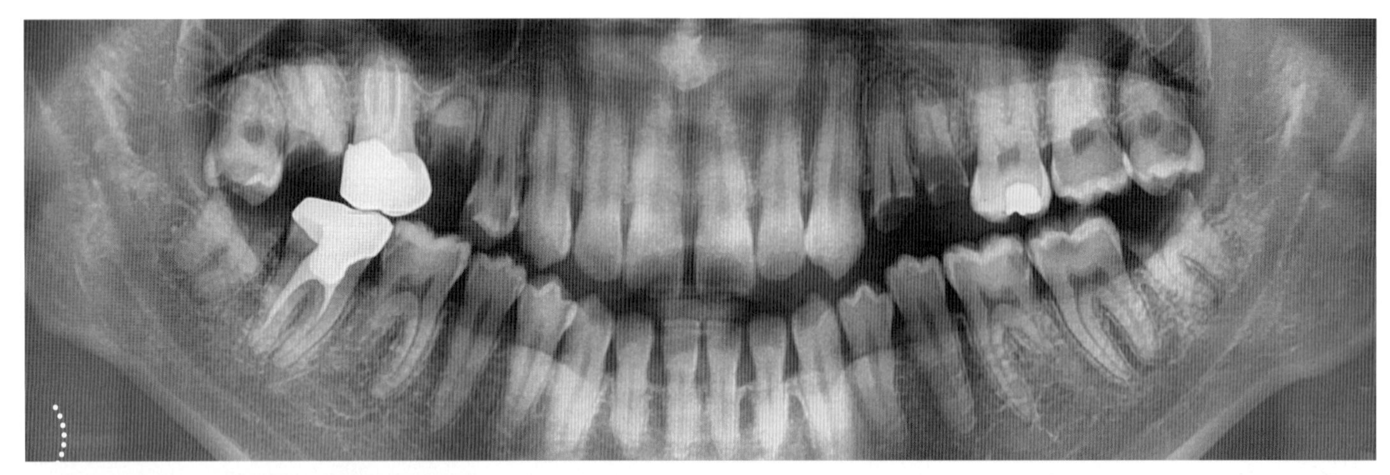

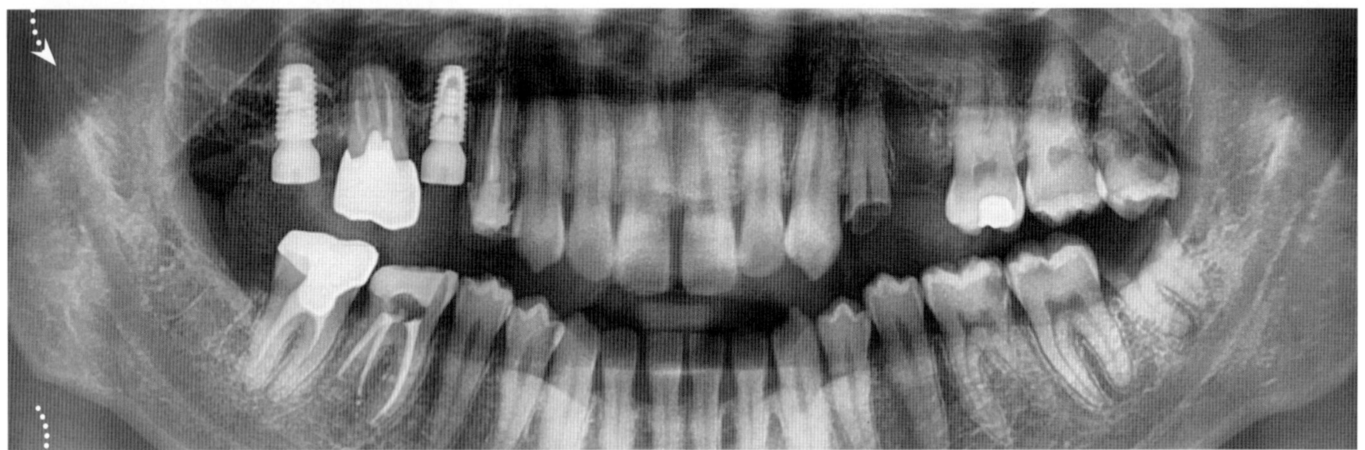

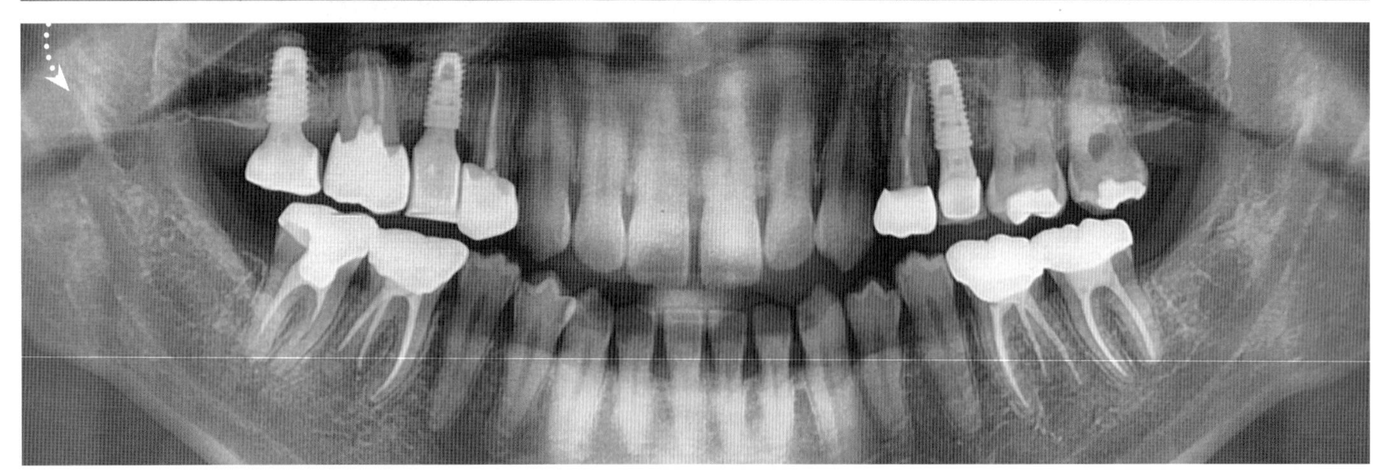

사랑니가 아프다고 내원한 환자이다. 사랑니도 다른 치아와 마찬가지로 충치가 있을 뿐이다. 사랑니를 발치하고 환자분에게 다른 치아도 치료가 필요함을 설명하여 치료를 진행하였다. 필자의 치과에는 이렇게 사랑니가 주소였으나 그 이후로 다른 치료도 모두 받고, 지금까지 평생 환자로 다니는 환자들이 매우 많다. 처음 사랑니 발치에서 생긴 신뢰하는 관계에서 발전한 결과일 것이다.

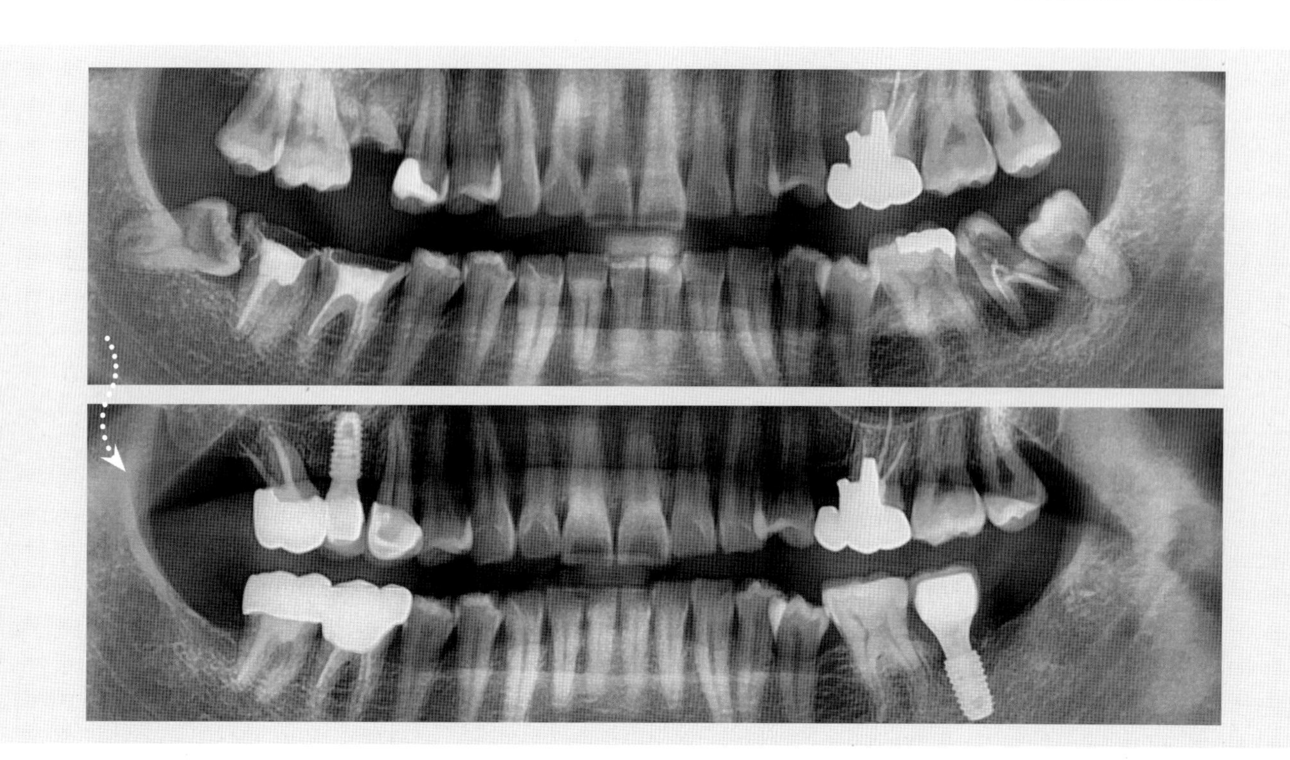

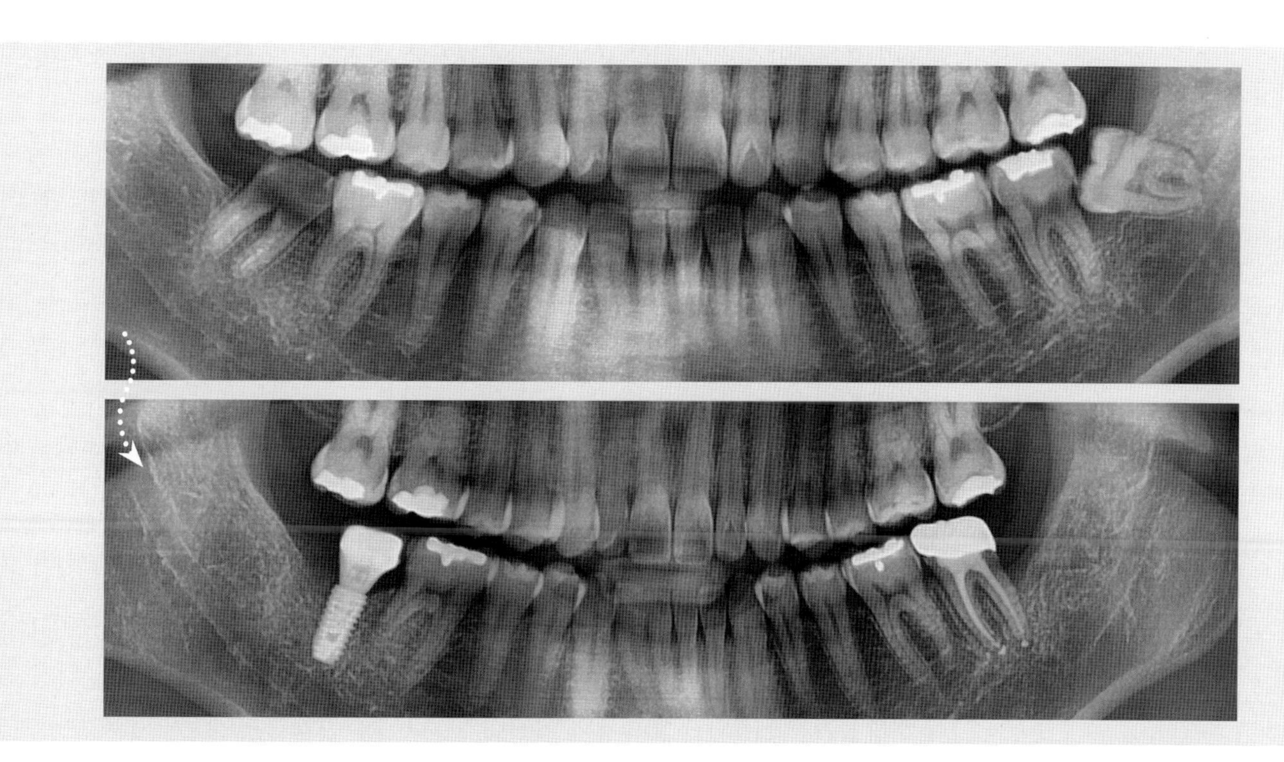

위 케이스들은 모두 사랑니를 주소로 내원한 환자들이다. 사랑니 발치를 주소로 내원한 환자들의 향후 치료가 어려운 케이스만 있는 것은 아니다. 사실 사랑니 발치는 매우 쉽고 전악 치료를 할 수 있어서 좋다. 신규 개원한 젊은 치과의사라면 우선 사랑니 발치부터 잘할 수 있도록 노력해보자. 다른 모든 치료가 쉽게 느껴질 것이다. ^^

나를 행복하게 하는 99개보다 나를 슬프게 하는 1가지를 만들지 마라.

다른 치과의사들은 왜 사랑니 발치를 안 할까?

치과의사들이 사랑니 발치를 별로 좋아하지 않는 데는 그만한 이유가 있을 것이다. 어떤 치과의사나 조금만 연습하면 대부분의 사랑니는 뺄 수 있을 것이다. 그러나 시간이 지날수록 사랑니를 아예 뽑지 않는 치과의사들이 늘어간다. 그 이유는 무엇일까? 한두 번의 트라우마가 있기 때문일 것이다. 어떤 것들이 있을까?

- 발치 후 출혈과 통증으로 불만을 호소
- 너무 오래 걸리거나 중간에 포기한 경우
- 신경손상 등으로 감각 이상을 호소
- 발치 후 인접치의 통증 등 불편감 호소
- 발치 후 턱관절의 통증 호소

사랑니를 잘 뽑는다는 것은 사랑니를 빨리 빼는 게 중요한 게 아니라 위와 같은 케이스가 없는 것을 말하는 것이다.

필자가 오랫동안 엄청난 수의 사랑니를 빼 왔지만, 아직까지도 사랑니 빼는 걸 좋아하는 이유는 아마도 위와 같은 부작용이 거의 없기 때문일 것이다. 첫 번째와 두 번째의 경우는 발치 실력을 키워가면서 좋아지는 것이 느껴질 것이다. 당연히 최소한의 절개와 골 삭제를 하는 방법도 배워야 할 것이다. 두번째의 경우는 실력이 늘면 중간에 포기하는 경우나 의도적 치관절제술로 발치를 완료하는 방법도 알게 될 것이다. 세번째의 경우도 실력이 늘면 알게 될 것이다. 솔직히 발치하면서 하치조신경을 손상시키기는 쉽지 않다. 명확히 방사선상에서 위치를 알 수 있기 때문에 피하려고만 한다면 얼마든지 피할 수 있다. 문제는 어디 있는지 아무도 모르는 설신경손상일 것이다. 이건 뒤에서 다루기 때문에 넘어간다.

필자가 어느 누구 보다 자랑스럽게 생각하는 것이 아직까지 단 한 명의 신경손상 환자가 없었다는 것이다. 그 비결도 이 책을 통해서 함께 나눠보자.

그리고 마지막으로 완전 초보들이 모르는 발치를 포기하는 이유이다. 사랑니 발치를 포기하는 가장 큰 이유는 환자가 7번 치아의 통증을 호소하기 때문이다. 다른 부작용과 달리 이건 별다른 해결책이 없기 때문에 엄청난 정신적 스트레스에 시달리게 된다.

또한 발치하는 동안이나 발치 후에 턱관절의 불편감을 호소하는 경우인데, 이런 경우도 포셉을 올바로 사용하고, 발치 시간을 단축시켜서 장시간 입을 벌리고 있는 환자가 줄어들면 해결될 것이다.

이러한 부분도 없게 하는 방법도 이 책에서 같이 이야기 해보자.

EASY
SIMPLE
SAFE
EXTRACTION
of
wisdom
tooth

02
CHAPTER

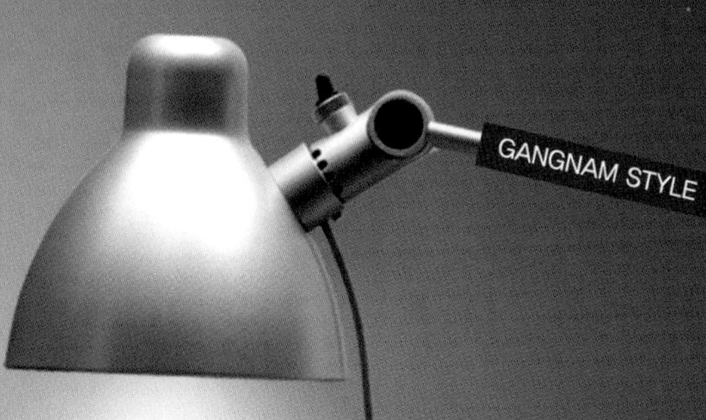

사랑니의 파노라마 방사선 사진 보기

01
왜 이 장(chapter)가 생기게 되었는가? ★★

필자는 오랫동안 사랑니 발치 강의를 하고 후배 치과의사들과 교류했었다. 그러나 교육하면서 의외로 치과의사들이 파노라마 방사선 사진을 볼 줄 모른다는 것을 알게 되었다. 우리는 치과대학을 다니면서 방사선학 시간에 무진장 열심히 공부했고, 구강외과나 다른 임상 과목을 배우면서도 반복해서 배웠다. 그런데 사랑니 발치에서 왜 파노라마 방사선 사진의 중요한 포인트를 모를까?

그것은 임상 없이 그저 책으로만 정확하게 이해하지도 못한 채 외웠기 때문이다. 학생 때 사랑니 발치를 하지 않으면서 억지로 시험 보기 위해 외운 내용이 머릿속에 오래 남아 있을 리 없고, 이제 와서 사랑니 발치를 하려니, 학창시절에 영혼 없이 배운 내용이 다시 생각날 리 없다.

그래서 필자가 사랑니 발치 강의에 앞서서 간단히 사랑니 발치에서 파노라마 판독의 중요한 포인트 몇 가지를 짤막하게 강의한 적이 있다. 그런데 강의 후에 반응이 너무 뜨거웠다. 배웠지만 모두 잊었던 것들, 심지어 배웠는지조차도 기억나지 않았던 것들을 필자의 설명을 통해서 필요한 시기에 새롭게 다시 배웠기 때문일 것이다.

강의 후에 <저 사람 천재 아냐?> 이런 찬사를 여러 명한테서 들었다. 급 삘받은 필자는 그 다음 강의에서도 다시 파노라마 판독 강의를 했다. 또다시 여러 사람에게서 천재라는 찬사를 들었다. 그러나 필자가 천재라는 말에 너무 들뜬 나머지 파워포인트 5~6장 정도 되던 강의를 80장까지 확대하여 <파노라마 방사선 사진 보기>라고 제대로 강의명도 붙이고 긴 시간을 할애하였더니 반응이 예전같지 않았다.

필자 스스로 급 실망했지만, 그 이유를 생각해봤다. 바로 내 강의마저 너무 장황해서 결국 학창시절의 강의로 돌아가 버린 것은 아닐까? 하는 생각이 들었다. 이 책을 준비하면서 다시 한 번 여러 가지 고민을 해봤지만, 여기 책에서는 과감히 버릴 건 버리고 핵심만 언급하는 것으로 결심했다. 전처럼 매우 짧게 언급해서 천재 소리를 듣고 싶지만, 그렇다고 너무 짧게 준비하지는 않았다. 직접 강의를 하는 것이 아니고 글로써 전달하는 것이므로 조금은 자세히 설명할 필요가 있기 때문이다.

파노라마 방사선 사진 판독은 매우 중요한 요소이므로, 조금은 심도 있게 꼭 빼놓지 말고 읽어보자. 필요하다면 다시 학창시절의 교과서와 구강외과 교과서에 있던 사랑니와 방사선 관련 내용도 읽어보는 것도 좋다.

02
파노라마에서 사랑니와 하치조신경관의 판독 ★★★

기존의 방사선학책들에 사랑니와 하치조신경관의 관계를 판독하는 내용을 보면 주로 치근의 Deflection (굴절?), Narrowing (가늘어짐), Bifid & Blurred (두 갈래로 갈라지며 흐려짐?) Dark band (검은 띠?), 하치조신경관의 Interruption (끊김?), Constriction (압박?), Diversion (휘어짐?) 등으로 기술되어 있다. 그러나 그러한 내용들을 주로 방사선과 의사들이 기술하였는데, 방사선학적인 판독 실력이나 감별능력은 감히 필자가 따라갈 수 없을 만큼 뛰어나다고 생각한다. 필자는 개인적으로 치과방사선과 의사가 꼭 치과계에서 많은 활동을 하고 진료 지원을 해줬으면 좋겠다고 생각하는 사람이고, 예전에 큰 치과를 운영하면서도 다른 파트너들의 의견을 묵살하고 치과방사선과를 전공한 치과의사를 영입한 적이 있다. 그만큼 치과방사선과 의사들의 능력을 높이 산다. 그러나 방사선과 책에 나온 저런 이야기들도 중요하겠지만, 이 책에서는 실제 임상에서 어떤 것이 더 중요한 요소인가를 중심으로 실제 사랑니 발치할 때 무엇이 중요한가를 간단하게 몇 가지만 다뤄보겠다.

필자는 사랑니의 치관을 삭제해서 발치한 경우에 사진을 찍는 습관을 들여왔는데, 이것이 방사선과 실제 사랑니를 비교하는데 큰 도움이 되었다. 이미 파노라마 상에서 사랑니 치근과 신경관과의 관계를 설명하는 기존 내용들은 구글 검색 한 번으로도 바로 찾을 수 있다. 그러나 실제 임상 사례에서는 너무나 많은 예외가 존재하여 몇 가지는 그 실효성이 떨어지는 것이 많다. 그러므로 필자는 필자만의 방식대로 실효성 있는 중요한 포인트 몇 가지만(치근의 Dark band, 신경관 Diversion) 실제 발치 후 치아 사진과 비교해가면서 보도록 하겠다. 아래는 일반적인 기존의 파노라마 방사선사진을 분류하던 패턴을 리뷰해본 것이다.

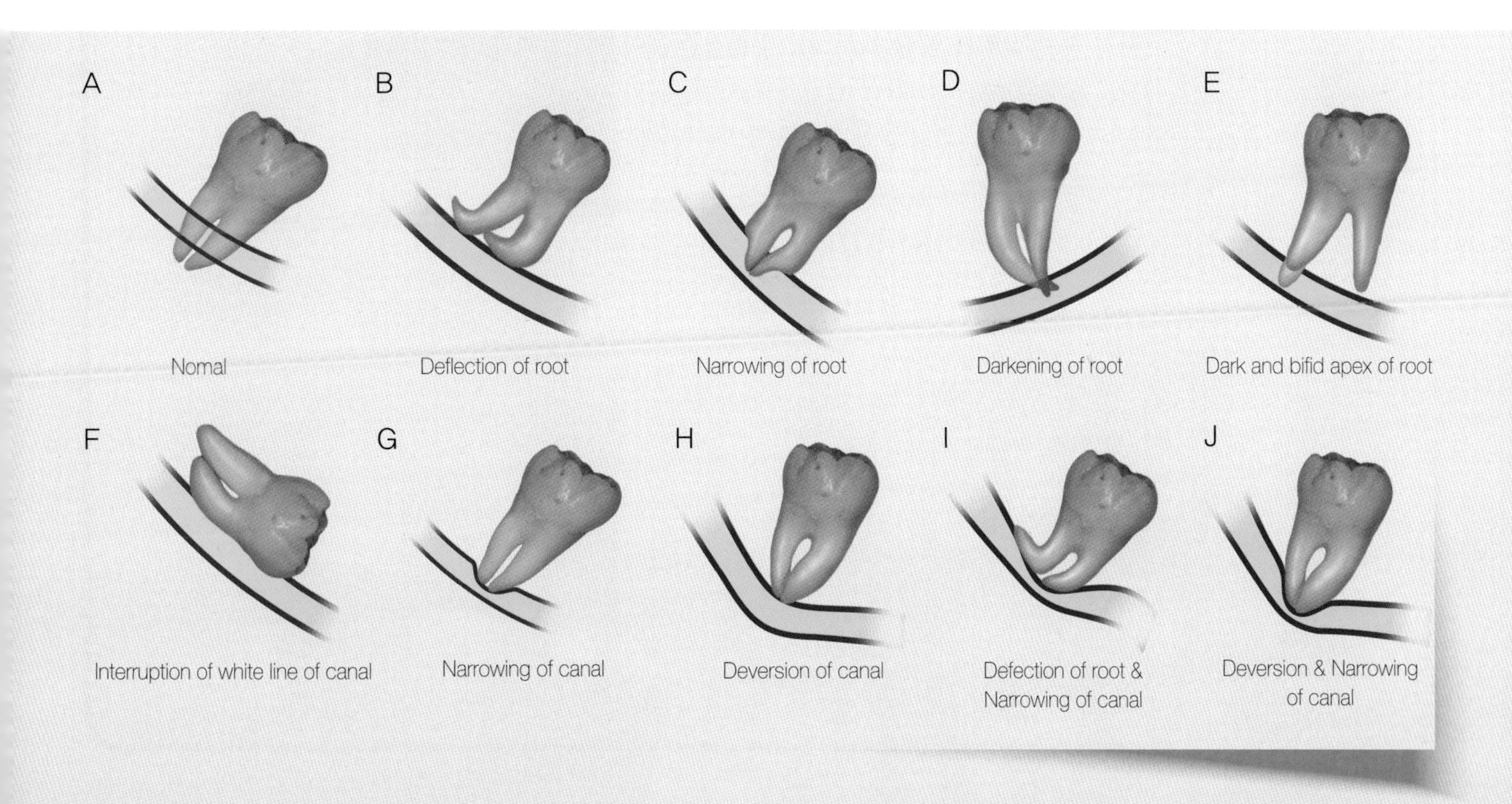

잠깐!

이 장은 꼭 나중에 다시 한 번 보자★★★

필자가 처음 책을 쓸 때 2장 파노라마 방사선 chapter와 3장 치관절제술 chapter는 부록처럼 이 책의 맨 뒤에 넣도록 기획하였다. 수 년 동안 사랑니 발치 강의를 해오면서 느끼는 것이지만, 대부분의 치과의사들은 학교 다닐 때 배운 방사선 내용은 대부분 잊어버리고, 임상 생활하면서 새롭게 익힌 지식만 머릿속에 남아 있다. 그래서 기본적인 내용을 정리하여 강의 마지막에 파노라마 판독과 치관절제술에 대해서 간단히 설명하였는데, 필자가 강의 후에 천재라는 말을 들을 만큼 강의 반응이 좋았다. 그만큼 다 알고 있다고 생각해서 간과하였지만, 실제로는 잊었던 것들이기 때문이다.

사랑니 발치를 하면서 가장 중요한 것은 구체적인 발치 방법이 아니라

- 적절한 케이스를 선택하는 것
- 위기 상황에서의 어떻게 대처할 것인가
- 미완의 발치를 어떻게 잘 마무리할 것인가

이기 때문에 이 두 chapter를 과감하게 이 책의 앞으로 끄집어냈다. 그러므로 지금 이 파노라마 chapter에서는 파노라마 방사선 사진상에서의 치근과 실제 치근의 사진을 비교하는 것이 주목적이므로 치관부 삭제 방식 등에 대해서는 너무 신경 쓰지 말고, 슬슬 지나가보도록 하자. 발치 방법은 다음 장에서 구체적으로 또 자세히 다룰 것이다.

다만, 뒤의 발치술 내용을 보고 나서, 간단하게라도 꼭 이 방사선 chapter와 치관절제술 chapter를 다시 한 번 보기를 바란다. 무엇보다 적절한 케이스의 선택과 위기상황에서 발치의 마무리가 중요하기 때문이다.

03
하치조신경관은 연조직? ★

하치조신경관은 연조직인가? 아니다. 그렇지 않다. 말 그대로 신경관으로 경조직으로 구성된 파이프같은 관이다. 일반적으로 사람마다 골밀도와 양상에는 많은 차이점이 있고, 같은 사람도 나이에 따라서 많은 차이가 있을 것이다. 다만 필자의 경험상 이 신경관의 골밀도는 사람마다 매우 차이가 크다. 그렇기 때문에 치근과 신경관이 만났을 때 다양한 형태로 나타나는 것이라고 생각한다.

10대 중후반에 사랑니의 치근이 자라기 시작해서 치근의 형성이 거의 마무리되는 20세 전후로 사랑니와 신경관이 만나게 된다. 사랑니의 치근은 형성되면서 아래의 그림에서처럼 쇠파이프에서 스티로폼 파이프까지 다양한 파이프(신경관)를 만나게 된다. 주변 피질골이나 다른 조직 등의 영향을 제외한다면, 결국 어떤 파이프를 만나서 치근이 어떻게 형성되느냐에 따라서 다양한 형태로 치근단이 형성될 것이다. 전혀 상관없이 만나지 않고 온전하게 형성되거나, 쇠파이프 같은 단단한 파이프를 만나서 치근이 휘어지거나, 플라스틱 파이프를 만나서 파이프를 휘어지게 하거나, 스티로폼 파이프를 만나서 파이프 자체를 찌그러지게 하는 등 다양한 형태로 나타날 것이다. 다만 이러한 문제가 단순히 하치조신경관의 단단하기와의 문제만은 아니므로 크게 이것만을 고려할 것은 아니지만, 필자는 발치 시에 가끔은 이 신경관은 얼마나 튼튼할까 상상해본다. 신경관만 쇠파이프처럼 튼튼하다면 바로 옆에서 무슨 일이 일어나든 신경은 무사할 것이기 때문이다. 또한 역으로 생각해보면 신경관이 경조직으로 둘러싸여 있지 않다면, 살짝 압력을 받거나 움직여도 신경손상이 없을 수도 있다.

참고로 치근 자체의 강도뿐만 아니라 치근이 형성되는 속도나 힘도 중요할 것이다. 필자의 경험상 치아나 치근의 강도가 약하면 발치가 쉽지 않다. 썩은 나무의 뿌리를 뽑는 것이 튼튼한 나무의 뿌리를 뽑는 것보다 어렵듯이...

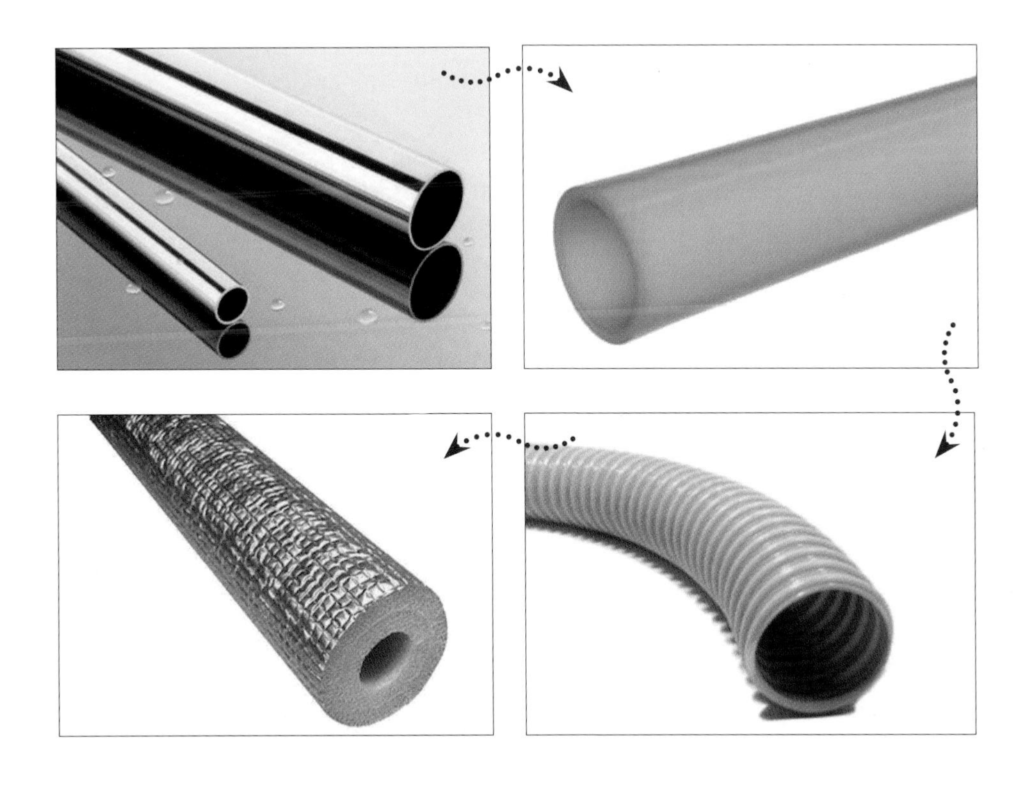

사랑니와 하치조신경관의 관계에 관한 CT 분석 연구결과

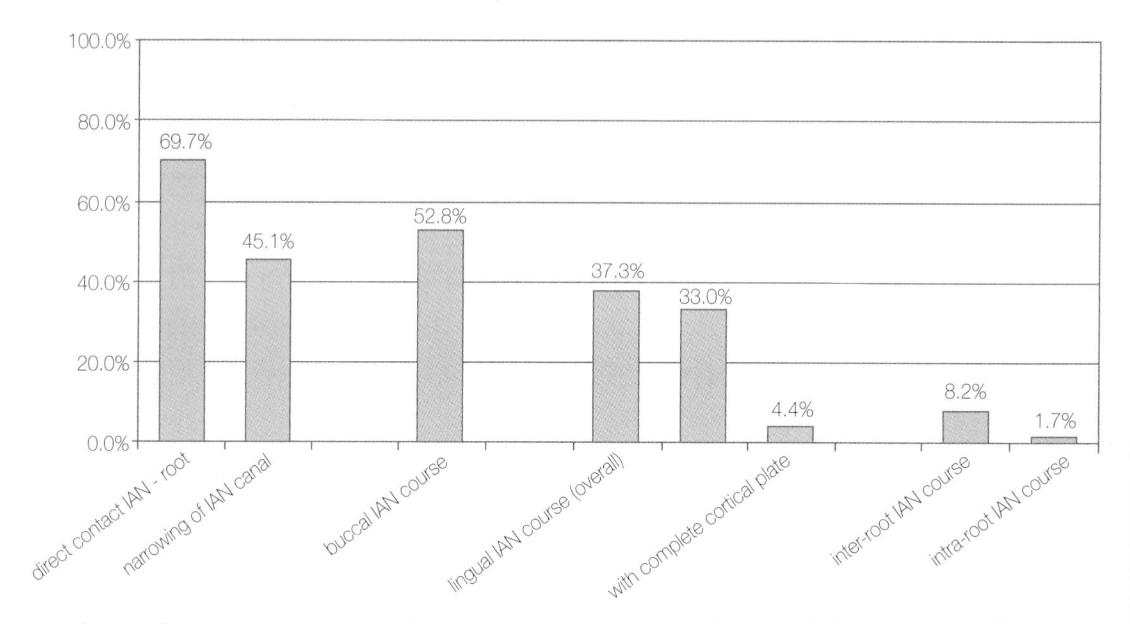

Anatomy of impacted lower third molars evaluated by computerized tomography: is there and indication for 3-dimensional imaging? (Oral Surg Oral Med Oral Pathol Oral Radiol Endod 2011:111:547-550)

필자는 이 책에서 되도록 논문을 인용하기보다는 필자의 경험을 clinical notes 식으로 적으려고 한다. 그러나 해부학적인 것은 논문을 통해서 접해보는 것도 좋을 듯하여 몇 개를 리뷰한다.

위의 연구결과를 보면 사랑니가 하치조신경관과 69.4%에서 직접 닿아 있고, 45%에서 신경관을 좁아지게 했다는 것이 흥미롭다.

신경관이 사랑니의 협측으로 주행하는 비율이 52.8%로 설측으로 주행하는 비율 37.3%보다 1.42배 많았다. 그러나 한국 치과의사라면 대부분 고개를 갸우뚱거린다. 왜 그럴까? 우리나라에서 사랑니 발치 시에 CBCT를 촬영할 수 있는 원칙은 파노라마 상에서 치근과 신경관이 겹쳐 보이는 경우만 가능하다. 아마도 사랑니의 설측에 공간이 부족하다보니 신경관이 설측에 위치할 때 신경관과 사랑니가 겹쳐 보이는 위험한 싸인이 많이 나타나고, 아마도 파노라마 촬영 시에 방사선이 조사되는 각도가 약간 설측 하방에서 조사되기 때문이 아닌가 생각해본다.

필자는 CBCT 장비를 갖추고 있지만 촬영은 거의 하지 않고, 치근과 신경관이 심하게 접해 있는 경우 등 꼭 필요한 필요한 경우만 선택적으로 찍는 경향이 있다. 그렇게 선택적으로 찍다 보면 확실히 사랑니가 설측에 위치하는 경우가 훨씬 많다.

사랑니와 하치조신경관의 관계에 관한 CT 분석 연구결과 

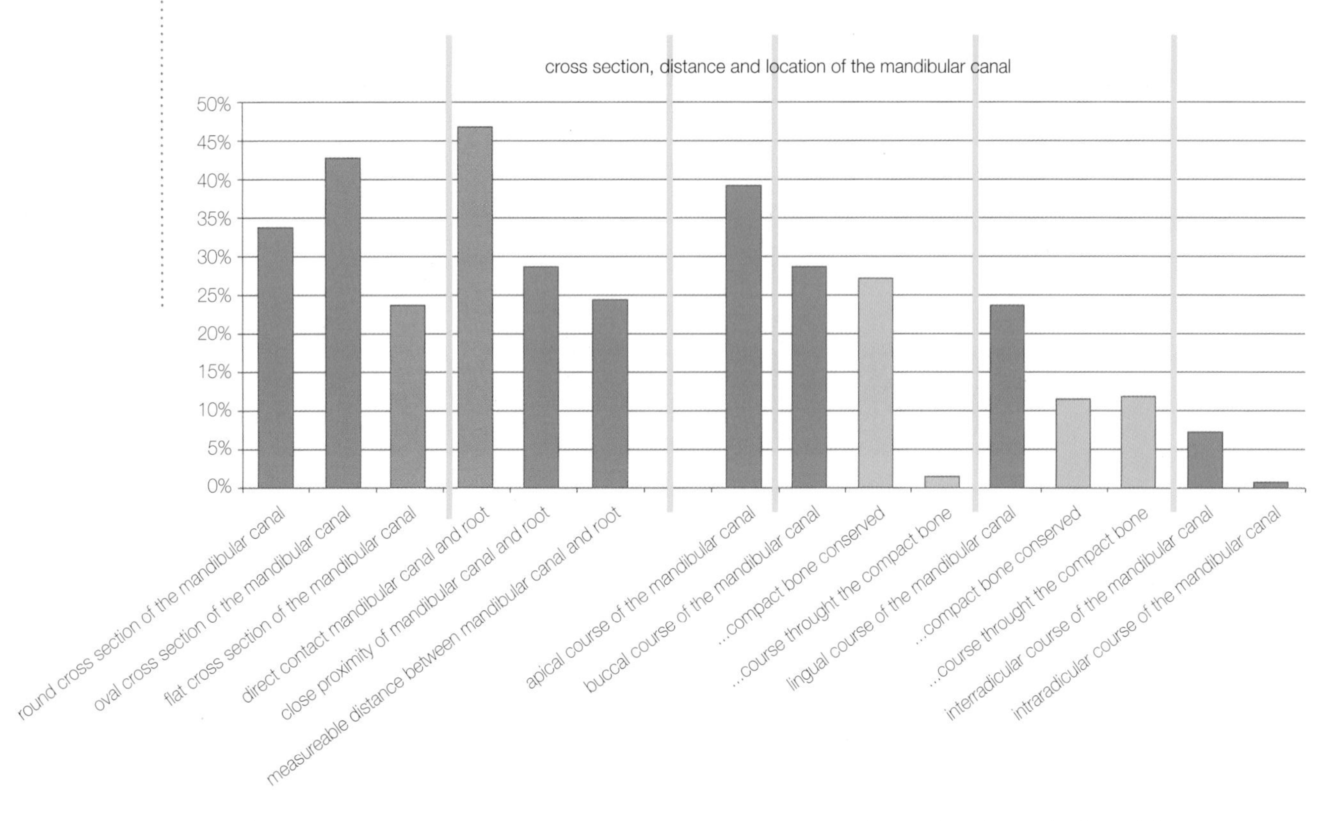

Variations in the anatomical positioning of impacted mandibular wisdom teeth and their practical implications (SWISS DENTAL JOURNAL 124: 520-529 (2014))

2014년 스위스에서 나온 논문으로 사랑니와 하치조신경관의 관계에 대한 내용이다. 필자가 설명을 좀 덧붙이고 싶지만, 괜한 오해(?)를 살 수 있으니 대략적으로 알아서 참고만 하길 바란다. 되도록이면 직접 찾아서 읽어보기를 권한다. 그러나 사랑니는 인종 간에도 큰 차이가 있을 듯하니 그 점도 참고하는 것이 좋을 듯하다. 그래프에 수치가 나오지 않아서 적어보면, 협측으로 주행하는 비율이 29.0%로 23.8%보다 많았다. 다만 앞서 본 논문과 다른 점은 하방에 위치한 39.2%를 별도로 분류하였기 때문에 협측과 설측의 비율로만 보면 협측이 1.22배로 앞서 본 논문 1.42배와 비슷하다고 볼 수도 있다. 앞선 논문에서 45%에서 신경관이 좁아진 것을 표현했다면, 여기서는 23.6%를 flat cross section이라는 표현으로 신경관 압박소견을 표현하였다. 더 궁금하면 논문을 직접 찾아서 보기 바란다. ^^

04
사랑니와 하치조신경관을 활과 활시위에 비유해보자. ★★★

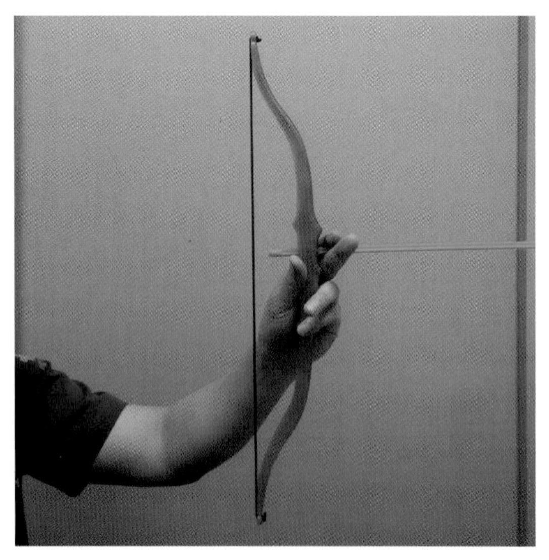
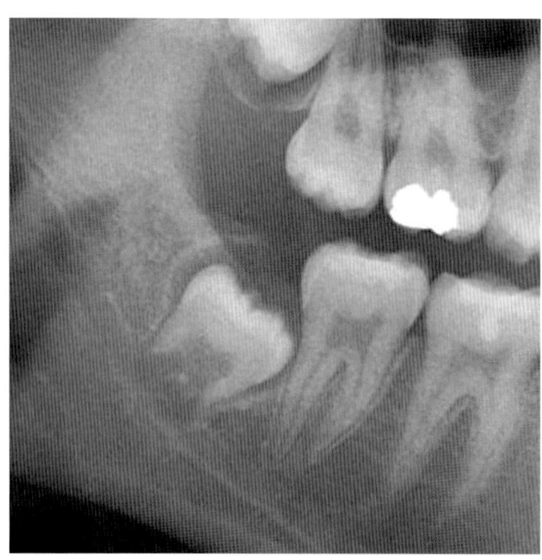

하치조신경관을 활시위에 비유해보자. 다시 말해서 치아는 단단한 화살이고, 신경관은 실처럼 휘어질 수 있는 탄성이 있다. 결국 치근이 자라면서 신경관을 만나면 어떻게 될까?

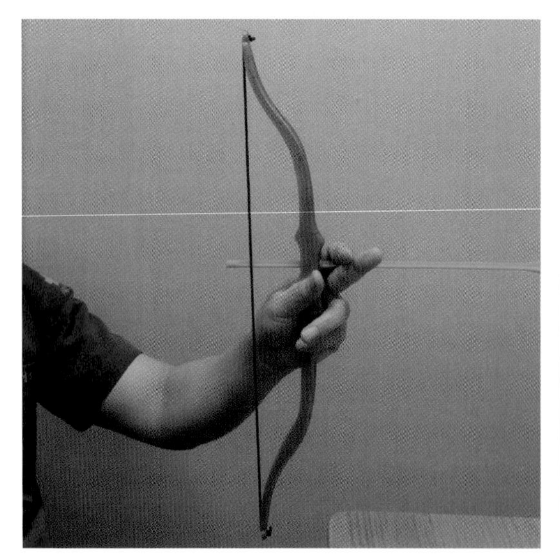
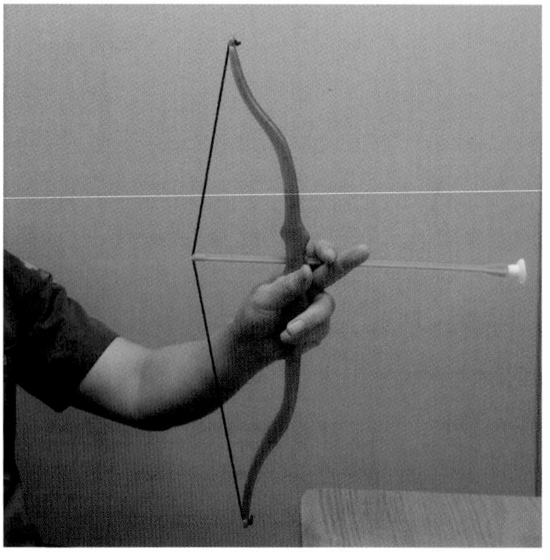

왼쪽은 치근이 신경관을 비껴 나가서 서로 만나지 않은 경우이며, 오른쪽은 치근이 신경관을 만나서 신경관을 휘어지게 한 상황이다. 물론 여기서 신경관이 쇠파이프처럼 단단하거나, 치근의 형성능력이 매우 떨어진다면(치근이 물렁하다면) 화살이 활시위를 만나서 휘어지기도 할 것이다. 물론 이 모든 현상들이 조금씩 섞여서 나타날 수도 있다. 연령에 따라서 치근과 신경관 외벽의 유착이나 설측 피질골과의 관계 등 고려할 내용은 많지만, 이것은 어차피 파노라마 상으로는 알 수가 없는 내용이다. 다만 필자의 경험상 임상적으로 중요한 것은 파이프가 약해서 압박을 받아서 눌리거나, 휘는 경우이다. 결국 하치조신경의 손상은 신경관 외벽의 손상과 함께 나타날 것이기 때문이다.

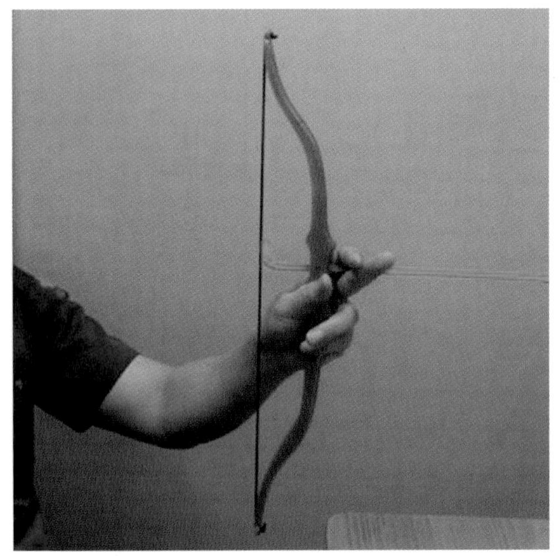

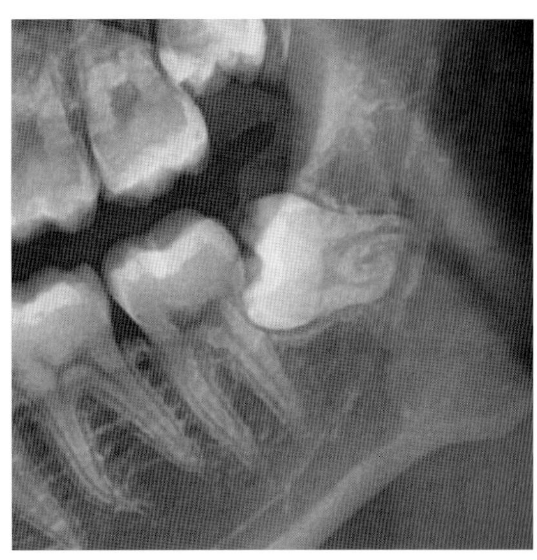

화살이 활시위를 만나서 휘어진 경우이다. 아마도 활시위가 쇠파이프처럼 단단해서 아닐까? ^^
그렇다면 안전하다고 생각하고 과감하게 발치를 해볼까? ^^
근심 치근이 하치조신경관을 만나서 상방향으로 휘어진 것을 볼 수 있다.

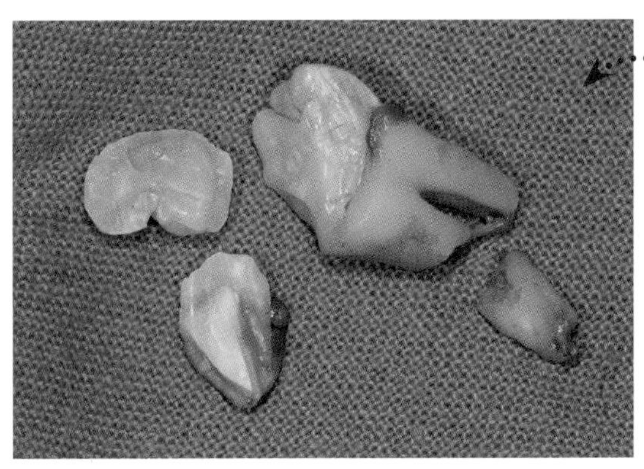

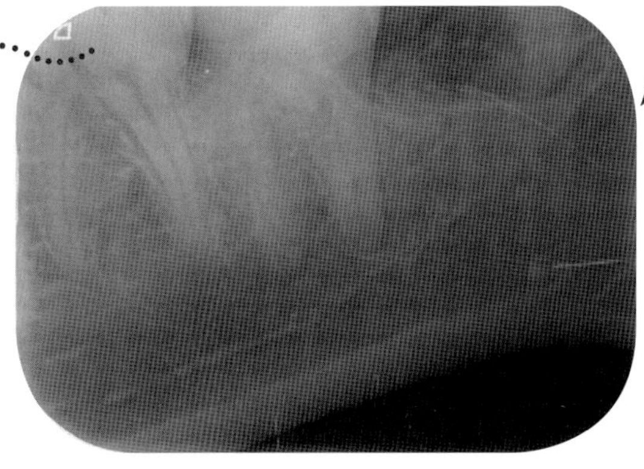

발치 도중 근심 치근이 파절되었다. 그 모습을 촬영한 표준촬영이 좀 이상하지만, 남은 치근을 볼 수 있다. 그러나 어차피 이런 경우는 필자의 철학대로 신경관과 가까워도 과감하게 치근을 제거한 경우이다. 초보자가 아니라 능숙한 사람이라도 굳이 이런 치근을 제거하려고 시간과 에너지를 낭비할 필요는 없을 듯하다. 자세한 건 치관절제술과 잔존 치근 파트에서 다뤄보겠지만, 이런 치근은 그냥 남기고 가야 한다.

05
치근이 신경관을 만나서 정말 휠 수 있나? ★

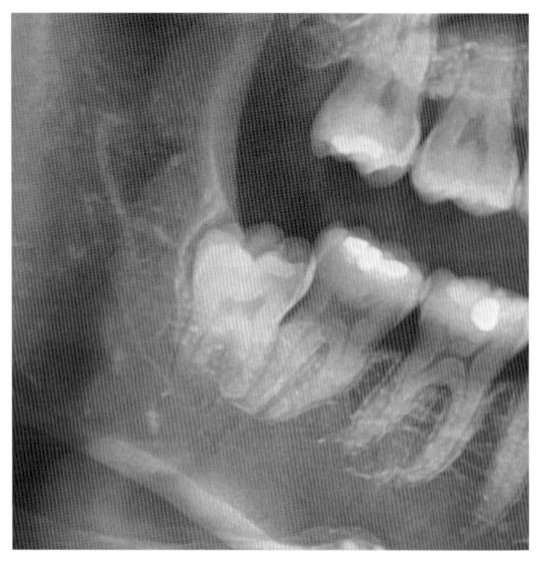

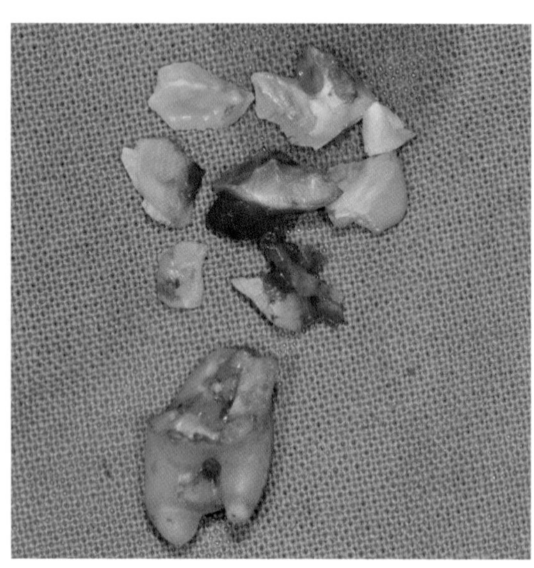

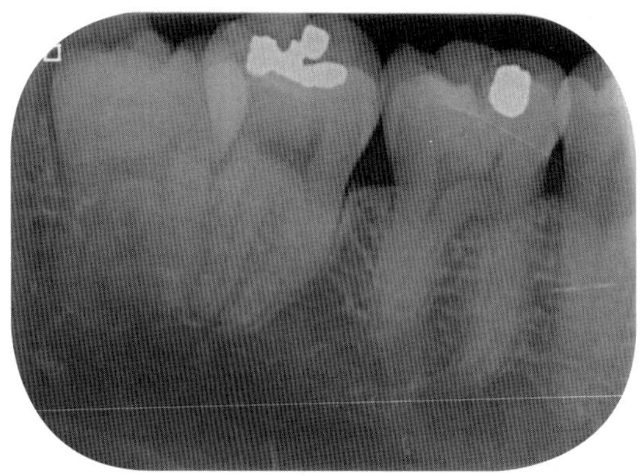

파노라마 상에서는 원심 치근이 흐려진 것만 확인할 수 있으나, 표준촬영에서는 근심 설측 치근이 휘어진 것도 얼핏 확인할 수 있다. 자세히 보면 치근이 3개인 것을 알 수 있다. 발치한 사랑니의 치근을 보면 근심 협측 치근은 제대로 형성되고 근심 설측 치근은 신경관을 만나서 휘어졌으며, 원심 치근은 신경관의 영향을 받아 검게 보이는 것을 알 수 있다(원심 치근이 검게 보이는 것은 이 Chapter의 뒷부분에서 다루게 되므로 생략).

어쨌든 필자는 이 환자의 신경관 외벽은 치근 하나가 완전히 방향을 바꿔야 할 만큼 매우 튼튼하다고 생각해본다. 필자가 발치 과정에서 치관의 일부를 삭제한 뒤 엘리베이터로 힘을 쓸 때마다 치아가 조각나기도 했다. 신경관 주변의 치조골이 매우 강하든지... 치아가 약하든지...

> 그래도 다시 한 번 명심하자. 치아가 약하면 발치가 쉽지 않다.

06
파노라마 상에서 겹쳐 보이는 경우들 ★★★

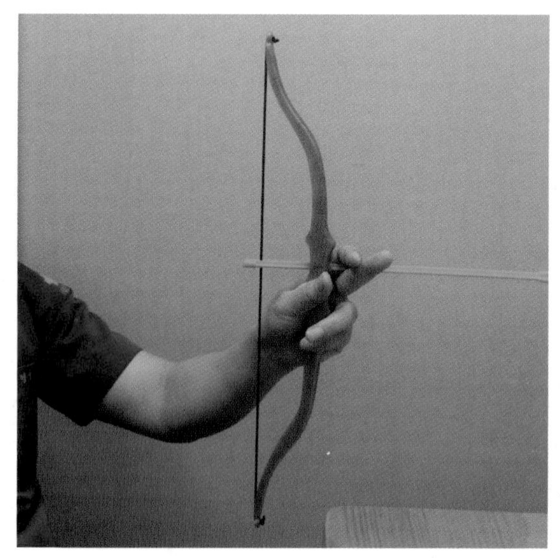
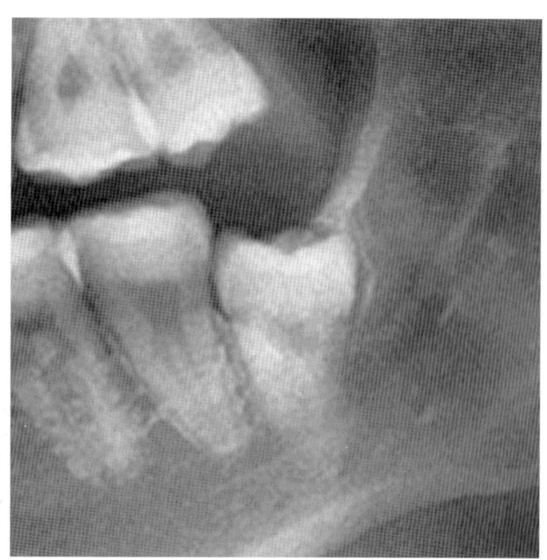

치근이 신경관을 비껴 지나간 경우이다. 이렇게 치근이 신경관을 비껴 지나가게 되면 치근은 화살처럼 신경관과 상관없이 제대로 형성이 되었고, 신경관도 원래 있던 자리에 그대로 있게 된다.

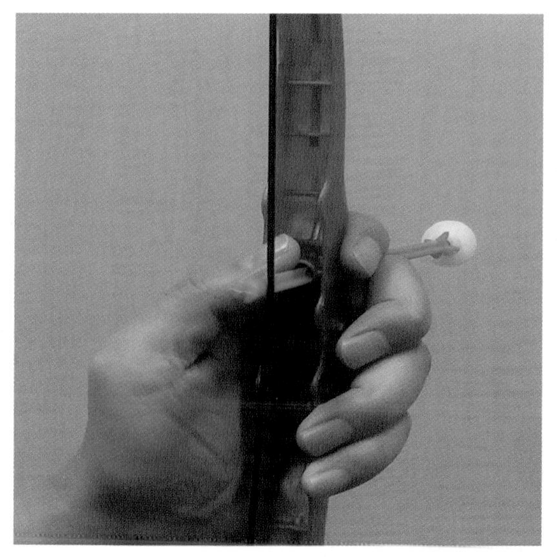
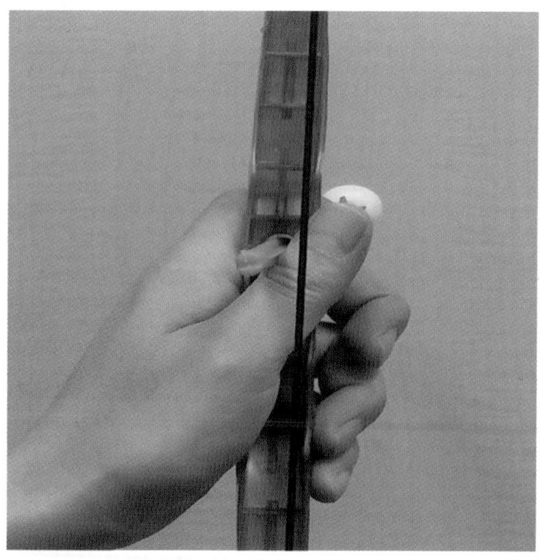

그러나 얼마나 어떻게 비껴 지나갔느냐에 따라서 상황은 다를 수 있다. 위 사진의 왼쪽에서처럼 치근이 신경관과 붙어서 지나갔다면 서로에게 영향을 미쳤을 것이다. 신경관을 앞으로 밀어냈든지 신경관이 쇠파이프여서 치근이 형성에 장애를 받았든지 말이다. 이제 하나하나 살펴보자.

07
파노라마 상 겹쳐 보이지만... 실제로 떨어진 경우★★

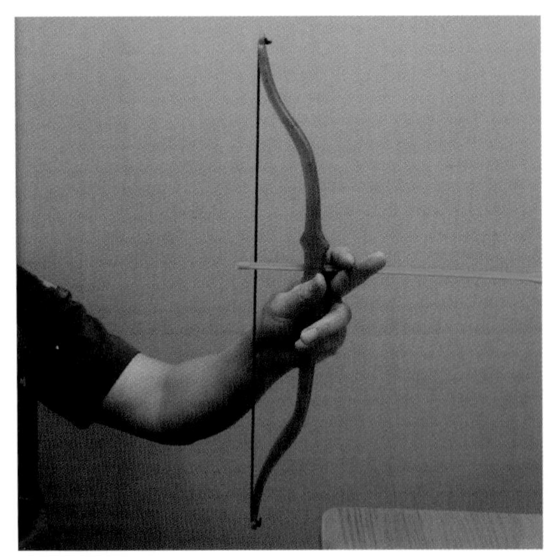

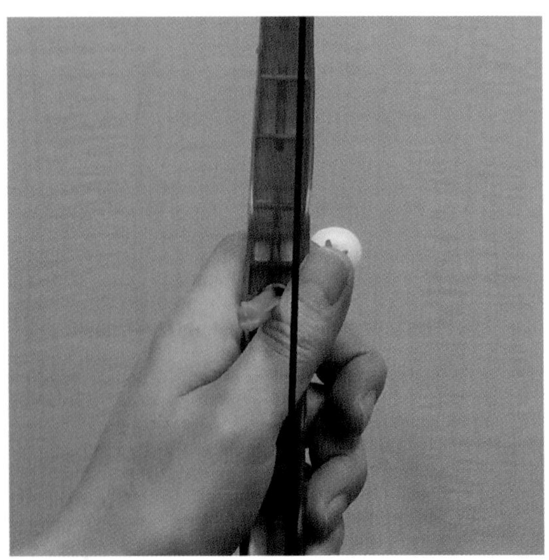

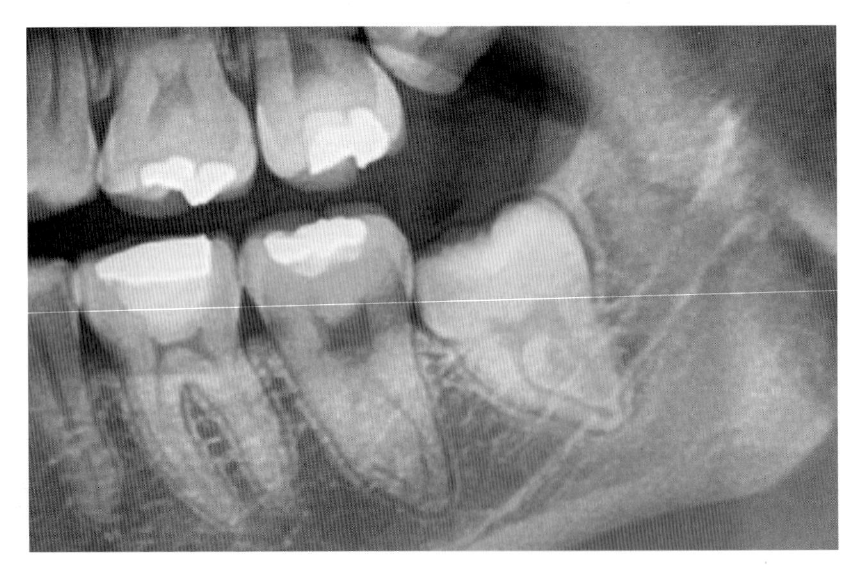

사랑니의 치근이 신경관과 거리를 두고 전혀 무관하게 형성된 경우로 겹쳐 보이지만 사진상 특별한 변화가 없이 모든 영상이 연속성 있다. 발치 시에 골 삭제를 거의 하지 않는 필자는 이런 케이스에서 치근이 부러지기 전까지는 하치조신경관을 무시하며 발치한다.

★★

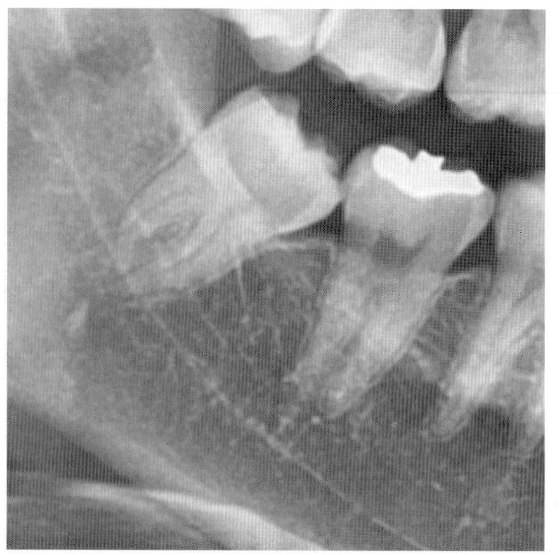

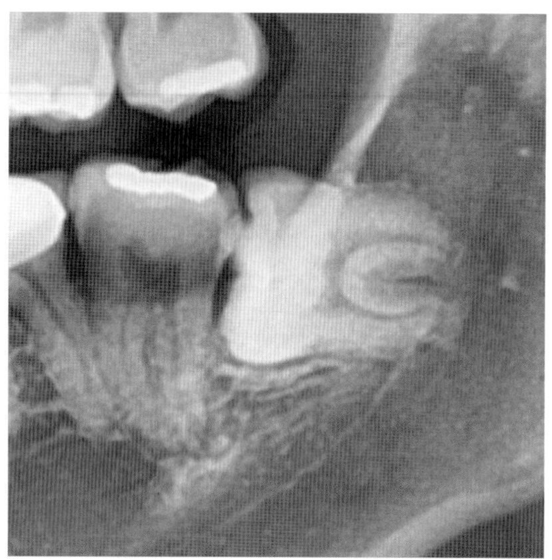

위의 사진에서 사랑니와 신경관이 겹쳐 보이지만, 신경관의 연속성이나 치근의 연속성 모두 정상이다. 이런 경우는 신경관과 사랑니가 전혀 서로 상관없는 정도의 거리에 있음을 뜻한다. 종종 CT상에서 이런 사랑니와 신경관을 관찰해보면 신경관이 설측 하방으로 멀찌감치 떨어져서 주행하고 있음을 볼 수 있다.

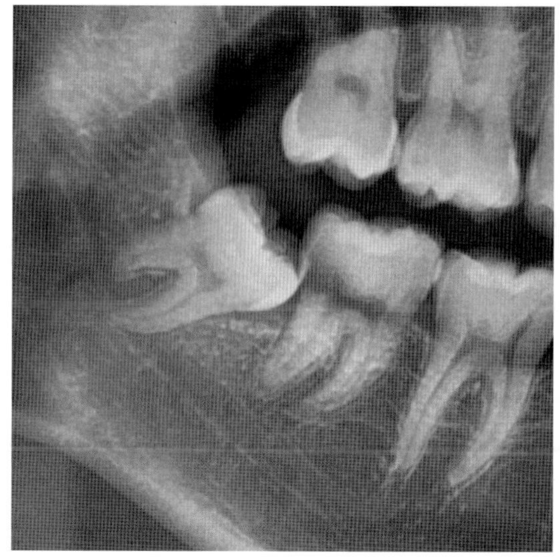

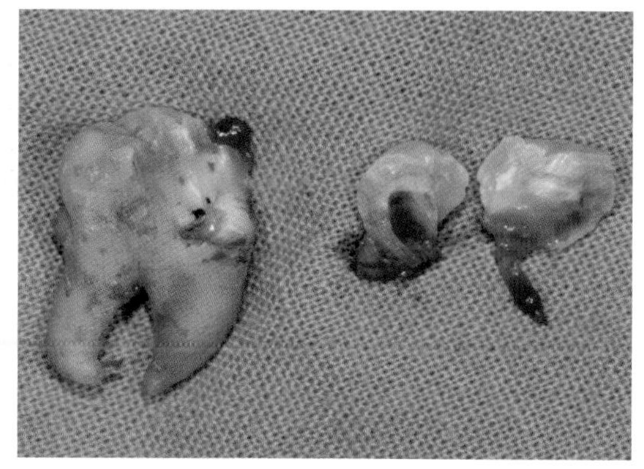

치근과 신경관이 겹쳐 보이지만 영상에 특별한 문제가 없어서 그대로 발치를 하였다.

08
겹쳐 보이지만 별다른 특이점이 없는 사랑니의 발치★★★

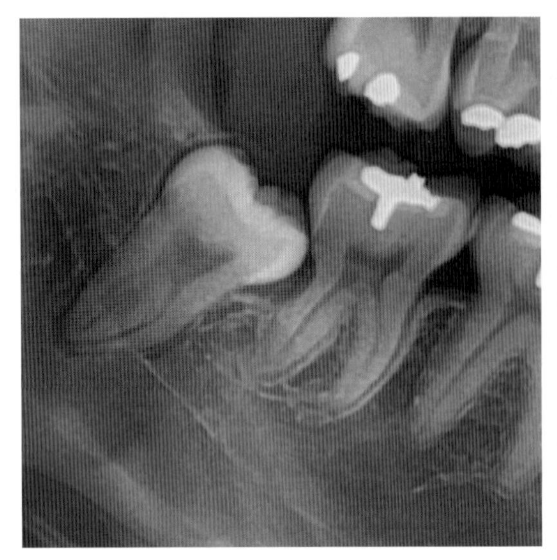

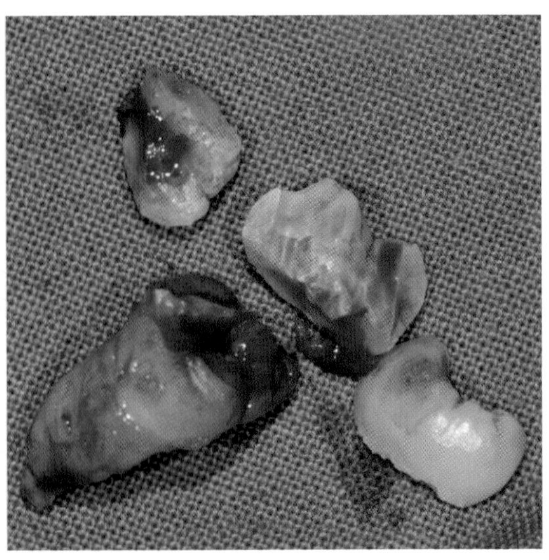

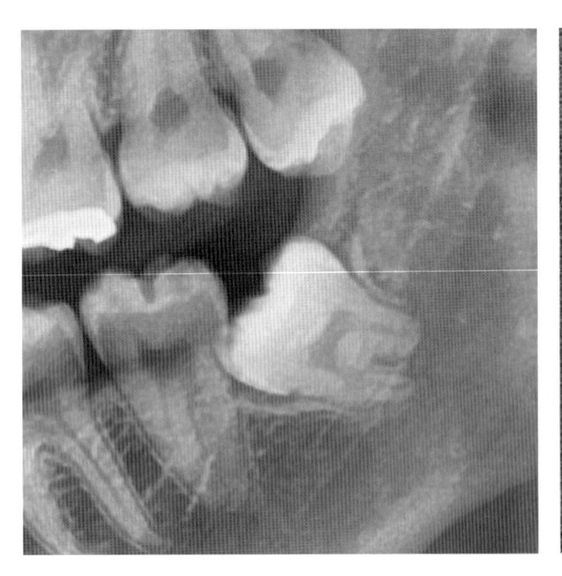

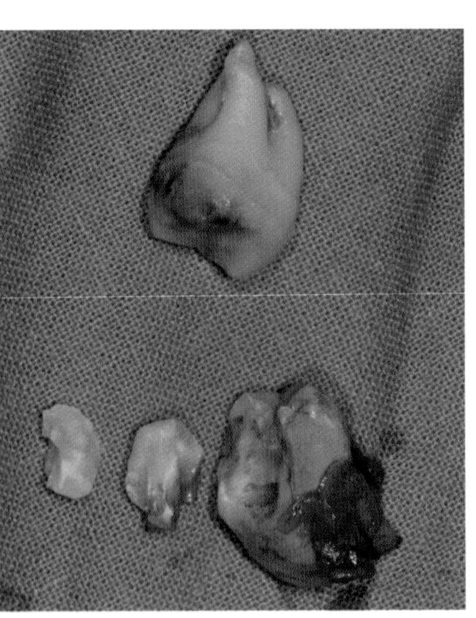

위 케이스의 경우 신경관과 겹쳐 보이지만 특이소견이 없는 사랑니를 발치한 모습이다. 발치한 사랑니의 치근 부위에서도 아무런 특이사항이 없으며, 이런 경우는 크게 신경 쓰지 않고 평소 발치처럼 하면 된다... 다만 파절된 치근을 제거하거나 과도한 골 삭제 등을 시행하려 한다면 주의해야 할 것이다. 필자 경험에 의하면 이런 경우 신경관은 사랑니의 설측으로 주행하는 경우가 많지만, CBCT가 있다면 어느 쪽으로 지나가는지는 확인해보는 것이 좋다.

09
파노라마 상에서 겹쳐 보이고 실제로 붙은 경우-치근의 검은 띠(Dark band)★★★

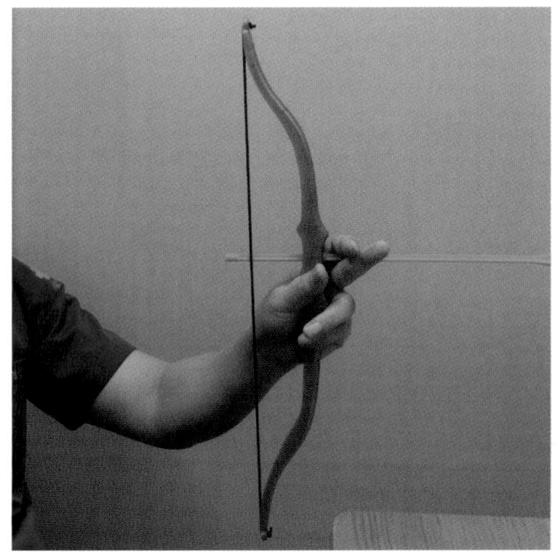
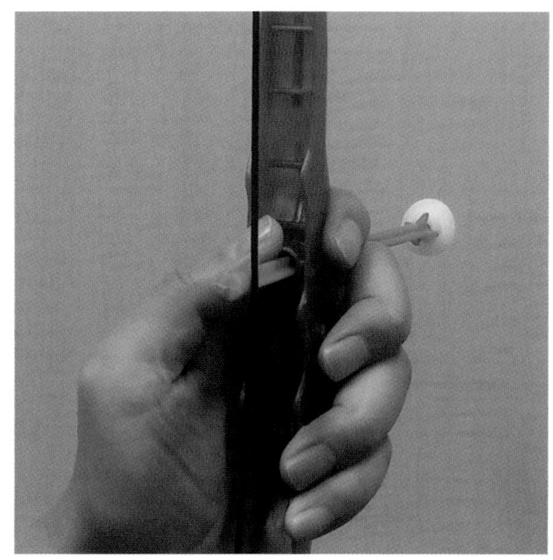

사랑니의 치근이 신경관을 비껴 가긴 했지만 거리가 가까워서 겹치는 부분에서 상이 조금 왜곡될 수 있는데 가장 흔한 특징으로 다크 밴드라고 표현하는데, 치근이 갑자기 어두워지는 현상이 나타날 수 있다.

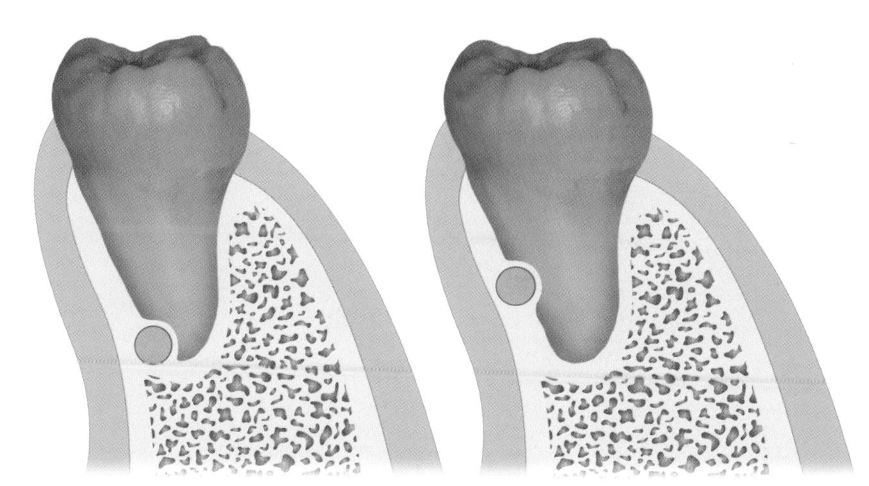

그림과 같이 치근이 형성되면서 하치조신경관을 만나서 형성에 변화가 온 것이다. 이런 경우 치근과 신경관이 근접해 있다는 싸인이므로 주의해야 겠지만, 필자는 필자의 철학대로라면 하치조신경관이 쇠파이프라는 뜻이므로 크게 신경 쓰지 않고 발치하는 편이다. 다만 신경관과 치근이 가까워 보이는 경우에는 엘리베이터로 힘쓰기 전에 환자에게 혹시 시리거나 시큰거리는 증상이 있으면 언제든지 바로 표현하라고 한다. 또한 치근이 파절된다면 그냥 두는 것도 좋은 방법일 듯하다.

10
전형적인 검은 띠(Dark band) 보기 ★★★

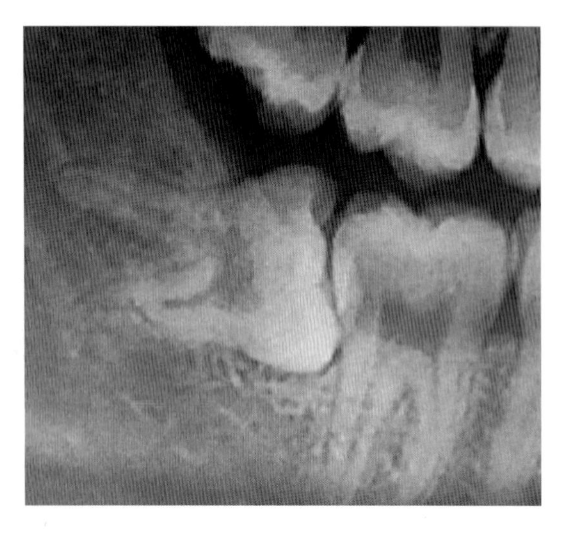

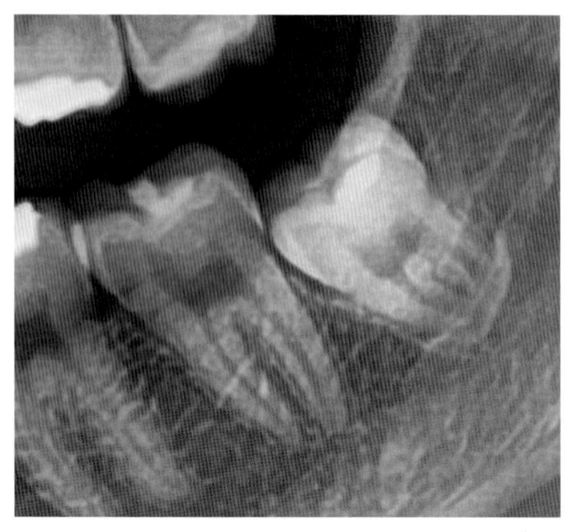

근심 치근은 중간에 다크 밴드가 명확히 형성되어 있고, 원심 치근은 겹치는 부분에서도 치근이 명확히 보이고 있다. 이런 경우 근심 치근에서 치근이 두 개로 갈라진 싸인으로 생각하는 경우도 있지만, 그것을 감별하기란 쉽지 않고, 특히나 신경관을 만나서 변화가 온 것은 신경관 쪽에 무게를 더 두는 것이 맞을 듯하다.

두 치근의 중심부에 전형적인 다크 밴드가 형성된 것을 볼 수 있다. 이런 경우 일반적인 발치를 그대로 시도하지만, 발치 도중에 환자가 시리다거나 통증을 호소하면 의도적 치관절제술 등을 고려해 볼 수 있다.

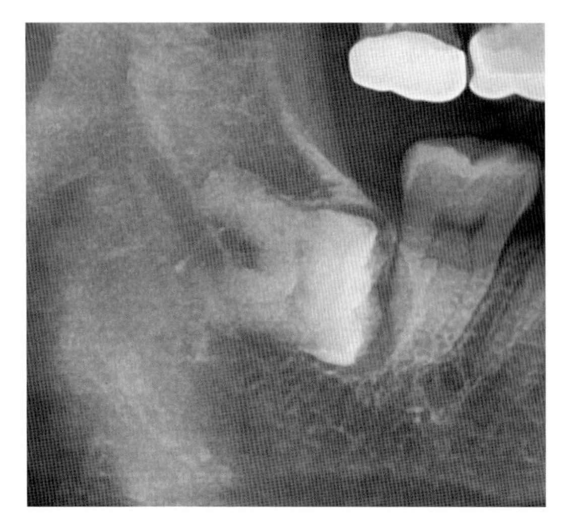

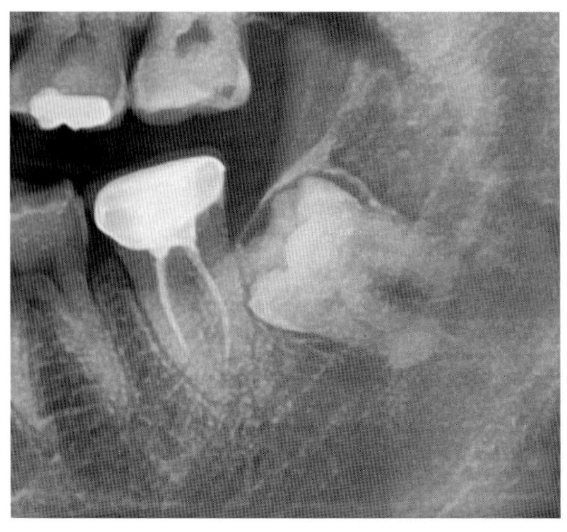

같은 환자 양쪽 아래 사랑니로 양쪽에 명확히 다크 밴드가 형성된 것을 볼 수 있다. 필자의 경험대로라면 이 환자는 신경관이 매우 단단하게 형성되었다고 할 수도 있다.

11
신경관과 치아가 겹쳐 보이는 케이스의 양측 비교 ★★

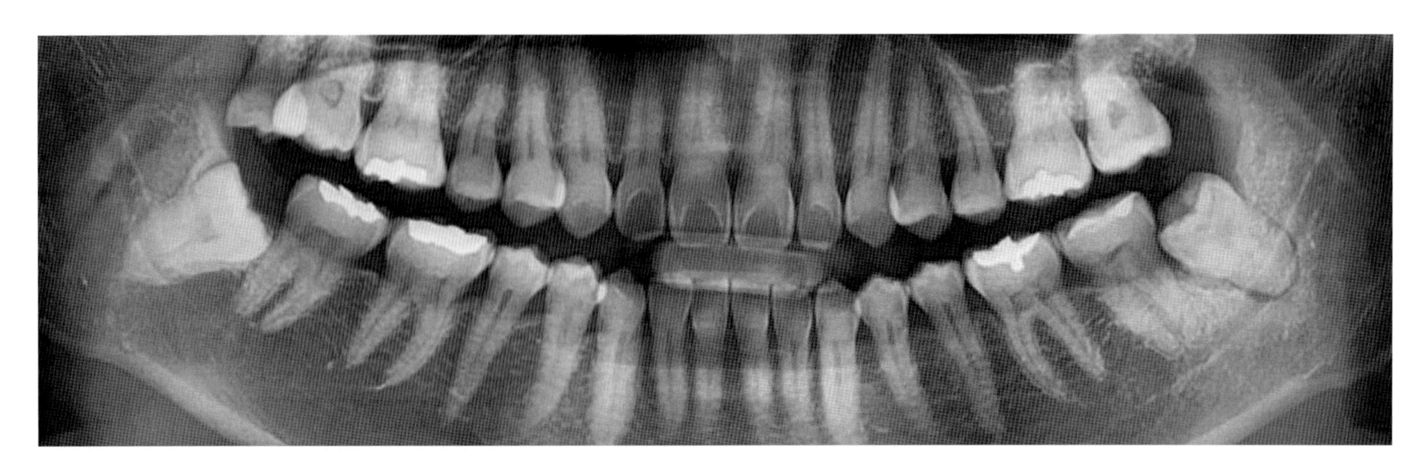

40대 후반 여성 환자로 38번 주위의 염증으로 본원에 의뢰되어 발치한 케이스이다. 파노라마 방사선 사진상에서 보면 #48번 사진에서 다크 밴드가 명확하게 보이며, #38번 치아는 주변은 검게 보이지만 막상 신경과 겹쳐 보이는 부분은 특이한 소견은 보이지 않는다. 인쇄된 상태에서 어떻게 보일지는 모르나 모니터상으로 명확하게 구별이 된다.

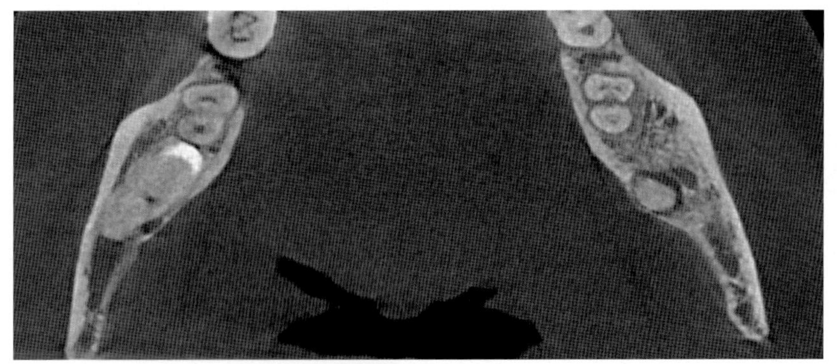

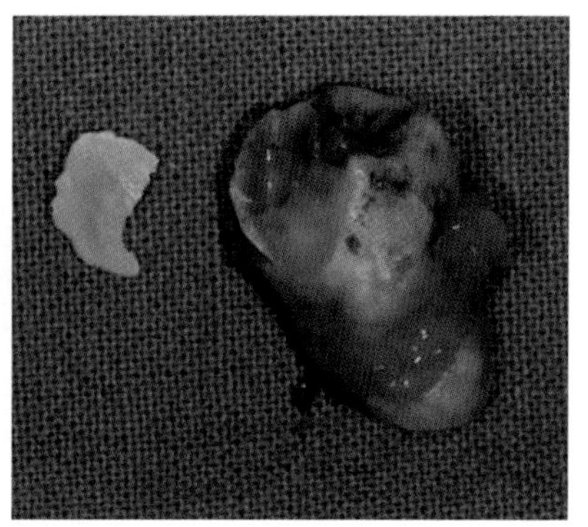

좌우측을 비교해보면 #48번 치아는 설측에 신경관이 접하여 위치하고 있고, #38번 치아는 협측에 전혀 접촉 없이 신경관이 위치하고 있음을 볼 수 있다. 방사선 투과상으로만 따지면 #38번이 훨씬 더 크지만 다크 밴드는 #48번에 더 뚜렷하게 보인다. 아마도 #38번 사랑니 주변에 골 흡수 소견이 없었다면 더 정상적으로 보였을 것이다.

현직 모 병원 치과 교수의 친누나로 본인이 부담스럽다고 필자에게 의뢰하였다. 위 사진은 두경부 CT 영상으로 생각되며... 환자 본인이 동생이 가지고 가라고 했다고 가지고 왔다. 치아 주변으로 전반적인 염증이 있어서 혹시나 다른 질환이 아닐까 의심도 되었지만, 발치만 해달라고 해서 발치만 시행하였다. 환자분이 발치 후에 진료비도 내지 않고 그냥 인사만 하고 치과를 떠났다. 붙잡는 직원에게 소독이나 실밥 제거는 동생한테 가서 하겠다고 했다고 한다. 아마도 직원은 치료비를 달라고 하려고 한 거 같은데... 필자의 치과에는 치과의사나 치과의사 가족들이 많이 내원하는데... 대부분은 예의상 진료비용을 받지 않는 경우가 많긴 하지만, 당연하게 안 내고 가시니 조금은 당황스럽기도... ㅠㅠ

12
검은 띠(Dark band)가 보이는 사랑니 발치 1 ★★★

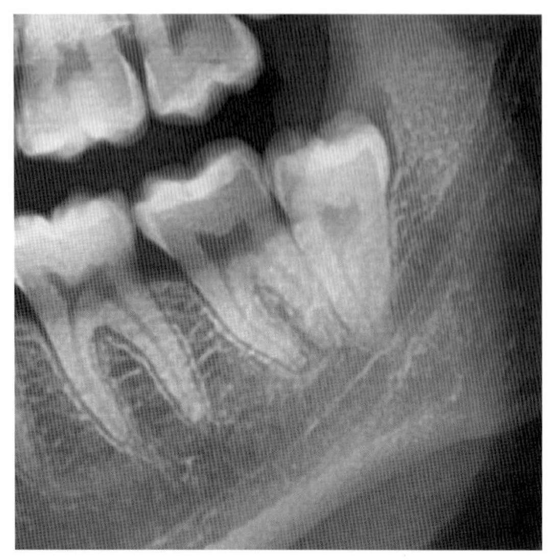
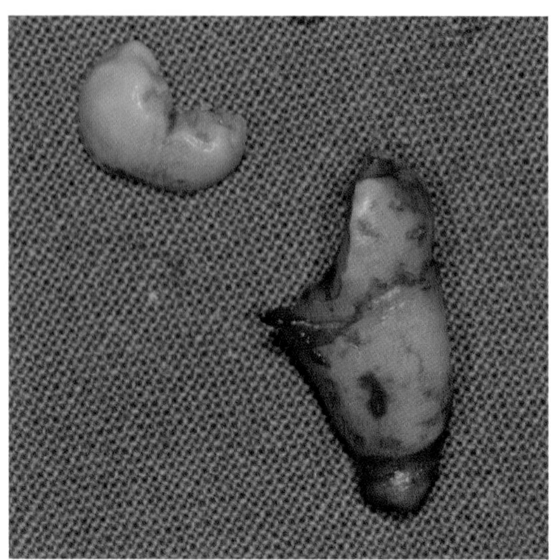

발치한 치아를 설측에서 찍은 사진으로 신경관이 지나가는 자리를 명확히 볼 수 있다.

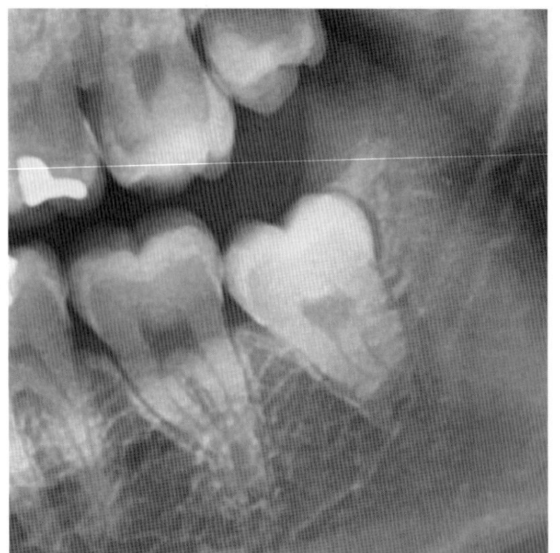
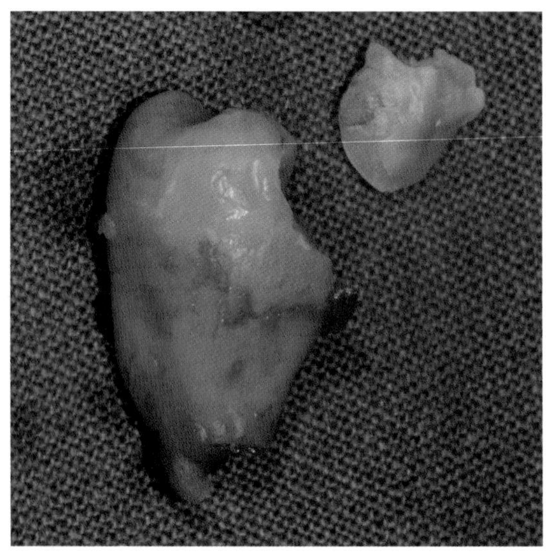

발치한 사랑니를 설측에서 본 사진이다. 위의 케이스보다 더 가까우면 치근이 신경관을 만나서 거의 잘리듯이 형성된 것을 볼 수 있다. 위 케이스는 치아의 원심면을 삭제하고 엘리베이터로 발치하였고, 아래 케이스는 근심면을 삭제하고 엘리베이터로 발치하였다. 이러한 발치 방법은 이 책의 뒷부분에서 다시 다루게 되므로, 여기서는 치근의 모양에만 관심을 가져보자. 어쨌든 둘 다 발치 과정에서 환자는 어떠한 증상도 호소하지 않았다. 아마도 신경관이 쇠파이프여서 일까? ^^

검은 띠(Dark band)가 보이는 사랑니 발치 2★★

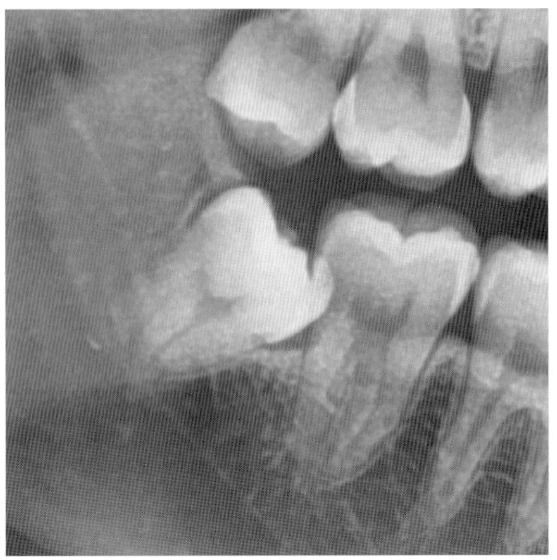

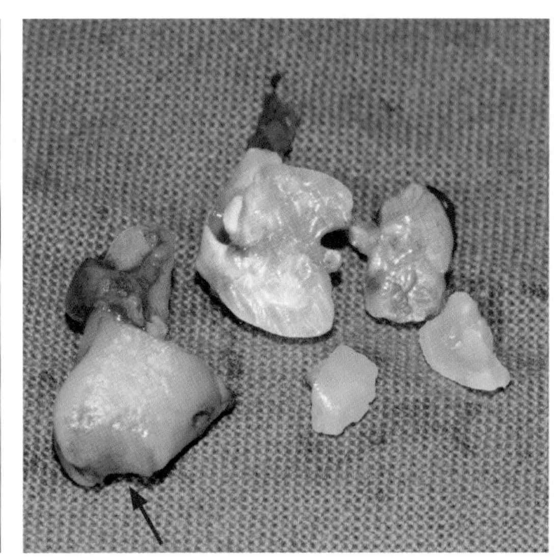

원심 치근에 다크 밴드가 보인다. 발치 후에 원심 치근 설측 하방을 보니 신경관을 만나서 형성에 문제가 있었던 것을 바로 확인할 수 있다.

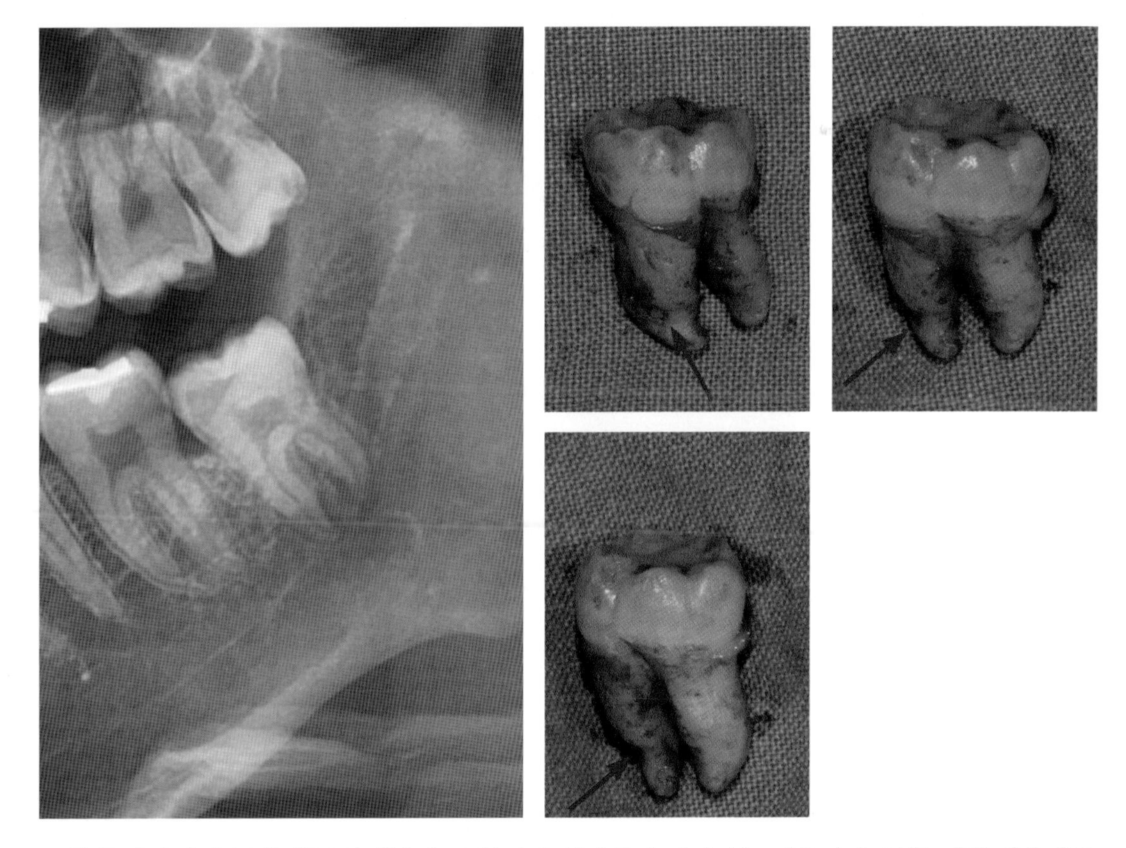

드물게 신경관이 근심 치근의 협측으로 붙어서 신경관이 지나가는 경우이다. 보통 이런 경우에도 골막 박리 없이 평소처럼 엘리베이터만을 이용해서 발치한다.

검은 띠(Dark band)가 보이는 사랑니 발치 3★★

같은 환자의 양면

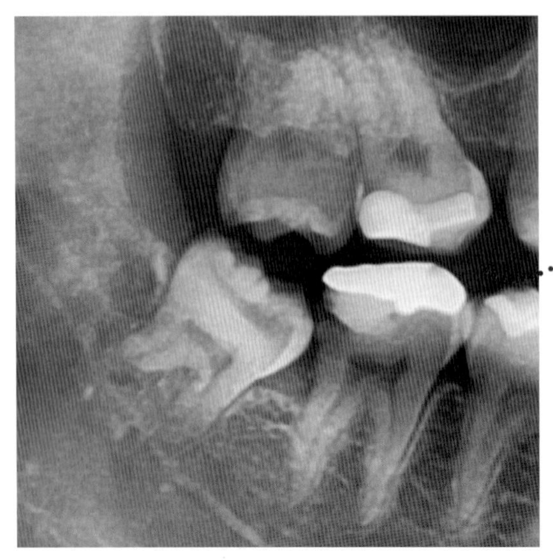

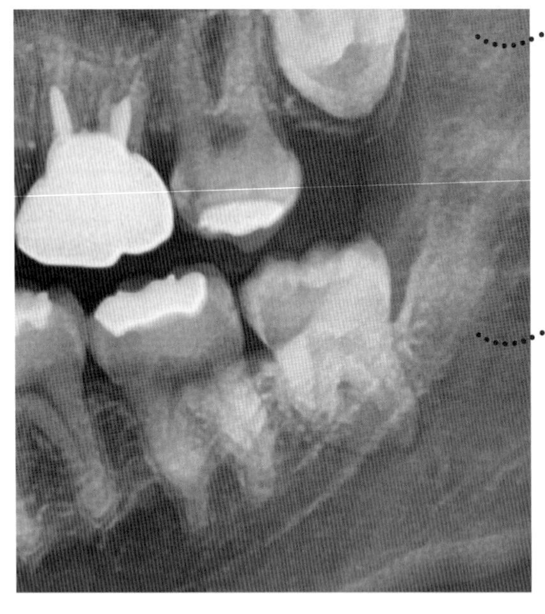

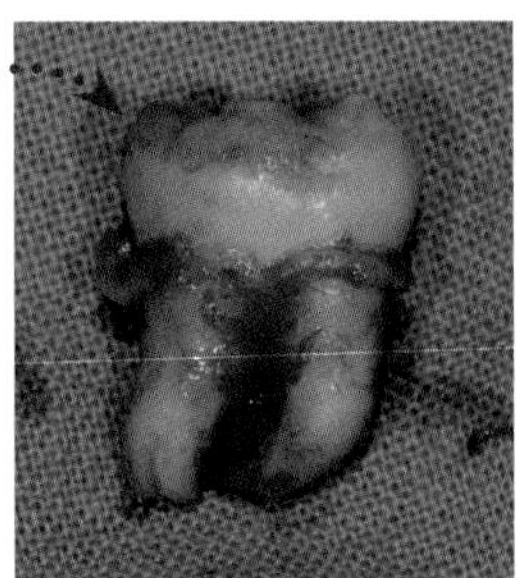

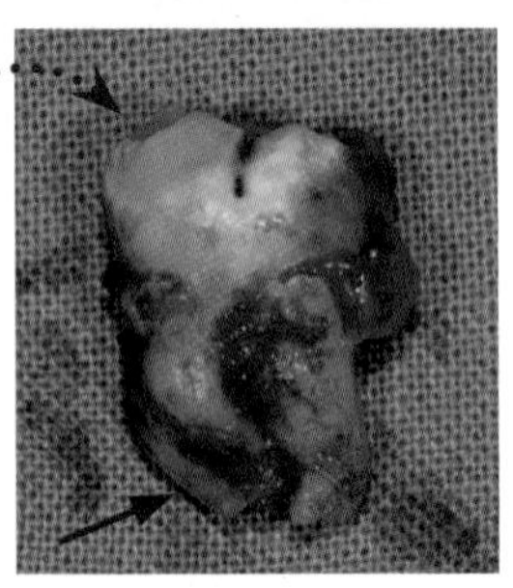

파노라마 상에서 48번 사랑니의 치근이 심각하게 흐려 보인다. 발치한 후에 치아의 치근을 하방에서 보니 신경관을 만나서 치근이 휘어지고 눌린 것을 볼 수 있다. #38의 경우는 근심 치근이 원심 치근에 비해서 흐린 것(검게 보이는)을 확인할 수 있다. 발치한 치아를 협측에서 보면 큰 이상이 없어 보인다. 그러나 설측면에서 보면 근심 치근이 형성에 신경관과 만나는 자리를 확인할 수 있다.

같은 환자의 양면에서 치근과 신경관이 만나서 양측 치근 모두 형성에 영향을 받았다면, 이 환자의 신경관은 쇠파이프? ^^

다른 형태의 Dark band ★★

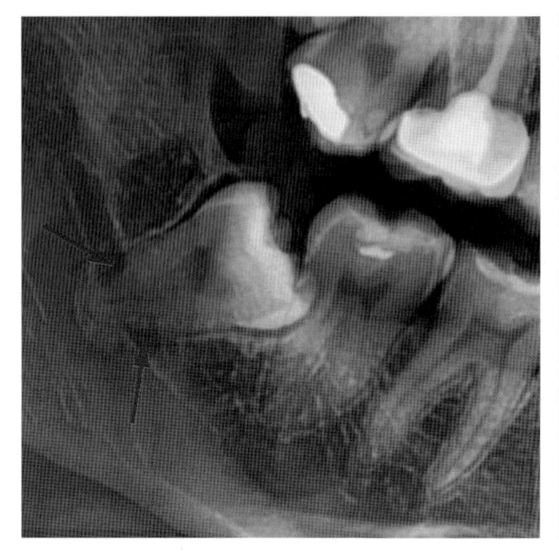
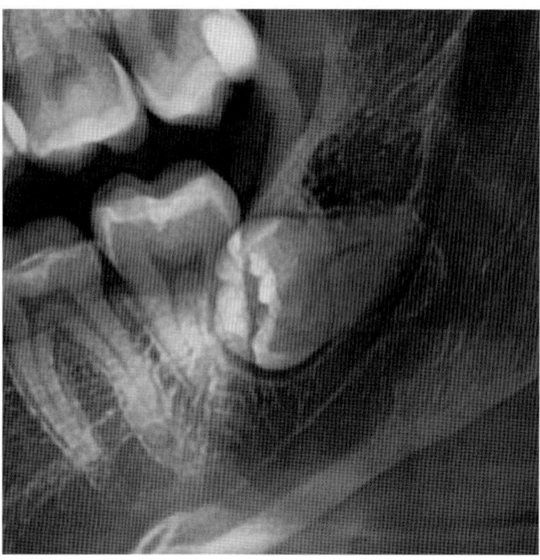

한 환자의 양측에서 다크 밴드가 보이지만 하치조신경라인에서 치근에만 국한되지 않고 치근 밖으로도 이어진 것을 볼 수 있다.

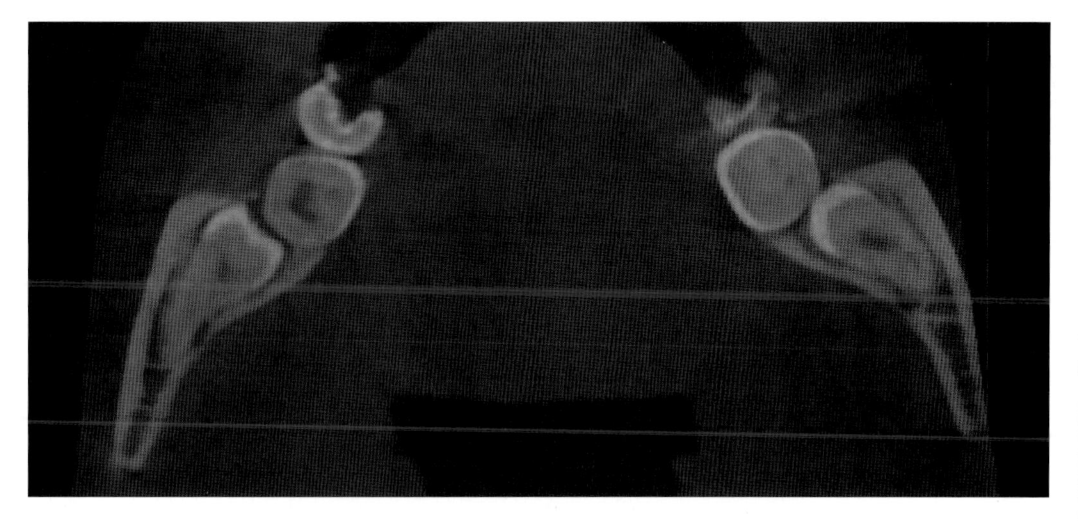

이런 경우는 대부분 치근이 자라면서 신경관을 설측 피질골 쪽으로 밀어내서 하치조신경관이 설측 피질골 내부에서 진행되는 곳에서 나타나는 싸인이다. 신경관이 치근을 만나서 90도로 꺾이지는 않고, 수평적으로도 활시위처럼 밀리기 때문에 치근에서만 국한되지 않고 치근 주변까지 설측 피질골이 소실되어 검게 보이는 것이다.

잠깐! 신경관이 치근 사이로 주행하는 경우 1 ★★

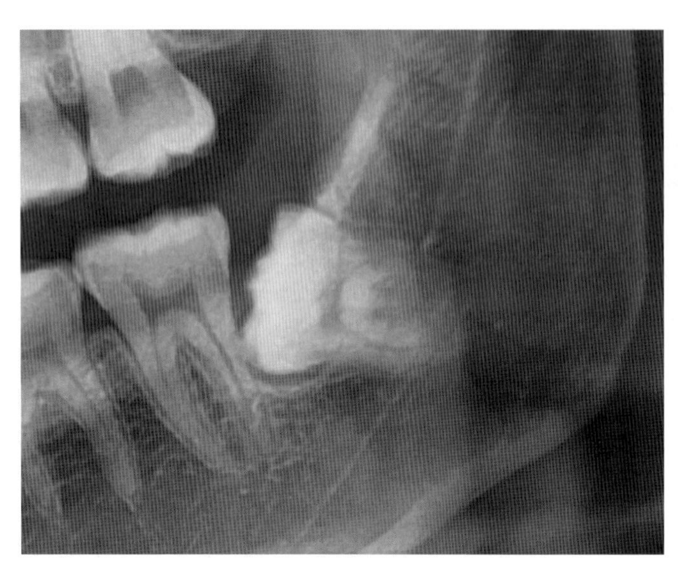

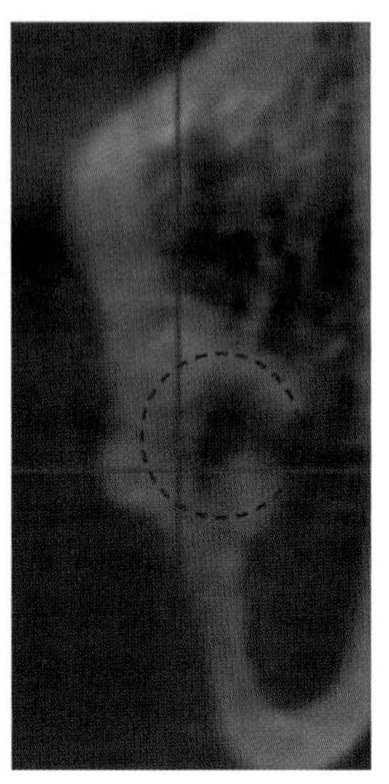

원심 치근이 흐려 보이는 사랑니의 파노라마 사진이다. 느낌이 좋지 않아서 CBCT를 찍어보니 사랑니는 치근이 4개이고, 그 사이에 정확히 신경이 위치하는 것을 확인할 수 있다. 앞에서 이야기했던 다크 밴드와 같은 상황은 아니지만, 치근이 흐려 보이는 근본적인 이유는 비슷하지 않을까 생각해본다. 어쨌든 치근이 흐려 보인다면 치근을 제거할 때 매우 주의해야 한다.

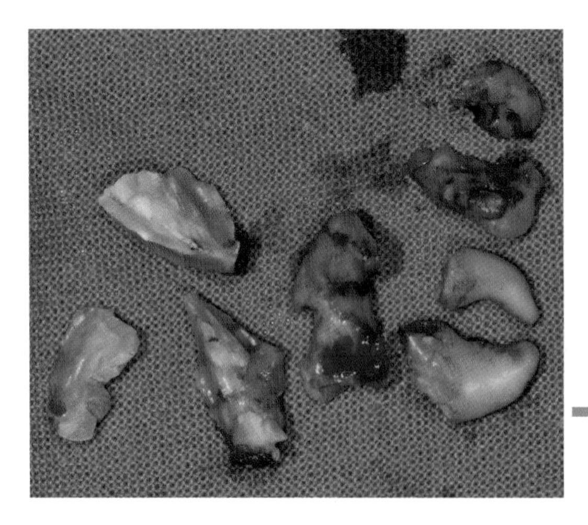

치근이 4개로 사진상 상방에 있는 원심 치근이 C-shape 또는 2개 근관으로 명확히 신경관이 치근 사이로 주행함을 알 수 있다.

필자는 자존심에 오바해서 뽑았지만, 일반치의라면 치관절제만 하는 것이 옳다고 본다. 이런 발치를 하면서는 환자의 통증이나 느낌 등을 예의 주시하면서, 매우 긴장하면서 해야 한다.

잠깐!

신경관이 치근 사이로 주행하는 경우 2★★

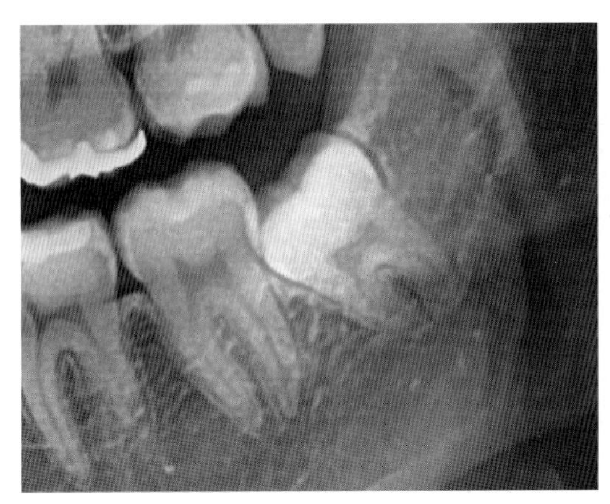

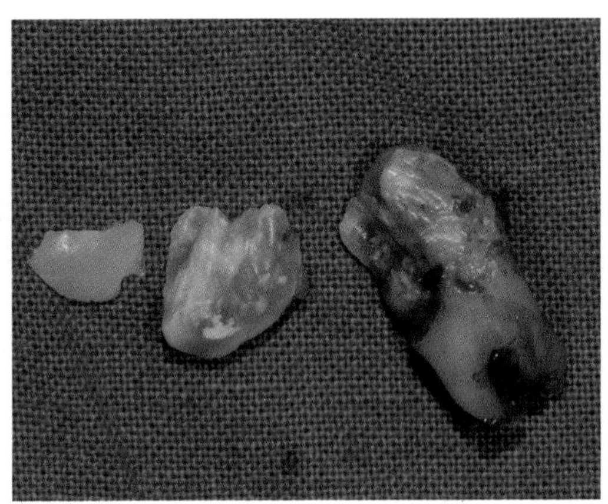

치근과 신경관이 겹쳐 보이는데 비교적 치근은 형태가 그대로 유지되지만, 신경관은 치근보다는 연속성이 끊겨 있는 것을 볼 수 있다. 이것이 반드시 치근 사이에 신경관이 위치하고 있다는 싸인은 아니지만, 유심히 관찰해볼 필요는 있다.
발치한 사랑니를 근심면을 앞으로 보이게 하여 찍은 사진이다. 이 책의 뒷부분을 보면 치관 삭제한 방법은 알게 될 것이니 그 부분은 여기에서 언급하지 않겠다. 아래 CBCT 영상에서 보이는 것처럼 두 치근 사이로 신경관이 주행하고 있다.

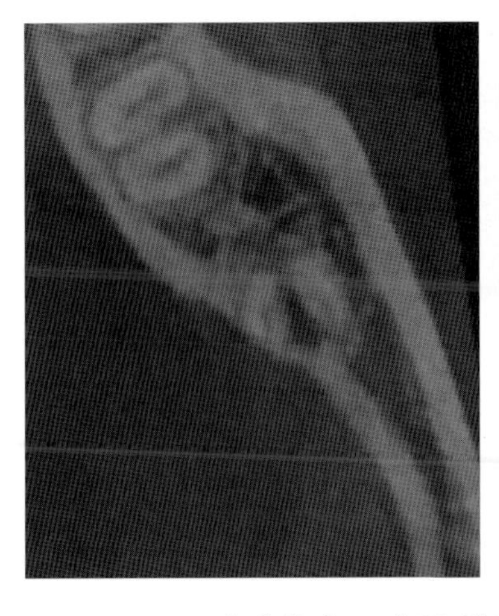

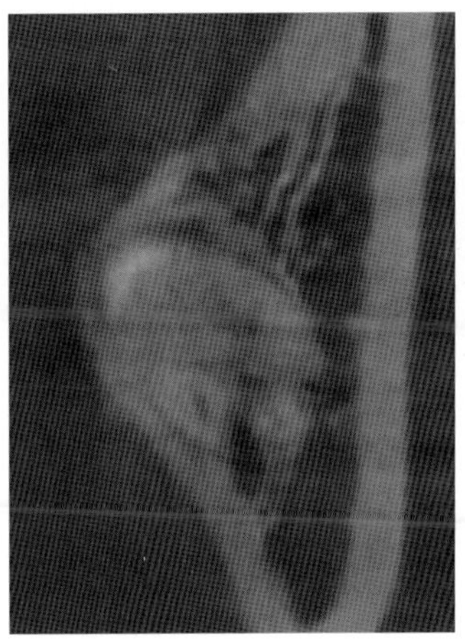

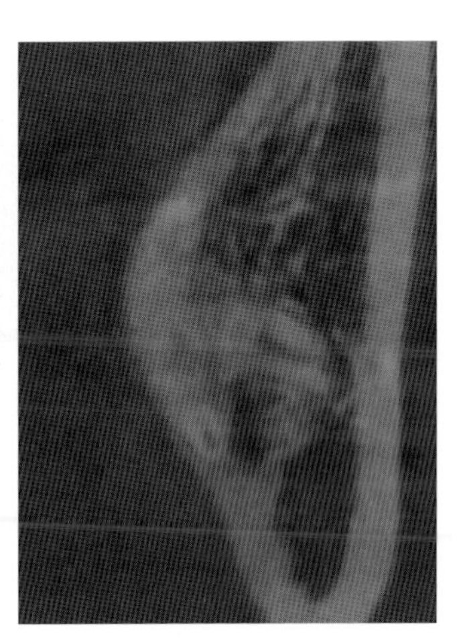

Cross section 사진에서 보면 두 치근 사이에 신경관이 위치하는 것을 볼 수 있다. 이런 경우 발치할 때 반드시 환자의 증상을 봐가면서 진행해야 한다.
Coronal section으로 봐도 두 치근 사이로 들어가기 직전 사진과 두 치근 사이에 들어간 사진을 볼 수 있다. 발치 시에 환자분이 시큰거리는 증상을 호소하였으며, 진행 과정에서 통증 정도를 계속 체크하면서 발치하였다. 발치 시간은 2분 남짓 걸렸지만, 신경손상 징후 없이 양호하게 발치를 완료한 케이스이다.

13 여차하면 처음부터 의도적 치관절제술★★★

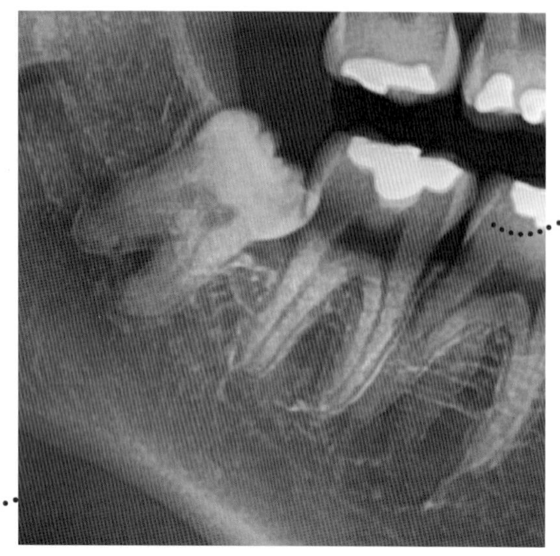

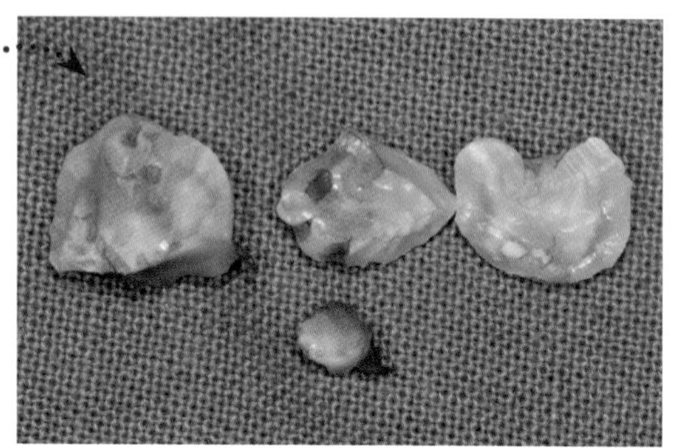

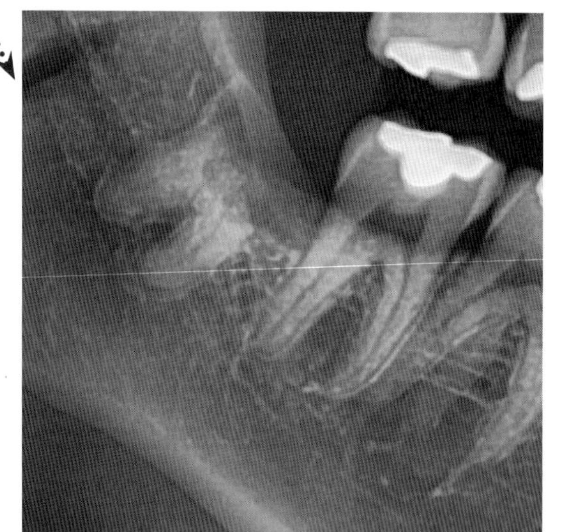

다크 밴드가 명확하고 쉽게 발치될 것 같지 않다면 시간 끌지 말고 처음부터 이와 같이 치관절제술을 시행한다. 아래 사진은 일주일뒤 봉합사 제거 시에 찍은 사진으로 현재 시행한지 1년이상 경과한 후에도 환자는 전혀 자각증상 없이 만족하고 있다. 다만, 거주지가 멀어서 치과에 내원하지 못하므로, 전화로 증상을 체크하였다.

참고!!

생각보다 예외가 많다.

대부분 다크 밴드가 나타나는 싸인은 신경관과 치근이 접해 있는 경우가 많다. 그러나 나타나지 않았다고 해서 신경관과 치근이 떨어져 있는 것만은 아니다. 신경관과 치근이 접해 있어도 파노라마 상에서 전혀 변화가 없는 경우도 많다.

다크 밴드 싸인이 보이는 대부분의 경우는 신경관이 치근의 설측에 위치해 있기 때문에 설측 피질골과의 사이에 여러 가지 변수가 있기도 하다.

14
사랑니가 신경을 압박해서 신경이 휘어진 경우 하치조신경관의 Diversion ★★★

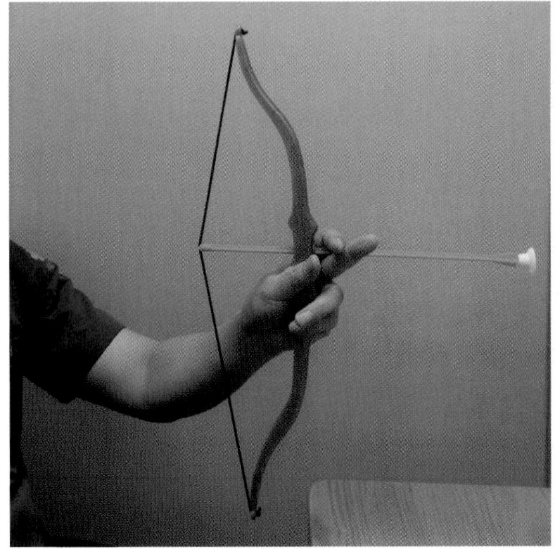
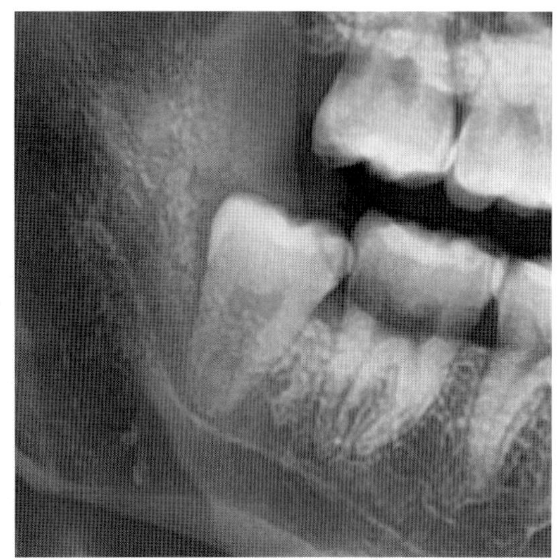

치근이 형성되는 과정에서 신경관을 비껴가지 못하고 만나서 신경관을 밀어낸 경우이다. 이런 경우에는 파노라마 상에서 신경관이 사랑니의 치근에 의해서 활시위를 당기듯이 변위된 것을 볼 수 있다. 사진상에 이렇게 보인다면 사랑니의 치근 하방에 바로 신경관이 위치해 있을 수 있으므로 치근이 파절되거나 한다면 억지로 뽑기 위해서 힘을 주거나 하면 안 된다.

그리고 여기서 매우 중요한 점은 최소한 치근이 신경관을 만났을 시점에 신경관은 쇠파이프가 아니라 플라스틱 파이프나 그 이하 정도였을 가능성도 있다. 그렇게 하치조신경을 감싸고 있던 신경관의 골조직이 약하기 때문에 치근이 형성되면서 미는 힘 정도로 이렇게 변위하는 것이다.

이런 경우는 하치조신경 주변의 신경관이 약하므로 발치 중에 손상될 가능성이 있음을 인식하고 조심스럽게 발치를 해야 한다. 환자의 주관적인 통증을 표시하도록 하면서 해야 한다.

발치 과정에서 사랑니 치근이 파절된다면 제거에 신중해야 한다.

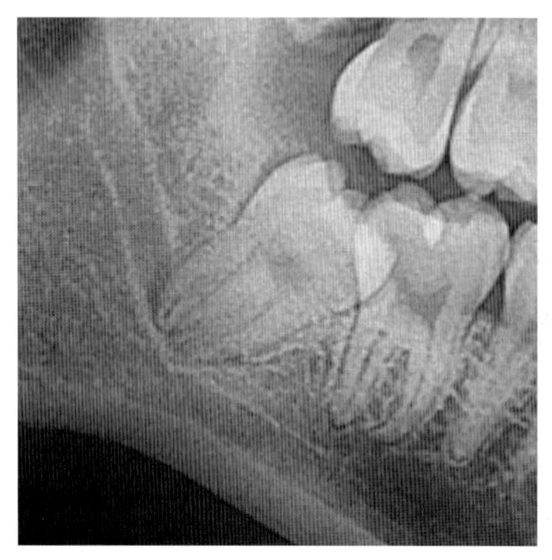
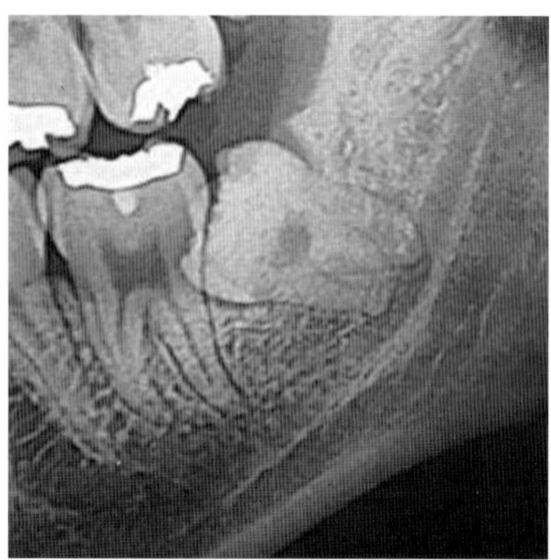

같은 환자의 양측 사랑니로 사랑니가 형성되던 시기에 신경관이 고무줄처럼 낭창낭창했나 보다. ^^

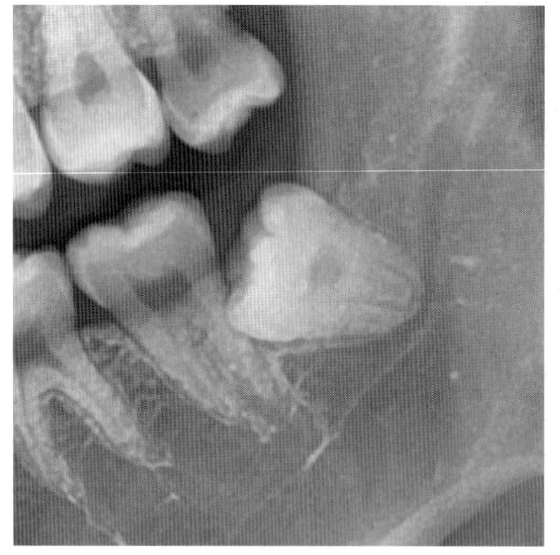
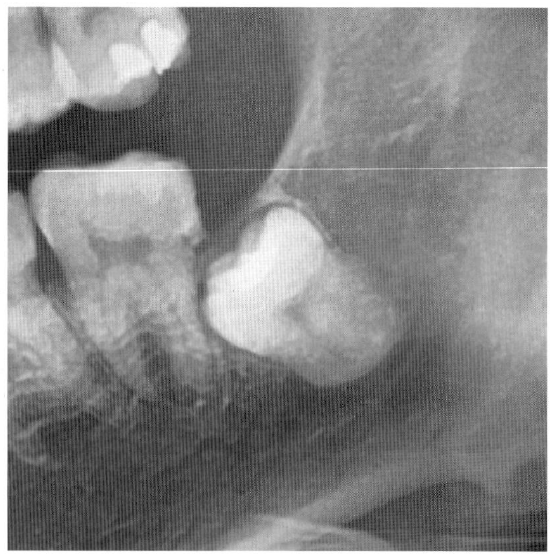

왼쪽 사진처럼 활시위를 전반적으로 당겼다기보다는 사랑니의 치관 주변만 살짝 변위시킨 경우도 흔하다. 오른쪽의 경우는 치근은 하치조신경관을 만나서 휘어지기는 했지만 근단까지 흐린 이미지가 없이 멀쩡하고, 신경관을 변위시킨 것도 모자라서 신경관을 압박시키기도 했다. 이런 경우는 치근이 형성되는 힘이 세든지 신경관 자체가 튼튼하지 않다고도 볼 수 있다. 그래서 필자는 이런 사랑니를 가장 경계한다.

15
신경관의 Diversion 싸인이 보이는 사랑니의 발치 ★★★

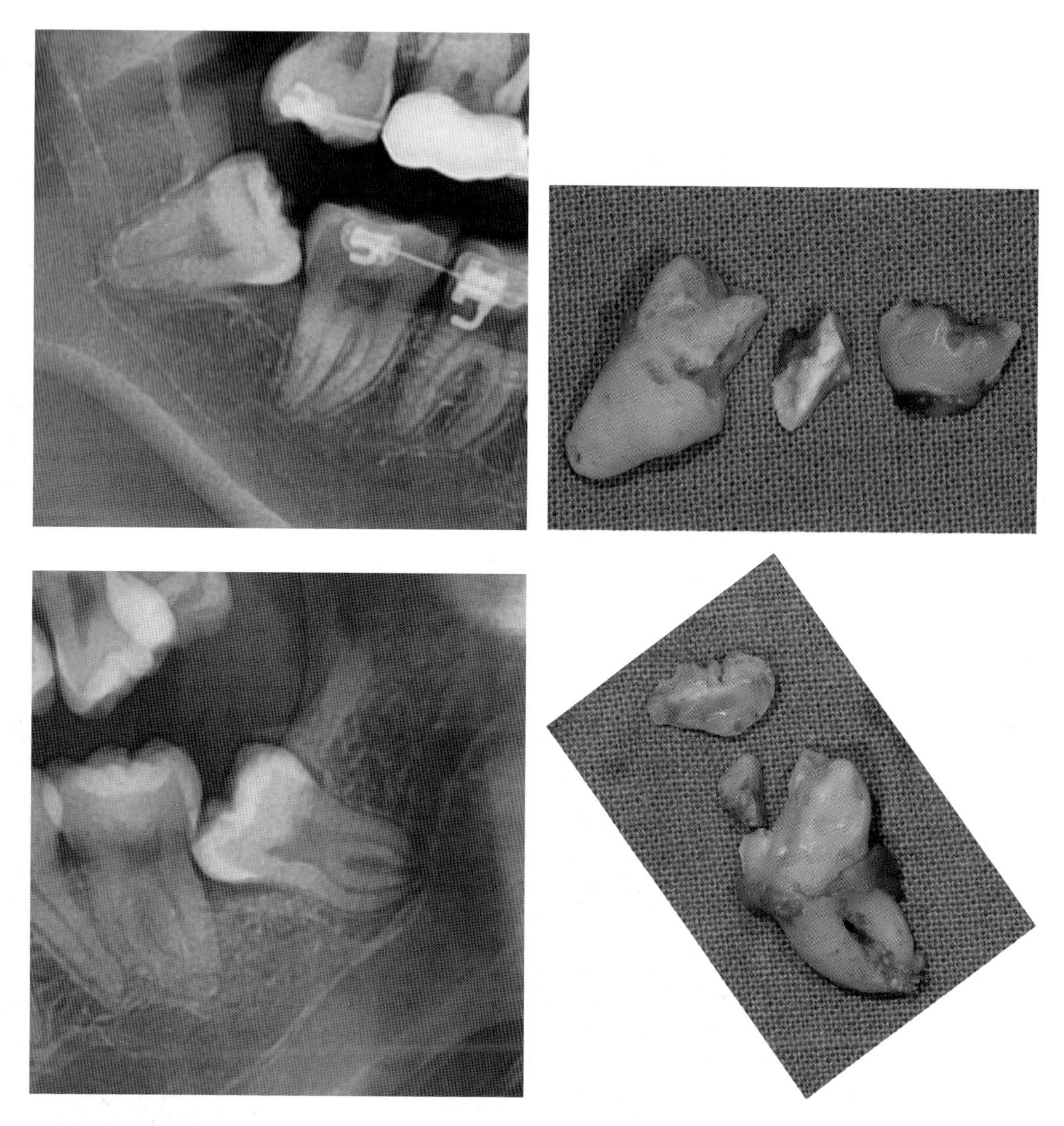

신경관을 활시위 당긴 것처럼 변위시킨 경우지만 치근은 전혀 이상이 없고, 심지어 아래의 경우는 두 치근 사이의 치소골마저 함께 발치되었어도 전혀 신경손상의 징후는 없다. 그러나 이런 경우에 처음부터 의도적 절제술 등을 고려해보는 것도 괜한 모험을 하는 것보다는 좋을 듯하다.

16
Dark band & Diversion ★★★

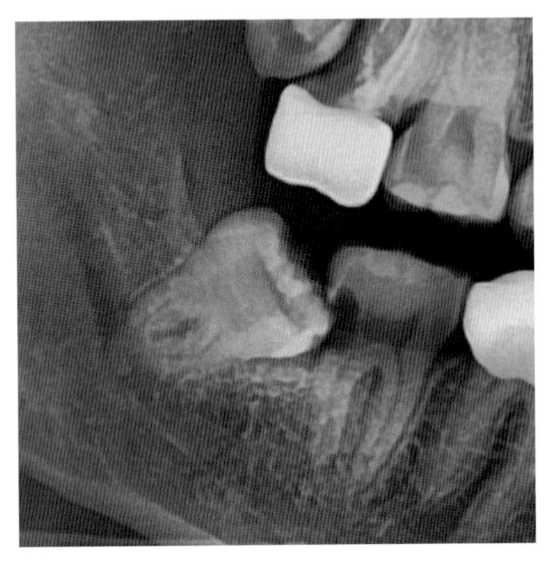
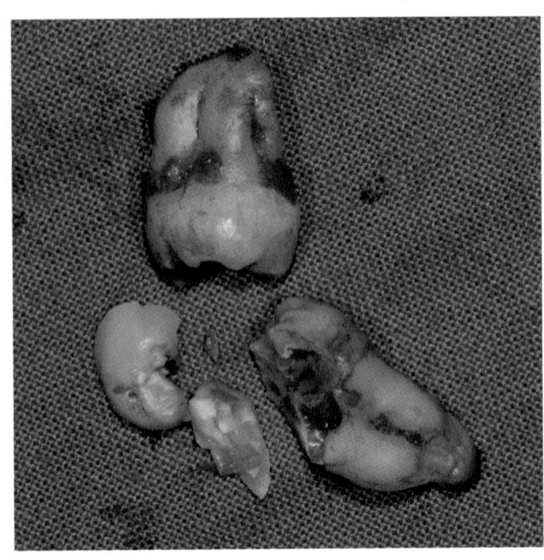

사랑니를 발치한 후에 설측면이 보이도록 치아의 방향을 반대로 놓은 모습으로 근단부의 설측면에 명확히 하치조신경관이 지나가는 것을 확인할 수 있다.

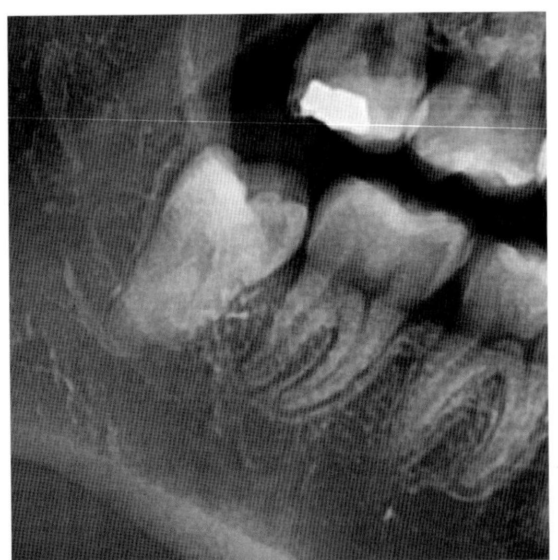
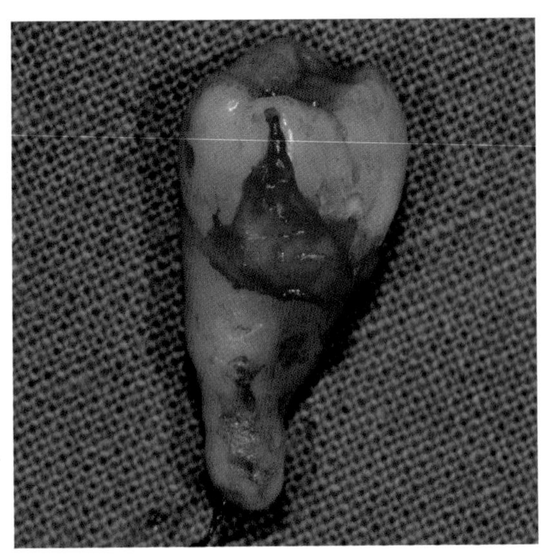

심하지는 않지만 약간 신경관이 휘면서 살짝 다크 밴드가 나타나는 것을 볼 수 있다. 이런 사랑니를 뽑으면서는 신경관에 너무 신경 쓸 필요 없다. 다른 단순매복치와 마찬가지로 잇몸 살짝 5 mm 절개 후 엘리베이터로 발치하면 된다. 신경은 신경 쓸 필요 없다.

17 ★★★

신경관이 눌리고 휜 경우 하치조신경관의 Constriction & Diversion (압박 & 변위)

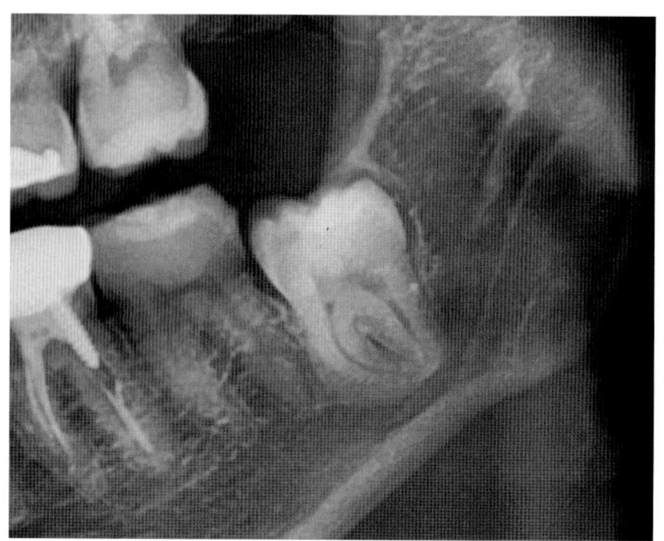

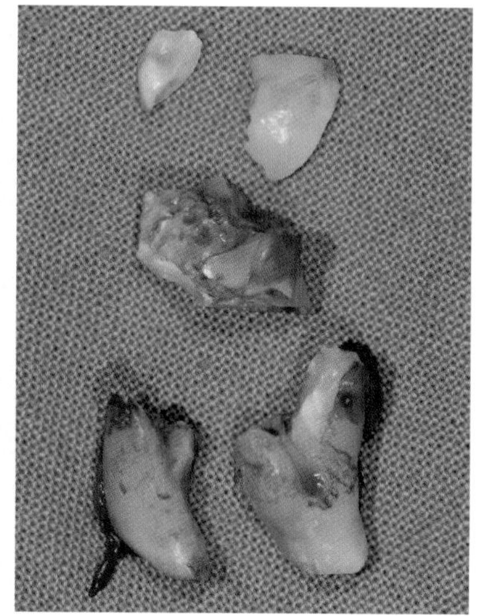

위의 경우는 신경관이 압박 및 변위된 케이스이다. 사랑니 치근이 형성되면서 하치조신경관을 압박해서 하악골 하연의 피질골까지 압박한 케이스이다. 지극히 개인적인 필자의 견해는 이렇다. 하치조신경관은 연조직이 아니라 일종의 파이프라인과 비슷하다고 할 수 있다. 이 관이 단단하다면 치근이 형성되어서 자라면서 휘거나 비껴갔을 것이다. 그러나 신경관이 압박을 받아서 가늘어지고, 변위까지 되었다면, 오히려 신경관의 외벽이 그리 단단하지 않다는 뜻일 수도 있다. 그냥 필자는 그런 추정을 해본다. 물론 그렇다고 발치 방법이 크게 달라지지는 않는다. 위의 경우는 치관절제술을 시행한 뒤에 그대로 멈출까 고민하다가 남은 치근을 잘라서 제거해본 경우이다. 이런 경우에 치근을 제거할 때는 반드시 환자에게 조금이라도 시리거나 찌릿찌릿한 느낌이 있다면 바로바로 표현해 달라고 하면서 발치를 진행하는 편이다. 어쨌든 가장 주의해야 하는 케이스이다.

18
신경관이 압박되고 변위된 케이스 ★★

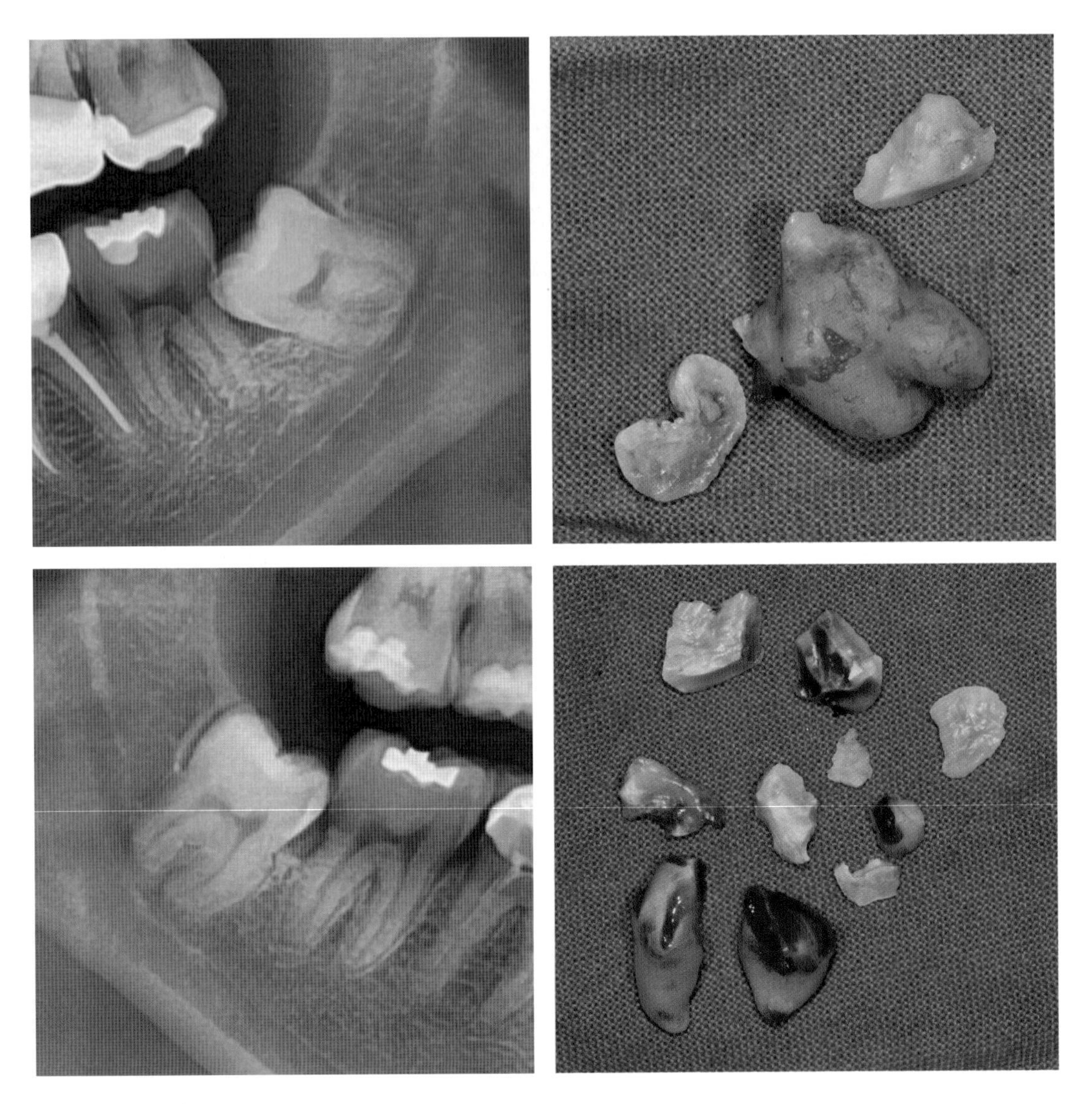

독일에서 오랫동안 살다가 귀국하여 사랑니 발치해주는 치과를 못 찾아서 여러 치과를 전전하다가 필자를 찾아온 35세 여성 환자분의 케이스이다. 38번 사랑니를 먼저 뽑고 한 달 뒤에 반대쪽 48번을 발치한 환자의 사랑니의 파노라마 사진 및 발치 후 치아사진이다. 필자는 어지간하면 미리 사진 보는 거 없이 환자가 초진내원 당시 발치를 하는 것이 원칙이기 때문에 38번은 초진 시에 매우 간단하게 5분 만에 발치가 완료되었다.

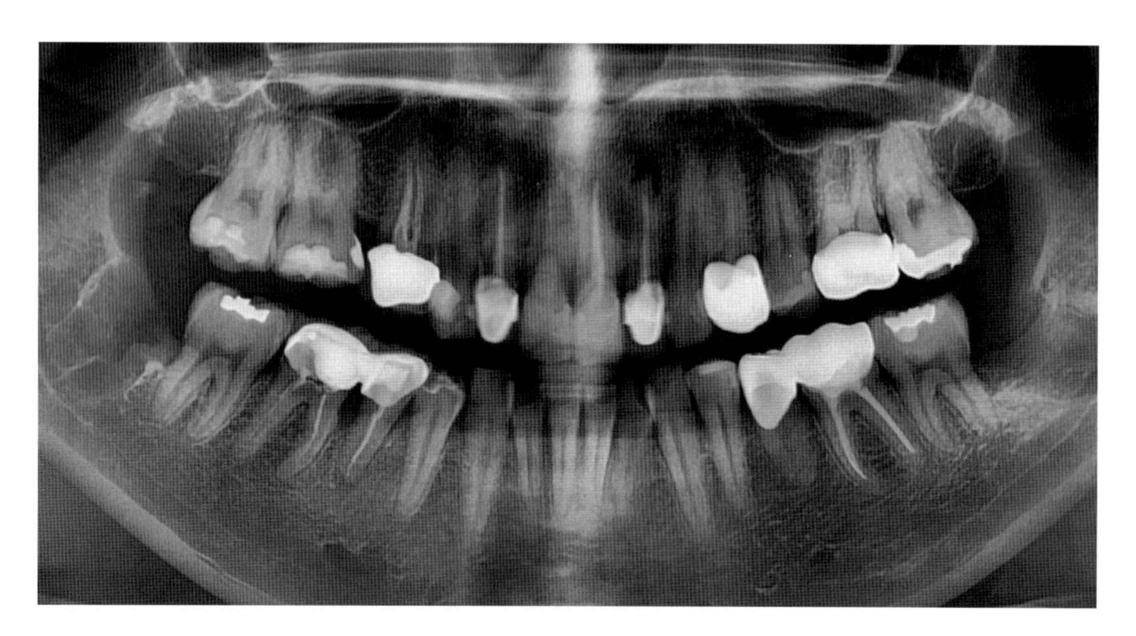

그러나 48번의 경우는 38번 사랑니 발치 시와 같은 방식으로 시도하였으나 치관부가 모두 파절되었다. 뒤에서 다루겠지만 필자는 이렇게 골 속에 깊이 매복된 사랑니의 경우 협측골을 삭제하기보다는 먼저 근심 치아 조각을 삭제한 뒤에 설측 조각을 삭제한다. 그러나 핸드피스 각도가 잘 안 나와서 설측 조각이 너무 크게 삭제되면서 남은 치근을 제거하기 위해서 원심 협측에 엘리베이터로 힘을 쓰면서 나머지 치관도 파절되었다. 결국 치경부와 치근을 분할하여 발치한 케이스이다(20분 정도 소요).

발치 후 다음날 드레싱할 때 감각이상을 호소하여 혹시 파노라마 촬영을 실시하였다. 방사선 사진상 특이 소견은 없었으며, 이후 감각은 정상으로 회복되었다.

발치 후 파노라마 방사선 사진을 보면 48번 사랑니 주변의 치조골이 매우 단단하게 치조백선이 발달해 있는 것을 보면 왜 발치가 쉽지 않았는지 알 수 있다.

결론적으로 신경관이 압박되고 변위되었다면 신경관이 단단한 피질골로 둘러 싸이지는 않았다는 의미일 수도 있다. 그러므로 이런 사랑니를 제거하는 과정에서는 치근에 큰 힘이 가해지지 않도록 조심스럽게 발치해야 하며, 무리한 치근 제거는 시도하지 않는 것도 좋은 방법일 듯하다.

19
그 환자의 의무기록★

발치 후 다음 날 소독할 때부터의 차트 내용을 그대로 인용해봄

11. 12. #48 발치 (2015년 9월 21일 38번 발치)

11. 14. 드레싱 차 내원
환자 : 오른쪽이 붓고 우리하게 마취가 덜 풀린 것 같다고 함.
필자 : 일시적일 수 있으니 지켜보자고 함.

11. 16. 통화 – 환자 : 제가 감각이 저번에 토요일이랑 전혀 나아진 게 없이 똑같아요. 그때 원장님께서 계속 감각 안 돌아오면 스테로이드 먹어야 할 수도 있다고 하셨는데, 지금부터 먹는 게 좋을까요? 아니면 목요일까지 기다렸다 먹어야 되나요?
직원 : 제가 원장님께 여쭤보고 다시 연락드릴게요~ 박**

11. 18. 통화 – 직원 : 스테로이드 약물 드실 필요는 없구요~ 원장님께 확인해봤는데 신경손상 걱정 안 하셔도 되고 감각 돌아올 테니까 넘 걱정 마세요~ 목요일에 실밥 뽑으러 올 때 한 번 더 체크해 드릴게요 박**

11. 18. 통화 – 직원 : 안녕하세요~ 이○○님, 실밥 제거하시면서 신경 감각 체크하는 거 김영삼 원장님께서 봐주셨으면 하는데요. 내일 말고 금요일날 괜찮으신가요? 아님 혹시 오늘이나~ 오실 수 있으신가요?
환자 : 아, 오늘은 좀 힘들구요. 금요일 오전 일찍 갈게요. 그리고 지금도 좀 마비가 되어 있는 것 같기도 해요. 풀렸으면 하는 바람이 있는데 아직 감각이 없는 것 같기도 하구요. 아무튼 금요일날 10시에 갈게요. 그때 갈 때 애기 데리고 가도 되나요? 영유아 구강검진하는 거요.
장**

11. 20. 봉합사 제거 차 내원
환자 : 똑같아요. 그냥 처음에 마취했을 때 느낌 그대로에요.
필자 : 감각은 돌아올 테니 걱정 마시고 지속적으로 체크해보기로 해요.

12. 07. 해피콜
환자 : (오후 02:09 해피콜) 네 그때보다 쪼~금 좋아진 거 같긴 한데... 기간이 오래 걸린다고 하시니깐, 더 지켜보려구요. 적응이 되서 그런 건지 좋아진 건지 잘 모르겠어요.

그 환자의 의무기록 ★

한 달 체크 이후에는 필자가 직접 연락함.

필자는 컴플레인하는 환자나 이러한 문제가 생긴 경우에는 무조건 필자가 직접 환자와 컨택하는 것이 원칙이다. 직원들이 이런 데서 받는 스트레스를 없애 주려는 것도 있지만, 해결도 내가 직접 하는 것이 가장 빠르다는 교훈 때문이다.

12. 17. 한 달 뒤 개인 카톡으로 연락함.

Dr. 김영삼 – 안녕하세요? 이○○님 강남레옹치과 김영삼 원장입니다. 지금은 좀 어떠신가요?

환자 : 이○○ 원장님 안녕하세요? 이렇게 친히 카톡도 주시고 감사합니다. 근데 아직도 감각은 그대로예요. 그래도 절대 원장님 의술이 부족해서 그런다고 생각하지 않습니다. 제 치아가 너무 이상하게 생긴 거 때문인거죠. 어차피 여러 치과에서 자기들은 못 뽑는다고 한 거니까요. 걱정해주셔서 감사하구요. 원장님 말씀대로 좀 더 기다려볼 게요. 좋은 하루 보내세요.

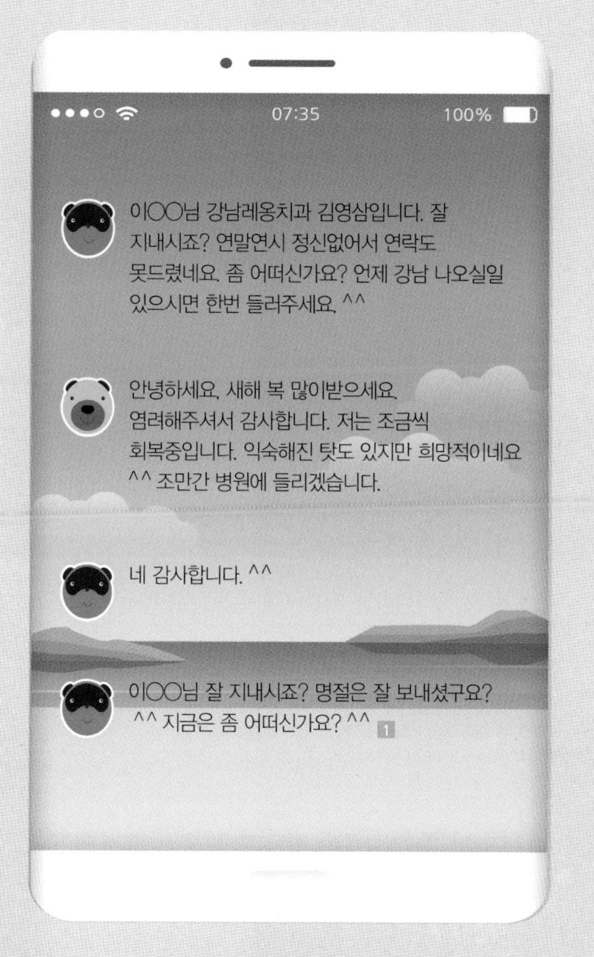

발치 후 2개월 뒤 환자에게 직접 카톡으로 한 캡처 화면이다. 환자는 점점 좋아지고 있다고 하였다. 그리고 또 한 달 뒤에 상태를 묻는 카톡을 보냈으나, 며칠간 확인을 안 한 상태라는 1자가 선명하게 보였다.
세상 살면서 여자에게 카톡 보내놓고 확인 안 했다는 표시가 있어서 기뻤던 많지 않은 경험이었다. ^^

그리고 문제는 한 달 후에 발생하였다.

문제는 환자가 전치부 미용 치료를 부탁 ^^★

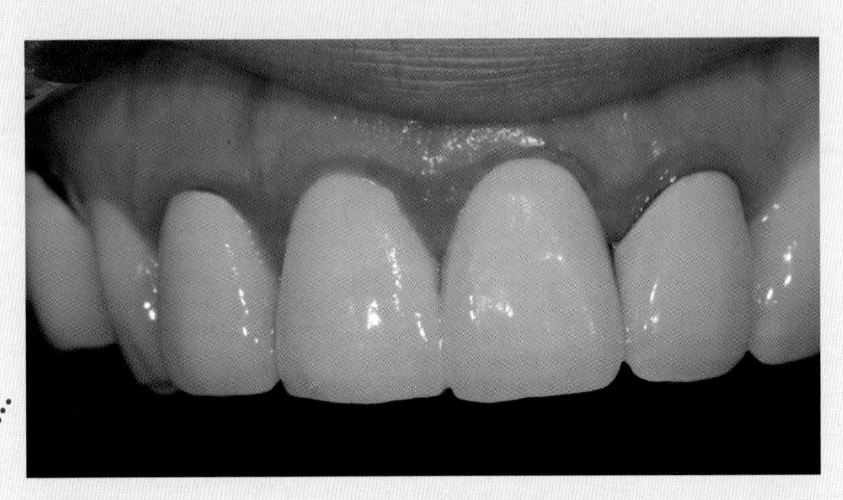

독일에서 오랫동안 살다 오셔서 앞니 미용에 별로 신경을 안 쓰셨는데, 한국에 오니까 앞니가 신경 쓰이셨는지 치료하신다고 직접 먼저 연락이 오셔서 치료를 진행하였다. 치료비를 책정하는 과정에서 예전에 사랑니 뽑은 부분이 아직도 불편하다고 하셨다. ^^ 조금 더 디스카운트 해드렸다. ^^

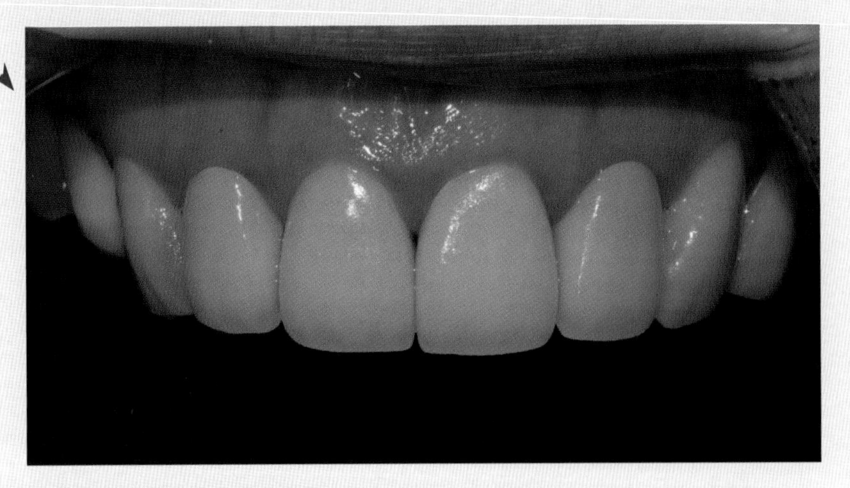

마일드한 치은염이 만성적으로 있었는데 지속적인 구강위생관리와 교육으로 치아 모양뿐만 아니라 잇몸도 건강해졌다. 이 보철물 덕분에 나의 유일한 신경손상 환자로 기록될 수 있던 환자분과 매우 현재 상태에서 매우 만족하시면서 지내고 계신다. 역시 사랑니를 잘 뽑으면 환자는 치과의사를 매우 신뢰한다.

전치부 치료 후 환자분은 사랑니 뽑은 자리도 정상이라고 이야기해 주셨다. 정말 고마운 환자가 아닐 수 없다.

사랑니 주변 염증 ★★★

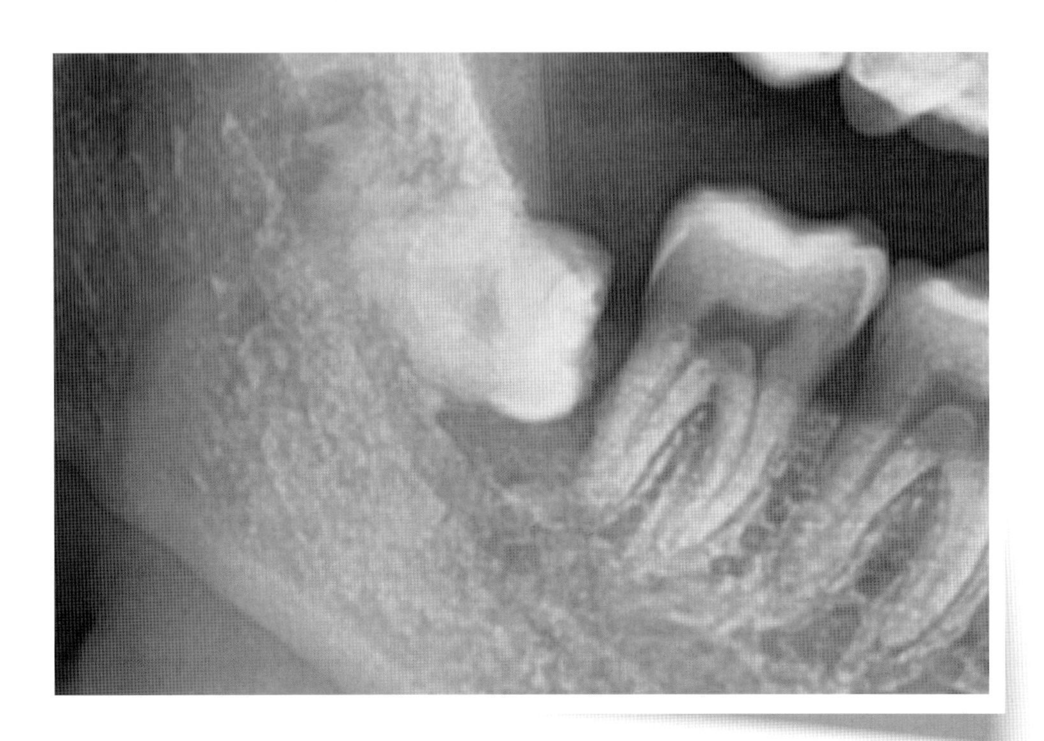

보통의 치과의사들은 치주염에 이환된 치아는 빼기 쉽다고 생각한다. 아마도 일반 어금니처럼 맹출하여 치근까지 치주염이 진행된 사랑니라면 그럴 것이다. 그러나 사랑니의 경우는 그보다 좀 더 다양한 형태로 나타난다. 일반적인 치주염의 원인과 달리 치관 주위의 과도한 치주조직이 Deep Pocket으로 작용하여 치관 주위 염증 형태로만 나타나는 경우가 많기 때문이다. 이러한 치관 주위 염증은 낭종과 유사하게 치관에 압력을 가하여 치관이 이동하게 하는 원인이 되기도 한다. 여기서는 사랑니 발치의 난이도에 영향을 주는 사랑니 주변의 염증과 그에 따른 방사선학적 특성에 대해서 알아보자.

01
만성적인 염증도 사랑니의 위치를 변화시킨다. ★★★

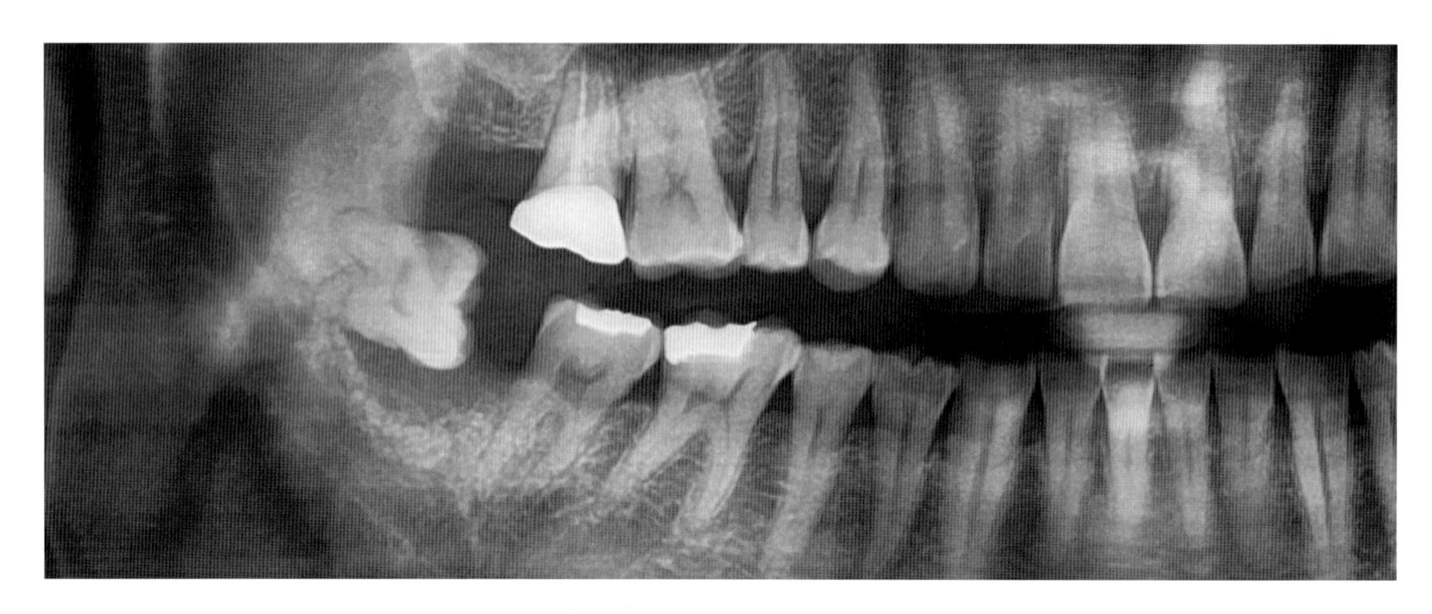

사랑니가 치관 주위에 염증이 심해서 원심 상부로 많이 변위된 것을 볼 수 있다. 치관 주위에 낭종이 생겼을 때 사랑니가 변위되는 것과 같다. 결국 염증이든 낭종이든 치관 주위의 연조직의 비대해지면서 그 압력으로 치아를 치근 방향으로 변위시키게 된다. 교정적으로 Intrusion시키는 원리와 같다. 이러한 경우에 치근이 치조골에 좀 더 깊숙이 박히게 되므로 치주인대강이 매우 좁아지거나 심지어 치근과 치조골이 유착되기도 하여 발치에 어려움이 생기기도 한다.

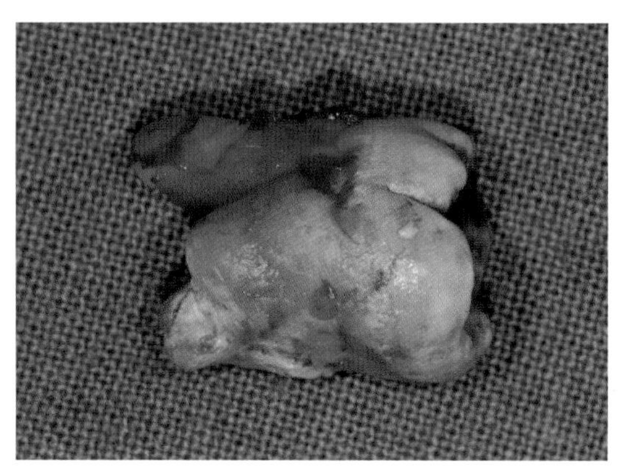

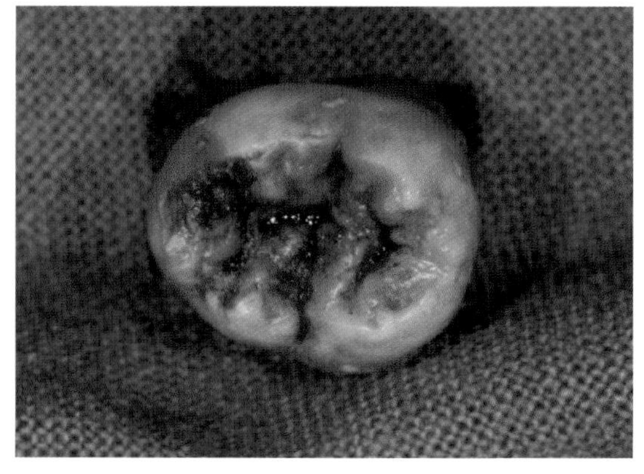

수평 매복 사랑니지만 치아 삭제 없이 발치하였다. 대부분 이런 치아의 치관 주변에는 많은 음식물 찌꺼기와 치석, 염증 조직 등이 혼재되어 있는 경우가 많다. 이 치아는 치근이 치조골과 유착되었다기보다는 치주질환이 심해져서 치주인대강이 넓어져 있는 상태로 일반 치주질환에 이환된 구치를 발치하듯이 간단히 발치하였다.

02
수평 매복된 사랑니 주변 염증으로 사랑니가 뒤로 밀림★★★

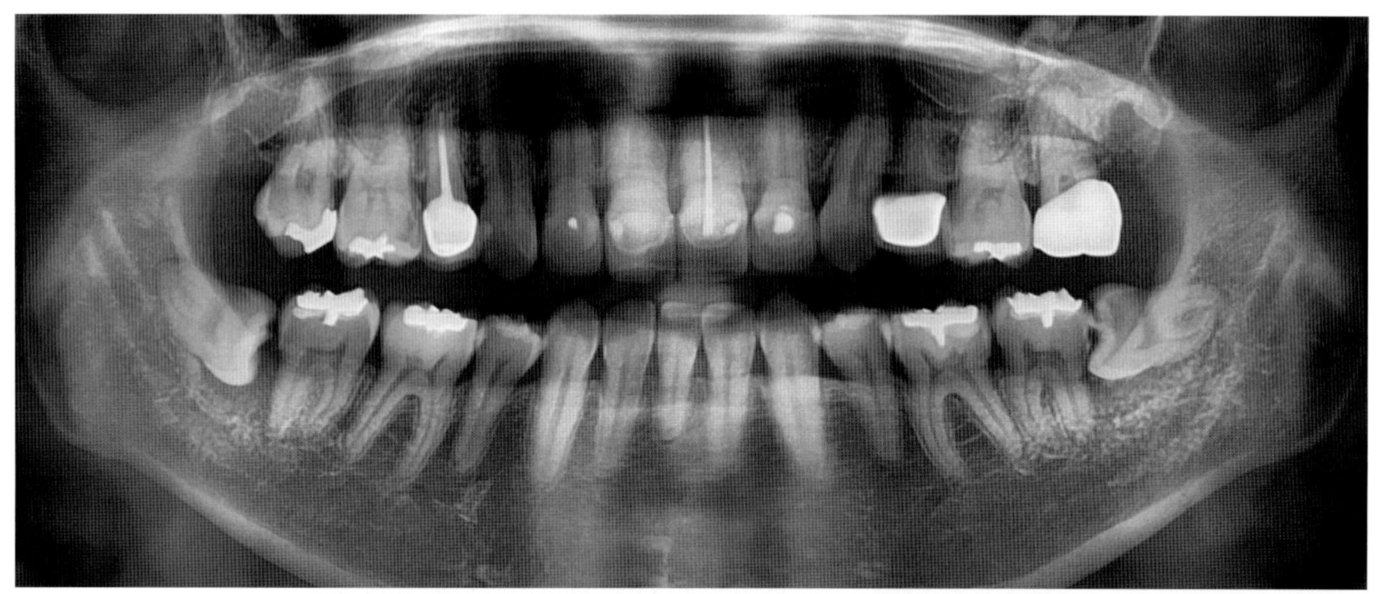

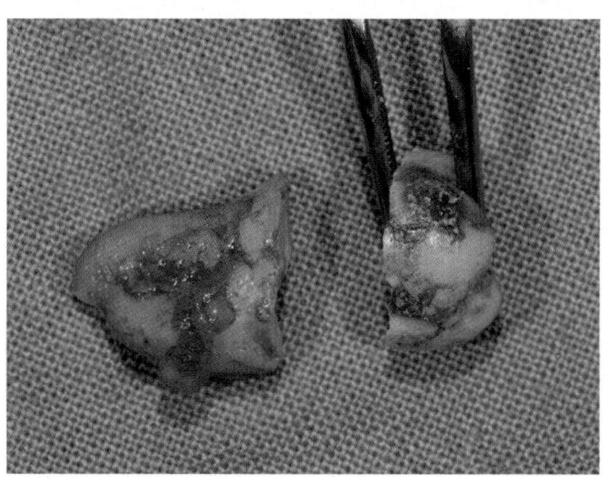

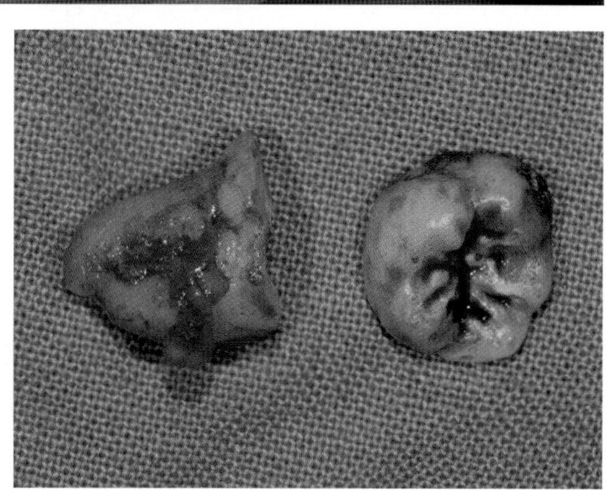

방사선 사진상에서 사랑니 치관 주변에 염증이 심한 것과, 발치한 치아에서는 주변에 많은 치석이 붙어있는 것을 볼 수 있다. 발치 과정에서 많은 치석이 자연스럽게 떨어져 나갔음에도 아직도 많이 붙어 있는 것을 볼 수 있다.

이런 사랑니를 뺄 때 고려할 점은 치관 분할 제거는 매우 쉽다는 것이다. 위와 같이 신경과 치관부가 가까우면 적당히만 치아 삭제를 해도 치아를 파절시켜서 분할 제거할 수 있다. 치관부에 충분한 공간이 있기 때문이다. 이런 경우에 치관 하방이 신경관과 충분한 거리가 있다면, 치관 하방까지 확실하게 치아를 삭제할 수 있다. 치관 하방도 연조직으로 둘러싸여 있어서 안전하게 연조직을 느끼면서 삭제할 수 있기 때문이다. 롱 쉥크 라운드 버를 사용하면 치아를 치관 하방까지 삭제할 때 근관치료할 때처럼 핸드피스가 드랍되는 것을 느낄 수도 있다. 이 경우에는 방향이 상방으로 밀려서 제거가 쉬웠다. 다만 치관부의 염증으로 치아를 뒤로 밀어서 치근이 치조골에 유착되어 발치가 어려운 경우가 있다.

03
사랑니가 뒤로 밀려서 치주인대강이 매우 좁아져 있음 ★★★

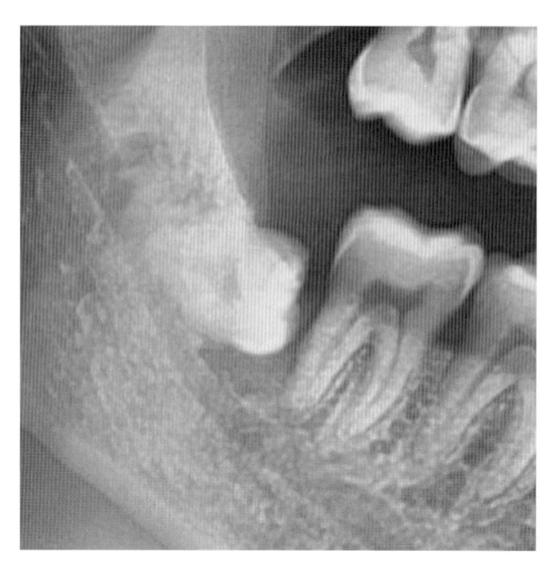
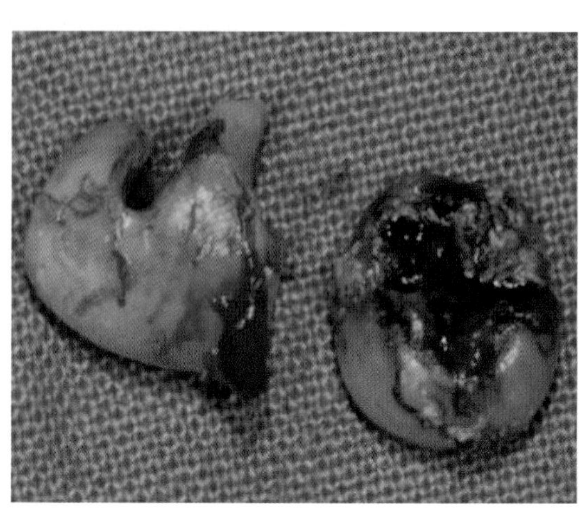

치관부 제거는 쉽지만 치근이 치조골에 거의 빈틈없이 박혀 있어서 치주인대강으로 엘리베이터를 넣기가 쉽지 않다. 사진처럼 홈을 만들어서(**뒷목치기**- 수평 매복 발치에서 다룸) 끄집어내듯이 발치를 한다. 제거된 치관부를 보면 염증이 얼마나 심했는지 알 수 있다.

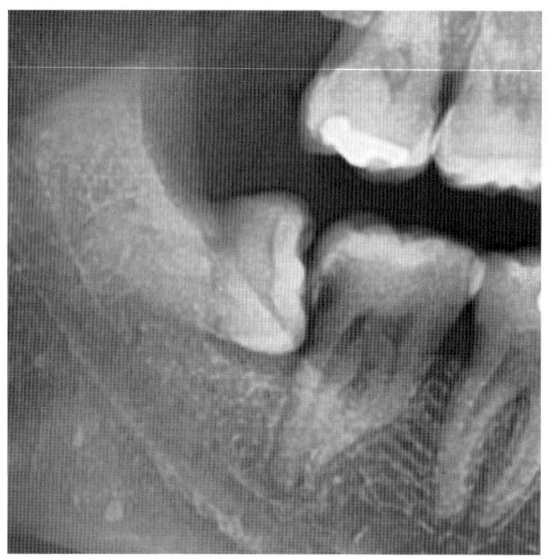
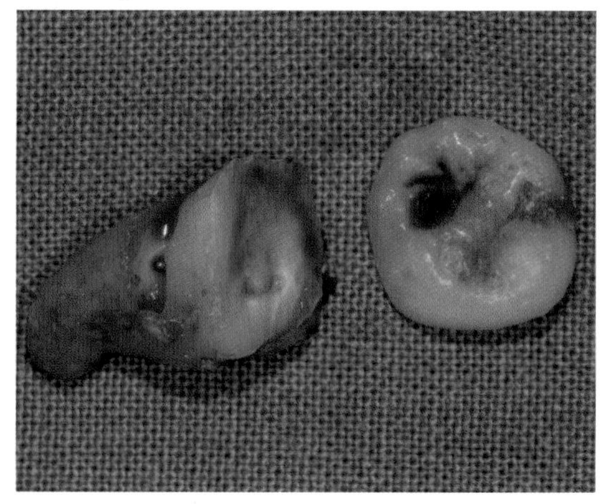

치관부의 제거는 쉽지만 치근은 골과 유착이 심하여 엘리베이터가 치주인대강으로 들어갈 틈이 없어서 치아에 홈을 파서 노를 젓듯이 엘리베이터를 움직여서 끄집어내듯이 발치한다.

04
난이도가 높아진 경우 ★★

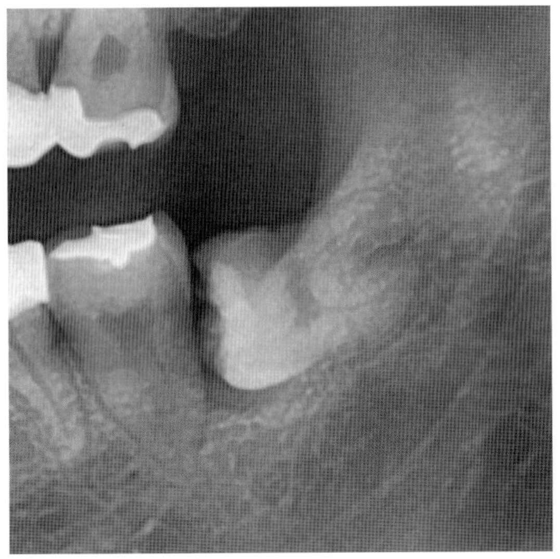

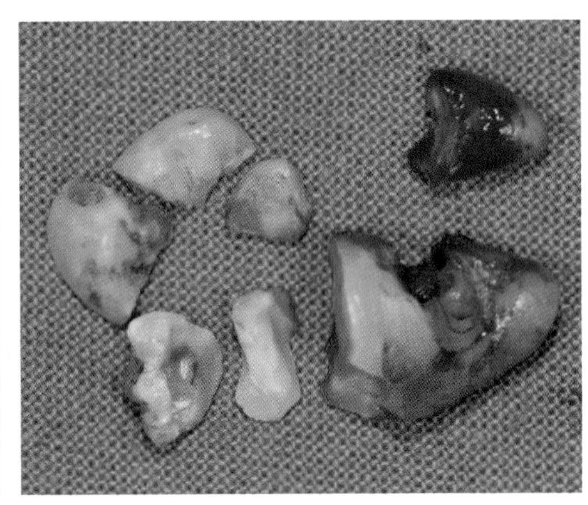

치관부 제거는 쉽지만 수직적인 높이가 낮아서 일부러 여러 조각으로 제거했다... 단순히 사진만으로 예측하기는 쉽지 않다. 이런 치아는 우선 일반적인 수평 매복치와 같은 방법으로 진행하지만, 쉽지 않으면 치근을 여러 조각으로 나눠서 발치를 할 각오를 해야 한다. 이 부분은 수평 매복치 파트에서 따로 다루므로 넘어간다.

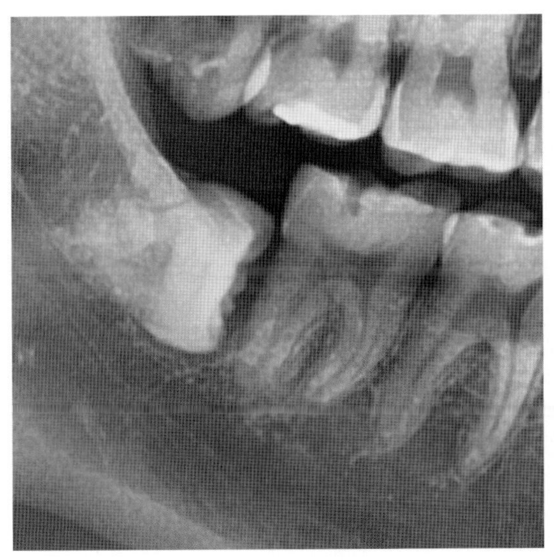

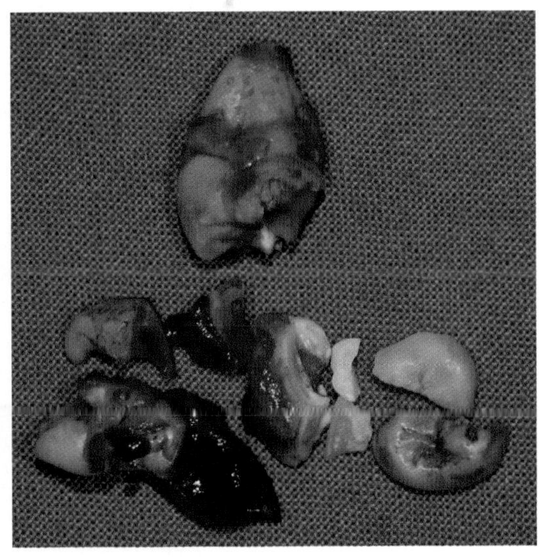

골 유착 정도가 심해서 발치가 매우 어려운 케이스이다. 치관 주변에 염증이 많아서 치관 제거가 쉬울 것 같지만, 치관 자체가 하방에 위치하고 있고, 하치조신경과도 매우 가깝기 때문에 치관을 여러 조각으로 제거하였다. 치아 자체가 로테이션되어 있고, 원심 치근도 만곡이 심한 것을 볼 수 있다.

05
환자가 고령일수록 유착 가능성 높음 ★★

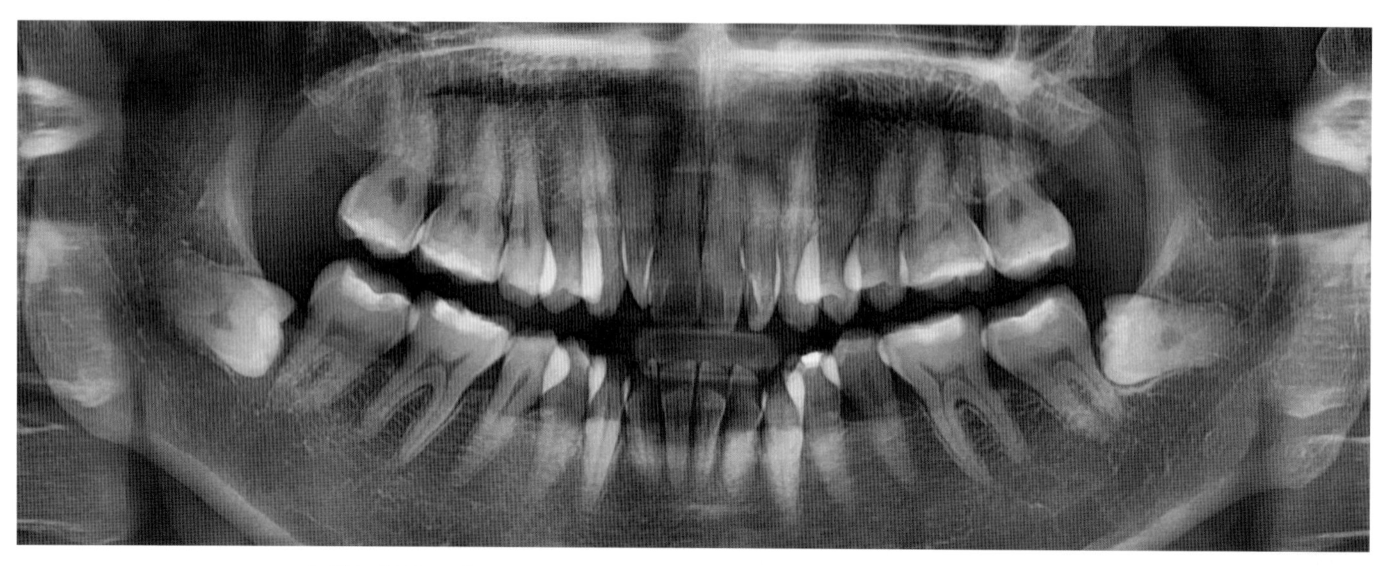

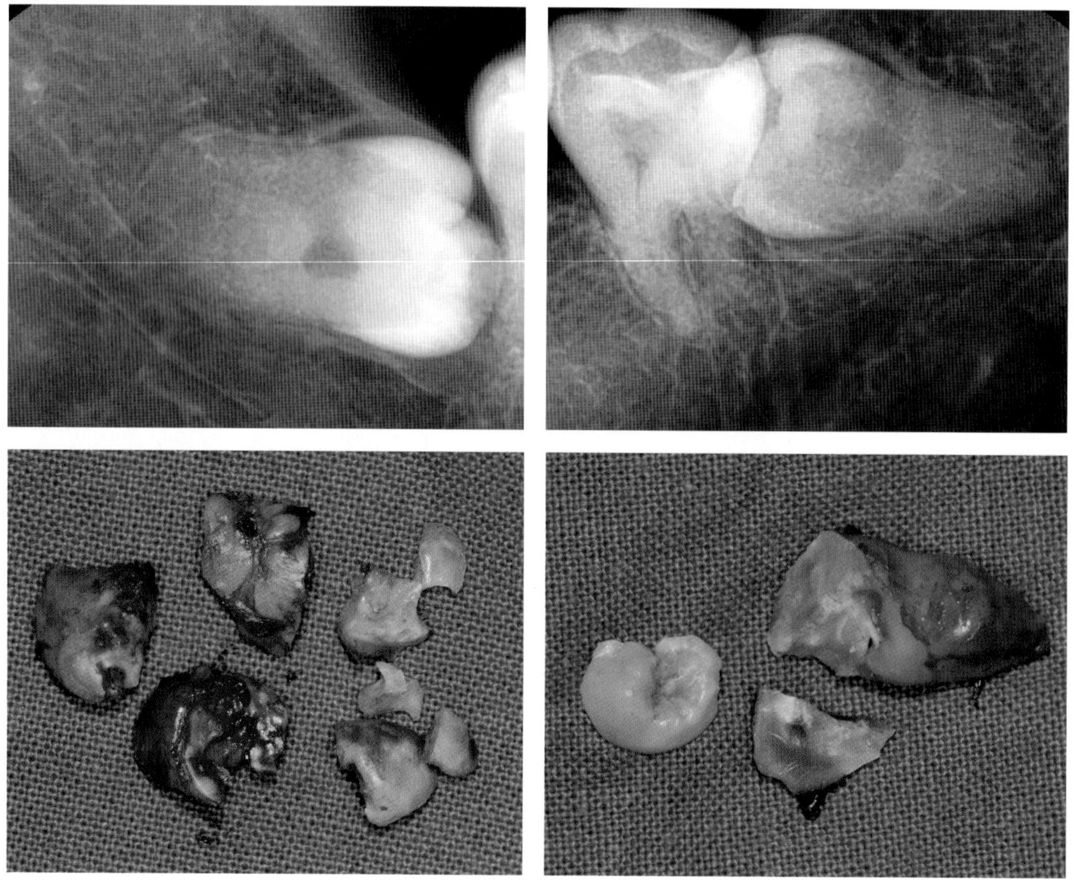

모든 발치가 쉬운 것은 아니다. 치관이 하방에 존재하고 염증으로 치근을 치조골 내에 거의 밀어 넣는 힘이 지속되어 유착될 가능성이 높다. 필자처럼 협측 골 삭제를 거의 하지 않고 엘리베이터로 발치하는 경우는 쉽지 않다. 엘리베이터가 들어갈 틈이 없다.
44세의 여성 환자로 특히 48번 치아의 발치가 쉽지 않았다.

06
2015년 사랑니 발치 중 가장 오래 걸림 ★

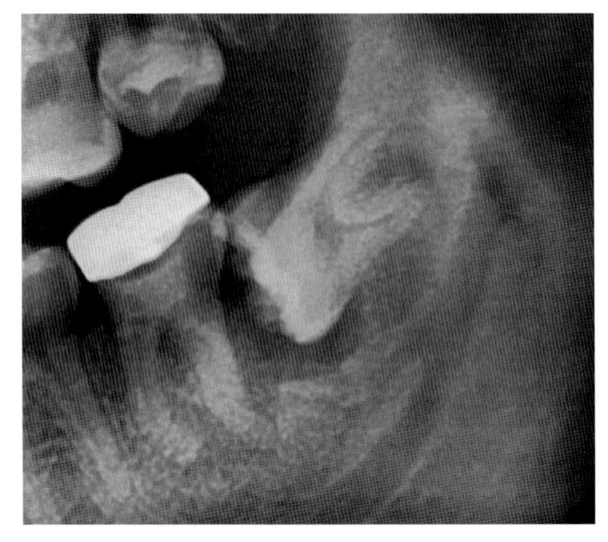

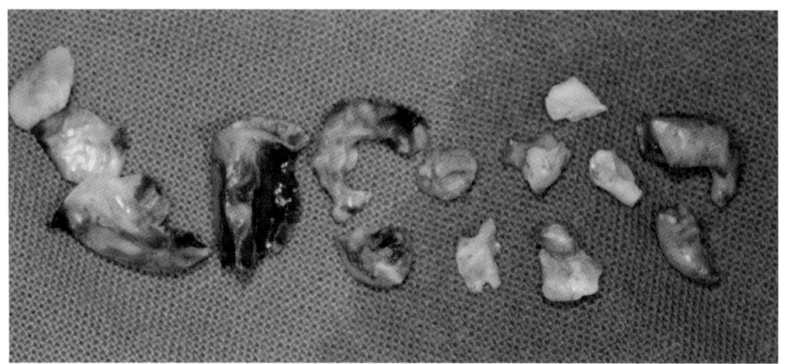

치관 주위 염증이 심하여 치근이 위쪽으로 압박을 받아 치조골에 콕 박혀 있으며, 치근도 많이 휘어 있어서 발치가 너무 어려웠다. 동생이 우리 치과에서 사랑니 뽑고 형을 데리고 인천에서부터 온 환자다. 2015년에 뽑은 수 천 개의 사랑니 발치 중에 가장 힘든 사랑니였다. 거의 40분 이상 걸린 듯하다.

이 케이스가 오래 걸렸다고 강조한 이유는 이 케이스가 어려워 보여서가 아니다. 사랑니 발치의 난이도나 시간에는 늘 변수가 많다는 것이다. 필자처럼 사랑니를 오랫동안 많이 뽑은 사람도 어려울 거라고 생각했던 것이 어려웠던 적은 별로 없다. 오히려 이런 사랑니처럼 통상적인 방식으로 쉽게 발치가 가능할 거라고 생각했던 사랑니들이 의외의 경우가 되기도 한다.

잠깐!

반드시 이 책은 다시 읽어야 한다.

필자는 발치 케이스가 너무 많기 때문에 굳이 같은 케이스를 여러 곳에 넣지 않는다. 그러나 이 케이스는 기억에 남는 케이스라 수평 매복치 부분에도 언급된다. 여기서는 치아 발치 방법에 대해서는 언급을 하지 않고 넘어간다. 어떻게 발치했을까 궁금하는 분들도 계실 것이다. 그래서 앞서서도 언급했지만, 반드시 이 책은 다시 읽어야 한다. 뒷부분을 읽고 다시 이 부분을 읽는다면 이해가 더 쉬울 것이다.

07
치근과 치조골이 유착된 경우 ★★★

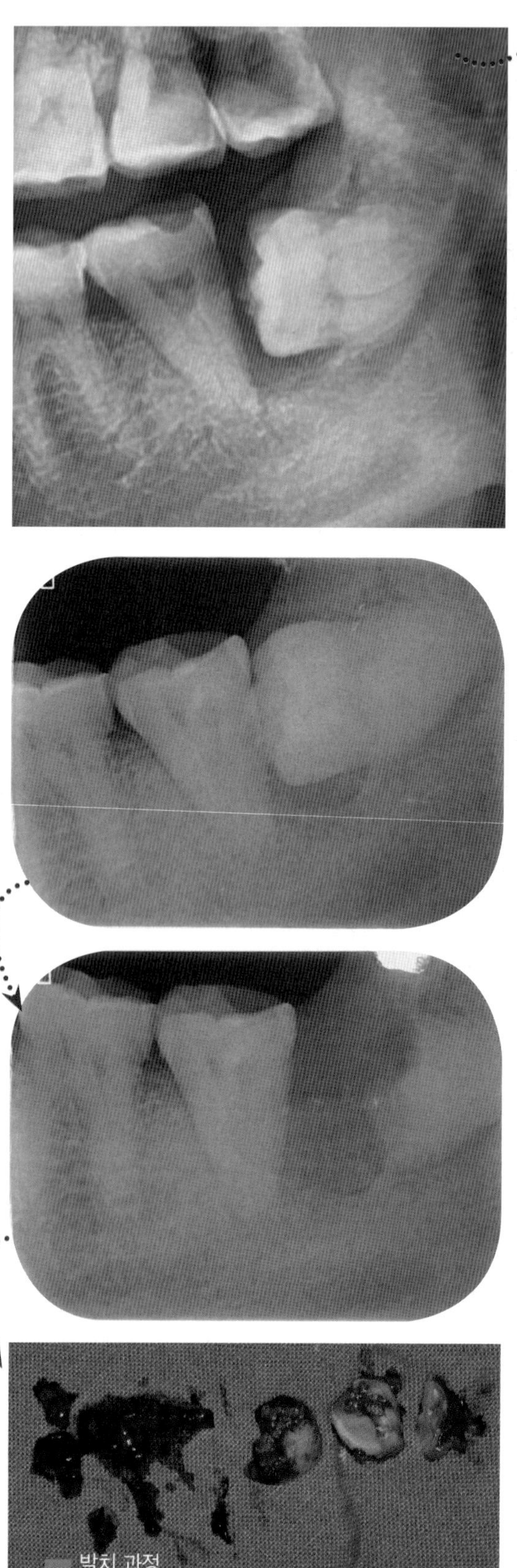

발치 과정

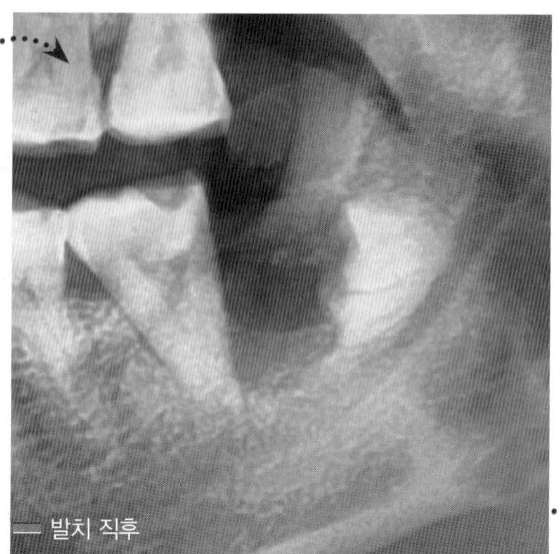

발치 직후

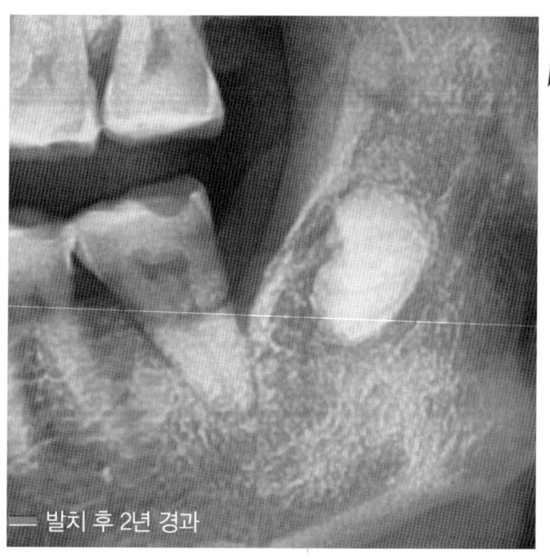

발치 후 2년 경과

50대 중반의 남성으로 유착이 너무 심하여 치관절제술로 마무리한 케이스이다. 치근 하방이 바로 하치조신경관이며 오랜기간 동안 치근이 뒤로 밀린 걸 감안하면 치근과 하치조신경관의 외벽이 유착되었을 가능성이 더욱 높기 때문에 발치를 포기하고 치관절제술로 마무리한 케이스이다. 2년이 경과한 지금 환자는 전혀 증상 없이 잘 지내고 있으며, 이 책이 마무리되는 단계에서 발치 후 2년 10일 만에 재내원하여 파노라마 방사선 사진을 촬영하였다. 치조골과 치근이 유착되어 있어서 그런지 치근의 이동이 전혀 없다.

원심 협측 사랑니 주변 염증으로 골 흡수됨 

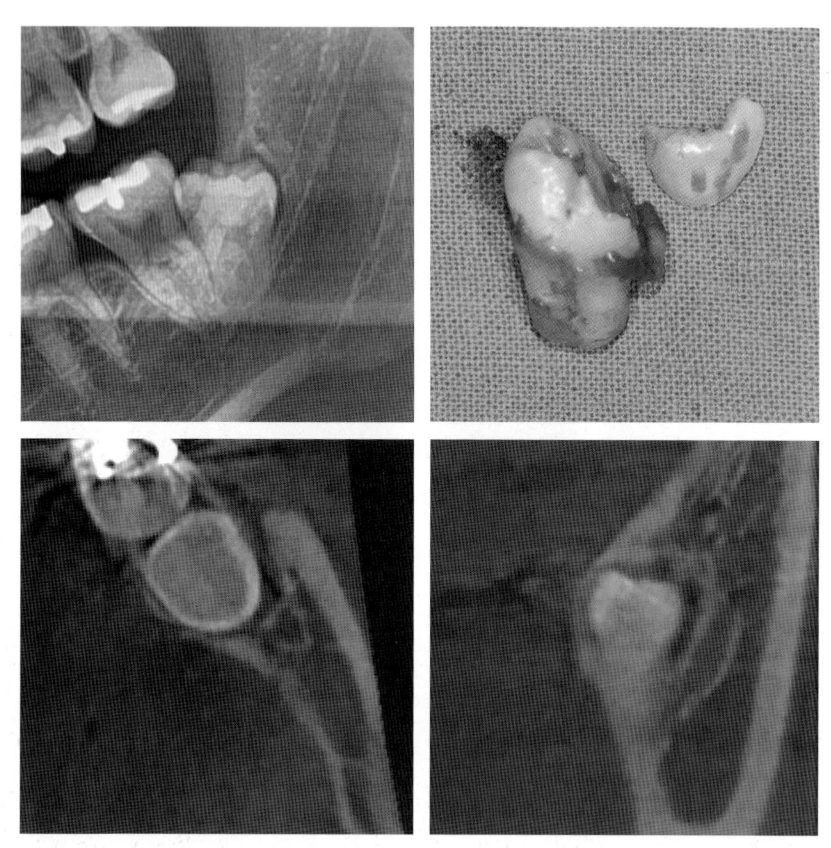

원심으로 수직 매복된 사랑니에서 치관 주위염이 오랫동안 발생하면 치관 주변의 골조직을 많이 흡수시키게 된다. 또한 사랑니의 치관을 근심 설측 또는 하방으로 밀어내는 역할도 하게 된다. 일반적인 수직 매복치와 크게 다르지는 않지만, 치주인대강이 좁아져 있거나, 또는 치주질환으로 치주인대강이 넓어졌거나 약간의 변수는 더 있을 수 있다. 또한 협측골과 치아 사이에 공간이 넓어져서 필자가 즐겨 쓰는 Hu-Friedy EL3C 엘리베이터는 폭이 좁아서 사랑니와 치조골 사이에서 헛돌 수 있다. 종종 비크가 넓은 EL5C 엘리베이터를 사용하거나 포셉을 사용한다.
이 부분은 뒤의 수직 매복치 발치 파트에서 나루기로 한다.

잠깐!

치근 유착은 매우 드물다.

실제로 치근 유착은 매우 드물다. 나이가 들고 치조골 내에서 오랫동안 기능하지 않고 있다고 해서 유착되었다고 보기는 어렵다. 다만 치아 전체면이 아닌 극히 일부분에서 조금이라도 발생할 수도 있다. 그러다 보니 치주인대강이 비정상적으로 좁아져 있는 경우에 굳이 이해를 돕기 위해서 유착이라는 표현을 사용했다고 생각해도 좋다.

08
사랑니 치관 주위 염증은 주변 골조직도 흡수시킨다. ★

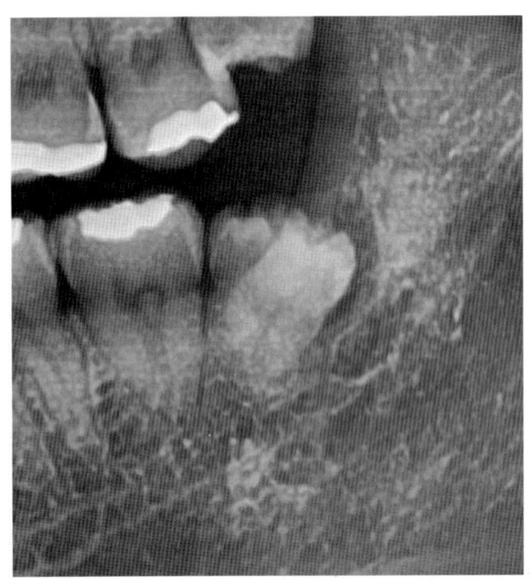
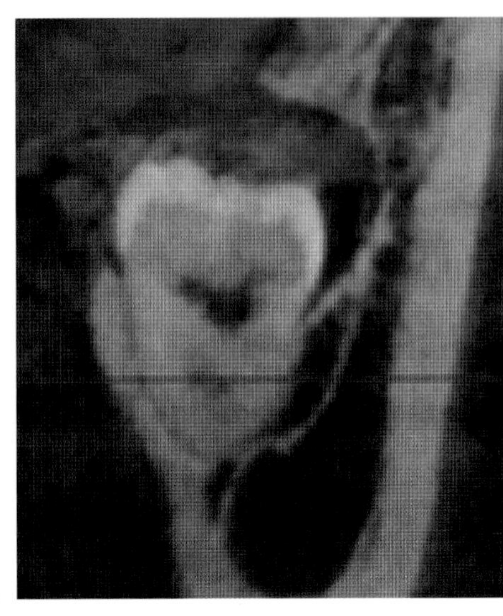
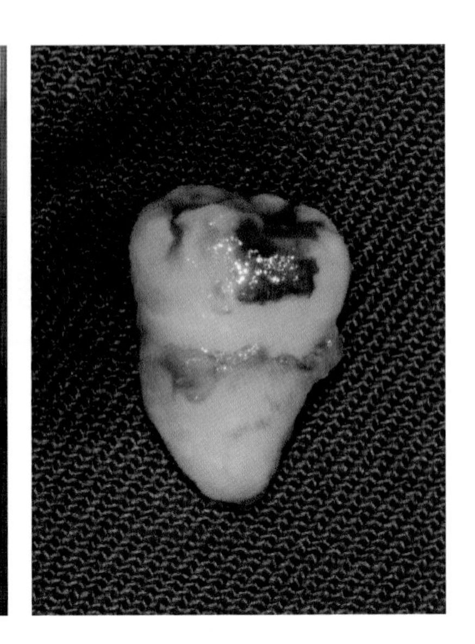

30세 여성 환자로 파노라마 상에서도 원심면의 골 소실을 볼 수 있다. CBCT Coronal 단면을 보면 치관 주변이 정상적으로 보이지는 않는다. 이러한 경우에 발치한 치아들을 보면 치석이 많이 붙어 있는 경우가 흔하다. 조금만 더 컸다면 낭종으로 간주하여 조직검사를 고민해볼 수도 있을 것이다.

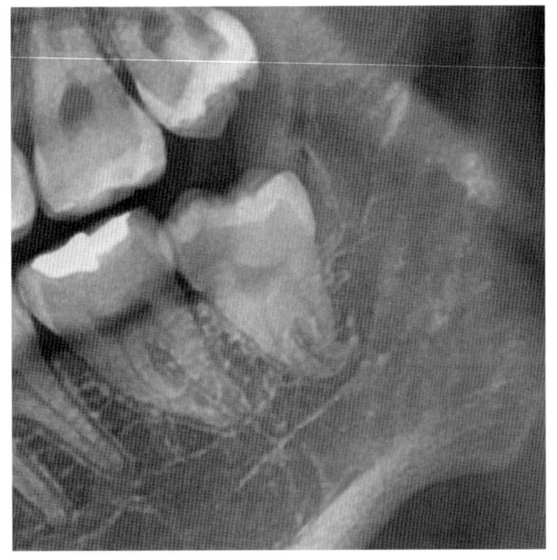
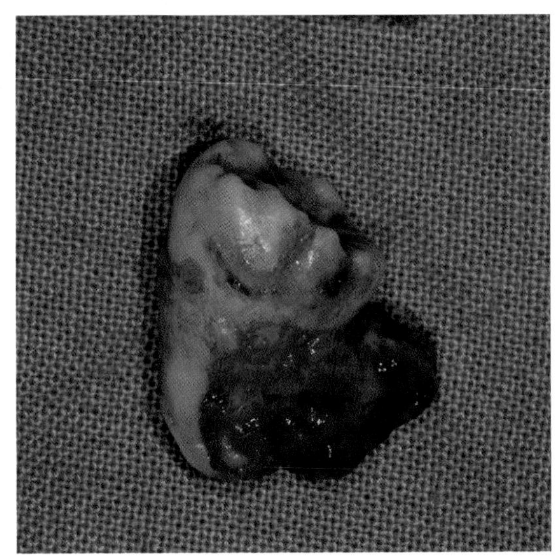

24세 여성 환자로 치관 주위에 염증이 심하여 발치를 진행하였다. 이런 경우는 낭종과 유사하게 과도한 염증 조직성 연조직이 함께 딸려 나오기도 한다. 이런 발치 후에도 연조직을 잘 제거하고, 식염수로 깨끗한 세척을 통해서 혹시나 발치와에 떨어진 치석이나 염증 부산물들을 없애 주는 것이 좋다.

사랑니 치근과 설측 피질골 ★★★

Youngsam's sign

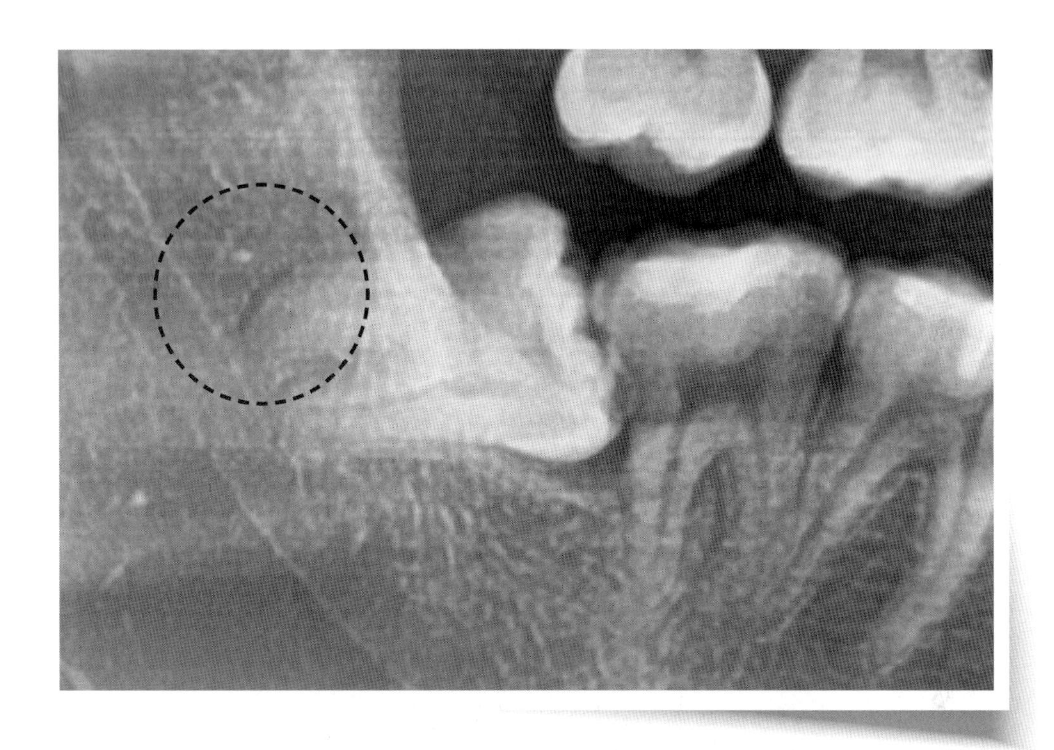

필자가 사랑니 발치를 위한 파노라마 방사선 사진에서 난이도에 영향을 주는 것으로 보이는 어떤 Sign에 대해서 건방지게 영삼싸인(Youngsam's sign)이라 이름을 붙여봤다. 자세한 내용은 본문에서 다루기로 하고, 혹시나 앞으로 발치를 하면서 이 Youngsam's sign이 발치에 도움이 된다면 꼭 필자가 이름 붙인 대로 불러주기를 바란다. 필자의 작은 소망이다. 자 이제 본문으로 들어가 보자.

01
사랑니의 문제점에 나오는 케이스를 보면...★★★

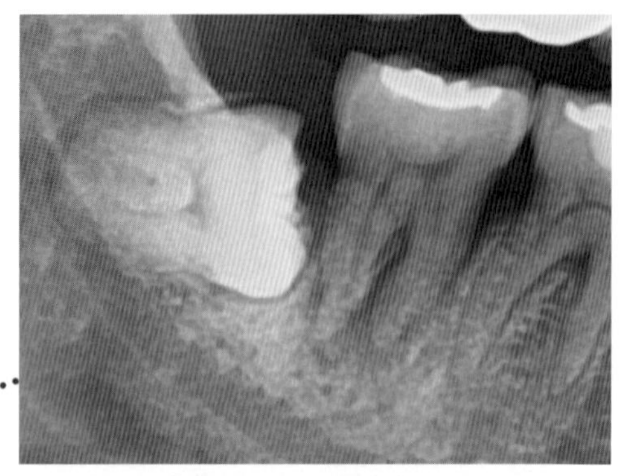

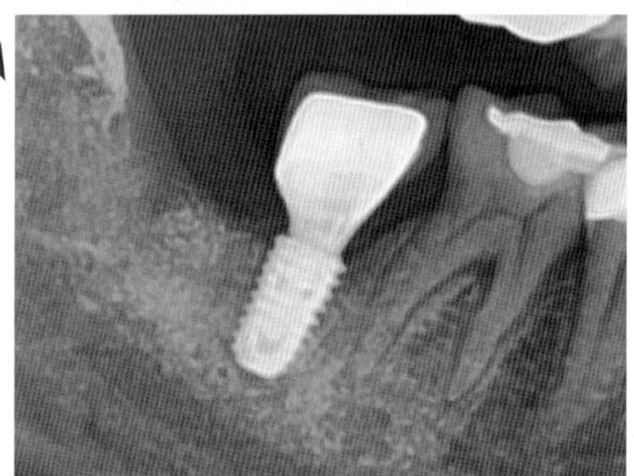

50세 남성 환자로 사랑니의 문제점에서 사랑니 주면 잇몸질환에 대해서 언급한 케이스이다.
우선 발치한 치아 사진을 보자. 발치 순서상 7번을 먼저 뽑으면 8번은 쉽게 발치가 될 것처럼 보인다. 그런데 발치된 치아를 보면 발치가 순조롭지는 않은 듯이 보인다.

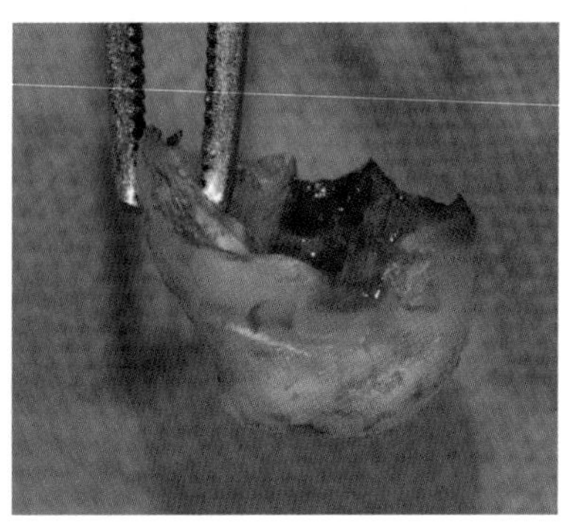

치근을 보면 여러 방향으로 여러 번 치아를 삭제한 흔적이 보인다. 이 치근단부가 제거되기까지 사랑니의 중간 부분은 모두 깨져서 석션이 되었다. 사랑니가 발치되지 않고 계속 파절되었다. 왜 이렇게 쉬워 보이는 사랑니가 쉽게 발치가 안 된 것일까?

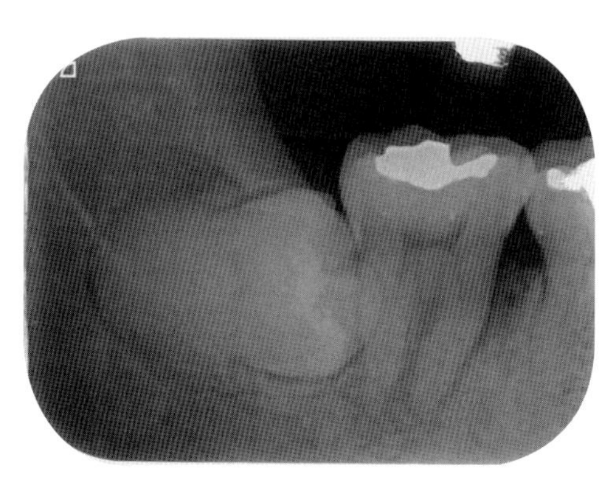

표준 촬영 방사선 사진을 보면 치근단 부분의 치주인대강이 넓은 것을 볼 수 있다. 위의 파노라마 사진을 보면 그 특징 더 두드러진다. 파노라마 사진상에서는 치근단부가 상부까지 치근 주변이 검게 보이는 것을 볼 수 있다. 이제 이러한 특징을 Youngsam's Sign이라 불러본다. 입에 붙는 말은 아니겠지만, 앞으로는 그렇게 불러보자. 이 Chapter뿐만 아니라 이 책의 중간중간 자주 등장하는 말이다.

02
여기서 이 치근은 왜 부러졌을까? ★★★

위 케이스에서 치근은 왜 파절되었을까? 치근이 심하게 휘어진 것도 아니고 특별한 다른 이유를 찾을 수 없다. 그러나 이 chapter에서 Youngsam's sign을 공부한 뒤에는 왜 치근이 파절되었는지를 알게 될 것이다. 사랑니 발치의 난이도를 결정하는 많은 요소가 있지만, 필자는 이것을 가장 중요한 요소의 한 가지로 본다. 또한 이러한 내용은 필자 말고는 언급하는 사람이 거의 없기 때문에 이 책을 통해서 꼭 알아두고, 이러한 케이스의 사랑니를 발치할 때마다 본인의 실력으로 익혀보자.

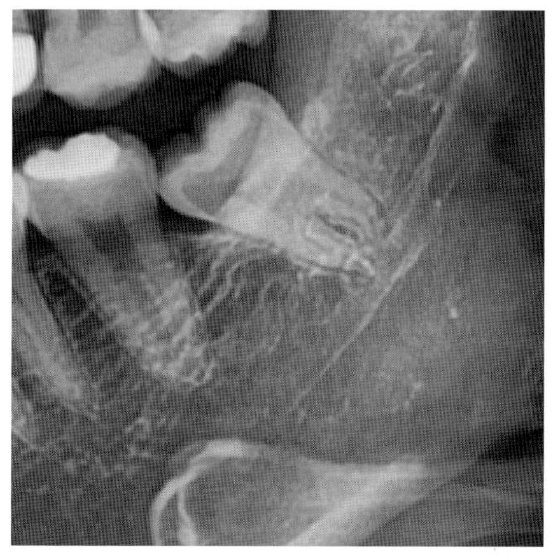
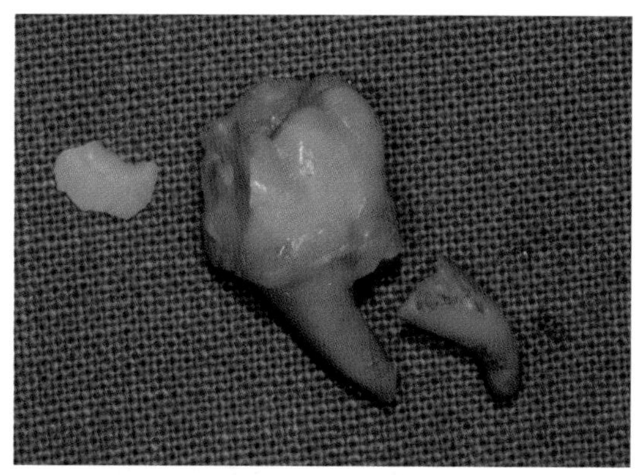

방사선 사진을 보면 38번 사랑니의 원심 치근단 쪽에 Youngsam's sign이 보인다.
발치 과정에서 원심 치근이 파절되었다. 남은 원심 치근을 제거한 뒤에 찍은 사진이다. 이 원심 치근은 왜 부러졌을까? 그렇게 많이 휘어진 것도 아닌 거 같고, 근심 치근도 팁이 살짝 파절된 듯하다.

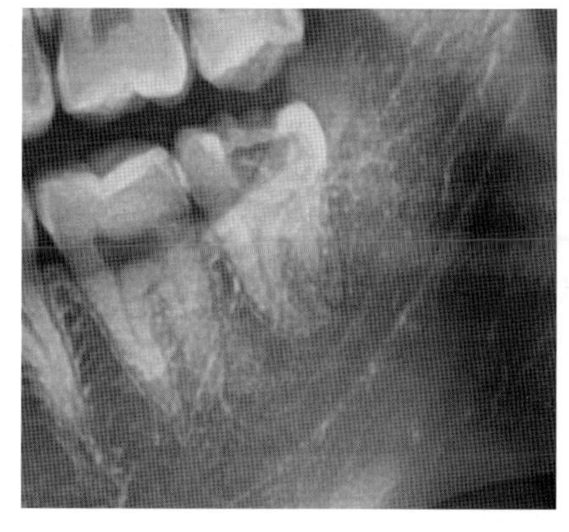
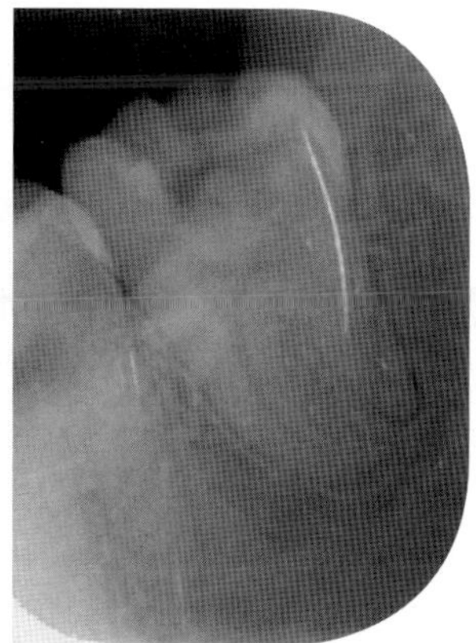
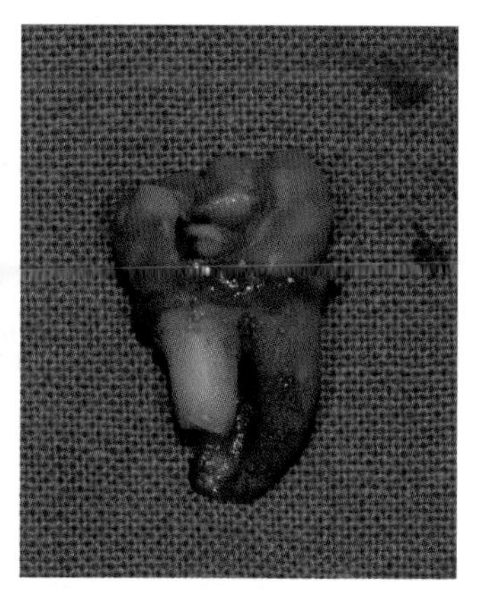

#38번 사랑니의 원심 치근 주변에 Youngsam's sign을 볼 수 있다. 표준촬영에서 좀 더 명확하게 보인다. 어떤 경우에는 같은 파노라마 방사선 사진이라도 찍은 시기에 따라서 보이는 정도가 매우 다르기도 하다.
발치한 38번 치아를 설측에서 본 사진으로 원심 치근이 파절된 것을 볼 수 있다.

03
치근단 주변의 검고 넓은 치주인대강은? ★★★

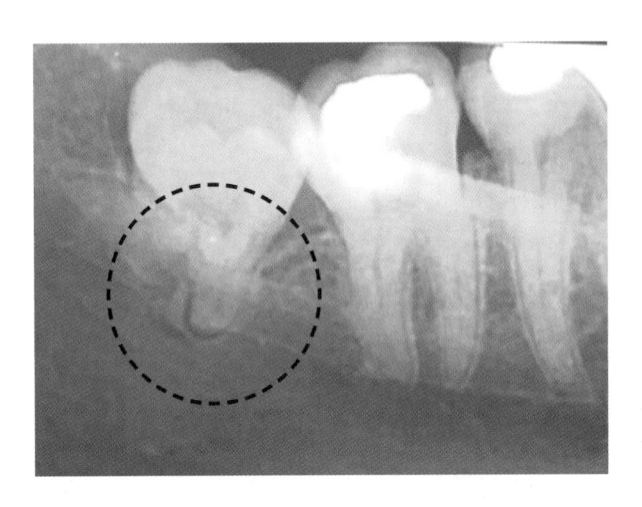

필자가 주기적으로 사랑니 발치 세미나를 진행하는데, 그 세미나에서 다른 강사가 동영상을 보여주는 장면에서 이와 같은 사진이 나왔었다. 근심 치근이 파절되어 제거하는 장면이었는데, 그 치아의 방사선 사진에서 치근단 부분의 치주인대강이 검게 넓어 보이는 전형적인 Youngsam's sign이 보인다.

다른 강사(Dr.서민교)의 강의에서 동영상을 보는 도중 근심 설측 치근이 파절되어서 제거하는 영상을 보게 되었다. 왜 치근이 파절되었을까? 여기서 Youngsam's sign이 어떤 때 나타나는지를 고려해 봐야 한다. 치근단 주변이 검게 방사선 투과상을 보이거나 치주인대강이 넓어 보이는 Youngsam's sign이 보이는 경우는 치근이 설측 피질골에 박혀 있는 경우이다.
필자는 아직까지 다른 사람들한테서 이러한 내용을 들어본 적은 없고, 주변에 치과방사선과 의사분들 몇 분께 여쭤보니 본인은 모르는데 어디선가 들어는 본 거 같기도 하다는 정도의 반응만 있었다. 필자가 강의하면서 자주 언급하는 내용인데 명확한 용어가 없어서 Youngsam's sign이라고 정의하였다. 사랑니 치근단부의 Dark sign, thickening, burn out 등 여러 가지 용어를 사용하였지만, 이미 다른 데서 통용되는 용어들이라 계속 혼돈이 되기 때문에 이제 이 책에서는 이것을 편의상 Youngsam's sign이라고 하겠다.
필자가 별도로 이름을 이렇게 붙이는 데는 그만한 이유가 있다. 이런 경우는 생각보다 발치가 쉽지 않고 발치 과정에서 치근이 파절되는 경우가 많다. 예전에 초창기 하악 임플란트에서 Bi-cortical 개념과 비슷하다고 보면 될 듯하다. 치경부만 치밀골이 잡고 있는 경우와 근단부까지 치밀골이 잡고 있는 것은 큰 차이가 있다고 본다.
얼마 전 필자가 오스템임플란트에서 주최하는 세미나에서 <안전한 사랑니 발치를 위한 파노라마 판독>이라는 주제로 강의를 한 적이 있는데, 당시 좌장이시던 선치과병원 이동근 병원장님께서 오래전 카데바 연구를 통해서 30% 정도에서 하악 사랑니가 설측 피질골을 뚫고 있음을 확인하셨다고 하셨다. 우리가 앞서 본 논문 중의 하나인 - Variations in the anatomical positioning of impacted mandibular wisdom teeth and their practical implications (SWISS DENTAL JOURNAL 124: 520–529 (2014)) – 에서도 31.4%에서 사랑니의 신경이 설측 피질골을 뚫고 있음을 보여준다. 누구나 예상하듯이 협측 피질골을 뚫고 있는 것은 4.3%로 훨씬 낮았다.

04
여기서 잠깐! 설측 피질골만? ★

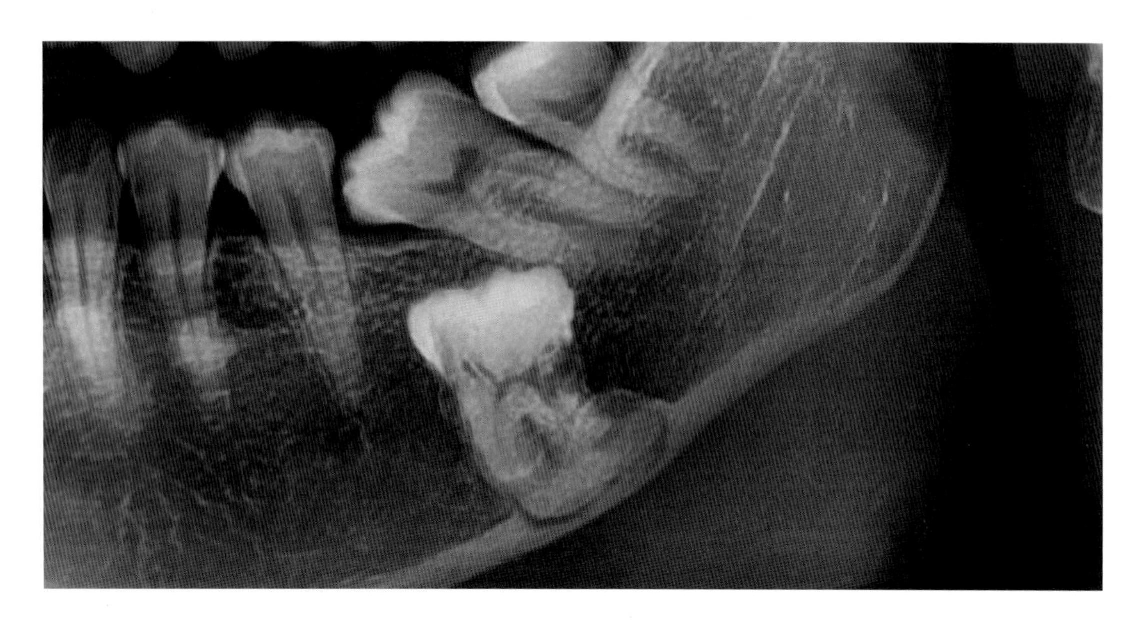

위 파노라마 방사선 사진에서 보면 치근이 하악골 하연의 피질골과 만나서 휘어진 것을 볼 수 있다. 여기서도 치근의 외면에 방사선투과상이 높다. 앞으로 이렇게 보이는 싸인은 모두 치근이 피질골 내에 위치한 것이라고 생각한다. 다만, 치아우식에 의한 치근단 비대나 미성숙영구치의 치근단 방사선투과상과는 구분이 필요하다.

어쨌든 사랑니 치근단에서 Youngsam's sign이 보이면 치근이 설측 피질골 내에 위치하고 있어서 발치가 어려울 수 있다는 것을 염두에 두어야 한다. 또한 치근이 파절될 가능성이 높고, 파절된 치근을 제거하는 과정에서 치근이 설측 피질골을 뚫고 구강저로 넘어갈 가능성도 높다는 것을 알아둬야 한다. 필자가 이런 치근을 제거할 때 설측에 손가락을 대고 치근을 건드려보면 설측에서 손가락으로 치근의 움직임이 느껴지는 경우도 있다. 어쨌든 초보자라면 이런 경우의 치근은 억지로 제거하려고 하면 안 된다. 나를 기쁘게 하는 100가지보다 슬프게 하는 한 가지를 만들지 않는 것이 원칙이기 때문이다. 초보 치과의사라면 치관부가 완벽하게 제거되었다면 굳이 잔존 치근을 제거하려고 노력하지 말아야 한다. 이러한 부분은 바로 다음 장에서 의도적 치관절제술의 관점에서 접근해보자.

다시 통계학적으로 말하면 Youngsam's sign은 positive predictive value가 거의 99% 이상이라고 말하고 싶다. 다만 false negative 비율이 매우 높다. 다시 말해서 치근단 주변이 비후되어 보이지 않는다고 해서 설측 피질골 내에 위치하지 않는 것은 아니라는 것이다. 또한 같은 환자의 다른 파노라마에서도 다르게 보이는 경우도 많다. 그러나 꼭 하나만은 기억하자 국내외 연구결과 모두 30% 정도의 사랑니 치근이 설측 피질골 내에 위치하고 있다고 하는 것을...

종종 CBCT 영상을 보다 보면 협측 피질골에 위치한 경우도 볼 수 있는데, 보통 협측 피질골 내에 치근이 위치하면, 치주인대강이 매우 넓어서 좀 더 명확하게 피질골과 구분이 되는 경우가 많다. 다만 파노라마 영상에서 Youngsam's sign이 보이는 부분은 설측보다는 덜한 듯하다.

05
협측 피질골의 Youngsam's sign ★

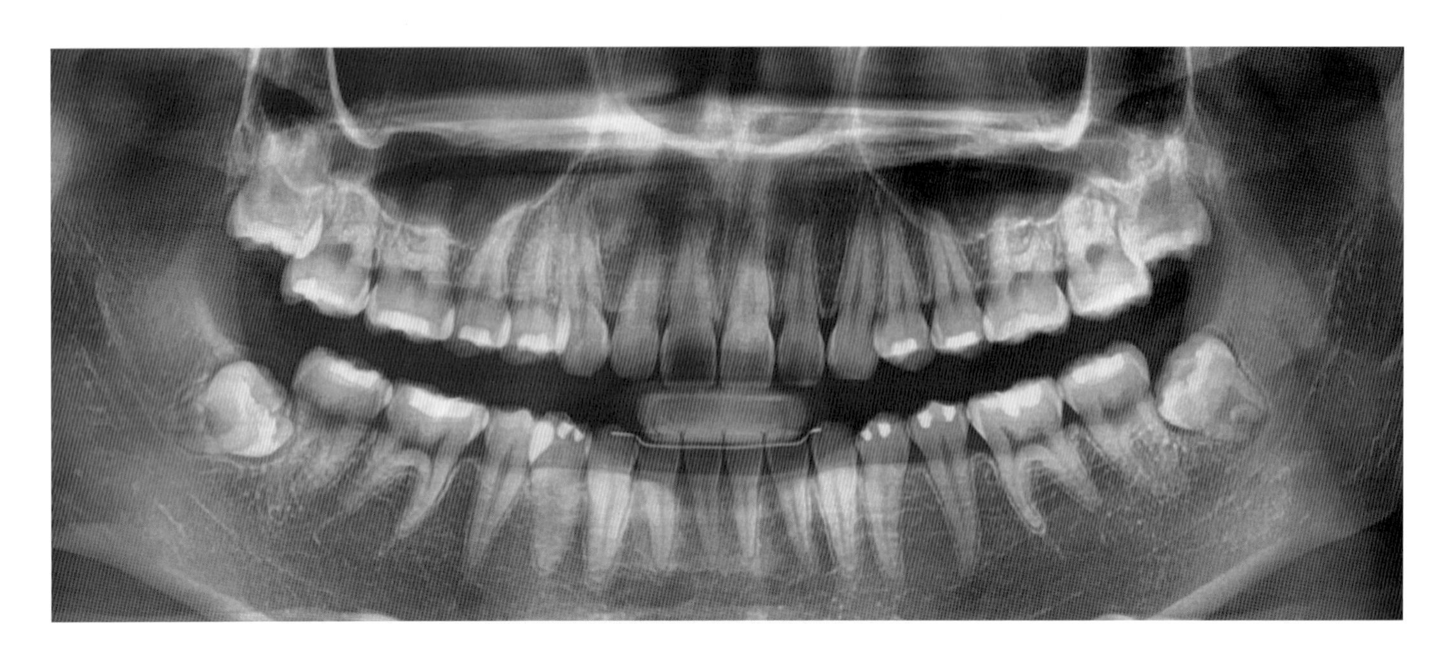

사랑니 발치를 위해 내원한 20대 중반의 여성이다. 전반적으로 사랑니의 치근은 모두 형성이 완료된 것을 볼 수 있다. 사랑니 발치 중에서 설측으로 경사진 경우가 가장 어렵다고 보기 때문에 CBCT를 찍어 보았다.

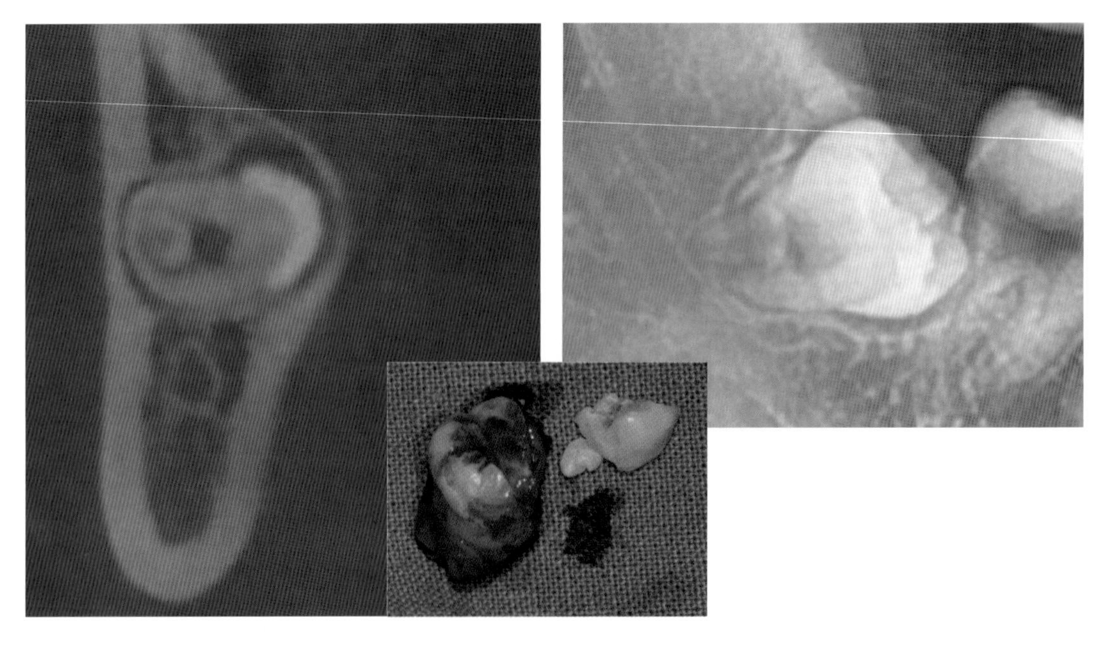

CBCT 촬영 결과 설측으로 경사진 사랑니로 치근단이 협측 피질골 내에 위치하고 있으며 넓은 치주인대강을 확인할 수 있다. 대부분 치근단이 협측에 위치하고 있는 경우에 CBCT 상에서 좀 더 두드러진 치주인대강을 볼 수 있다.

06
Youngsam's sign의 의미는? ★★★

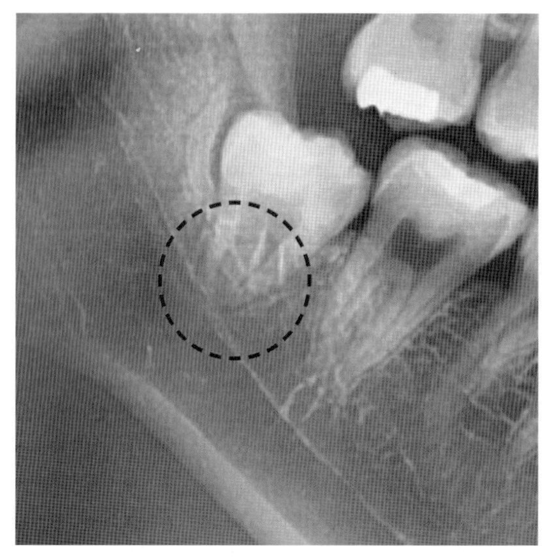
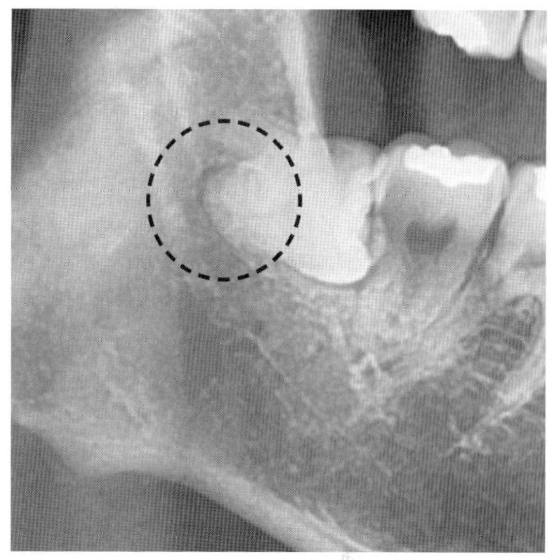

필자의 경험상 치근단 외면의 방사선투과상은 치근이 설측 피질골 내에 위치하고 있음을 뜻한다. 아마도 다른 데서는 별로 들어본 적이 없는 말이라 믿지 않는 사람들이 많을 수도 있지만, 필자가 우리나라에서 가장 오랫동안 가장 많은 사랑니를 뺀 사람이라는 것을 잊지 말자.

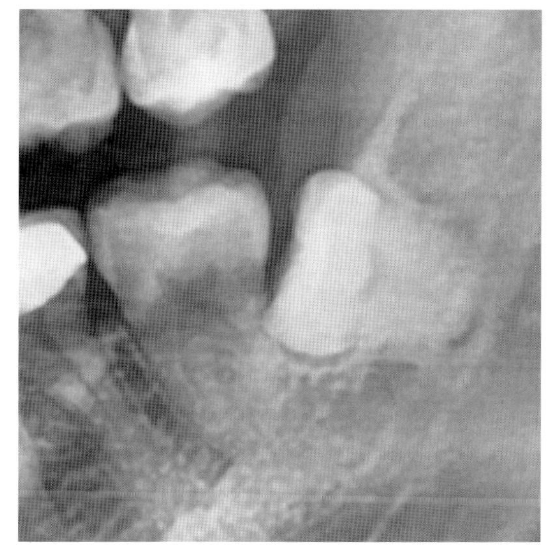
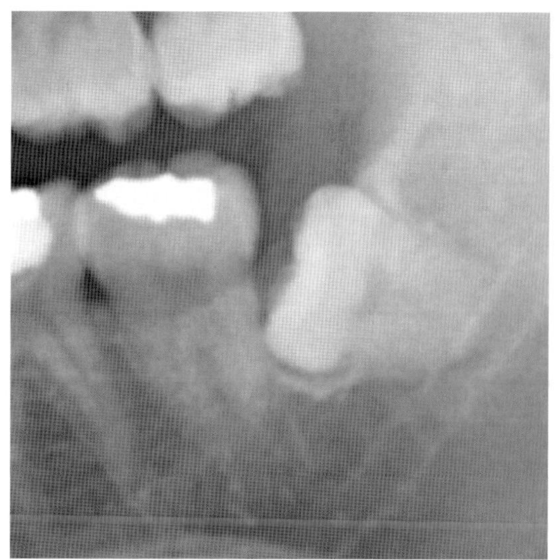

40세 여성으로 #38 치근단에 Youngsam's sign이 보인다. CBCT로 확인한 결과도 마찬가지다. 오른쪽 사진은 이 환자의 10여 년 전 사진으로 파노라마 기종도 다르고 해상도도 떨어지지만, 치근단에 Youngsam's sign 있음을 볼 수 있다.

07
다양한 Youngsam's sign★★★

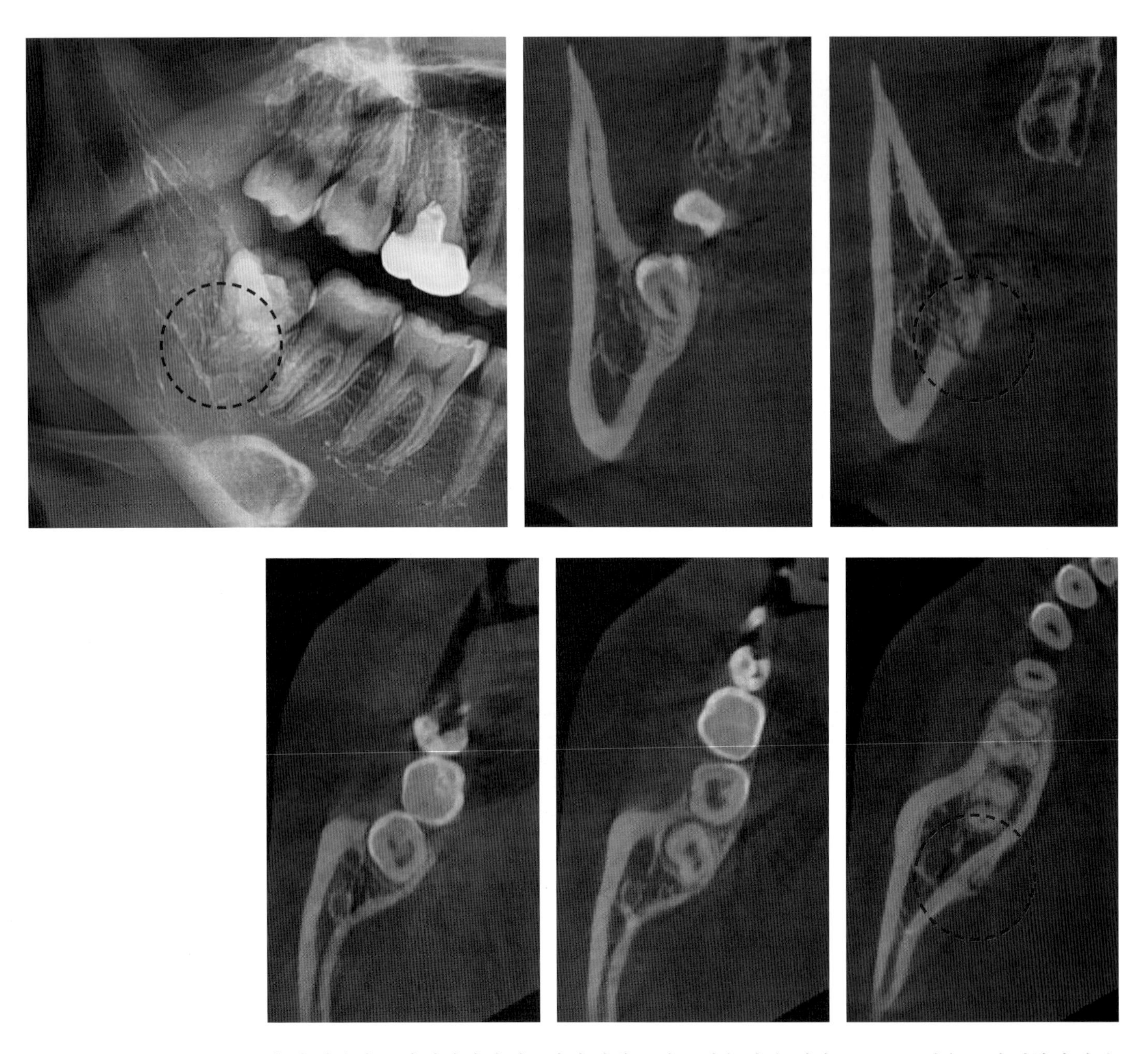

수직 매복된 48번 사랑니의 치근단이 검게 보이는 것을 알 수 있다. CBCT 소견을 보면 명확히 알 수 있을 듯하다. 이해를 돕기 위해서 CBCT영상의 coronal면과 horizontal면을 단계별로 넣었다. 치근단이 피질골을 관통해서 위치하고 있는 것을 볼 수 있고, 피질골 내에 치주인대강이 비후된 것을 볼 수 있다. 그런데 이런 치근이 파절되었을 경우 제거를 시도하다보면 구강저(설측)로 넘어갈 수 있기 때문에 주의해야 한다.

★★★

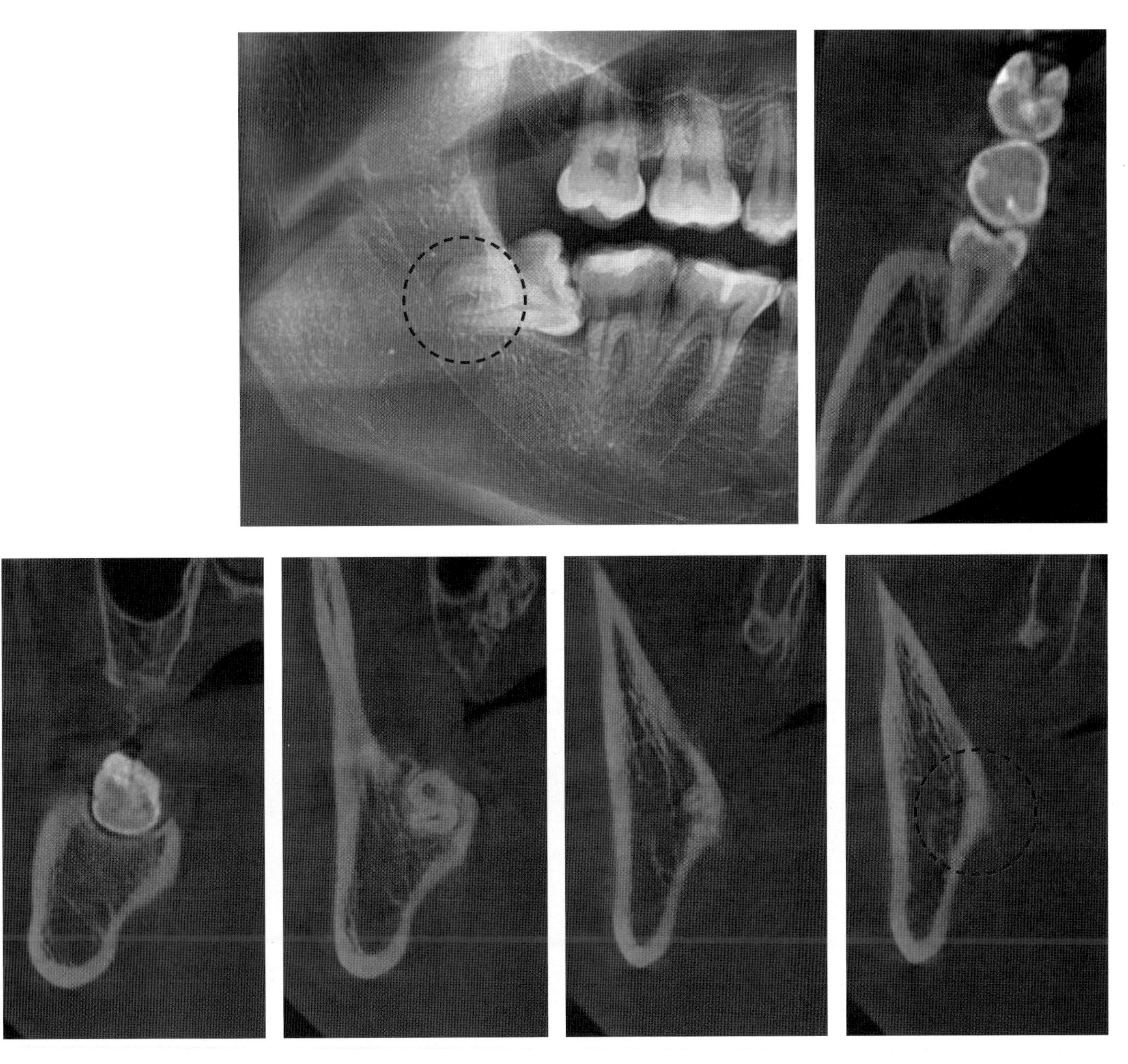

수평 매복된 원심 치근의 근단부 위쪽이 검게 보이는 것을 볼 수 있다. CBCT상 소견도 원심 치근이 설측 피질골 내에 박혀 있고 원심쪽이 검게 보이는 것을 볼 수 있다. 이렇게 CBCT상에서 검게 보이는 여부와 상관 없이도 피질골에 위치한 경우에 종종 Youngsam's sign이 보이는 경우가 많다.

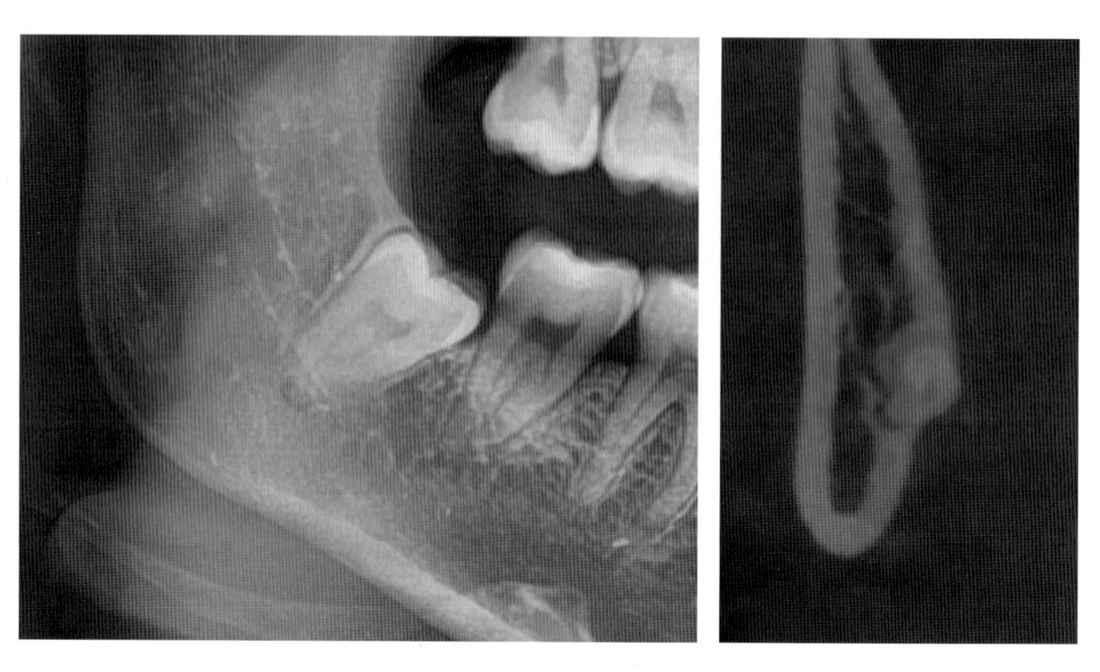

파노라마 상에서 사랑니의 치근단부 외곽선이 검게 표시되는 것을 볼 수 있고, CBCT상에서 coronal 면에서도 치근단부가 피질골 내부에 위치하고 근단부가 검게 표시된 것을 볼 수 있다.

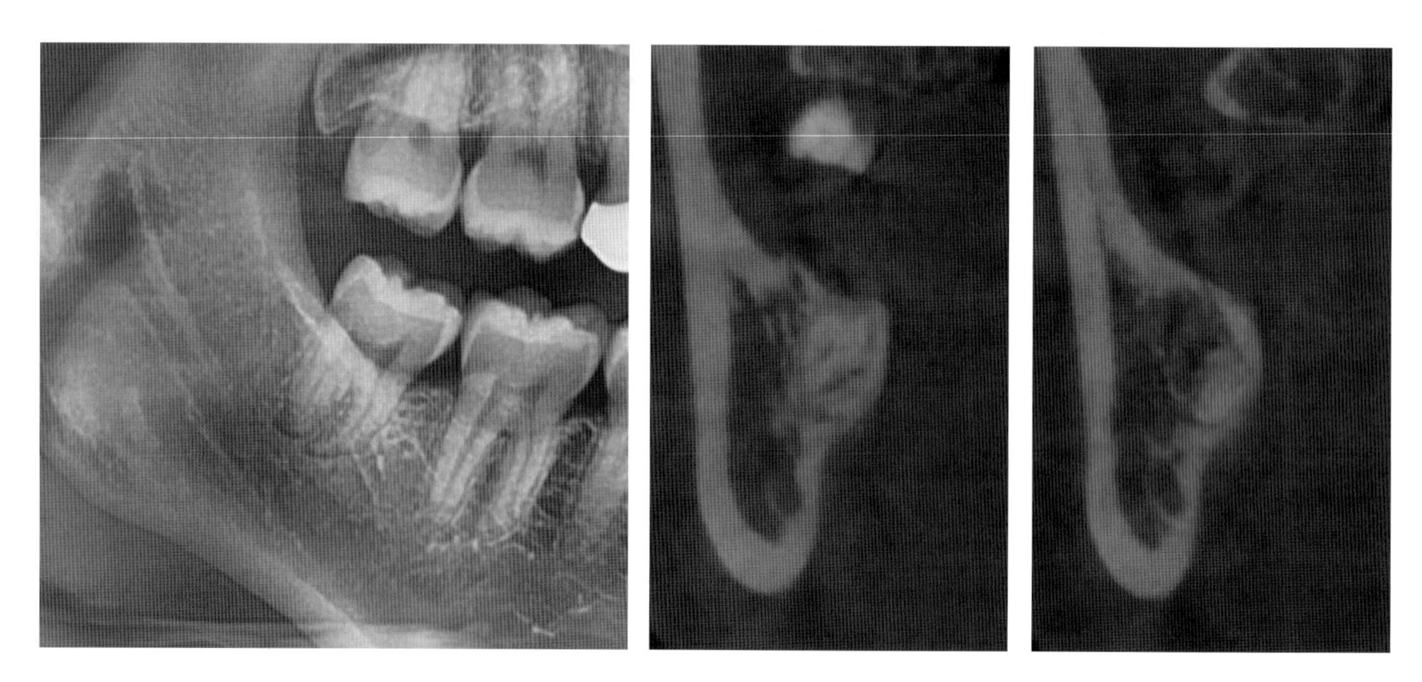

36세 여성으로 파노라마 상에서 48번 근단부에 검게 변한 것을 확인할 수 있고, CBCT영상의 Coronal면에서도 비슷한 소견을 볼 수 있다.

08
Youngsam's sign이 보이는 사랑니의 발치 ★★★

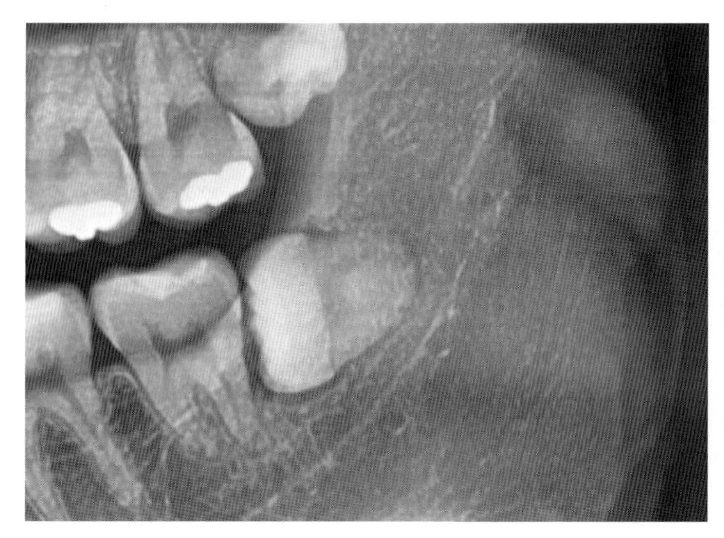
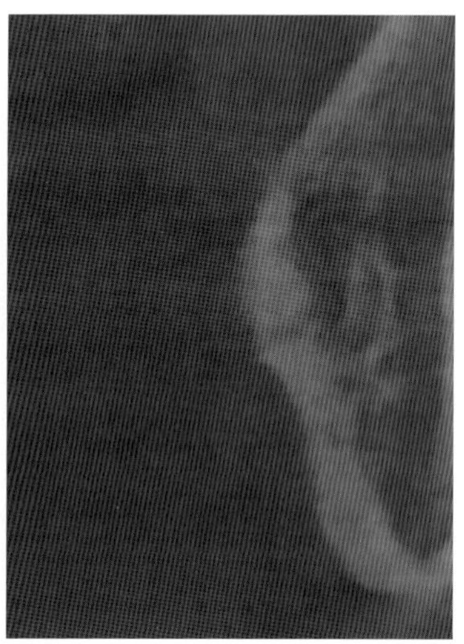

앞서 언급 한대로 치관 주위 염증으로 치아가 더 뒤로 밀려서 치근단이 피질골 내에 위치하게 된 것이 아닌가 조심스럽게 추정해본다. 이런 의견에는 다른 견해를 표하는 분들도 계시기 때문에 판단은 스스로 해보길 바란다.

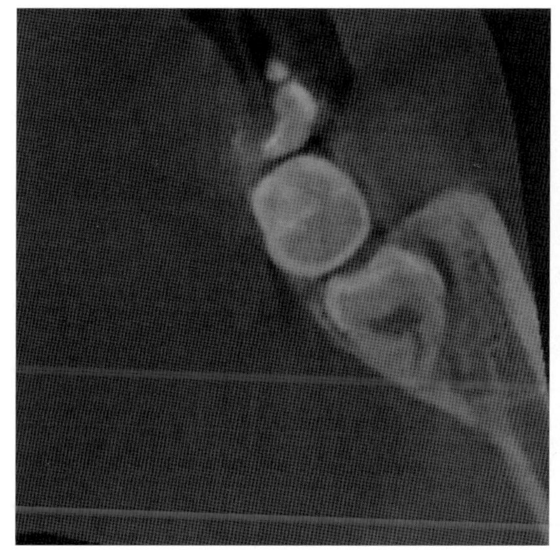
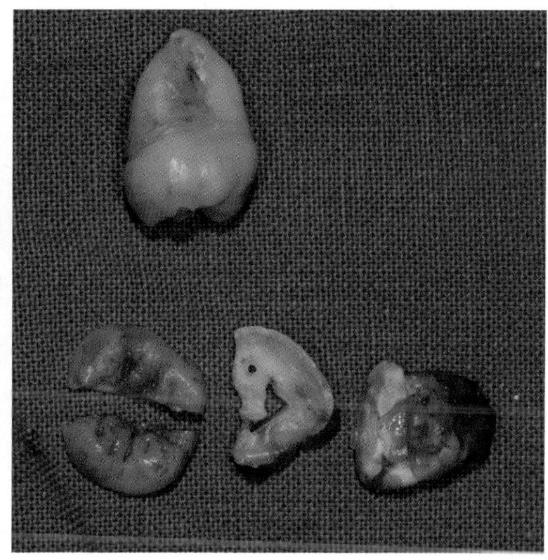

필자가 이미 언급했지만, 사랑니 발치에서 난이도를 짐작하기는 쉽지 않다. 그러나 그나마도 가장 발치 난이도를 짐작하게 해주는 것이 바로 Youngsam's sign이다. 필자의 경우 발치가 5분 이상 오래 걸리는 경우는 거의 없지만, 5분 이상 걸리는 발치가 있다면 그 중에서 가장 큰 부분을 차지하는 것이 Youngsam's sign을 보이는 것들이다. 아마도 뒷부분의 수평 매복치 파트를 본다면, 저 발치를 어떻게 시도했으며, 왜 치관부 제거 후에 치근이 바로 발치되지 않고 2등분되었는지를 알게 된다. 협측 치주인대강이 좁아서 엘리베이터로 그 틈을 벌려서 발치하는 것이 쉽지 않았다는 뜻이다.

★★★

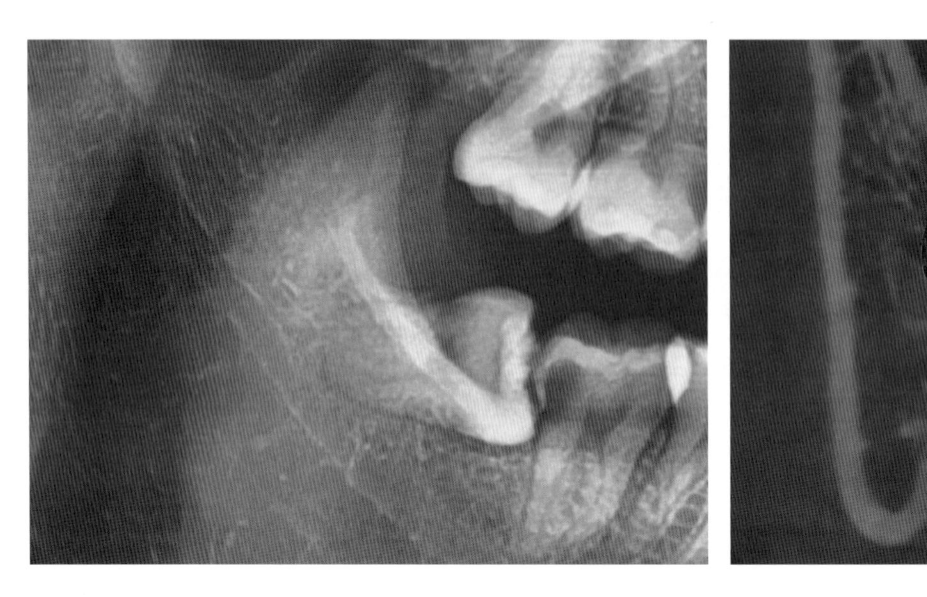

평범해보이는 수평 사랑니이다. 그러나 Youngsam's sign을 배운 사람이라면 이 발치가 쉽지 않을 수도 있다는 것을 알 수 있을 것이다.

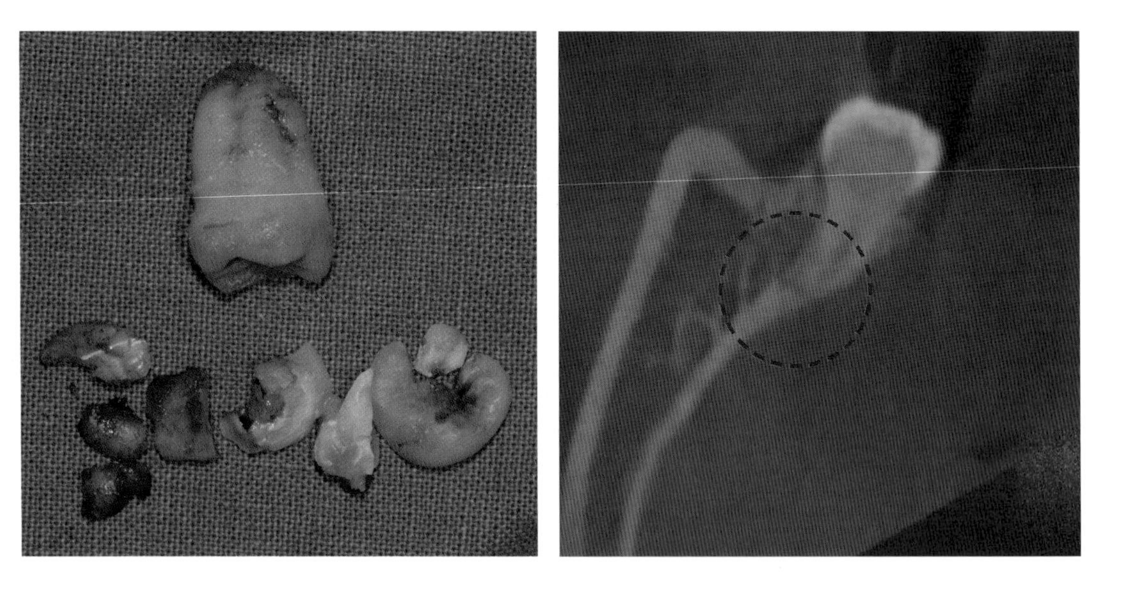

위 사진에서 봤듯이 발치가 쉽지 않다. 다른 사랑니라면 치관부 제거 후에 치근 파트가 엘리베이터 한 번 꿈쩍 움직이면 발치가 되었을 텐데, 치근단부가 설측 피질골에 단단히 박혀 있으니 발치가 쉽지 않게 된 것이다.

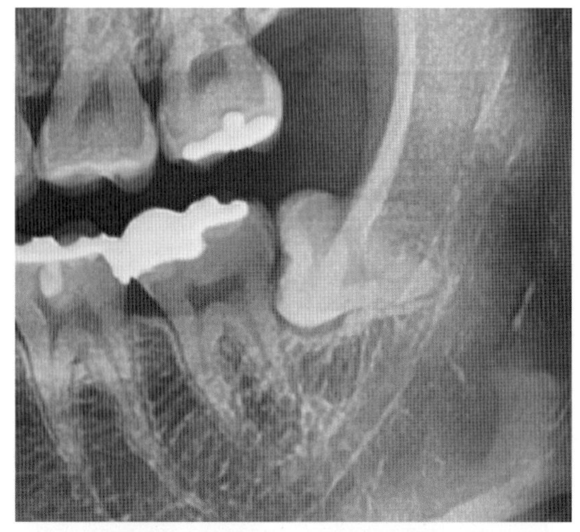

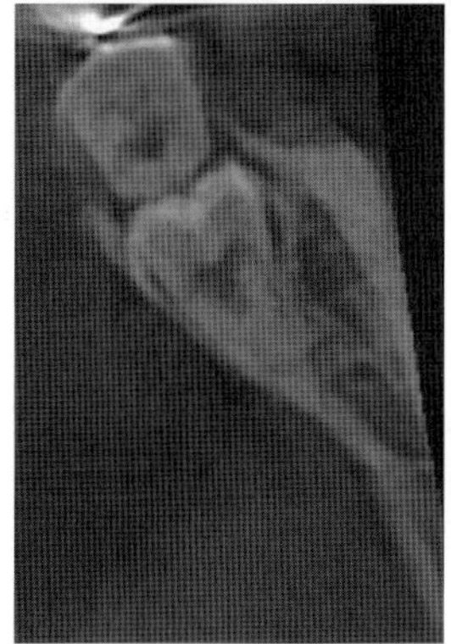

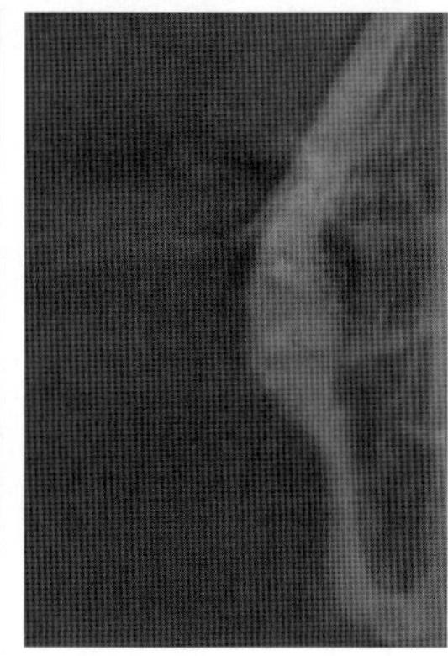

25세 남성 환자로 파노라마 방사선 사진상에서 근심 치근의 근단 주변에 Youngsam's sign이 보이고 있다. CBCT 영상을 보니 치근이 자라다가 피질골을 만나서 치근의 방향이 협측으로 틀어진 듯하다. 더구나 치관 주위 염증으로 치근이 치조골내에 콕 박혀 있어서 제거하기 쉽지 않았다. 이런 경우에 치근이 파절된다면 쿨하게 잊고 지내는 것이 좋다.

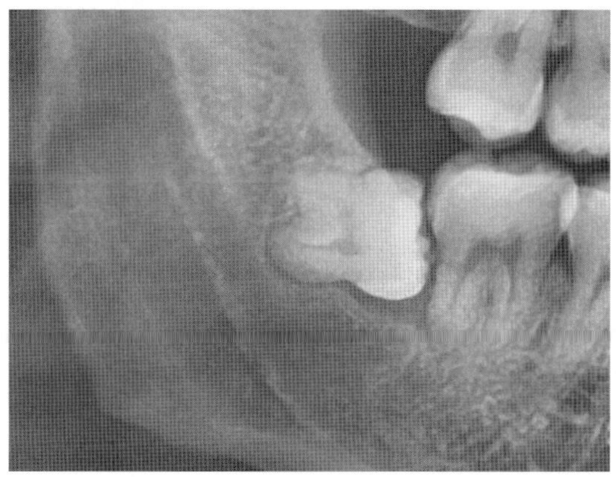

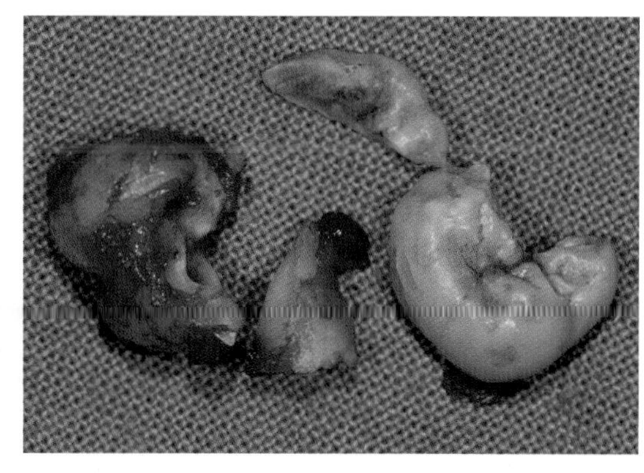

위 케이스와 비슷한 케이스이다. 근심 치근 치근단 주변에 Youngsam's sign이 보이고, 치관 주위 염증으로 치근이 뒤로 많이 밀려나 있다. 더구나 치근의 단면 모양이 가장 어렵다는 땅콩(엉덩이) 모양이다. 치아에 홈을 만들어가면서 발치를 시도하였지만, 계속 치아만 부러질 뿐 발치는 쉽지 않았다. 우여곡절 끝에 발치를 완료한 뒤의 사진으로 치근면에 여러 번의 삭제가 있었던 것을 볼 수 있다.

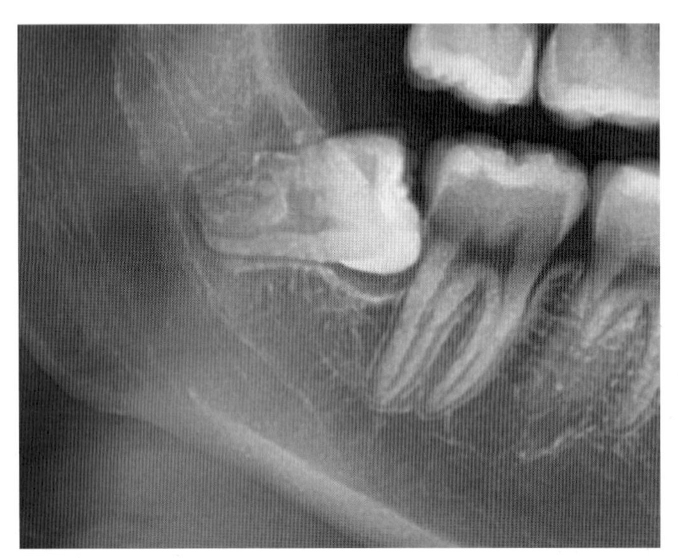

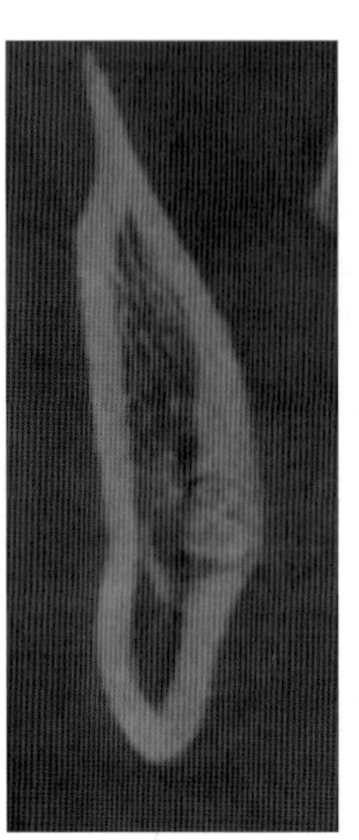

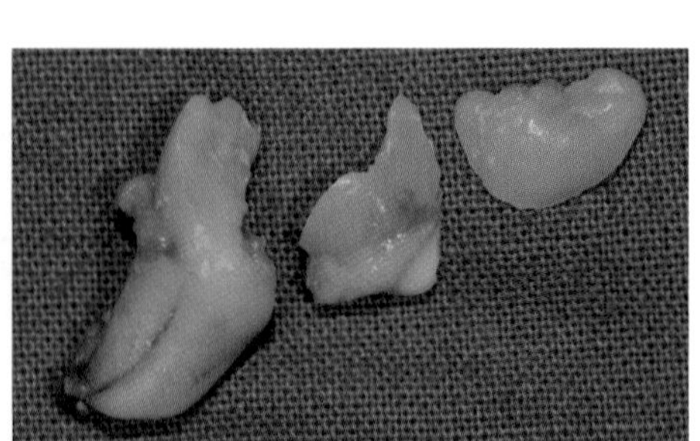

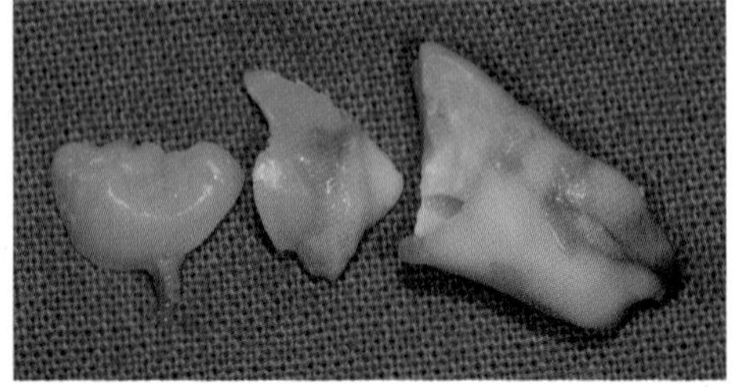

파노라마 상에서 치근단에 Youngsam's sign이 보이고, 역시 CBCT 소견으로도 치근단이 설측 피질골 내에 위치하고 있는 것을 볼 수 있다. 협측에서 본 치근의 모양에는 큰 이상이 없지만, 설측으로 돌려놓은 아래 사진을 보면 방사선 사진과 조금은 유사해 보인다. 아무래도 치근이 자라면서 설측 피질골과 만나서 치근의 설측 형성에 피질골의 영향을 받은 듯하다. 특히나 이런 케이스에서는 치근이 파절된다고 해도 제거하지 말아야 한다.

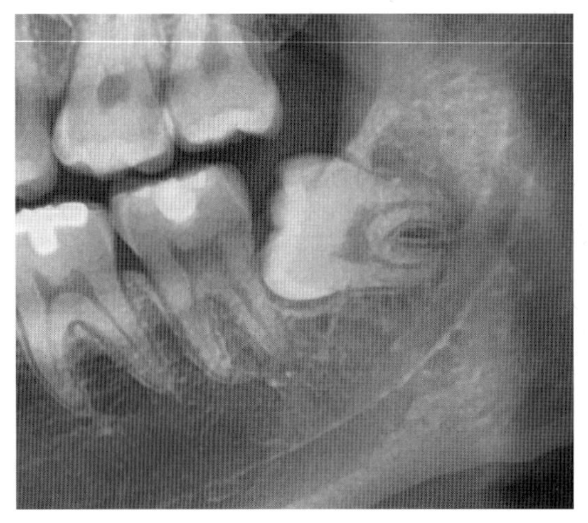

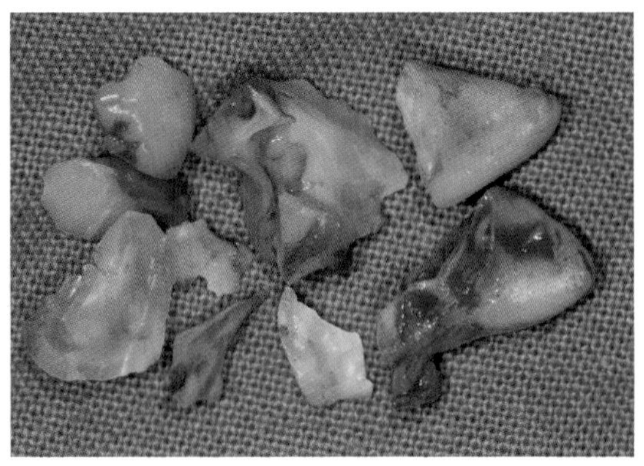

파노라마 방사선 사진상에서 역시나 치근단 주변에 Youngsam's sign이 보인다. 치근단 주변에 이런 싸인이 보이는 경우는 종종 발치가 쉽지 않을 수 있다. 무조건 그런 경우는 아니지만, 역시나 힘든 케이스는 대부분 이런 케이스이다.

09
Youngsam's sign이 있는 사랑니를 뽑을 때 주의할 점 ★★★

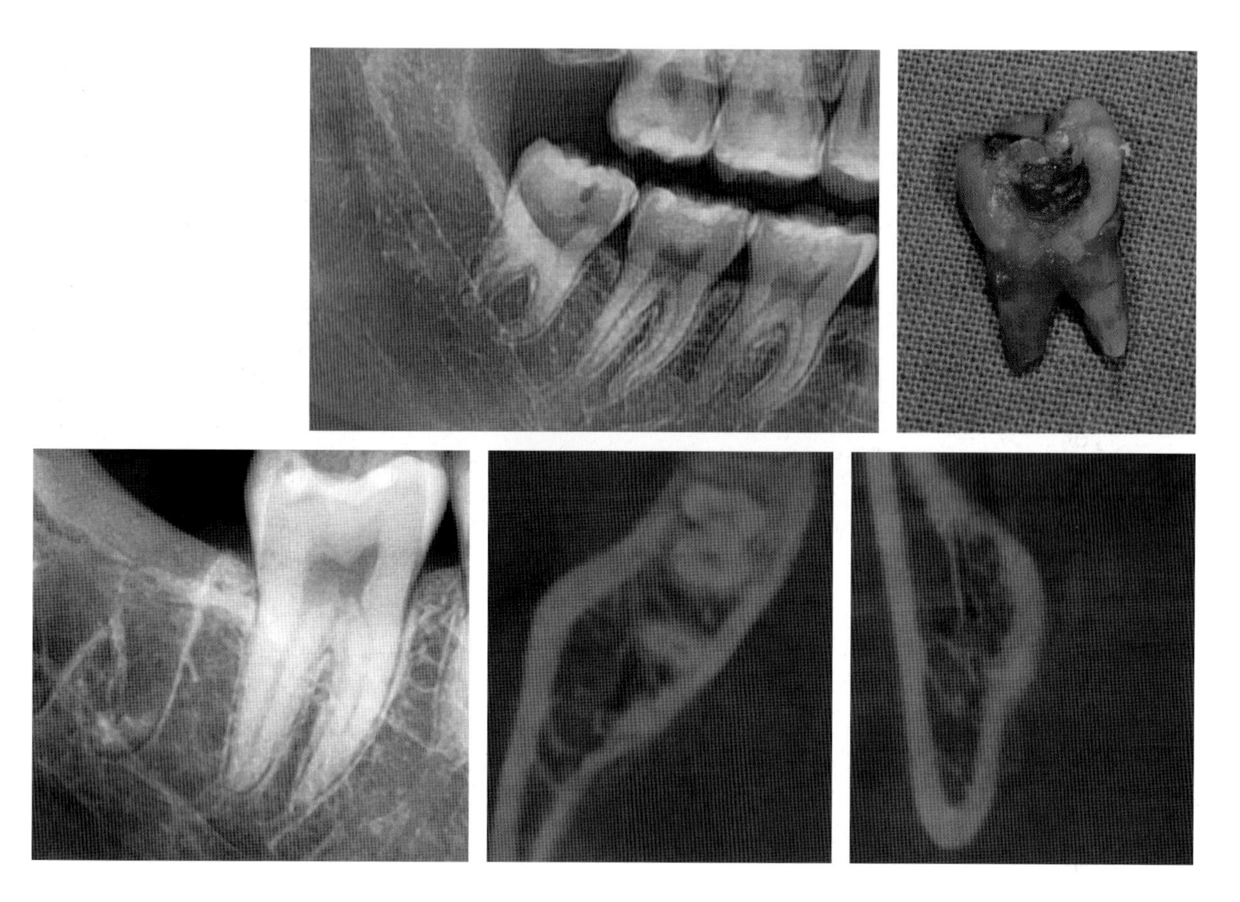

Youngsam's sign이 보이는 사랑니의 치근을 발치할 때 특별히 다른 방식을 시도하지 않는다. Youngsam's sign이 보이지 않는 비슷한 사랑니의 케이스와 비슷하게 하면 된다. 그러나 치근이 파절되는 상황에서는 다르다. Youngsam's sign을 보이는 환자의 치근은 다른 사랑니보다도 훨씬 쉽게 부러질 수 있다. 그렇게 부러져서라도 발치가 빨리 이뤄진다면 그것은 매우 기쁜 일이다. 치근단부를 피질골에서 꽉 잡고 있으면 발치가 쉽지 않기 때문이다. 다만, 이렇게 파절된 치근을 제거하려고 너무 노력할 필요는 없다는 것이다.

다른 장에서도 이야기하겠지만, 필자는 치근을 남기진 않는 것을 나름의 모토로 생각하고 살았지만, 이제는 바뀌었다. 나이 덧일까? 나이 들어가면서, 척추는 너 안 좋아지고... 그러면서 더 쉽고 빠르고 안전함을 추구해가기 때문일까?

어쨌든 특히 초보자라면 이런 경우 치근을 익스플로러로 쉽게 제거되는 정도가 아니라면 절대 제거하기 위해서 노력하지 말아야 한다. 여기서 치근을 제거하기 위해서 루트피커 등으로 힘을 쓰게 되면... 잘못하면 치근이 설측 구강저로 빠져들어갈 수 있기 때문이다. 필자도 조금 더 젊은 시절엔 설측 피질골 부위 밖에서 손가락으로 치근이 설측으로 밀려 나오지 못하게 누르면서 치근을 발치한 적이 있는데... 지금 와서 생각하면 그건 절대 환자를 위해서도 좋은 건 아니다. 치근은 우리 몸의 일부이고, 원래 치조골 속에서 평생 있으라고 만들어진 것이다. 그러므로 원래 있어야 할 곳의 치근이 부러졌을 뿐 아직은 아무 문제를 일으킨 것이 아니므로 그냥 그대로 두는 것이 좋다. 이러한 파절된 치근에 대한 내용은 다음 장에서 다뤄보자.

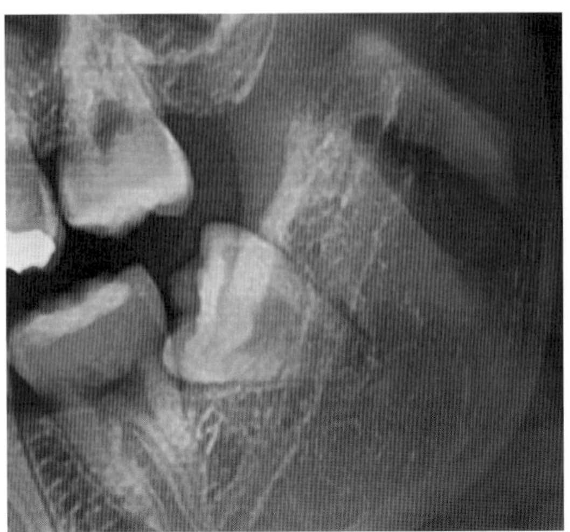

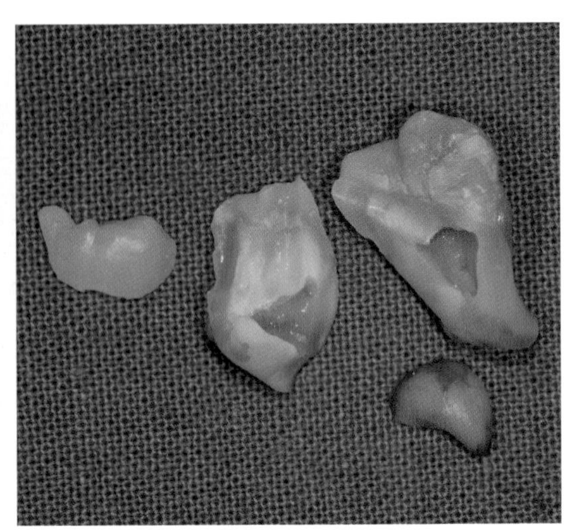

38번 치근단의 원심면에 Youngsam's sign이 보인다. 마찬가지로 통상적인 발치를 시도하였으나, 발치가 쉽지 않았다. 아마 Youngsam's sign을 모르는 사람이라면 매우 쉬운 발치로 생각했을 것이다. 치아는 전혀 움직이지 않았다. 그래서 치아 자체를 2등분하기로 하였다. 그렇게 발치하는 과정에서 치근이 부러져서 제거한 케이스이다.

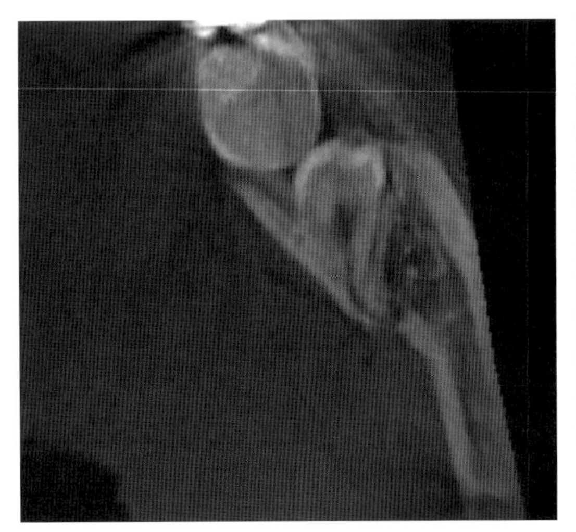

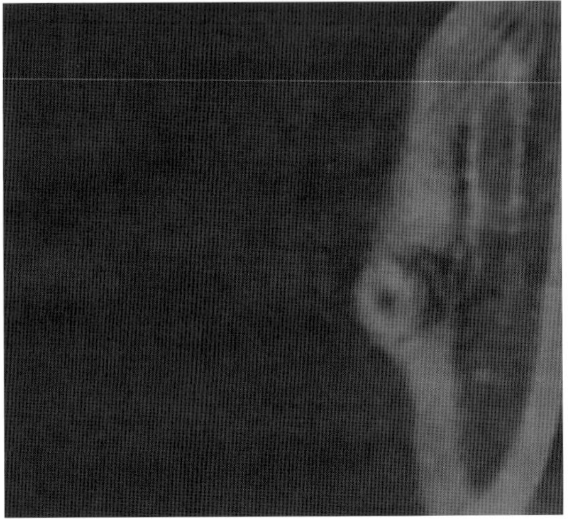

발치 전 CBCT 영상에서 치근이 피질골 내에 위치한 것을 볼 수 있다. 그런데 앞서 이야기한 것과 왜 부러진 치근의 제거를 시도했는지 의구심을 들 것이다. 파노라마 영상을 보자. 치근과 신경관이 겹쳐 보이지만 치근과 신경관 모두 겹치는 부분에서 특이소견이 없고, 치근단에서만 Youngsam's sign이 보인다. 신경관은 치근의 협측으로 멀찌감치 지나가는 것으로 짐작해 볼 수 있다. 보통 파절된 치근을 제거할 때 협측에서 기구를 적용하는데, 이는 최소한 기구가 신경관을 손상시킬 가능성은 없다고 판단해서 시도하였다. 다만 잠깐의 실수로도 설측으로 치근이 넘어갈 수 있으니, 초보자들은 시도하지 않는 것이 좋다.

10
충치로 인한 치근단부 치주인대강의 비후 ★★

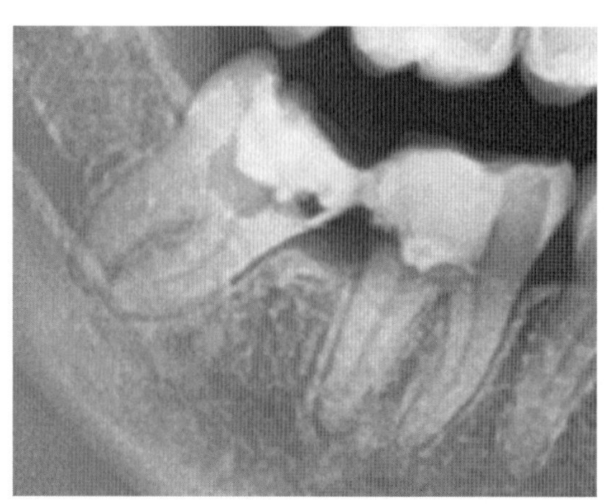
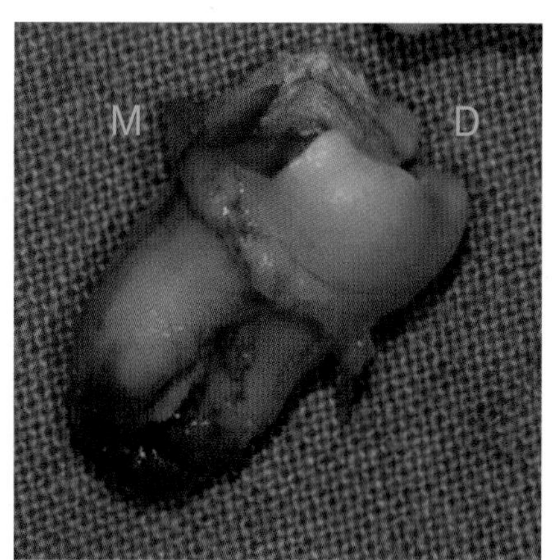

사랑니가 아파서 집 앞의 치과에 갔더니 발치는 안 해주고 근관치료만 해주었다고 한다. 그리고 다른 데 가서 사랑니만 뽑고 오라고 하여 필자의 치과에 내원하였다. 사랑니 치근단에 Youngsam's sign처럼 보이는 것이 보인다. 그러나 이것은 Youngsam's sign일 수도 있지만, 충치로 인한 치수내 염증이 치근단으로 퍼져서 근단성치주염이 생긴 것일 수도 있다. 마침 7번 치아의 원심 치근도 비슷한 소견을 보인다. 물론 Youngsam's sign일 수도 있다. 사랑니를 발치하여 치근단부를 확인한 결과는 두 치근 사이에 치조골이 붙어나오기는 했지만, 치근단에는 염증성 육아조직이 붙어 있는 것을 볼 수 있다. 이런 경우의 발치는 쉬운 경우가 많다. 다만 필자의 경험상 충치로 인해서 치근단에 염증이 생긴 사랑니라고 해서 절대 쉽게 발치되지는 않는다는 것을 알아야 한다. 아마도 굳이 평균치를 비교한다면 충치가 생긴 사랑니들의 발치가 훨씬 더 힘들었을 것이다. 사진은 필자 치과의 직원이 찍었는데 근원심과 협설면을 반대로 놓고 찍었다. 지금 보이는 면이 설측이고, 원심면이 근심쪽에 와 있다.

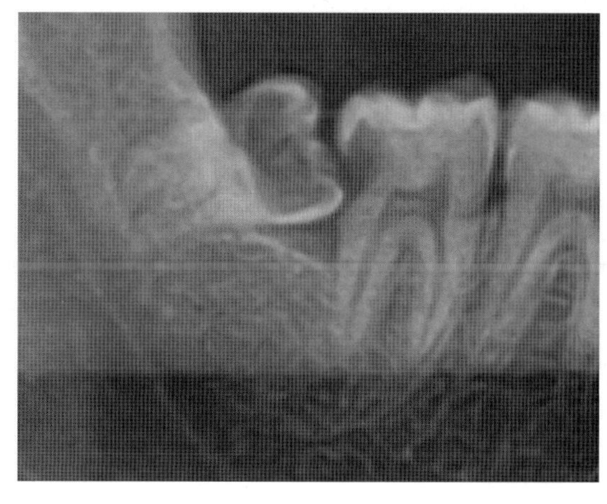
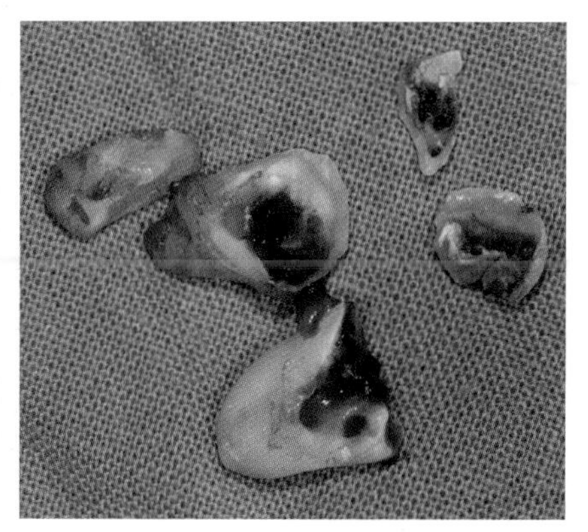

충치가 심하게 진행된 사랑니를 발치한 케이스이다. 원심 치근 주변에 Youngsam's sign이 보이고 있다. 단순하게 치아 내부의 염증으로 치근단이 비후된 것이라고 보고 발치를 진행하기에는 좀 미심쩍기도 하다. 역시나 발치가 쉽지 않았고, 치근단이 비후되어 있던 원심 치근의 발치가 더 쉽지 않았다. 오히려 설측 피질골 내에 위치하여 파절되기도 하였다. 아마도 치근단 염증이라기보다는 설측 피질골 내에 위치한 Youngsam's sign으로 보인다.

11
치근단 염증 or Youngsam's sign ??★

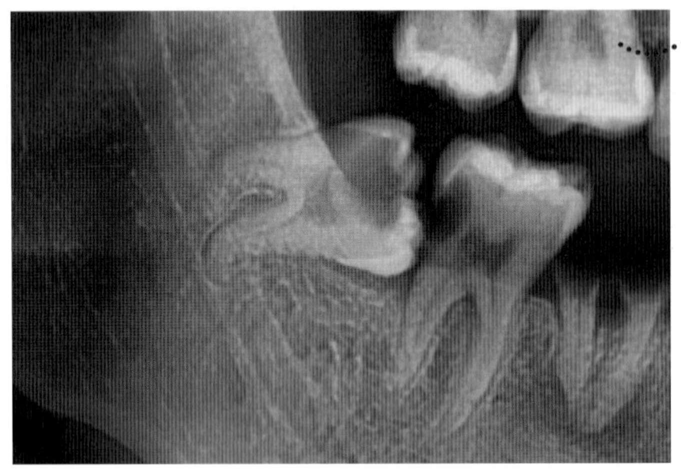

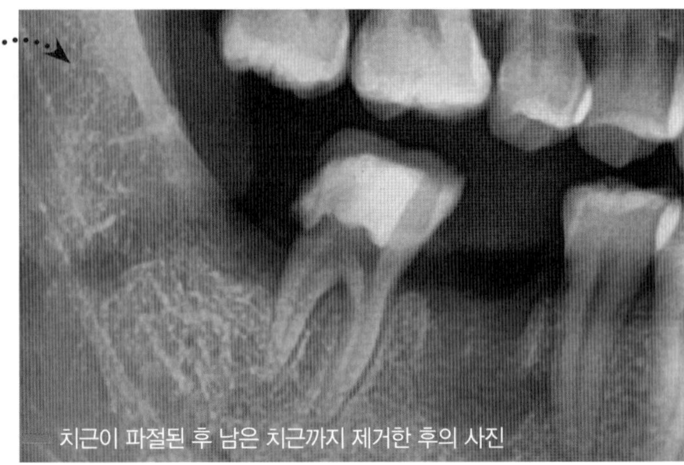

치근이 파절된 후 남은 치근까지 제거한 후의 사진

충치가 심하게 진행된 사랑니를 발치한 케이스이다. 이런 경우에는 사실 통증의 원인이 7번 치수염인지, 사랑니의 치수염인지를 알기는 어렵다. 굳이 구분할 필요 없이, 7번의 근관치료를 시작하여 통증을 없앤 다음에 8번을 발치하는 것이 필자의 원칙이다. 어쨌든 사랑니 치근단에 보이는 넓어진 치주인대는 충치가 많이 진행되어서 치근단에 생긴 염증 소견인지 Youngsam's sign인지는 쉽게 알기는 어려울 듯하다. 그러나 발치를 시도하고 치근이 파절되면서 뭔가 느낌이 좋지 않았다. 파절된 치근을 제거할 것인가 그대로 둘 것인가 고민을 했다. 아무래도 충치가 심하여 병적소견이 있는 치근이므로 제거하는 것이 좋겠다는 생각으로 평소에 잘 찍지도 않는 CBCT를 찍어보기로 했다. 오로지 치근의 만곡이 심하여 파절된 것인가 하는 생각에서였다. CBCT 영상을 보자.

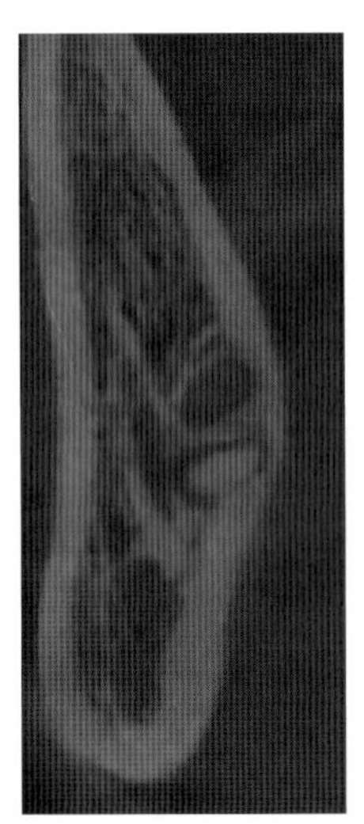

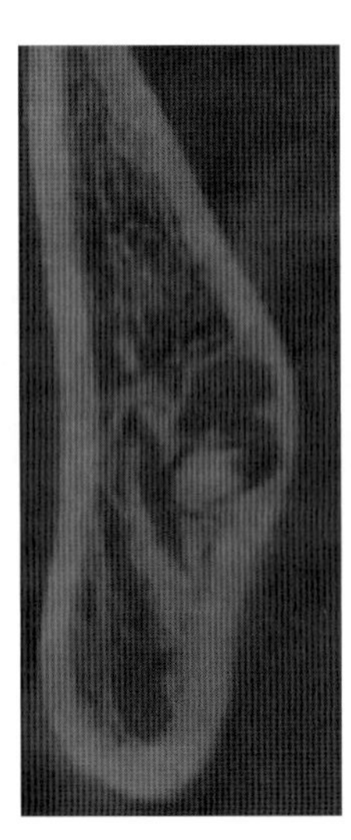

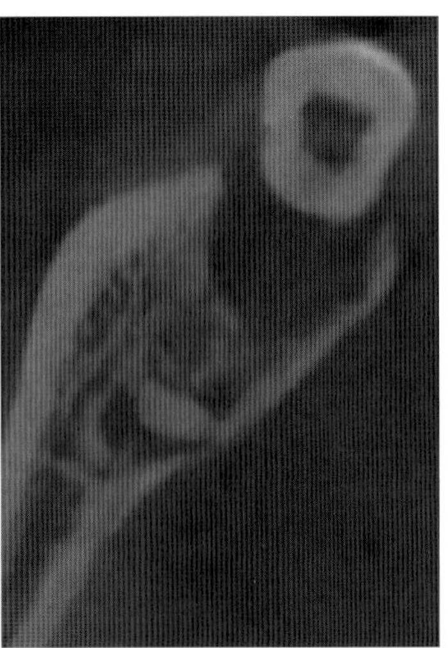

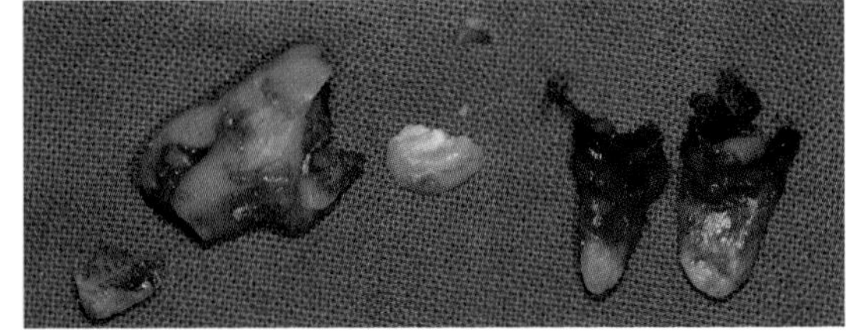

CBCT 영상을 보면 치근이 설측 피질골에 박혀 있는 것을 감안하면, 치근단에 검게 보이는 것은 굳이 염증이라기보다는 Youngsam's sign으로 보인다. 그렇다면 치근을 그대로 남겨둬도 될것 같기도 하지만, 조심스럽게 제거하였다. 이런 치근의 제거에서도 필자가 가장 중요하게 여기는 건 발치 과정에서 환자가 호소하는 통증이다. 치근의 협측에 하치조신경관이 바로 접해 있어서 잔존치근 제거에 위험성이 높다. 이런 경우에는 더욱더 신중해야 하며, 되도록 치근을 남겨두는 것도 좋다고 생각한다.

12
미성숙 영구치와 구분 필요 ★★

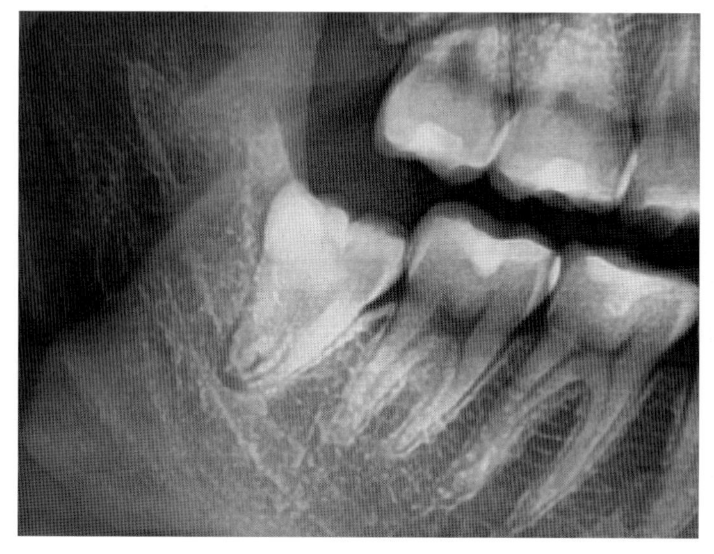
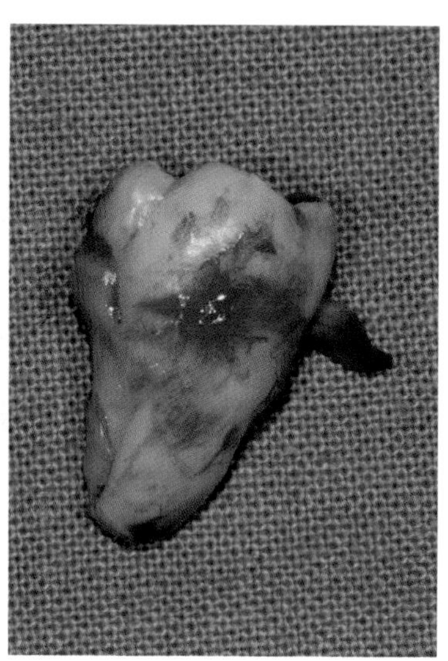

19세 여성 환자로 치근단이 아직까지 근단공이 완성이 안 된 것을 볼 수 있다. 이러한 경우에는 환자의 나이를 감안하면 Youngsam's sign과 어렵지 않게 구분될 수 있을 듯하다.

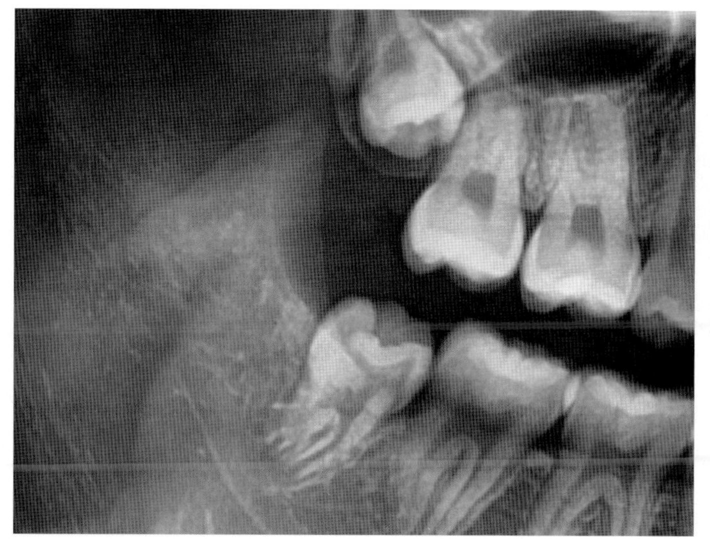
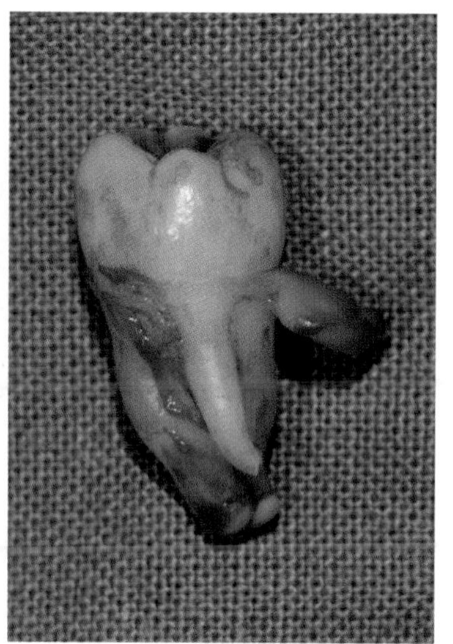

22세 여성 환자로 근단이 미성숙한 것을 볼 수 있다.

13
Youngsam's sign으로 보이지만...★

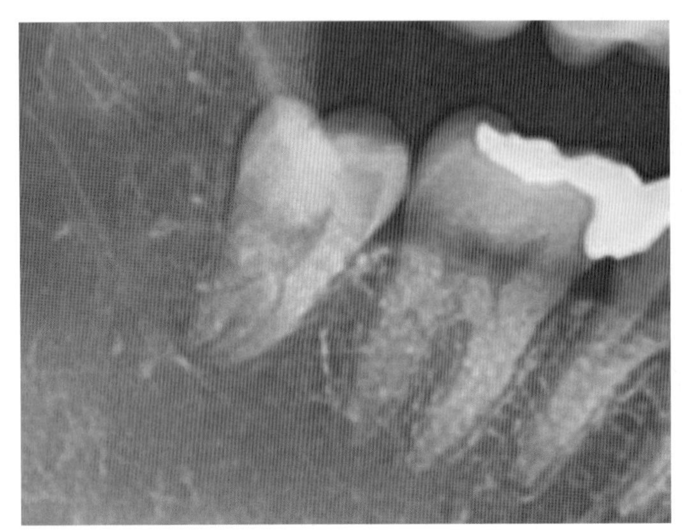

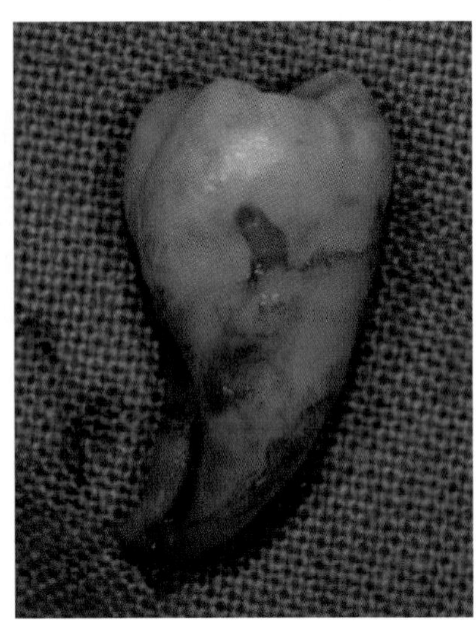

27세 여성 환자로 치근단에 Youngsam's sign이 보인다. 발치는 통상적으로 엘리베이터를 이용하여 시행하였으며 특이할만한 소견은 없었다. 그런데 만약 이 치아를 발치하는 과정에서 치근이 파절되었다면 어떻게 했어야 할까? Youngsam's sign이 보이는 만큼 그냥 그대로 두어야 할까? 아니면 제거를 시도해볼까? 각각의 케이스마다 다르고 그날 그날의 치과 환자예약 상태마다 다를 수도 있을 것이다. 그러나 아래 CBCT 영상을 본다면 생각이 달라질 것이다.

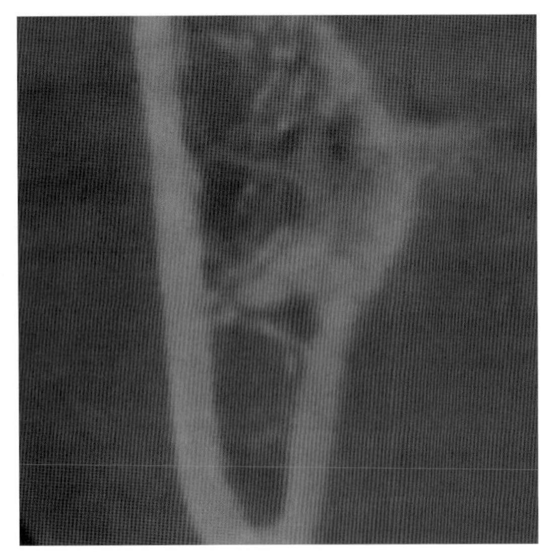

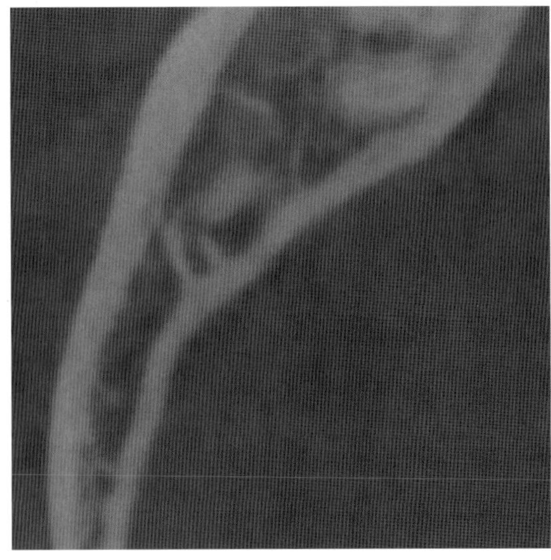

CBCT 영상을 보면 남은 치근을 제거하는 것이 얼마나 무모한 짓인지를 알았을 것이다. Youngsam's sign이 보이는 대부분의 경우는 신경관이 치근의 협측에 위치하고 있지만, 반드시 꼭 그런 것만은 아니다. 만약 사랑니에서 치근이 남아서 제거한다면, 협측에서 기구를 적용할 것이고, 잘못하면 치근이 신경관 쪽으로 밀려들어갈 수도 있다. 어쨌든, 이제 남은 치근을 어떻게 할 것인지는 다음 장에서 다뤄보기로 한다.

EASY
SIMPLE
SAFE
EXTRACTION
of
wisdom
tooth

03
CHAPTER

사랑니의 치관절제술

먼저 치관절제술이란? ★★

Coronectomy (치관 절제술, odontectomy)란 치아의 치관 부분을 제거하고 치근 부분을 남기는 술식을 말한다. 남은 치근 부분을 제거하기 어렵거나 치근 부분을 제거할 경우 신경관 손상이 우려되는 경우에 일부러 치관만 제거하는 행위이므로, 의도적 치관절제술 (Intentional coronectomy)이라고 표현한다. 의도적 치관절제술 이후에는 follow up 체크 후에 잔존 치근이 구강 내로 노출되거나 다른 문제를 야기할 것으로 예상이 된다면 잔존 치근을 제거하고, 특별한 문제가 없다면 잔존 치근을 그대로 두는 것이 원칙이다.

이미 오래 전부터 의도적이지 않게(Unintentional ^ ^) 시행되었겠지만, 학문적인 내용으로의 접근은 의외로 역사가 오래되지 않았고, 관련된 연구결과도 2000년대 이후에 많이 나오고 있다.

최근에 많이 개발되고 판매되는 MTA가 연관이 되어 있기도 하다. 필자는 의도적 치관절제술을 시행함에 있어서 MTA를 전혀 사용하지 않지만, 어떤 치과의사들은 당연히 사용하면서 시행해야 하는 줄 알고 있는 경우도 있는데, 굳이 사용할 필요 없다고 생각한다. 솔직히 사용하고 싶어도 사용이 쉽지 않다. 어쨌든 왜 갑자기 의도적 치관절제술이 떠오르는 걸까? 인간의 진화로 최근의 인류의 사랑니의 매복 정도와 위험 정도가 더 심해진 것일까? CBCT가 많이 보급된 것과는 어떠한 연관이 있을까?

CBCT와 의도적 치관절제술

최근 의도적 치관절제술이 떠오르는 이유는 CBCT의 확대 보급이 큰 영향을 미쳤다고 본다. 예전에는 몰라서 위험을 무릅쓰고 그냥 발치했지만, CBCT의 보급으로 정확히 신경과 치근과의 위치를 알게 된 이후로는, 신경 손상 위험성이 너무 높다고 판단되는 경우에 의도적 치관절제술을 시행하게 되는 것이다. 쉽게 말하면 위험성에 대해 인지하지 못하고는 모든 사랑니를 1%의 위험성이라는 가정하에 발치를 시행했지만, CBCT의 확대 보급으로 그 1% 위험성을 0.1%~10%로 좀 더 세분화해서 나눌 수 있게 되므로 그 중 위험성이 높은 사랑니의 경우 의도적 치관절제술을 시행하게 된 것이라고 본다.

그렇다면 그 전에는 어땠을까?

선배들한테서 전해 내려오는 일반적인 사랑니 발치와 치근에 대한 이야기...

필자가 선배들한테서 전해 들은 사랑니 발치와 치근에 관한 이야기는 주로 3가지로 요약된다.

- 사랑니 발치 시 치근이 남으면 5 mm 미만은 자동 흡수된다. (어떤 선배는 3 mm 라고도 함)
  남은 치근도 내 몸의 일부이다. 걱정 마라~ ^^
- 사랑니의 치근 주변에 병소가 있으면 빼라…
- 럭세이션이 된 것은 빼고... 럭세이션이 되지 않은 상태로 부러진 것은 둬라.

필자가 아주 초보이던 15년 전 선배들로부터 전해 들은 족보 같은 이야기들이다. 그리고 세월이 흘러서 우리나라에서 필자가 가장 오랫동안 가장 많은 사랑니를 발치한 치과의사가 되었다. 이제 선배들에게서 배운 내용을 하나하나씩 필자의 경험을 더하여 후배들에게 전해주려 한다.

위의 선배들에게 전해 들은 내용에 필자의 경험이 더해진 결론부터 말하면

- 남은 사랑니 발치 치근의 크기는 중요하지 않다.
  굳이 하나 꼽자면 잔존 치근의 크기보다는 남은 치근이 얼마나 주변골 조직에 싸여 있느냐만 중요하다. 그러나 남은 치근의 주변에 넉넉한 주변골이 없다면 치근을 제거하기 쉬울 것이기 때문에 이 부분도 크게 문제되지 않는다. 치관 부분만 제대로 제거되었다면 치근의 크기는 고려 요소는 아니라는 것이다.
- 사랑니의 잔존 치근에 병소가 있는 경우는 거의 없다.
  필자처럼 사랑니를 많이 뺀 사람도 사랑니 치근단에 병소로 고생하는 환자는 별로 본 적이 없다. 최소한 우리나라처럼 발치 비용이 저렴하고 치과 문턱이 낮은 나라에서는 보기 쉽지 않다. 그나마도 치근단에 병소가 있으면 빼기도 쉽고, 만약 치관이 제거된 상태라면 자발적으로 더 치조골 밖으로 밀려 나올 것이다.
- 남은 치근의 럭세이션 여부는 크게 중요하지 않다. 위치만 중요하다.
  물론 파절되어 남기 전에 럭세이션된 치근은 빼기도 쉽다. 그러나 굳이 럭세이션되었다는 이유로 뺄 필요가 없는 건 확실하다. 어차피 발치와를 혈병이 채우고 나면 큰 의미가 없어진다. 그리고 결국 치근이 밖으로 밀려나오는 속도와 발치와가 골화되는 속도 중에 빠른 것이 이기는 것이다. 보통 발치와가 한 달만 지나도 치근이 이동하기 힘들 정도의 골화가 진행되므로 그 전에 치근이 밖으로 밀려나오지 않는다면 약간 이동한 채로 치조골 내부에 있게 될 것이다.

Dr. 김영삼의 치근 남기는 원칙 ★★★

위의 개념을 기본으로 필자가 지금 가지고 있는 치근을 남겨도 된다고 생각하는 경우를 정리하면 아래와 같다.

- ✓ 사랑니 치근이 얇고 휘어져 있는 경우
- ✓ 신경에 가까우면서 남은 치근을 제거하는 과정에서 환자가 통증을 호소하는 경우
- ✓ 신경에 가깝게 보이지 않아도 남은 치근을 제거하는 과정에서 환자가 통증을 호소하는 경우
- ✓ 남은 치근이 설측 피질골 내에 위치한 것으로 생각되는 경우(앞장에서 언급한 Youngsam's sign)
- ✓ 고혈압 등 전신질환 등으로 환자의 건강상태가 좋지 않은 경우
- ✓ 너무너무 바쁜 경우

필자가 이 부분에서 일부러 약간의 농담을 섞어서 표현하였다. 그만큼 치근 남기는 것에 대해서 너무 두려워하지 말라는 것이다. 사랑니 치근을 완벽하게 제거하는 것이 100점이고, 치근을 남기고 제거하는 것이 90점인 게 아니다. 치근을 남기고 발치해서 혹시라도 생길 합병증의 위험을 낮추었다면, 그것이야말로 100점짜리 진료가 되는 것이다.

남은 작은 치근을 제거하려다가 발치를 실패하는 것보다 치근을 남기고 발치를 성공하는 것이 더 중요하다. 치근을 남긴 것에 대해 발치가 실패했다는 생각을 하면 절대 안 된다. 그렇게 치근을 남기고 쉽고 안전하게 발치를 성공한 것이다. 그러나 치근을 남기는데 있어서 중요한 요소 하나는 꼭 잊지 말자. 남은 치근은 충분한 골조직으로 둘러싸여 있어야 한다는 것이다.

그렇다고 해서 필자가 치근을 남기는 경우는 생각보다 많지 않다.

오히려 사랑니 발치를 하면서 치과의사들로부터 너무나 많은 질문을 받기 때문에 그 질문에 답하기 위해서 일부러 경험 삼아 제거하지 않고 경과를 보기도 한다. 또한 치근이 가늘고 휘어져 있고 하치조신경관에 가까운 경우나 Youngsam's sign이 보이는 경우 등은 빨리 뽑기 위해서 일부러 치근이 부러트려서 뽑기도 한다. 물론 치근을 제거할 것인가 말 것인가는 남은 치근을 보고 판단한다. 가끔 필자 스스로 생각해본다.

치근이 남은 거냐? or 내가 남긴 거냐?

결론은 내가 의도하였나, 의도하지 않았나는 남은 치근을 제거할지 말지 여부와는 무관하고, 환자의 예후에도 상관이 없다.

개인의 처지가 자신을 합리화한다. ★

필자는 2014년 이전에는 치근을 남긴 경우가 거의 없었다. 필자의 실력이 매우 뛰어나서라기보다는 여러 명의 치과의사들과 함께 일했기 때문에 시간적인 여유가 있어서 치근을 거의 남기지 않을 수 있었다. 필자가 그동안 뽑은 사랑니 중에 치근이 남은 건 손으로 셀 수 있을 정도라고 할 수 있다. 발치가 길어져서 다음 환자가 기다리면 급한 건 다른 동료 치과의사들이 해결해 줄 수 있었기 때문이다. 시간적으로 넉넉했기 때문이기도 하지만, 괜히 치근을 남긴다는 것이 자존심 상했기 때문이기도 하다.

그러나 그 후에 필자가 단독으로 진료하게 되었고, 필자의 치과에서 발치하는 치과의사가 필자 하나뿐이게 되었다. 모두 알지만, 우리나라에서는 합법적인 방법으로 사랑니만 빼서는 치과를 운영할 수는 없다. 그러다 보니 하루에도 수십 개의 사랑니를 빼면서 다른 진료를 한다는 것이 불가능했다(보통 필자의 전체 환자 중에 사랑니 발치하는 환자 수나 시간은 평균적으로 필자 진료의 반 정도 되는 듯하다). 그러다 보니 필자 혼자 진료하면서는 어쩔 수 없이 치근이 남아도 시간이 없어서 발치를 마무리하는 경우가 종종 생기게 되었다.

더구나 필자는 강직성 척추염(ankylosing spondylitis)과 기타 고질적인 척추질환을 앓고 있다. 두 번에 걸친 척추 수술을 받았지만, 지금도 정상인처럼 자유자재로 잘 움직이지 못하며 오랫동안 고개를 숙이고 있는 것이 쉽지 않다. 늘 진통소염제를 복용하지만, 좀 심하게 무리한 날은 스테로이드를 복용하지 않고는 지낼 수 없을 정도이다.

그러다 2015년 의도적 치관절제술과 관련한 강의를 제의받고 케이스를 정리하기 시작했다. 앞서도 이야기했지만, 필자는 사랑니를 잘라서 빼는 경우 기억하기 위해서 직원들에게 사진을 찍으라고 지시하는 경우가 많다. 그래서 그런 케이스들을 찾아보는데, 정말 치근을 남긴 케이스가 거의 없었다. 정말 바빠서 남긴 몇 케이스에서 환자를 follow up을 해보려고 시도했으나, 대부분의 환자가 괜찮으니 체크할 필요성을 못 느낀다고 내원하지 않았다. 아마도 필자의 병원이 서울시내 강남 번화가에 위치하고 있고, 대부분의 환자들이 멀리 전국에서... 심지어 외국에서 오는 경우가 많기 때문일 것이다. 어쨌든 내가 남긴 치근이 문제를 일으키고 있지는 않았다. 이와 같이 필자의 치과 환경과 신체적 환경이 치관절제술이라는 개념에 좀 더 마음의 문을 열게 된 것이 아닌가 생각해본다.

최근에는 스스로 내 진료철학(ESSE)을 되새겨가며 일부러 쉽게 쉽게 하려고 한다.

필자는 이미 치관절제술을 하지 않고도 굳이 어지간한 발치를 빨리 할 수 있기 때문에 특별한 경우가 아니면 하지 않는다. 하지만 필자와 같은 경우는 매우 특이한 경우니 만큼 이 책을 읽는 독자분들은 책 내용을 잘 읽어보고 자신만의 원칙을 만들어보는 것이 좋을 듯하다.

먼저 남들이 남겨 놓은 사랑니의 뿌리들을 한 번 보자.

치근 남기기 ★★

파절되어 남은 치근 어떻게 할 것인가?

필자의 일반 진료 환자 중에 사랑니를 뽑은 자리에 치근이 남아 있는 케이스를 몇 개 찾아보았다. 뽑은 지 얼마 안 된 케이스부터 수십 년 지난 케이스까지 다양하지만, 예전에 사랑니 뽑았던 치과가 지금도 존재할 수 있기 때문에 환자분들께 조심스럽게 사랑니 발치 여부 위주로만 질문하였다. 본인들이 사랑니 뿌리가 남은 걸 아는 경우도 있었으며, 이후 다른 치과에서 이야기 들은 경우도 있었다. 어쨌든 모두 지금은 전혀 불편함 없이 잘 지내고 있었다.

필자가 사랑니 발치 강의를 시작한 초기에는 남은 치근을 어떻게 제거할 것인가를 강의했었다. 정말 무협지 같은 멋진 치근 제거 사례들을 보여주며 우쭐하기도 했었다. 그러나 이제 득도한 것인지… 치근을 왜 남겨도 되는지를 강의하고 있다. 이 책의 앞부분에서 언급했듯이... 사회 나와서 듣는 강의는 (보고 감탄만 하는 데이비드 카퍼필드의 마술쇼나 태양의 서커스 같은 서커스)가 되어서는 안 된다. 누군가 강의를 듣고 따라 할 수 있는게 아니면 굳이 언급할 필요가 없다. 필자의 케이스가 조금은 조잡해 보일 수도 있지만, 그만큼 여러분에게 큰 위안이 될 수 있다고 생각한다. 치근 남기기는 누구나 쉽게 할 수 있다. ^^

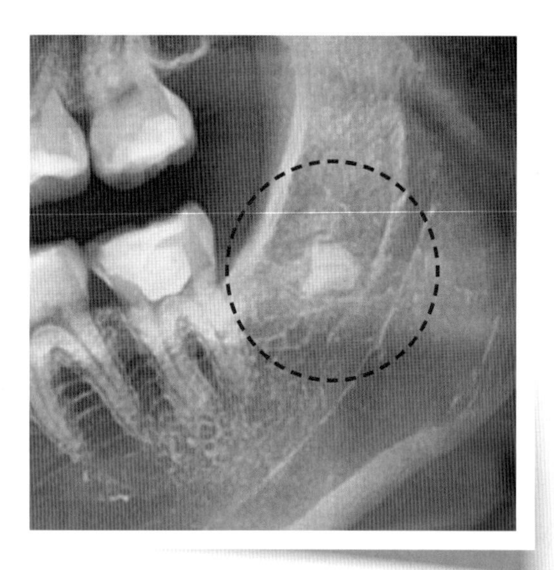

32세 여성 환자로 몇 년 전에 사랑니 뽑았다고만 진술하였다.

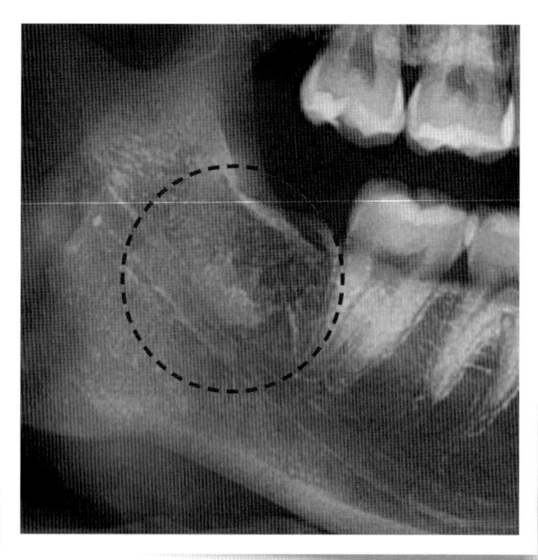

26세 여성 환자로 5년 전 사랑니 발치하셨다고 하였다.

01
타 치과에서 오래 전에 남긴 사랑니의 치근 ★

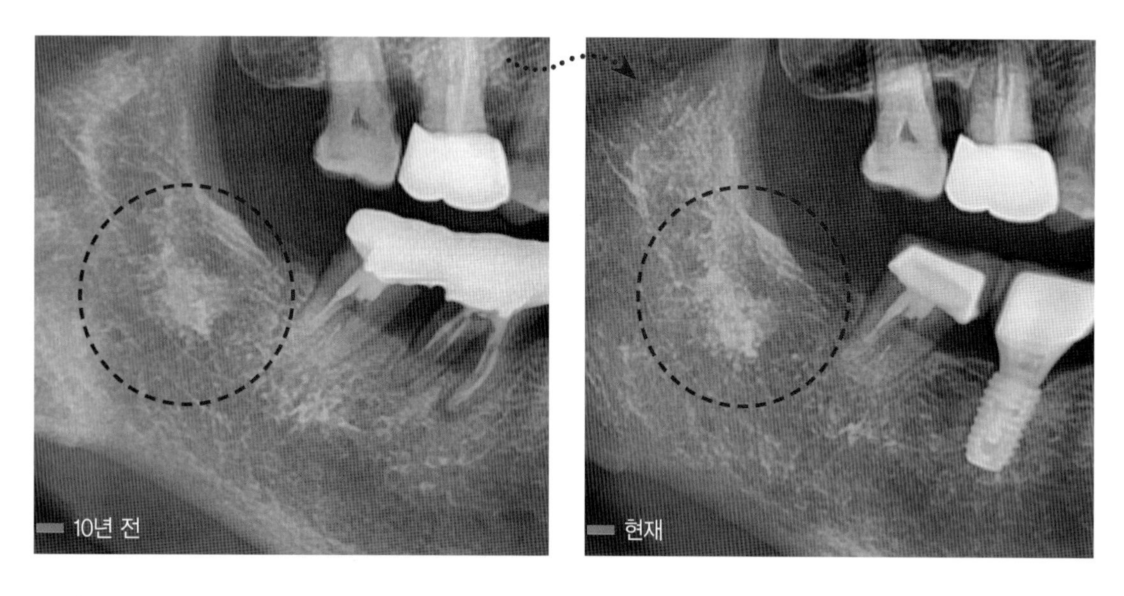

58세 여성 환자분으로 10여 년 이상 필자에게 치료받고 있다. 환자분의 진술에 의하면 사랑니는 기억도 안 날 만큼 예전에 젊어서 뽑았다고 한다. 필자가 10년 이상 관찰하고 있지만 사랑니 치근의 변화가 전혀 없다. 예쁘게 서 있는 #46번 임플란트는 필자의 케이스이다. ^^

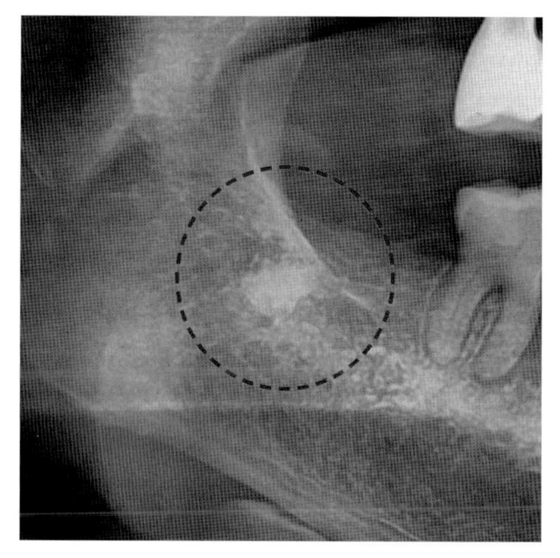

70세 여성 환자분으로 사랑니는 기억 안 날만큼 오래 전에 뽑으셨다고 한다.

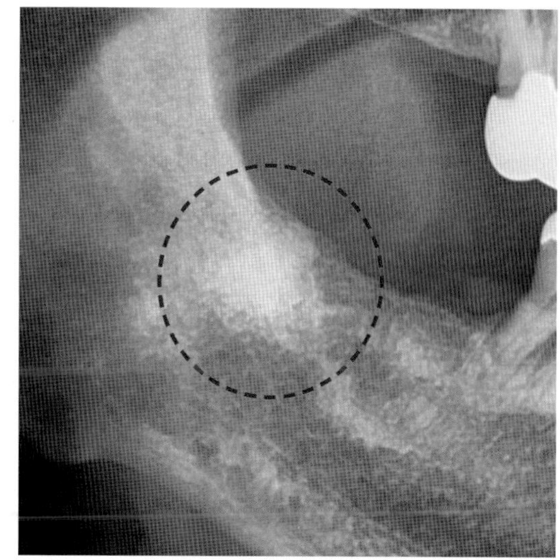

66세 남성 환자로 일본인이다. 환자분 진술에 의하면 청년일 때 사랑니 뽑았으며 뿌리가 조금 남았다고 알고 있다.

★

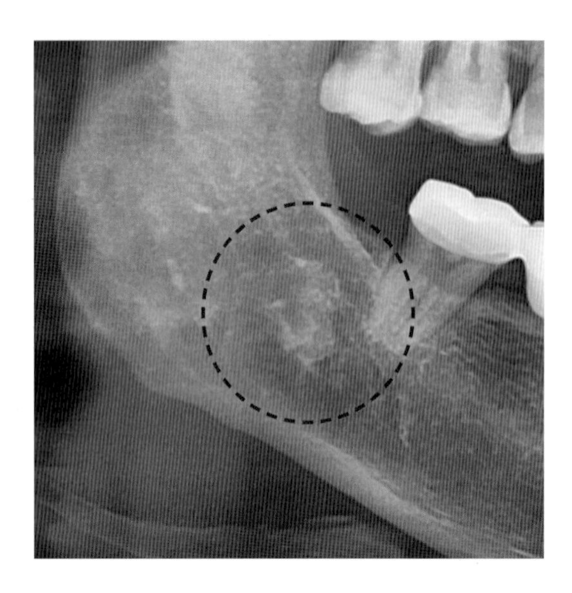

67세 여성 환자로 환자분의 진술에 의하면 사랑니 뽑았는지 기억도 없다고... 최소한 최근 몇십 년 동안은 뽑은 적 없다고... 그렇게 듣고 보니까 사랑니 치근이 아닌 거 같다는 느낌도 들지만 더 이상 이 책을 탈고할 시간이 없으므로 판단은 독자에게 맡겨본다. ^^

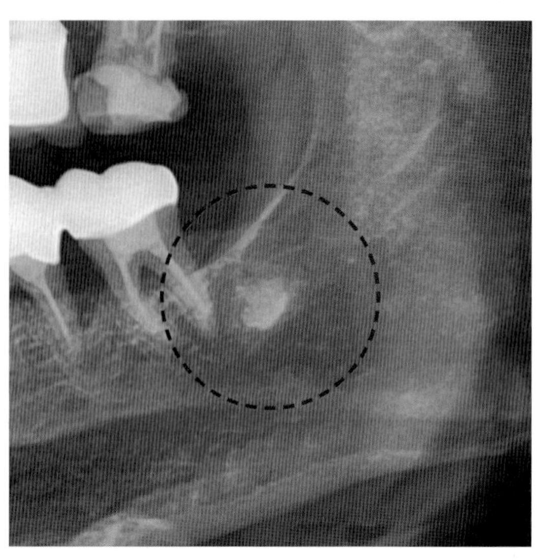

55세 여성 환자로 30년 전에 사랑니 뽑으셨다고 하셨다.

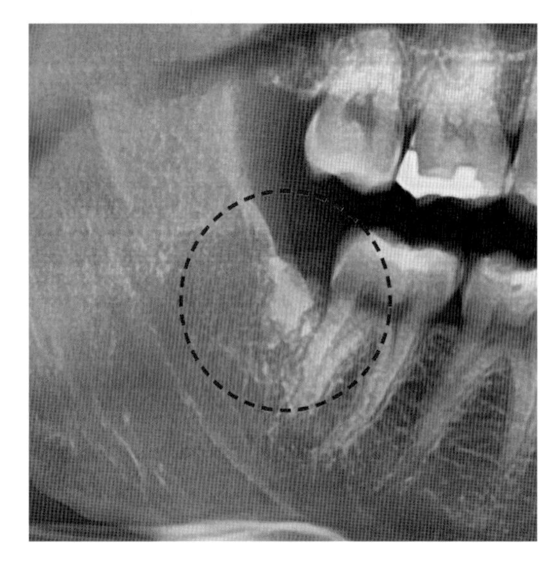

24세 남성 환자분의 진술에 의하면 14개월 전에 뽑았다고 한다. 치근이 남은 걸 설명 들었다고 하셨다.

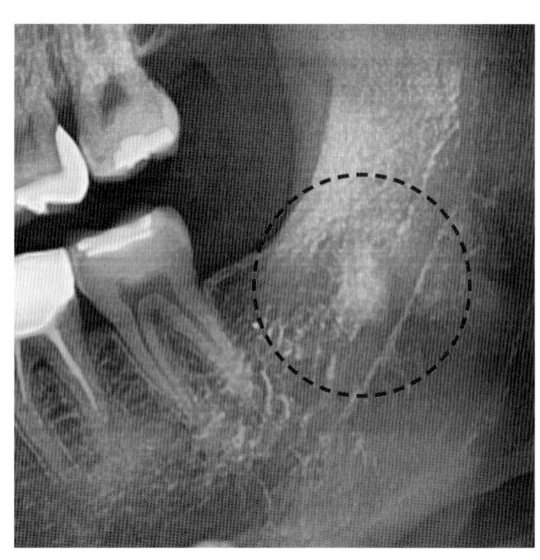

44세 남성 환자로 20년 전 사랑니 뽑으셨고 뿌리 조금 남은 것을 알고 계셨다.

★

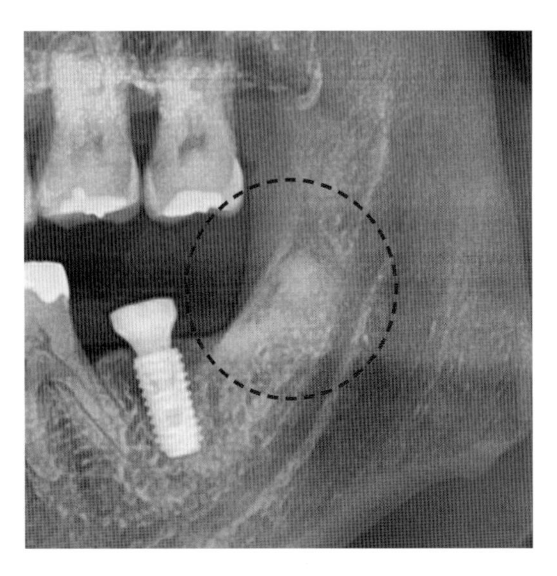

43세 남성 환자로 15년 전 사랑니 발치 후 치근 남았다고 하였다.

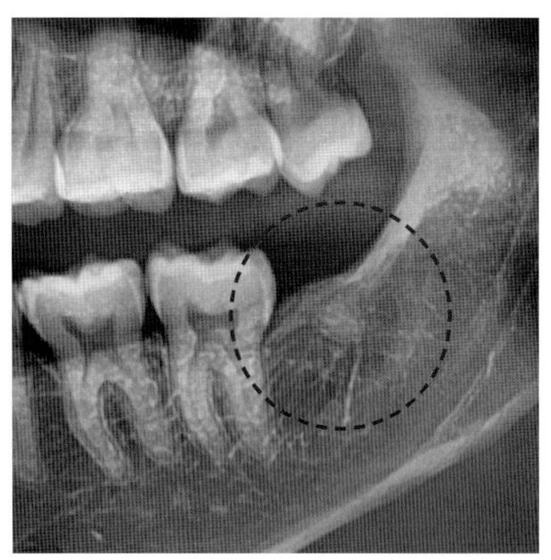

26세 남성 환자 타 치과에서 3~4년 전에 사랑니 발치하였다.

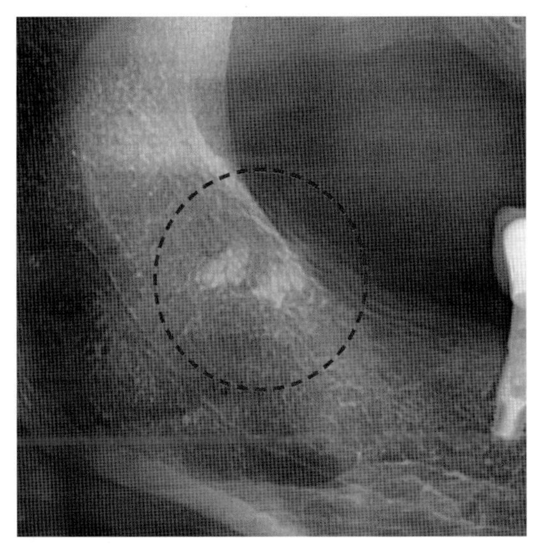

63세 여성 환자로 사랑니는 10여 년 전 성인이 되어서 앞니랑 같이 뽑았다고 하셨다.

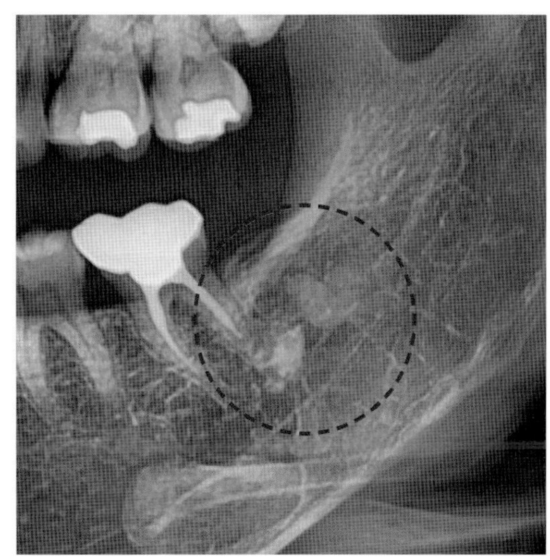

41세 남성 환자로 20년 전 사랑니 발치하였다.

02
자기 치아를 갈아서 골 이식도 하는데...★

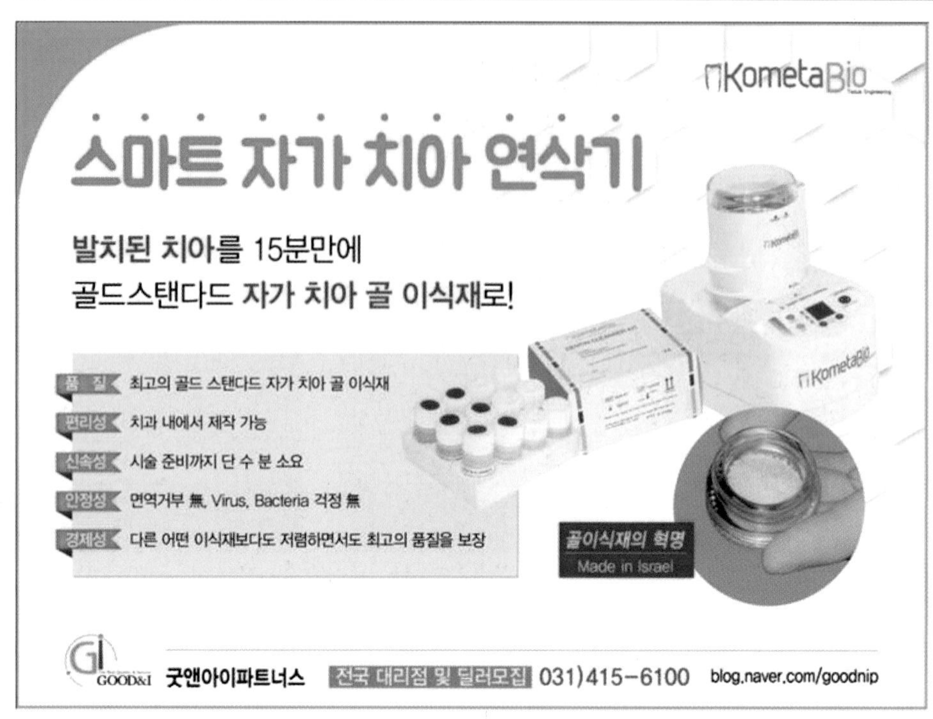

최근 치과계 신문에 광고되고 있는 자가치아 연삭기 광고

앞서 케이스에서 보듯이 자가치아는 자기 몸의 일부기 때문에 무균처리만 되면 염증반응이나 거부반응이 없고, 자가골을 채취해서 이식한 경우처럼 완벽히 흡수되지도 않고 어느 정도 골격을 유지한다는 취지에서 하는 듯하다. 필자는 아직 시행해보지는 않았지만, (특별한 약품 처리를 한다고는 하지만) 자기치아를 갈아서 치조골에 넣기도 하는데 자기치아 뿌리 조금 남는 것이야 무슨 문제가 되겠는가 ^ ^ 물론 자세한 사용방법과 원리는 개인별로 공부해보기를 권한다.

03
타 치과에서 6개월 전에 남긴 치근 ★

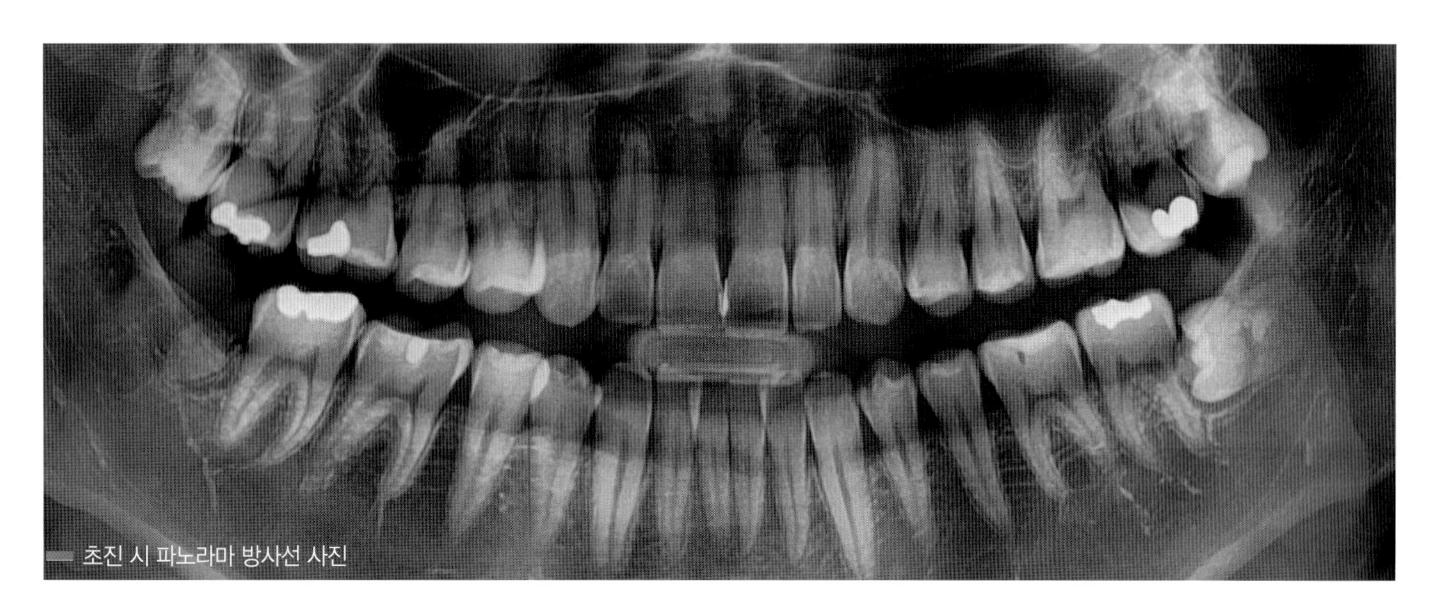
초진 시 파노라마 방사선 사진

27세 여성 환자로 38번 사랑니 발치를 주소로 내원하였다. 파노라마 촬영결과 48번 사랑니에 치근이 남은 것이 관찰되어 환자에게 물어보니 6개월 전에 집 가까운 치과에서 발치하였다고 한다. 그래서 환자분께 양해를 구하고 발치 전 사진을 구해달라고 하였더니 환자분께서 이전 치과에서 복사해 오셨다.

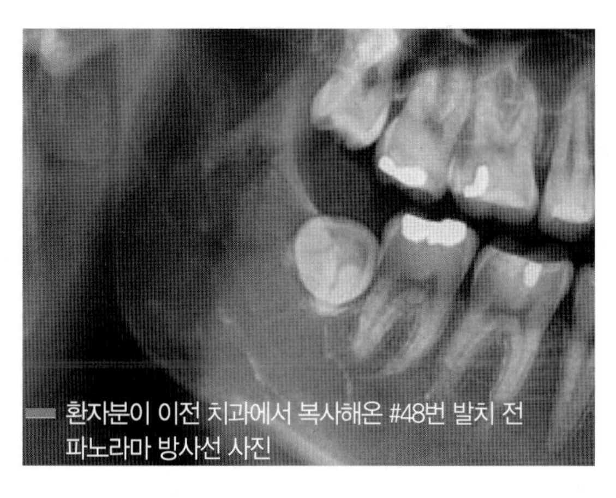
환자분이 이전 치과에서 복사해온 #48번 발치 전 파노라마 방사선 사진

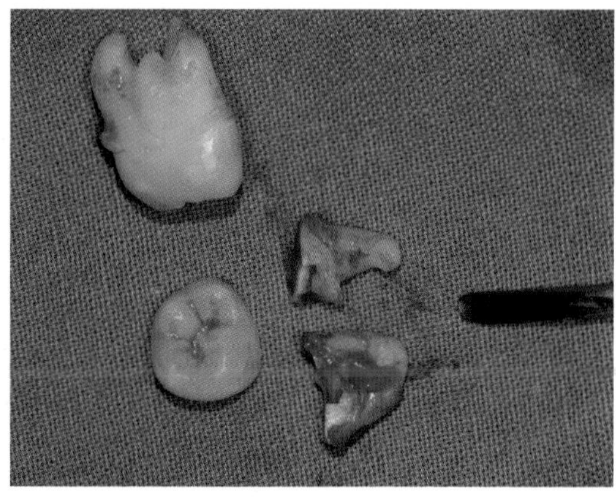

아마도 설측으로 매우 심하게 경사져서 치근제거를 쉽게 하지 못한 듯하다. 이렇게 보이는 경우에 요즘은 CBCT가 있으니까 치관의 경사 방향을 쉽게 알 수 있지만, 예전에 파노라마 방사선 사진만으로 판독하던 시절에는 참으로 난감한 경우였다. 필자의 감에 의하면 이 사랑니는 설측으로 경사진 것으로 보인다. 어쨌든 저렇게 발치를 성공하였다고 볼 수 있다.
오른쪽은 #28, 38번 사랑니를 발치한 사진이다. 치근 옆에 엘리베이터가 보인다. 이렇게 사진을 찍었다는 뜻은 치관을 잘라내고 남은 치근을 끄집어내다가 7번 원심면에 걸리니까 엘리베이터로 두 치근 사이에 집어넣어서 파절시켜서 하나씩 제거했다는 뜻이다. 앞으로도 이런 사진을 자주 보게 될 것이다.

04
필자가 남긴 사랑니 치근의 follow up 1 ★★

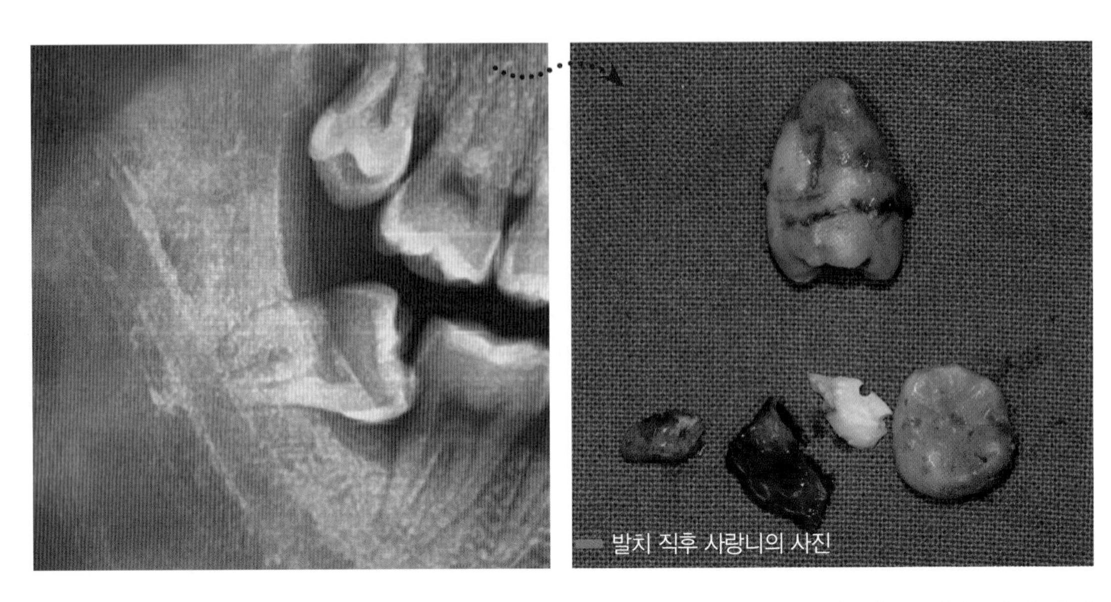

발치 직후 사랑니의 사진

발치 전후 파노라마 사진으로 발치 전 사진에서 치근단에 Youngsam's sign을 볼 수 있다. 발치 과정에서 두 치근 모두 파절되었으나, 원심 치근만 제거하고 근심 치근은 협측에 신경관이 주행하는지 치근을 살짝만 건드려도 통증을 호소하여 치근을 그대로 두고 마무리하였다.

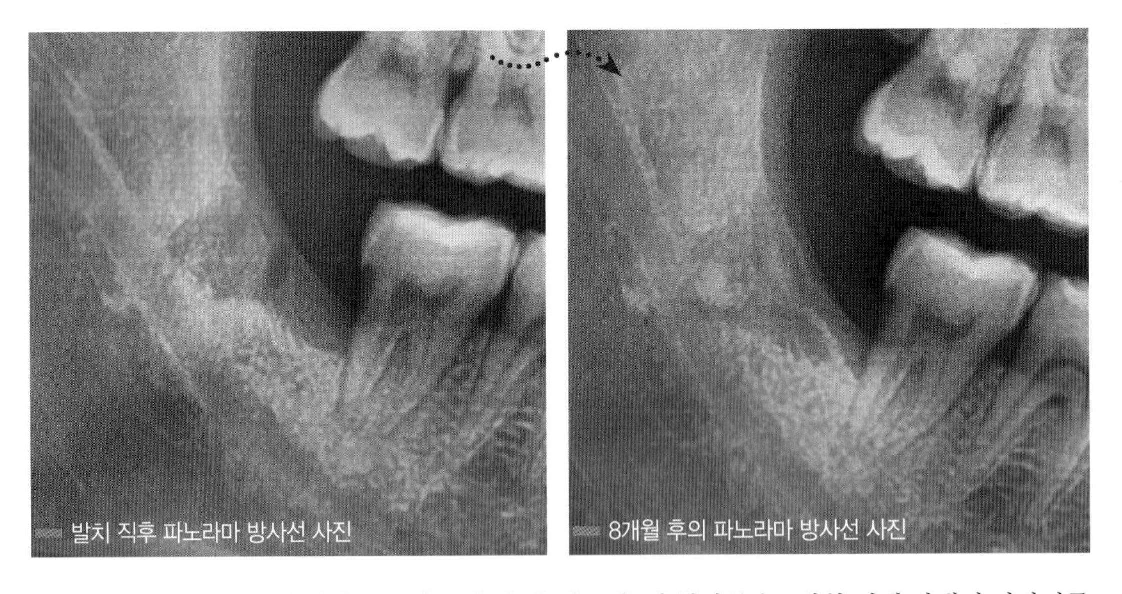

발치 직후 파노라마 방사선 사진

8개월 후의 파노라마 방사선 사진

필자 치과의 사랑니 발치 환자들은 리콜이 참 안 되는데, 이 환자분은 8개월 뒤에 반대편 사랑니를 발치하러 와서 자연스럽게 리콜이 되었다. 오른쪽은 8개월 후에 찍은 파노라마 사진이다. 잔존 치근이 약간 근심 상방으로 이동한 것을 볼 수 있다. 파절되어 남은 사랑니의 치근은 처음 한 달 이내에만 1~2 mm 정도 전후로 발치와 중심부로 이동하는 경향이 있으며, 발치와가 큰 경우에 좀 더 많이 이동하며, 매우 단단한 피질골에 박혀 있는 치근이라도 조금은 발치와 중심부로 이동하는 것을 종종 볼 수 있다.

필자가 남긴 사랑니 치근의 follow up 2 ★

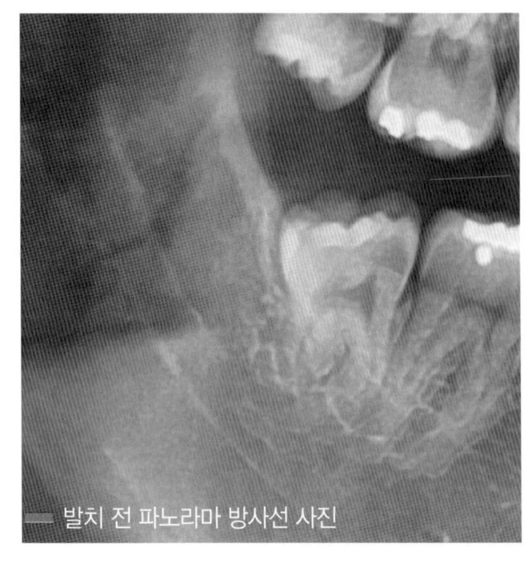
발치 전 파노라마 방사선 사진

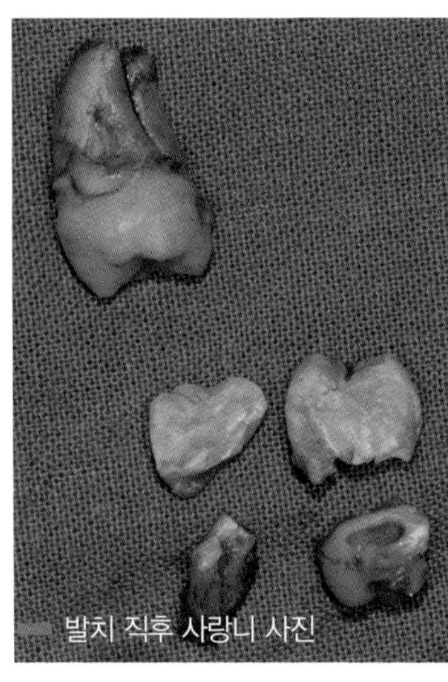
발치 직후 사랑니 사진

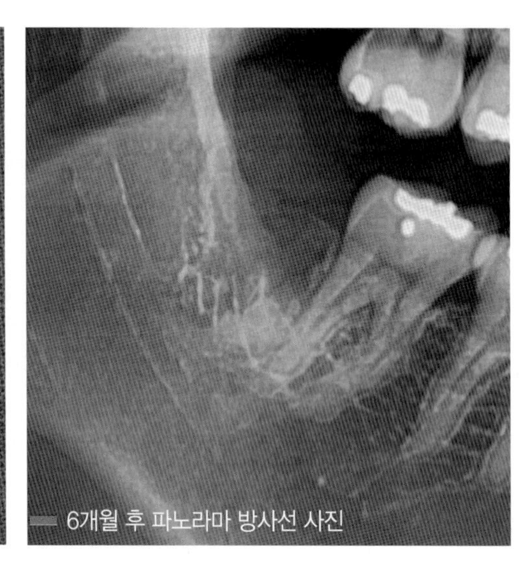
6개월 후 파노라마 방사선 사진

#48 치아의 근심 치근이 가늘고 많이 휘어져 있어서 잔존 치근 제거를 포기한(너무 바빠서 ㅠㅠ) 경우이다. 발치 직후의 방사선 사진은 없으며, 오른쪽은 정확히 6개월 13일만에 반대편 사랑니를 빼러 와서 촬영한 파노라마 사진에서의 치근의 모습이다. 참고로 반대편 사랑니도 원심 치근이 아주 작게 파절되었으나 제거하지 않았다.

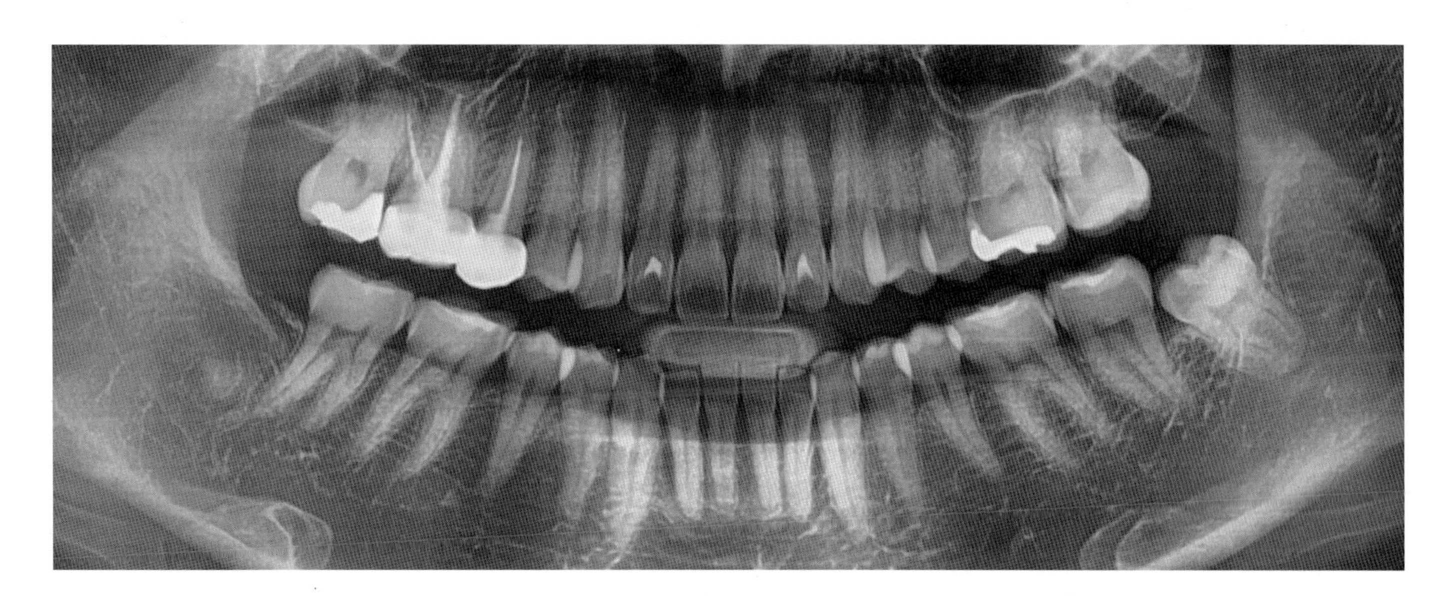

39세 여성 환자로 13년 전에 필자에게 오른쪽 아래 사랑니를 발치하였는데, 왼쪽 아래 사랑니를 다시 빼기 위해서 필자를 찾아오셨다. 환자분 진술에 의하면 필자가 48번 사랑니를 빼고 치근이 조금 남았다는 말을 하였다고 한다. 당연히 필자는 기억은 안 나지만 환자가 거짓말을 했을 리는 없고... 상태는 양호하다. 그래도 그 당시 필자의 발치가 맘에 들었으니 다시 오셨겠지 하고 위안을 해본다.

필자가 남긴 사랑니 치근의 follow up 3 ★

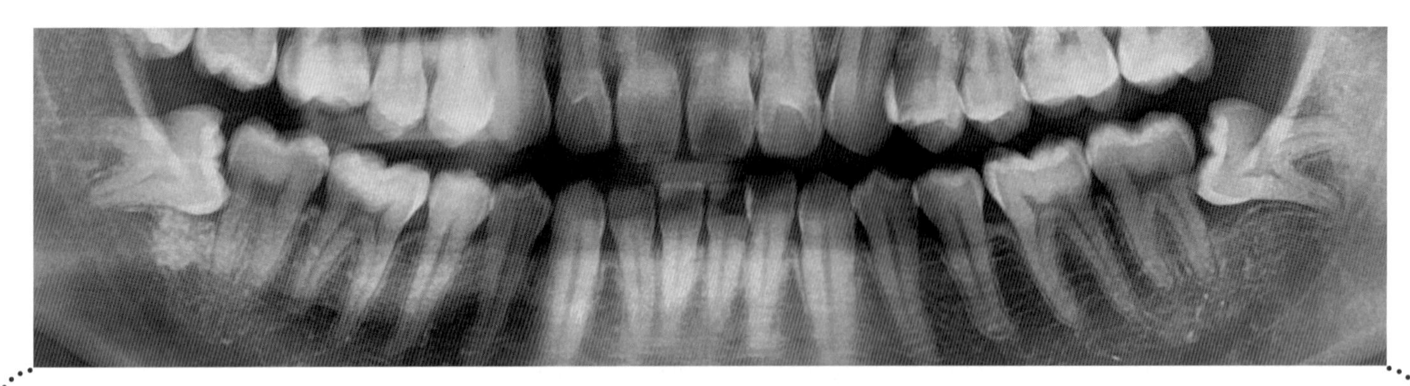

28세 남성 환자로 초진 시 파노라마 방사선 사진으로 양쪽 사랑니 모두에서 근심 치근단 주변에 Youngsam's sign이 보이고 있다.

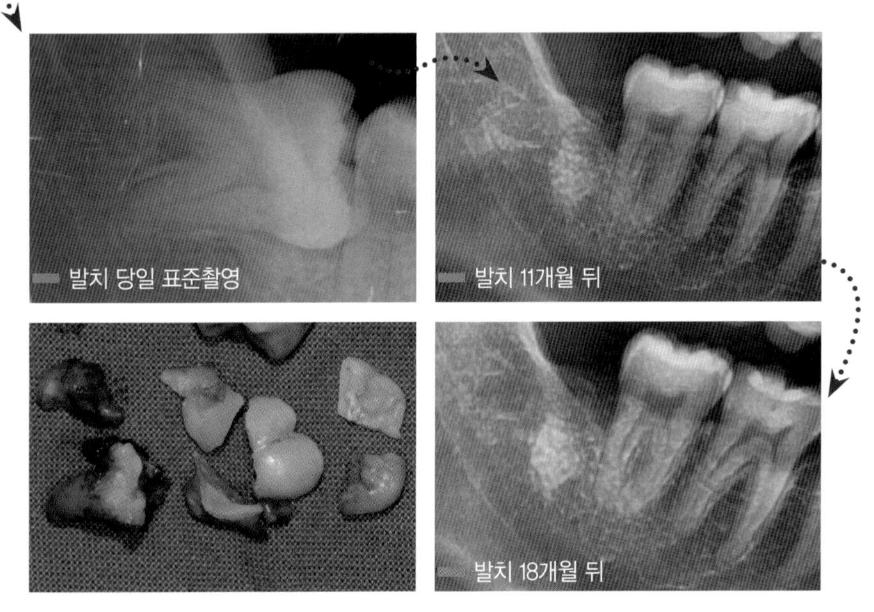

발치 당일 표준촬영

발치 11개월 뒤

발치 18개월 뒤

내원 첫날 #18, 48 사랑니를 발치하였다. 파노라마 사진에서는 잘 안 보이지만, 근심 치근이 아주 많이 휘어져 있는 것을 볼 수 있다. 임상사진에서도 치근이 제대로 뽑힌 것 같지만 근심 치근의 설측에서 보면 치근이 파절된 것을 볼 수 있다. 오른쪽은 11개월 뒤 사진으로 치근이 약간 남아 있는 듯이 보이긴 하다.

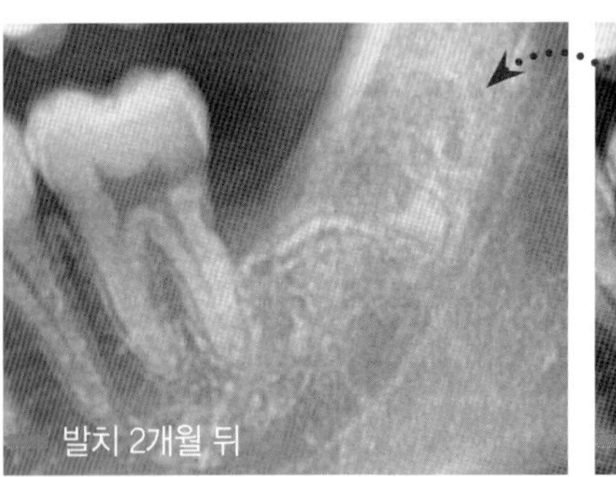

발치 2개월 뒤

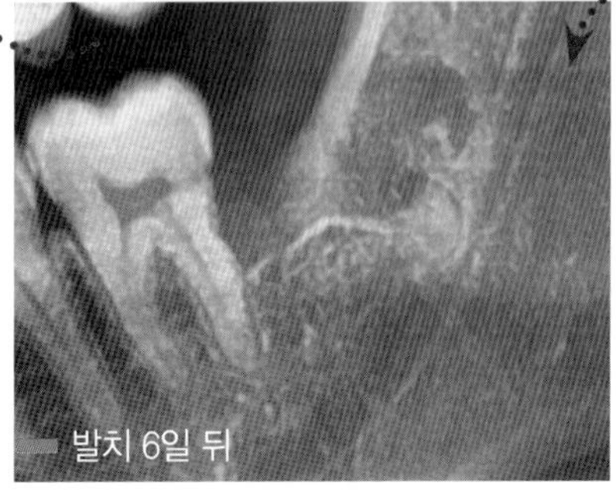

발치 6일 뒤

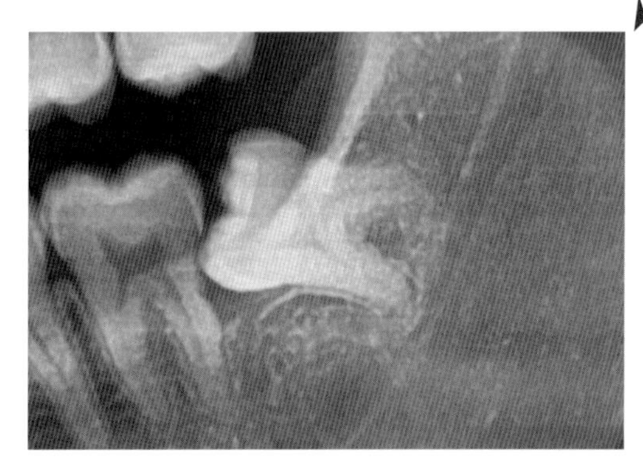

11개월 만에 재내원하여 #48번 치근 체크할 때 촬영한 파노라마 방사선 사진으로 조금은 다르지만, Youngsam's sign을 볼 수 있다. Youngsam's sign도 같은 환자에게서도 다르게 보일 수 있다는 의미로 올려본다.

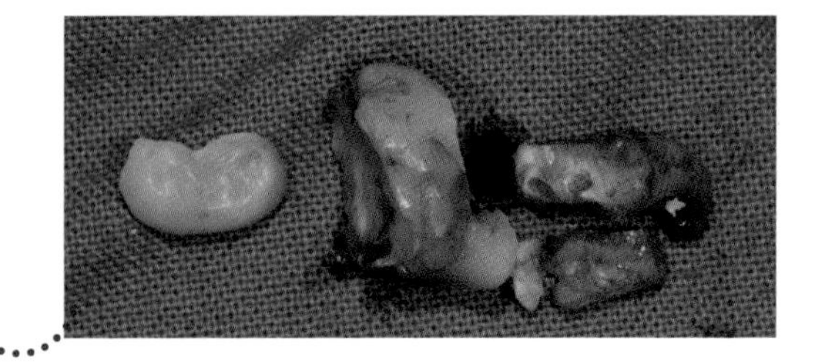

그후 7개월 뒤에 내원하여 38번 사랑니를 뽑은 사진으로 역시나 만곡되고 Youngsam's sign을 보인 근심 치근이 파절된 것을 볼 수 있다.

그 이후 촬영된 방사선 사진에서도 치근의 이동이 거의 없음을 볼 수 있다. 아마도 치근이 심하게 만곡되어 있기 때문일 것이다.

필자가 남긴 사랑니 치근의 follow up 4 ★

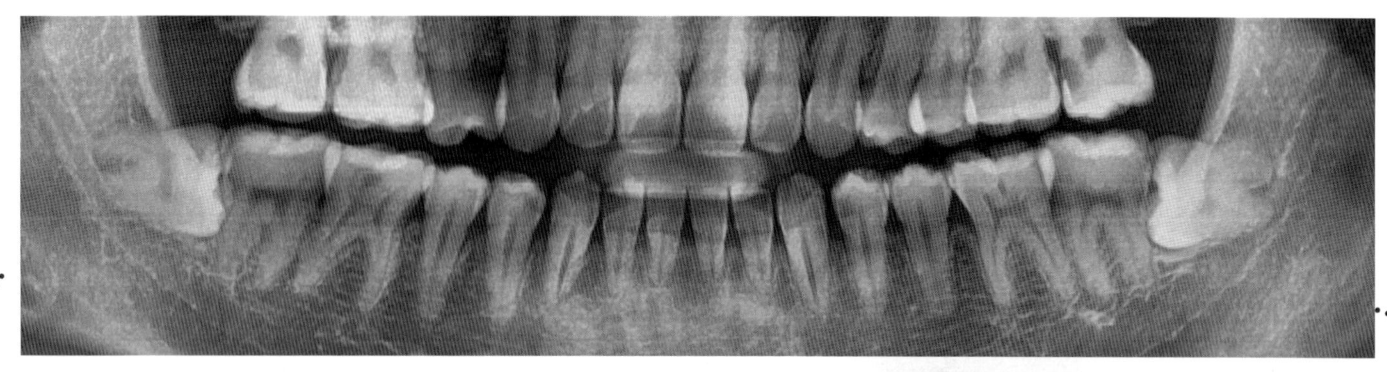

초진 시 파노라마 방사선 사진으로 양쪽에서 모두 Youngsam's sign이 살짝 보이고 있다. 먼저 불편한 38번 사랑니를 발치하고 회복되면 48번 사랑니를 발치하기로 하였다.

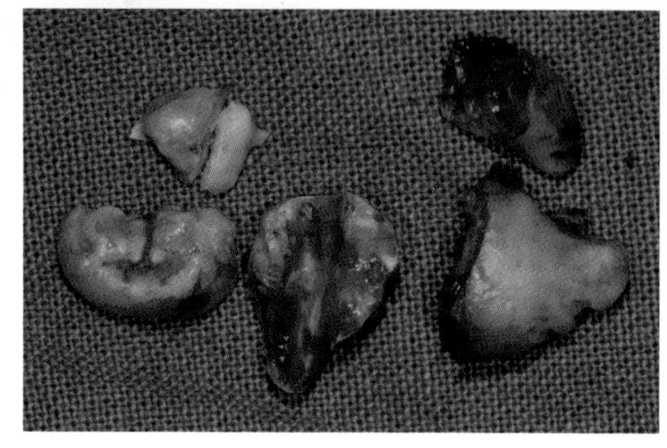

초진 시 38번 발치 후 사진이다. 필자는 늘 똑같은 방식으로 사랑니를 빼기 때문에 이 사진만 봐도 어떻게 뺐는지 알 수 있다. 먼저 치관 자를 때 위쪽 치관 부분을 살짝 잘라내고 나머지 밑에 반절을 잘라서 빼고, 설측이 조금 덜 잘린 부분을 **사선치기**(7장에서 설명)로 근심설측 치관 부분과 치근의 설측 하방 부분을 같이 제거하고 두 치근을 나눠서 발치한 것이다. 아마 발치 시간은 3분 정도 걸렸을 것으로 추정해본다.

2달 뒤 #48번 발치 후 사진

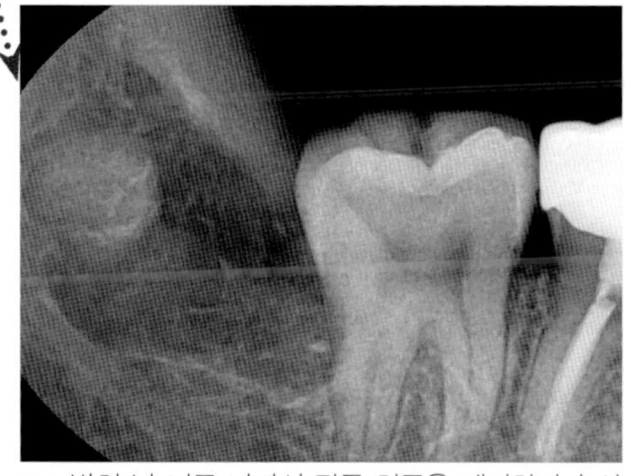

발치 날 너무 바빠서 잔존 치근을 제거하거나 사진을 찍을 여유가 없어서 2일 뒤 소독하러 왔을 때 찍은 사진(뒤에서 언급하겠지만 **ㄴ발치**를 시도한 듯하다.)

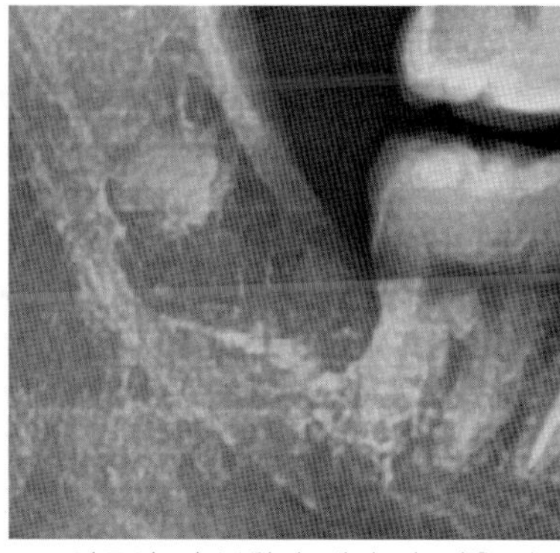

일주일 뒤 봉합사 제거 날 찍은 파노라마 방사선 사진

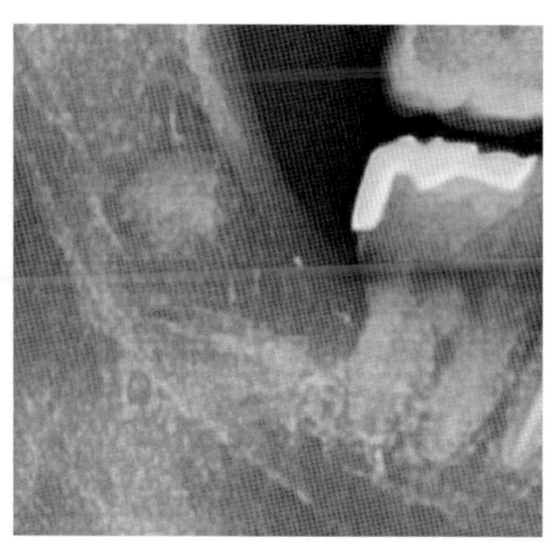

발치 45일 뒤 찍은 파노라마 방사선 사진

이 정도 문제가 없다면 향후에도 별 이상은 없을 듯하다.

필자가 남긴 사랑니 치근의 follow up 5 ★★★

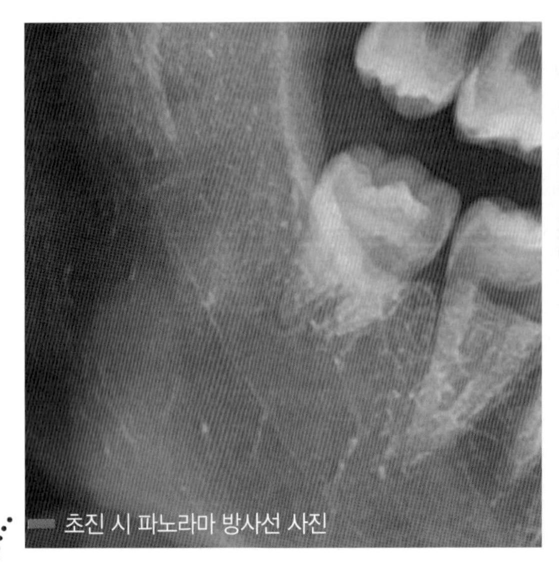
초진 시 파노라마 방사선 사진

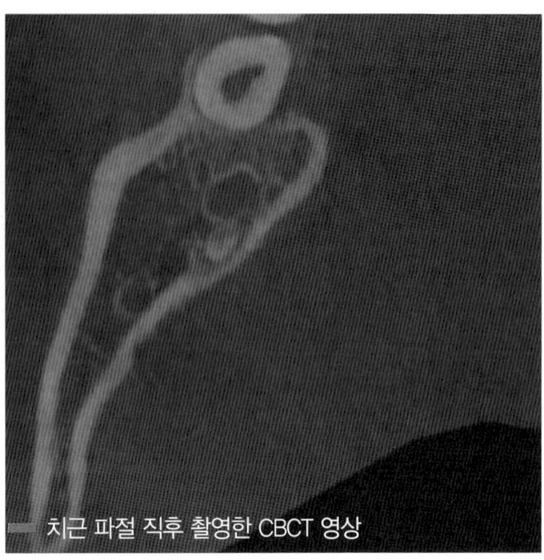
치근 파절 직후 촬영한 CBCT 영상

초진 시의 파노라마 사진에서 치근단에 Youngsam's sign을 볼 수 있다. 환자가 다른 치과에서는 다 CT를 찍었는데, 왜 여기서는 찍지 않느냐며 촬영을 요구하였지만, 건강보험적용대상이 아니어서 설득 후에 CBCT 촬영없이 사랑니 발치를 시행한 케이스이다. 발치 후 원심 치근 파절을 설명하자, 환자가 다시 재차 CBCT 촬영을 원하여 촬영하였다. 파절된 치근이 예상대로 설측 피질골 내에 위치하고 있으며 발치 과정에서 살짝 내부로 이동한 것으로 보인다.

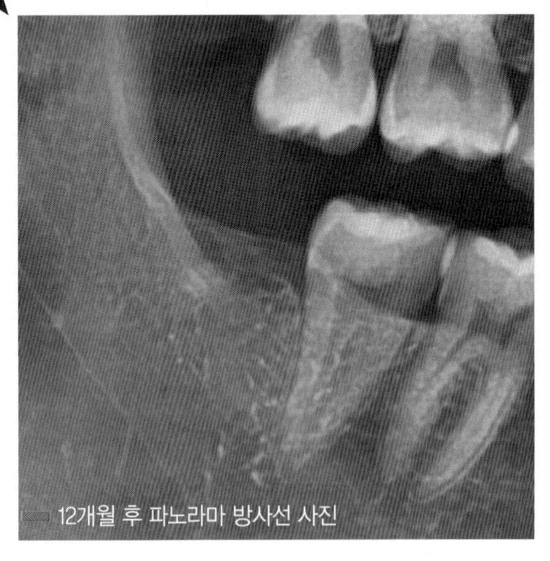
12개월 후 파노라마 방사선 사진

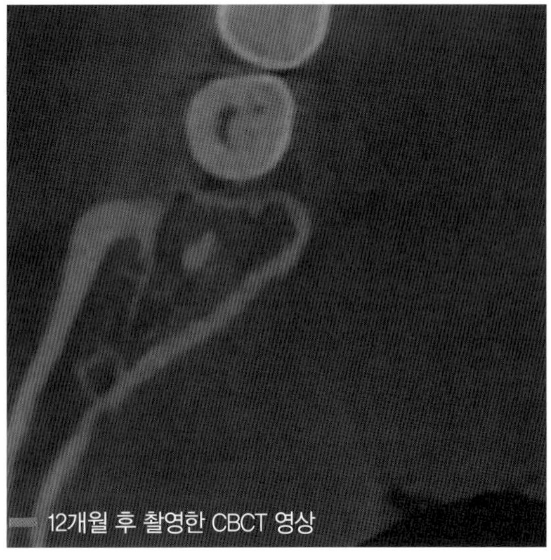
12개월 후 촬영한 CBCT 영상

발치 후 1년이 지난 후에 환자가 스스로 반대편 사랑니를 빼기 위해서 내원하였다. 이번에도 CT촬영을 원하여 시행하였으며, 찍은 김에 #48번 잔존 치근의 이동을 확인한 결과 치근이 중심 쪽으로 이동한 것을 볼 수 있다. 자꾸 CBCT 촬영을 요구하여 짜증났지만, 이제 와서 책을 쓰려고 보니 참으로 고마운 환자이다. ^^

12개월 후 촬영한 CBCT 영상에서 coronal 면에서 치근의 이동을 비교한 사진

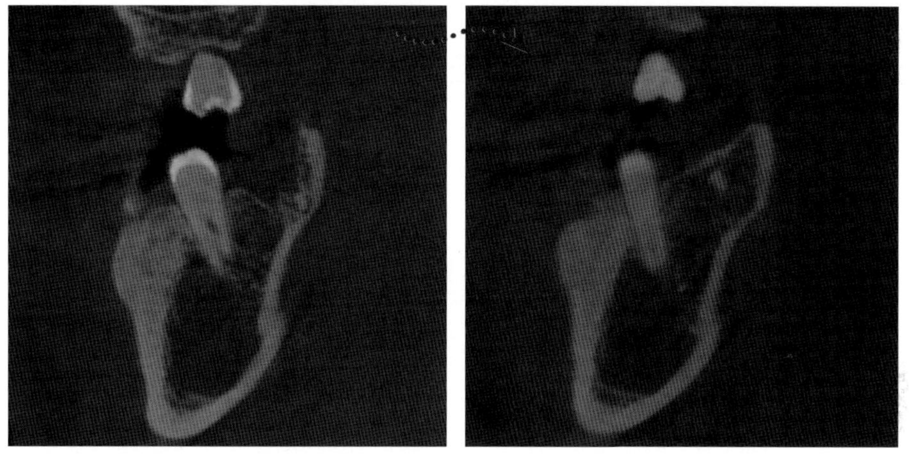

12개월 후 촬영한 CBCT 영상에서 sagittal 면에서 치근의 이동을 비교한 사진

발치 1년 후의 잔존 치근의 위치 변화를 볼 수 있는 Coronal면과 Sagittal면의 CBCT 영상이다. 예상 외로 치근이 많이 이동한 것을 볼 수 있지만, 치조골 상부에도 명확하게 피질골이 형성된 것을 볼 수 있다.

이 장에서 다루는 치관절제술 케이스 중에서 follow up 영상이 있는 환자들이 거의 없지만, 그나마 있는 영상의 대부분이 이와 같이 다시 반대쪽 사랑니를 빼러 온 케이스이다. 보통 성장이 완료된 성인의 경우 반대쪽 사랑니를 빼러 오면 기본적으로 2년 이내의 파노라마는 재촬영하지 않고(우리나라 건강보험 규정은 6개월) 발치하는 게 원칙이지만, 이런 경우는 필자의 사심과 환자의 요구로 만들어진 멋진 케이스이다.

여기서 우려의 말씀을 하나 드려본다.

이 chapter의 목적은 치근을 남기라는 뜻이 아니다. 어쩔 수 없이 남겼다고 너무 스트레스 받지는 말라는 말이다. 무리한 제거가 더 나쁜 결과를 초래할 수도 있으니, 의사와 환자 모두를 위해서 적절한 선택의 하나로 치근을 남기는 것도 고려대상이다 정도의 입장으로 마무리해본다.

의도적 치관절제술 ★★

의도를 했든 안 했든...

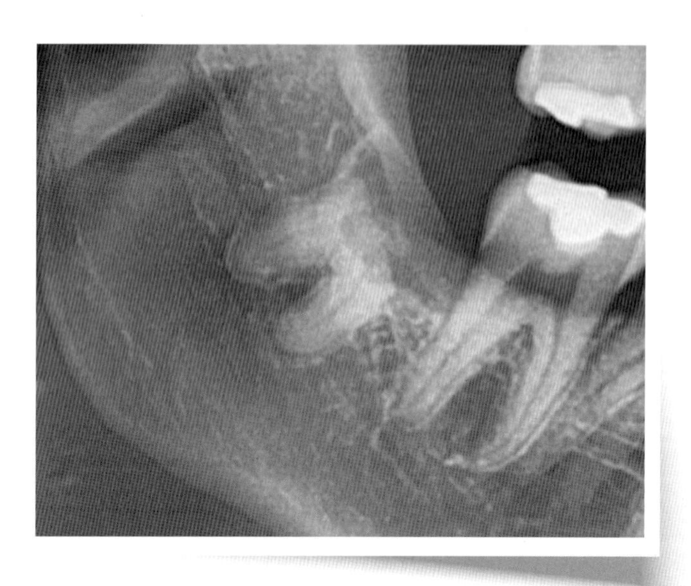

위 사진은 앞장에서 본 치근에 다크 밴드가 나타나있는 환자의 의도적 치관절제술 사진이다. 아마 필자가 치관절제술 케이스를 만들기 위하여 시행한 것이 아니고 처음부터 치관절제술을 시행하기 위해서 시행한 최초의 의도적 치관절제술 케이스 사진이다. 다시 말해서 <빼다가 남긴 게 아니라, 처음부터 남기려고 뺀 최초의 사랑니>라는 것이다. 다른 치관절제술 케이스들은 빼다가 시간이 없거나 기타 부득이한 사유로 치근을 남기거나, 좋은 치관절제술 본보기를 만들기 위해서 일부러 시행한 것들이다. 비윤적이라고 볼 수도 있겠지만, 발치 비용이 너무 저렴하다고 하여 발치를 기피하는 것도 비윤리적인 것은 마찬가지라고도 볼 수 있지 않은가? 이런 자조섞인 위안도 해본다.

어쨌든 앞서 발치 과정에서 파절되어 남은 치근에 대하여 알아봤다. 그럼 어디까지가 <치근 남기기>이고 어디서부터가 <치관절제술>인가? 의도를 했느냐 하지 않았느냐는 중요한 요소는 아닌 듯하다. 필자는 치근남기기를 의도적으로 하는 경우도 많기 때문이다. 대부분은 일부러 한 번에 강한 힘을 써서 치근을 파절시켜서 발치하는 경우이다.

사실 이런 게 학문적으로 정해진 내용도 아니고, 그냥 필자 혼자 정해봤다. 선배들이 5 mm 미만의 치근은 자동 흡수(실제로 자동 흡수가 안 되는 경우가 더 많지만)되니까 남겨도 된다고 했으니, 5 mm보다 크면 치관절제술이라고 해보자. 또한 치근이 두 개인 경우 두 개가 다 남으면 길이를 합하면 5 mm가 넘을 테니까 이것 또한 치관절제술이라고 해보자.

01
의도적 치관절제술의 성공을 위하여 ★★★

각종 논문을 보면 치관절제술의 핵심 포인트는 치근의 상부가 치조골 내에 3~4 mm 이상 깊게 위치해야 하고, 초기 봉합이 좋아야 한다고 한다. 그러나 치관부만 깔끔히 제거되었다면, 이 치근의 깊이나 초기봉합에 크게 신경 쓰지 않아도 된다고 생각한다. 치관부만 깔끔히 제거되고 1~2 mm의 깊이만 되어도 대부분 혈병이 발치와를 채우기 때문에 술후 통증이나 자극이 없고, 그 상태로 치유가 되기 때문이다. 발치와는 어차피 원형이다. 발치와의 둘레 깊이가 일정하기도 어렵기 때문에 최선을 다해서 치관부를 제거하되, 어느 한쪽이라도 치조골 위로 올라와 있지 않도록 하는 것이 더 중요한 포인트일 듯하다.

치관절제술 관련된 논문을 읽으면 이런 말들이 많이 나온다. <치관절제술은 결코 사랑니 발치를 잘하지 못하는 사람들을 위한 초보적인 발치가 아니라, 신경손상을 막기 위해 고수들이 하는 방법이다.> 이 책을 읽는 여러분도 초보자가 아니라 더 고수가 되기 위해서 이 장을 읽는다고 생각하길 바란다.

관련된 논문과 필자의 경험을 토대로 내린 결론

- ✓ 치조골 상부에서 골 내로 2~4 mm 정도까지 치관을 제거하는 것이 좋다.
- ✓ 잔존 치근의 제거는 5% 이내로 시행된다.
- ✓ 잔존 치근의 이동은 14~81%까지 다양하게 보고된다.
- ✓ 남겨진 치근은 6개월 이내에 3 mm 이내로 움직인 후 이동이 거의 없다. 1년 이후에는 전혀 없다고 보고가 되기도 하지만, 굳이 1년까지 안 가도 이동은 명확히 멈추는 듯하다. 발치와가 골화되면서 더 이상 움직이지 못한다는 말이 맞을 듯하다.
- ✓ 잔존 치근의 안전한 제거를 위하여 또는 7번 원심면의 치조골 생성 유도를 위하여 교정력을 이용하기도 한다. 그러나 크게 의미가 있다고 생각하진 않는다.
- ✓ 성공한 치관절제술 후 남은 치근은 뼛속에서 결코 문제를 일으키지 않는다.
- ✓ 확실히 신경손상 위험은 감소한다.
  (다만 필자는 치관절제술 아니라도 아직까지 한 번도 신경손상 경험이 없었다.)
- ✓ 술후 통증은 오히려 정상 발치보다 덜하다.
- ✓ 드라이 소켓의 발생은 무관한 듯하다.
- ✓ 연구결과가 미약해서 좀 더 많은 샘플과 좀 더 긴 추적 연구가 필요하다.
- ✓ 치관절제술은 결코 초보자를 위한 것이 아니다.

02
Coronectomy 관련 논문들을 보면... ★

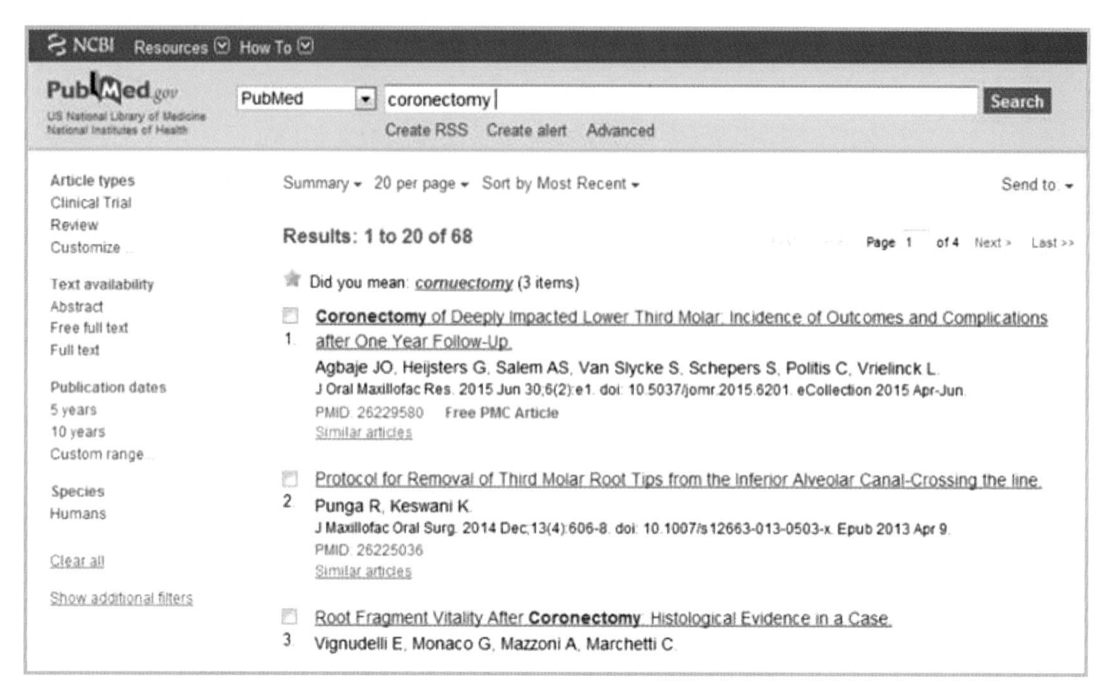

생각보다 관련된 연구가 많지 않다. 그나마도 그닥 유명한 논문에 실린 경우도 별로 없다. 필자가 국내외 치과대학 교과서를 찾아본 결과도 마찬가지이다. 아예 언급도 안 된 경우가 대부분이다. 아무래도 치근은 남기지 않는 것이 원칙이기 때문일 것이다. 최근 논문들에 언급된 내용들과 필자의 경험을 토대로 자기에게 맞는 치관절제술(의도했든, 의도하지 않았든)의 개념을 정립해 나가면 될듯하다.

필자가 생각할 때 기타 도움될만한 논문들 (필자의 책이면 충분하다고 생각하지만^^)

1. Br J Oral Maxillofac Surg 2005; 43: 7–12. A randomised controlled clinical trial to compare the incidence of injury to the inferior alveolar nerve as a result of coronectomy and removal of mandibular third molars
2. Oral Surg Oral Med Oral Pathol Oral Radiol Endod 2009;108: 821-827. Safety of coronectomy versus excision of wisdom teeth. A randomized controlled trial Yiu Yan Leung, BDS, MDS,a and Lim K. Cheung, BDS, PhD,b Hong Kong THE UNIVERSITY OF HONG KONG
3. British Dental Journal 209, 111 - 114 (2010) Published online:14 August 2010. Coronectomy – oral surgery's answer to modern day conservative dentistry
4. Inside Dentistry Published by AEGIS Communications. February 2013, Volume 9, Issue 2. Coronectomy of Mandibular Third Molars Case report describes a procedure in which the molars were in closerelationship with the inferior alveolar nerve. By Giuseppe Monaco, DMD | Giselle de Santis, DMD | Michele Diazzi, DMD | Claudio Marchetti, MD, DDS
5. Oral Surg Oral Med Oral Pathol Oral Radiol Endod 2004. Coronectomy (Intentional Partial Odontectomy of Lower Third Molars)
6. J Oral Maxillofac Surg 2004. Coronectomy: A Technique to Protect the Inferior Alveolar Nerve
7. International Dentistry. Coronectomy - An Alternative Therapy for the symptomatic impacted 3rd molar - Report of 9 cases
8. British J Oral Maxillofac Surg 2006. Is Coronectomy Really Preferable to Extraction?
9. J Oral Maxillofac Surg 2009. Clinical Evaluations of Coronectomy (Intentional Partial Odontectomy) for Mandibular Third Molars Using Dental Computed Tomography - A Case-Control Study
10. Oral Surgery, Oral Medicine, Oral Pathology,Oral Radiology, and Endodontology 2009. Safety of coronectomy versus excision of wisdom teeth - a randomized controlled trial
11. Oral Surgery 2010. A Review of Coronectomy
12. British Dental Journal 2010. Coronectomy – Oral Surgery's answer to modern-day conservative dentistry
13. Dental Update 2010. Coronectomy of a 3rd Molar with Cyst Lining Enucleation in the Management of a Dentigerous Cyst
14. Dental Update 2011. Coronectomy of Third Molar. A Reduced Risk Technique for Inferior Alveolar Nerve Damage
15. JOMS 2011. Coronectomy in Patients With High Risk of Inferior Alveolar Nerve Injury Diagnosed by Computed Tomography

03
누군가의 intentional coronectomy? 

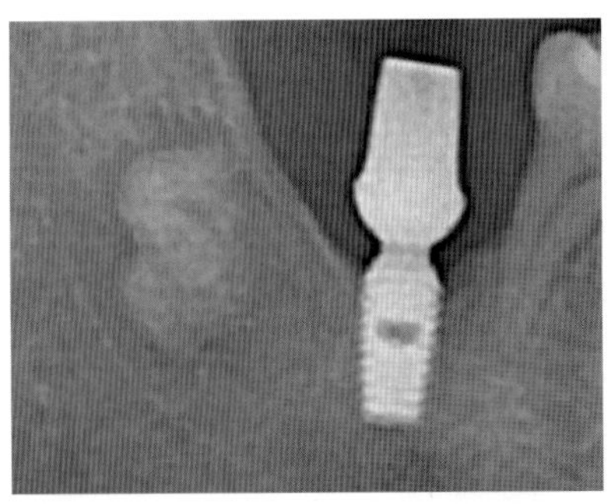

40대 중반 남성 환자로 47번 임플란트 크라운이 빠져서 오신 환자로 환자분의 진술에 의하면 10년 전 쯤에 사랑니 뽑았다고 한다. 그 이후로 아무 이상 없이 잘 지내고 있으시다고 한다.

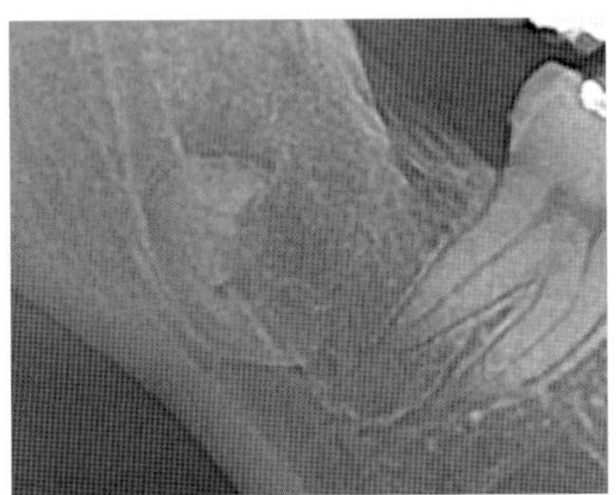

환자분의 진술에 의하면 4년 전 쯤에 사랑니 뽑았다고 한다. 이 사랑니의 원래 모양을 알 수는 없지만, 누군가가 얼마나 힘들게 발치를 하였는지를 알 수 있다. 치근을 남긴 건지 남은 건지는 모르지만, 당연히 성공한 치관절제술로 평가하고 싶다.

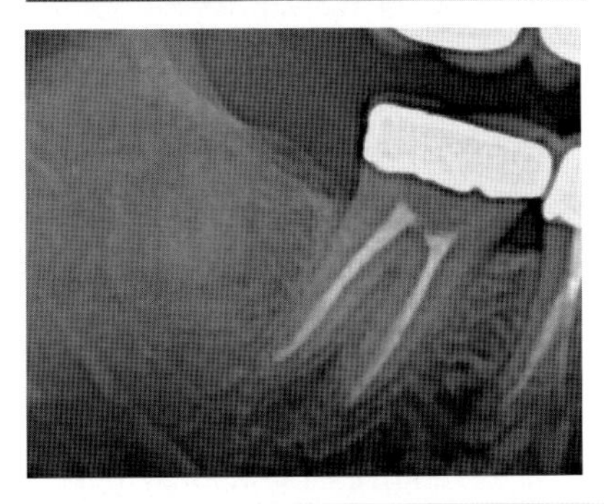

41세 여성분으로 환자분의 진술에 의하면 사랑니를 빼긴 했는데 매우 힘들었고, 정확히 언제 뽑았는지 기억이 잘 안 난다고 하였다. 5년째 꾸준히 치료 중이신데 별다른 변화 없다. 치근이 매우 길어서 치과의사들에게 근관치료도 매우 힘든 환자로 기억되는 걸로 봐서 아마도 사랑니 치근도 길었던 듯 싶다.

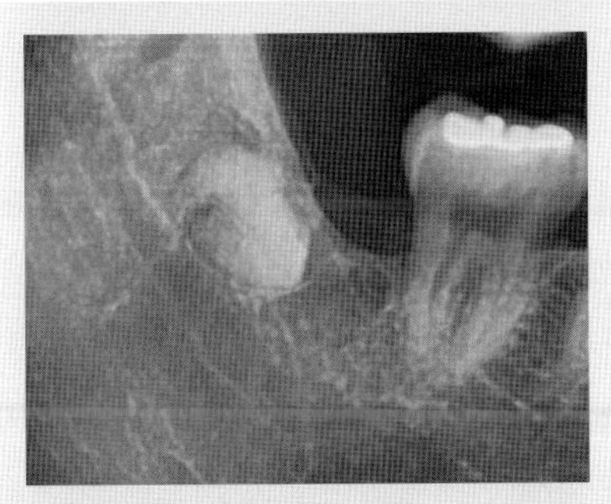

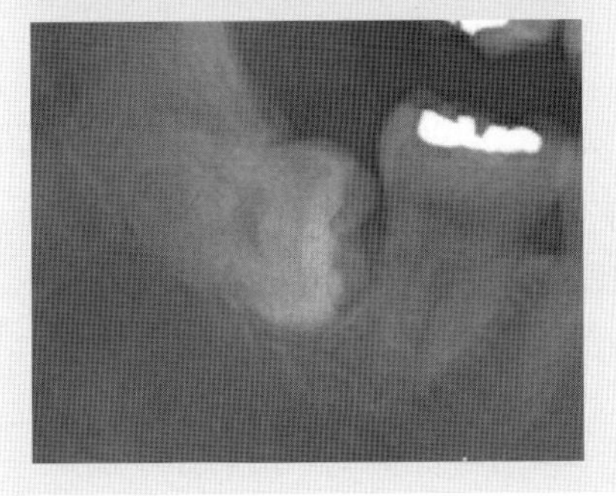

42세 남성으로 1년 6개월 전에 서울의 모 대학병원에서 발치했다고 하셨다. 중간에 기구도 부러지고 해서 발치하다가 멈추셨다고 한다. 환자가 7촌 조카라 그 대학병원 가셔서 발치 전 사진을 복사해달라고 부탁하여 받았다. 그 대학병원에 지인이 있어서 발치 과정에 대해 물어보니 그 대학에서 발치의 대가라고 불리는 교수님께서 직접 발치하셨다고 하였다. 여기서 다시 한 번 말하지만 절대 치관절제술이 절대 초보자가 하는 시술이 아님을 이런 케이스를 통해서 볼 수 있다. 발치 전 사진은 너무 흐려서 잘 알기 어렵지만, 발치 후 사진에서도 Youngsam's sign을 볼 수 있다.

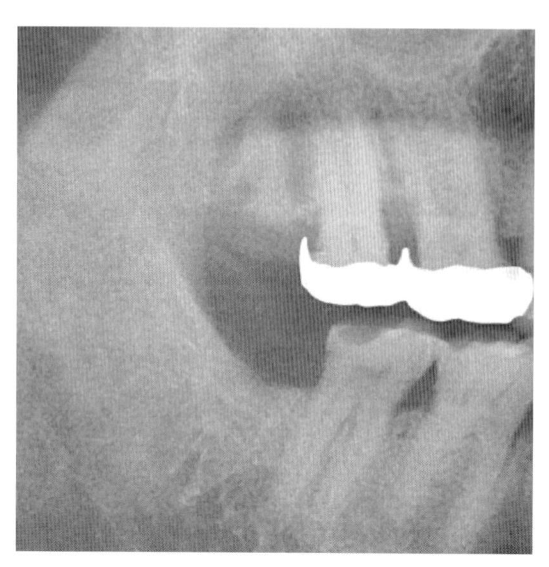

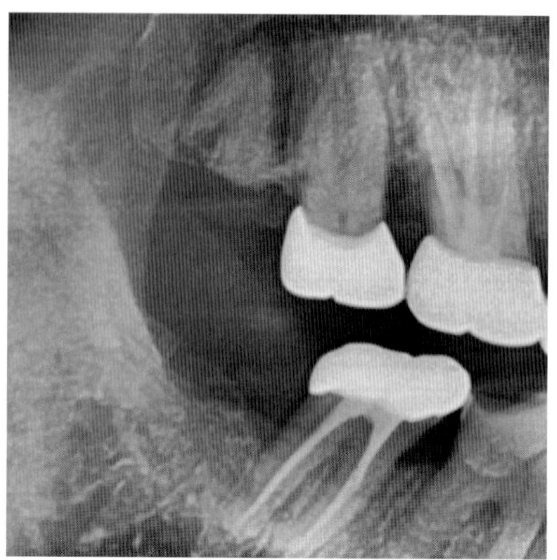

현재 74세 남성 환자로 왼쪽사진은 2008년 사진이고, 오른쪽 사진은 2016년 사진. 2002년 당시에는 디지털 파노라마가 아니어서 사진이 존재하지 않고, 의무기록도 전차차트로 전환되면서 모두 폐기되어 확인할 수 없다.

이 환자분은 2002년에 필자가 지금 치과 건물에 개원하였을 때, 건물 관리소장님이었다. 그 이후로는 이미 퇴직하셨지만, 계속 필자에게 진료를 받고 계신다. 필자는 원래부터 있던 사랑니 잔존 치근으로 기억하는데, 환자분은 필자가 뽑았다고 하신다. 이 분의 사랑니를 뽑긴 했지만, 어느 치아였는지는 기억이 나지 않고, 관련된 의무기록은 의무기록 보관기간이 지나서 이미 폐기되었다. 어쨌든 하악 사랑니는 치근이 매우 길고 튼튼해서 지금까지 가장 힘들었던 발치 두 분 중의 한 분으로 기억된다. 참고로 가장 힘들었던 발치 두 개 모두 50대 이상의 덩치 좋은 중년 남성의 똑바로 난 사랑니였다.

치관절제술이 정말 필요한 경우를 대부분 신경관과 겹친 수평 매복치로 생각하는 치과의사들이 많다. 그러나 필자에게 하나 더 꼽으라면 똑바로 맹출한 중년 남성의 사랑니이다. 필자가 10년 정도 여자 구강외과의사와 같이 근무하면서 같이 발치를 했는데, 수술 실력은 아직 필자가 본 치과의사 중에 가장 뛰어나다고 평가하고 있다. 어쩌다 잘된 케이스 가지고 와서 보여주는 연자들도 많지만, 그 구강외과 선생님의 모든 케이스를 필자가 볼 수 있었기 때문에 진정한 실력이라는 것을 인정할 수 있다.

그러나 그렇게 훌륭한 실력을 갖고 있어도, 작은 여자 체구로서 이런 사랑니 발치는 거의 하지 못하였다. 어쩔 수 없이 해야 하는 경우에 필자가 처음부터 포셉을 잡는다면 그 선생님은 처음부터 핸드피스를 잡았다. 그만큼 똑바로 난 사랑니의 발치에는 힘도 많이 필요하고 힘들다. 이런 경우에는 45도 핸드피스로 치경부를 삭제하여 파절시켜서 발치하든지, 치관절제술을 하는 것이 좋다.

의도적 치관절제술 ★★

하악 수직 매복치

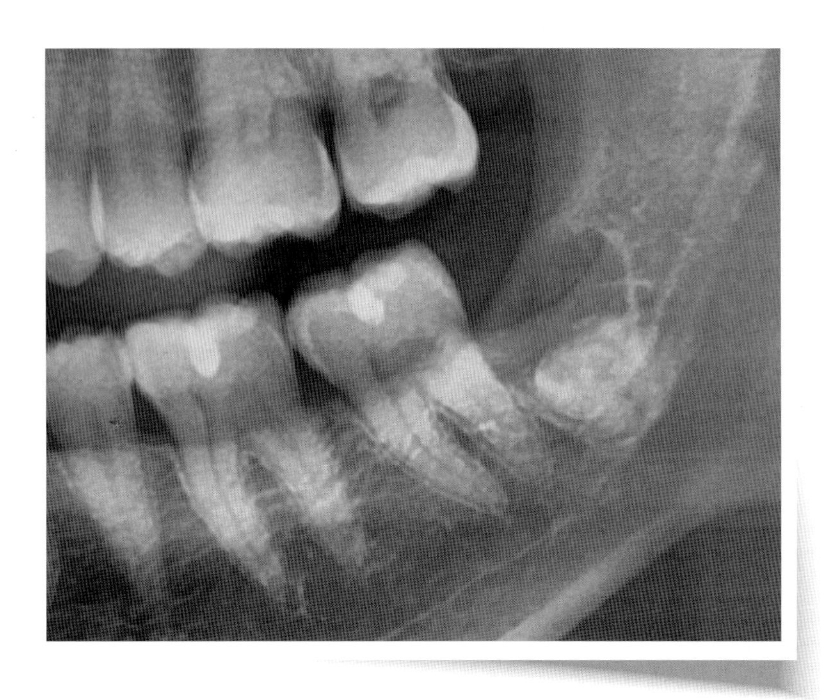

먼저 첫 번째로 수직 맹출한 하악 사랑니의 의도적 치관절제술에 대해서 알아본다. 수직 맹출한 하악 사랑니는 치관 주변의 치은과 골의 형태에 따라서 단순매복치와 완전매복치로 구분되기 때문에 굳이 수직 매복치라는 말은 사용하지 않아도 되겠지만, 필자도 습관적으로 사용하게 된다.

단순하게도 치관절제술의 성공여부로만 본다면 주변에 치주조직이 많은 완전매복치가 유리하겠지만 치관을 제거하는 과정이 조금은 더 힘들 수도 있기 때문에 무엇이 더 유리하다고 하기는 어렵다. 또한 기능하고 있지 않은 수직 맹출한 사랑니는 매우 빼기 쉽기 때문에 신경관과의 문제가 아니라면 굳이 의도적 치관절제술을 시행하지 않는다. 오히려 수직으로 정상 맹출한 사랑니의 발치가 더 어렵기도 하기 때문에 신경관과의 문제만이 아니라 오로지 발치의 편이성만을 위한다면 정상 맹출한 사랑니에서 더 유리하다고 할 수 있다.

01
수직 맹출한 사랑니의 의도적 치관절제술 1 ★★★

CASE 1

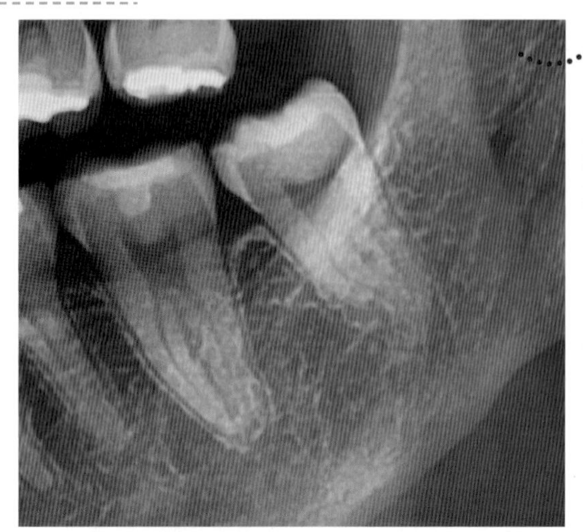

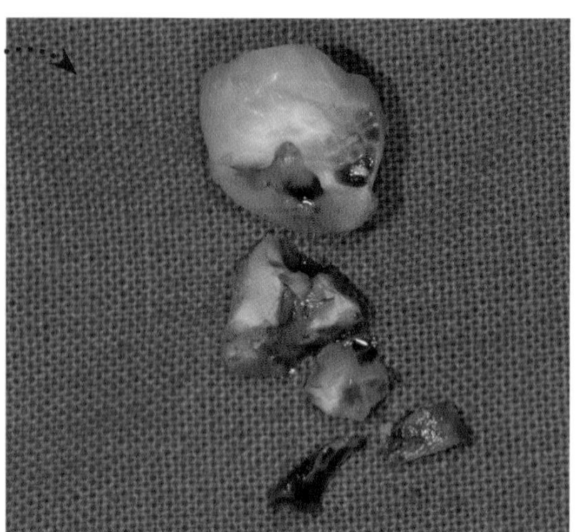

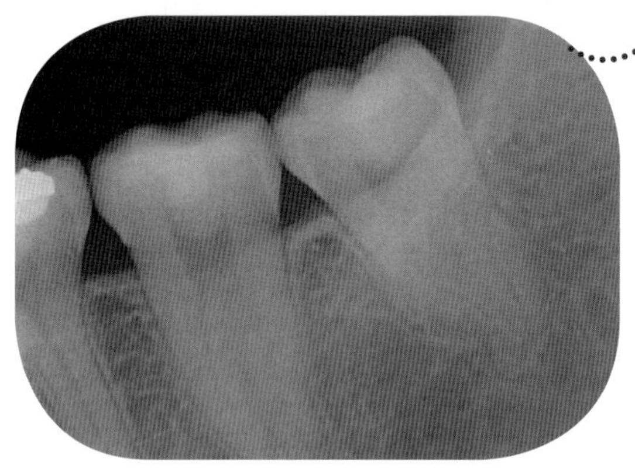

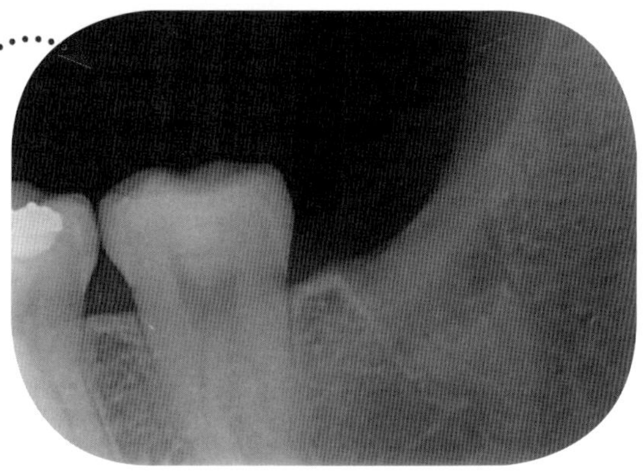

치근이 하치조신경관과 겹쳐 보이는 정상 맹출한 사랑니이다. 이런 경우 대부분 포셉을 사용하여 발치하지만, 환자가 턱수술(angle trimming)한지 얼마 안되었고, 여러 가지 문제로 포셉을 사용할 수가 없어서 45도 핸드피스를 이용해서 치관절제술로 마무리하였다. 또한 반대편에 사랑니가 있어서 의도적 치근절제술 후 follow up 체크가 가능하겠다는 생각으로, 그런 의도를 가지고... 두 가지 의도로 의도적 절제술을 시행하였다.

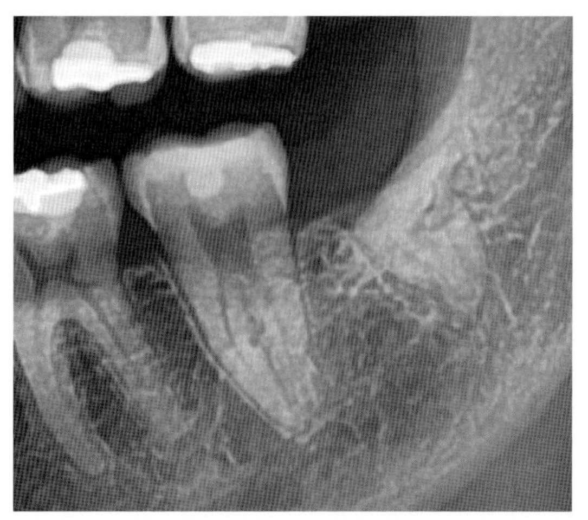

3개월 후에 재내원하여 찍은 파노라마 사진으로 잇몸도 깨끗하게 아물고 전혀 통증이 없는 상태였다. 1년 정도 지난 지금 해피콜해본 결과 아무런 통증 없이 잘 지내고 있다고 한다. 이 환자의 코로넥토미 과정은 어떻게 진행되었는지 바로 이어서 임상사진으로 같이 보도록 하자.

★★

이전 환자의 의도적 치관절제술 과정

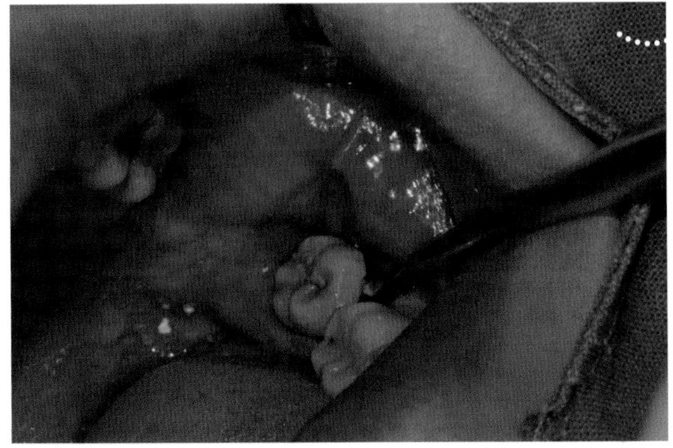

45도 핸드피스를 이용하여 근심 협측 치경부를 삭제한 후 치관부를 파절시켜서 제거하기 위해서 엘리베이터를 적용한다.

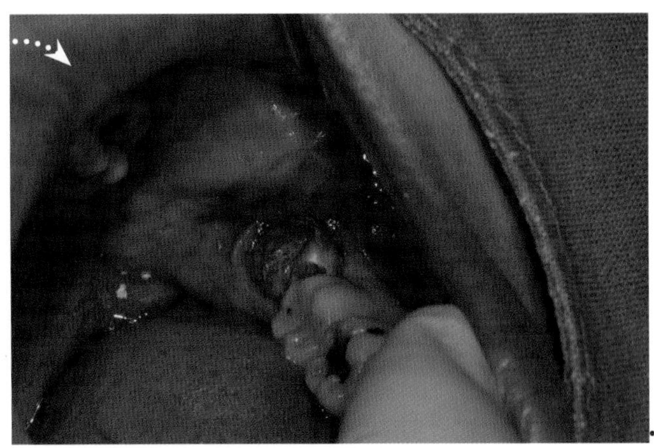

엘리베이터를 이용해서 치관부를 파절시켜서 제거한 후의 모습이다.

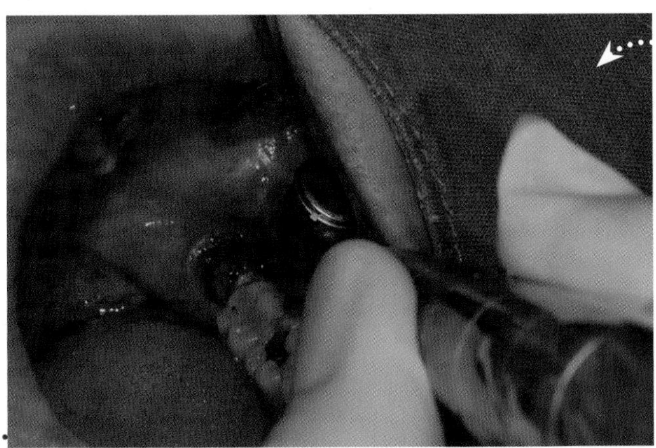

협측 치근의 수직적인 높이를 낮추기 위하여 또 한번의 파절을 위한 삭제를 시행한다.

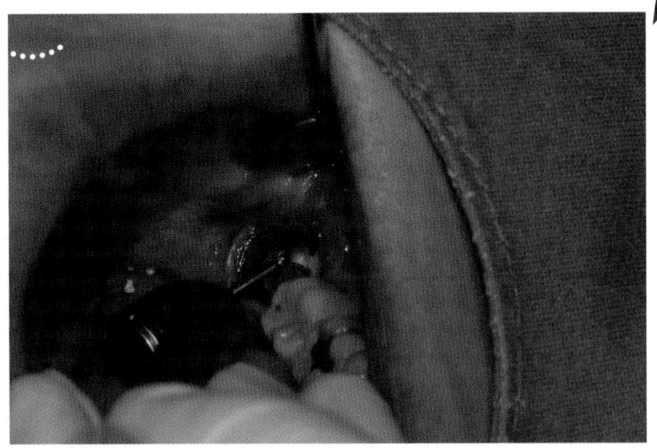

지그재그로 설측 치근의 높이를 낮추기 위한 치아 삭제를 실시한다.

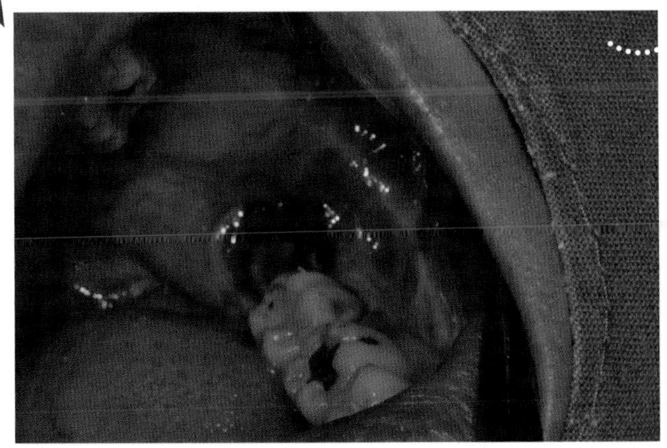

치근의 높이가 낮아진 모습이다.

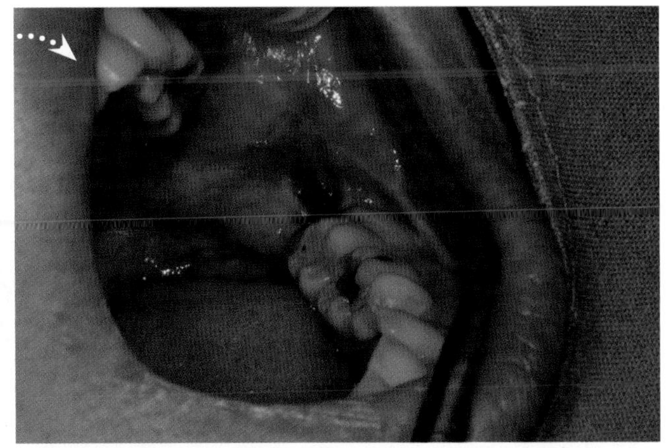

봉합이 얼마나 의미 있을지는 모르지만 치근 위에 혈병을 유지하기 위해서 시행한다.

수직 맹출한 사랑니의 의도적 치관절제술 2 ★★★

CASE 2

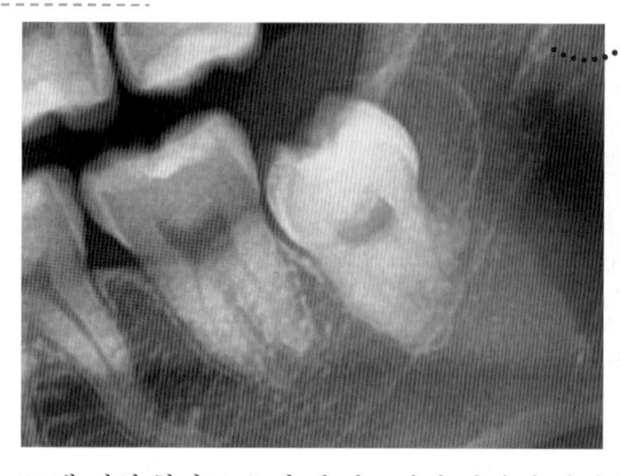
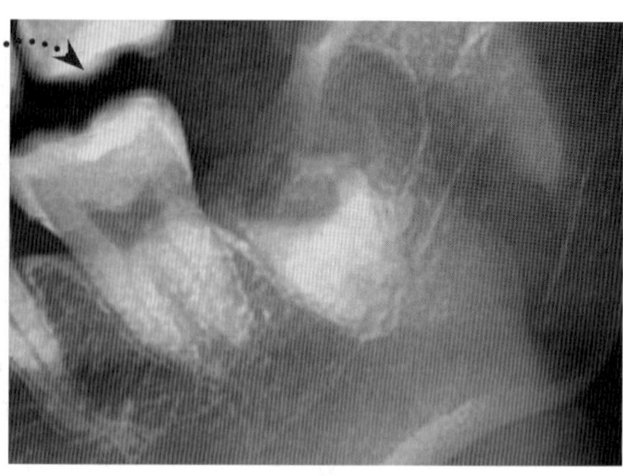

24세 여성 환자로 초진 시 파노라마 방사선 사진과 치관절제술 시행 직후의 파노라마 방사선 사진이다. 초진 방사선 사진에서 작은 함치성낭종이 관찰된다. 발치 후 조직검사를 시행하려 하였으나, 환자가 원하지 않아서 진행하지 않았다. 그러나 그다지 어려워 보이지 않은 사랑니 발치에서 굳이 왜 치관절제술을 시행하였을까?

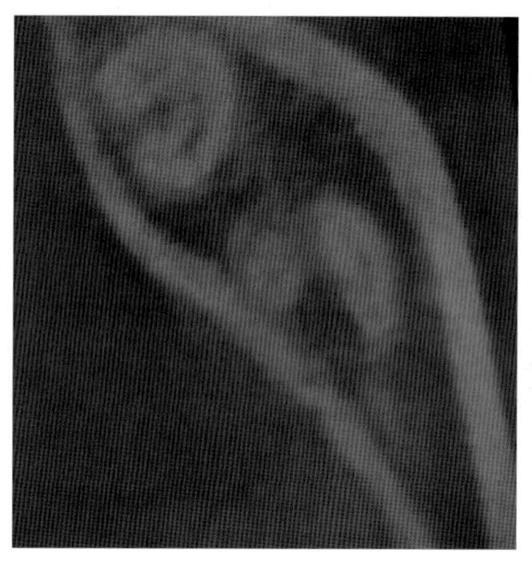
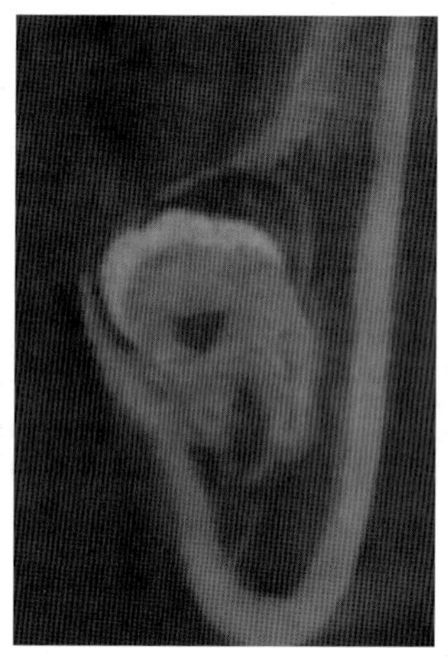
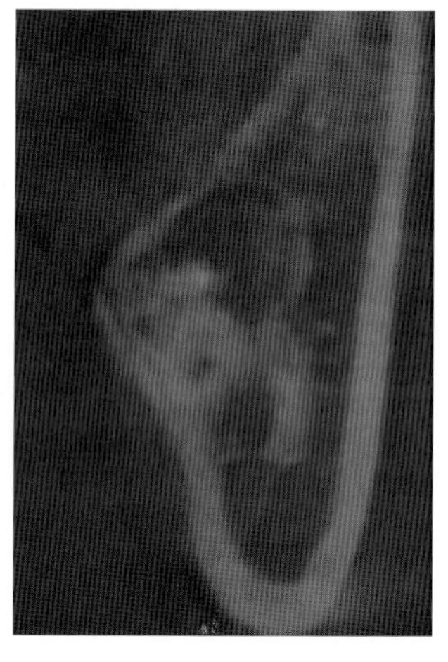

CBCT 영상을 보면 두 치근 사이로 주행하는 하치조신경관을 볼 수 있다. 사실 CBCT가 없던 시절에 몰랐다면 그대로 사랑니 발치를 했겠지만, 알고서는 그냥 진행하는 것이 부담스럽기도 하고, 의도적 치관절제술의 적절한 본보기라고 생각되어 치관절제술을 진행하였다. 보통 이런 경우에 45도 핸드피스를 이용하여 근심 협측 부분을 삭제한 후에 치관을 잘라내는 방식을 이용한다.

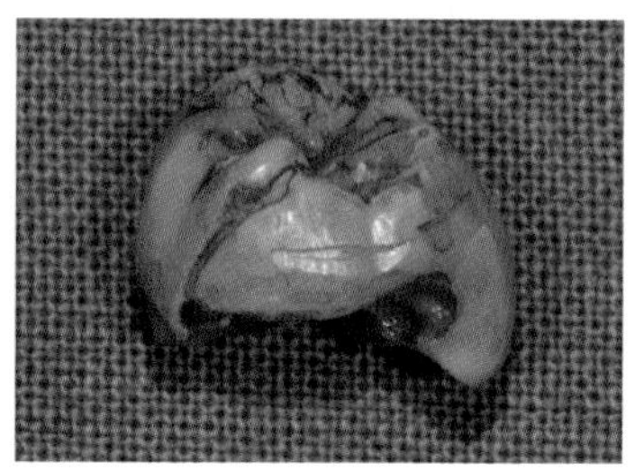

잘려진 치관부를 보면 핸드피스로 어떻게 삭제했는지를 볼 수 있다. 생각보다 조금만 삭제해도 쉽게 치관부가 제거된다. 워낙 사용빈도가 낮지만 사용할 때마다 동영상을 찍어서 관련된 동영상이 몇 개 있는데 과연 이 책이 나오기 전까지 편집을 할 수 있을지... 어쨌든 필자의 유튜브 채널을 지속적으로 모니터링해주기 바란다. 필자의 유튜브 채널에는 잘 찍은 영상만을 올리는 게 아니라, 찍은 걸 모두 올리는 것이 원칙이므로 언젠가는 올라갈 것이다.

수직 맹출한 사랑니의 의도적 치관절제술 3 ★★

CASE 3

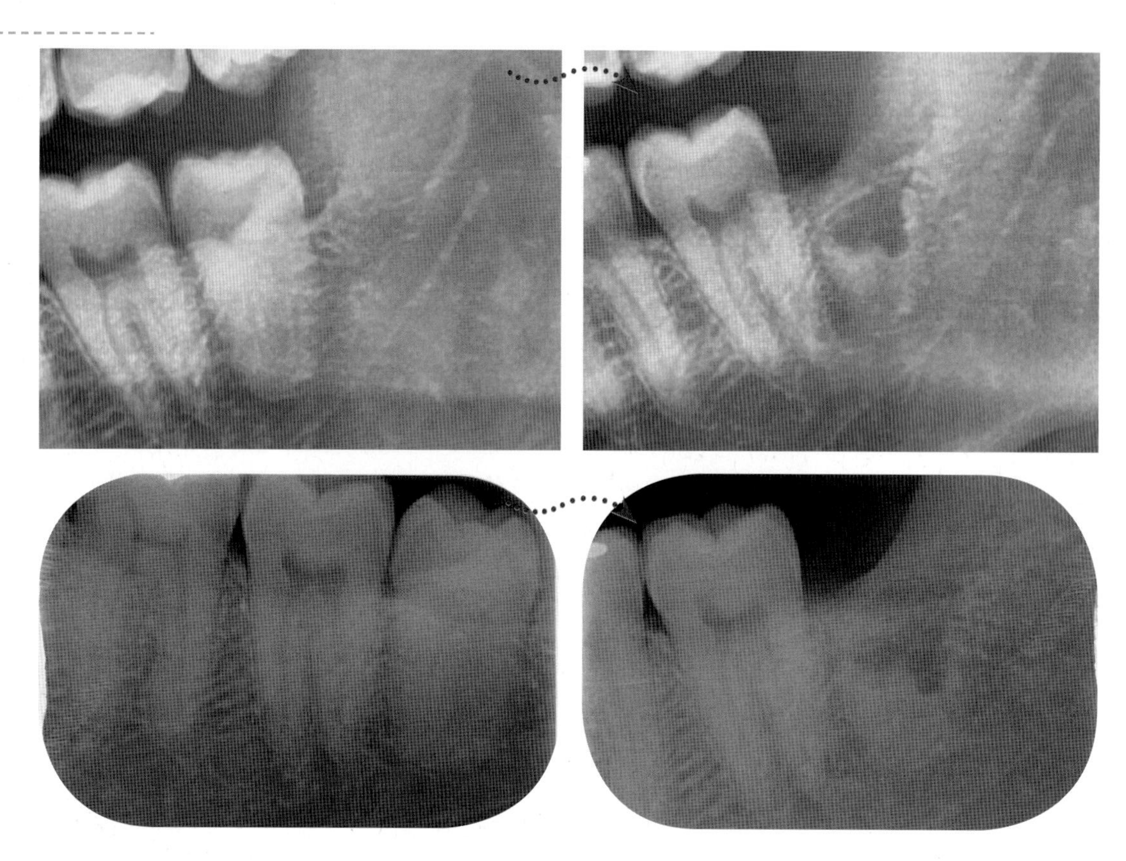

54세 남성 환자로 고혈압, 고지혈증, 갑상선기능저하증 등의 전신질환 때문에 치관절제술로 마무리하였다. 환자는 오랫동안 치관 주위 염증으로 고생을 많이 한 분이라 염증이 재발하지 않는 것만으로도 만족하시고, 내원 거리가 멀어서 다시 오기는 어렵다고 하였다. 필자는 이런 케이스의 발치에서는 특히 치조골은 거의 삭제하지 않는다.

CASE 4

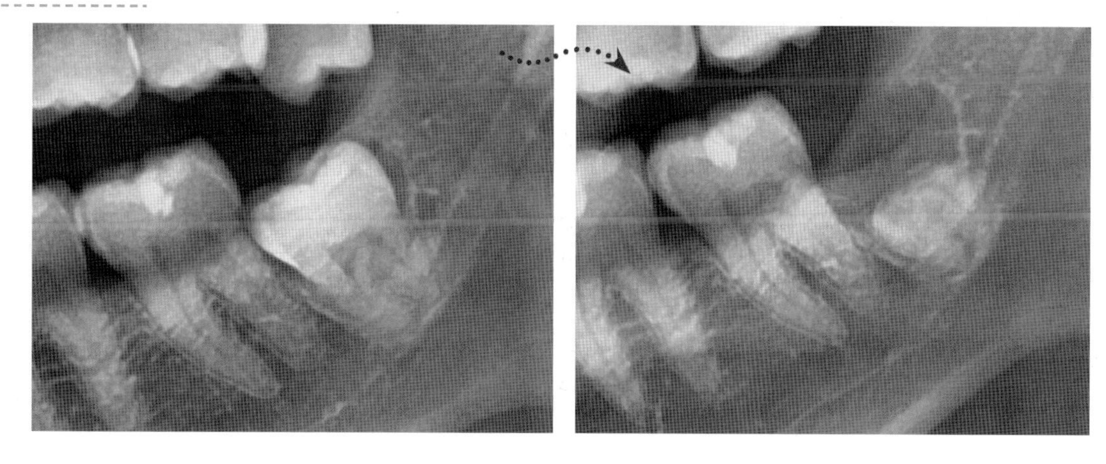

34세 남성으로 치근과 신경관이 겹쳐 있어서 치관절제술을 시행하였다. 의도적 치관절제술을 몇 개 시범적으로 시행할 때의 환자이다. 당연히 리콜되지 않고 있다. 반드시 체크가 필요하다고 해도... 지금 아무렇지도 않고 좋다고... 아무리 연락해도 다시 오지 않는다.

수직 맹출한 사랑니의 의도적 치관절제술 4 ★

CASE 5

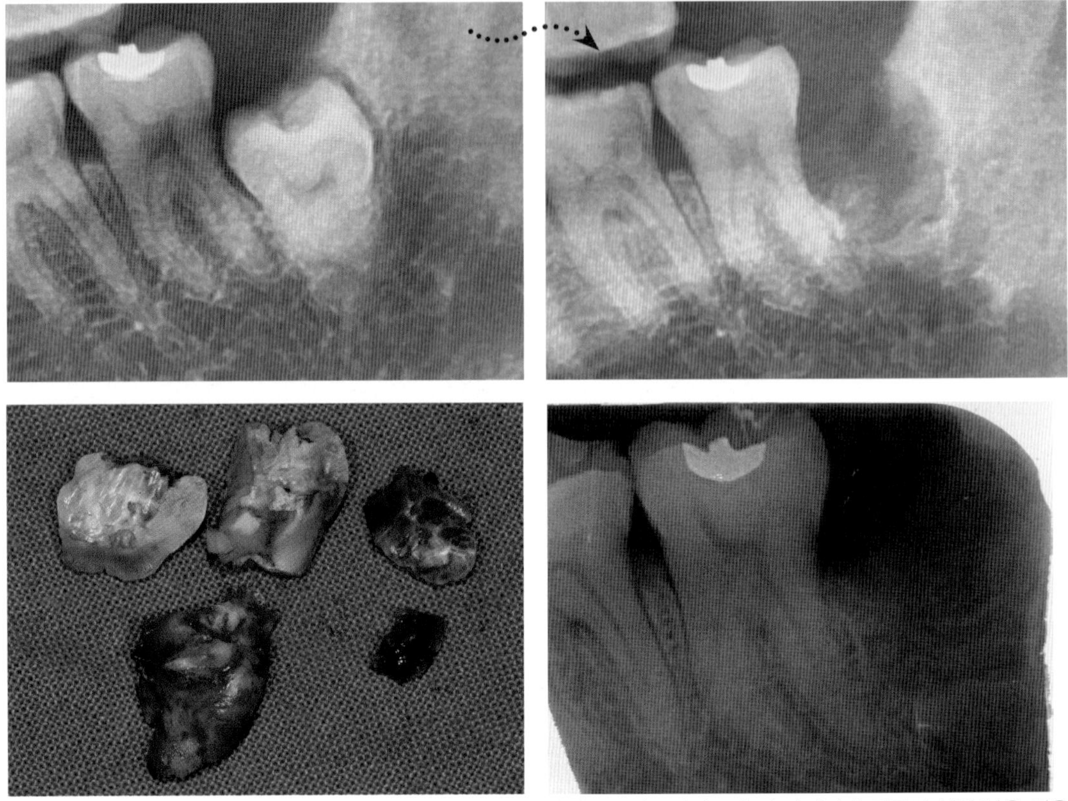

발치 다음 날 소독을 위하여 내원하였을 때 찍은 치근단 사진으로 파노라마보다 더 자세하게 치근이 살짝 남은 것을 확인할 수 있다.

46세 남성이며 이미 다른 사랑니를 뽑으면서 너무나 많은 트라우마를 입어서 굳이 필자를 찾아서 일부러 내원한 환자이다. 환자의 진술에 의하면 모 대학병원 구강외과에서 사랑니를 발치했으며 5시간이 넘는 시간 동안 6명의 치과의사가 손을 바꿔가면서 발치를 했다고 한다. 어떤 치과의사도 이런 히스토리를 말하는 환자의 발치를 쉽게 할 수는 없을 것이다.

파노라마 방사선 사진상 치관은 90도 회전되어 있으며, 치근 1/2 하방에 신경관이 주행하고 있는 것을 볼 수 있다. 이렇게 치근의 영상이 급격히 흐려지는 경우는 그 부분에서 신경관과 겹쳐 있음을 짐작할 수 있다. 발치 직후 방사선 사진에서 짐작할 수 있듯이 치조골 삭제를 최소로 하였으나, 발치 도중 출혈이 너무 심하게 진행되어 한 차례 발치를 중단하였다가 재개하였다. 치관을 수직 삭제하여 3조각으로 나눠서 제거한 후에 그 상태로 멈출까 하다가(중간에 쉬었던 시간이 아까워서) 남은 치근을 발치하였다. 발치 당일은 출혈이 심하여 구내 촬영을 실시할 수 없어서 바로 파노라마 촬영을 실시하였다. 파노라마 방사선 사진으로 보면 치근이 모두 발치된 것처럼 보이지만, 다음 날 소독차 내원하여 표준촬영을 실시하였는데, 위의 발치한 치아사진에서도 짐작했듯이 치근 하나가 남아 있었다. 발치 당시에는 정신이 없어서 치근 모양을 세심하게 살피지 못하여, 치근이 하나 남은지 몰랐으니 의도하지 않은 의도적 치관절제술이라고 봐야 할 듯하다. 그때 당시에 치근이 하나 남은 것을 알아차리지 못한 것이 천만다행이다. 이 환자도 뽑아달라고 그렇게 사정할 때는 언제고... 체크를 위해서 재내원을 부탁하였지만... 자기는 괜찮다고 내원하지 않고 있다. 내가 안 괜찮은데... ㅠㅠ

수직 맹출한 사랑니의 의도적 치관절제술 5 ★

CASE 6

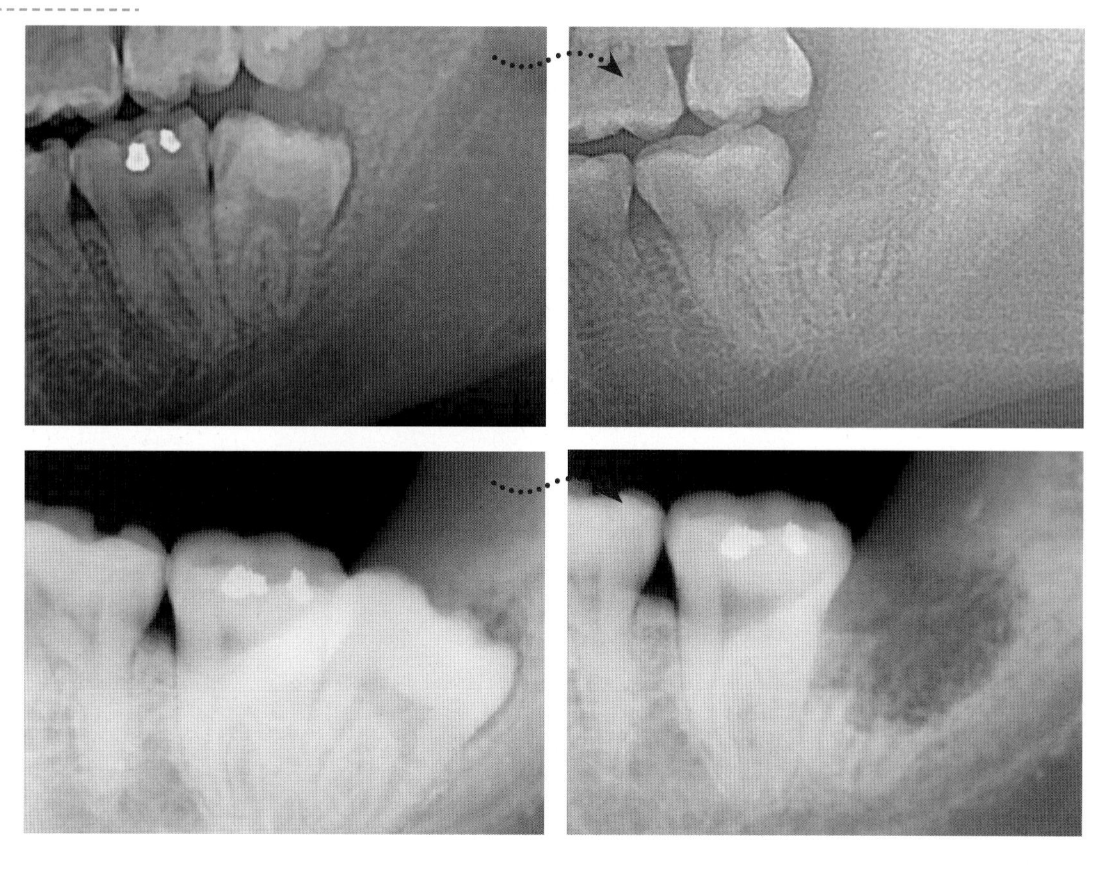

발치 직후 방사선 사진은 없으며 8개월 뒤 Follow up한 파노라마와 표준촬영 영상이다. 그 이후 내원하지 않았으며, 5년 전 케이스이다.

CASE 7

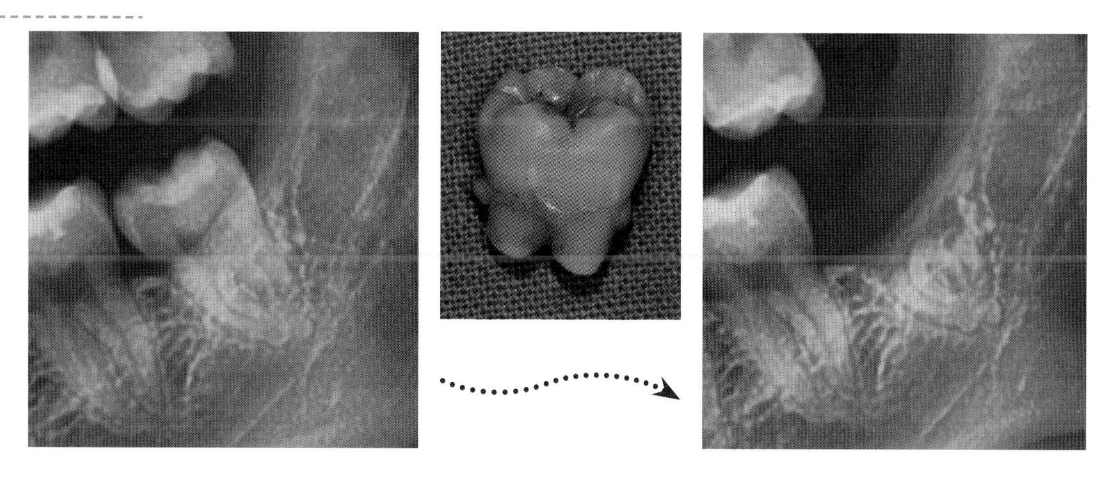

발치 과정에서 치근이 파절되었으며, 치관절제술 Follow up 체크를 위하여 그대로 두었으나 아직 리콜되지 않고 있다. 유선상으로 아무런 불편감 없이 잘 쓰고 있다고만 전해지고 있다.

수직 맹출한 사랑니의 의도적 치관절제술 6 ★

CASE 8

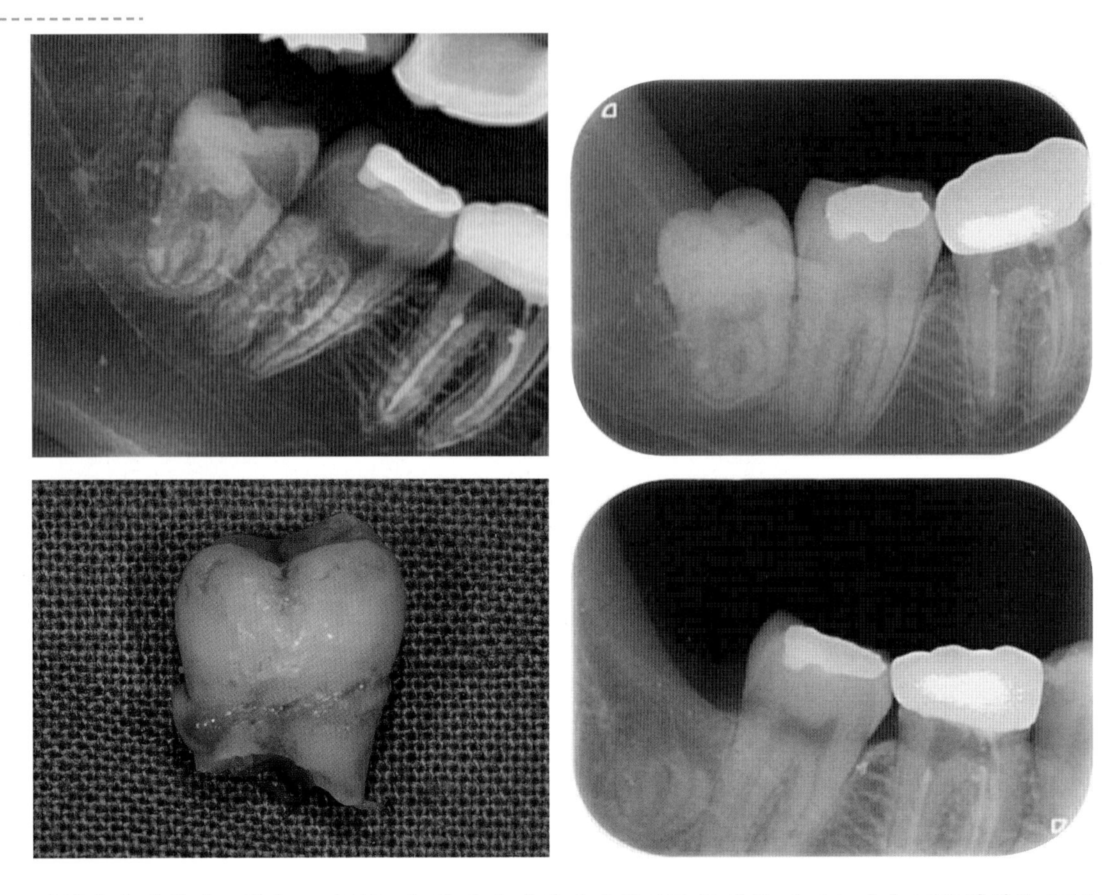

발치하기 위해서 포셉으로 잡았는데, 치관이 파절되어 치료를 종결한 케이스이다. 표준촬영은 모두 발치 당일에 발치 전후에 찍은 사진이다. 치근이 가늘고 신경관을 만나서 서로 감싸듯이 휘어진 것을 볼 수 있다.

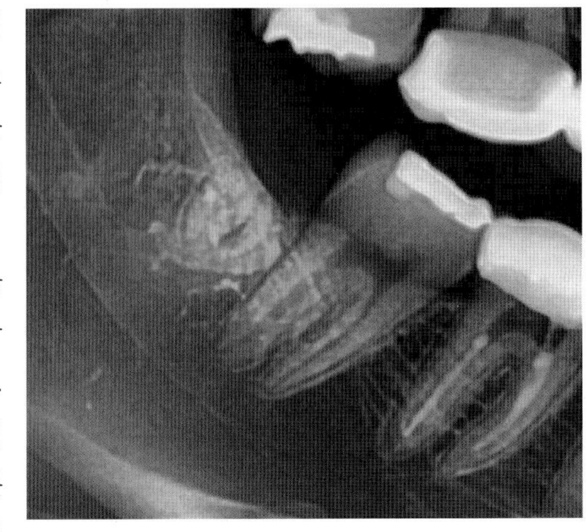

오른쪽 사진은 발치 후 10개월 뒤 사진으로 반대편 위 사랑니를 발치하러 내원하여 촬영한 파노라마 영상이다. 발치 당일 표준촬영이 수직각을 많이 준 상태에서 촬영한 걸 감안하면 치근이 위로 1 mm 정도만 살짝 움직인 것을 볼 수 있다.
이러한 케이스에서 치근이 치조골 상방으로 올라온 것이 확인되면 잇몸 밖에서 보이지 않는다고 하더라도 제거하는 게 좋은지 질문을 받는다. 굳이 제거하지 않아도 된다고 생각하지만, 이미 위로 올라온 경우라면 어차피 제거도 쉽기 때문에 가능한한 빨리 제거하는 것이 좋지 않을까 생각도 해본다.

의도적 치관절제술

수평 매복치

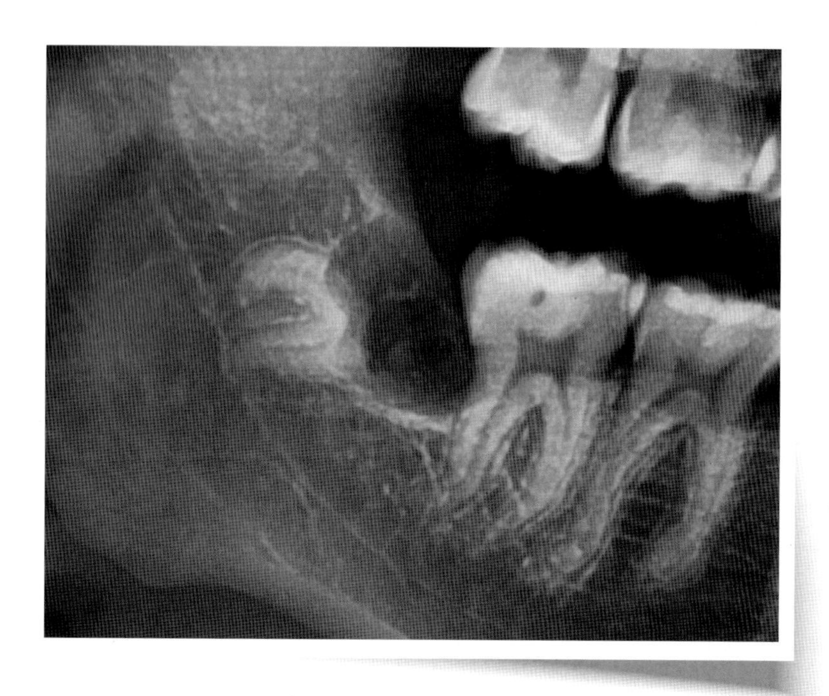

수평 매복치에서 치관절제술은 특별한 방법이 없다. 수평 매복한 사랑니의 상부는 기구로 쉽게 접근이 가능하기 때문에 치관부를 쉽게 제거할 수 있다. 오로지 핵심은 치관 부분을 확실히 제거하였느냐이다. 무엇보다도 접근이 힘든 하방 치관부 그것도 근심 설측 치관부를 확실하게 제거하였는가이다. 혹시 이 chapter를 처음 읽는 독자라면 우선은 치관절제술에 대한 내용만 보고 살짝 넘어가길 바란다. 뒷부분의 수평 매복치 chapter를 본 사람이라면 설명하지 않아도 어떤 방식으로 치관부를 제거하고 치근의 상부를 제거하였는지를 알 수 있을 것이다. 뒤 chapter의 수평 매복치 발치에 나오는 필자의 방식대로 수평 매복치를 발치한다면 사실 중간에 멈추면 모두 그것이 치관절제술이 되는 것이다. 특히나 이 책을 두 번 읽은 치과의사라면 수평 매복치 발치에서 큰 도움이 될 것이라고 생각한다.

01
수평 매복치의 치관절제술 1★★★

CASE 1

25세 남성 환자로 초진사진에서 치근단의 Youngsam's sign을 볼 수 있으며 치근이 많이 휘어 있는 것도 볼 수 있다. 이런 경우는 치근이 형성되면서 설측 피질골을 만나서 피질골 내로 박히면서 휜 경우라고 짐작해 볼 수 있다. 당연히 발치가 쉽지 않을 것으로 예상되었다. 반대쪽 사랑니도 발치가 예정되어 있어서, 치관절제술을 시행하였다.

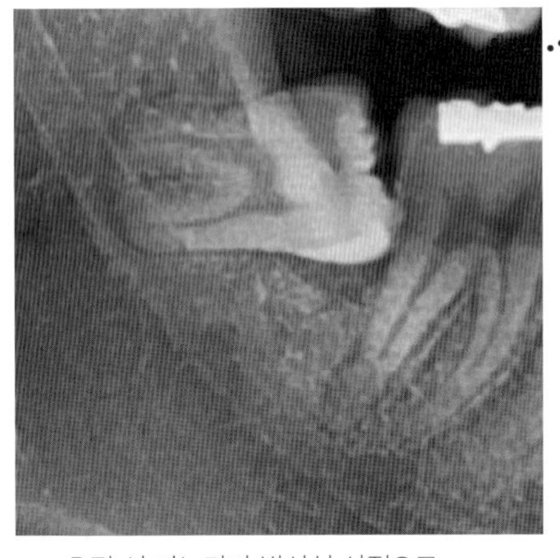

초진 시 파노라마 방사선 사진으로 Youngsam's sign이 명확하게 보이는 것을 알 수 있다.

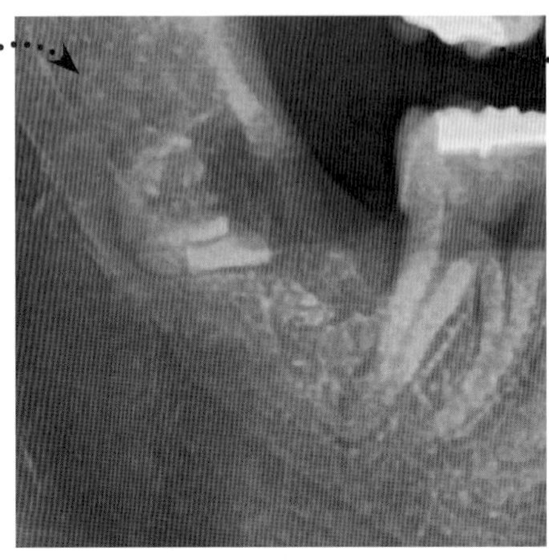

치관절제술 시행 직후 파노라마 방사선 사진

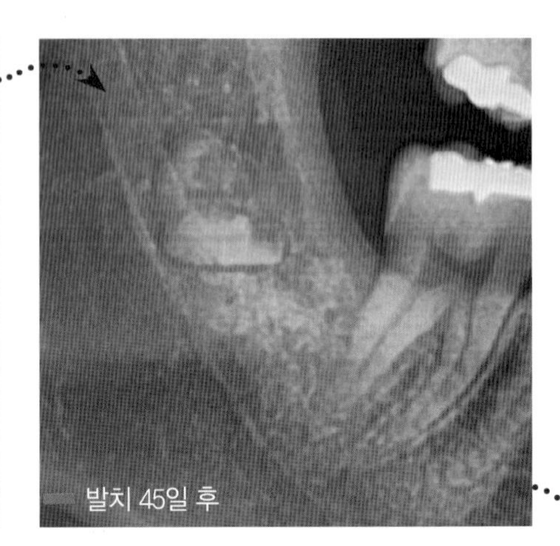

발치 45일 후

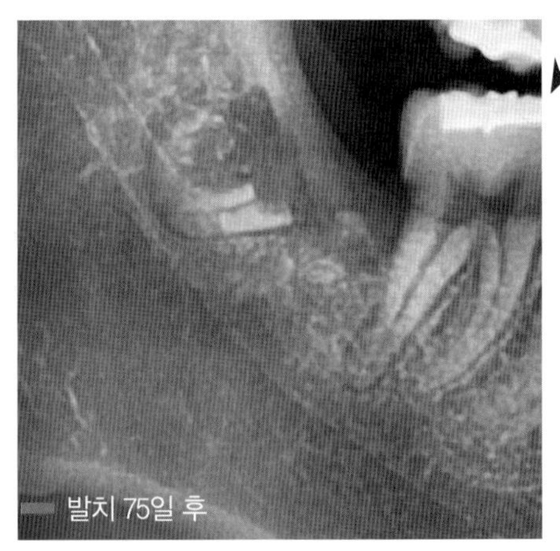

발치 75일 후

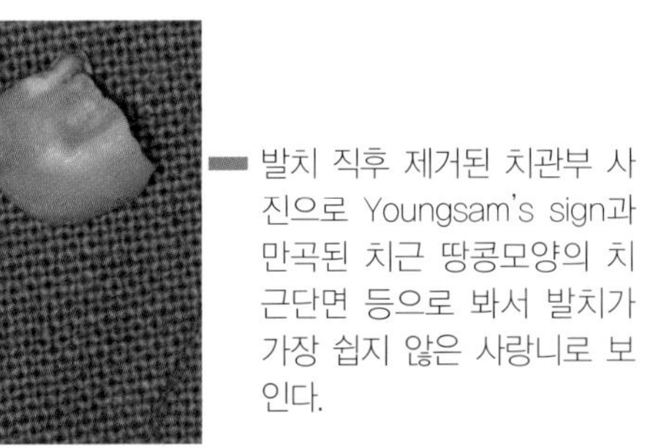

발치 직후 제거된 치관부 사진으로 Youngsam's sign과 만곡된 치근 땅콩모양의 치근단면 등으로 봐서 발치가 가장 쉽지 않은 사랑니로 보인다.

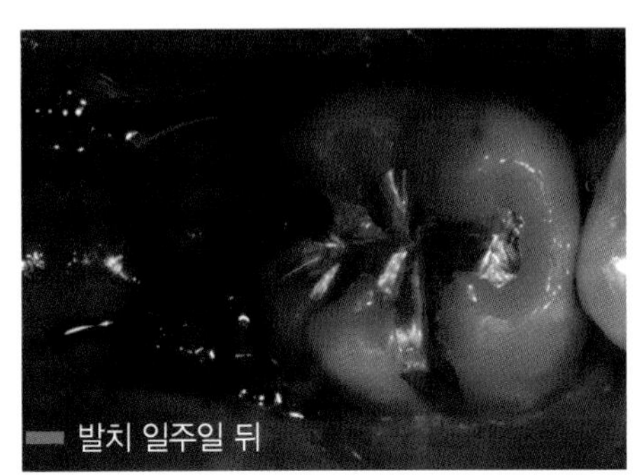

발치 일주일 뒤

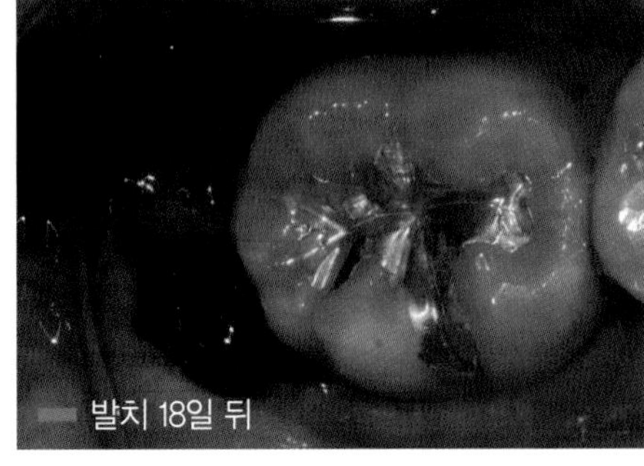

발치 18일 뒤

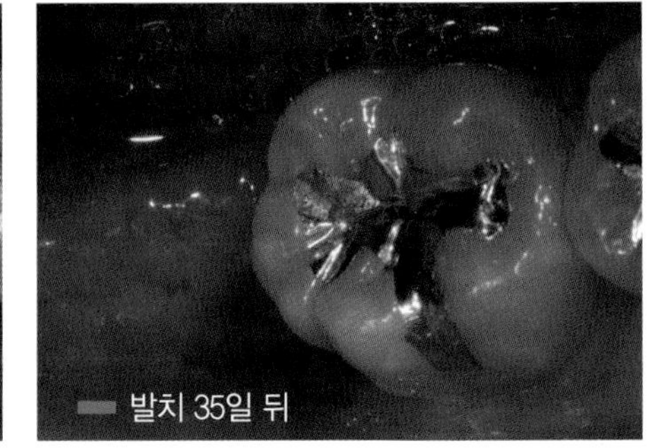

발치 35일 뒤

사진은 순서대로 발치 후 1주일 뒤, 18일 뒤, 35일 뒤 모습

수평 매복치의 치관절제술 2★★★

CASE 2

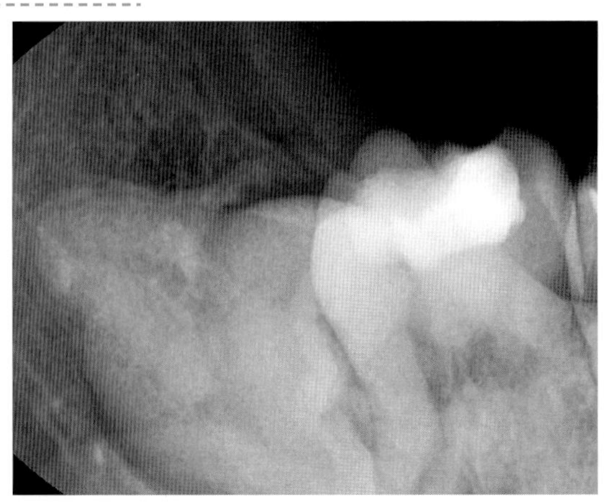

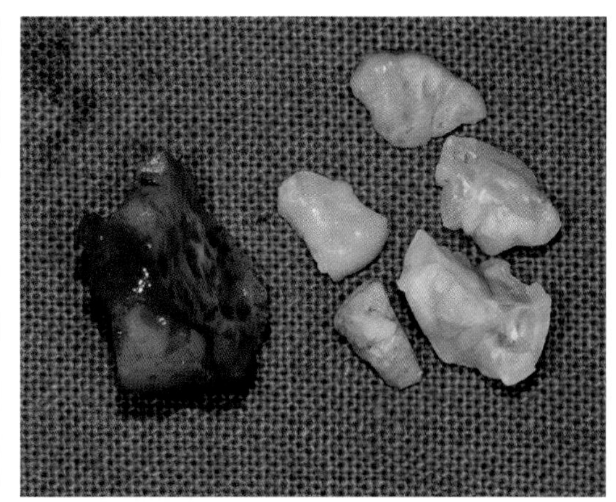

발치 전 파노라마 방사선 사진과 표준촬영, 발치 직후 제거된 사랑니 사진이다. 방사선 사진상에서 근심 치근 하방에서 Youngsam's sign이 선명하게 보인다. 치근도 상방으로 휘어진 걸 보면 아마도 설측 하방에 피질골이 위치하는 듯하다.

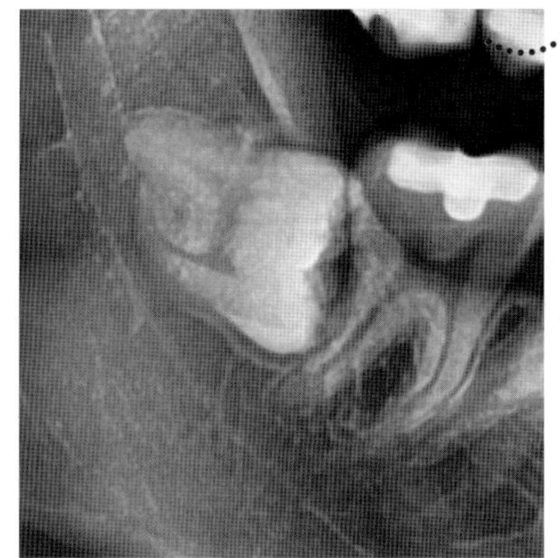

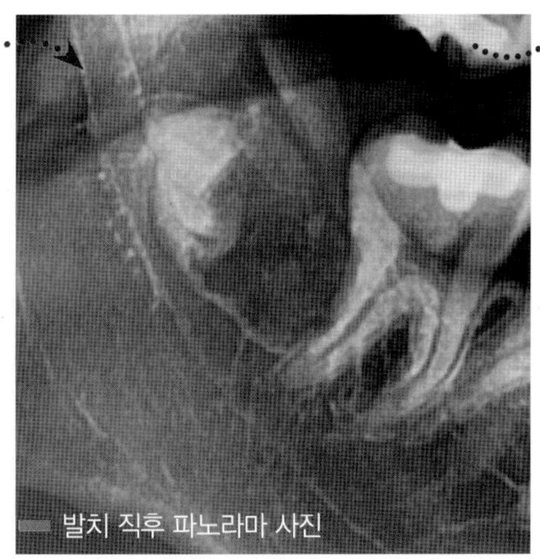

발치 직후 파노라마 사진

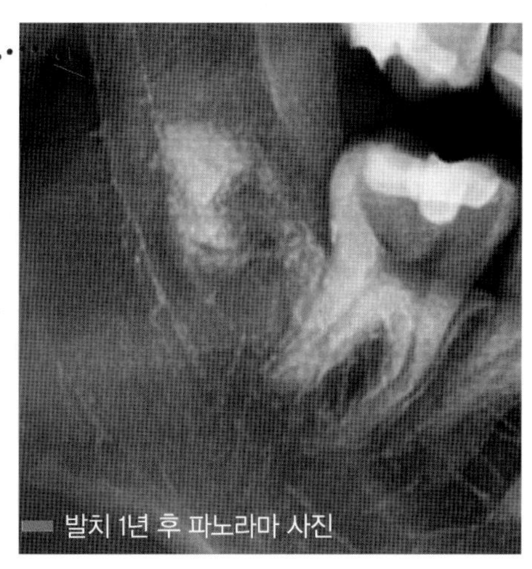

발치 1년 후 파노라마 사진

발치 직전과 직후 사진으로 파노라마 상에서는 Youngsam's sign이 희미하게 보이는 정도지만, 표준촬영이미지에서 근심 치근 하방에 명확하게 Youngsam's sign이 보인다. 이 싸인은 같은 날 찍은 파노라마에서도 다르게 나타나기도 한다. 어쨌든 한 번이라도 보인다면 그것은 위험요소로 간주해야 한다. 또한 이런 경우는 치관 삭제 시 하치조신경관을 손상시킬 위험성이 있으므로, 최대한 7번 원심에 붙여서 에나멜 조각만 여러 조각으로 나눠서 제거한 뒤에 수평 매복치 chapter에서 나올 **뒷목치기** 방식으로 중간부분(치경부)을 제거한 케이스이다.

환자가 1년 만에 내원하여 파노라마를 재촬영하였다. 치근이 좀 흐려지고 조금은 흡수된 듯한 소견이고 주변은 골이 잘 형성된 것을 볼 수 있다. 잇몸도 깨끗하게 정상적으로 회복되어 있었다.

수평 매복치의 치관절제술 3 ★

CASE 3

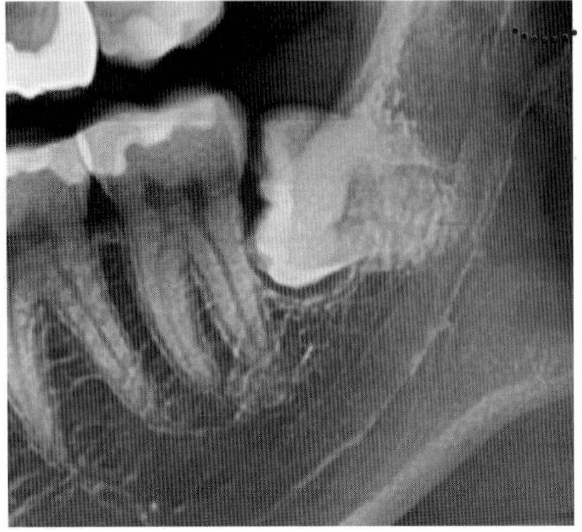

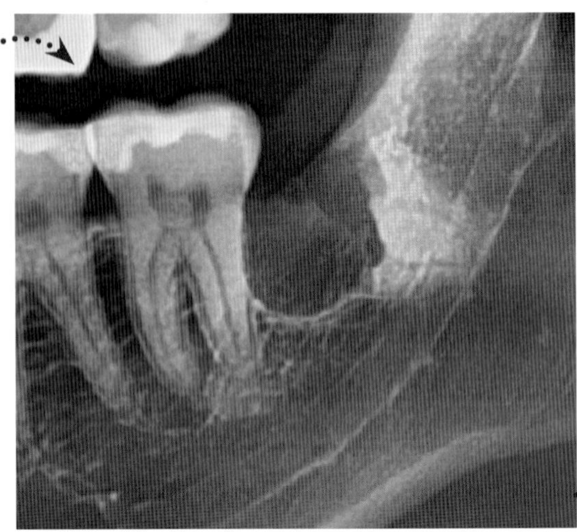

발치 전과 발치 직후의 파노라마 방사선 사진으로 발치 직후 사진에서는 치아를 삭제한 버의 흔적이 선명하게 보인다.

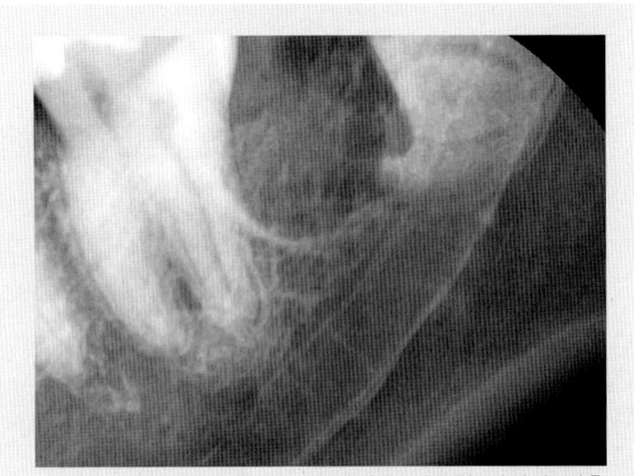

발치 당일 표준촬영으로 발치를 지속할 것인가 멈출 것인가를 결정하려고 찍은 사진이다. 여기서 신경관 근처까지 삭제한 흔적을 볼 수 있다.

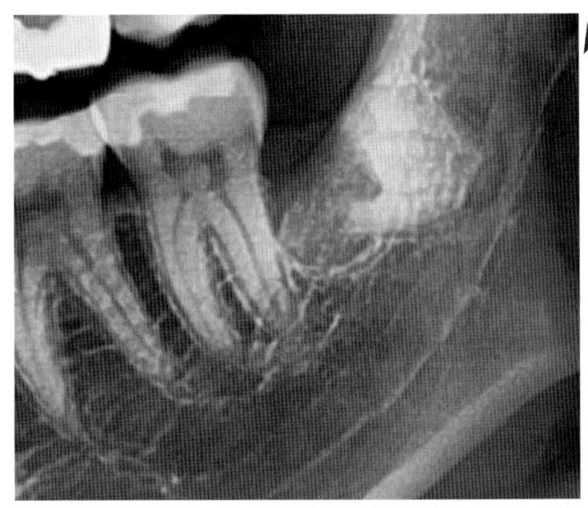

발치 5개월 뒤 파노라마 방사선 사진으로 치근이 근심으로 약간 이동한 것을 볼 수 있다.

발치한 사랑니 사진으로 치근이 여러 조각으로 부러질 뿐 나오지 않은 것을 볼 수 있다.

30세 남성 환자로 치아가 계속 부러질 뿐 치근의 제거가 쉽지 않아서 마침 의도적 치관절제술을 몇 케이스 시도해보던 시절이라 여러 가지 의도를 가지고 의도적 치관절제술을 시행하였다. 치관부는 **가로나누기** 방식으로 제거하였으며, 치경부 제거를 위해서 수평 매복치 chapter에서 다룰 **사선치기**와 **뒷목치기** 방식을 사용하였다. 필자의 강력한(?) 요구로 환자분이 내원하여 리콜 방사선 사진을 찍을 수 있었다. 연조직도 아무런 흔적없이 깨끗이 회복되었다.

수평 매복치의 치관절제술 4★

CASE 4

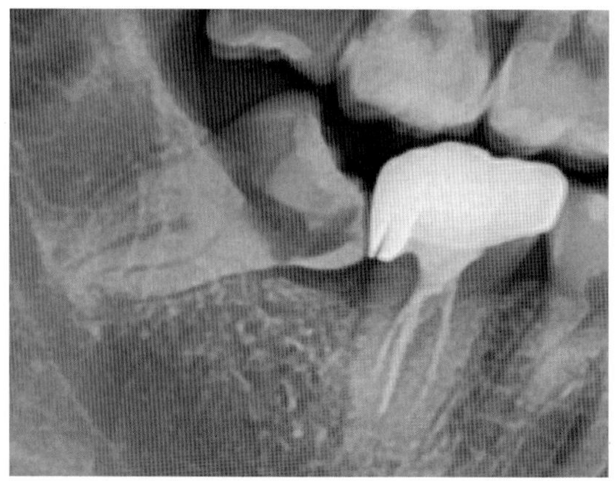
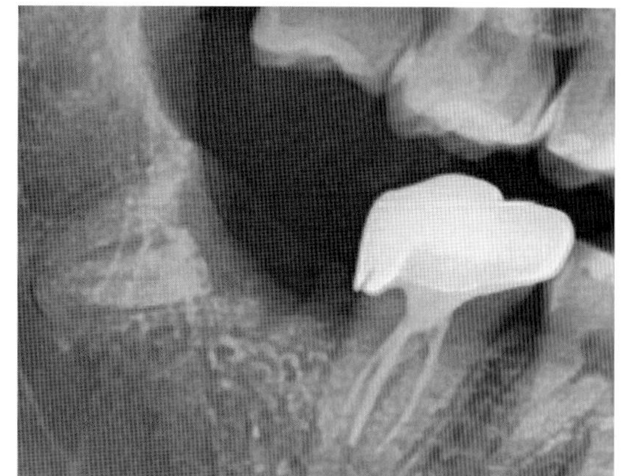

발치 전과 발치 직후의 파노라마 방사선 사진으로 발치 직후 사진에서는 치아를 삭제한 버의 흔적이 선명하게 보인다.

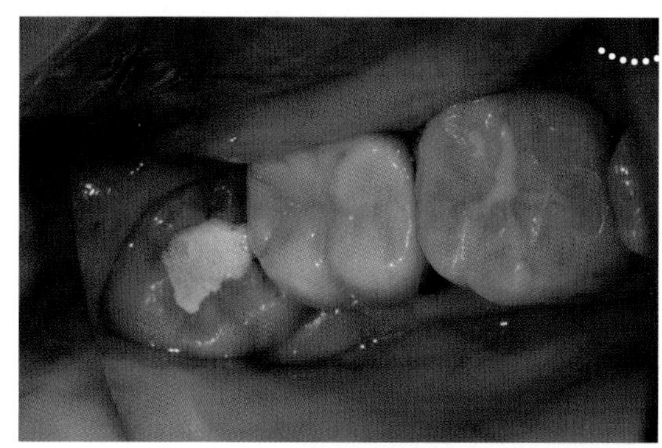
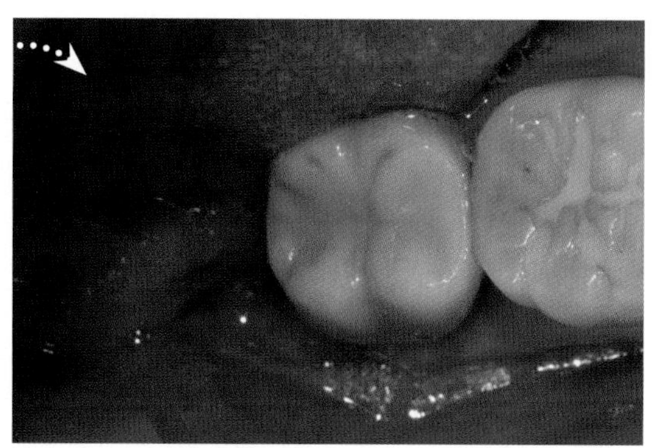

사랑니 부분의 임상사진으로 발치 전과 발치 34일 후 사진이다.

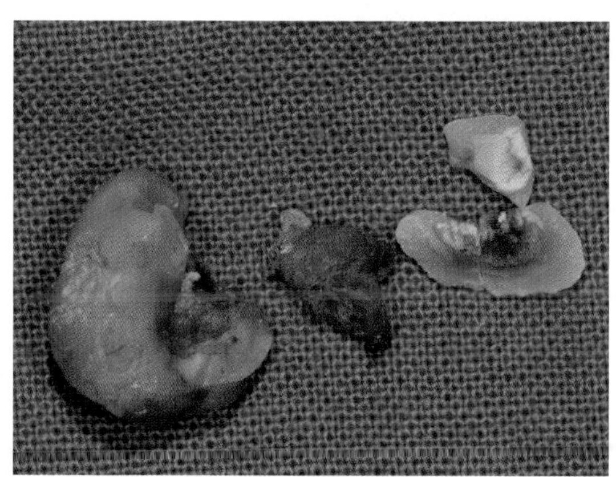

발치한 사랑니 사진으로 치관내부에서 나온 코튼이 보인다.

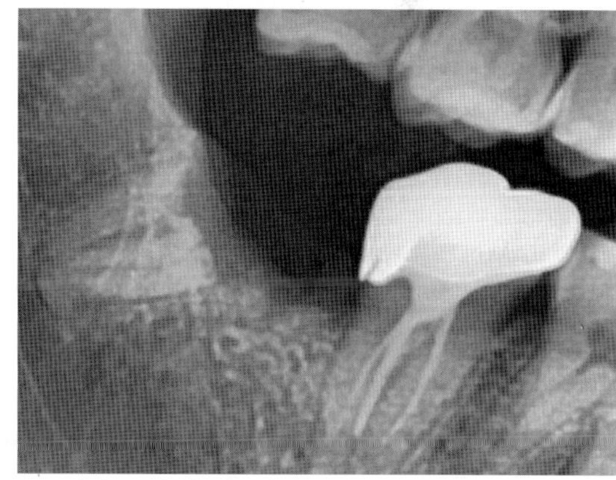

발치 34일 후 파노라마 방사선 사진으로 치근의 이동이 거의 없는 것을 알 수 있다.

32세 여성 환자로 타 치과에 사랑니 통증을 호소하자 본인은 발치할 줄 모른다며 충치로 인한 통증이라며 아프지 않도록 근관치료를 시행하였다고 한다. 그 증거로 절제된 치관에서 코튼을 볼 수 있다. 이런 약간 병적인 사랑니의 치관절제술의 예후가 궁금하여 치관절제술을 시행하였다. 반대쪽 사랑니를 한 달 뒤에 빼기로 했기 때문에 재내원할 것이라고 예상하고 시행하였다. 아래는 34일 뒤 반대쪽 사랑니를 빼기 위하여 내원하였을 때 촬영한 파노라마 사진과 임상사진이다.

수평 매복치의 치관절제술 5 ★★

CASE 5

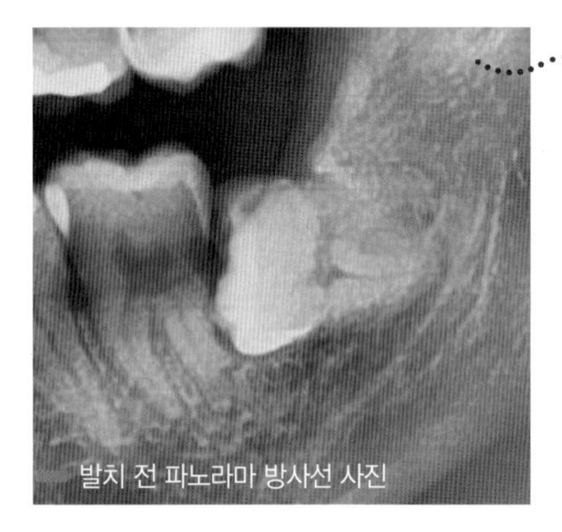
발치 전 파노라마 방사선 사진

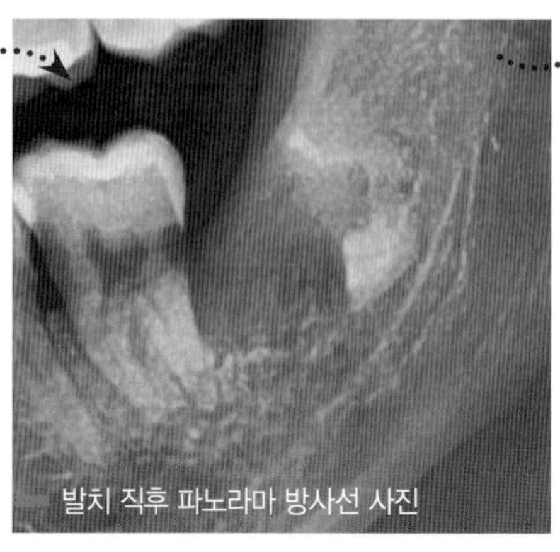
발치 직후 파노라마 방사선 사진

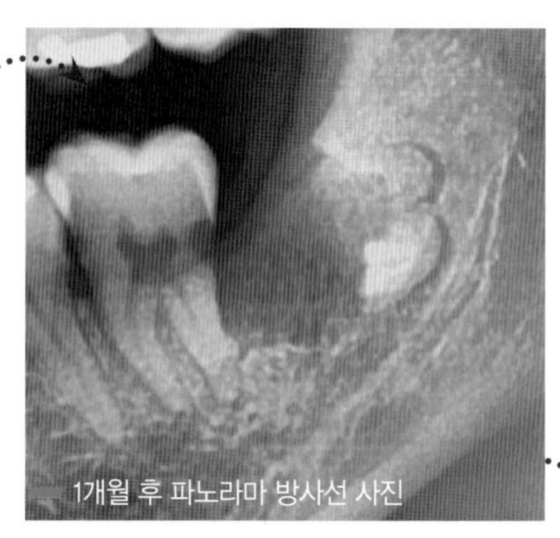
1개월 후 파노라마 방사선 사진

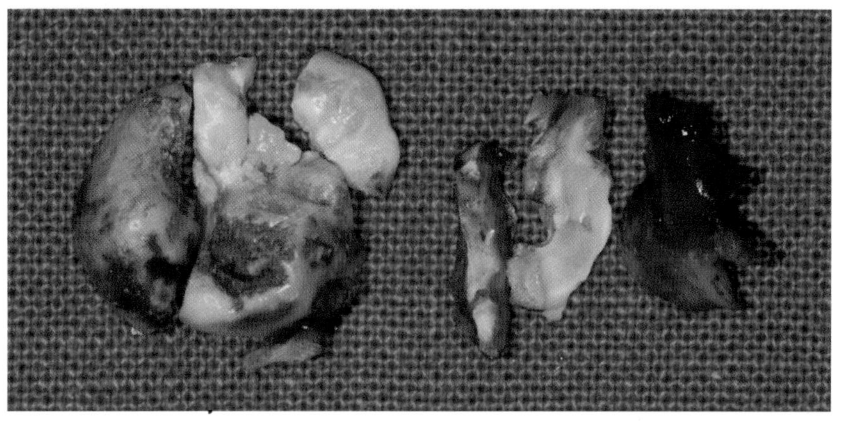

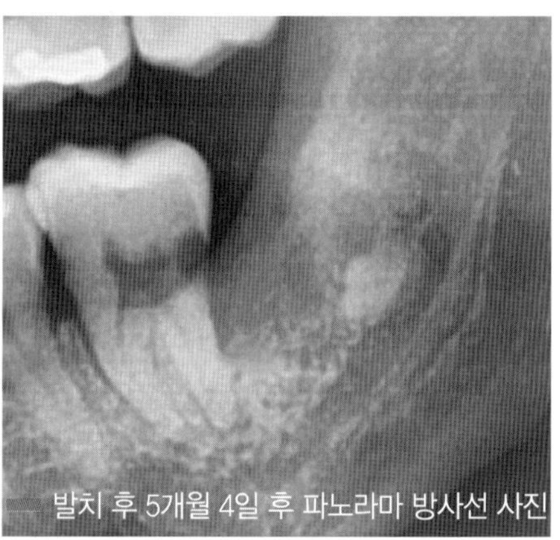
발치 후 5개월 4일 후 파노라마 방사선 사진

34세 남성 환자로 발치 전 파노라마 방사선 사진에서 치근단에 Youngsam's sign을 볼 수 있다. 발치 직후 방사선 사진에서 남은 치근을 확인할 수 있다. 아마도 뒷장의 수평 매복치의 발치 파트를 보고 나면 왜 이런 치근의 형태가 남았는지를 알게 될 것이다. 필자는 특별한 이유가 없는 한 한달 후에 반대쪽 사랑니를 빼는데 1개월 후의 방사선 사진은 그때 촬영한 것이다. 대부분 한달 안에 치근이 이 정도 움직이고, 그 이후로는 거의 움직이지 않는다고 본다.

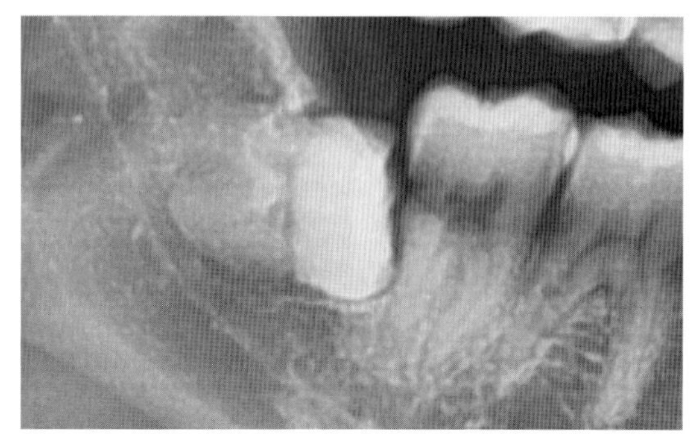

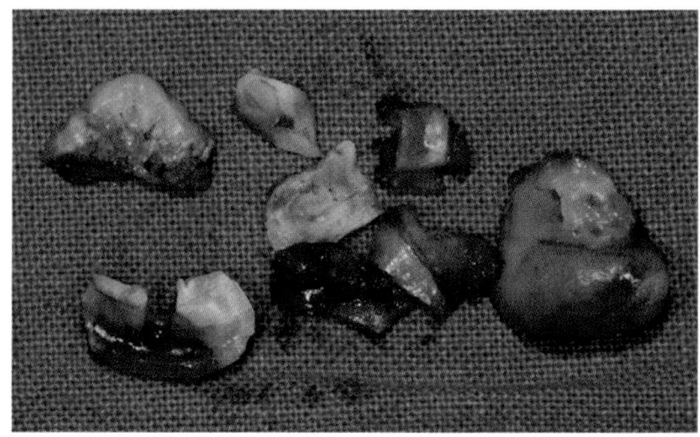

같은 환자의 48번 발치 케이스이다. 치근이 쉽게 나오지 않았음을 발치된 치아사진에서 확인할 수 있다.

수평 매복치의 치관절제술 6 ★

CASE 6

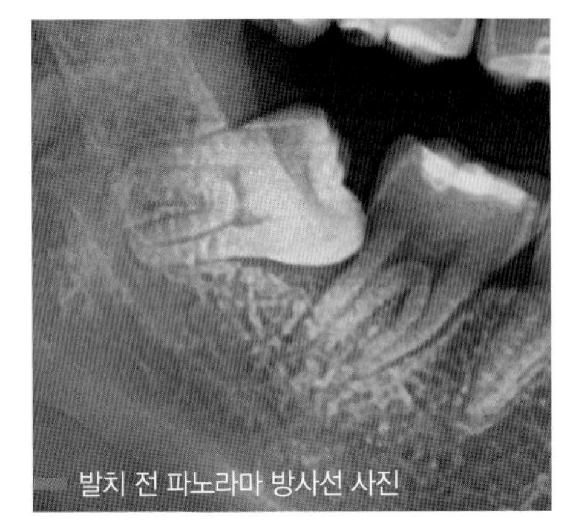
발치 전 파노라마 방사선 사진

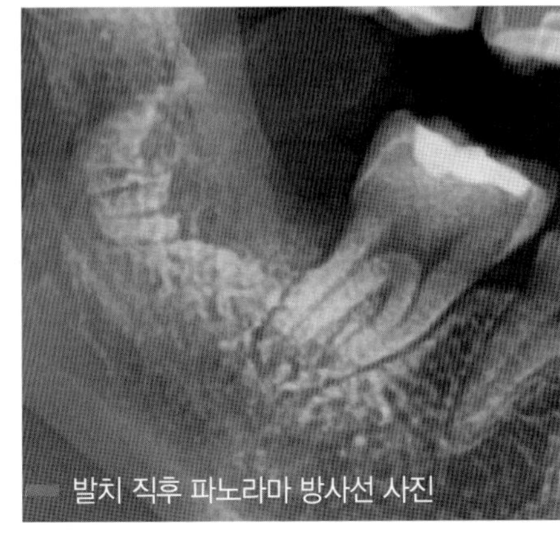
발치 직후 파노라마 방사선 사진

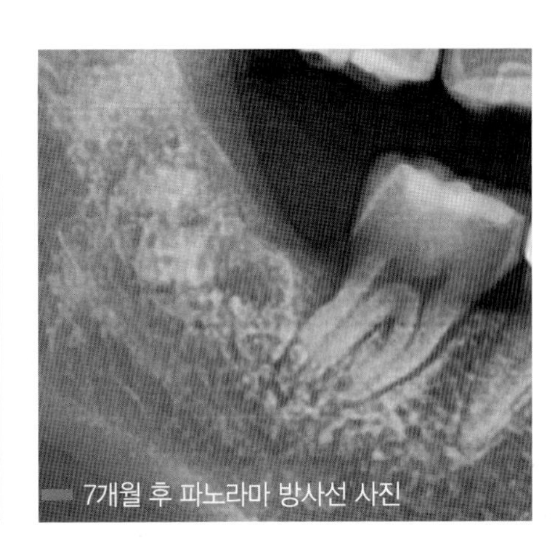
7개월 후 파노라마 방사선 사진

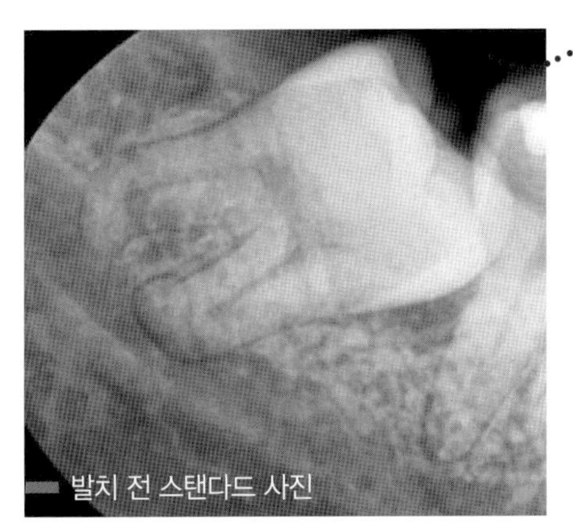
발치 전 스탠다드 사진

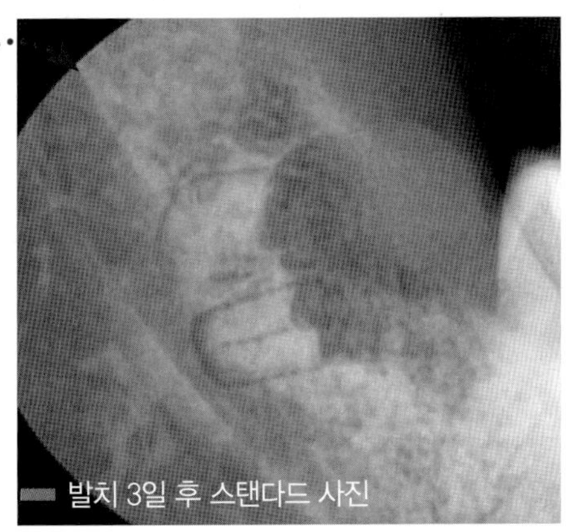
발치 3일 후 스탠다드 사진

발치 직후 제거된 사랑니 사진

35세 남성으로 발치 직전과 3일 후 표준촬영사진과 발치 직후 제거된 사랑니의 사진이다. 두 방사선 사진에서 모두 치근단에 Youngsam's sign을 확인할 수 있다. 7개월 후에도 거의 치근의 이동 없이 연조직도 정상 치유되었다.

02
고령환자는 맘 편하게 남기자 1 ★★★

CASE 1

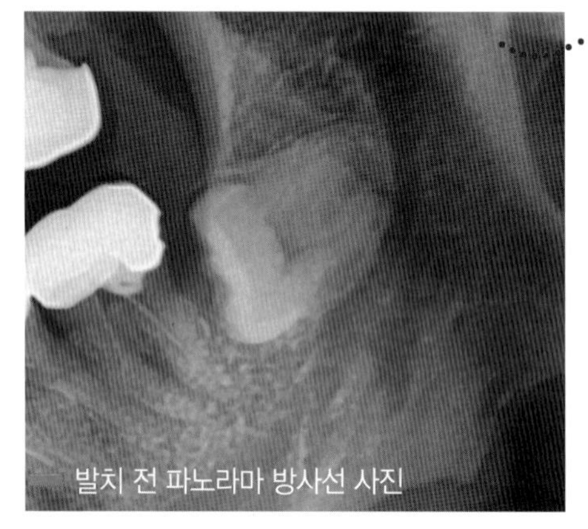
발치 전 파노라마 방사선 사진

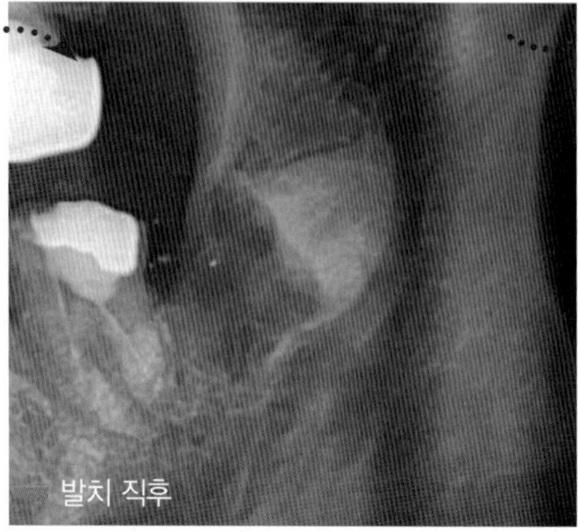
발치 직후

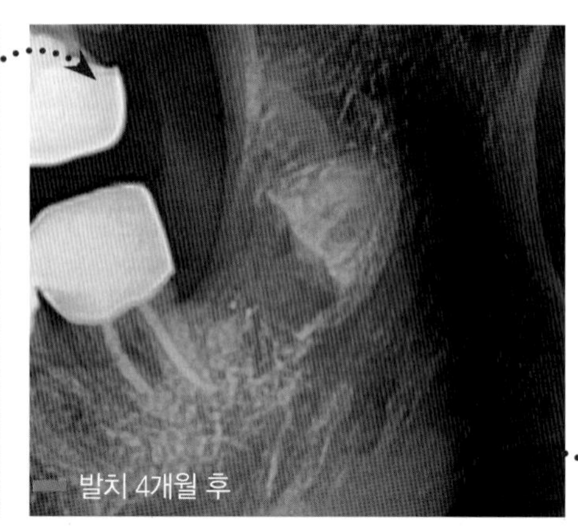
발치 4개월 후

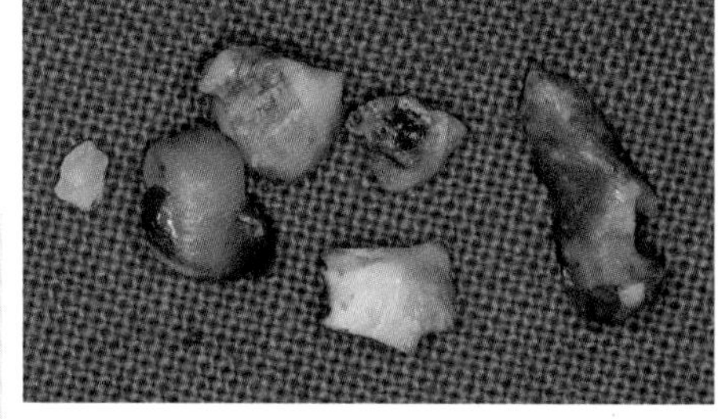
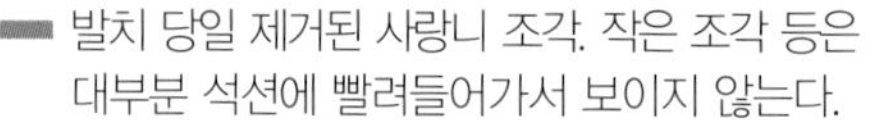
발치 당일 제거된 사랑니 조각. 작은 조각 등은 대부분 석션에 빨려들어가서 보이지 않는다.

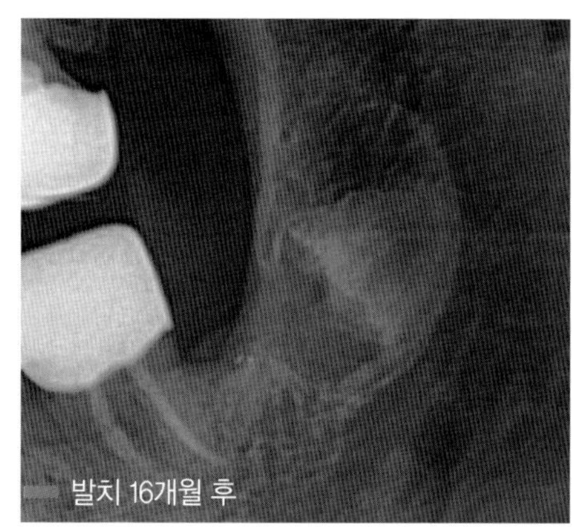
발치 16개월 후

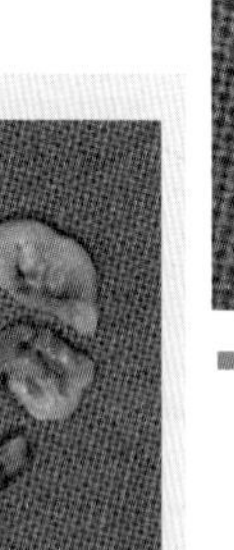
48번 치아 발치당일 제거된 치아 조각

58세 여성 환자로 발치해준다는 치과를 못 찾아서 어렵게 찾아왔다고 하였다. 신경관이 심하게 압박을 받고 있었으며 치관부의 염증이 심하였다. 치관을 위에서부터 단계적으로 제거하였으며, 고령이고 오랜 염증으로 치관의 에나멜마저 하방은 골과 유착(편의상 유착이라고 하였다. 앞서 언급했듯이 협착, 밀착이라는 표현 정도도 좋을 듯)되어 있었다. 대기환자가 많아서 발치를 종결하였다. 사랑니 발치를 시행해준 것 자체로 필자를 매우 신뢰하며 다른 치료도 받기를 원하여 치료를 진행하였으며, 이후 온가족이 치과에 내원하여 진료를 받음으로서 Follow-up 체크를 지속적으로 할 수 있었다.

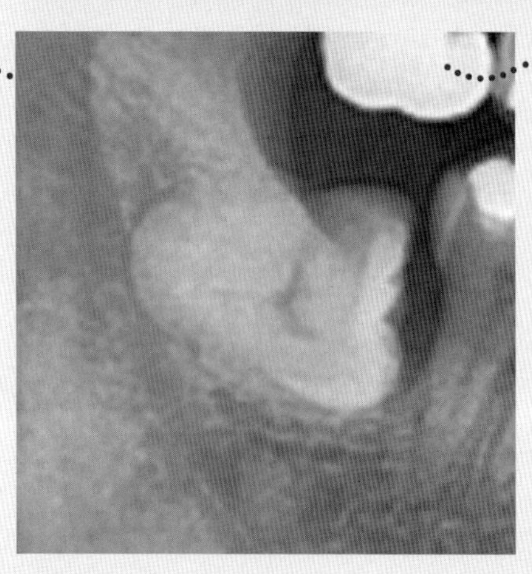

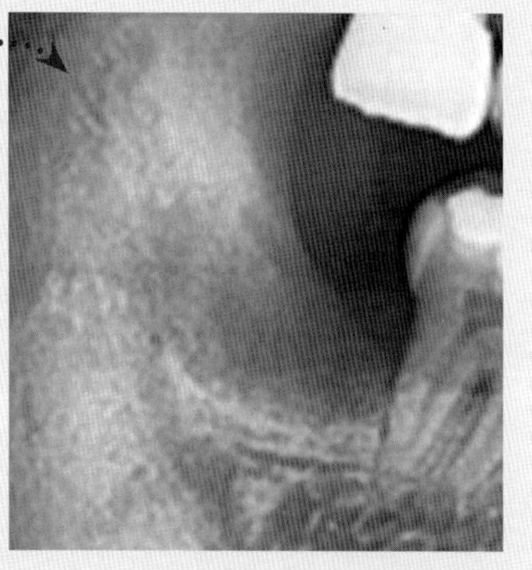

#38번 발치 이후 일반 진료가 종결된 후에 반대쪽(#48) 사랑니 발치를 원하여 시행하였다. 반대쪽 사랑도 치근단에 Youngsam's sign이 보이며, 치관부의 오랜 염증으로 후방으로 많이 밀려 있어서 발치가 쉽지는 않았지만 필자는 모든 발치를 같은 방식으로 진행하기 때문에 10분 내에 종결되었다.

고령환자는 맘 편하게 남기자 2★

CASE 2

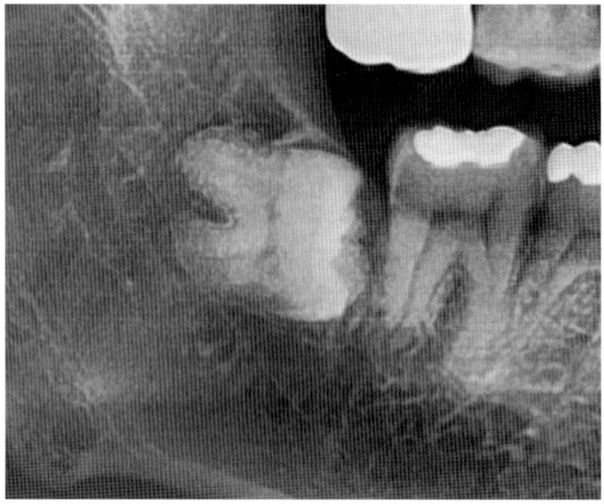

발치 전 파노라마 방사선 사진

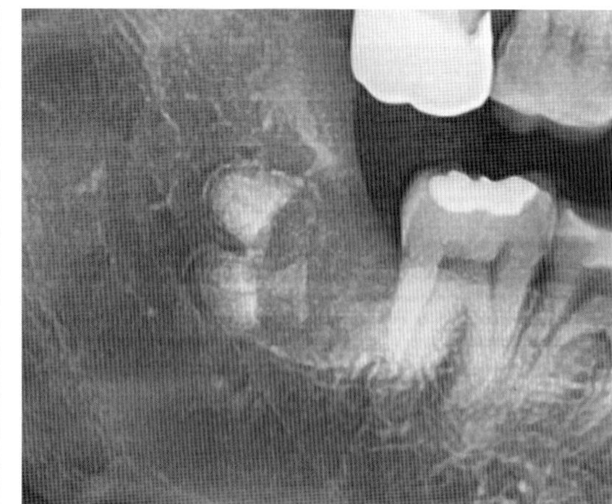

발치 직후 파노라마 방사선 사진

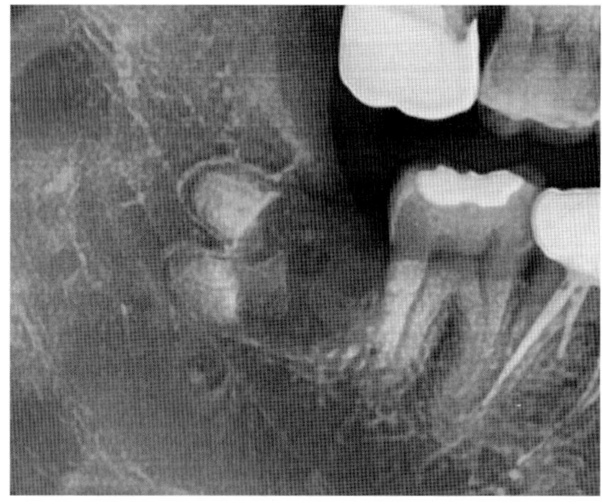

발치 25일 후 파노라마 방사선 사진

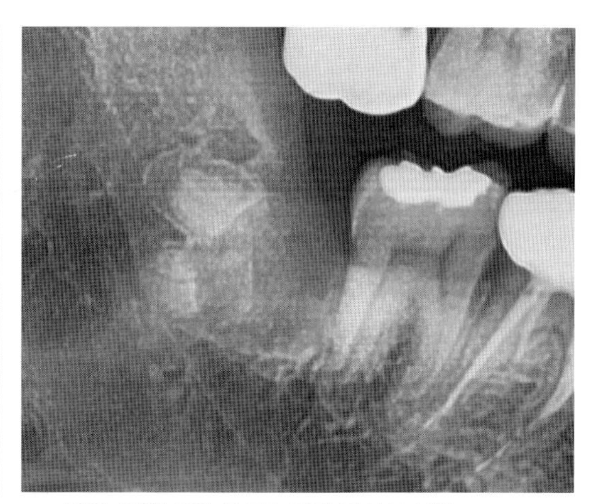

발치 4개월 16일 후 파노라마 방사선 사진

46세 남성 환자로 오랜기간 동안 사랑니 주변 염증으로 고생하다가 내원하였다. 4년 전에 이것보다 더 쉬웠다는 반대쪽 사랑니(38번)를 발치하였는데 너무나 오래 걸리고 발치 후 통증이 심해서 고생하셨다고 한다. 고혈압이 있어서 특히나 발치를 꺼려하셨으나 잦은 염증으로 발치하기로 결심하고 강원도 속초에서 물어 물어서 필자에게 내원하였다. 치근이 치조골과 유착된 듯이 치아가 계속 쪼개지면서 발치되지 않았으며, 사랑니 중간 부분의 설측에 치아 부분이 좀 남아 있으나 출혈 및 통증호소로 치관절제술로 마무리하였다. 현재 내원은 안하고 있으나 유선상으로 전혀 통증없이 잘 지내고 있음을 확인하였다.

고령환자는 맘 편하게 남기자 3★

CASE 3

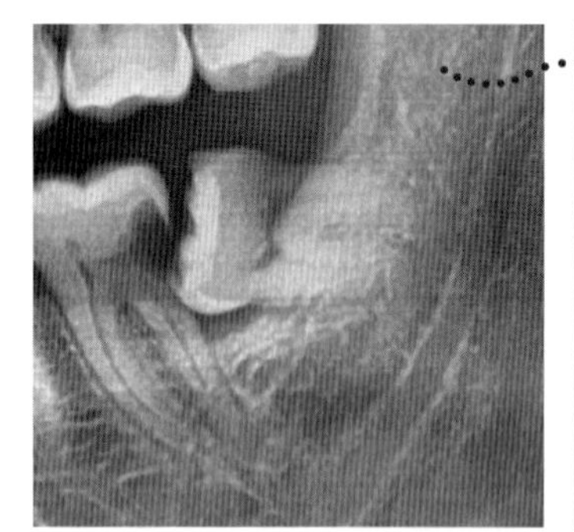

발치 전 파노라마 방사선 사진

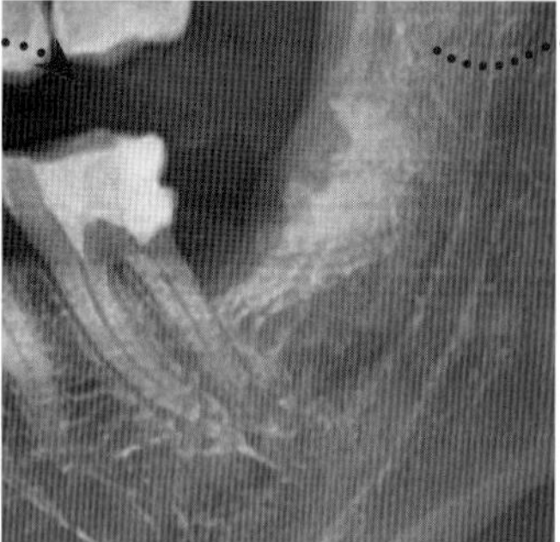
발치 직후 파노라마 방사선 사진

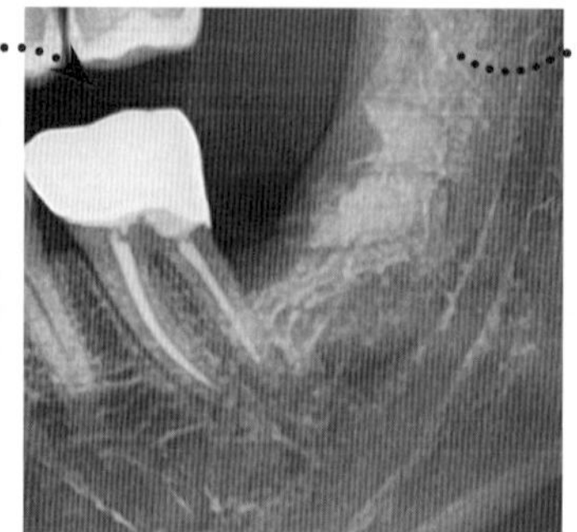
1개월 5일 후 파노라마 방사선 사진

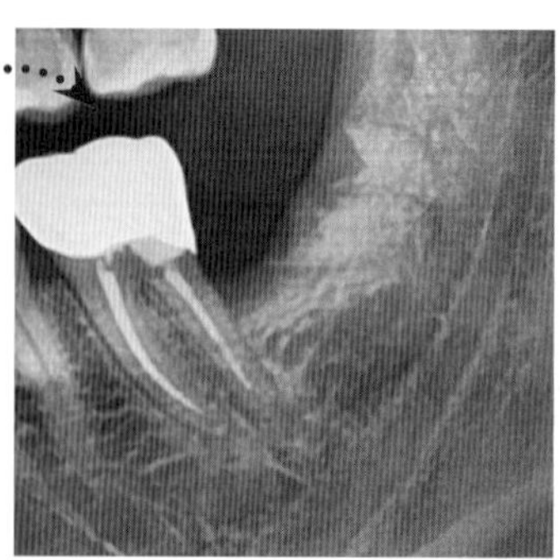
2개월 8일 후 파노라마 방사선 사진

50세 남성 환자로 치아 발치 과정에서 치아가 계속 파절되고 치근의 발치가 용이하지 않았다. 개인적인 친분관계가 있는 환자이고, 치관절제술 케이스를 만들고 계속 체크할 수 있는 환자여서 환자 동의하에 치관절제술을 시행하였다. 치근의 단면이 조금 매끄럽지 못한 점이 아쉬움으로 남으나 연조직으로 잘 덮여 있고 상태 양호하게 지내고 있다.

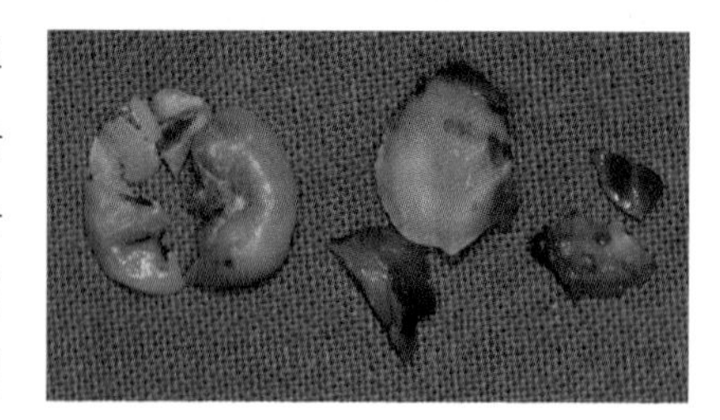

CASE 4

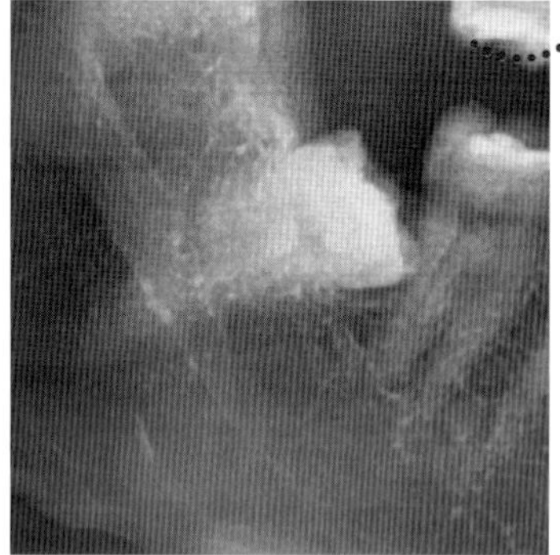
발치 전 파노라마 방사선 사진

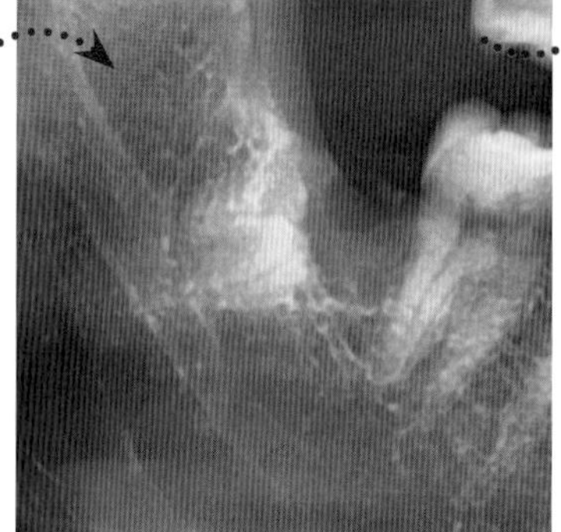
발치 직후 파노라마 방사선 사진

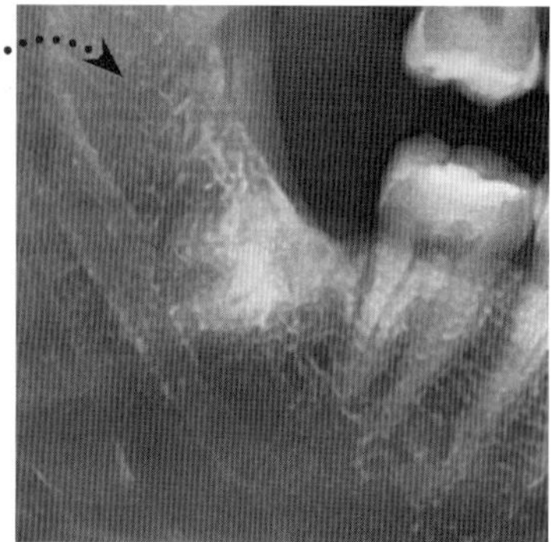
11개월 17일 후 파노라마 방사선 사진

44세 남성 환자로 발치 직후 파노라마 사진과 임상사진이다. 치근이 치조골에 유착되어 있어 보이기도 하고 원심 치근은 Youngsam's sign도 보인다.

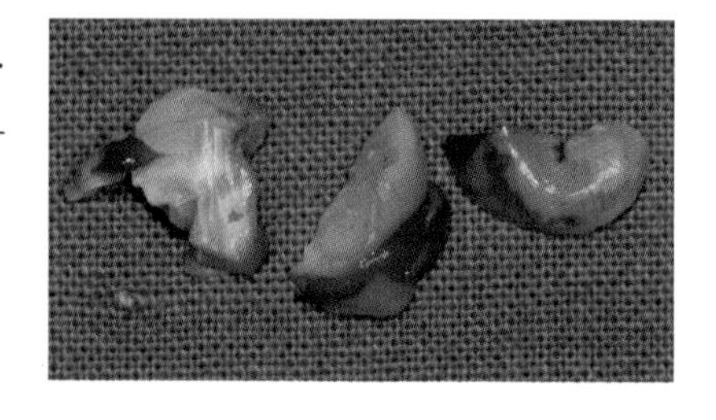

03
리콜되지 않는 의도적 치관절제술 1 ★

CASE 1

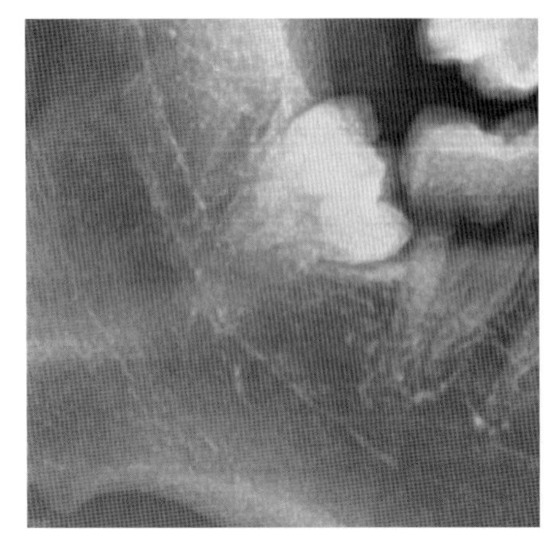
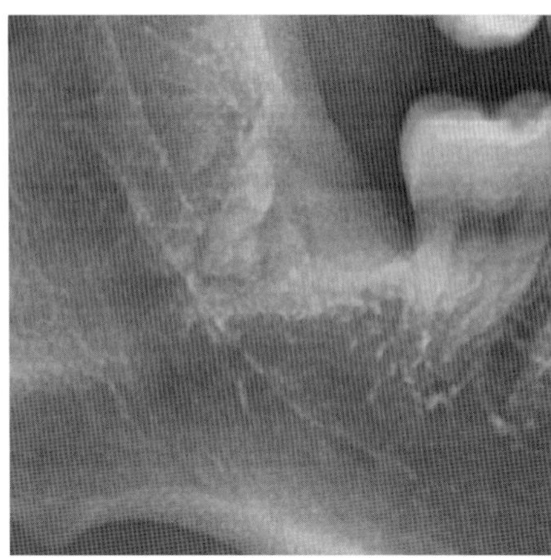
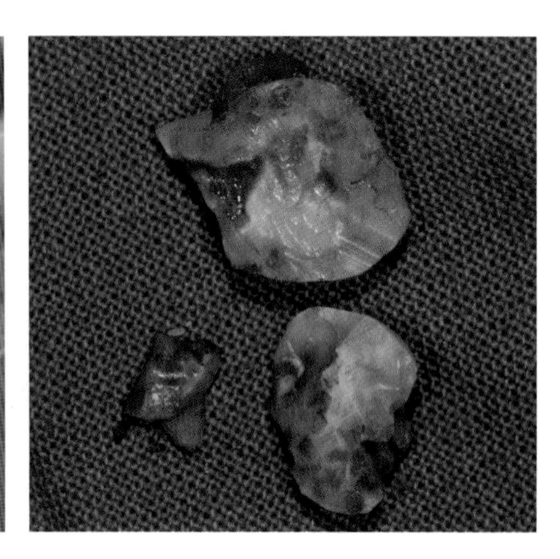

26세 남성으로 발치 전과 3개월 뒤 파노라마 방사선 사진으로 양쪽에서 치근이 흐려지는 것과 약간의 Youngsam's sign이 보인다. 이런 치아는 치근이 여러 개고, 그 중 하나가 설측에 박혀 있을 것으로 예상해본다. 발치한 사진에서도 작은 치근 하나(ML)는 발치된 것을 볼 수 있다.

CASE 2

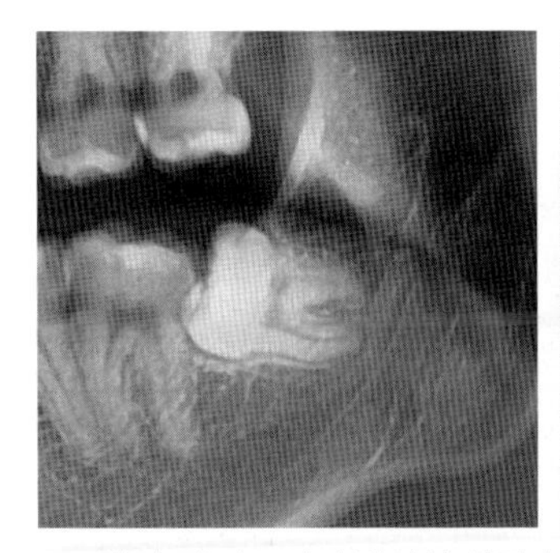
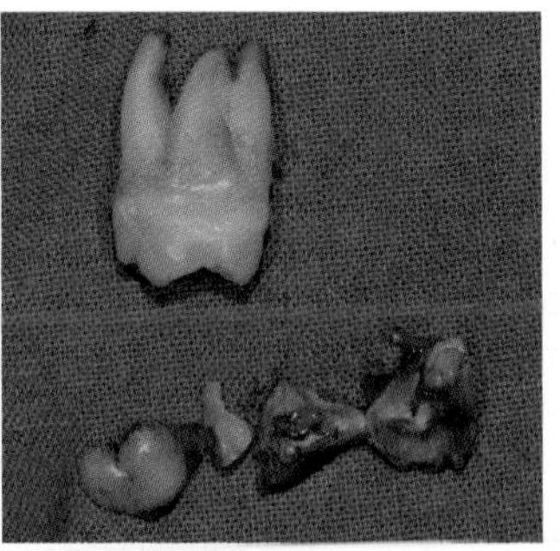

발치 전 파노라마 방사선 사진과 발치한 사랑니의 임상사진이다.

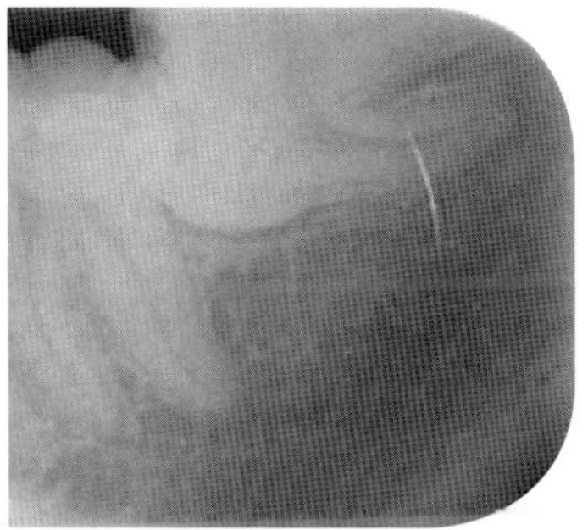
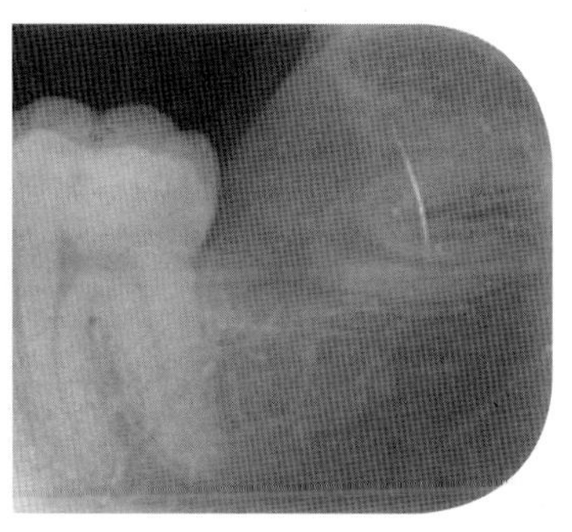

발치 전 표준촬영과 발치 2일 후 소독하러 왔을 때 표준촬영 사진

22세 남성으로 의도적 치관절제술 케이스들의 리콜이 원활하지 않아서 의도적으로(?) 의도적 치관절제술을 시행하였다. 그러나 이 환자도 봉합사 제거 후 아직 재내원하지 않고 있다. 심지어 봉합사 제거하러 오지도 않는 경우도 많으니, 봉합사라도 제거하러 온 것은 그나마 다행이라고 생각해야겠다. 필자의 치과가 도심에 있다 보니, 대부분 멀리서 날잡고 오시는 분들이 많아서 본인 주소(C/C) 해결이 끝나면 거의 오지 않는다. 그래서 일부러 좀 더 많은 케이스를 시행하고 있다. 굳이 안 뽑아도 되는 것들을 뽑으려고 노력하지는 않고, 안전하게 치관절제술을 시행하려고 노력한다. 일부러 하는 거 아니면 전체 발치의 0.2% 이내이다.

리콜되지 않는 의도적 치관절제술 2 ★

CASE 3

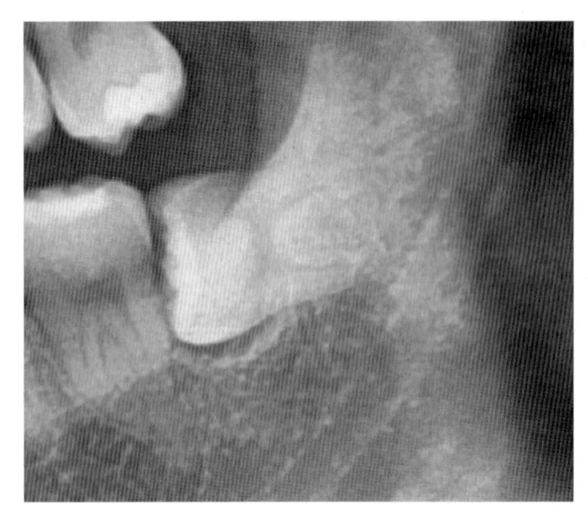

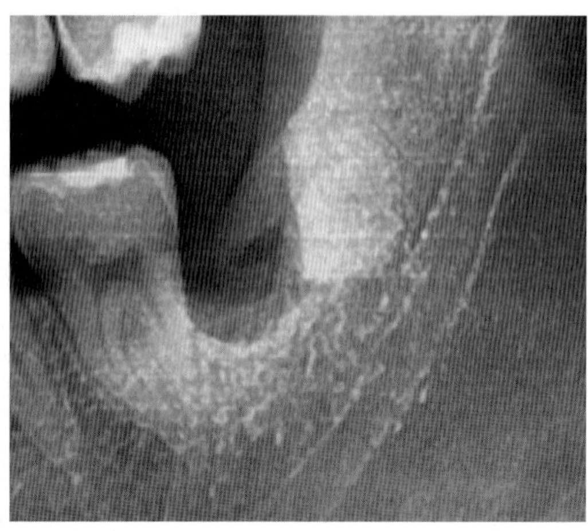

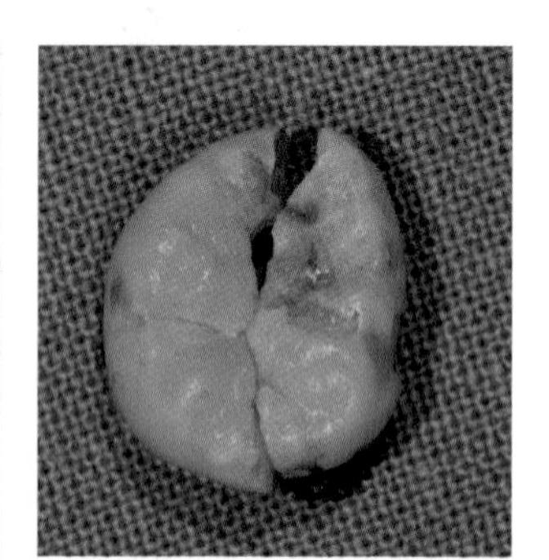

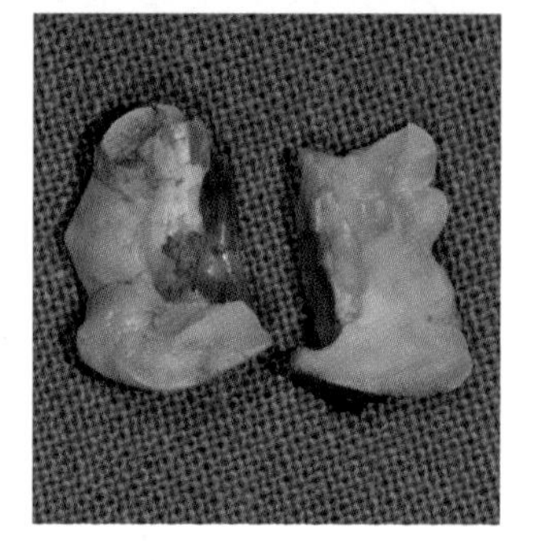

치관절제술 환자의 리콜이 원활하게 진행되지 않아서, 의도적 치관절제술을 몇 케이스를 몰아서 시행하는 것을 몇 번 하였는데, 가장 최근인 2017년 초에 시행한 것이다. 30세 남성 환자로 발치 전과 발치 7일 후 파노라마 사진이다. 앞장에서 다뤘듯이 치관부에 염증이 심해서 치근이 치조골에 유착된 케이스이다. 필자가 치관부 제거를 위해서 자주 사용하는 세로로 나누기한 모습이다. 이러한 내용은 수평 매복치에서 다룰 것이다. 그런 이유로 이 책을 대충 보더라도 두 번 이상 보라는 것이다. 뒷부분을 읽고 나면 앞부분에서 그냥 지나쳤던 사진들도 다시 보이게 될 것이다.

CASE 4

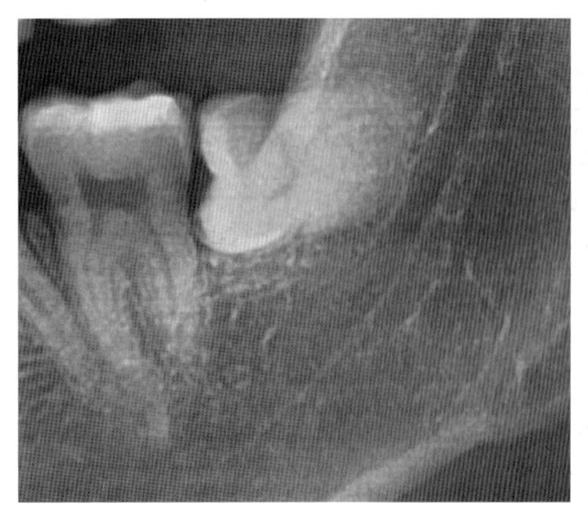

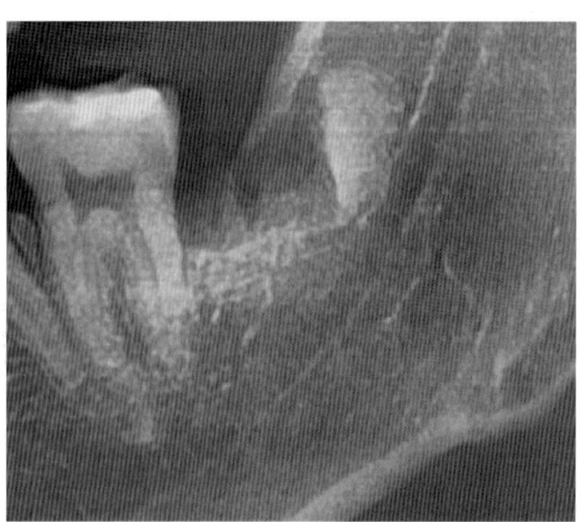

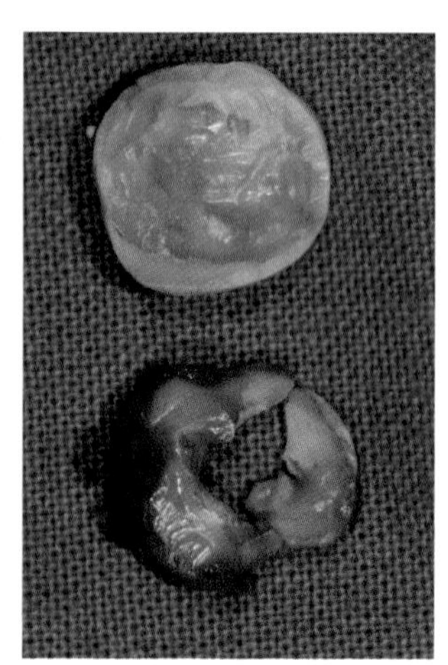

36세 남성 환자로 발치 전과 직후의 파노라마 방사선 사진과 임상사진이다. 비슷한 시기에 같은 두 가지 의도를 가지고 시행한 의도적인 의도적 치관절제술이다. 그러나 봉합사 제거 후 내원하지 않고 있다.

리콜되지 않는 의도적 치관절제술 3★

CASE 5

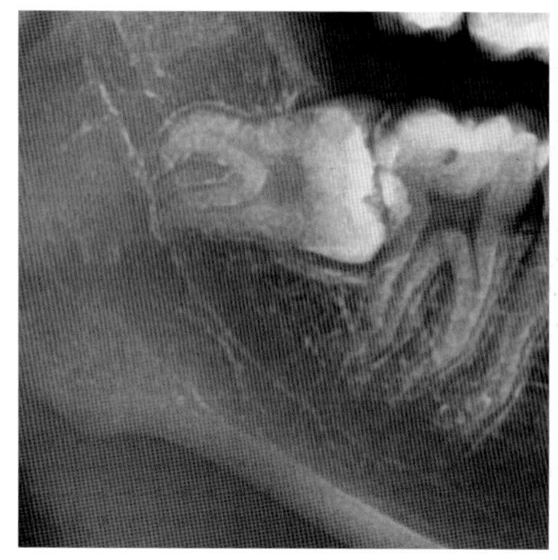
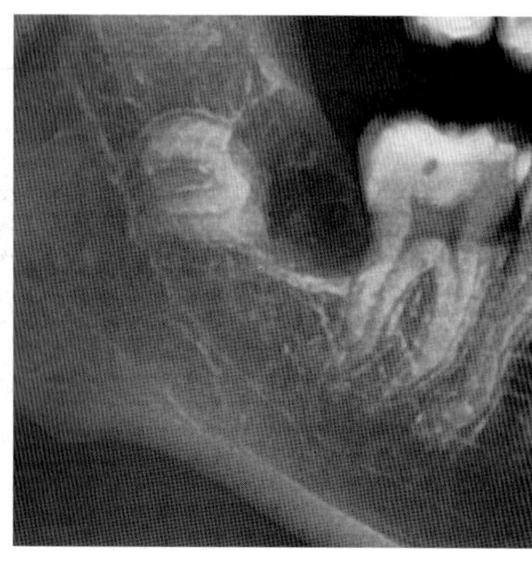
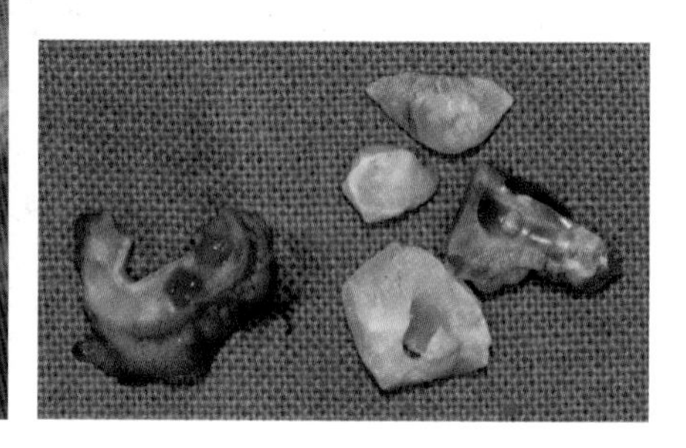

25세 남성으로 같은 이유로 치관절제술을 시행하였으나 재내원을 하지 않고 있다. 충치치료도 권하였으나 가까운 동네치과를 다닌다며 내원하지 않는다. 그래도 상태는 양호하다.

CASE 6

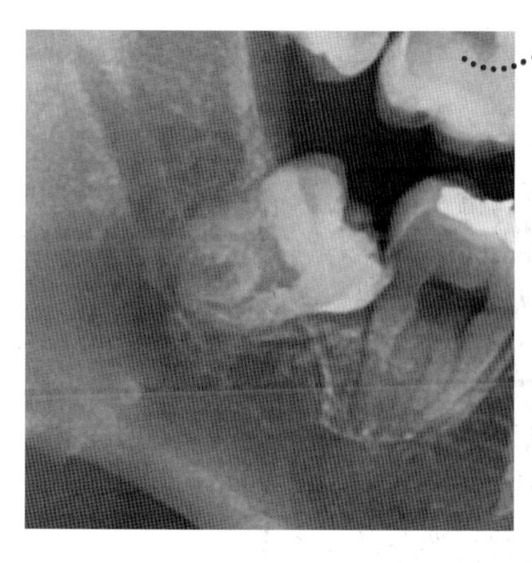
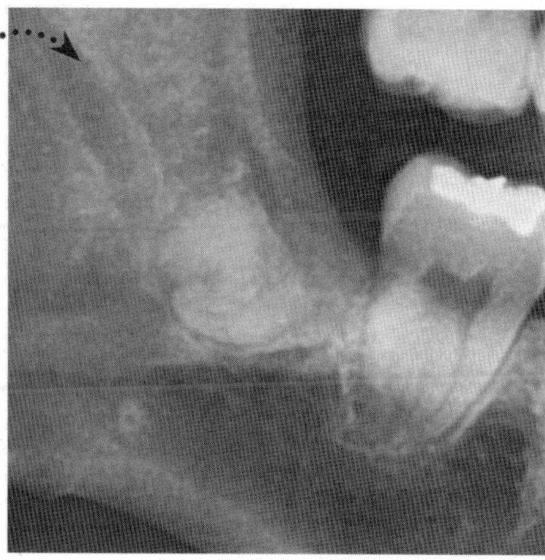
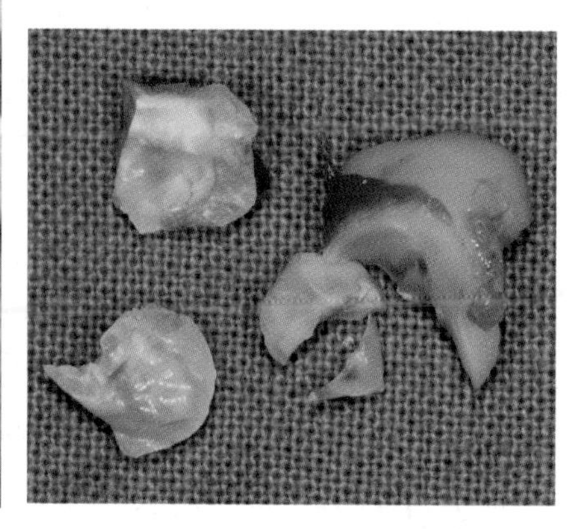

30세 남성 환자로 발치 전과 직후의 파노라마 방사선과 임상사진이다. 지방에서 올라와서 무조건 당일발치를 원하여 오래 기다렸다가 발치를 한 케이스이다. 사진은 발치 전과 직후 사진이며 원심치근에 다크 밴드가 살짝 보이지만 계속 발치하려 하였으나, 환자가 막차 시간이 다 되었다고 하여 진료를 여기서 마무리한 케이스이다. 문자로만 괜찮다고 답할 뿐 2년째 리콜되지 않고 있다.

의도적 치관절제술

상악 매복치

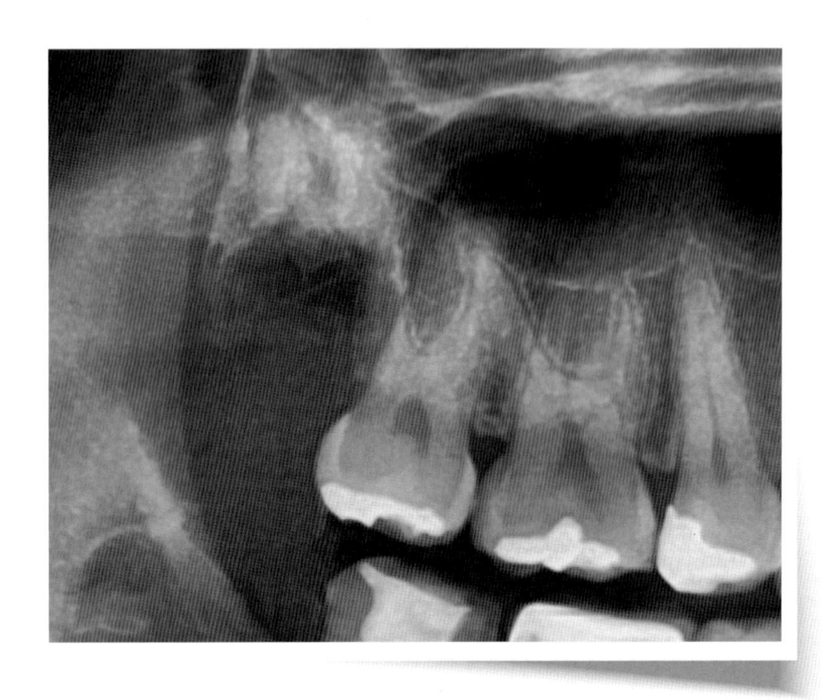

제목은 상악 매복치라고 하였지만 사실 매복치가 아닌 경우가 더 많을 것이다. 오히려 상악 완전매복치의 경우는 플랩을 확실히 열고 치조골 삭제를 하기 때문에 치근을 남기는 경우가 거의 없다.
필자의 경험을 요약하면... 상악 사랑니에서 치근이 부러졌고 그 치근이 치조골 내에 위치한다면 굳이 제거하려고 노력하지 말라는 것이다. 특히나 초보자는 시도하지 말아야 한다. 잘못된 방식으로 시도하면 치근이 상악동으로 밀려 들어가서 최악의 상황을 만들 수도 있기 때문이다. 또한 하악처럼 하이스피드 핸드피스를 자유롭게 사용하기도 어렵고, 스트레이트 로스피드 핸드피스도 사용이 쉽지 않기 때문이다. 그래서 익스플로러 정도로 쉽게 제거되지 않는 경우라면 치근을 그대로 두는 것도 고려해봐야 한다. 어쨌든 상악 사랑니 발치는 대부분 쉽기 때문에 크게 다루지는 않겠지만, (정말 뽑아야 하는데) 발치가 되지 않으면 그때 치관절제술을 고민해보자. 물론 이 또한 초보자에게는 쉽지 않다.

01
상악 사랑니의 의도적 치관절제술 1 ★★

CASE 1

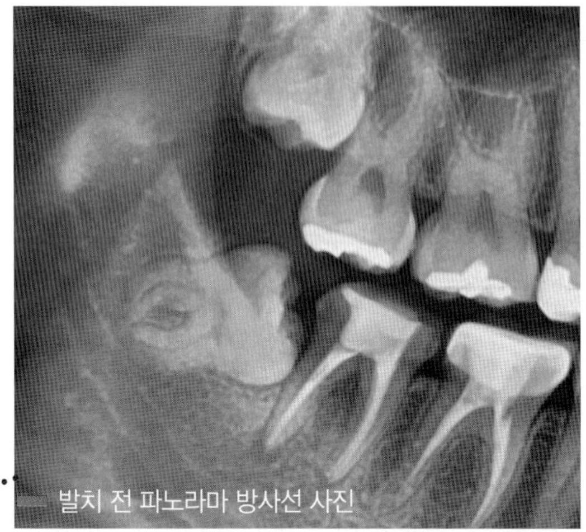
발치 전 파노라마 방사선 사진

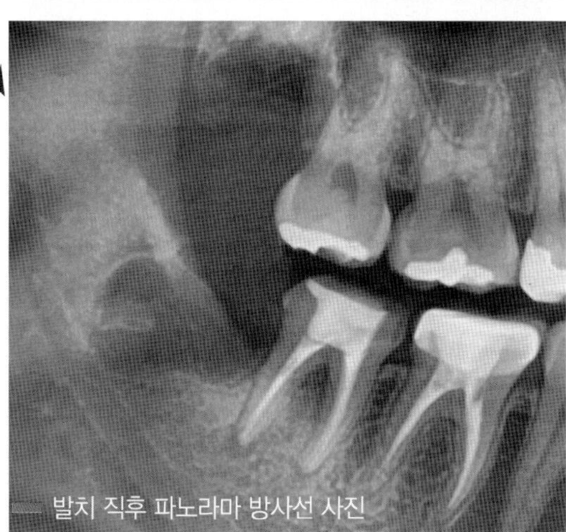
발치 직후 파노라마 방사선 사진

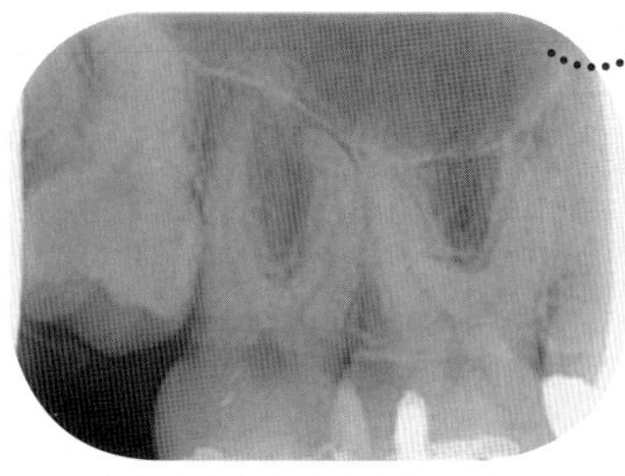
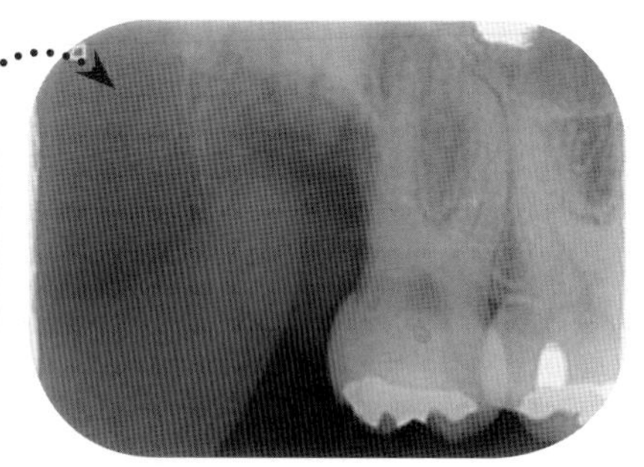
상악 사랑니의 치관절제술 전후 표준촬영 방사선 사진

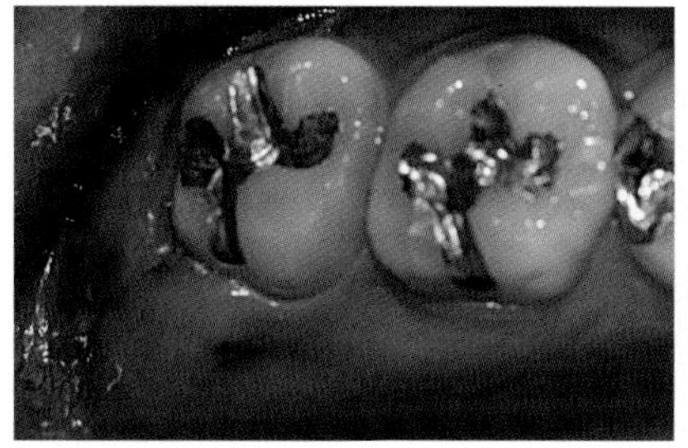
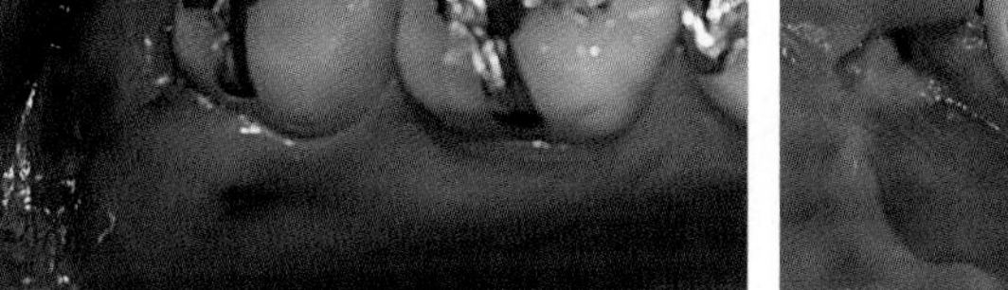
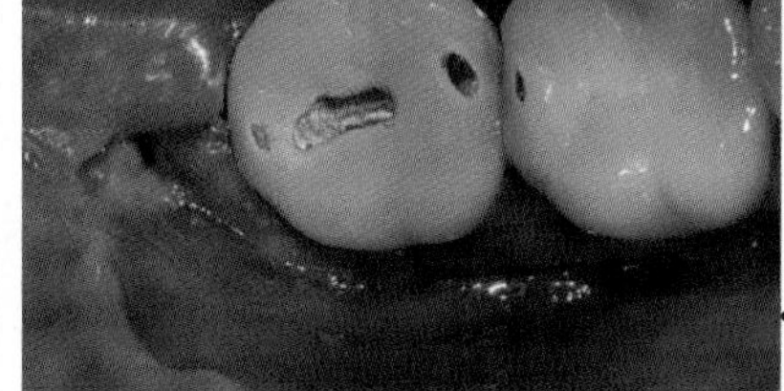
발치 전 각각 상하악 임상 사진

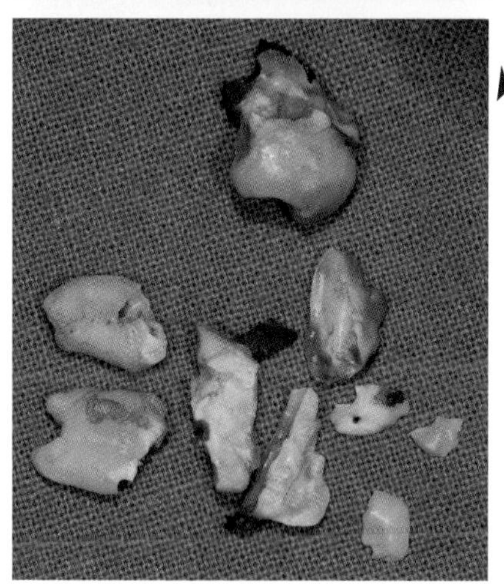

28세 여성으로 며칠 후에 미국으로 유학을 가는데, 사랑니 발치를 하고 가야한다고 해서 타 치과 원장님으로부터 의뢰가 온 케이스이다. 타 치과 원장님 본인도 구강외과 의사라고 하였는데, 본인은 너무 바빠서 사랑니 뽑을 시간이 없어서 의뢰하였다고 한다. 사진만 보면 믿기지는 않지만, #47번 크라운은 최근에 제작했으며 임시로 접착된 상태에서 내원하였다. 임시접착이라 발치 전에 제거하고 발치를 하였으며, 치근단에 Youngsam's sign도 약하게 보이고 발치가 쉽지 않아서 매우 오래 걸렸다. 상악 발치는 굳이 필요 없을 거 같다고 하였지만, 미국은 사랑니 빼는 비용이 너무 비싸니 필요 없어도 여기서 빼달라고 하여 발치를 시도하였다. 이미 아래 사랑니 발치하느라 시간을 많이 보낸 뒤라 밖에 기다리는 환자들이 많아서 치관부를 제거하고 마무리하였다. 필자가 의도한 첫 번째 상악의 의도적 치관절제술로 미국으로부터 전해들은 이야기로는 불편함은 없다고 한다.

상악 사랑니의 의도적 치관절제술 2 ★

CASE 2

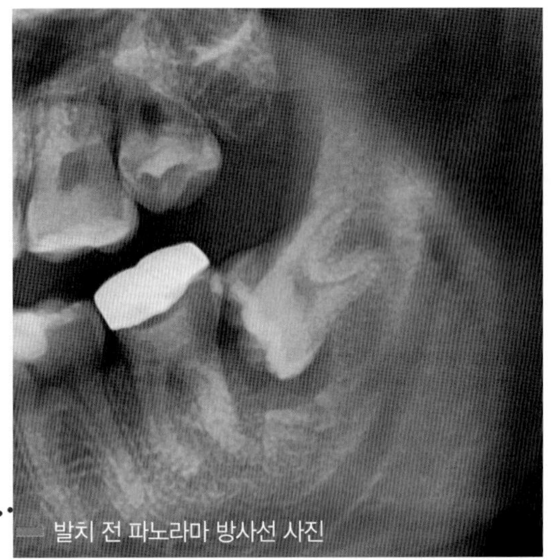
발치 전 파노라마 방사선 사진

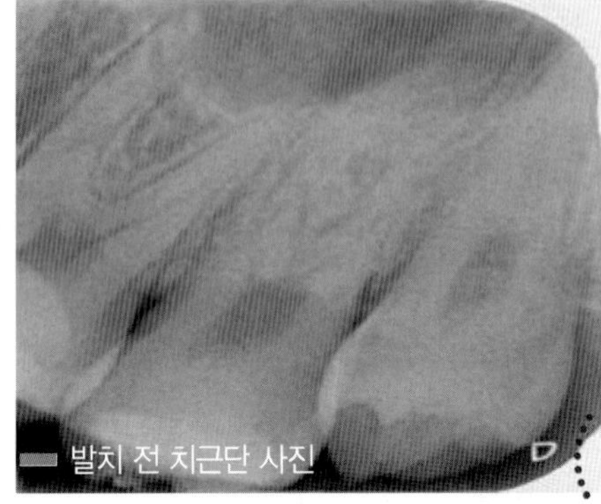
발치 전 치근단 사진

이 케이스는 앞서 chapter에서도 나오는 케이스이다. 앞서도 언급했지만, 필자에게 기억에 남는 케이스라 뒤에 수평 매복치 발치에서 또 나오기도 한다. 자 여기서는 왜 이 케이스를 보여주는지 보자.

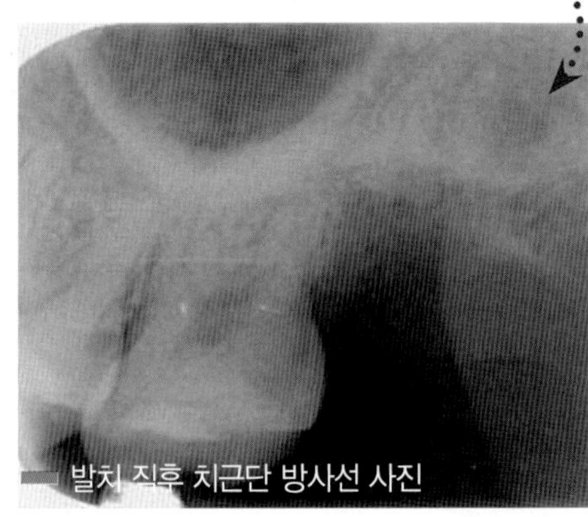
발치 직후 치근단 방사선 사진

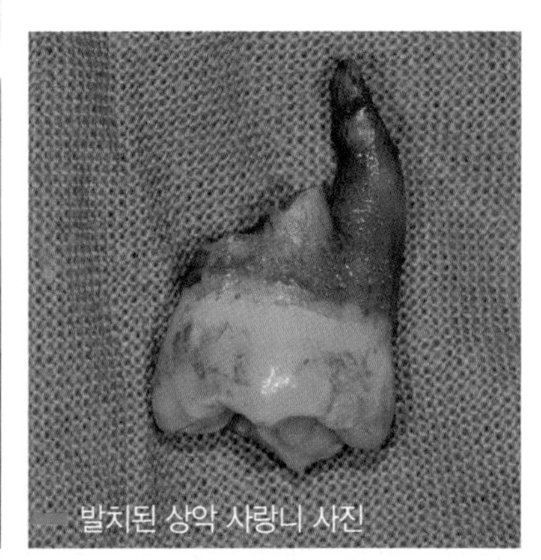
발치된 상악 사랑니 사진

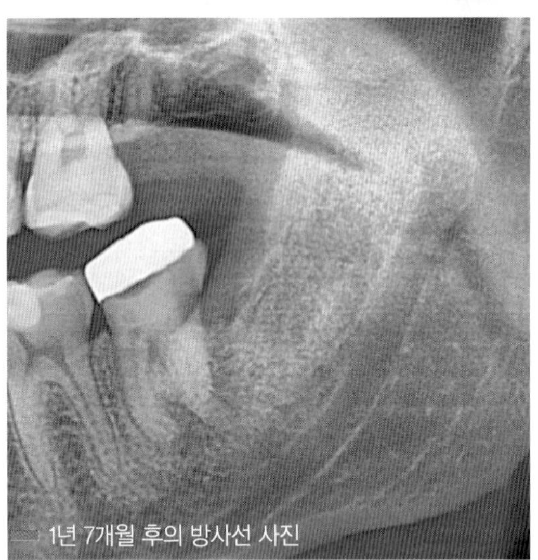
1년 7개월 후의 방사선 사진

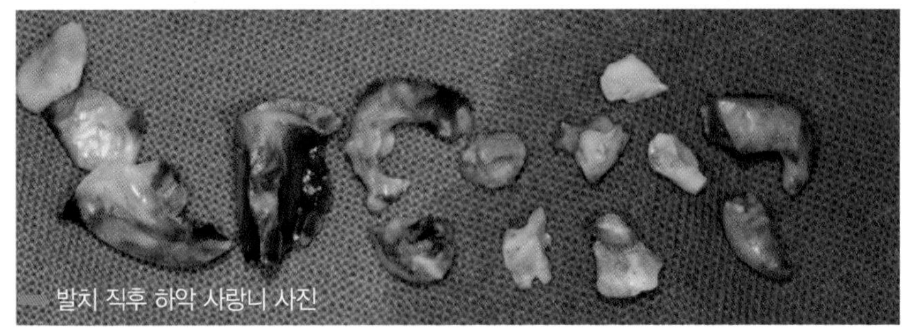
발치 직후 하악 사랑니 사진

27세 남성 환자로 동생과 함께 멀리서 오로지 사랑니만 뽑기 위해서 내원하였다. #38번 치아는 치관 주위 염증으로 치아 전체가 후방으로 많이 밀려서 골 유착도 심하고, 치근이 만곡되어 발치가 쉽지 않았다. 2015년 사랑니 발치 중 가장 오래 걸린 사랑니로 기록되었다. 그 후로도 이보다 오래 걸린 사랑니는 없었다. 2015년에는 필자 혼자 근무했기 때문에 환자가 너무 많이 기다리고 있었지만, 자존심에 38번 사랑니를 끝까지 모두 발치하였는데, 이제 상악 사랑니는 간단히 뽑히겠지... 하고 발치를 했는데 치근이 부러져버렸다. 치근이 부러졌어도 밖에 대기환자가 너무 많아서 더이상 발치를 더 이상 진행할 수 없었다. 그래서 환자 동의하에 치료를 종결하였다. 상악 치근 체크를 위하여 재내원을 유도하였으나, 멀리 있어서 오기 힘들다며, 1년 7개월만에 타 치과에서 찍은 파노라마 방사선 사진을 메일로 보내왔다. 상악 사랑니의 치근은 특이소견 없이 그 자리에 그대로 잘 위치하고 있으며, 더 신기하게도 아래 사랑니 뽑은 자리가 의외로 매우 회복이 잘 되어 있다.

상악 사랑니의 의도적 치관절제술 3 ★

CASE 3

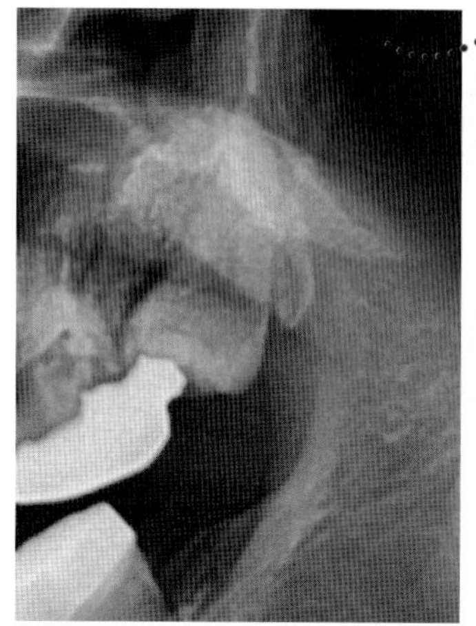
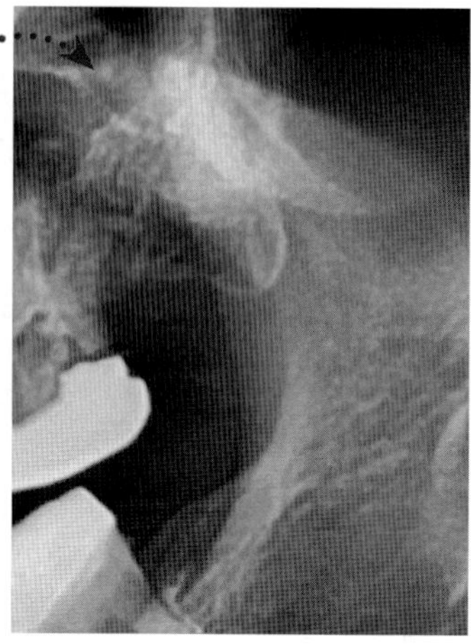

발치 전과 발치 2일 후의 파노라마 방사선 사진

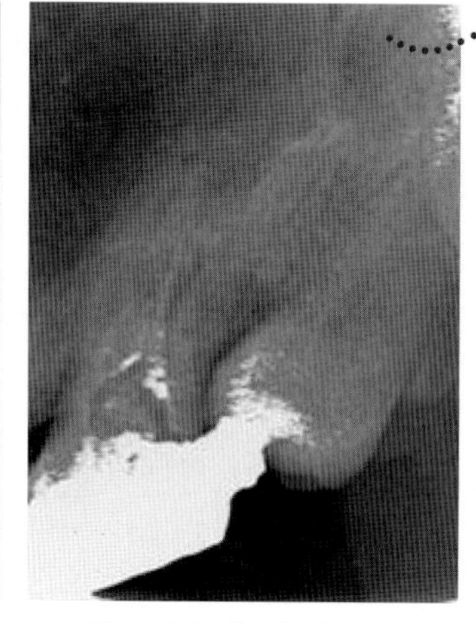
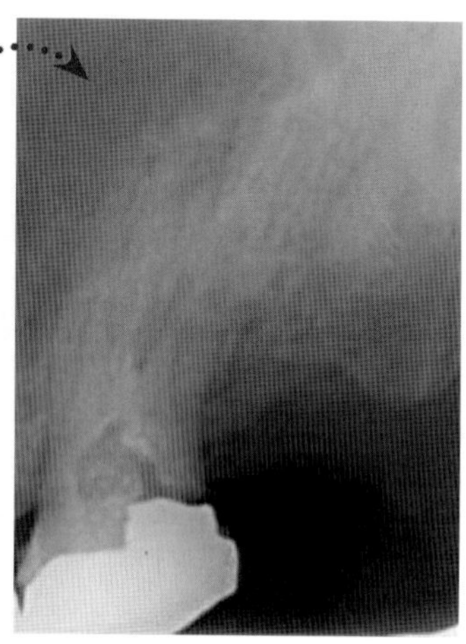

발치 전과 직후의 치근단 사진

29세 여성 환자로 보통 이런 경우의 상악 사랑니는 로스피드 핸드피스로 협측에서 접근하는데, 필자가 주로 하이스피드를 쓰다보니 직원이 하이스피드로 준비해서 그냥 그대로 발치하였다. 아마도 사랑니 상부의 아말감 제거가 필요해서 였던 듯하다. 로스피드로 했다면, 협측에서 치경부를 삭제해서 치관을 제거했겠지만 하이스피드라 하악 매복치 발치와 같은 방식으로 진행하였다. 보통 상악에는 하이스피드를 안 쓰지만 플랩을 형성하지 않는 경우에는 이렇게 매우 가끔 쓴다. 이 부분은 상악발치에서 다루기 때문에 여기서는 넘어간다.

치관이 발치되지 않고 파절되어 발치를 그 상태로 종결하였다. 발치 후에 #27번 원심면의 오버 필링된 아말감도 모두 제거해 주었다. 해피콜 결과 상태는 양호하나 재내원은 하지 않고 있다. 아마도 아말감이 없었다면, 치아 삭제 없이 엘리베이터로만 발치했을 듯하다.

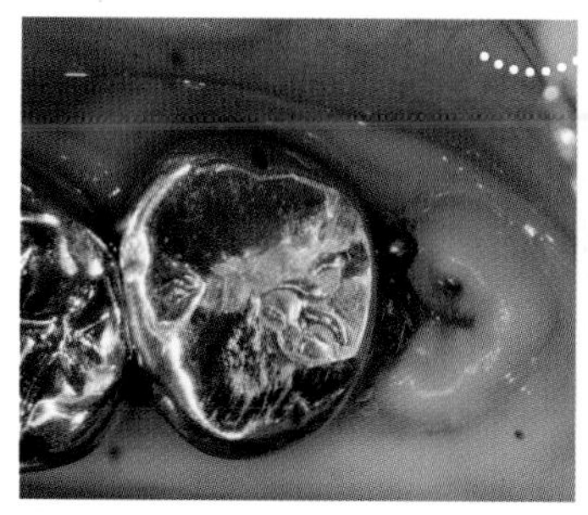
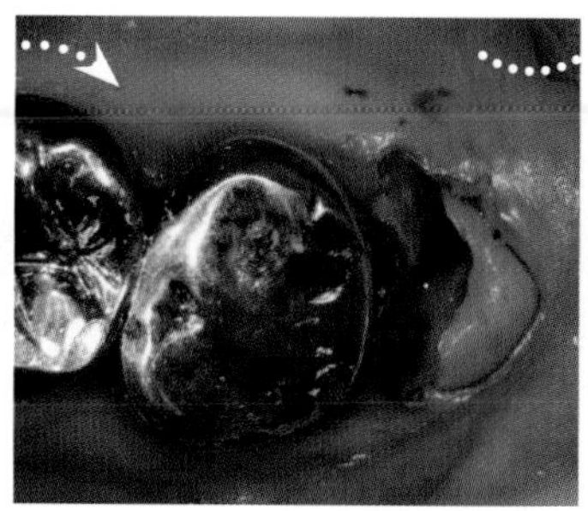
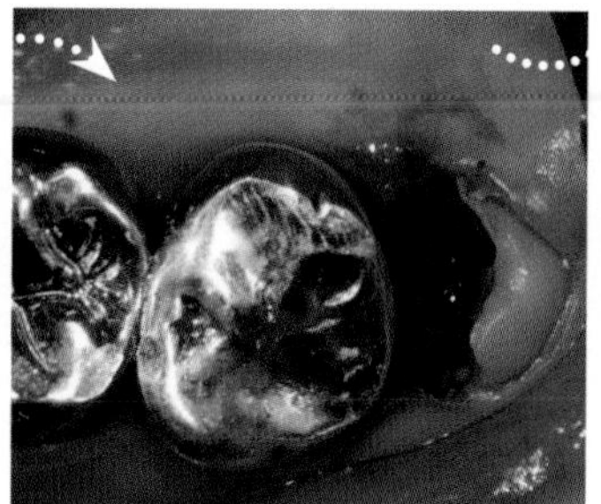
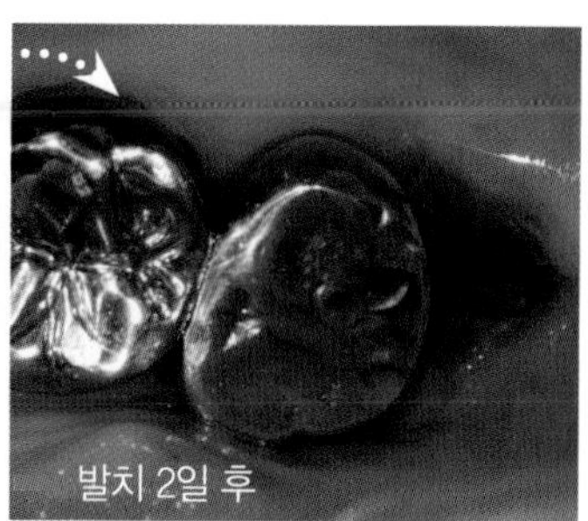

발치 과정의 임상사진이며, 최종 마무리 사진은 소독하러 내원한 2일 뒤에 촬영하였다.

상악 사랑니의 의도적 치관절제술 4 ★

CASE 4

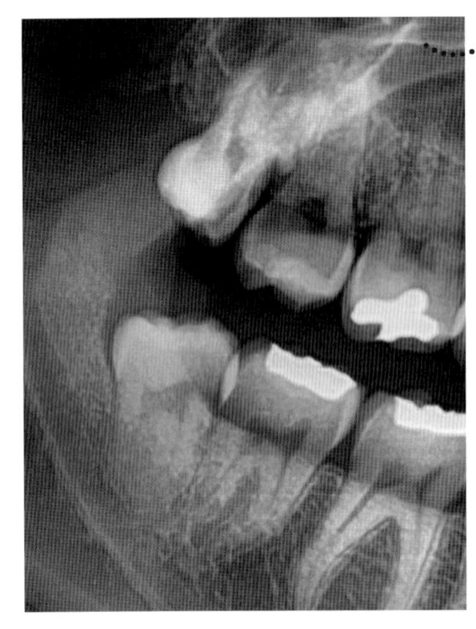

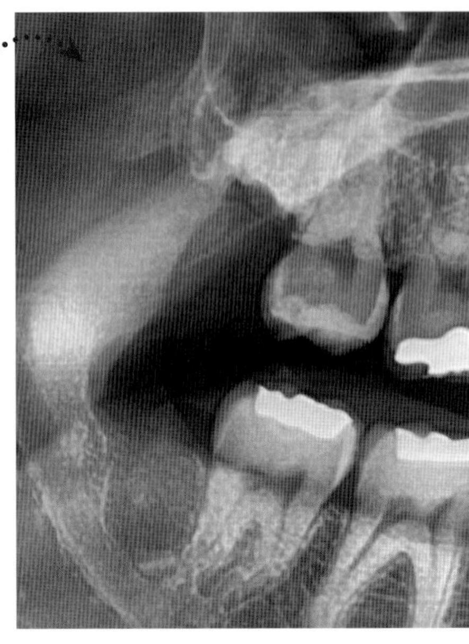

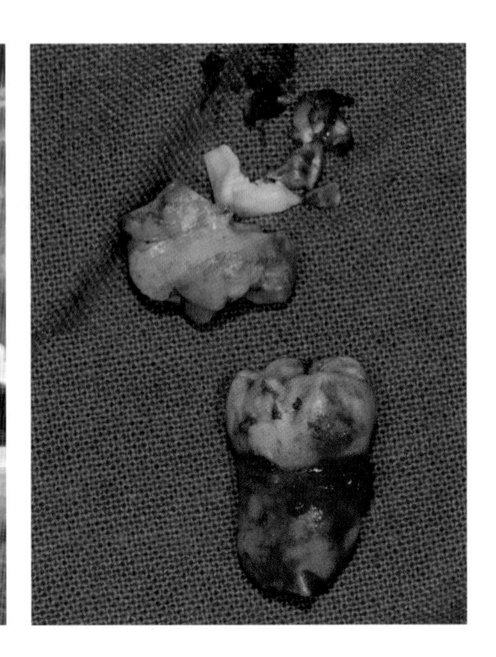

29세 남성으로 상악 치관이 기형적으로 크고, 설측에 또 다른 치아가 하나 더 붙은 형태이다. 임상 사진에서 보듯이 협설로 매우 크기가 크며, 포셉으로 제대로 잡히지도 않았다. 치근도 다근치로 만곡이 심하였다. 발치가 원활하지 않아서 45도 핸드피스로 치관 제거 후 경과를 지켜보기로 하였다. 치관절제술 직후 파노라마 방사선 사진을 찍어서 상악 사랑니 상태를 확인하였다. 하악에도 살짝 치근단 팁이 파절된 걸 볼 수 있다. 재내원을 하지 않고 있다.

의도적 치관절제술 후 잔존 치근의 제거 ★★★

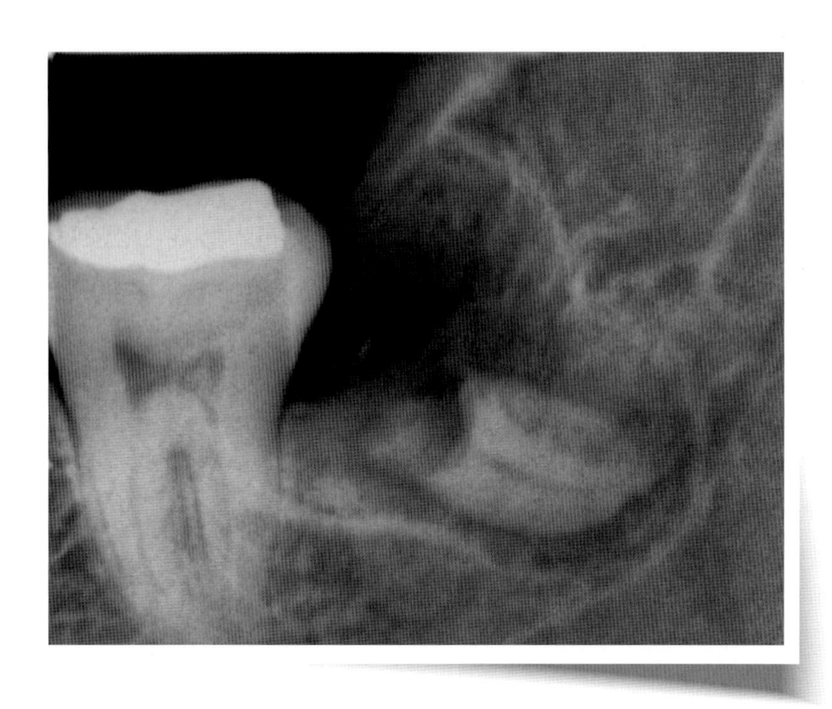

의도적 치관절제술을 시행하는 목적에는 두 가지가 있다.
첫 번째는 잔존 치근을 제거하는 것 자체가 너무 위험하므로 그대로 치조골 내에 묻어두기 위한 것이고, 두 번째는 잔존 치근을 지금 제거하는 것이 적절하지 않다고 생각하여 훗날 제거하기 위하여 우선 치관만 잘라내는 경우이다. 이런 경우는 잔존 치근부를 안전하게 제거하기 위하여 교정력을 이용하거나 특별한 조치를 취하기도 한다.
그러나 올바른 의도적 치관절제술이라면 치관부를 제거하고 예후를 관찰하여 문제가 되는 경우에만 치근을 제거하여야 한다. 어차피 문제가 되는 경우는 대부분 사랑니가 제거 하기 쉬운 곳... 다시 말해 안전한 곳까지 올라온 경우이므로 제거도 쉽게 할 수 있다.
그렇다면 잔존 치근이 문제가 안되어 계속 치조골 내에 그대로 두는 것과 나중에 문제가 되어 잔존 치근을 제거한 경우 모두 성공한 의도적 치관절제술이라고 할 수 있을 것이다.

01
치관절제술 후 잔존 치근의 제거 1 ★★

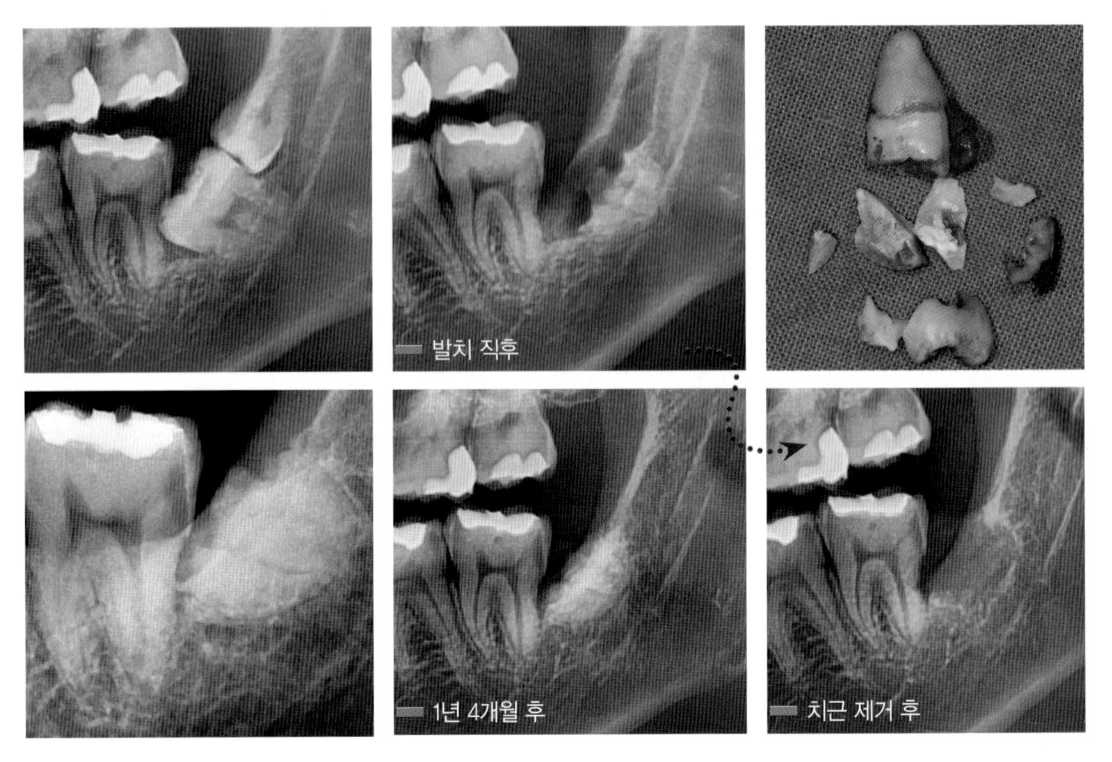

33세 남성으로 내원 당일 제3, 4대구치 모두를 발치하기로 하였다. 먼저 과잉치인 제4대구치를 발치하였으며, 사랑니인 제3대구치의 치관부를 제거 후 치근의 제거가 쉽지 않았고, 환자가 통증을 호소하여 치관절제술로 마무리하기로 하였다. 봉합사 제거 때까지 아무 이상소견이 없었으며, 술자도 환자도 모두 만족하였다. 그러나 리콜에 응하지 않던 환자가 1년 4개월 후에 사랑니 뽑은 부분이 불편하다며 재내원하였다. 파노라마 방사선 촬영 결과 치근부가 상방으로 많이 밀려온 것을 볼 수 있다. 재내원 당일 남은 치근을 제거하였는데, 이 또한 쉽지 않았다. 이 치근의 제거를 또 하나의 발치처럼... 평소보다 좀 더 어려운 발치처럼 진행하였다. 그후 1년 이상 지난 지금 환자는 전혀 불편감 없이 잘 지내고 있다. 이것이야말로 성공한 치관절제술이 아닌가 생각해본다.

그러나 왜 여기서 치근이 외부로 나오게 되었는지 고민은 해봐야 한다. 바로 제 4대구치 때문이라고 본다. 남은 치근이 건전한 치조골에 의하여 둘러싸여 있어야 하는데 제4대구치 뽑은 자리 때문에 연조직에 노출되어 천천히 위로 올라온 것이라고 추정해본다.

처음 발치 시 왜 제거가 쉽지 않았는지는 제거된 치근의 모양을 보면 알 수 있다. 엉덩이 모양의 치근이 가장 어렵다.

치관절제술 후 잔존 치근의 제거 2 ★★

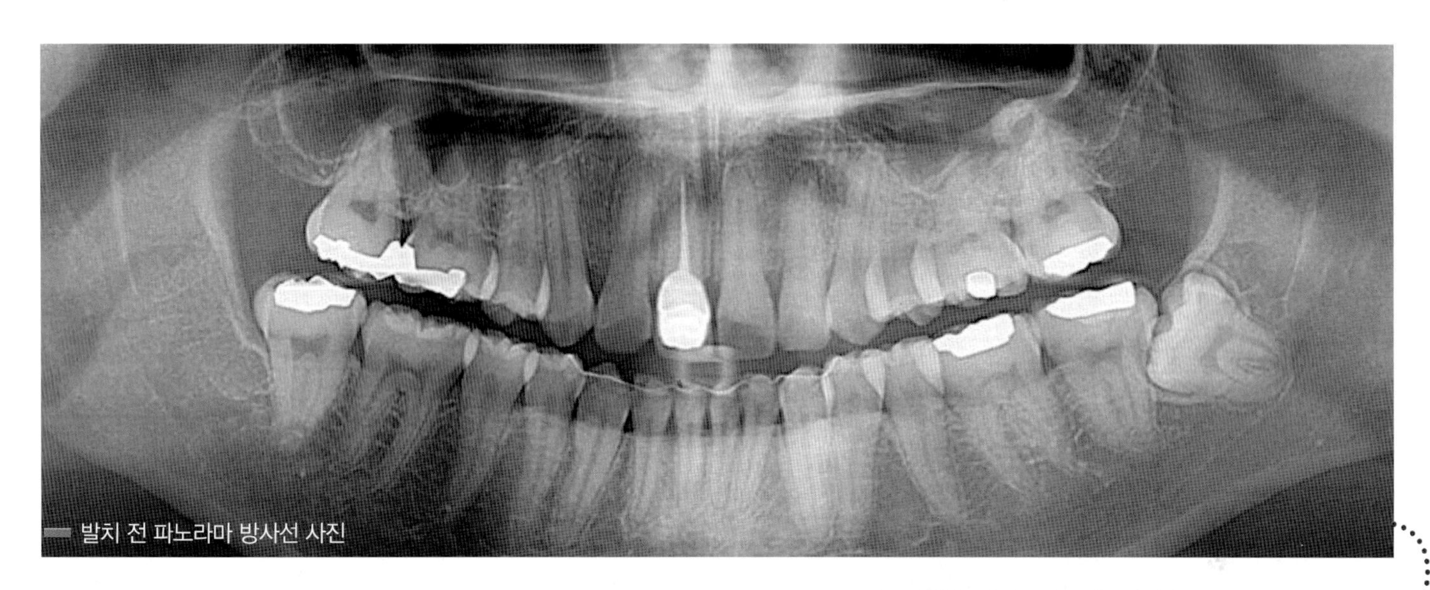

발치 전 파노라마 방사선 사진

20대 후반의 여성 환자로 치과와 거래하는 치과기공소의 직원이다. #38번 발치를 주소로 내원하였다. 굳이 불편하지는 않지만 발치를 원한다고 하였다. 왜 하필이면 나를 찾아왔냐고 하니까, 반대쪽 사랑니를 너무 잘 빼줘서 찾아왔다고 한다. 반대쪽 사랑니의 엑스레이를 찾아보니 굳이 저기는 왜 뺐을까 하는 생각도 들었다.

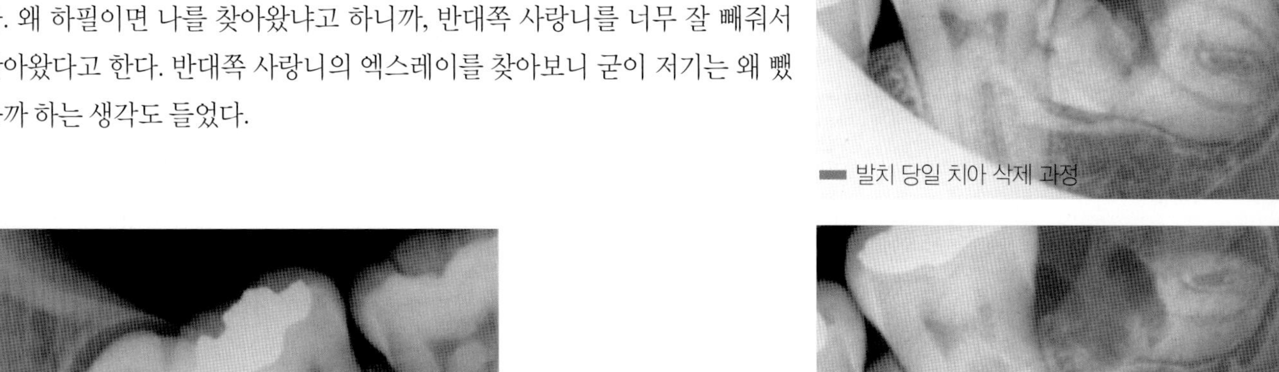

발치 당일 치아 삭제 과정

발치 당일 치아 삭제 과정

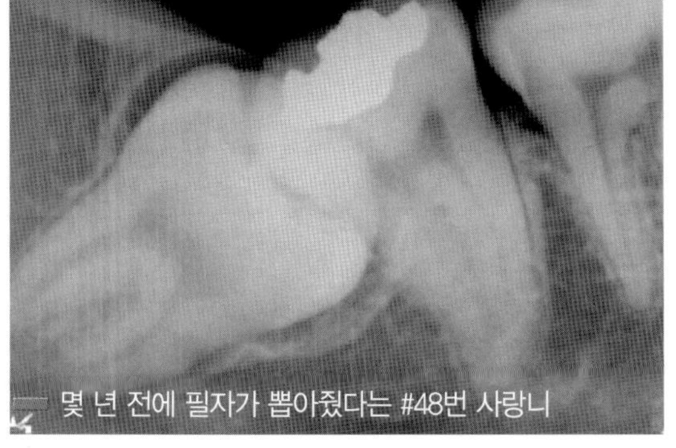

몇 년 전에 필자가 뽑아줬다는 #48번 사랑니

발치 당일 환자가 너무 밀려서 근심 치근이 남아 있지만, 치근을 조금만 건드려도 환자가 통증을 호소하기도 하고, 기공소 직원이다 보니 다른 환자를 보기 위해 양해를 구하고 다음에 발치해주기로 하였다.

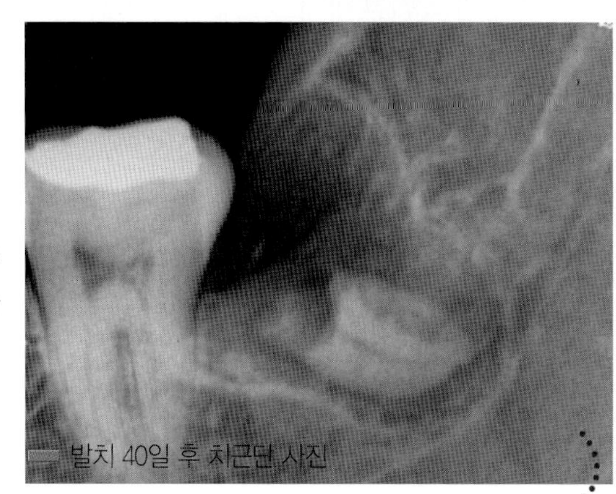

발치 40일 후 치근단 사진

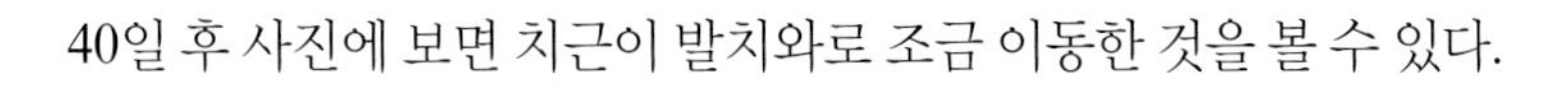

40일 후 사진에 보면 치근이 발치와로 조금 이동한 것을 볼 수 있다.

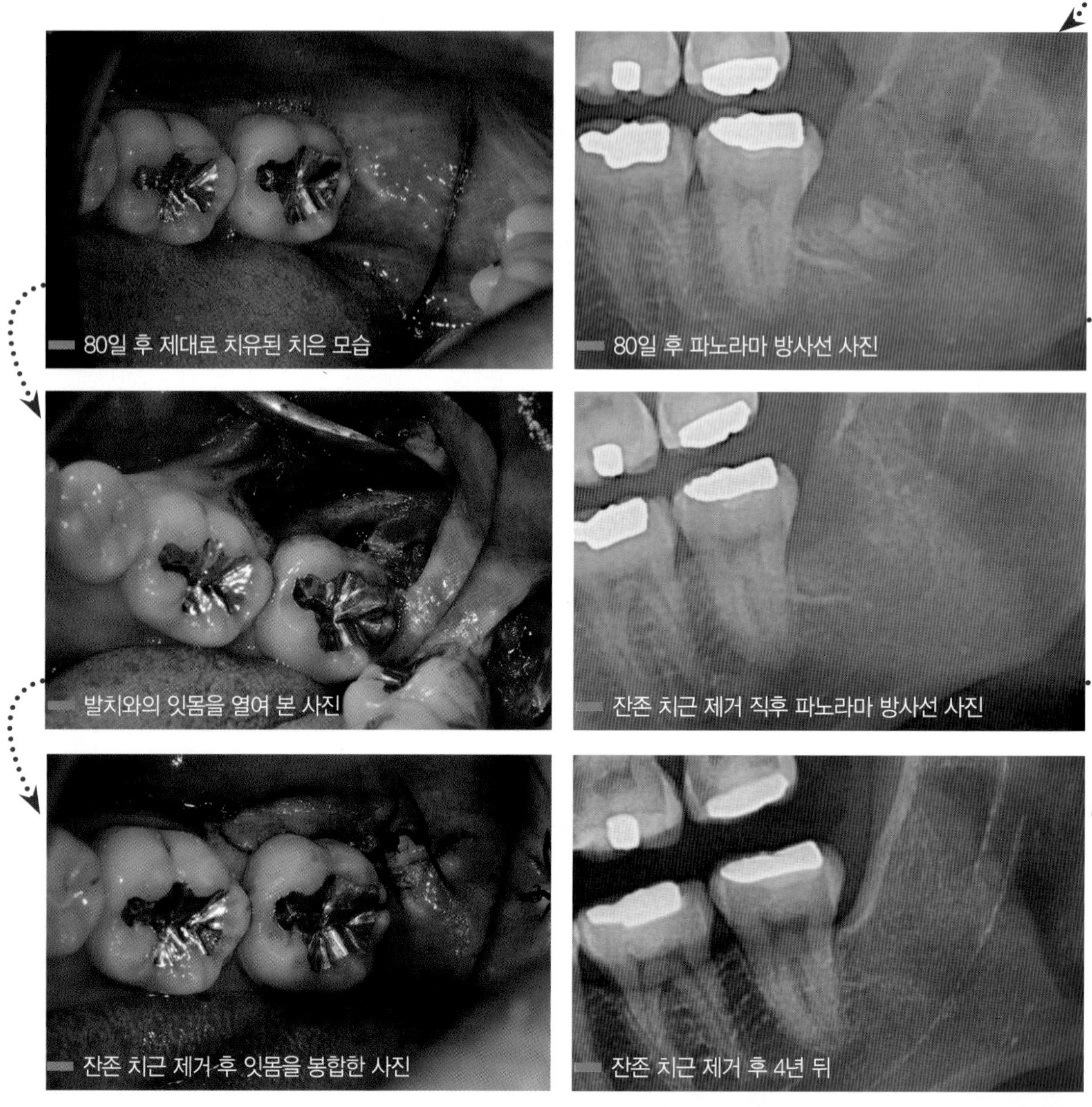

80일 후 제대로 치유된 치은 모습

80일 후 파노라마 방사선 사진

발치와의 잇몸을 열여 본 사진

잔존 치근 제거 직후 파노라마 방사선 사진

잔존 치근 제거 후 잇몸을 봉합한 사진

잔존 치근 제거 후 4년 뒤

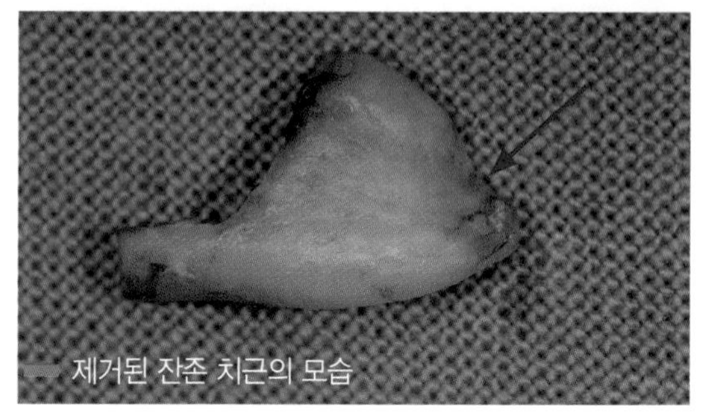

제거된 잔존 치근의 모습

80일 뒤에 잔존 치근 발치를 시행하기 위해 내원하였다. 환자는 크게 불편함이 없으니 굳이 잔존 치근 제거를 안 하고 싶다고 하였지만, 필자가 하고 싶어서 하기로 하였다. 임상사진을 보면 발치와가 깨끗이 잘 치유된 것을 볼 수 있다.

제거된 치근에서 하치조신경관이 지나가는 자리를 확인할 수 있다(화살표). 80일이라는 길지 않은 시간 뒤에 발치한 경우이므로 향후 잔존 치근이 어떻게 되었을지를 예상하기는 쉽지 않지만, 아마도 제거하지 않고 그대로 뒀어도 증상 없이 잘 마무리되었을 수 있을 듯하다. 5년 전 케이스로 지금이라면 일부러 제거하지 않고 좀 더 지켜봤겠지만, 당시에는 치근을 절대 남기지 않는 것이 필자의 원칙이었기 때문에 굳이 욕심내서 제거하였다. 방사선 사진의 각도에 따라서 많이 다르지만, 제거 후 사진을 보면 치근이 활시위를 당기고 있는 듯한 느낌이다. 그렇다면 신경관 외벽이 그다지 강하지 않았을 수도 있다. 그러므로 치근을 조금만 건드려도 그 느낌이 신경관에 그대로 전달되어 발치 과정에서 통증을 심하게 호소했을 수 있다.

타 치과에서 발치한 사랑니 잔존 치근의 제거 ★★

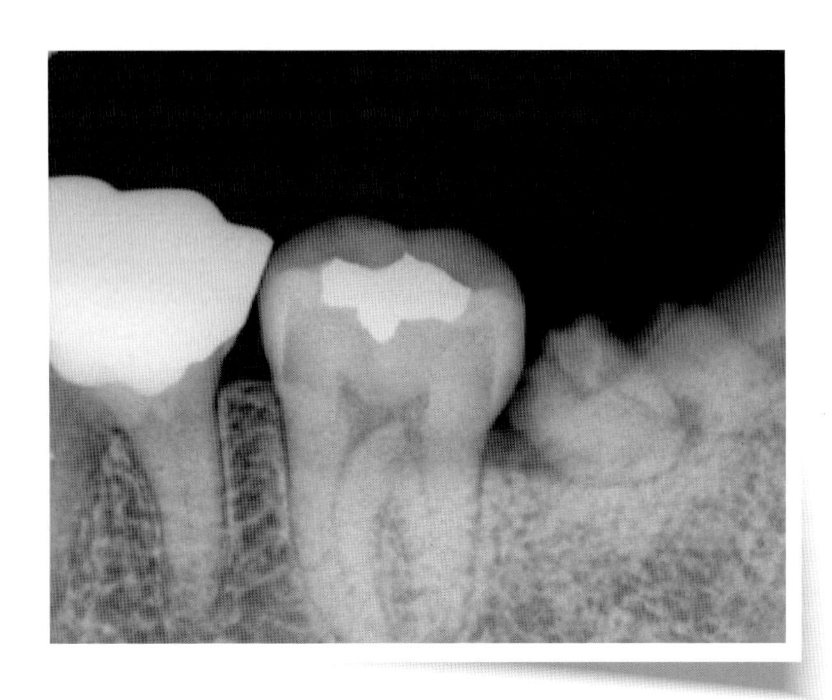

앞의 두 케이스는 필자가 발치하고 필자가 나머지 치근을 제거한 경우이다. 그렇다면 다른 치과에서 발치한 케이스들은 없을까?? 다른 치과에서 발치 도중 의뢰하거나 실패를 명확히 하고 발치를 의뢰한 경우는 여기서 언급하지 않겠다. 케이스가 많지도 않지만, 아마도 혹시 그 분들 중에 이 책을 본다면 바로 자신의 케이스를 알 수 있을 테니까 말이다.

여기서 언급하는 몇 케이스는 환자의 진술에 의하면 이전 치과에서는 당연히 발치가 종료되었다고 한 케이스이다. 필자처럼 사랑니를 많이 뽑는 치과의사도 평생 남은 치근이 문제가 되어 제거한 케이스가 몇 개 없는데, 여러 타 치과에서 온 케이스에서 이런 사례가 많다는 것은 발치 실력의 문제가 아니라 철학의 문제일 수 있다. 앞서 늘 언급했듯이 치근을 어떻게 남기느냐의 철학의 문제라고 생각한다. 이제 한 케이스씩 보기로 하자. 아마도 이 케이스를 보면서 자연스럽게 실제 발치 chapter로 들어가 보자.

01
타 치과에서 시행한 치관절제술 후 남은 치근 발치★

CASE 1

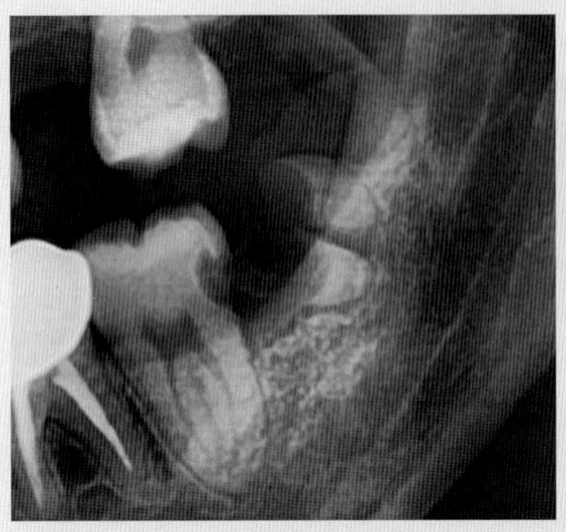

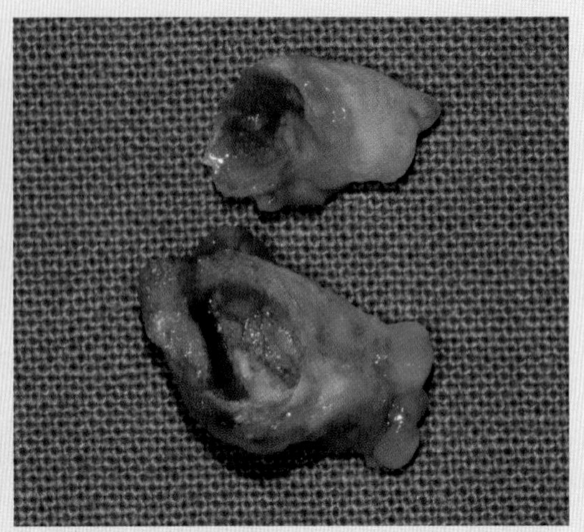

30세 남성 환자로 6개월 전에 타 치과에서 사랑니를 뽑았는데 너무 아프다는 주소로 내원하여 잔존 치근을 제거하였다. 혹시 이전 치과에 전화해서 발치 전 파노라마 영상을 얻을 수 있을까 하고 물어보려다가 그 치과의 입장을 고려하여 포기하였다.

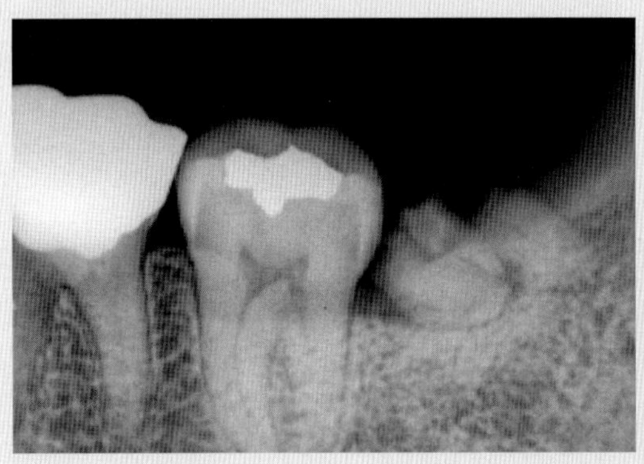

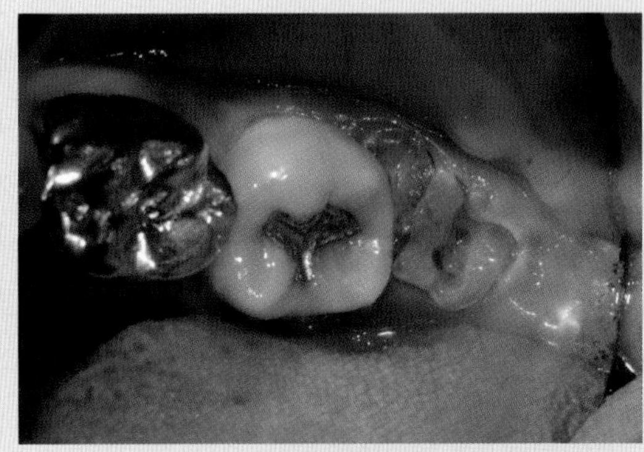

30대 여성 환자로 사랑니를 언제 뽑았는지 기억이 나지 않지만, 사랑니 뽑은 자리가 아프다는 주소로 내원하였다. 치근을 제거한 후의 사진이며, 실제로 발치 전이나 직후의 사진을 간절히 원하지만, 차마 환자에게 요구할 수 없었다.
어쨌든 신경손상이 없었고 결과적으로 안전하게 치근이 제거되었으므로, 성공한 의도적 치근절제술로 생각해보자.

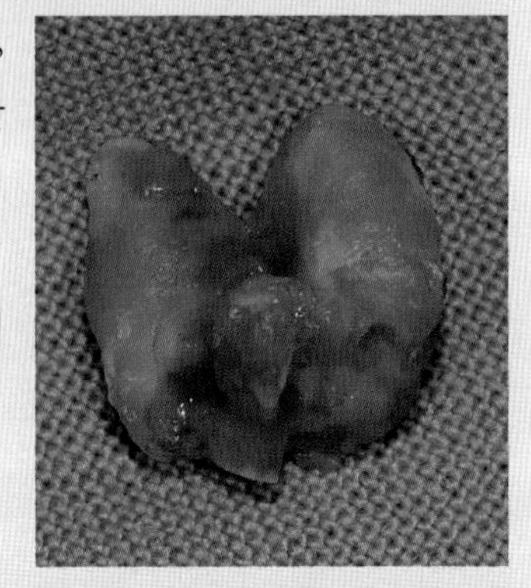

02
타 치과에서 발치하고 남은 잔존 치근 발치★

CASE 2

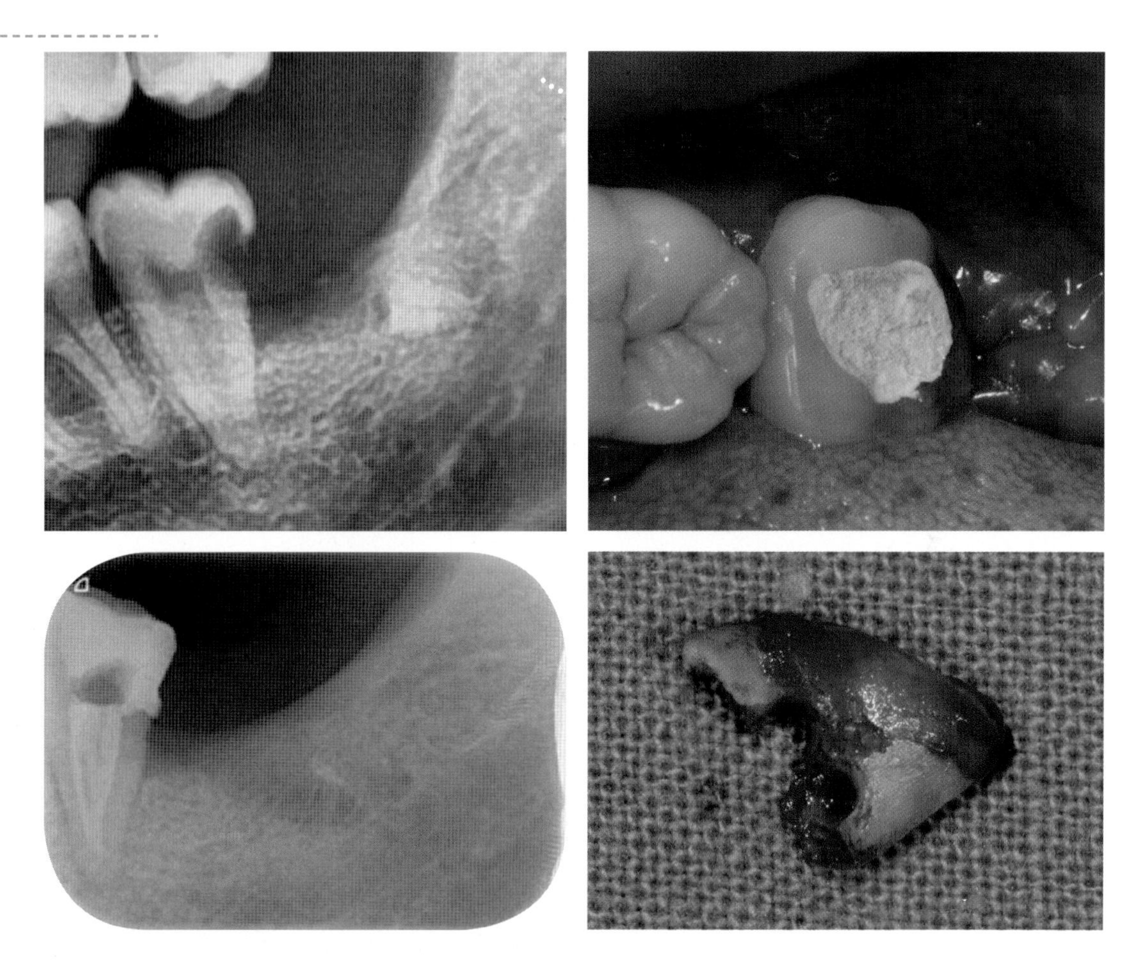

40대 남성으로 환자분의 진술에 의하면 몇 달 전쯤에 사랑니 뽑았었는데, 지금 그곳이 많이 아프다고 남은 뿌리를 제거해달라고 내원하였다. 지금 아픈 건 그 앞 어금니의 충치 때문이라고 해도, 마구잡이로 뽑아달라고 해서 앞에 충치가 심한 어금니를 근관치료 후 잔존 치근을 발치해주었다. 근관치료만 하고 굳이 치근을 발치할 필요는 없다고 생각되는 케이스이다. 치근은 작아보이지만 협설로 매우 크게 커서 생각보다 발치가 쉽지 않았다. 이미 상방에 골이 형성되어 있어서 골 삭제를 동반하여 하이스피드 핸드피스로만 제거하였다.

03
타 치과에서 치관절제술을 하였다고 한 케이스 ★★★

CASE 3

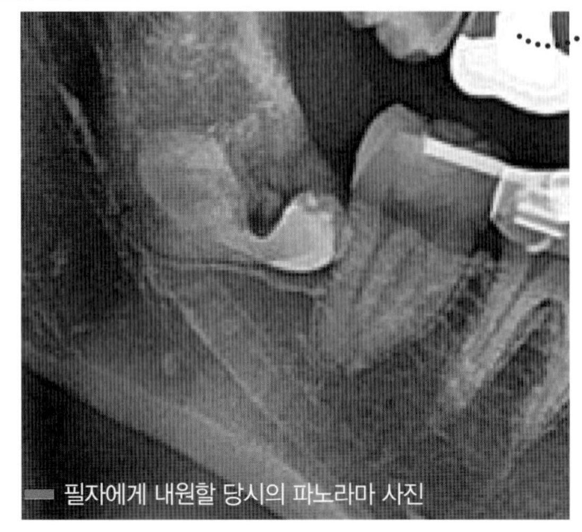
필자에게 내원할 당시의 파노라마 사진

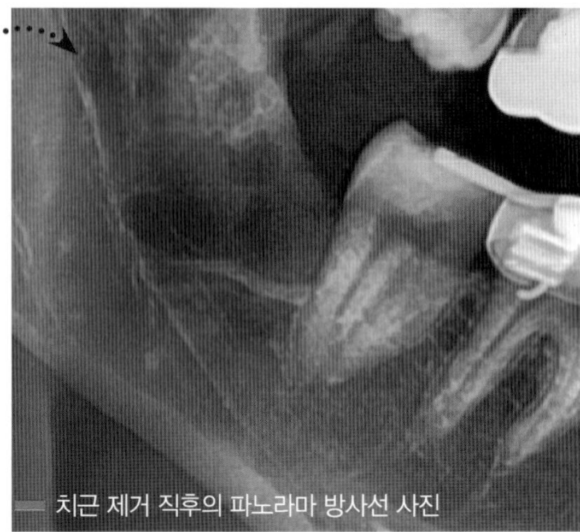
치근 제거 직후의 파노라마 방사선 사진

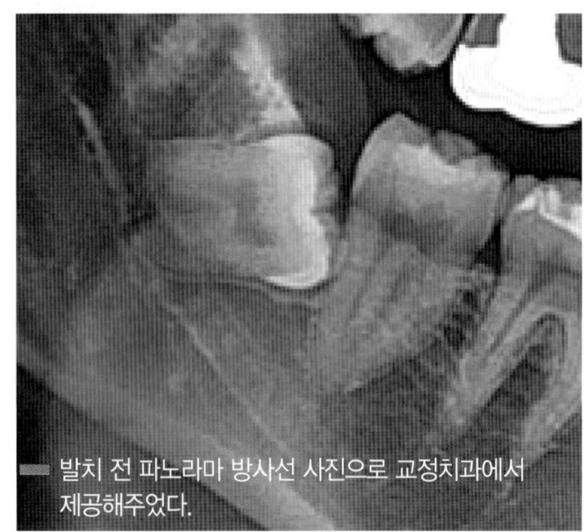
발치 전 파노라마 방사선 사진으로 교정치과에서 제공해주었다.

제거한 치아의 사진으로 완벽하게 제거되지 못한 하방 및 설측 치관부를 볼 수 있다. 치관 조각 중 하나의 모양이 둥그렇게 보여서 그렇지 하반(근심)의 반쪽이다.

모 치과에서 교정을 하기 위하여 가까운 구강외과를 전공한 치과의사에게 18, 48번을 발치 의뢰하였다. 그러나 발치하고 돌아온 환자상태는 초진 시 파노라마와 같다. 그래서 구강외과에 발치가 다 끝난 거냐고 물어보았는데, 구강외과에서 발치가 다 끝났다고 했다고 한다. 그곳은 지방의 나름 큰 도시이지만, 보통의 경우 교정과에서 구강외과에 발치를 의뢰할 때 발치 비용이 너무 저렴하게 때문에 약간은 <을>의 자세로 <갑>을 대하듯이 의뢰한다고 한다. 그런데 이렇게 발치가 되어서 오자, 차마 구강외과에 <발치가 잘못된 거 같다. 이렇게 해서는 7번을 원심면으로 밀 수가 없다>라고 말을 할 수가 없어서, 발치 마무리를 위해서 필자에게 오게 되었다. 발치 전 사진은 당연히 구강외과가 아니라 교정과에서 교정진단용으로 찍은 초진사진을 참고자료로 받은 것이다. 오로지 환자와 교정과의사의 진술에 의한 것이고, 누구나 실수를 할 수도 있고, 착각을 할 수도 있기 때문에 그 누군가를 비난하지는 않겠다. 필자도 필자 스스로도 모르는 이런 케이스가 있을 수도 있으니까... 정말 바쁠 때가 너무 많기 때문이다. 어쨌든 이건 치관절제술이라고도 볼 수 없다. 치관부가 확실하게 제거되지 않았기 때문이다. 치관부만 확실히 제거되었다면, 치근이 남았어도 성공한 발치라고 할 수 있다. 환자도 증상이 없을 것이고, 교정도 가능했을 것이기 때문이다. 이러한 치아의 발치 방법은 수평 매복치의 발치 chapter에서 다시 다루도록 한다. 어쨌든 가장 중요한 것은 의도적 치관절제술의 핵심은 완벽한 치관의 제거이다.

04
타 치과에서 발치를 하였다고 한 케이스 ★★★

CASE 4

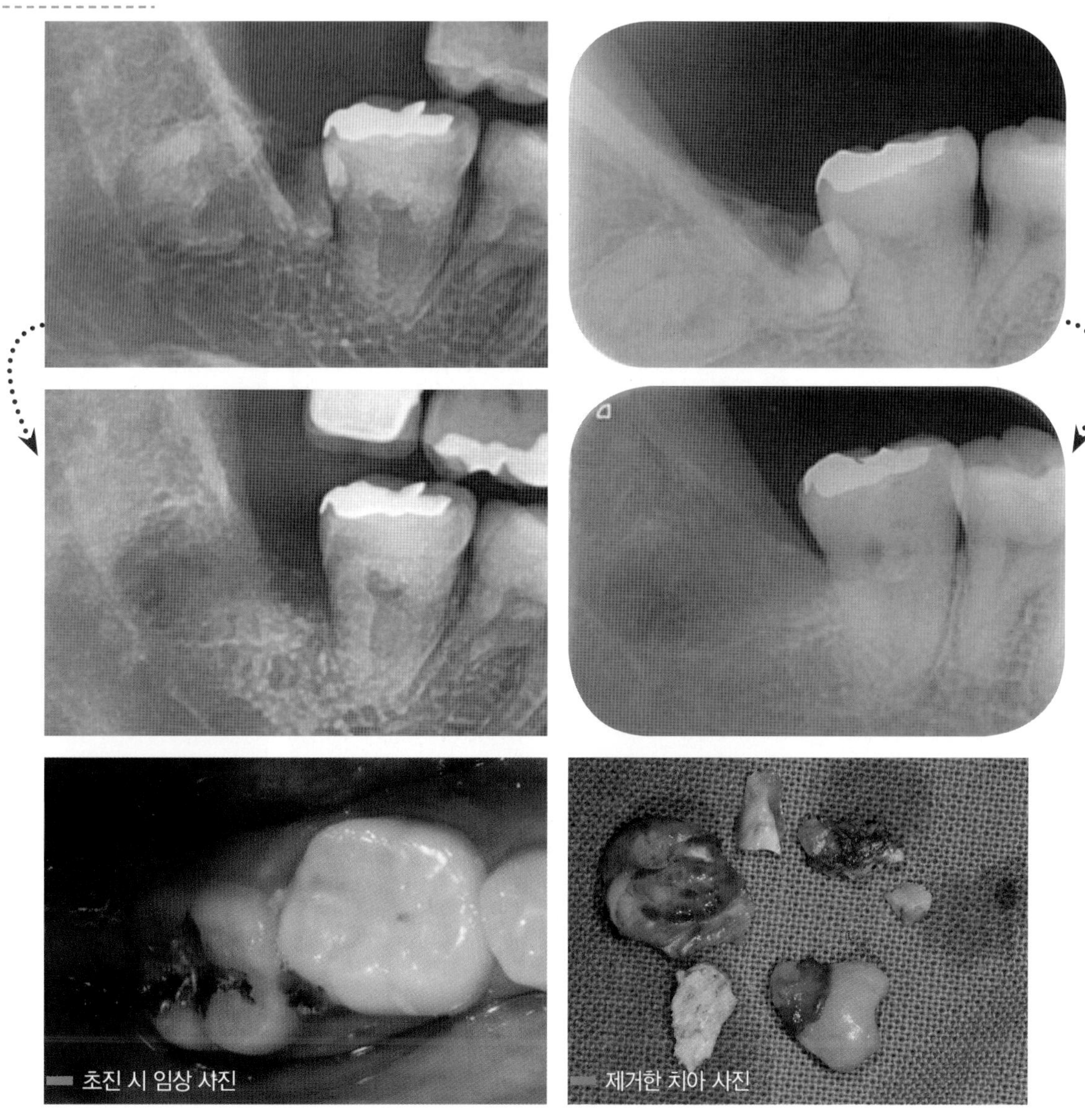

초진 시 임상 사진

제거한 치아 사진

이 케이스는 1장 <다른 치과에서 사랑니 뽑은 자리가 아파요>라는 제목으로 다룬 케이스이다. 이 책에 중복 케이스는 거의 없지만, 이 케이스는 3번 정도 등장할 수 있다. 우리는 남이 잘한 것에서보다 남의 실수에서 배우는 게 더 많기 때문이다.

환자는 사랑니를 뽑았는데, 뽑은 자리가 너무 아프다는 주소로 내원하였다. 초진 시 임상사진에서 보이듯이 육안으로는 크게 무리가 없어 보여서 방사선 촬영을 하였는데 결과는 초진 파노라마 사진과 같다. 여기서도 가장 큰 문제는 치관부가 확실히 제거되지 않은 것이다. 이 케이스도 발치 방식 자체에 대해서는 수평 매복치의 발치 chapter에서 다뤄 볼 것이다. 치근단에서 Youngsam's sign이 보인다. 치근의 제거가 쉽지 않을 수도 있다는 뜻이다.

이 케이스에서는 치관이 설측으로 많이 기울어져서 발치하는 치과의사가 감히 설측 치관 끝까지 삭제를 하지 못한 듯하였다. 그러다 보니 수평 매복치 발치에서 가장 중요한 근심 설측 치관부가 제대로 제거되지 못했다. 다시 말하지만 의도적 치관절제술에서 가장 중요한 것은 완벽한 치관의 제거이다.

CASE 5

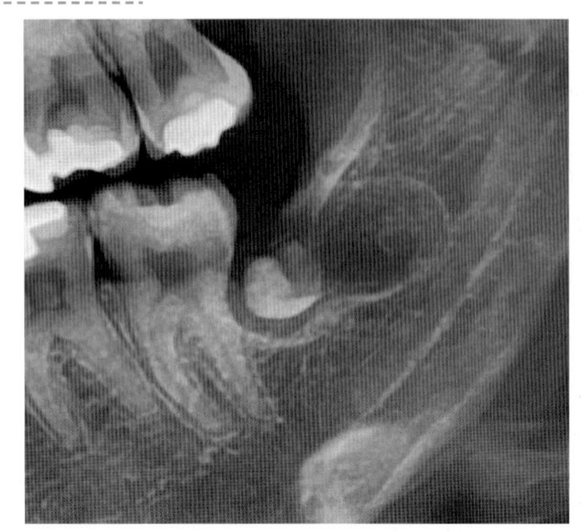

내원 당일 파노라마 사진

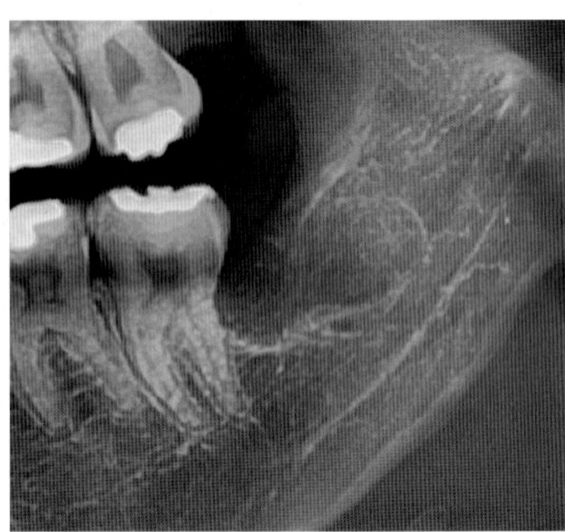

남은 치관부 제거 후

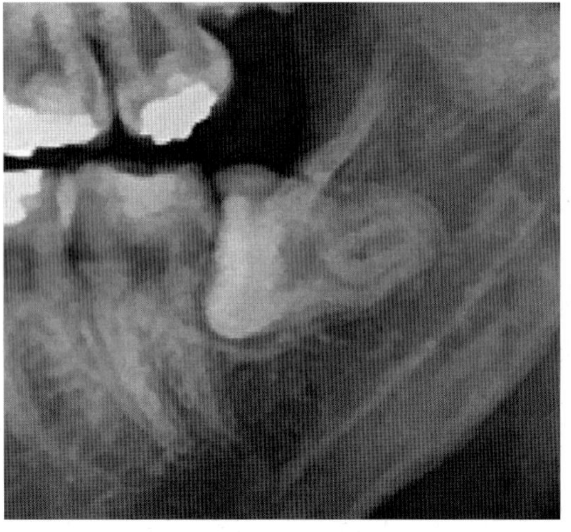

환자가 따로 제공해준 발치 전 파노라마 사진

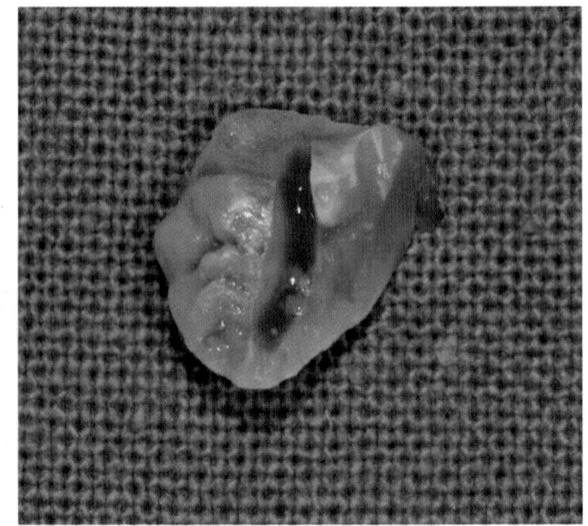

제거한 치관부

20대 초반의 여성 환자로 사랑니 발치한지 4일 되었다며 내원하였다. 환자는 일반적인 사랑니 발치 후 있는 정상적인 통증 이외에 통증은 없었지만, 파노라마 촬영 결과 근심 치관 조각이 발견되었다. 마취 후 봉합사를 뜯고 혈병 속에서 치관을 찾아서 제거해보니, 우리가 사랑니 발치에서 가장 스트레스 받는 그곳... 바로 근심 설측 치관이었다. 남겨진 버 자국을 보니 롱 쉥크 서지컬 피셔 버를 사용한 것으로 생각된다. 일부러 그러지는 않았겠지만, 치관의 근심 조각(특히 설측)을 제거하지 않고도 발치하는 방법이 많긴 하다. 피셔 버를 사용하여 발치를 하다보면 스트레이트 로스피드 핸드피스를 병행해서 사용할 수밖에 없다. 아마도 치관부를 제거했다고 생각한 뒤에는 로스피드로 치관을 반으로 나누어 제거했을 것이다. 그러면 이렇게 조각이 남게 된다. 어쨌든 치관 부분은 남아 있으면 대부분 위로 올라와서 문제를 일으키므로 필자가 제거하였다.

EASY
SIMPLE
SAFE
EXTRACTION
of
wisdom
tooth

04
CHAPTER

사랑니 발치를 위한 마취, 절개, 박리, 봉합

Dr. 김영삼의 발치의 기본철학 - 실패를 두려워 하라. ★★★

쉽고 간단하고 안전하고 경제적인 ESSE 발치철학

이제 본격적인 발치의 세계로 들어간다. 들어가기에 앞서서 사랑니 발치에 있어서 중요한 필자의 철학을 다시 함께 해보자.

성공보다 실패를 두려워하라.
잘 된 99% 케이스가 날 행복하게 하는 것보다, 잘못된 1% 케이스가 날 괴롭히는 것이 더 힘들다. 한 번 좌절하면 일어나는데 시간이 오래 걸린다. 꾸준한 정진을 위하여 좌절하는 케이스를 만들지 말자. 케이스는 넘친다.

설측은 절대 건드리지 마라~
발치를 안 할지언정... 설측은 절대 건들지 마라. 절개는 반드시 협측으로 90도 수직으로... 아니 협측만... 어쨌든 잇몸 절개, 치아 삭제, 골 삭제 모두 안전이 확실한 곳만...

발치는 힘이 아니다. 내게 맞는 방법을 익혀라. (특히 힘과 공간감각 능력)
나만의 방식을 찾아보자. 그 흔한 자전거타기도 타는 사람마다 모두 모양새가 다르다. 메이저리그 유명한 선수들도 각자 자기 몸에 최적화된 다양한 폼으로 야구를 한다. 무조건 다른 사람을 따라하기보다는 자신의 타고난 힘과 공간감각에 맞는 자세와 방법을 익혀야 한다.

내 손에 익은 기구를 사용하라.
골프나 야구나 처음 배우는 사람은 우선 사용하는 기구를 몸에 익혀야 한다. 다양한 기구를 사용해 보는 것도 좋지만, 어느 정도 경지에 도달했을 때이다. 우선 하나라도 제대로 익혀보자.
환자는 모두 다르다. 똑같은 케이스는 한 명도 없다. 그래서 필자는 기구 하나라도 내 몸에 익은 기구가 아니면 사용하지 않는다. 정말 쓰고 싶은 기구가 있다면 평소에 간단한 케이스에서 쓰는 방법을 익힌 다음에 사용해야 한다.

자 이제 Dr. 김영삼의 손에 익은 기구들을 한 번 접해보자.

여러 치과대학병원 구강외과의 발치 세트 1★

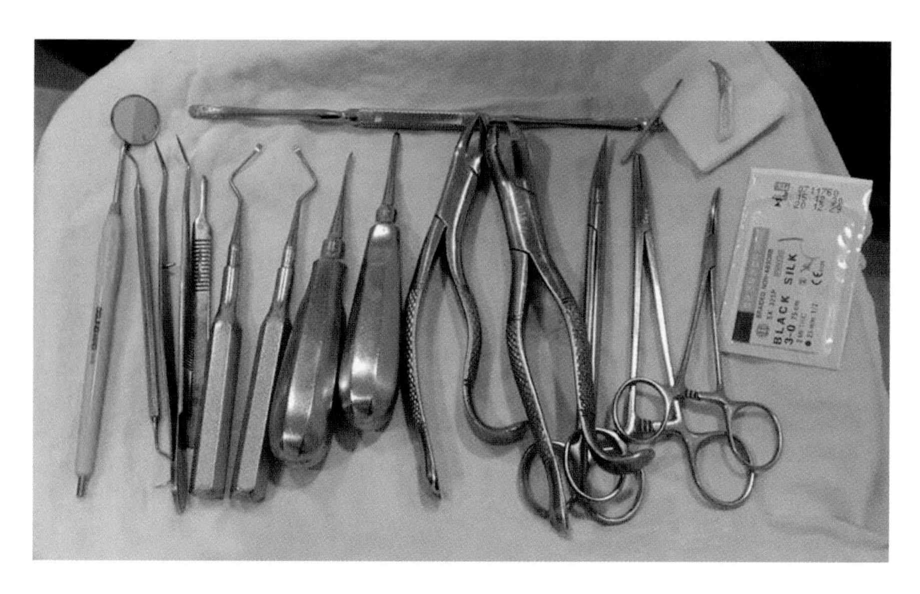

강남세브란스병원 구강외과 의사의 발치기구

수련의 교육기관답게 발치세트 안에 기구들이 많다. 현실적으로 개인치과에서 이렇게 발치세트를 구성하기는 어렵다. 필자처럼 하루에도 수십 명을 발치하는 사람은 이렇게 구성하기가 쉽지 않다.

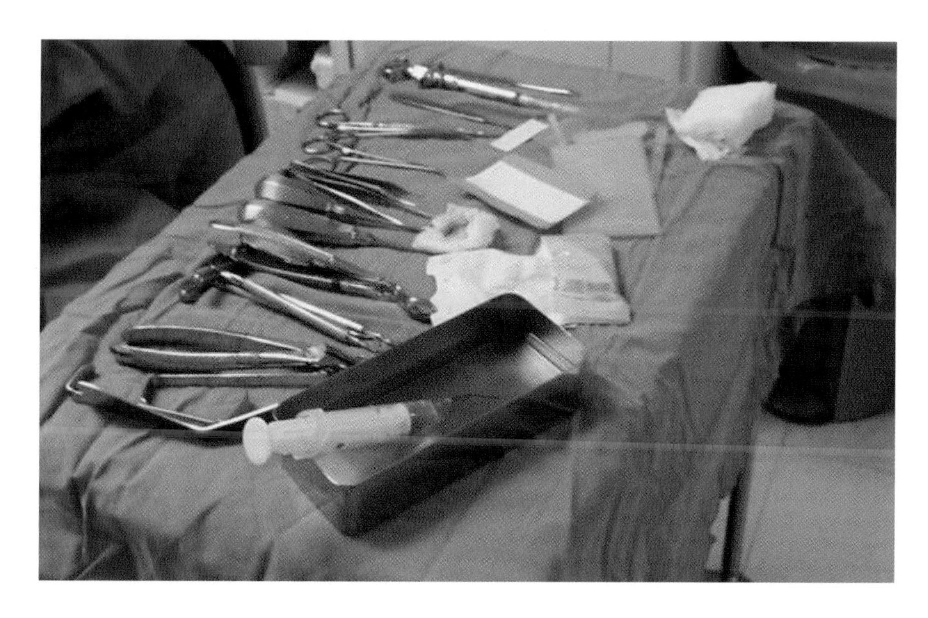

바르셀로나 치과대학 구강외과 의사의 발치기구

필자가 바르셀로나 치과대학 구강외과에 견학 갔을 때 사진이다. 모든 기구를 소독해서 하는 것을 볼 수 있다. 대한민국 개인치과에서 이렇게 발치를 하는 것은 불가능하다고 할 수 있다.

여러 치과대학병원 구강외과의 발치 세트 2 ★

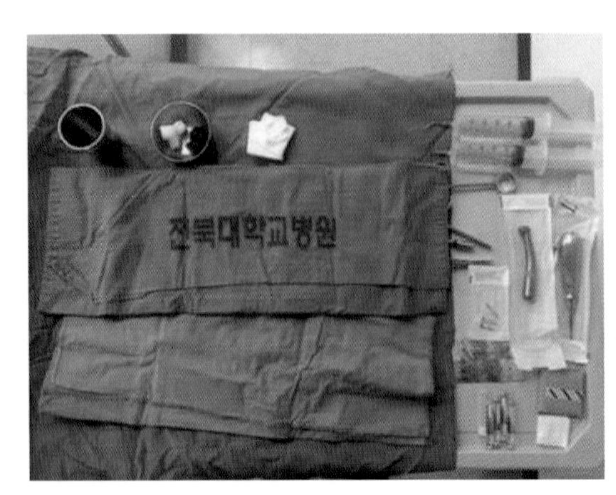

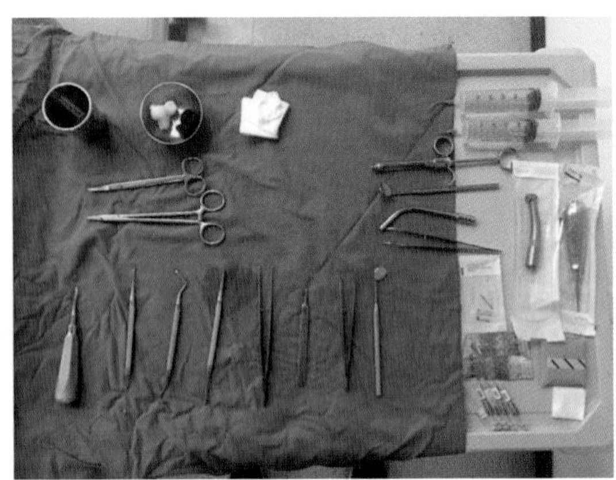

전북대학교 치과병원 발치세트

필자의 모교인 전북대학교 치과병원의 발치세트이다. 생각보다 심플하고 거의 필자의 세트와 비슷하다. 물론 필자도 기본적으로 보고 배운 것이 모교이기 때문이니...

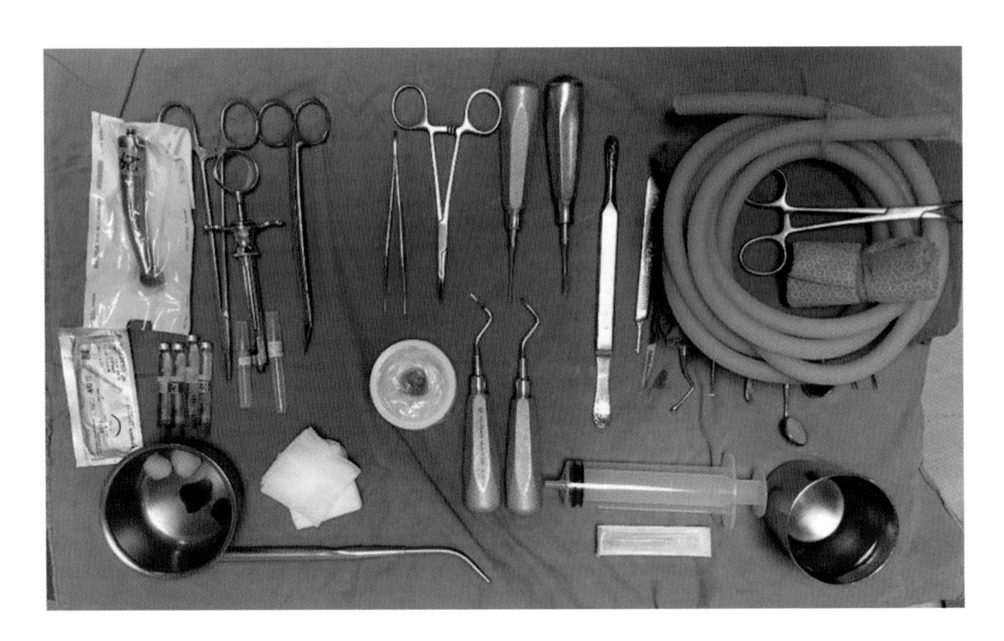

서울대학교 치과병원 구강외과 발치세트

사실 우리나라 모든 발치 세트의 모태는 서울대라는 것을 부정하는 사람은 없을 것이다. 그래도 우리나라 치과계의 시작이니 만큼 사용하는 기구 등을 눈여겨볼 필요가 있을 듯하다.

여러 치과대학병원 구강외과의 발치 세트 3 ★

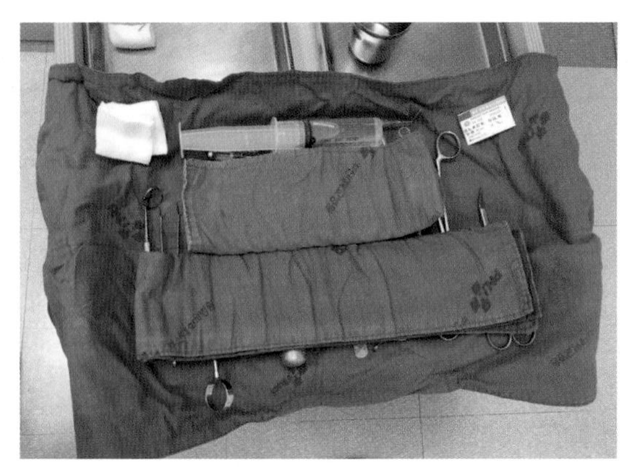

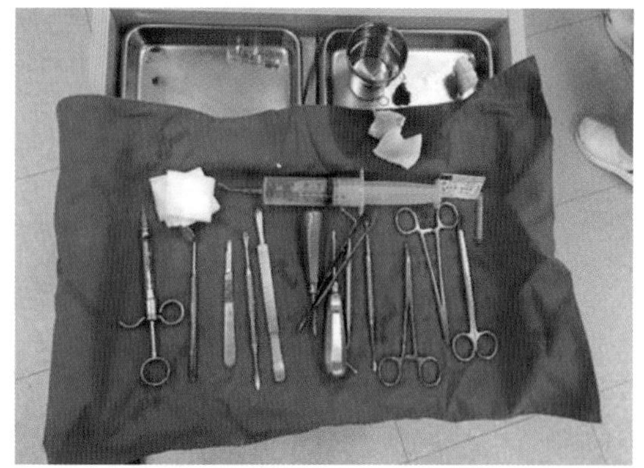

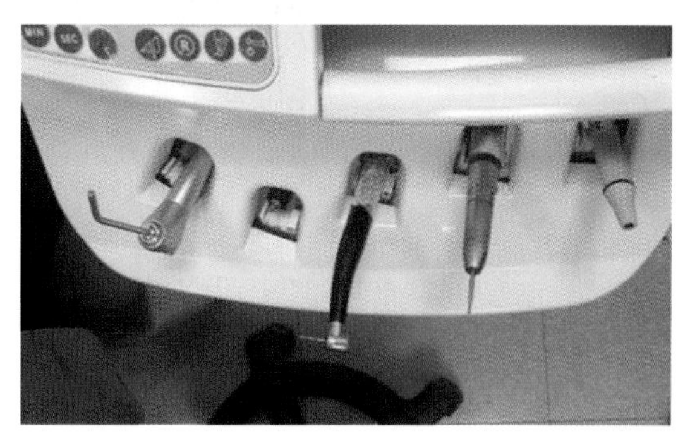

부산대학교 치과병원 구강외과의 발치세트

발치 세트가 전북대 만큼이나 간단하다. 물론 세트가 저렇게 간단해도 발치 과정에서 여러 가지 기구를 가져다가 적용해볼 수 있기 때문에 굳이 기본 발치세트에 많은 기구가 굳이 있을 필요가 있을까 하는 생각도 든다.

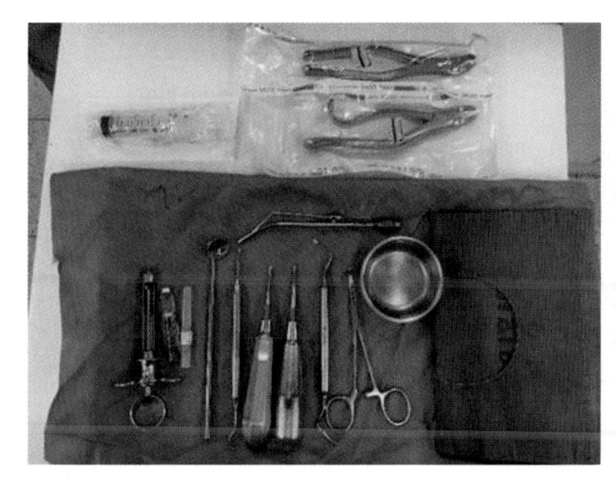

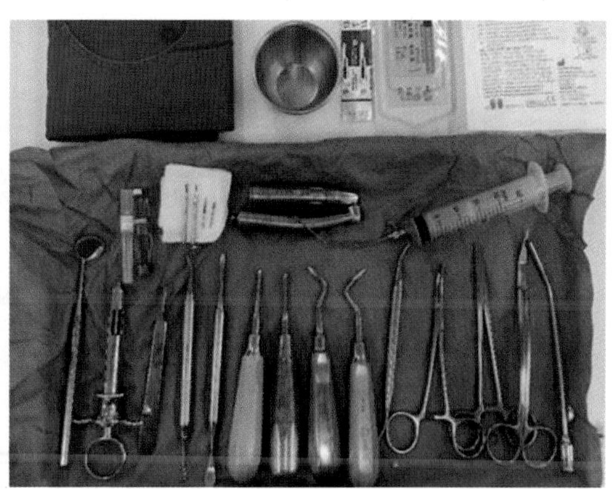

경희대학교 치과병원 발치세트

왼쪽은 단순 발치세트이고 오른쪽은 매복치 발치세트인 듯하다. 포셉은 언제든지 스탠바이하고 있다고 한다. 그동안 수많은 치과의사들의 손길이 느껴지는 세트이다. 국립대와 달리 사립대라 그런지 국산 기구들도 많이 눈에 띈다. 그러고 보면 확실히 대학병원이 위생적인 면에서는 아직 로컬과는 비교도 안 될 만큼 높다는 것을 느껴본다.

기타 외국 사랑니의 발치 세트 ★

베트남 후에 치과대학의 발치 세트이다. 여기에 추가적으로 필요한 기구가 있으면 소독된 기구를 트레이에 담아서 추가하는 형태로 시용하고 있었다. 아무래도 대학병원이다보니 발치세트나 술자와 보조자의 위생상태가 매우 양호하였다. 오히려 필자 스스로를 뒤돌아 보는 계기가 되었다. 다만 우리나라 국민소득의 1/10도 안 되는 베트남의 사랑니 발치 비용이 우리나라와 비슷하다는 것도 결국 우리나라 치과보험시스템의 문제를 말해주는 것이기도 하다.

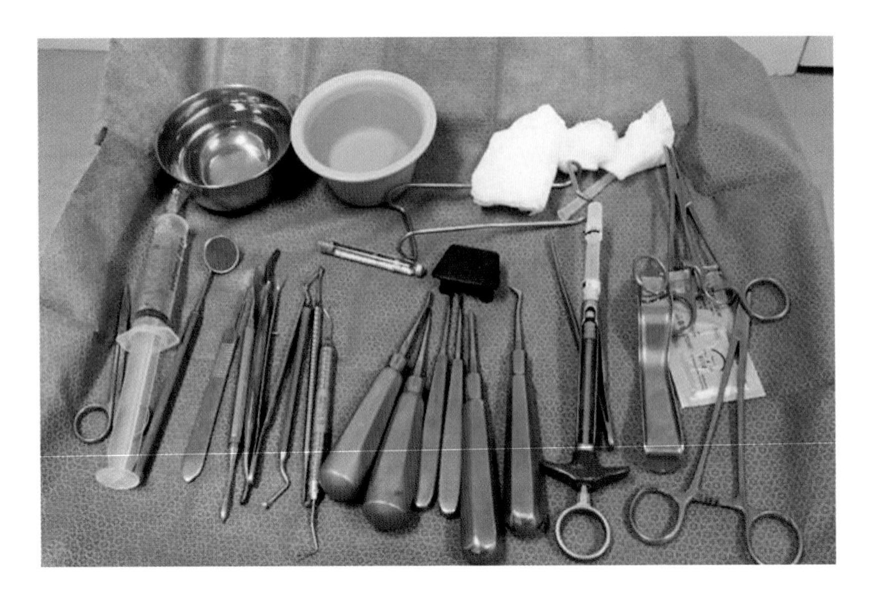

호주에서 구강외과 개인클리닉에 견학 갔을 때 본 발치세트이다. 인도출신 구강외과의사로 호주 치과의사의 클리닉을 인수한지 2년되었다고 한다. 발치 기구 뿐만 아니라 직원까지 호주 구강외과 의사가 쓰던 그대로라고 한다. 수술실력이 매우 뛰어났으며, 본인의 큰 케이스도 보여주었다. 구강외과의사 답게 바르셀로나 치과대학처럼 로우스피드 핸드피스를 이용하여 수평 2분할 방식으로 발치하였다.

Dr. 김영삼의 사랑니 발치세트 ★★★

필자는 발치할 때 똑같은 세트를 사용한다. 아주 복잡한 케이스뿐만 아니라 아주 간단한 케이스에도 같은 세트를 사용한다. 이유는 한 가지다. 사랑니 발치 환자가 너무 많기 때문에, 각 케이스에 맞게 세트를 구성해서 발치하는 것이 불가능하기 때문이다. 사랑니 발치 전에 미리 내원해서 미리 방사선을 찍어보는 경우가 거의 없고, 대부분 전화예약으로 내원한 환자를 당일 발치해주기 때문에 각각의 맞는 세트를 구성하는 것이 시간적으로 불가능하다.
각각의 케이스에 맞게 수많은 기구들을 사용하는 것도 좋지만, 다양한 케이스에도 같은 세트에 같은 기구를 사용하는 것도 좋은 방법이다. 아무리 좋은 새 자전거보다는 나에게 익숙한 타던 자전거가 더 편한 것과 마찬가지이다. 필자는 한 가지 기구에 능숙해지는 것도 좋은 방법이라고 추천한다. 이 책을 읽으면서 필자의 발치 기구와 방법을 익숙해보자.

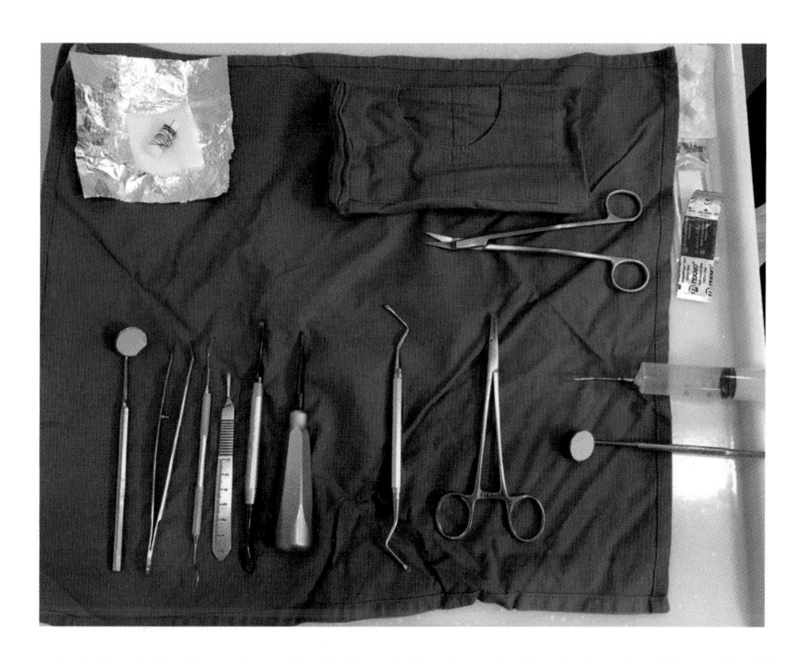

필자의 발치세트의 모습이다. 기구로는 미러, 핀셋, 익스플로러, 메스, 페리오스티얼 엘레베이터, 엘리베이터, 서지컬 큐렛, 니들홀더, 가위가 있다. 사진에 검은 색으로 코팅된 기구는 Hu-Friedy에서 새로 나온 기구로 모양은 동일하다. 필자도 딱 한 개씩만 있는데, 마침 사진을 그걸로 찍었다. 어쨌든 여기에 봉합사와 거즈, 유공포만 있으면 충분하다. 포셉을 제외하면 대부분 이 도구만으로 발치가 끝나는 경우가 98% 이상일 것이다.
이 중에서 엘리베이터(Hu-Friedy EL3C)를 제외하면 다른 기구들은 비슷하게 생긴 아무 기구나 사용해도 상관없지만, 되도록이면 스타일이 익숙하도록 쓰던 걸 사용하는 습관이 있다. 이제 하나하나 살펴보자.

기본세트를 제외한 필수 3가지 발치기구 ★★★

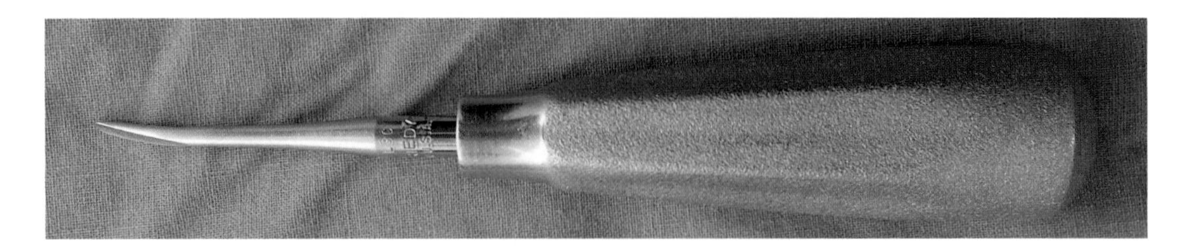

가장 많이 쓰는 엘리베이터(Hu-friedy EL3C)로 가끔 좀 더 넓은 EL5C를 병행해서 사용하는 편이다. 특히 가늘고 힘을 많이 써야 하는 기구는 반드시 좋은 제품을 써야 한다. 어지간히 오래 써도 부러지거나 깨지는 경우가 거의 없어서 오히려 장기적으로 보면 가격적으로도 유리하다고 할 수 있다.

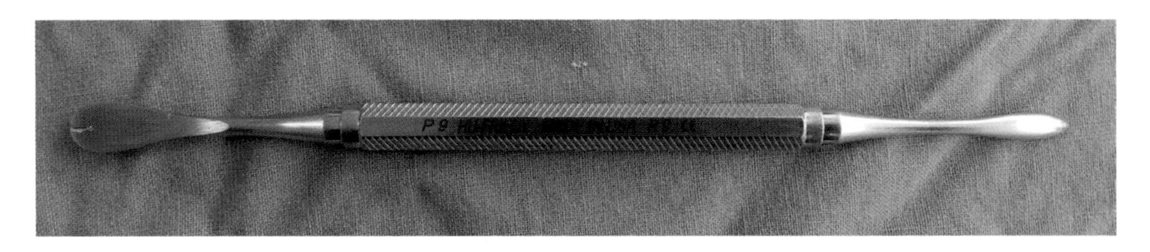

가장 많이 쓰는 페리오스티얼 엘리베이터(Hu-friedy P9)이다. 다만 다른 기구와 달리 이건 비슷하게 생겼다면 굳이 이 회사만을 고집하지는 않는다. 최근에는 저렴한 국산이나 파키스탄 제품도 많이 사용한다.

가장 많이 쓰는 서지컬 큐렛(Hu-fridy CM 11)이다. 발치 후에 발치와를 소파하기 위해서 사용한다기보다는 사랑니를 덮고 있는 잇몸을 설측으로 제끼는데도 많이 사용하고, 삭제한 치관부 조각을 파절시키거나, 잘라진 치아조각을 빼내는데 많이 사용한다. 크기만 비슷하다면 굳이 특별히 이 제품만을 고집하지는 않는다. 특별히 발치에 능숙한 치과의사라면 서지컬 큐렛을 사용할 때 필요이상의 힘을 사용하지 않기 때문에 파절될 염려는 별로 없다. 그러나 초보자라면 잘못된 기구 사용으로 기구가 손상되는 경우가 매우 많다. 초보자라서 어차피 망칠 바에야 싼 것을 사용하자는 말도 일리있는 말이지만, 어떤 면에서는 Hu-Friedy 기구가 워낙 내구성이 뛰어나기 때문에 장기적인 관점에서는 가격적인 면도 그리 나쁘다고 볼 수만은 없다. 어쨌든 필자는 서지컬 큐렛은 2~2.5 mm 정도의 지름이면 어떤 제품이든 좋다.

발치 후 발치와를 빡빡 긁을 것인가? ★★

발치 후에 서지컬 큐렛으로 발치와를 깨끗이 소파해내는 것이 필요할까? 최근 트렌드는 잔존치주인대가 발치와 회복에 도움을 주기 때문에 제거를 안 하는 것이 더 좋다고 한다. 다만 매복된 치관을 감싸고 있던 폴리클은 확실히 제거해야 하고, 굳이 발치와를 깨끗이 하고 싶다면, 발치와 주변을 식염수로 irrigation하는 것을 추천한다. 특히나 치아 삭제를 했거나 사랑니 주변에 염증이 있었다면, 식염수로 씻어내는 것이 매우 중요하다.

필자는 서지컬 큐렛을 주로 수직 매복치에서 치관상부의 치은을 박리할 때와 발치 후에 치관을 감싸고 있던 연조직을 제거하는데 주로 사용한다.

종종 초보자들 중에서 서지컬 큐렛을 사용하면서 손잡이가 작아서 힘이 안 들어간다고 불평하는 경우가 종종 있다. 평생 치과용 기구만 만들어본 사람들이 그걸 몰라서 저렇게 만들었을까? 서지컬 큐렛의 손잡이를 저렇게 만든 이유는 과도한 힘을 사용하지 말라는 뜻이다. 물론 손잡이를 두껍게 해서 큰 힘을 낼 수 있게 만들어 파는 경우도 봤지만, 손잡이가 저렇게 생긴 기구들은 절대 강한 힘으로 다루지 말라는 뜻이라고 알아두자.

필자의 ESSE 임플란트 세트

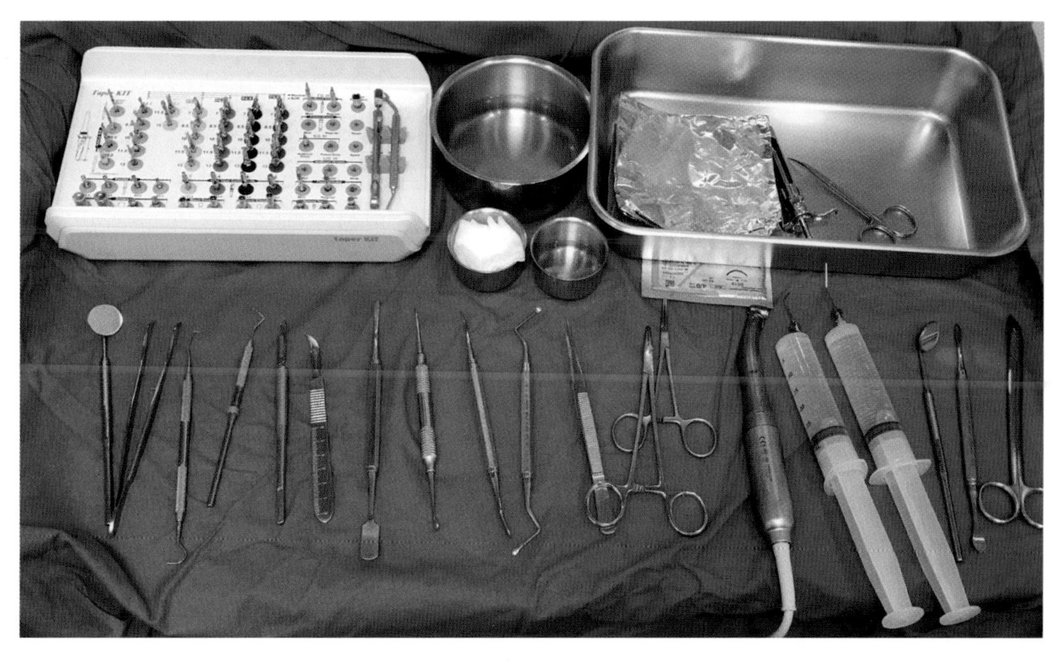

필자의 임플란트 세트이다. 발치세트와 비슷하다. 어시스트가 사용하는 도구도 같이 소독해서 넣은 것을 제외하면 큰 차이는 없다.

사랑니 발치를 위한 마취★★

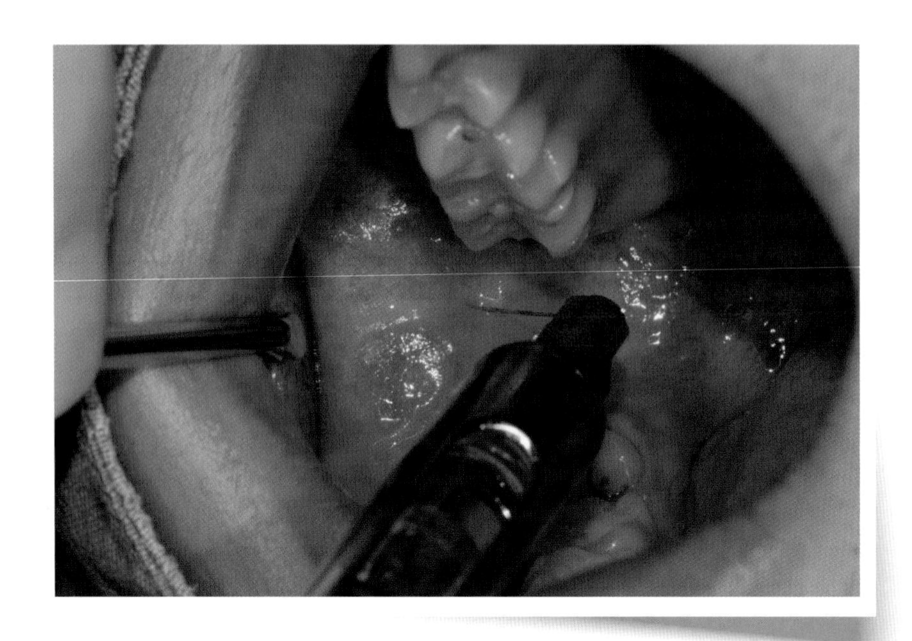

마취 부분까지 이 책에 넣어야 하나... 고민을 많이 했다. 사랑니 발치 책을 보거나 세미나를 들으러 오는 사람이라면 이미 마취는 질리게 해봤을 것이기 때문이다. 그러나 사랑니 발치에 있어서 충분히 마취가 되지 않는다면 발치에 집중하기가 어렵다. 필자가 라이브서저리 세미나를 진행하면서 참가자에 환자 마취도 직접 하도록 하는데, 가장 힘든 점 중에 하나가 발치 과정에서 환자가 통증을 호소하는 경우이다. 치아 삭제와 골 삭제, 엘리베이터나 포셉의 방향, 힘 등에 신경써야 할 시간에 환자가 통증을 호소하여 그 흐름이 끊기는 경우가 너무 많다.

필자는 마취 후 바로 발치하는 습관이 있음에도 불구하도 중간에 아프다는 환자는 거의 없다. 평균 발치 시간이 2~3분도 안 걸리지만, 그 안에 모두 마취가 잘 되어 있다. 중간에 통증을 호소하여 마취를 추가로 시행하는 경우는 100명 중에 한두 명도 되지 않는다. 가끔 직원들하고 내기를 하기도 하는데, 사랑니가 개수로 200개가 넘어가야 중간에 아프다는 환자가 한 명 나올까 말까한다. 필자가 마취를 잘한다는 것이 아니다. 다만, 사랑니 발치를 많이 하는 치과의사가 어떻게 마취를 하길래 효과도 좋고 후유증도 없나... 그 차이만을 한 번 느껴보자.

01
Dr. 김영삼의 사랑니 발치를 위한 마취기구★

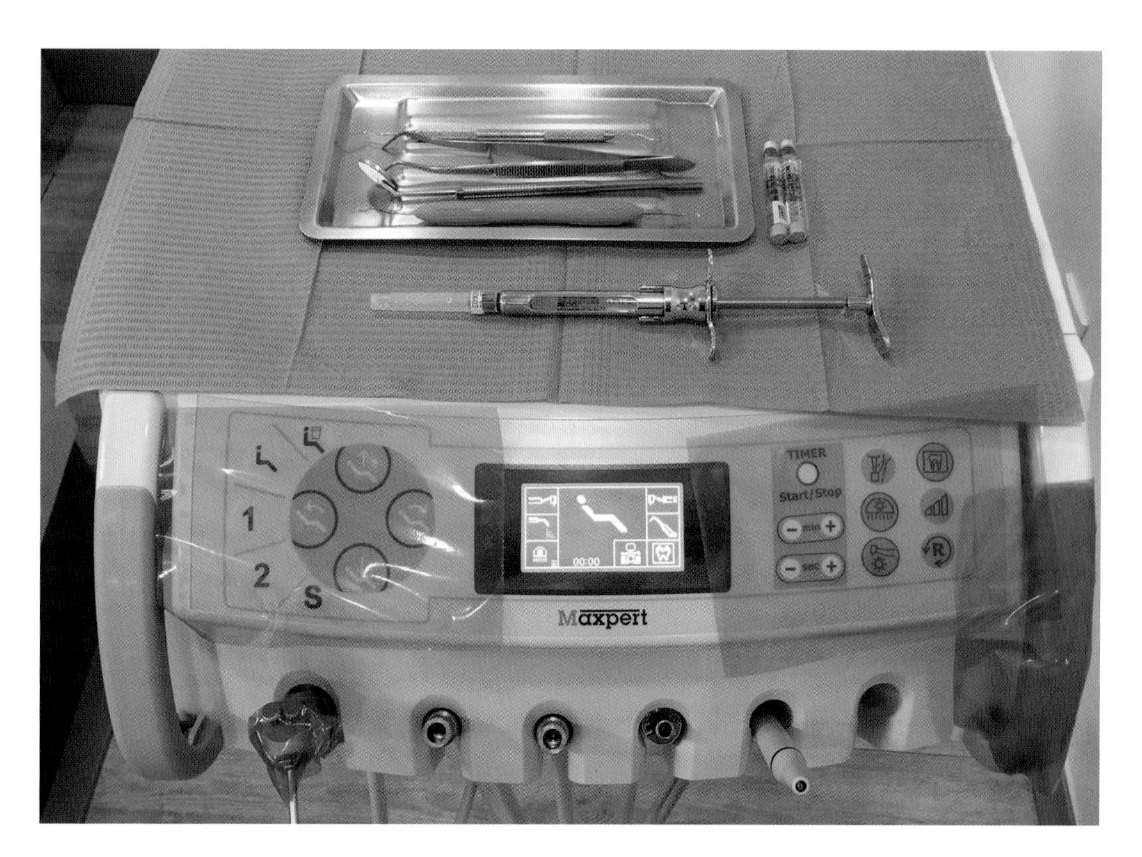

발치 전 마취를 위한 기본 준비기구이다. 기본적인 미러, 핀셋, 익스플로러 세트에 꼭 스켈러가 세팅되어 있다. 스켈러는 사랑니와 주변 치아의 치석을 제거하기 위함이다. 가장 좋은 수술부위 소독은 스켈링이라고 생각한다. 구강 내를 어떠한 소독약으로 소독을 한다고 해도, 멸균이라는 것은 불가능하다. 그러므로 물리적인 세척이 가장 중요하기 때문에 사랑니 주변을 깨끗하게 해야 한다. 종종 염증이 심해서 치과에 온 환자들도 많기 때문에 특히나 사랑니 주변을 깨끗하게 하는 것이 중요하다. 실제로 발치 전에 사랑니와 7번 치아 주변을 익스플로러로 긁어보면 플라그가 심하게 침착되어 있는 것을 볼 수 있다. 또한 아주 큰 덩어리의 치석들도 볼 수 있다. 이러한 것들이 발치 후에 발치와에 들어가거나 주변에서 염증을 야기할 수 있기 때문에 제거해 주는 것이 좋다.

꼭 명심하자. 구강 내를 멸균하는 것은 불가능하며, 물리적인 세척으로 깨끗하게 할 수 있을 뿐이다. 구강 내 세균은 어느 한순간도 없앨 수도 없고, 없애서도 안 된다. 그저 그 숫자를 줄일 수 있을 뿐이다.

사랑니 발치와 관련된 다양한 논쟁 1 

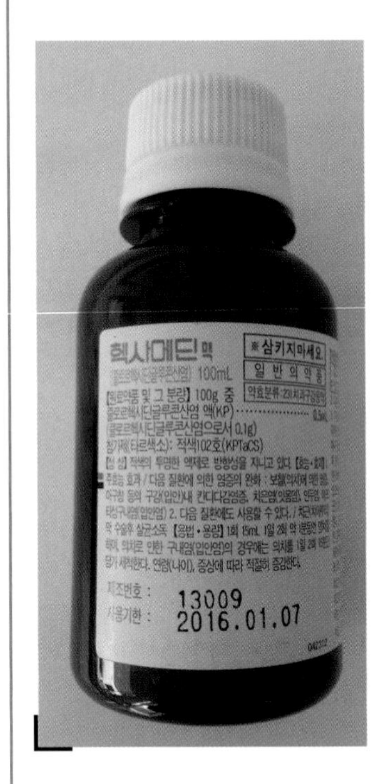

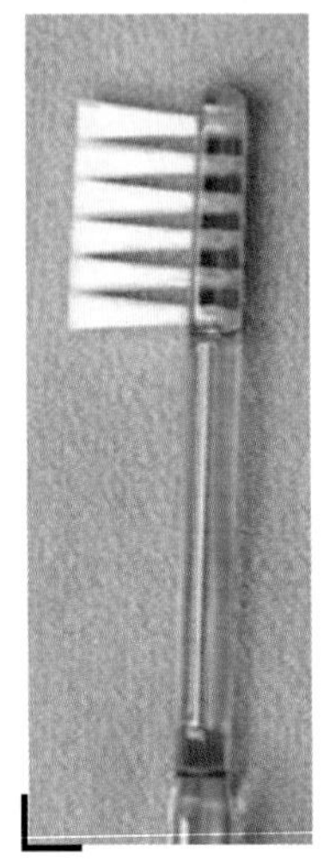

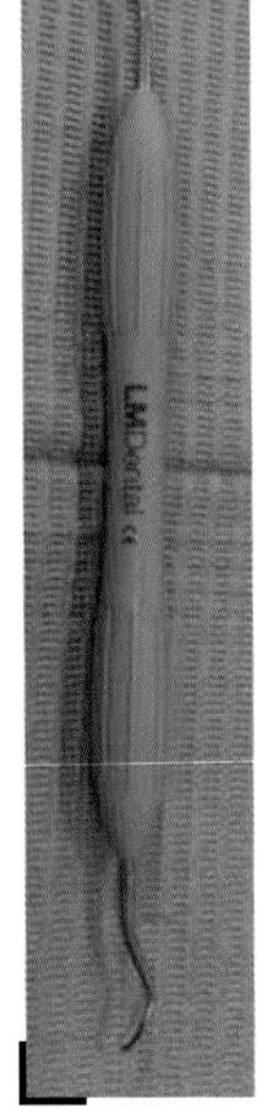

구강 내외 소독은 무엇으로 할 것인가?

발치를 하기 전에 구강 내 소독은 반드시 필요한가에 대한 의견이 많다. 수많은 치과의사들이 자기 철학대로 소독하고 있고, 심지어 치과대학마다도 많이 다르다. 필자가 가장 알아본 가장 흔히 쓰는 소독약재료는 <포타딘, H_2O_2, 클로르헥시딘>이다. 그러나 포타딘을 구내에 사용하는 것은 대부분 환자를 안심(?)시키기 위한 것일 뿐 실제로 효과는 거의 없다고 본다. 포타딘은 구외 소독용으로 유공포가 덮지 못하는 얼굴 부분을 소독하는 용도로 사용된다. 그러나 발치 30분 전에 얼굴에 바르고 마르기를 기다려야 하기 때문에 현실성이 떨어지기도 해서, 필자도 임플란트 수술 등이 아니면 사용하지 않는다. 과산화수소는 소독효과는 있겠지만, 과연 의미가 있겠는가 하는 의구심이 들기는 마찬가지다. 실제로 입안의 세균을 다 죽일 수는 없다. 세균의 활성을 억제하는 정도의 수준으로 클로르헥시딘을 사용하는 것이 그나마 가장 일반적인 방법인 듯하다. 그러나 필자는 발치 후에 드레싱 때가 아니면 귀찮아서 잘 사용하지는 않는다. 최근의 논문을 봐도 클로르헥시딘 가글이 가장 합리적이라고 하는 경우가 많다.

오히려 발치에 소독이 필요하다면, 필자는 구치부 스켈러 하나를 반드시 가져다 놓으라고 한다. 심지어 임플란트 수술을 할 때는 치과위생사에게 전문가잇솔질을 통해서 구강 내 플라그를 최대한 많이 제거해주라고 한다. 입 안의 세균을 죽이는 것은 가능하지도 않고, 해서도 안 된다. 그러나 무엇보다 세균 덩어리인 플라그 덩어리가 발치와나 수술 부위에 들어가지 않도록 구치부 스켈러로 주변을 깨끗하게 해보자.

필자는 발치 후 염증이 거의 없는 편인데, 이 부분도 매우 크게 작용을 한다고 본다. 어쨌든 사랑니를 뽑거나 구강 내 수술을 할 때는 근처 치아가 물리적으로 깨끗함을 유지하도록 하자.

필자와 함께 강의하는 패컬티 중에 한 분이 이 부분을 특히 강조해달라고 한다. 가끔 입안이 너무 지저분한데도 스켈링을 거부하고 발치만 해달라는 환자들이 있기 때문에, 이 페이지를 보여주고 싶다고... 혹시 이 페이지를 그런 용도로 보여드렸다면 아래 내용을 환자분께 꼭 읽어보라고 하세요.

사랑니 빼는 환자분들께

환자분은 넘어져서 팔에 가시가 박히면, 가시만 빼십니까?
가시 옆에 흙도 다 털어내고 깨끗하게 해놓은 상태에서 가시를 빼야 상처 부위가 잘 아물지 않을까요? 사랑니를 빼는 것만큼 주변이 깨끗한 것도 중요합니다. 이번 기회에 사랑니 빼시고 정기적인 스켈링과 구강관리를 열심히 하는 습관을 들이시면 더 좋을 듯합니다.

02
필자가 사용하는 드레싱 세트★

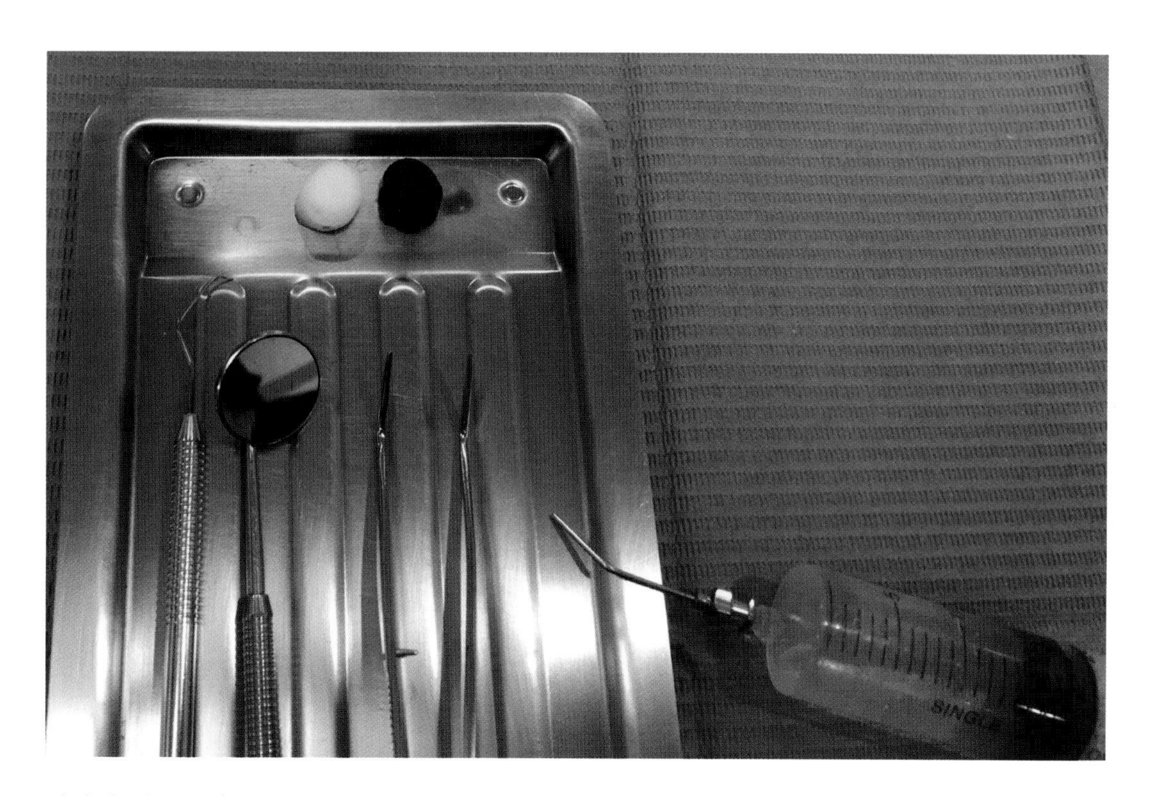

필자가 사용하는 드레싱 세트이다. 필자도 우리나라 치과의사들과 가장 비슷하게 과산화수소(H_2O_2)와 포타딘(*Povidone Iodine Solution*)를 사용한다. 여기서 포타딘 거즈는 사실 거의 보여주기용일 뿐이다. 포타딘은 원래 외피용 살균소독제로 발라놓으면 마르면서 오랫동안 요오드를 분비하면서 효과를 내는 용액이기 때문에 사실 입 안에는 거의 효과가 없다. 굳이 효과가 있다면 거즈로 물리적인 플라그를 제거하는 것일 것이다. 굳이 사용한다면 발치나 임플란트 시술 시에 얼굴에 발라서 소독효과를 내는 것이 더 바람직할 것이다.
그러나 식염수는 매우 중요하다. 발치 전보다는 발치 과정 중에나 발치 후에 발치 과정에서 생긴 찌꺼기들이나 염증산물 등을 씻어내는 것은 발치에서 매우 중요하다. 여기서도 식염수는 화학적 작용이라기보다는 물리적으로 작용하는 것이다.
꼭 기억하자... 발치 직후 가장 좋은 소독은 발치와를 충분한 식염수로 세척하는 것이다.

가십거리

어떤 나라의 치과대학 구강외과에 견학을 갔을 때 포타딘을 셀라인에 희석하여 발치와를 irrigation하는 것을 본 적이 있다. 얼마나 더 효과가 있을지는 모르지만, 그 의도는 알 수 있을 듯하다. 어쨌든 필자도 그래도 효과가 있을 거란 믿음 때문인지, 습관 때문인지 계속 사용하고 있다.

03
어떤 주사바늘을 사용할까? ★

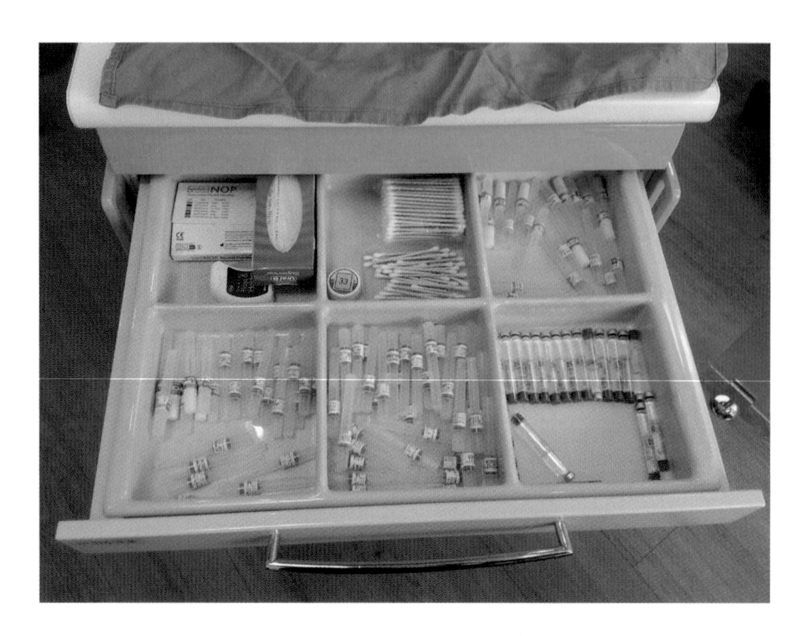

모바일 카트의 가장 윗부분에 여러 종류의 주사바늘과 리도카인을 갖추고 있다. 특히 주사바늘은 언제든지 새 것으로 바꿀 수 있도록 여러 개씩 충분히 세팅되어 있다.

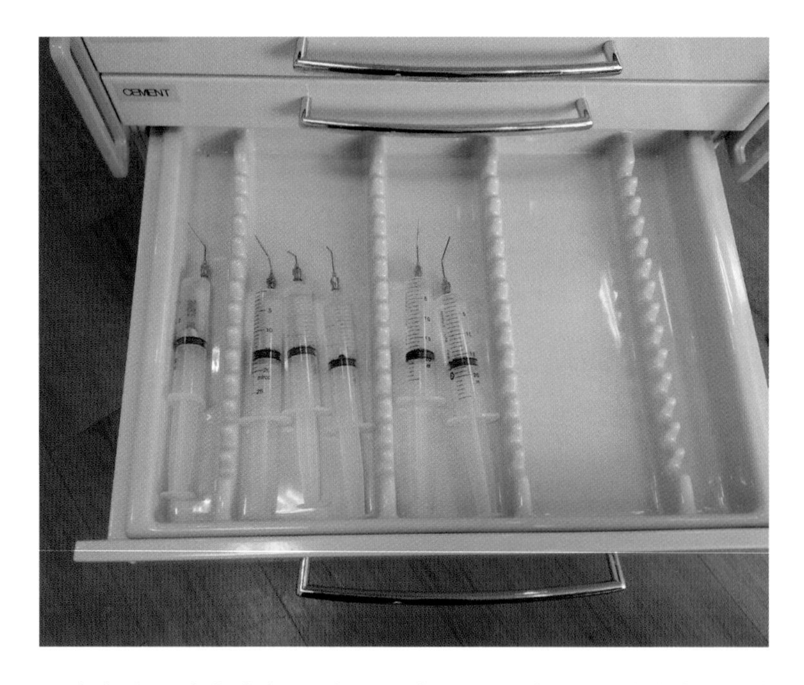

모바일 카트 내에 어시스트용 소독된 irrigation용 30 cc 시린지를 넉넉하게 넣어 놓고 있다. 임플란트 수술 때처럼 모두 소독해서 발치세트에 함께 넣어놓으면 좋겠지만, 너무 낮은 발치 수가를 감안하면 현실적으로 불가능하여 이 정도로 사회와 타협하고 살고 있다. 다만 팁은 일회용을 사용하거나 완전 멸균된 메탈 팁을 사용한다.

04
필자가 사용하는 주사바늘 (needle) 

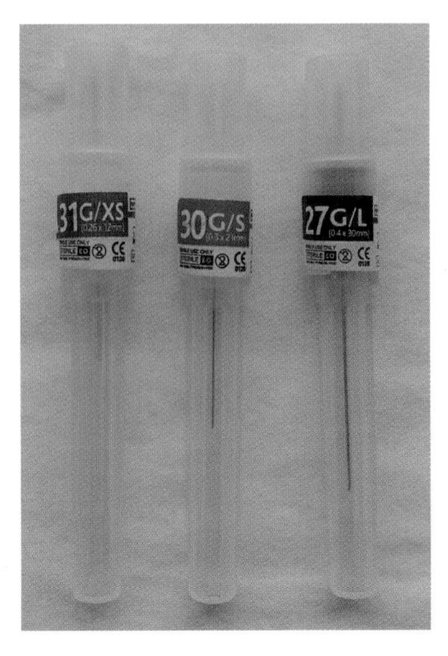

필자의 치과에도 많은 치과 마취용 주사 바늘이 있다. 현재 필자는 30게이지 25 mm 긴 바늘을 주로 사용한다.
필자도 초보 때에는 학창시절에 배운대로 전달마취에는 확실하게 감각을 느끼면서 마취할 수 있도록 27게이지 긴 바늘을 사용하고 침윤마취에는 통증을 좀 덜하게 하기 위해 30게이지 짧은 바늘을 주로 사용하였다.
그러나 사랑니 발치를 닥치는 대로 하기 위해서는 한 가지 바늘만 사용하는 것이 매우 유리하고 효율적이기 때문에, 나의 ESSE 컨셉을 위해서 30게이지 긴 바늘만을 사용한다.
많은 기구를 적절하게 잘 사용하는 것도 좋지만, 나에게 익숙한 기구로 익숙한 나만의 방법으로 하는 것도 좋기 때문이다.

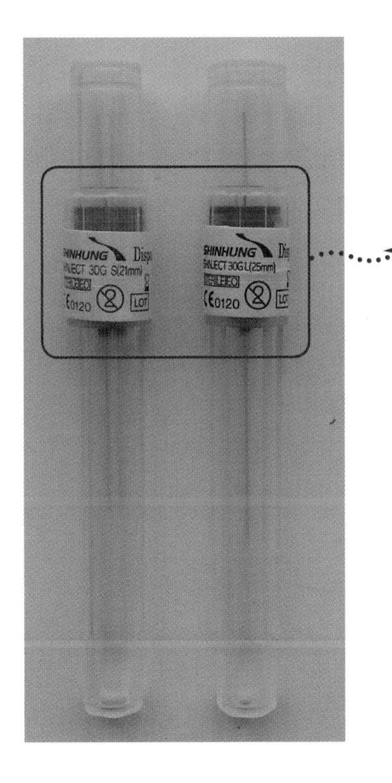

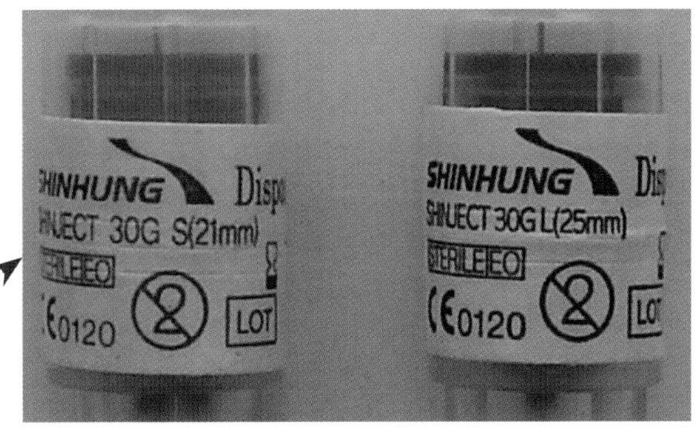

오른쪽이 필자가 가장 많이 사용하는 30게이지 25 mm 주사바늘이다. 전달마취 후 침윤마취를 하다 보면 바늘이 많이 휘어지거나 부러지기도 해서 바늘을 바꿔야 하는 경우도 있는데, 그런 경우는 왼쪽의 30게이지 짧은 바늘을 새로 끼워서 사용한다.
가는 30게이지 바늘을 사용하면 확실히 마취 통증이 적고, 조직 손상을 줄일 수 있어서 좋다. 필자는 설측에도 충분히 침윤마취를 하는 스타일이기 때문에 굵은 27게이지 바늘은 설신경 손상을 우려해서 잘 사용하지 않는다.

05
필자의 주사바늘 사용방식 ★

필자는 척추가 안 좋기도 하고, 습관이 들어서 바늘을 위와 같이 휜 다음에 하악지 내면의 하악공 윗쪽, 앞 부분에 최대한 수직으로 접근하여 주사를 한다. 또한 aspiration을 하지 않고 일반적인 침윤마취처럼 주사를 한다. 오히려 aspiration을 하면서 주변조직 손상을 일으킬 수 있다고 생각하기 때문이다. 그러나 이것은 오로지 필자의 경험에서 나온 필자의 생각일 뿐이다. 그러므로 독자들은 원래 본인이 하던 방식대로 마취를 해도 된다. 다만 필자의 치과에 견학오는 치과의사나 필자의 세미나에 참관하는 치과의사들이 자꾸 물어보기 때문에 여기에 필자의 스타일을 적을 뿐이다.

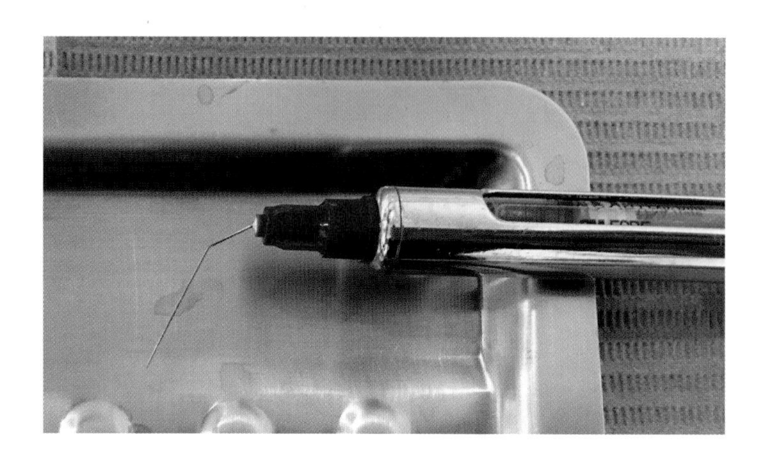

하악 설면이나 상악 구개부 등에 마취하기 위해서 접근 각도가 원활하지 않으면 한번 더 휘어서 최대한 수직에 가깝게 해서 주사를 한다. 위에서도 말했듯이 이건 어디까지나 필자의 스타일이며, 굳이 본인의 스타일을 바꿀 필요는 없다고 생각한다. 다만 필자를 따라서 가늘고 긴 바늘을 사용할 사람들은 반드시 바늘이 부러져서 연조직 속에 바늘이 묻히는 일이 없도록 해야 한다. 솔직히 바늘을 휘어서 사용하게 되면 바늘이 조직에 최대한 수직으로 들어가기 때문에 깊게 들어가는 경우가 매우 드물어 부러져도 대부분 핀셋으로 제거가 가능하다.

06
필자의 하치조신경 전달마취 방법 ★★

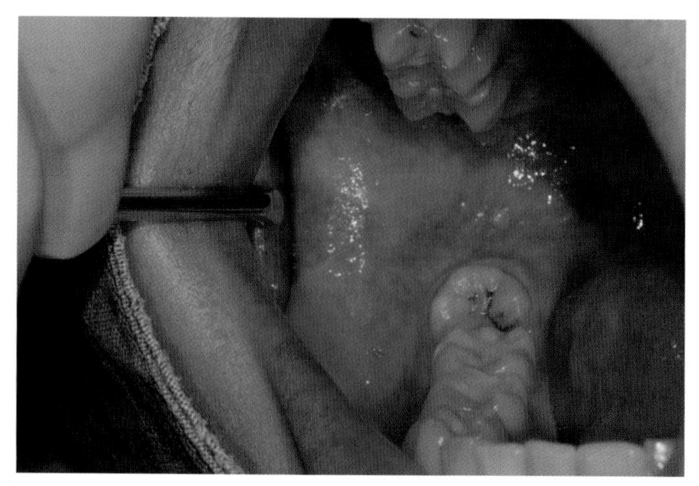
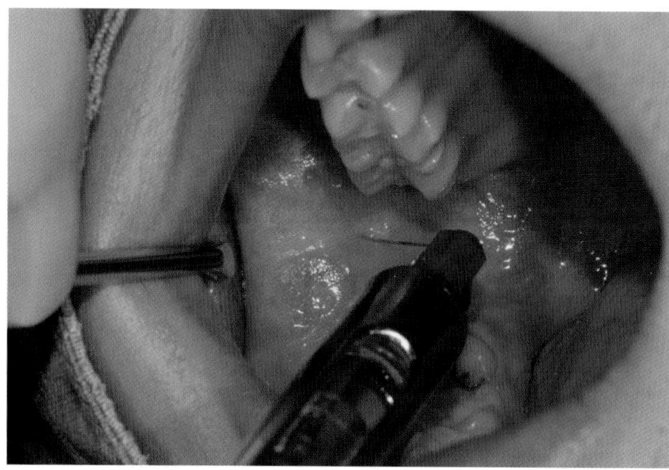

필자의 전달마취 방법이다. 보통의 경우 손가락은 사용하지 않고 미러를 사용한다. 하악지의 전연을 손가락으로 느끼기보다는 미러로 확실하게 하악지 앞을 눌러놓고, 그 부분의 연조직 두께를 1 cm 정도로 예상을 하고 하악공 앞부분에 주사한다는 생각으로 시행한다.

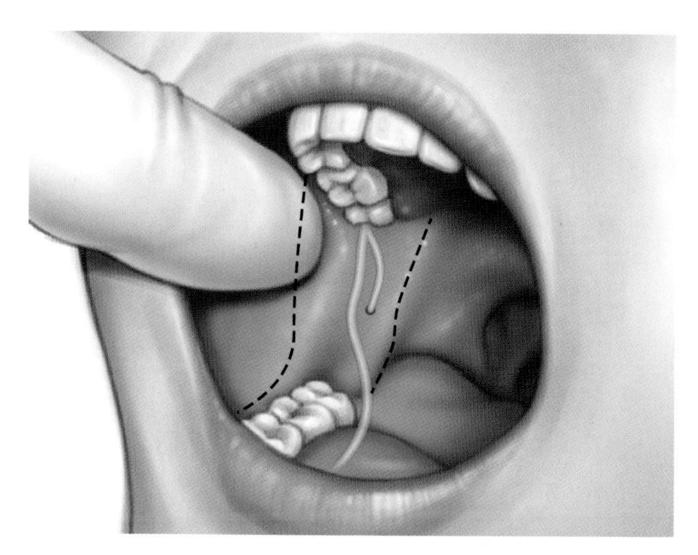

일반적인 턱에서의 하치조신경과 설신경의 주행 방향

필자는 전달마취는 최소한으로 한다. 정확히 한 번 주사하여 움직이지 않고 한 앰플을 주사하고 마무리한다. 솔직히 대부분의 사랑니 발치는 침윤마취로도 충분하다고 생각한다. 그러나 전달마취청구비용(5,000원)이 침윤마취비용(1,500원)보다 비싸고, 혹시 모를 상황에 대비해서 간단히만 시행한다. 다만 굵은 27게이지(약 0.4 mm) 바늘을 골막에 닿을 때까지 찌르고, 거기서 다시 바늘을 앞뒤로 움직이는 것은 너무 큰 조직 손상을 야기할 수 있다고 생각하기 때문에 절대 하지 않는다. 필자처럼 사랑니 발치를 만 건 단위로 하는 사람이 그런 식으로 마취를 한다면 반드시 몇 명은 설신경이 손상되거나 비슷한 후유증이나 합병증이 생겼을 것이다. 이 부분에 대해서는 이견이 많은 것을 알고 있다. 다시 말하지만 마취는 원래 자기 방식대로 하는 것이 좋다. 굳이 필자에게 필자 스타일을 묻는 분들이 많아서 올려보는 정도라고 보면 될 듯하다.

만 명에 한 명 생기는 후유증이라도 필자는 피하고 싶다. 필자가 30게이지(약 0.3 mm) 긴 바늘로 한 번에 한 앰플만 주사하고 끝내는 이유이다.

그러나 필자는 필자에게 사랑니 발치를 배우는 사람들에게 필자의 마취 방식을 강요하지는 않는다. 치과의사라면 자신만의 마취방식을 가질 필요는 있다. 다만 자기 마취방식대로 해도 마취 효과가 확실하고 후유증만 없으면 된다고 생각한다.

07 사람마다 변이도 많고... 조직 손상이 심할 수도... ★

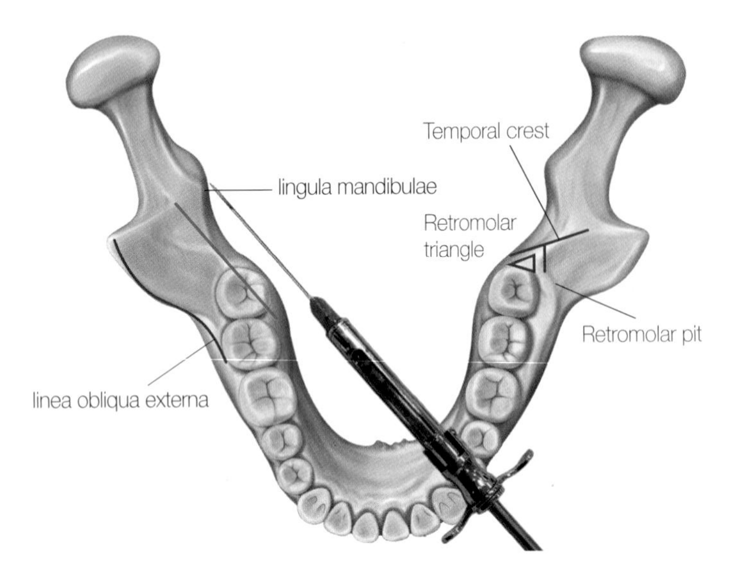

하악골에서 주사바늘이 주행하는 방향을 나타내는 그림으로 생각보다 하악지 내면의 각도가 주사바늘의 각도와 비슷하다.

Moris 등의 연구에 의하면 총 44개의 사체에서, 통상적인 하악 전달마취 방법으로 주사를 자입한 후, 주사 바늘을 고정 시킨 상태에서, 해당 부위에 대한 해부를 시행하여, 주사 바늘과 설신경 및 Lingula간의 거리, 설신경 및 하치조신경 너비를 측정한 결과, 주사 바늘과 설신경 간의 거리는 0.73 ± 0.70 mm (0.00–3.00 mm)로 나타났다. 총 44회의 하악 전달마취 모의과정에서, 설신경을 직접 관통한 경우가 2회(4.5%), 설신경과 0.1mm내로 근접하여 통과한 경우가 7회(16%)로 나타났다. 또한 이들의 연구에서, Lingula 부근의 설신경의 평균 직경은 3.42 ± 0.38 mm (1.95-4.15 mm)로, 하치조신경의 평균 직경은 2.53 ± 0.29 mm (1.95-3.25 mm)로 나타났다.
<Moris CD, Rasmussen J et al. J Oral Maxillofac Surg 2010;68:2833-2836>

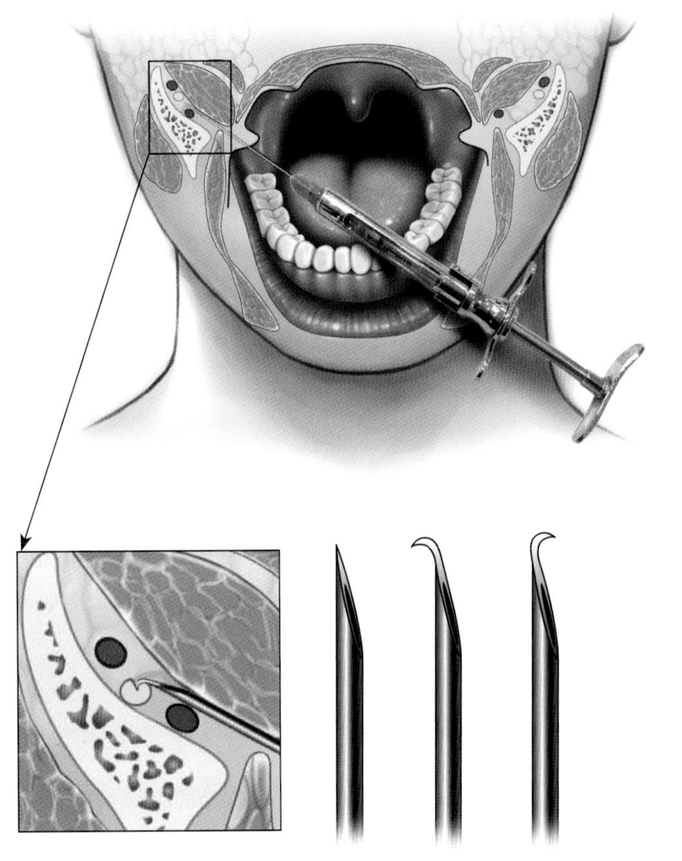

전달마취 시 하악지 내면의 구조물들을 손상시킬 수 있음을 보여주는 그림

Stacy 등의 연구에 의하면 하악 전달마취 중 바늘끝이 휘어지는 경우(Barbed tip)가 대략 78% 정도 발생한다고 보고하였다(1994). 특히 Barbed tip의 2/3 이상은 구부러진 바늘의 끝 방향이 바깥으로 향하는 "Outward facing barb" 양상을 띄며, 전달마취 후, 주사 바늘을 제거하는 과정에서 이러한 구부러진 바늘첨은 신경에 큰 물리적 손상을 입힐 수 있다.
<Stacy GC, Hajjar G et al. Oral Surg Oral Med Oral Pathol 1994 Jun;77(6):585-8>

필자가 이 책에서는 논문 인용을 최대한 안 하려고 하였지만, 울산 조은턱치과 조상훈 원장의 칼럼을 보고 참고하여 위 논문 등을 인용하였다.
임상에서 마취를 하다보면 학창시절에 배운 해부학을 거의 다 까먹는다. 필자만 그런 것일 수도 있지만... 그래서 필자는 가끔 뭔가 매너리즘에 빠진듯한 느낌이 들면 해부학 책을 다시 한 번 꺼내본다. 우리는 하치조신경 전달마취는 반대쪽 제1대구치에서 교합면보다 1 cm 높은 하악지 전방부에 주사하라고 배웠다. 그리고 설신경이나 장협신경의 마취를 위해서 주사바늘을 꽂은 상태에서 움직이라고 배웠다.
그러나 여기서 두 가지를 꼭 기억해야 한다.
첫 번째는 그 곳에는 하치조신경뿐만 아니라 다른 신경과 동맥 정맥 등의 중요 구조물이 많고, 그 위치가 매우 변이가 심하다는 것이다.
두 번째는 하악지의 각이 클 경우에는 그 각도에서 골막에 잘 도달하지 못할 때가 많다는 것이다. 이런 경험은 치과의사라면 누구나 가지고 있을 것이다. 그래서 골막을 찾기 위해서 여러 번 주사를 반복하거나 꽂은 상태에서 움직이는 것을 반복하는데, 이것이 얼마나 더 위험한 것인지 알아야 한다는 것이다.

08
설측에 충분히 침윤마취를 해주자. ★★★

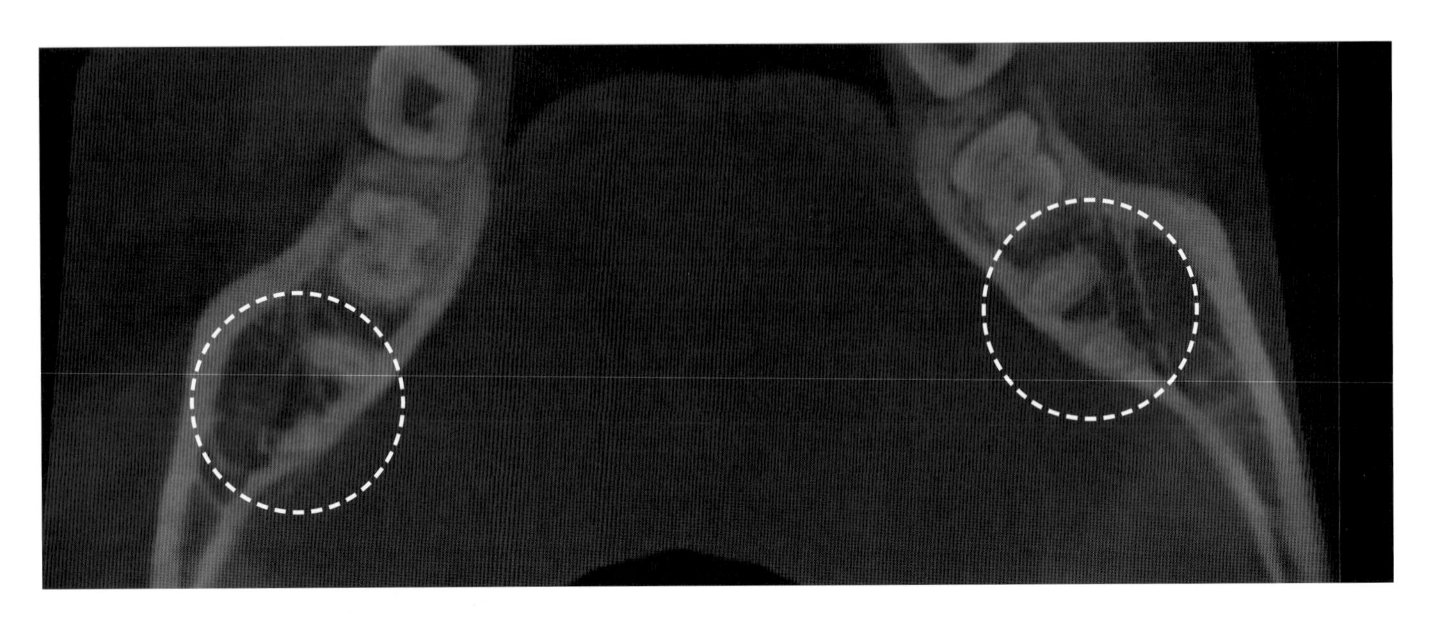

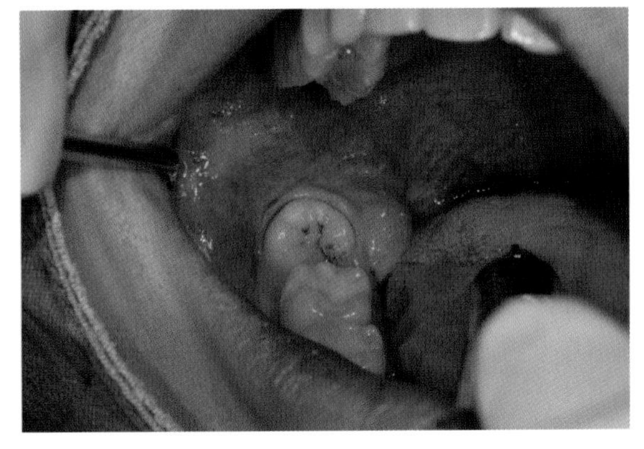

사랑니 발치에서는 설측에 충분한 침윤마취가 필요하다.

치과의사라면 하악 7번이 마취가 안 돼서 치료에 애를 먹은 경험이 누구나 있을 것이다. 그러나 필자는 사랑니 발치를 7번 치료보다 100배 이상 했지만 마취가 안 돼서 발치하면서 스트레스를 받아본 적은 거의 없다. 그 이유는 설측에 충분히 마취를 했기 때문이라고 생각한다. 하악 7번은 설측에 마취를 충분히 해도 마취가 잘 되지 않는다. 그 이유는 7번 치아까지만 해도 협설측으로 모두 두꺼운 피질골에 둘러 싸여 있어 어느 곳에 마취를 해도 근단공에 도달하기 어렵기 때문이다.

그러나 위 사진에서 하얀 원 안의 사랑니를 보자. 사랑니는 대부분 치근이 있을 공간이 부족하여 설측 피질골 가깝게 위치하고 있다. 또한 그나마도 설측 피질골이 협측 피질골보다 얇기도 하다. 필자가 방사선 chapter에서 언급했듯이 논문상에 사랑니 치근의 30%가 하악 설측 피질골을 뚫고 있다고 한다. 그러므로 설측에 충분한 침윤마취는 통증없는 사랑니 발치에 매우 중요하다.

위와 같이 8번 치근단이 설측 피질골 내에 위치할 때, 파노라마 상에서 어떻게 보이며, 발치할 때 주의할 점이 뭔지는 앞에서 다뤘기 때문에 여기서는 넘어간다. 다만 설측 침윤마취를 충분하게 하지 못하는 이유를 설신경 손상의 두려움 때문이라는 치과의사들도 많다. 그러나 필자의 경험을 믿어봐도 좋다고 말하고 싶다. 어느 누구보다 사랑니를 많이 뺀 필자가 늘 같은 스타일로 발치했어도 단 한 번도 신경손상이 없었다. 다만 반드시 얇은 바늘을 사용해야 한다. 간혹 설신경 근처에 주사를 하더라도 손상을 최소화할 수 있다. 실제로 설신경의 굵기(3~4 mm)를 감안한다면 30게이지(0.3 mm) 가는 바늘은 손상을 걱정할 필요는 없다고 본다.

09
무식한 놈이 힘은 어쩐다고... ㅠㅠ ★

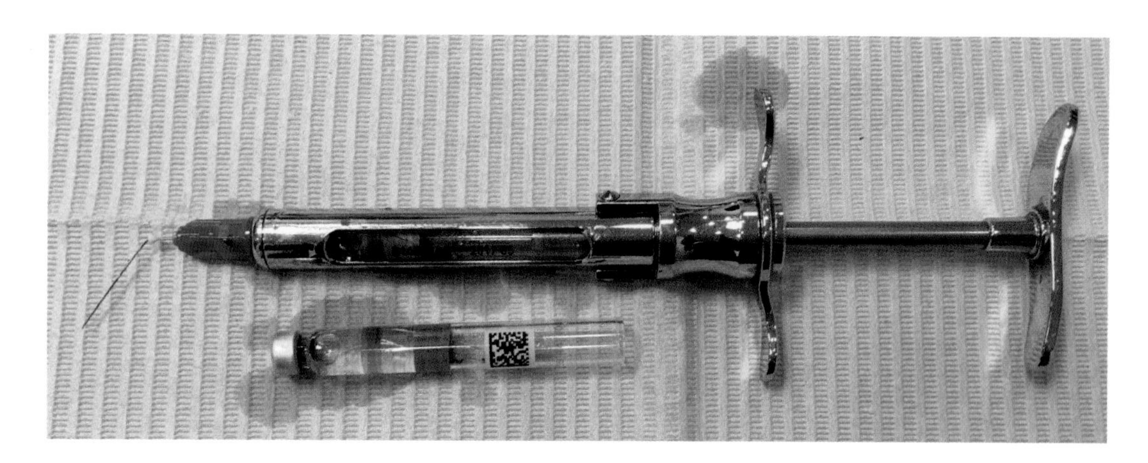

마취 도중에 앰플이 연속 2개 깨진 상황, 힘이 센 건지 제품이 불량인 건지... 다른 사람은 별로 없다지만, 필자는 좀 흔하게 발생하는 경우이다. 너무 짧은 시간에 많이 발치를 해야 하다보니, 나도 모르게 급하게 빨리 마취하는 습관이 들었나 보다. 거기다 30게이지 니들을 휘어서 사용하다보니 특히 더 자주 이런 경우가 생기는 것 같다.

필자가 남들보다 조금은 세게 주사를 하나보다. 가끔은 앰플이 깨지기도 하지만, 위와 같이 고무를 뚫어 버리기도 한다. 필자가 여러 치과의사들과 함께 일하던 시절에는 기구를 모두 내 맘대로 세팅할 수가 없었기 때문에 다른 치과의사들이 사용하는 시린지를 사용하다가 위와 같은 사태가 벌어지기도 했다. 생각보다 자주...
여러분들이 이대로 따라하라는 말이 아니라, 생각보다 센 힘으로 침윤마취를 한다는 것을 보여주려고 하는 것이다. 요즘은 귀찮아서 aspiration이 불가능한 동그란 고리가 달리지 않은 시린지를 사기도 하는데, 그 이전에는 고리가 달린 시린지에서 훅을 제거하고 사용했었다. 그 내용은 다음 페이지에...

10
필자가 훅을 잘라 버리고 쓰는 마취 메탈 시린지★

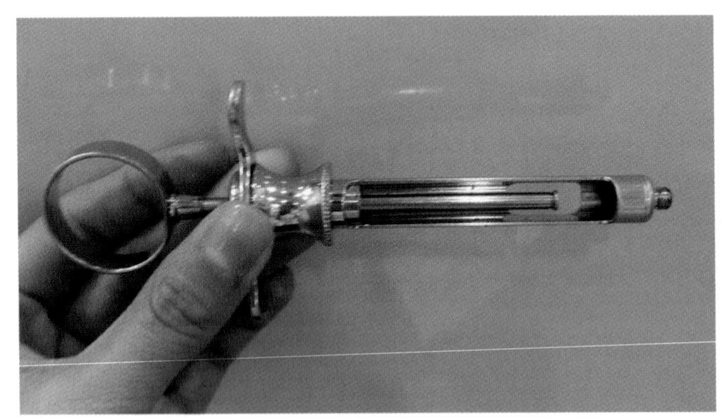

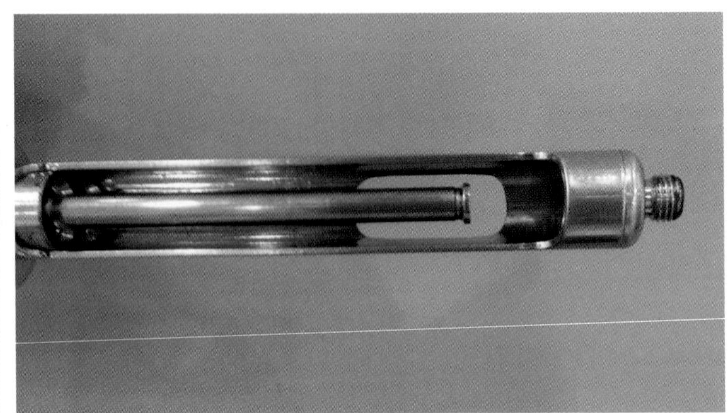

필자는 상하악이나 매복 정도를 막론하고 대부분 마취를 시행하고 바로 발치를 하는 것을 원칙으로 한다. 환자가 너무 많기 때문에 필자는 모든 환자에게 같은 기구와 같은 발치 세트를 사용해야만 한다.

마취 시에는 30게이지 얇은 바늘을 사용하면서 굳이 aspiration을 하지는 않는다. 지금까지 20년에 가까운 임상생활에서 학창시절을 제외하고는 한 번도 시행하지 않은 거 같은데 아무런 문제 없이 잘 시행하고 있고, 특히 하치조신경 근처에서 잦은 바늘의 움직임은 오히려 신경손상을 야기할 수도 있다고 생각하기 때문이다.

Aspiration을 하지 않음에도 불구하고 손가락 고리가 달린 aspiration용 시린지를 썼던 이유는 고리에 손가락을 넣기보다는 고리 뒤를 밀어서 끝까지 센 힘으로 주사할 수 있기 때문이다. 아마 손이 좀 큰 사람은 필자의 말을 이해할 수 있을 것이다. 그러나 훅이 달린 시린지를 사용하다보면 자꾸 고무가 깊게 박히거나 심지어 뚫고 지나가서 불편하기 때문에 훅을 그림과 같이 제거하고 사용하기도 했었다.

마취는 지금까지 자기에게 익숙한 방법으로 하는 것이 가장 좋은 방법이겠지만, 필자가 이렇게 한다는 정도만 알아두자.

어쨌든 필자는 굵은 27게이지 바늘로 조직 내에서 움직이면서 마취하는 것은 조직 손상을 야기할 수 있고, 그 빈도가 많을수록 반드시 신경 손상의 가능성이 많다고 본다.

필자의 마취 스타일에 이견이 많은 것을 알고 있다. 그래서 절대 남에게는 강요하지 않는다. 치과의사라면 모두 자기만의 마취 스타일이 있을 것이다. 그저 참고하라는 정도로 너그럽게 이해해주기 바란다.

사랑니 발치 시에 정말 마취가 안 되면?

수직 매복치라면 협측에 엘리베이터를 집어넣어서 살짝 벌려준 다음에 30게이지 가는 바늘을 사용하여 협측에 치주인대 마취를 시행하는 것이다. 일반적으로 하악 7번 근관치료를 시행할 때 마취가 잘 안 되면, 치주인대 마취 등을 시행하듯이 하면 된다. 다만 사랑니는 어차피 빼버릴 치아이기 때문에 치주인대의 트라우마정도는 걱정하지 말고 협측에서 엘리베이터를 꽂아둔 상태에서 마취하면 매우 효과가 좋다.

근관치료할 때처럼 치수강 내 직접 마취를 하는 것이다. 주로 매복치를 삭제할 때 환자가 시리다는 통증을 호소하는 경우에 사용한다. 근관치료할 때처럼 치수강에 얼른 구멍을 뚫어서 치수강 내에 직접 주사하는 것이다. 일반적으로 치주인대는 마취가 잘 되는 편이지만, 치수는 근단부까지 마취약이 도달하지 못하면 통증을 호소할 수 있다. 사랑니 주변이나 치주인대를 충분히 마취한 후에도 계속 통증을 호소하면 이런 경우에는 치수강 내 마취를 시행하여 한 번만 통증을 참으면, 발치는 계속 진행할 수 있게 된다.

한 가지 더 중요한 팁이라면 <치경부를 공략하라>라는 것이다. 근관치료에서는 치경부에 구멍을 뚫으면 안 되지만, 사랑니 발치에서는 어차피 빼버릴 치아이기 때문에 구멍을 뚫어도 크게 상관이 없다. 보통 치경부는 치수까지 매우 가깝기 때문에 간단한 삭제로도 치수에 도달할 수 있다. 심지어 수평 매복치의 경우에도 원심 치경부를 공략해보자.

11
치수강 내 직접마취 케이스 ★★

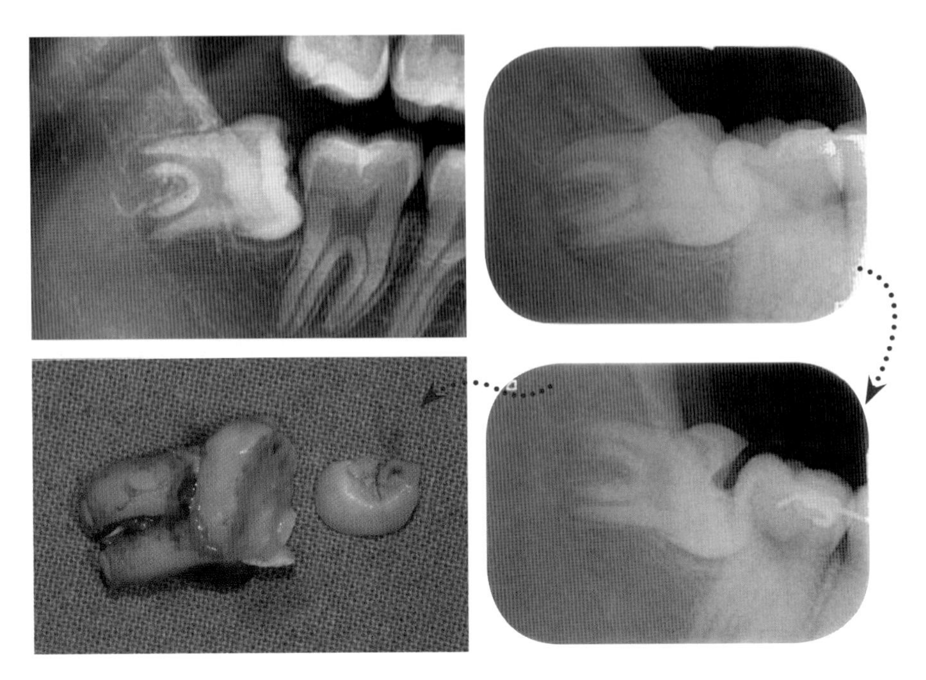

16세 남환으로 교정치료 중에 사랑니 발치를 의뢰받았다. 근심 치관부를 삭제하는데 통증을 호소하였다. 추가마취로도 효과가 없어서 뒷목치기(뒤에서 다룸) 방법으로 치수강에 직접 마취하였다. 환자가 어리고 치수강이 커서 원심 치경부에서는 살짝만 삭제해도 치수강에 접근할 수 있다.

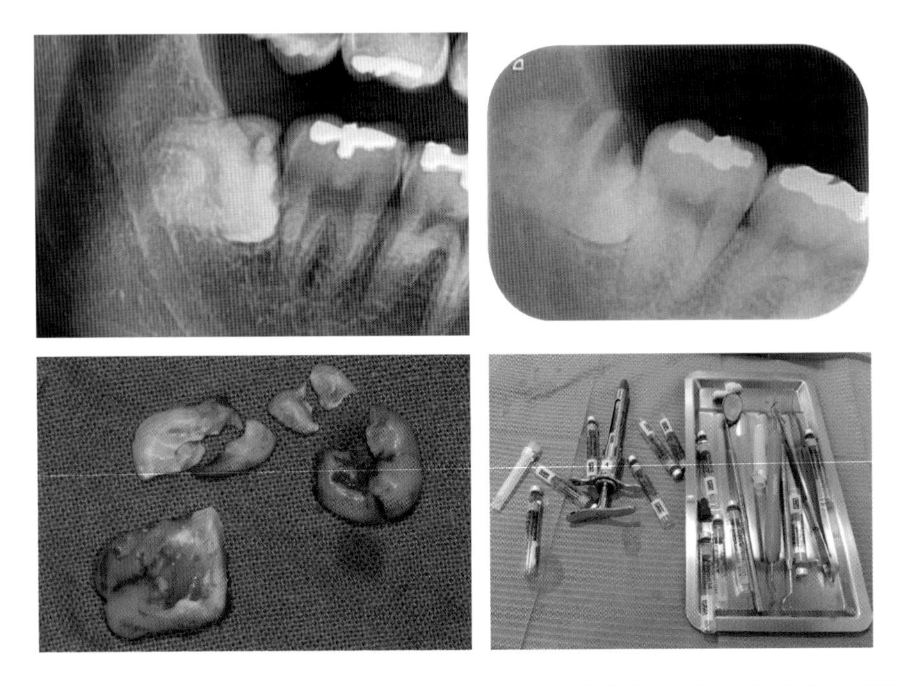

27세 남성 환자로 마취가 잘 되지 않아서 근심 치관부의 삭제를 더 이상 진행하기 어려웠다. 여러 가지 방식으로 마취를 시행하였으며, 최종적으로는 위 케이스와 마찬가지로 뒷목치기 방식으로 치수강 내 마취를 시행하였다. 필자가 최근 몇 년 사이에 가장 많은 주사바늘(3개)와 리도카인 앰플(13개)를 사용하여 기념하여 사진을 촬영하였다.

하치조신경 전달마취와 설신경 마비 

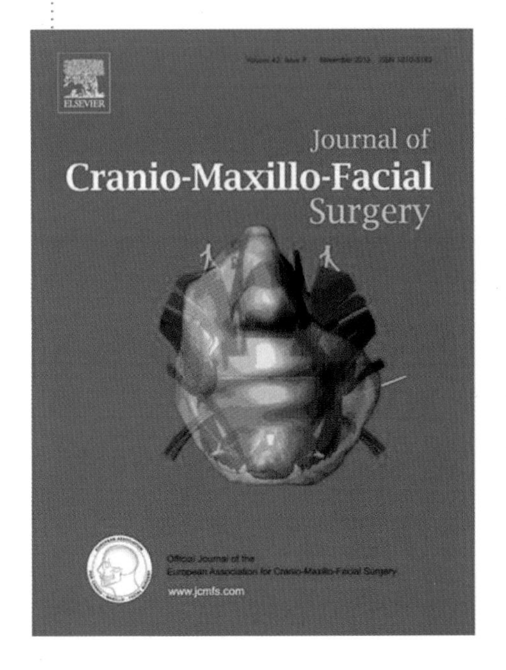

전달마취 시 설신경 손상의 비율은?

journal of craniomaxillofacial surgery에 1994년에 실린 <Clinical investigation into the incidence of damage to the lingual nerve caused by local anaesthesia>라는 논문에 따르면 12,104명의 환자를 대상으로 전달마취 후 다른 외과적 치료는 하지 않고, 72.4%는 크라운 프렙 및 충천 치료만, 27.13%는 치주치료, 나머지 0.3%는 기타 치과적 치료를 행한 경우에 단 18명(0.15%)에게서 혀의 감각 이상이 확인됐으며, 이 중 17명은 6개월 내에 완전 회복되었으며, 단 한 명(0.008%)의 환자만 1년 후에도 미약한 감각이상이 지속됐다고 한다. 이렇듯 전달마취로 인한 설신경 감각이상은 그 가능성을 완전히 배제할 수는 없지만 그렇다고 과도한 걱정을 앞세울 필요 또한 없는 것으로 생각된다. – Dr.이재욱 코멘트

2주 전

영삼아 연락 없다 미안 내가 요일 prep할려고 하악block 했느데 혀와 입술에 감각이 없데 처음이라서 좀 알려줘 처방과 그 외 처치법 좀

9월 7일 오후 12:16

어느 날 경력 20년차인 선배한테서 온 문자이다.
위의 연구 결과는 하치조신경을 전달마취한 후에 신경 손상은 거의 없다고 나왔다고 하지만 이 문자에서도 보이듯이 그래도 주의해야 한다. 10,000개 중에 하나가 있는 경우라고 해도 필자처럼 많이 뽑는 사람에게는 발생할 수도 있기 때문이다. 그래서 필자는 전달마취 시 조직손상을 최소로 하기 위해서 굵기가 가는 30게이지 긴 바늘을 사용한다.

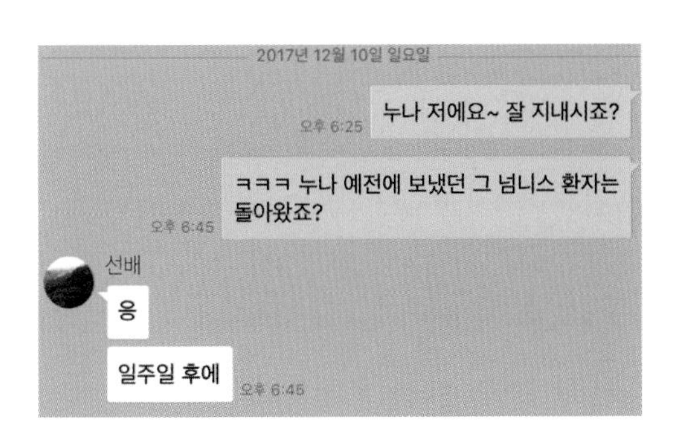

책을 마무리할 즈음 이 선배에게 환자 예후를 물었더니 좋아졌다고 한다.

사랑니 발치를 위한 절개 및 봉합 ★★★

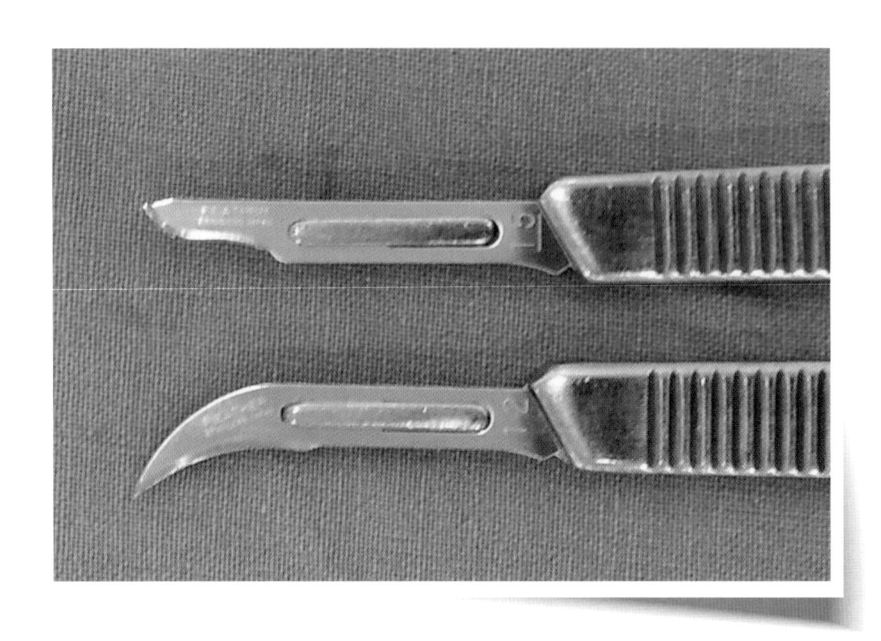

메스는 주로 12번과 15번을 사용한다. 임플란트 수술 시에는 섬세한 절개를 위해서 15c번을 사용하지만, 발치는 절개가 중요하지 않기 때문에 15번을 주로 사용하며, 임플란트 시에는 기본적으로 두 가지 메스를 모두 준비한다. 수술부위 앞치아의 뒷면까지 절개를 하기 위해서 12번을 추가로 사용한다. 사랑니 발치 시에는 사랑니가 구강 내로 노출이 안 되어 있고, 사랑니 부위의 잇몸이 7번 원심면까지 덮고 있는 경우는 12번을 사용한다.

참고로 메스가격은 (100개들이 한박스에) 15번, 12번, 11번은 22,000원 (개당 220원), 15c번은 54,000원 (개당 540원)이다. 큰 금액은 아니지만 굳이 비싼 거 사용할 필요도 없다고 생각된다.

이미 다른 수많은 책과 강의에서 절개와 봉합에 대해서는 다루고 있으므로, 여기서는 필자의 철학을 간략하게 ESSE 컨셉에 맞게 설명하는 정도로만 하겠다.

01 Dr. 김영삼의 메스 ★

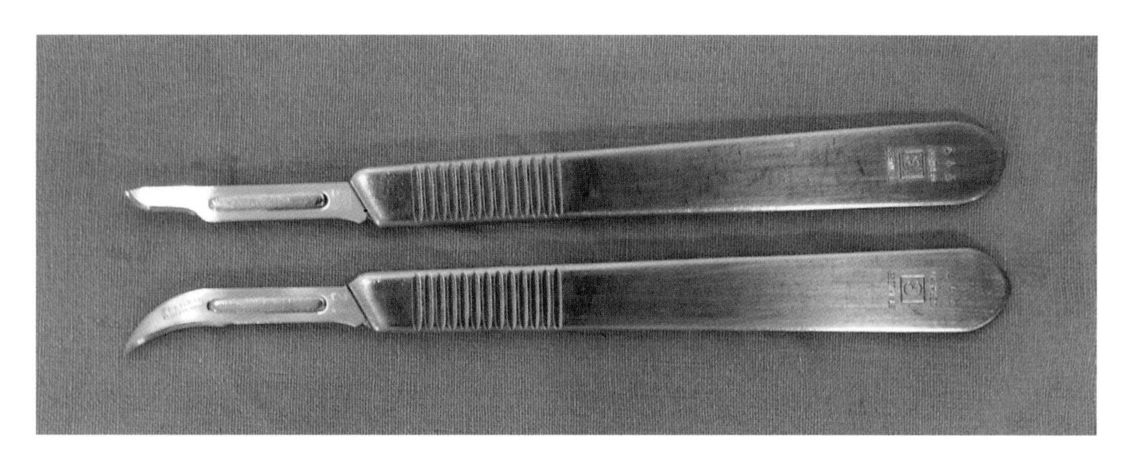

필자는 사랑니가 완전히 보이지 않으면 7번 원심까지 깨끗이 절개하기 위해서 12번 메스를 사용하며, 그런 경우가 아니면 대부분 15번 메스를 사용한다. 또한 수직절개가 꼭 필요한 경우라면 15번 메스를 쓰는 것이 좋다. 물론 사랑니 발치에도 대부분 메스는 하나만 쓴다. 메스값이 아까워서라기보다는 절개를 거의 안 하고, 별로 중요하지 않다고 생각하기 때문이다. 그러나 초보 치과의사라면 각각에 유리한 것을 쓰자.

기본적인 절개나 박리, 봉합과정은 다른 외과적인 책에 많으니 생략하겠다. 다만 사랑니 발치를 위한 절개를 할 때는 골막까지 확실히 절개해야 한다. 아니 어쩌면 골막만 절개한다고 생각해야 한다. 밖에 있는 잇몸은 골막을 절개하면 같이 잘리는 정도의 부수적인 것이라고 생각해도 된다. 사랑니 발치를 위한 절개와 봉합은 골막을 절개하고 봉합하는 것이다.

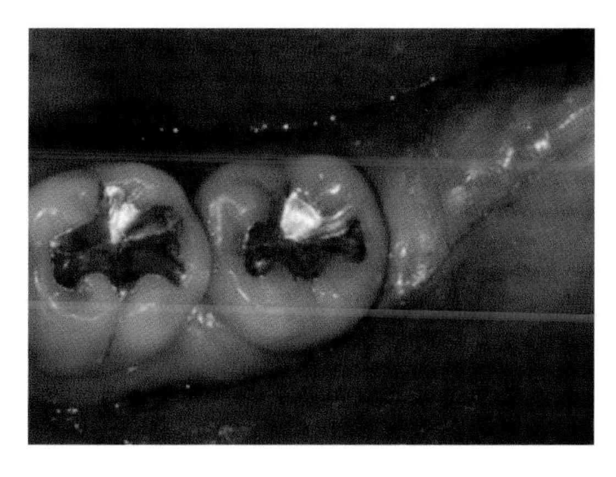

필자가 일반적으로 12번 메스를 사용하는 경우로 7번 원심면까지 잇몸으로 확실히 덮여 있다.

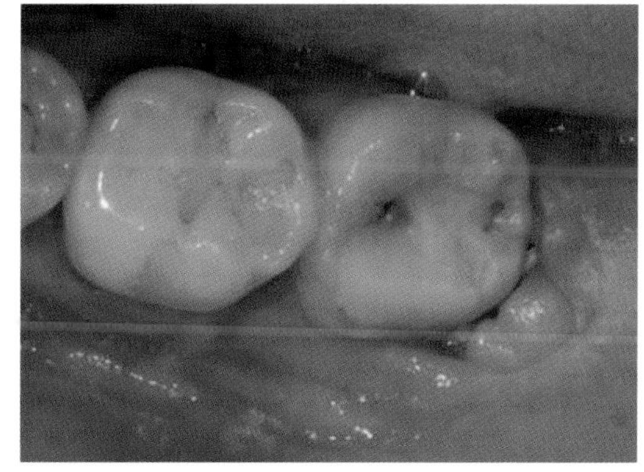

필자가 일반적으로 15번 메스를 사용하는 경우로 사랑니가 일부 잇몸 밖으로 보인다. 가끔은 잇몸이 조금 더 덮인 경우에도 수직절개가 필요하면 15번 메스를 사용하기도 한다.

02
Dr. 김영삼의 교합면 절개 방식 ★★

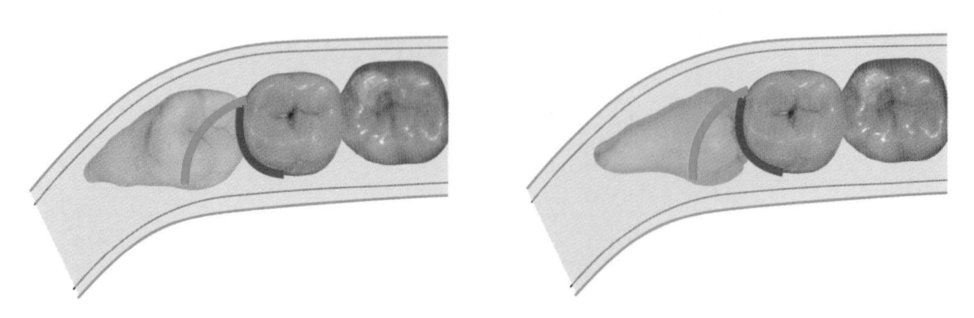

사랑니가 하나도 안 보이는 경우는 12번 메스로 녹색선처럼 7번 원심면까지 확실히 절개를 한다. 빨간선은 굳이 절개하지 않아도 박리를 하면서 자연스럽게 절개되지만, 초보자라면 굳이 12번 메스를 이용해서 비슷한 정도까지 절개를 해주는 것도 좋다. 절개선을 근심면까지 연장하는 경우는 다음 페이지에서 다룬다.

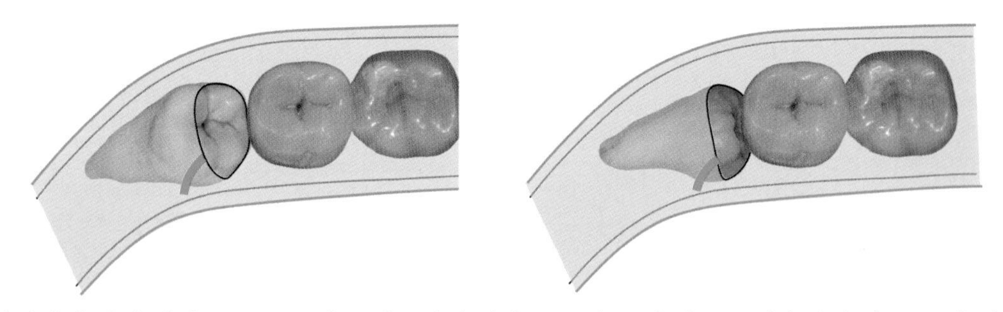

사랑니가 반절 이하로 조금 보이는 정도라면 필자는 굳이 12번 메스를 사용하지 않고 15번 메스를 사용한다. 15번 메스로 원래 치아가 하나도 안 보였다면 내가 어떻게 절개했을까를 생각한 다음에 나머지 부분을 절개한다는 느낌으로 시행한다. 지금 녹색 절개선을 연장하면 치아가 하나도 안 보일 때의 절개선과 비슷해지게 된다.

사실 12번 메스는 교합면이 불규칙하고 치면이 일정하지 않기 때문에 좀 걸리적거리는 느낌이 들기도 하고, 가끔 급하게 수직절개가 필요한 경우에 15번 메스가 훨씬 편하기 때문이다. 그러나 발치 중에 꼭 하나의 메스만 쓰라고 한다면 12번 메스이다.

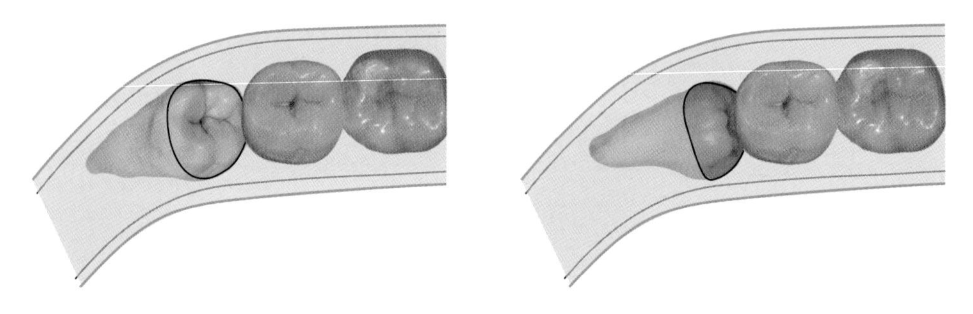

치관이 반절 이상 보이는 경우라면 절개하지 않고 발치한다. 물론 발치 과정이 순조롭지 않을 경우에는 절개를 시행하고 잇몸을 넓게 박리하여 시야를 확보하지만 매우 드물다. 필자는 절개를 최소한으로 하는 스타일이지만, 절개에서는 매우 중요한 철학이 있다.

03
Dr. 김영삼의 절개의 철학 1 ★★★

찢어지는 것보다 찢는 게 낫다.

초보자라면 발치를 쉽고 빠르게 하는 것도 중요하지만, 그것보다는 뽑느냐 못 뽑느냐가 더 중요한 문제이기 때문에 필요할 경우에 절개, 박리를 넓게 실시해야 한다. 이런 최소 절개는 최소한 절개, 박리를 쉽게 할 수 있는 정도의 단계에서 최소화하려는 노력을 하는 것이다. 초보 치과의사라면 임플란트 시술을 위해서라도 깨끗한 절개와 박리가 꼭 필요하기 때문에, 그런 충분한 실력을 갖출 때까지는 구강외과 수련의들처럼 필요한 만큼은 절개, 박리를 꼭 넓게 시행하면서 발치하는 습관을 들이는 게 좋을 듯하다.

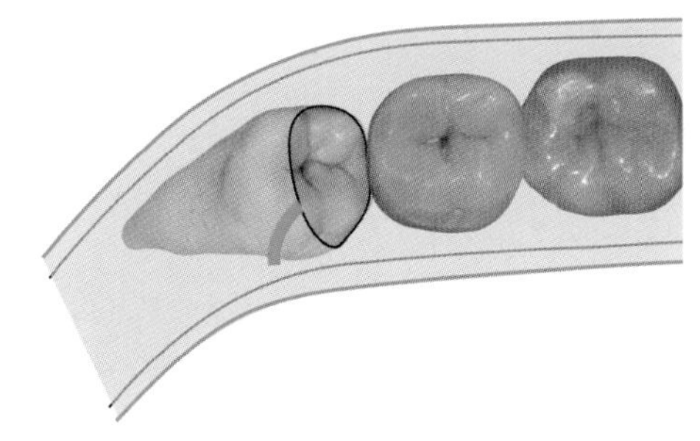

필자가 가장 좋아하는 절개 방식은 위의 그림의 녹색 선처럼 협측으로 살짝만 하는 것이다.
이런 경우는 대부분 15번 메스를 사용한다. 치아가 보이면 굳이 12번 메스로 7번 원심면까지 바짝 붙여서 절개하지 않아도 되기 때문에 기본적으로 15번 메스를 사용한다. 만약 발치가 용이하지 않아서 수직절개를 추가적으로 해야 한다면, 12번 메스보다는 15번 메스가 수월하기 때문이다.

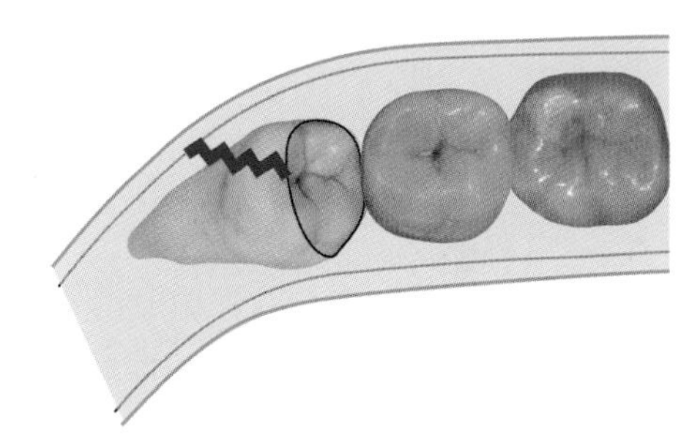

필자는 절개를 거의 안 하는 편이지만 잇몸 절개를 너무 하지 않으면 발치 도중에 잇몸의 설측이 보라색처럼 찢어지는 경우가 있다. 내가 결코 원하지 않는 부분이 찢어지게 되는 것이다. 어쨌든 절개에서 가장 중요한 원칙은 찢어지는 것보다는 찢는 게 좋다는 것이다. 또한 필자의 경험에 의하면 찢어지지 않더라도 치아가 나오면서 잇몸이나 조직이 너무 늘어나게 되면 절개한 것보다 술후 통증과 부종에 더 큰 영향을 준다. 또한 설측 잇몸이 찢어지면서 설신경의 손상 위험도 있으니 절대 주의해야 한다.

필자도 아주 초보일 때는 절개를 많이 했었다. 그렇게 배웠기 때문이다. 그러나 어느 정도 발치에 능숙해지고 나서는 절개를 거의 하지 않고 발치를 했다. 그러나 세월이 지나면서 깨달은 바는 너무 절개하지 않으면, 잇몸의 원하지 않는 부분이 찢어지거나 찢어지지는 않았더라도 탄성 범위를 벗어날 만큼 늘어나게 되는데 그것 또한 잇몸에 큰 트라우마라는 것이다. 그래서 요즘은 꼭 필요한 정도를 절개를 하면서 발치를 하고 있다. 이러한 부분은 뒤쪽의 수직, 수평 매복치 발치 부분에서 자세하게 다루기 때문에 넘어간다.
어쨌든 머릿속에 상상을 한 번 해보자. 1 cm짜리 잇몸을 가운데를 잘라서 다시 봉합하는 것과 양쪽으로 2 cm까지 늘렸다가 다시 놓는 경우 과연 어떤 것이 트라우마가 더 클 것인가? 절개를 하면 절개한 그 부분만 트라우마를 받지만, 1 cm 조직을 확 당겨 놓으면 그 조직 전체가 큰 외상을 받게 되는 것이라고 생각한다.

찢어지는 것보다 찢는 게 낫다!!

필자가 발치할 때 종종 직원들이 애 낳는 것 같다는 말을 종종 한다. 그럴 때면 필자 스스로 절개량이 너무 적어졌나보군 하고 반성을 해본다. 필자는 잇몸 절개를 최소화하는 것이 원칙이지만, 잇몸이 탄성한계를 벗어나는 것은 결코 더 좋지 않다. 절개를 하면 절개한 면만 회복되면 되지만, 치아가 발치되는 과정에서 잇몸이 과도하게 늘어나거나, 절개를 너무 조금해서 리트렉션하는데 너무 큰 힘을 사용하면 결코 좋지 않다. 여기서 좋은 보기를 하나 들어보겠다. 혹시 독자들 중에 분만 시에 시행하는 회음부 절개를 아는 사람이 많을 것이다.

참고 : 회음[부] *[perin[a]eum, 會陰[部]]* :단공류 이외의 포유류에서 외부생식기와 항문 사이의 부위

회음부 절개라는 것을 아시나요?

출산할 때 태아의 머리가 3~4 cm 정도 보인 후에 질을 중심으로 회음부 앞부분에서 뒷부분까지 3~4 cm 되는 부위까지 절개하여 태아가 나오기 쉽도록 하는 것이다. 대부분의 산부인과 의사들은 분만과정에서 회음부 절개를 권장하고 있다. 왜 그럴까? 찢어지는 것보다는 찢는 게 낫기 때문이다. 원하지 않는 부분에서 열상이 발생하거나 그러는 과정에서 요도 뿐만 아니라 직장, 항문이나 괄약근이 손상되는 것을 막기 위한 것이다. 물론 인간도 자연상태에서 회음부 절개 없이 출산을 할 수 있도록 설계되어 있다. 그래서 최근 산모들 사이에서는 회음부 절개를 원하지 않는 경우도 늘고 있다. 회음부 근육은 본래 엄청난 탄력성을 가지고 있어서 늘어날 시간을 충분히 준다면 굳이 절개하지 않아도 되기 때문이기도 하다. 그만큼 조직의 탄력성이 크다는 뜻일 것이다.

그럼에도 불구하고 산부인과 의사들은 대부분 회음부 절개를 권장하는데, 치주 조직은 분만을 하라고 만들어진 조직이 아니다. 원래 치아를 쭉 단단하게 감싸고 있으라고 만들어진 조직이다. 그렇기 때문에 발치를 위한 시야확보만의 문제가 아니라, 사랑니가 충분히 잇몸 밖으로 나올 수 있을 만큼의 절개선은 필요하다. 꼭 필요한 만큼의 절개를 하지 않으면 원하지 않는 곳이 찢어지게 되고 대부분 그곳이 설측인 경우가 많다. 언제나 설측은 주의해야 하므로 충분히 협측에서 공간을 확보해주는 것이 좋다.

가끔 강의할 때 이런 이야기를 예로 들면 너무 필자를 변태스럽게 생각하는데, 강의에서 가장 중요한 건 듣고 바로 이해하는 것이라고 생각한다. 그래서 필자는 좀 자극적이고 피부에 확 와닿는 예를 드는 것을 좋아한다.

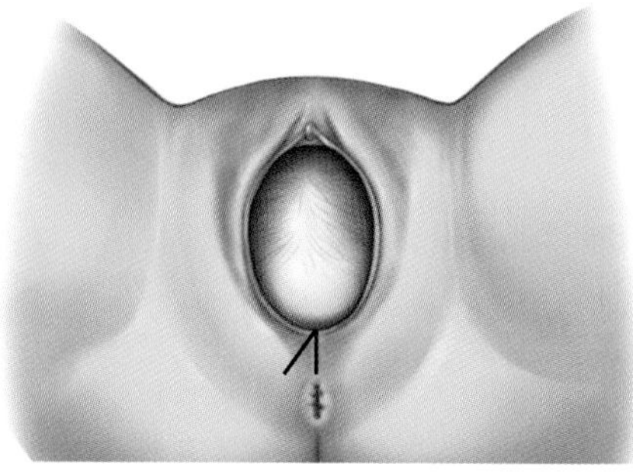

회음부 절개란?
그림과 같이 회음부를 절개하는 것으로 중앙을 절개하기도하고, 내측이나 외측으로 편측 절개를 하기도 한다. 출산 후에는 봉합을 실시한다.

04
근심까지 절개부위 확대하기 ★★★

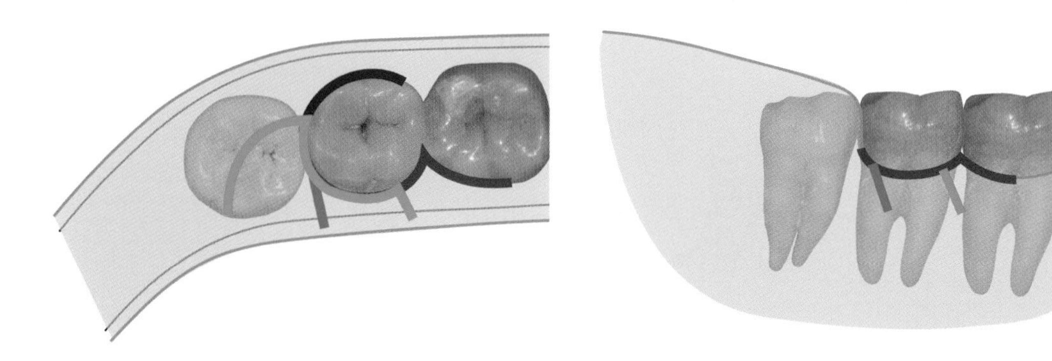

사랑니가 전혀 보이지 않는 경우나 사랑니가 수직적으로 깊게 위치한 경우에는 7번 원심면까지 깔끔하게 절개하기 위해서 12번 메스를 사용한다. 그리고 되도록 7번까지 근심쪽으로 연장은 하지 않는다. 하지만 무척 바쁜 날이나 사랑니가 협측에 위치하고 있는 등 시야 확보가 꼭 필요한 경우는 어쩔 수 없이 근심면까지 연장하여 플랩을 형성한다.

절개선을 근심까지 연장하는 데는 통상적인 세 가지 방법이 있다.

– 7번 원심면에서 수직절개를 하는 경우 - 파란색
– 7번 근심면에서 수직절개를 하는 경우 - 녹색
– 수직절개 없이 6,7번 사이 치간유두까지 절개하는 경우 - 빨간색

필자는 통상의 방법 중에서 녹색선처럼 7번 치아 근심면에 수직절개를 많이 한다. 다만 이러한 부분은 초보자들에게는 많은 시행착오가 필요하다. 또한 수직절개는 봉합을 필요로 하는 경우도 많기 때문에 시간 절감을 위해서 안 하기도 하고, 필자처럼 큰 봉합침을 사용하는 경우는 특히 수직절개한 부위의 봉합이 쉽지 않다. 필자는 그러한 발치 도구로 절개 봉합하는 것이 익숙하지만, 초보자에게는 굳이 권하지는 않는다. 다만, 부종 방지 등을 위해 봉합을 하지 않는 치과의사들도 종종 있다.

그러나 가끔은 12번 메스가 수직절개하는 데는 유용하지 않기 때문에 빨간색처럼 6,7번 치간유두를 포함하여 박리하는 방법을 사용하기도 한다. 필자처럼 큰 봉합침을 사용하는 경우에는 치간유두 부위를 봉합하는 것이 훨씬 쉽기도 하기 때문이다. 보통 이 부분은 메스를 사용하지 않고, 페리오스티얼 엘리베이터의 뾰족한 면으로 박리를 시행하며, 필자는 꼭 봉합을 하는 편이지만, 이러한 박리를 자주 시행하면서도 혈종 방지를 위한다며 전혀 봉합을 하지 않는 치과의사들도 있다. 이러한 방법대로 몇 번 절개를 해본 뒤에 자신의 경험을 바탕으로 자기에게 가장 좋은 방법을 알아서 선택하면 될듯하다.

또한 종종 7번 설측도 절개 및 박리를 하는 경우가 있는데, 필자는 절대 하지 않는다. 필지에게 설측은 유럽 중세시대의 대서양 같은 존재이다. 설측에 대한 막연한 두려움에 설측은 미지의 세계로 남겨두고 싶다. 설령 그 너머에 황금의 대륙이 있다하더라도 필자는 지중해에 머물며 살고 싶다.

다만, 어느정도 자신감이 생긴다면 설측 잇몸을 박리하는 정도는 시도해봐도 좋을 듯하다. 사실 찢어먹는 것이 문제이지, 치조정에서 절개하여 설측 잇몸을 박리하는 것 자체는 큰 문제는 아니다.

05
Dr. 김영삼의 절개의 철학 2 ★★★

설측은 절대 건드리지 않는다.

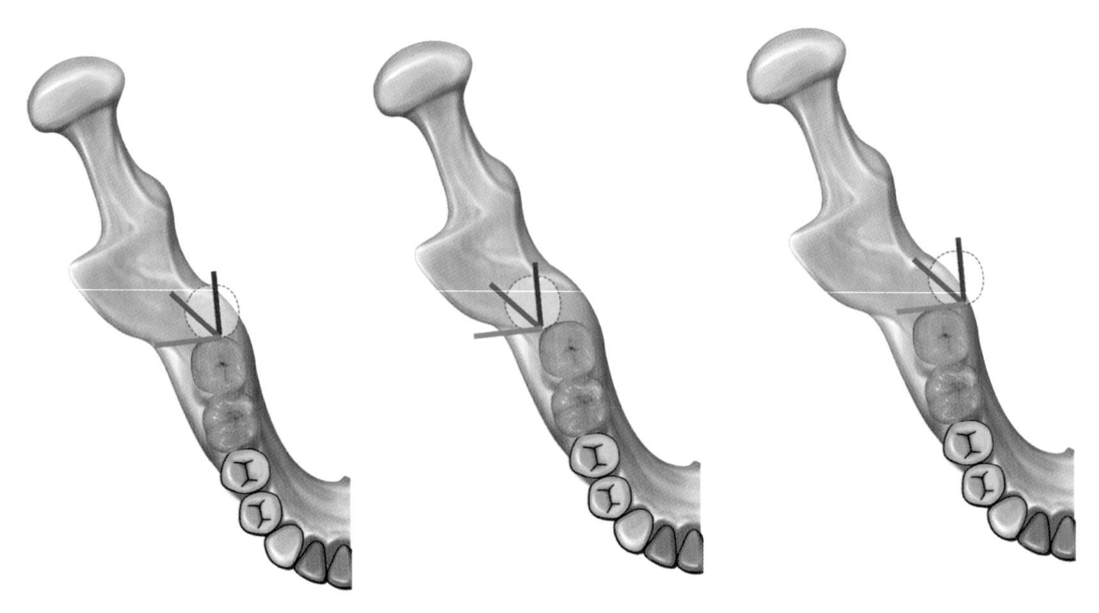

일반적인 매복치에서의 절개선

사랑니가 각각 협설측으로 위치했을 때 절개선의 위치 변화

필자는 안전한 사랑니 발치를 위한 가장 중요한 원칙으로 반드시 협측으로 절개하는 것이다. 위의 그림에서 빨간색보다는 녹색선에 준해서 절개를 하는 편이다. 파란색에 하는 것이 더 좋겠지만, 설신경은 변이가 너무 심하기 때문에 때에 따라서 위험할 수 있다. 특히나 사랑니가 하악골의 원심쪽에 깊게 위치하거나 그림에서처럼 사랑니가 설측으로 틸팅되어 있는 경우는 특히 더 위험하다.
가끔 초보 치과의사들이 사랑니 원심면쪽으로 절개하려다가 메스가 깊은 수렁에 빠지듯이 쏙 빠지듯이 들어가는 경우가 종종 있다. 생각보다 사랑니의 원심면은 허당인 경우가 많다.
중세시대 유럽인들이 대서양 건너편은 낭떠러지일 거라고 믿었던 것처럼 정말 설측은 낭떠러지인 경우가 많다. 필자가 아직까지도 신경손상이 한 번도 없었던 이유는 절대 발치할 때 설측을 안 건드리는 습관 때문일 것이다.
미리나 손으로 절개할 조직을 최대한 협측으로 당겨 놓고 딱딱한 골 위에서만 절개해야 한다. 꼭 명심하자... 절개는 협측으로 조직을 당겨놓고 최대한 협측으로 단단한 골 위에서 골막을 절개하는 것이다.

06
Dr. 김영삼의 절개의 철학 3★★

최대한 협측으로 당겨놓고 절개하라.

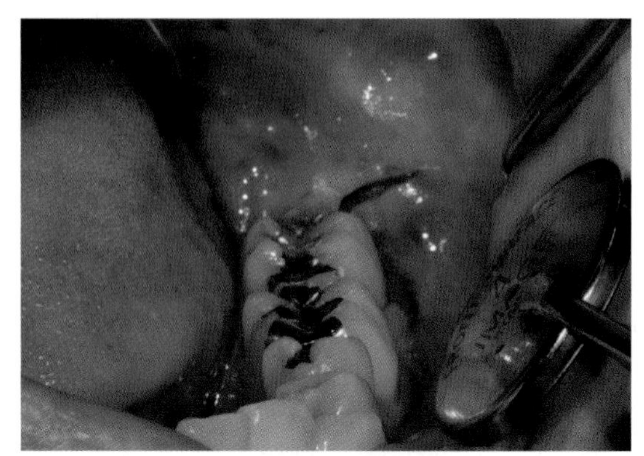
조직을 협측으로 당겨서 절개한 모습

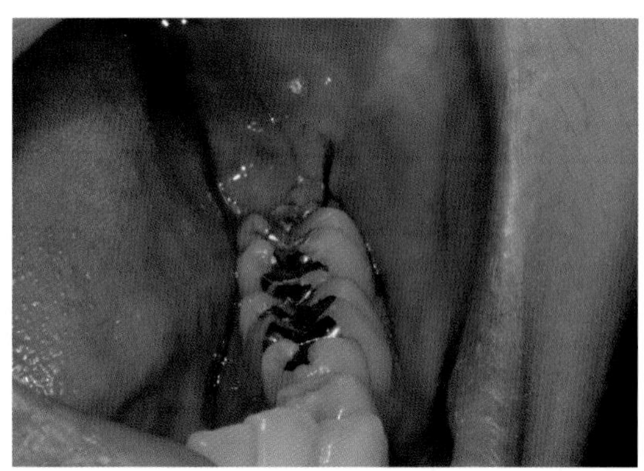
협측으로 당긴 조직을 놓은 자연스러운 모습

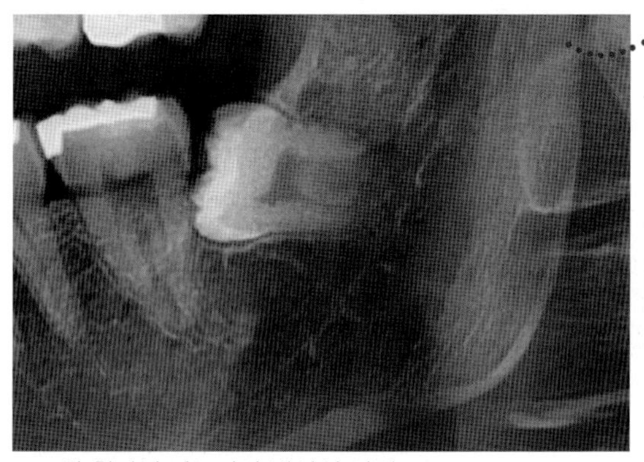
위 환자의 파노라마 방사선 사진

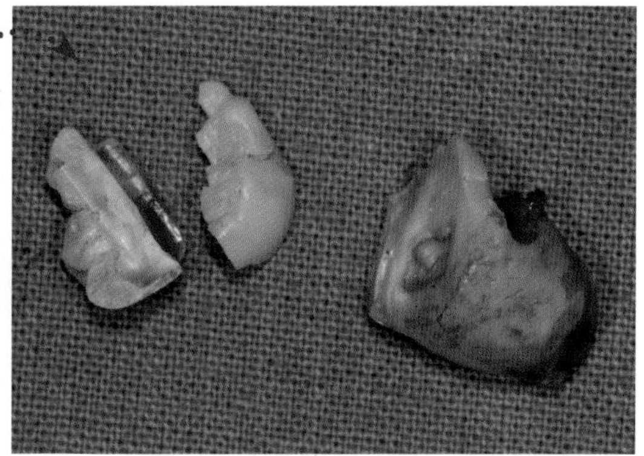
위 치아를 발치한 모습

구강 내에 전혀 보이지 않는 완전매복치를 발치하기 위한 절개선이다. 절개할 때는 늘 협측으로 당겨서 유동조직이 아닌 단단한 조직 위에 절개를 해야 한다. 위의 사진처럼 생각보다 협측으로 많이 기울여서 해도 리트렉션했던 볼을 놓으면 다시 설측으로 돌아가는 것을 볼 수 있다.

꼭 명심하자. 절대 설측을 절개하지는 않는다.
절개는 반드시 협측으로 리트렉션한 뒤에 단단한 골막을 절개한다. 연조직 절개란 반드시 경조직 닿는 곳까지 하는 것만 한다. 단단한 뼈 위의 골막을 절개하는 것이 절개의 목적이다.

07
설신경의 경로 ★

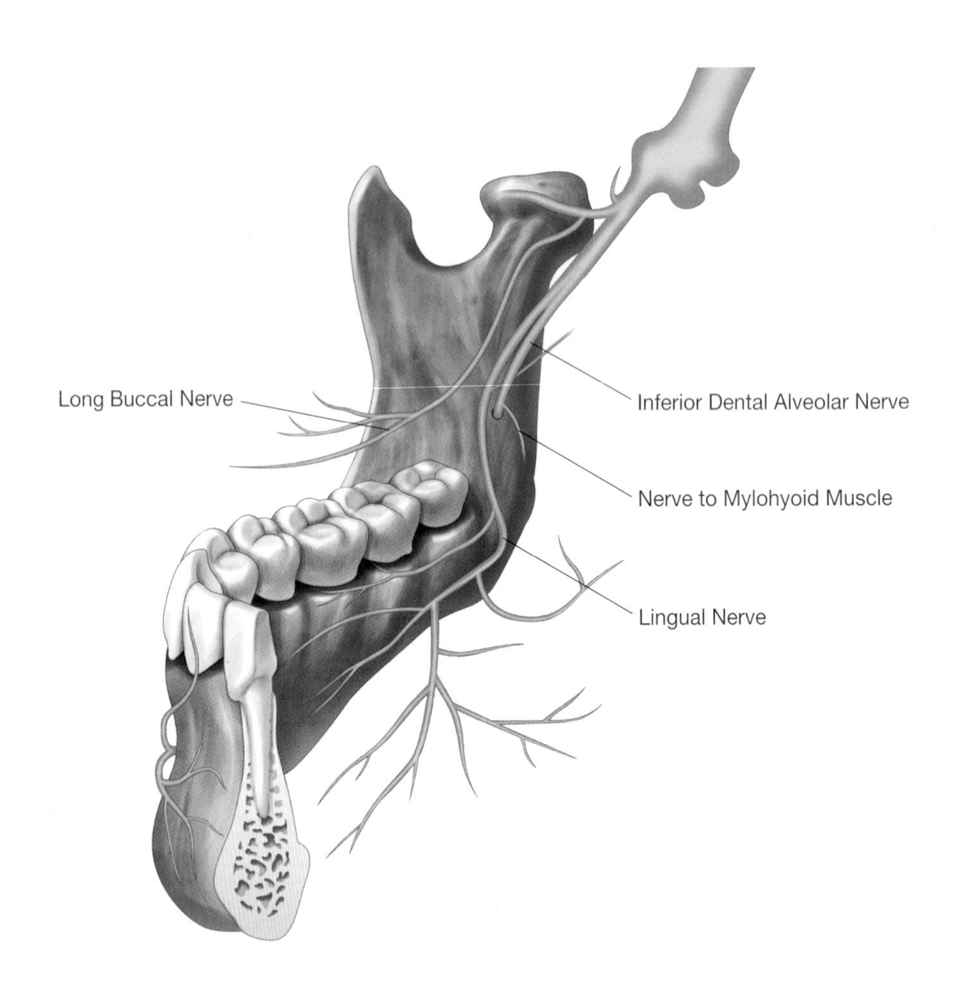

하악골 주변의 신경분포 및 설신경의 주행 방향

Lingual nerve는 매우 변이가 심하기 때문에 언제든 손상이 올 수 있다. 일반적으로 발치하면서 하치조신경관만을 조심하는데, 막상 하치조신경관은 손상시키기가 쉽지 않다. 오히려 방심하다가 설신경이 손상되는 경우가 많다. 그러기 때문에 필자처럼 발치를 많이 하는 사람에게는 언제든지 나타날 수 있기 때문에 절대 설측을 건드리지 않는다.
필자는 아직까지 그렇게 많은 발치를 하고도 신경손상 환자 케이스는 하나도 없었다. 늘 나를 슬프게 하는 하나를 만들지 않게 한다는 원칙을 적용했기 때문이다.

08
설신경은 변이가 너무 심함 ★★

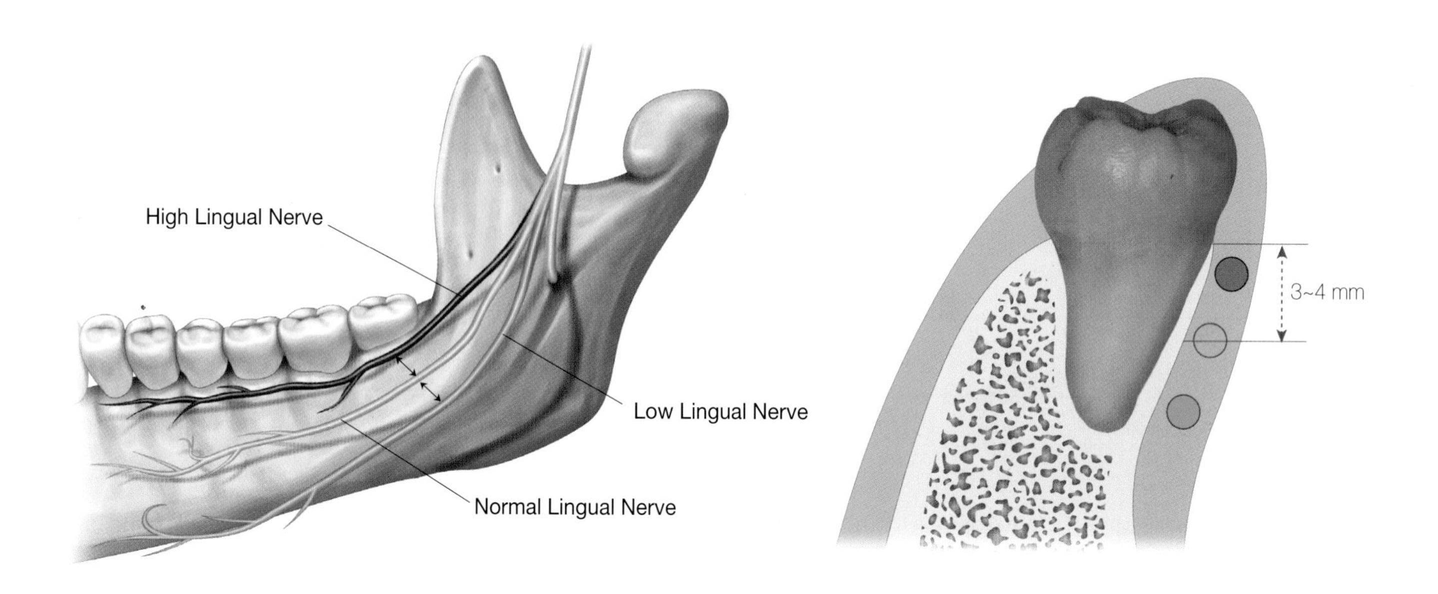

임상적으로 설신경의 위치를 본다면 정상적인 주행 방향은 노란색이다. 하지만 변이가 너무 심하기 때문에 녹색처럼 뒤에 있을 수도 있고, 빨간색처럼 사랑니나 제2대구치의 치관에 매우 근접하여 지나갈 수도 있다. 정확한 해부학적인 지식을 얻고 싶어서 논문을 읽어봐도 그 편차가 너무나 크다. 아무래도 연조직상에서 주행하기 때문에 연구방법과 평가방법등이 너무 다르기 때문일 것이다. 그래도 여러 연구를 종합해서 보면 설신경은 사랑니가 위치한 부위에서 설측 치조골 상연 (Lingual crest)에서 3~4mm정도 위치하고 있다 추정할 수 있다. 대부분의 연구에서 3mm 내외이나 일부 연구에서 평균적으로 8mm 이상을 보고하기도 하기 때문에 3~4mm 라고 표기하였다. 그러나 표준편차도 매우 크며, 설측 치조골 상연보다 높게 위치한 경우도 7.5 ~ 17.6% 정도로 보고 되고 있다. 또한 수평적으로는 설측 피질골에서 2~3mm 떨어져 위치하고 있다고 하나, 22~62%에서 설측피질골에 직접적으로 접촉하고 있다고 한다. 이미 언급했지만 논문마다 그 수치가 너무 다르고 표준편차도 크기 때문에 대체적인 윤곽만 머리속에 넣어두자. 다만 평균치와 달리 설신경은 그 변이가 너무 심하기 때문에 발치과정에서 절대 설측을 건드리지 않아야 한다는 것만은 명심하자. 극단적으로 Behnia 등의 연구에 의하면 총 430구의 Fresh cadaver를 대상으로 총 669개의 설신경의 위치 관계를 평가하였는데, 설측골 상연보다 높게 주행하는 설신경이 14.05%(94개) 관찰되었으며, 1 증례(0.15%)에서 retromolar pad내를 주행하는 설신경이 관찰되었다고 보고하였다. 또한 설측골면에 직접 접촉하여 주행하는 설신경이 22.27%(149개)나 관찰되었다.
그래도 기쁜 소식이 있어서 다음페이지 첨부해본다.

사랑니 교합면의 원심이나 설측에서의 절개 방향

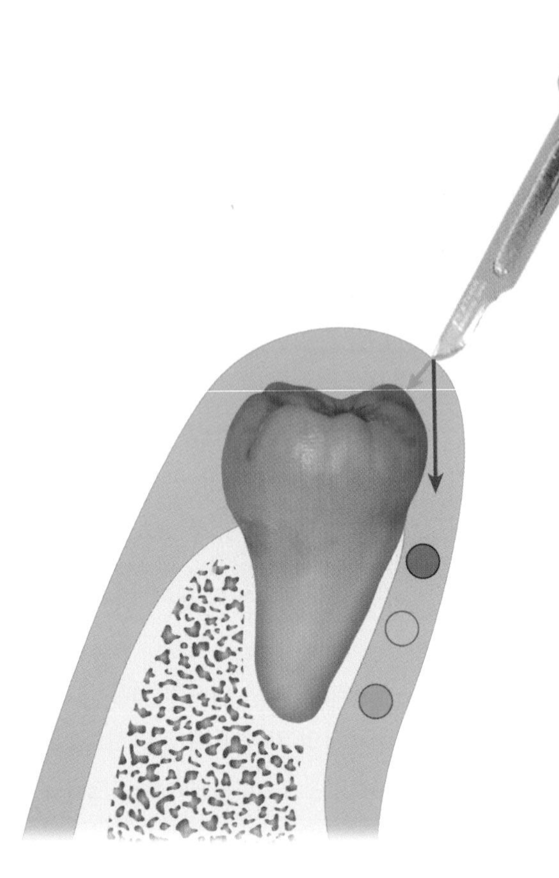

사랑니 원심면이나 설측에 가까운 면을 절개할 때는 메스의 손잡이 방향이 늘 설측으로 경사지게 하여야 한다. 위의 그림에서처럼 녹색에 가깝도록 절개해야 한다. 빨간색의 각도로 절개하면 의외로 또 수렁에 빠질 수도 있다. 실제 위의 그림보다 언더컷이 더 심한 경우도 있기 때문에 절대 원심면이나 설측 하방 절개하는 일이 없어야 한다. 언더컷이 의심되거나 자신없다면 적당히 안전하게 살짝 협측으로 옮겨서 절개하도록 하자.

치과의사신문 | 제119호 2017년 4월 17일 월요일 종합뉴스 3

사랑니 발치 전 부작용 및 주의사항 설명 필요

대법원 "발치 후 감각 이상 신체적 특이점 있다면 치의 책임 없다"

사랑니 발치 후 혀가 마비됐더라도 보통 사람과 다른 환자의 신체적 특이점이 원인이라면 치과의사에게 손해해방 책임이 없다는 대법원 판결이 나왔다.

대법원 민사2부는 사랑니를 빼고 난 뒤 혀가 일부 마비된 박모(44) 씨가 치과의사 진모(63) 씨를 상대로 낸 소해배상 청구소송(2014다10113)에게 원고승소 판결한 원심을 깨고 최근 사건을 전주지법으로 돌려 보냈다.

재판부는 "고도의 전문지식을 필요로 하는 의료행위는 의사의 주의의무 위반과 손해발생 사이에 인과관계가 있는지 여부를 밝혀내기 극히 어려운 특수성이 있다. 수술 도중 발생한 결과에 대해 개연성이 담보되지 않은 사정들을 가지고 막연하게 의사에게 무과실의 증명책임을 지우는 것은 허용되지 않는다"고 밝혔다.

그러면서 "박 씨의 장애가 발치를 위한 마취 과정에서 진 씨가 주사침을 설 신경 방향 쪽으로 잘못 찔렀기 때문에 발생했을 가능성도 있지만, 박 씨의 설 신경이 설측 골판에 밀착해 지나가는 등 그 해부학적 원인 때문에 발생했을 가능성도 있다"며 "해부학적 원인에 의한 불가항력적인 손상의 발생 가능성도 있는데 막연히 진 씨의 과실을 추정해 손해배상책임을 인정한 원심은 잘못이다"고 말했다.

박 씨는 2008년 5월 진 씨가 운영하는 치과에서 사랑니 발치 수술을 받고 열흘 뒤 혀가 마비되는 증상이 나타났다. 박 씨는 종합병원에서 신경이 손상됐다는 진단을 받자 "진 씨가 사랑니를 발치하는 과정에서 마취 주사침 등을 신경을 훼손시켰다"며 소송을 낸 바 있다.

1심에서 재판부는 "진 씨가 진료 상 주의의무를 다하지 못했다기보다는 박 씨의 혀 신경 위치가 남들과 달라 나타난 불가항력적인 합병증"이라며 "다만 의사로서 시술 시 일어날 수 있는 부작용을 환자에게 미리 설명했어야 하는데 진 씨는 이 의무를 위반했으므로 300만원을 배상하라"며 원고일부승소 판결했다.

2심은 "박 씨의 신체적 특징이 사고의 원인이 됐다고 보기 어렵고, 혀 마비 증세가 사랑니 발치 시술 후 일반적으로 나타날 수 있는 합병증의 범위 내에 있는 것도 아니다"라며 "손해배상금액을 1,500여만 원으로 대폭 올렸다.

한국의료분쟁조정중재원 관계자는 "사랑니는 매복 정도가 깊을수록 발치과정에서 주변조직에 손상을 줄 가능성이 높은데 사랑니 발치 전 부작용과 주의사항을 듣지 못했다면 자기결정권 침해에 따른 설명의무 위반 여부 등을 두고 다툴 수 있다"고 말했다.

구명희기자 nine@ddsnews.co.kr

09
이거 설신경(Lingual nerve)인가요? ★

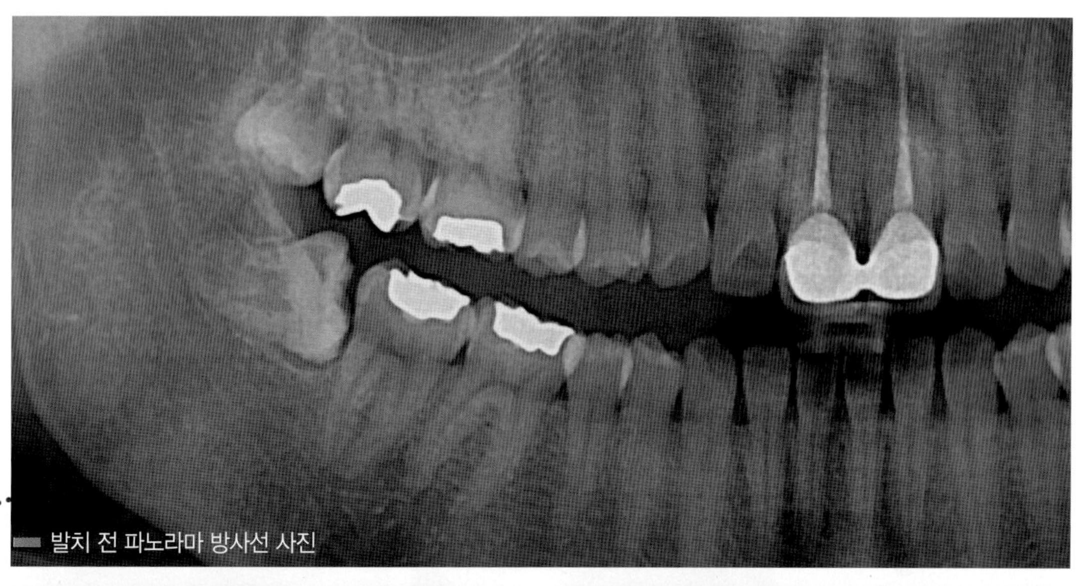
발치 전 파노라마 방사선 사진

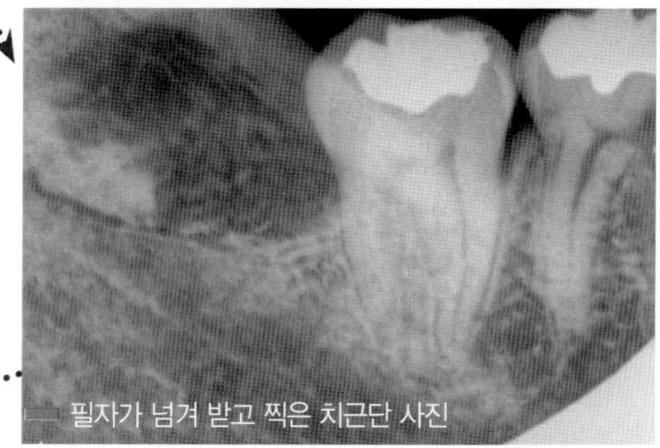
필자가 넘겨 받고 찍은 치근단 사진

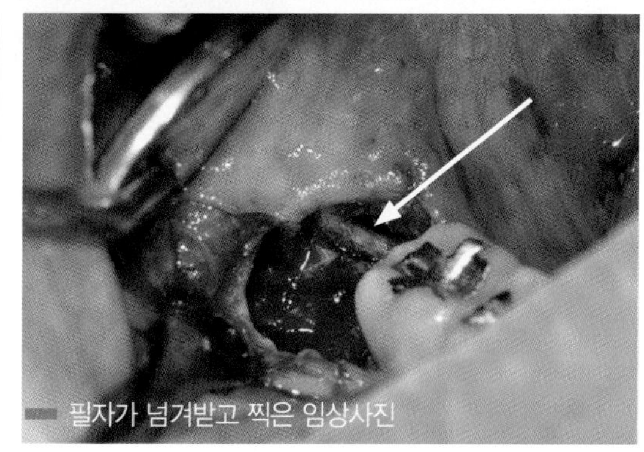
필자가 넘겨받고 찍은 임상사진

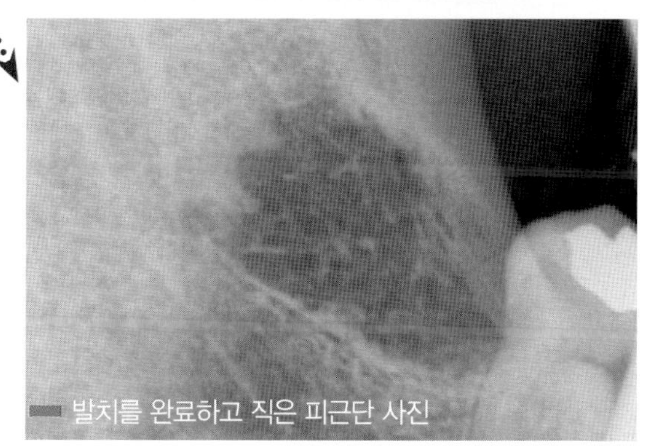
발치를 완료하고 직은 피근단 사진

발치 도중에 수련의가 환자의 통증이 너무 심해서 발치를 더 이상 진행할 수 없다고 SOS했다. 우선 상태 파악을 위해 방사선 사진을 찍어보니 잔존 치근이 좀 남아 있어서 마무리한 경우이다. 구내 임상사진을 보면 절개선이 생각보다 설측으로 되어 있고 설신경이 노출된 것을 볼 수 있다. 살짝 근처만 건드려도 심한 통증을 호소하였다. 잇몸 절개 시 함께 절개하지 않는 것이 천만다행이다.

10 보조적인 절개 도구 ★★

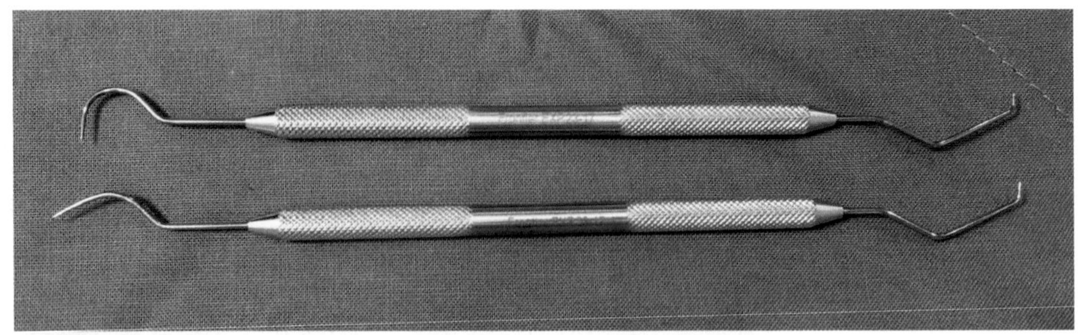

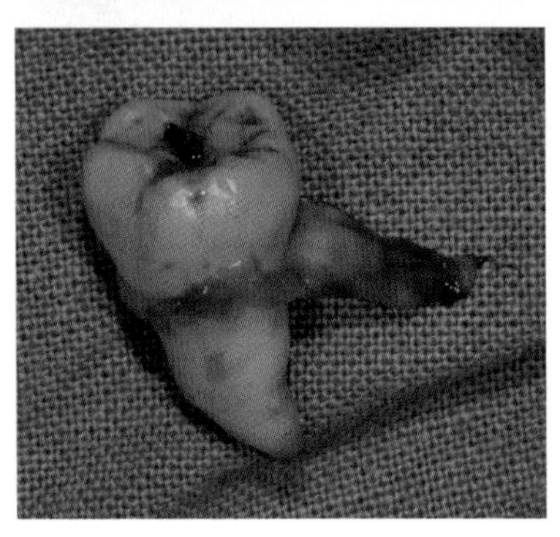

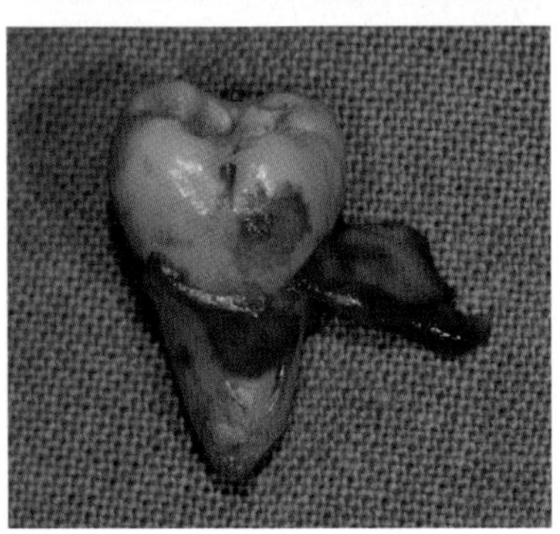

사랑니 주변 치주인대 커팅은 메스보다는 익스플로러를 쓰는 것을 추천한다. 수직인 건 일반적인 익스플로러로 하고 수평인 것은 휘어진 것으로 사용하기를 권한다. 요즘 필자는 잘 사용하지는 않지만, 초보 치과의사들에게는 꼭 권한다. 필자가 페이닥터 하던 시절에는 직원들이 이렇게까지 한 뒤에 치과의사를 호출했었다. 큰 도움은 안 되겠지만 그래도 초보들에게는 작은 힘이라도 더 필요하니 권한다. 상대방과 줄다리기 하는데, 상대방 뒤에서 개가 살짝 끌어당기는 느낌이다. 그리고 그냥 발치하게 되면 나중에 발치 후에 치아가 제거되지 않아서 별도로 절개를 해야 하는 경우가 흔하다. 특히나 수직 맹출한 사랑니에서는 매우 튼튼하게 붙어 있는 경우가 많다.

발치 전 마취 후에 치주인대를 잘라내는 영상이다.

사랑니 주변의 치주인대를 끊어주면 아래의 케이스처럼 치아에 붙은 조직 없이 깔끔하게 발치된다.

11
발치 후 사랑니 원심면의 치주인대를 메스로 잘라낸 경우 ★

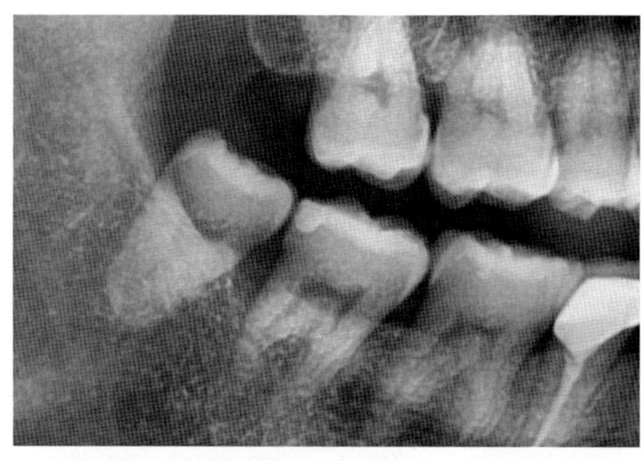

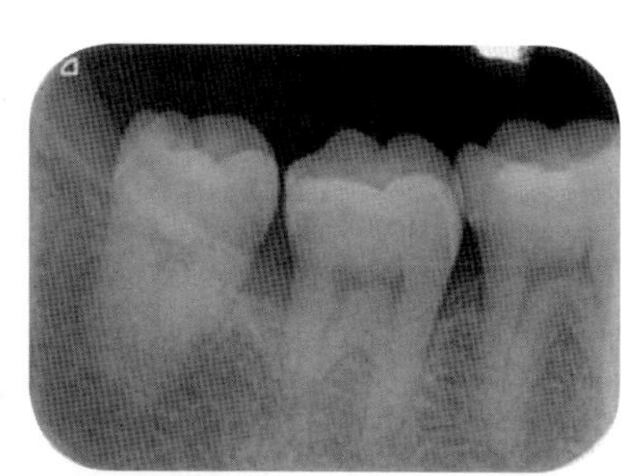

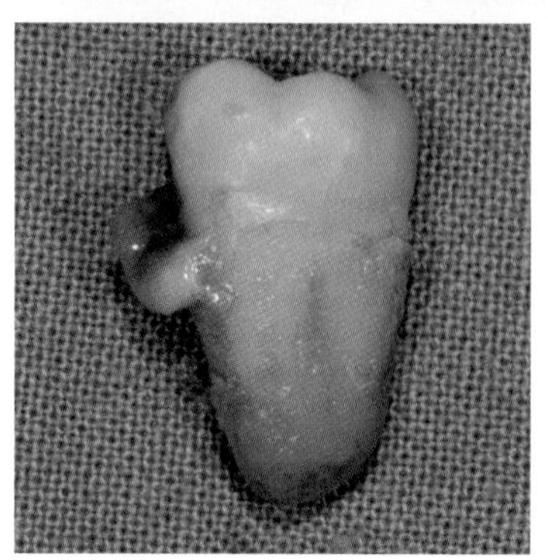

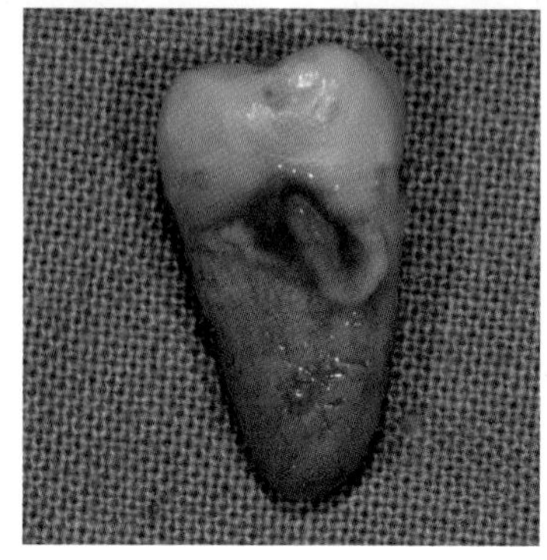

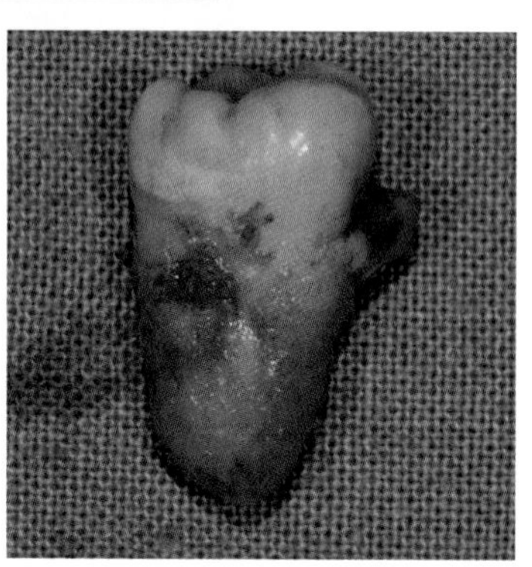

원심면 치주인대를 절개하지 않아도 대부분의 경우는 사랑니가 발치되는 과정에서 찢어져서 떨어지게 된다. 아니면 정상 기능하던 사랑니들은 인대가 더 두꺼워져 있어서 사진처럼 사랑니에 계속 붙어있게 된다. 발치 후에 억지로 당겨서 떼어내기보다는 깔끔하게 절개해주는 것이 좋다고 생각한다. 물론 발치 전에 미리 잘라주면 발치에도 도움이 되고 좋지만 말이다.

어쨌든 치주인대의 섬유들은 잇몸 속 깊숙이 퍼지면서 살 속에 박혀 있을 것이다. 그 인대와 섬유들이 발치 과정에서 사랑니에 딸려 나온다는 것은 잇몸 내부에서부터 섬유들이 모두 잇몸과 떨어지면서 엄청난 트라우마를 주는 것이라고 생각해야 한다. 그러므로 술후 통증이나 빠른 회복, 7번 원심면의 건강을 위해서 치주인대가 사랑니와 함께 제거되지 않도록 해야 할 것이다.

부러진 치근을 빼는데는? ★

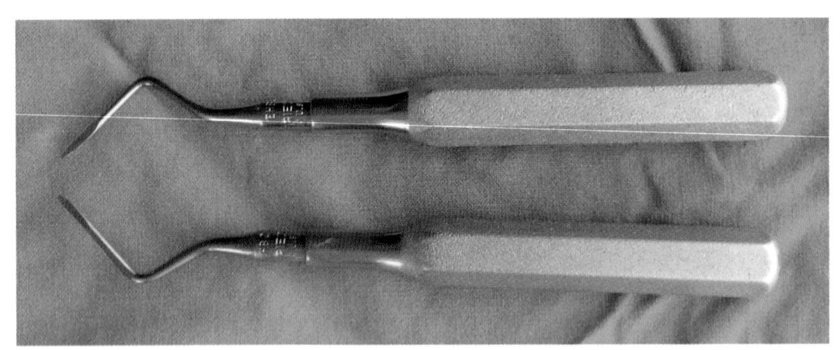

필자가 사용하는 루트피커 – Hu-Friedy (미국)

치아 조각이 부러져서 튼튼하게 박혀 있는 경우에 사용한다. 이 기구를 만든 사람은 아마도 이렇게 휘어지고 손잡이를 얇게 한 것은 이 기구를 사용하면서 절대 무리한 힘을 못 주게 하기 위해서였을 것이다. 필자의 경험상으로도 절대 부러진 치근을 발치하는 데 센 힘이 필요하지 않다고 생각한다. 그래서 필자는 이 기구도 거의 사용하지 않는다.

초보자는 명심하자. 치근이 부러져서 발치와에 남아 있을 때 절대 그것을 제거하는데 과도한 시간과 에너지를 쓰지 말아야 한다. 필자가 치관절제술 chapter를 이 책의 앞부분으로 빼놓은 이유를 다시 한 번 생각해보자. 실력이 좋아지면 치근 제거하는 실력도 같이 좋아진다. 부러진 치근이 쉽게 제거되지 않는다면 제거하지 말고 지켜보자. 초보자들의 큰 실수는 이런 잔존 치근을 제거하면서 발생하기 때문이다.

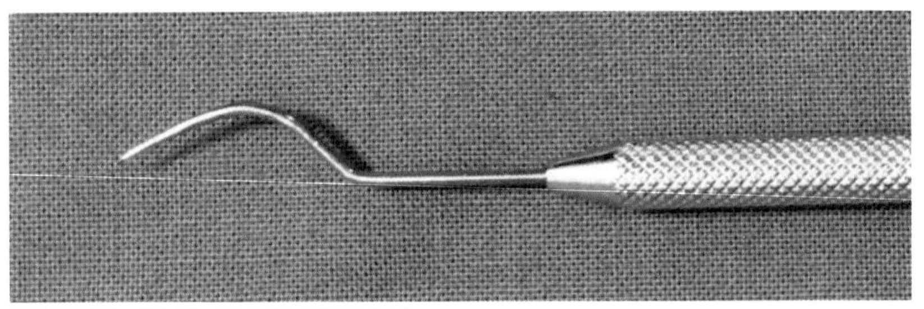

필자가 사용하는 익스플로러를 핀 거

대부분은 익스플로러를 사용한다. 대부분의 치근은 간단하게 치아와 치근의 틈을 벌리는 동작만으로도 꺼낼 수 있기 때문이다. 남은 치근을 제거하는 경우의 90% 이상을 저 기구만으로 충분하다. 필자는 매우 시간이 없거나, 교육 연구 목적으로 일부러 예후를 관찰하기 위해서 치근을 남기는 경우를 제외하면 치근을 남기는 일은 거의 하지 않는다. 또한 발치 전에 치근주변의 치주인대를 자를 때도 사용한다...

12
필자가 사용하는 봉합사 ★

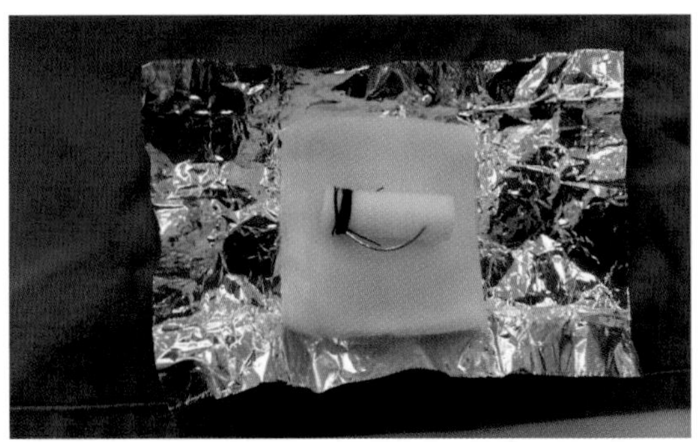

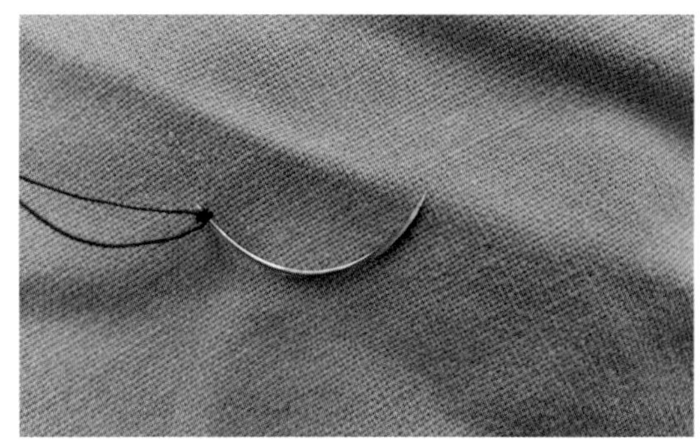

필자는 늘 세트 위에 사진처럼 봉합사를 준비하도록 한다. 니들은 역삼각 침 3호 3/8 원형으로 실크를 묶어서 사용한다. 발치 비용이 너무 저렴하기 때문에 봉합사 비용을 절감하기 위해서 사용하기도 하지만, 니들이 크고 휘어지지 않아서 봉합 속도를 매우 빠르게 하기 위함이다(니들은 10개들이 한 상자 5000원 개당 500원 , 3-0 블랙 silk 24개 들이 한 상자 33,000원, 1팩에 45 cm 실크 17개 개당 81원). 어쨌든 필자는 전치부나 구강전정부위가 아니라면 모든 발치에 위 봉합사 한가지만 사용한다.

어떤 이들은 발치 후 봉합에는 ½ 원형의 큰 바늘을 권하는 경우도 있지만, 봉합에 대해서는 크게 논의하지 않을 생각이다.

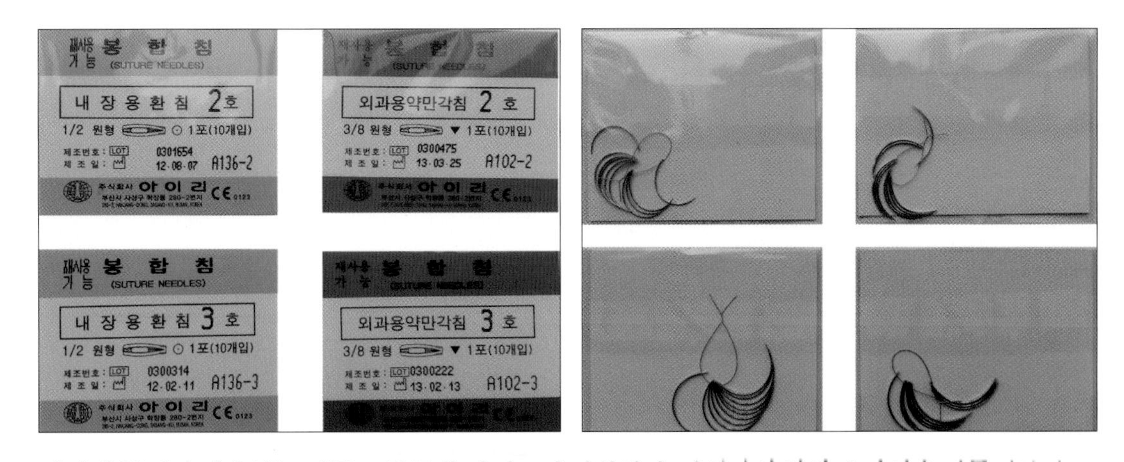

이렇게 묶어서 사용하는 니들도 종류와 사이즈가 다양하다. 자신만의 봉합 스타일을 만들어보자.

13
최근 오랫동안 사용하는 나일론 봉합사 ★

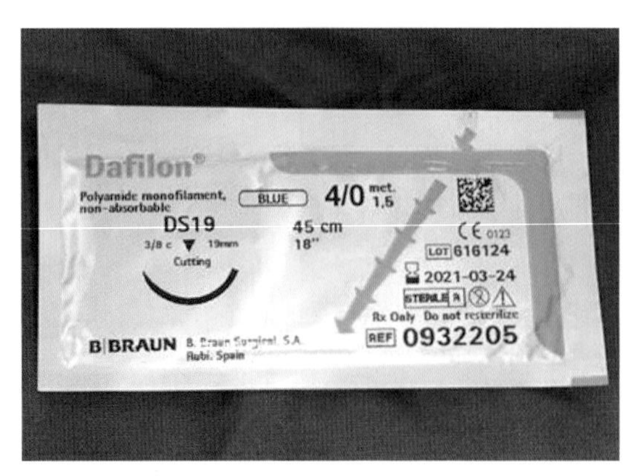

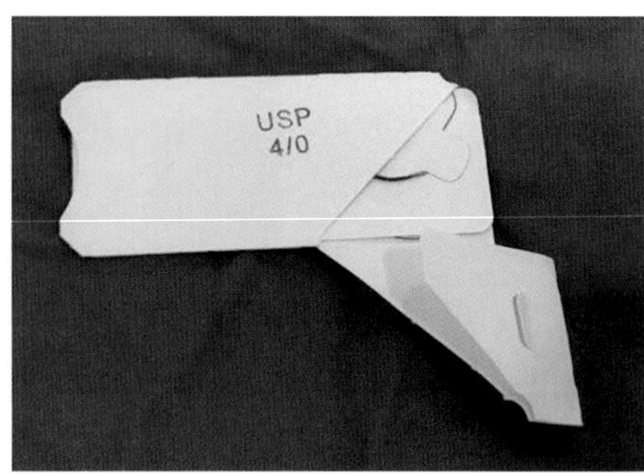

필자가 현재 임플란트 할 때 가장 많이 사용하는 봉합사.
봉합과 관련된 술식은 굳이 이 책에서는 할애하지 않겠다. 지금 자기 스타일대로 크게 문제되지 않을 것이다.

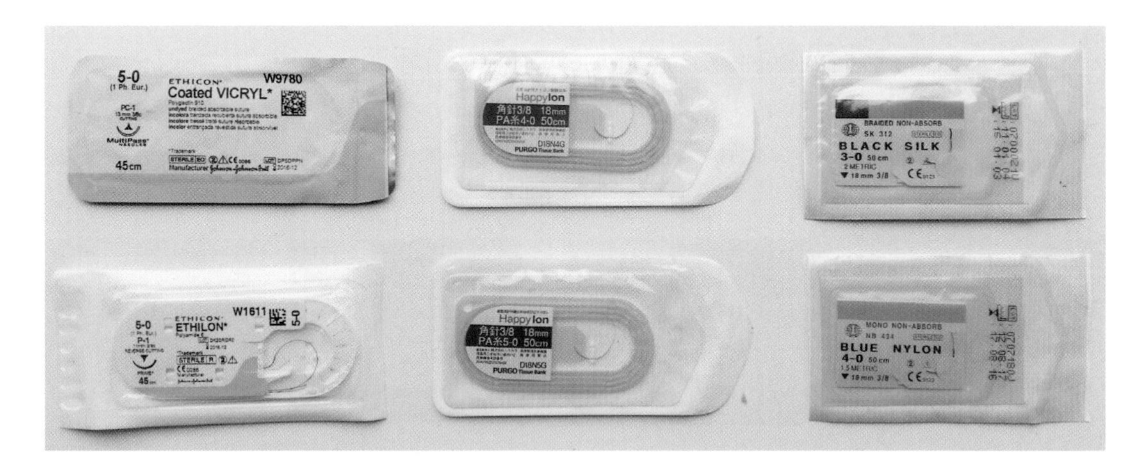

기타 구비하고 있는 봉합사, 그러나 구외 상처의 봉합이나 플랩 서저리, 임플란트 수술을 제외하고는 이런 봉합사는 거의 사용하지 않는다. 그러나 초보자라면 다양한 종류의 봉합사를 충분히 많이 사용해 보는 것이 좋을 듯하다. 충분히 많이 골고루 사용한 뒤에 자신의 스타일을 정해도 늦지 않다. 마취나 절개, 봉합 모두 필자의 스타일을 강요하지는 않는다. 그저 이 책에 필자의 발치 케이스가 많이 소개될 것이므로, 괜히 이런 것이 궁금한 사람들이 생기기 때문에 미리 필자의 스타일을 설명하는 것 뿐이다.

잠깐! 하악 전치부 레스트는 하악 발치의 필수★★★

필자가 사랑니 발치 핸즈온 코스를 진행하면서 가장 난감했던 부분이 바로 참가자들의 레스트이다. 학교 다닐 때 충분히 질리게 익혔을텐데 막상 진료할 때는 오른쪽 그림과 같이 치아삭제를 하는 경우가 종종 있었다. 필자가 단언컨데 아직 경력 15년 미만으로 앞으로 치과진료할 날이 더 많은 치과의사라면 지금이라도 자세를 바꿔야 한다. 무엇보다 빠르고 안전한 진료를 위해서 하악 전치부에 안정적인 레스트는 필수이다. 메스로 절개할 때도 마찬가지이고, 임플란트 수술할 때도 마찬가지이다. 필자가 임플란트도 매우 빨리 잘 심는 사람으로 평가받고 있는데, 이것도 하악 전치부에 안정적인 레스트를 주는 것 때문에 가능하다고 생각한다. 임플란트같은 경우는 여러 개를 한꺼번에 심을 때도 하악 전치부의 안정적인 레스트는 필수이고, 식립각도를 변환하거나 할 때처럼 특정부위에 힘을 집중하는 드릴링에도 하악 전치부에 안정적인 레스트는 필수적이다. 필자가 지금까지 단한번도 큰 사고 없이 사랑니 발치를 오랫동안 할 수 있었던 것도 90%는 하악전치부의 안정적인 레스트 덕인 듯하다.

불안정한 레스트 자세로 심지어 핸드피스가 술자의 시야까지도 가리고 있다. 이런 자세로 어떻게 정교한 치아삭제가 가능하겠는가 반문해본다.

가끔 개구기 때문에 전치부에 레스트를 못 준다는 분도 계시지만, 개구기를 썼더라도 하악 전치부 레스트는 가능하고, 심지어 개구기를 포기하더라도 하악 전치부 레스트는 필수이다.

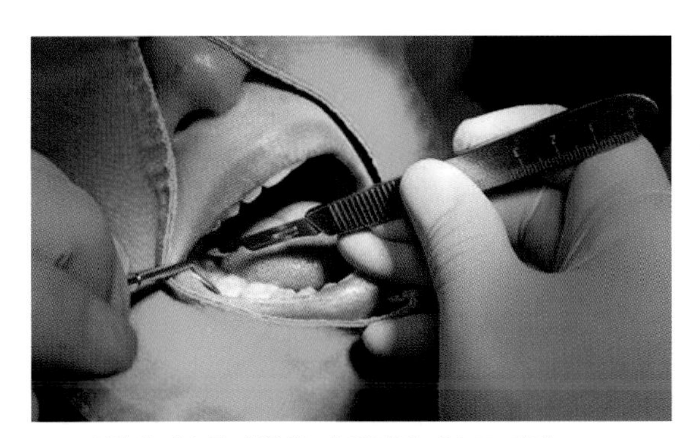

40번대 메스를 사용할 때 올바른 레스트 자세

30번대 메스를 사용할 때 올바른 레스트 자세

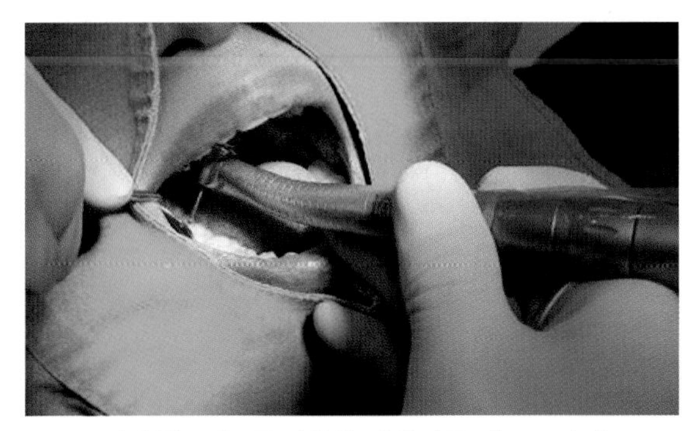

40번대 핸드피스를 사용할 때 올바른 레스트 자세

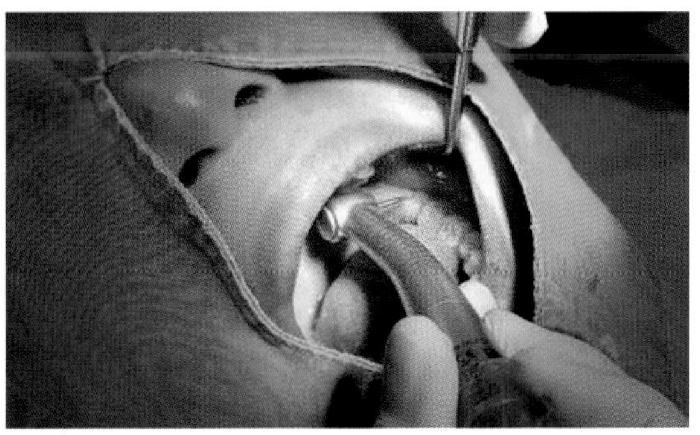

30번대 핸드피스를 사용할 때 올바른 레스트 자세

사랑니 발치를 위한 절개 및 봉합 케이스★★

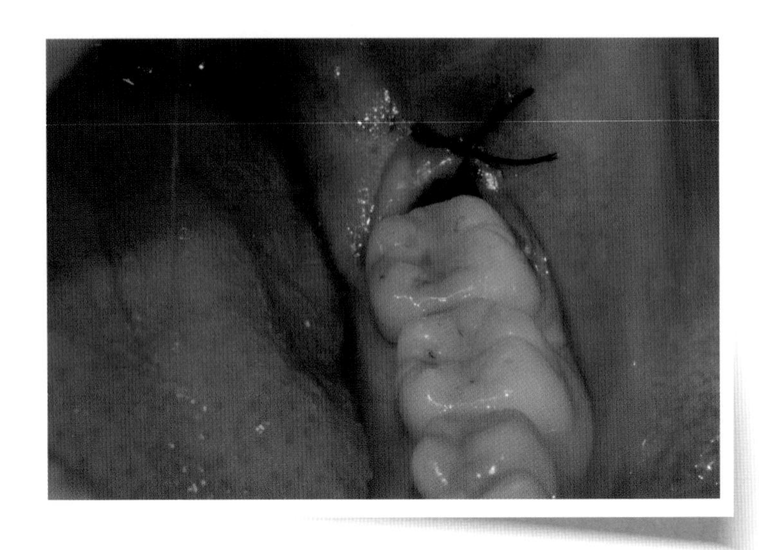

요즘은 필자도 임플란트 시술을 하면 할수록 초기 고정과 1차 봉합의 중요성을 느끼게 된다. 외과적 시술에서 봉합보다 더 중요한 것은 없을 것이다. 그렇다면 사랑니에서는 어떨까? 결론부터 말하면 <너무 크게 스트레스 받지는 말자>이다.

누군가는 임플란트처럼 발치 부위도 매우 정밀하게 봉합하려고 노력하고, 누군가는 일부러 드레인을 꼽거나 일부러 7번 원심부 치은을 삼각형 모양으로 오려서 출혈에 따른 피가 밖으로 빠지도록 하기도 한다. 어떤 이는 6, 7번 치간유두까지 박리한 경우에도 전혀 봉합 없이 그냥 그대로 자연스럽게 두기도 한다. 사랑니 발치 후에는 봉합을 안 할 수 있다면 안 하는 것도 나쁜 방법이 아니다. 그러나 우리나라에서는 간단하게라도 봉합해야만 재진료와 후처치 비용을 합해서 10,500원을 받을 수 있고, 환자에게 재내원을 유도할 수 있기 때문에 필자나 대부분의 개원의들은 봉합을 하는 편이다(물론 여기서 재내원하여 체크를 받는 것은 환자에게도 도움이 되기 때문이기도 하다). 그래서 이런 경우는 살짝 연조직이 벌어지지 않는 선에서 큰 음식물이 끼지 않도록 하는 정도의 X자 봉합이나 간단하게 중심부나 원심쪽에 한 바늘 정도 살짝 봉합하기도 한다.

필자는 억지로 드레인을 꼽는 정도는 아니다. 가능한 봉합을 하되, 최대한 원래 잇몸의 위치대로 자연스럽게 연조직을 유지하는 정도로 최소로 한다.

01 근심으로 수직절개를 연장하지 않은 경우 1 ★

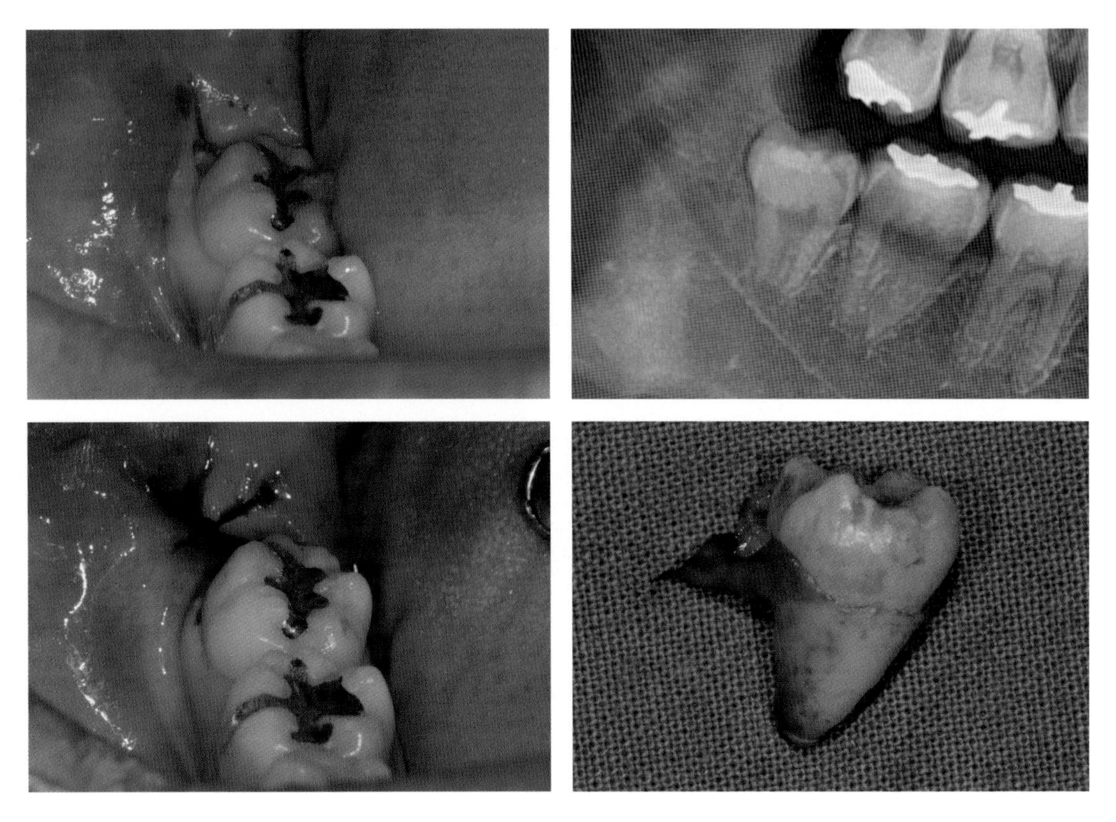

치관이 조금만 보이지만 치관 크기가 작고 교합면에 가깝게 위치하고 있어서 협측절개만 살짝하고 골막 박리나 골 삭제를 전혀 하지 않고 발치한 케이스이다. 원심면도 전혀 건드리지 않고 발치를 시행한 탓인지 원심면에 치주인대가 살짝 딸려 나온 것을 볼 수 있다. 치아를 감싸고 있던 폴리클과는 구분이 필요하다고 생각한다.
위와 같이 치아의 일부분이 보여서 절개해서 발치한 경우는 최대한 원래 치관이 보였던 부분은 그대로 두고 절개한 부분만 봉합하려고 노력한다. 필자가 사용하는 바늘이 매우 커서 작은 절개부분은 봉합하기 쉽지 않지만, 그렇게 하려고 노력한다.

사랑니가 전혀 보이지 않아서 절개를 크게 시행한 경우도 크게 신경 쓰지 않고 원래 있는 잇몸 그대로 봉합하는 편이다. 임플란트 시술처럼 억지로 노출부위 없이 봉합하려고는 하지 않고, 느슨하게 봉합하여 살짝 열리는 정도를 방소(?)하는 정도의 봉합을 한다.

02
근심으로 수직절개를 연장하지 않은 경우 2 ★

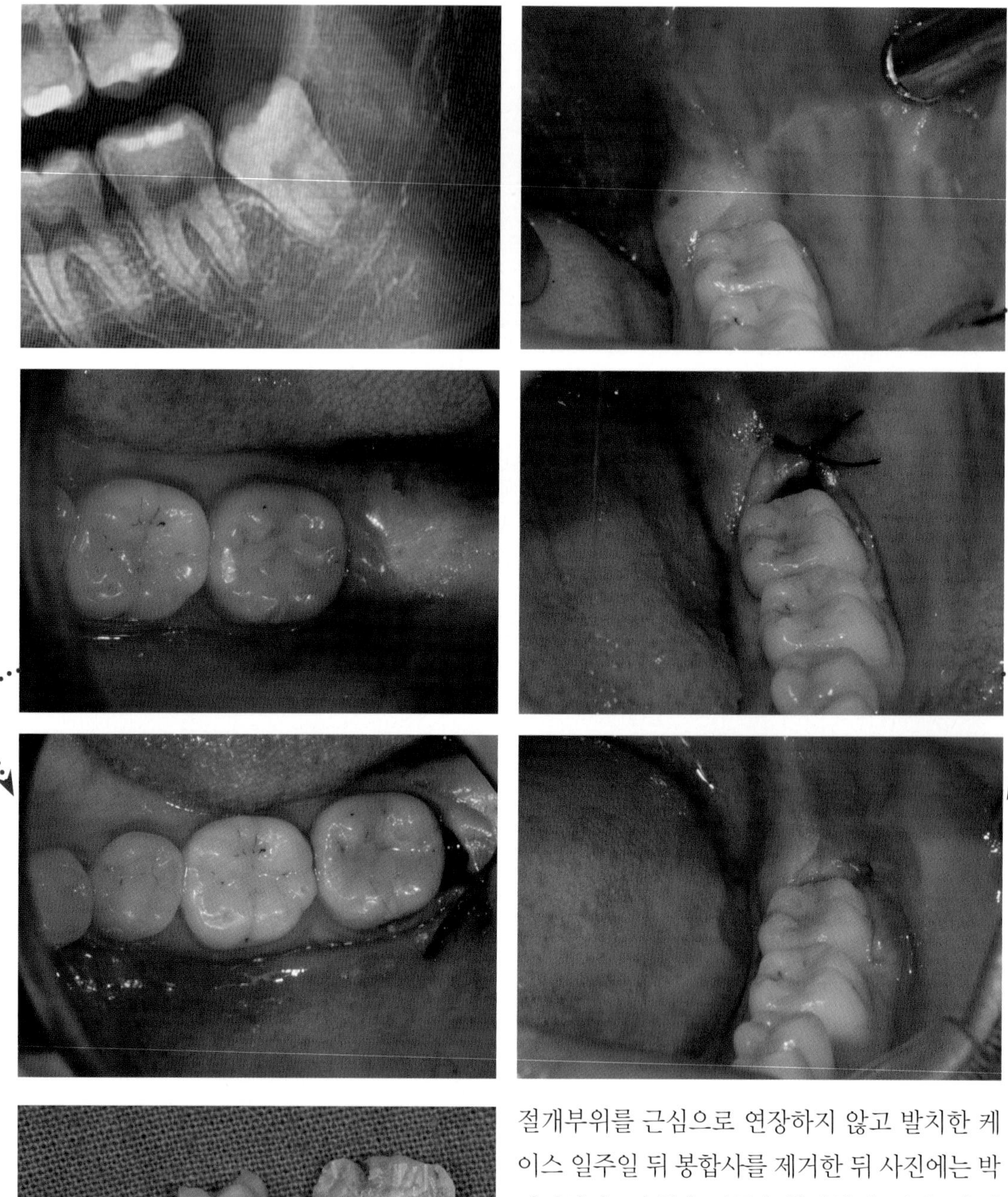

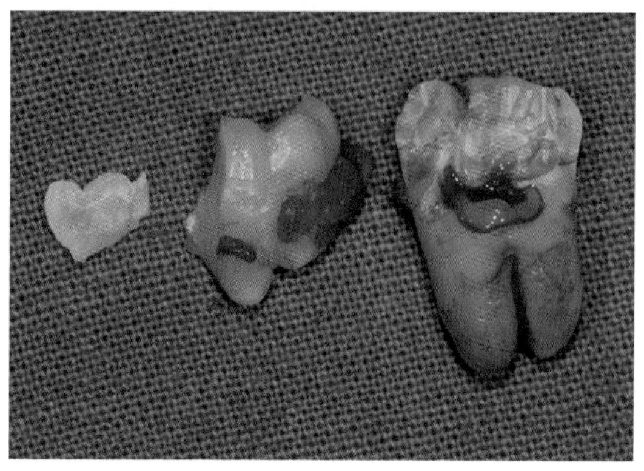

절개부위를 근심으로 연장하지 않고 발치한 케이스 일주일 뒤 봉합사를 제거한 뒤 사진에는 박리되었던 7번 협측 잇몸을 확인할 수 있다. 이 케이스는 사랑니의 근심면 삭제 후 설측을 또 삭제한 경우이다. 뒷장의 수직 매복치 발치파트에서 다시 보게 되므로 여기서는 그냥 넘어간다. 술후 부종이 예상되어 억지로 잇몸을 완벽하게 봉합하려고 하지 않은 정도의 봉합이다. 자연스럽게 살짝 7번 원심면이 열려 있다.

03
근심으로 수직절개를 연장하지 않은 경우 3 ★

필자가 이런이야기 하면 정말 변태처럼 보는 사람들이 많아서 걱정이긴 하지만, 무엇보다 강의에서는 충분히 이해가 가도록 이해가는 설명이 필요하므로 굳이 말하자면... 앞서 보았던 회음부 절개를 실시하고 분만을 하고 나면 어디를 봉합하는가?? 절개한 부분만... 딱 거기만 봉합하는 것이다. 이렇게 말하면 더 변태스러운 반론들이 나오기 시작하니... 이야기는 여기서 줄이지만... 지금 이 봉합에 대한 설명으론 확실히 이해하기 쉬울 것이다.

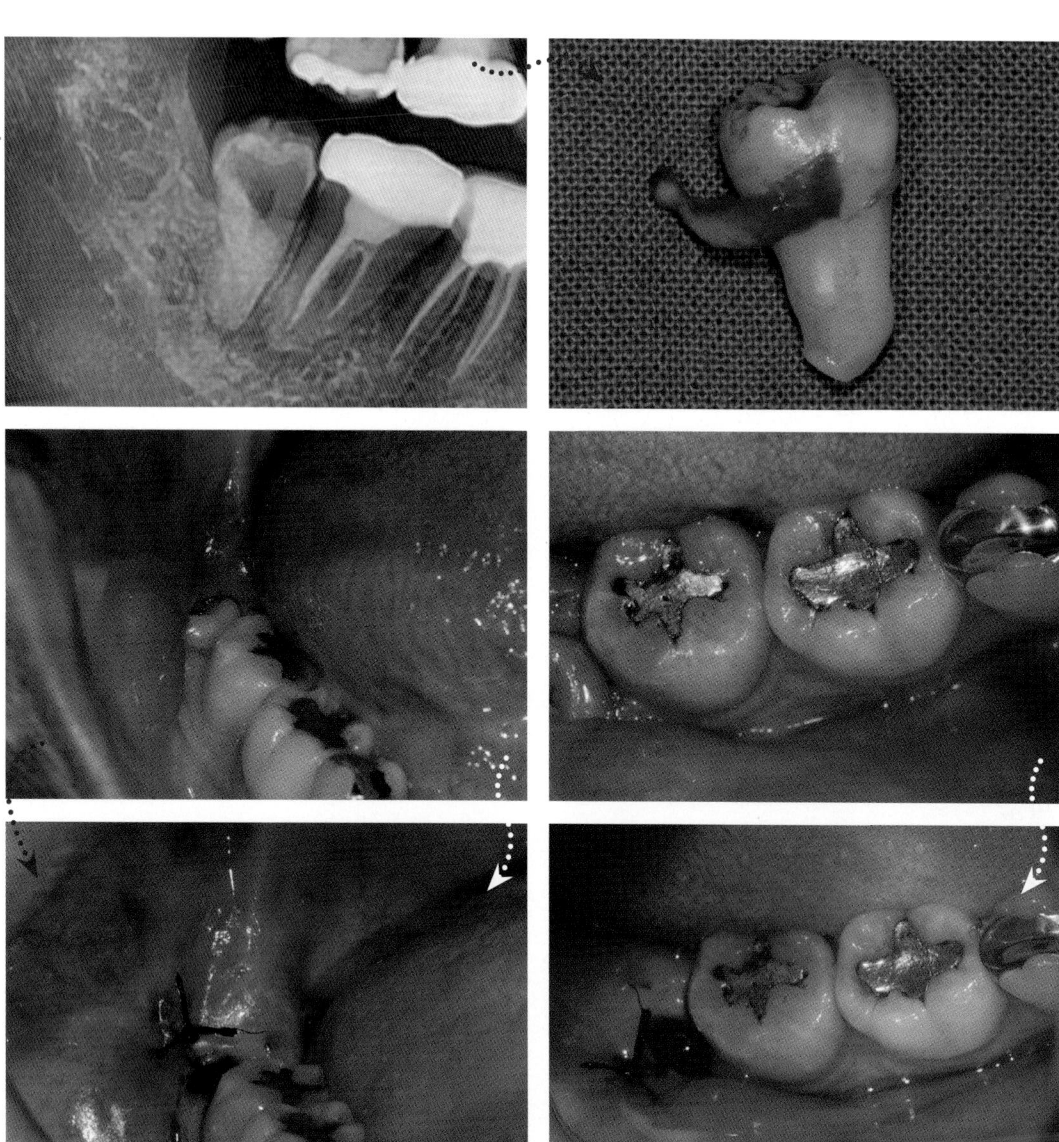

수직 매복의 경우 살짝 보이는 정도라면 거의 90% 협측으로 살짝만 절개한다.

필자는 너무 바쁘기도 해서 절개, 박리, 봉합을 최소화하면서 발치하는 스타일이라 이런 절개, 봉합을 선호한다. 이 지아는 거의 보이지 않는 사랑니지만 수직적인 높이가 높아서 굳이 근심 절개를 하지 않고 협측으로만 살짝 절개한 경우이다. 자연스럽게 절개했던 부분만 살짝 봉합하여 7번 원심이 원래 있던 형태대로 열려 있으므로 부종 방지에 좋다. 저 정도 크기가 열려 있는 것이 가장 좋을 듯하다. 간혹 초보자들 중에서 절개했던 부분을 봉합하기보다는 일반 발치와만 봉합하는 경우가 있는데, 이러한 절개선만 봉합하는 방식을 더 추천한다. 또한 최근에는 7번 원심면 치주 조직의 건강을 위해서도 부착치은이 필요하고 이는 위와 같은 봉합이 도움이 될 수 있다고 생각한다.

04
근심으로 수직절개를 연장하지 않은 경우 4 ★

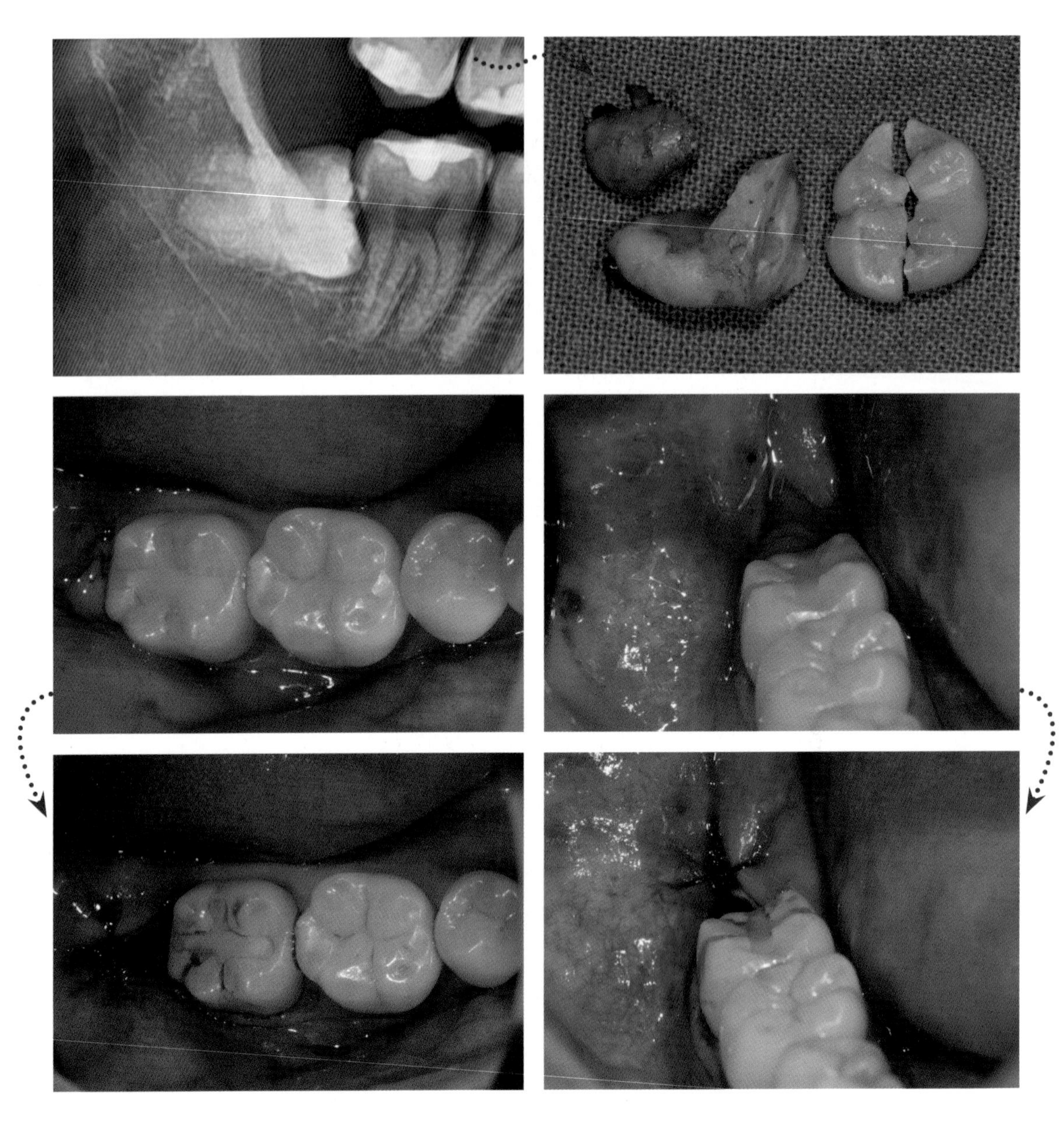

수평 매복 치아도 전혀 보이지 않는 경우가 아니면 7번 근심까지 오지 않음

이러한 수평 매복의 경우도 협측 골 삭제를 거의 하지 않는 필자 스타일의 경우는 굳이 절개를 크게 할 필요도 없다. 최소한의 절개만으로도 치관부를 제거하고 남은 치근을 제거하기에 충분하다. 당연히 술후 부종과 통증도 감소하고 기타 후유증도 없을 수 밖에 없다.

초보자들이 발치에서 주의할 것 ★

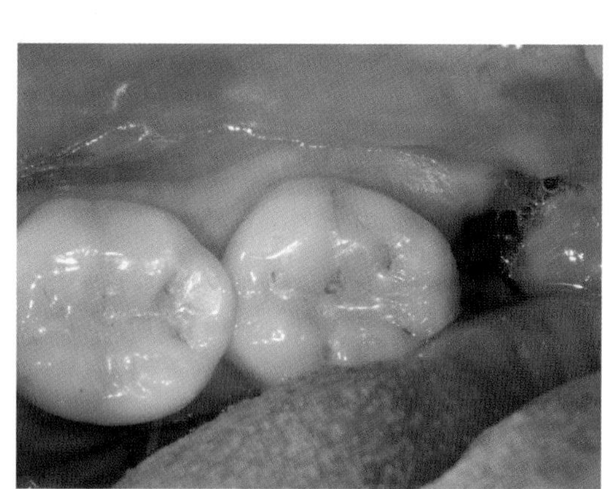
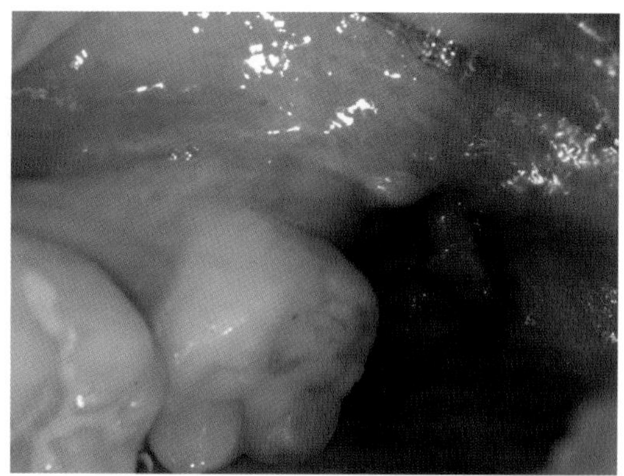

초보자들이 봉합한 케이스로 발치 1주일 후에 봉합사 제거를 위해 내원하였을 때 찍은 사진이다. 대부분 협측이 뜯어져 있다.

초보자들의 봉합에서 가장 두드러진 특징은 협측 봉합부위가 꼭 뜯어진다는 것이다.
한 달에 한 번씩 진행하는 사랑니 발치 핸즈온 코스 후에 수강생들이 봉합해놓은 케이스의 봉합사 제거는 대부분 필자가 진행한다. 그런데 수강생들이 봉합해 놓은 봉합사를 제거하다보면 꼭 위와 같이 협측 부위가 뜯어져 있다. 봉합사가 방금 떨어졌을 수도 있지만, 대부분 환자는 하루 이틀 지나서 뜯어진 실밥을 며칠 동안 매우 불편하게 혀로 만지막 만지작하다가 실밥을 뽑으러 왔을 것이다. 어떤 경우에는 실밥 없이 오는 경우도 많다. 가끔은 초보자들에게 아직 본인의 봉합 실력이 뛰어나지 못하다면 봉합사 제거를 굳이 일주일이 아니라 3~4일 만에 하는 것도 좋다고 말하기도 한다.
무슨 봉합이든 봉합을 할 때는 협측 점막을 full thickness로 봉합하는 습관을 들이는 것이 더 중요하다. 아마도 절개와 박리를 full thickness로 시행을 잘못하다보니 봉합도 그런 형태로 이어지는 듯하다. 협측 점막을 확실히 박리하면 봉합도 확실해지지만, 절개를 조금 하다보면 아무래도 봉합도 얕게 되는 경우가 많다. 그래서 필자처럼 절개, 박리를 조금 하는 사람은 작은 절개선에서는 굳이 골막까지 봉합한다기보다는 봉합을 조금 깊게 하는 정도로만 하고, 굳이 장력이 남아 있게 봉합하지는 않는다는 원칙으로 봉합을 한다.
어쨌든 초보일수록 협측 봉합사가 잘 뜯어진다는 것은 꼭 명심하고 반드시 이를 막기 위한 고려를 하는 습관을 들이자. 절개도 골막을 해야 하는 것처럼 봉합도 골막을 하는 것이다.

05
절개선의 근심 연장 – 7번 원심면 수직절개 1★

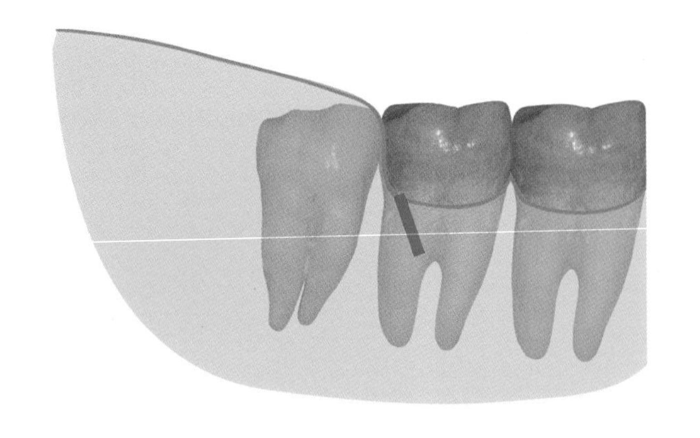

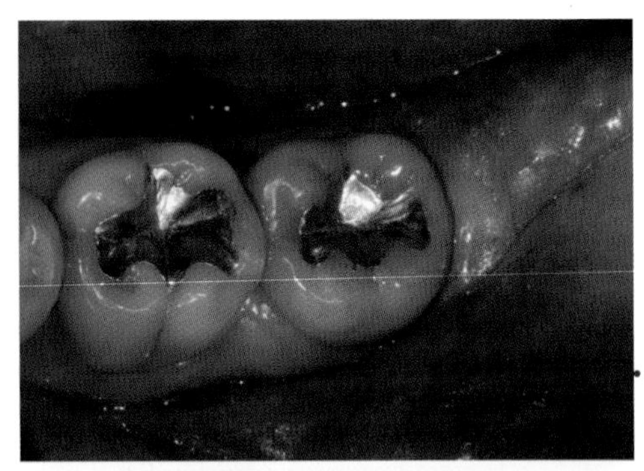

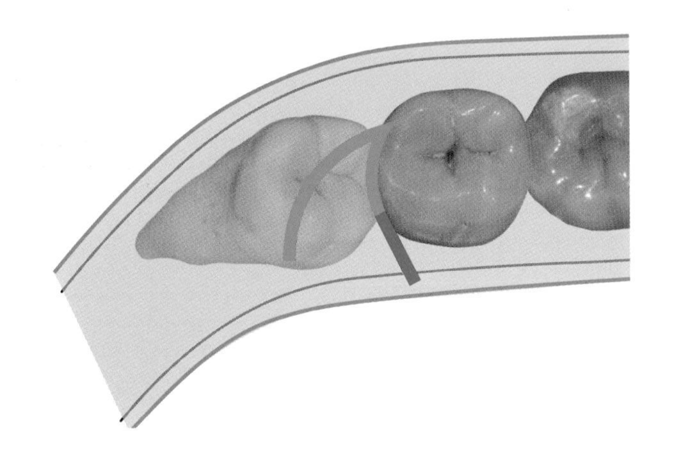

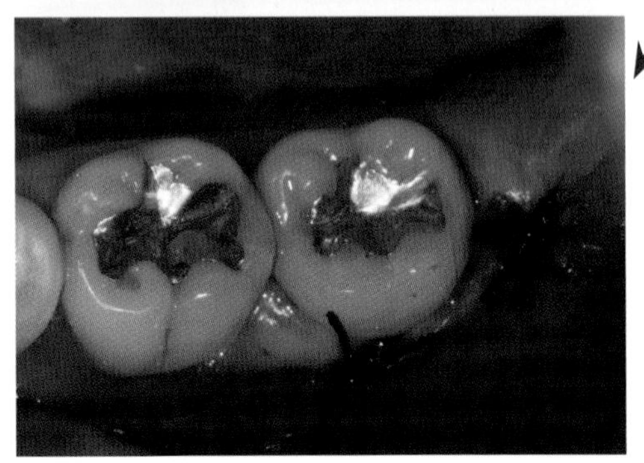

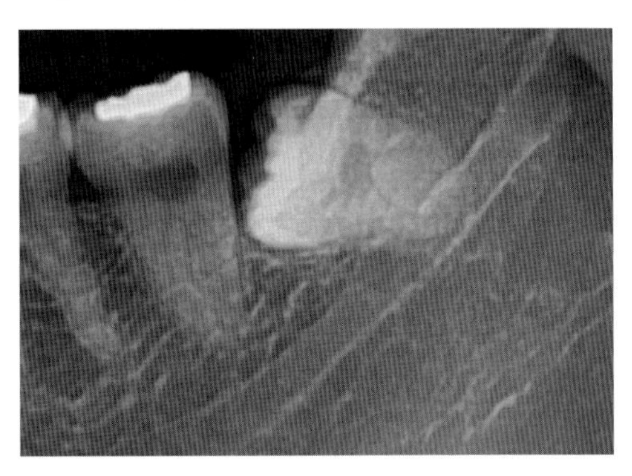

필자는 사랑니가 잇몸에 덮혀서 하나도 안 보이는 경우에 7번 원심부위 절개를 위해서는 12번 메스를 사용한다. 그런데 12번 메스로는 블레이드의 각도상 수직절개를 하기는 쉽지 않다. 그래서 대부분 6번 원심 치간유두부터 7번 원심에 이어지도록 절개없이 박리만 연장하는 편이다. 다만 굳이 12번 메스로 수직절개를 해야 한다면 위 케이스와 마찬가지로 7번 원심면쪽에서 시행하는 것이 블레이드 각도상 편하긴 하지만 거의 하지 않는다. 위 케이스 사진찍기 위해서 친환들에게 한두 번 해본 정도뿐이다. 필자는 굳이 수직절개가 필요하다면 7번 근심면에 하는 편이다.

위 케이스를 보면 7번 원심면이 아니라 중간정도로 보이지만, 절개를 할 때 원심면에서 시작해서 최대한 근심면으로 빗금치듯이 절개하므로 그렇게 보일 수 있다.

그러나 초보자들의 경우 원심면 수직절개부위 봉합을 잘하지 못하는 경우가 많다. 특히나 필자 스타일처럼 길고 굵은 바늘을 사용하는 경우에는 특히 그렇다. 그나마 다른 부위 절개와 달리 이부위는 원심면만 잘 봉합된다면 굳이 봉합하지 않아도 크게 문제되지 않는 부위라는 정도는 알아두자.

빗금치듯이 수직절개해야 혹시나 모를 Long buccal nerve 손상을 피할 수 있다.

06
절개선의 근심 연장 – 7번 원심면 수직절개 2 ★

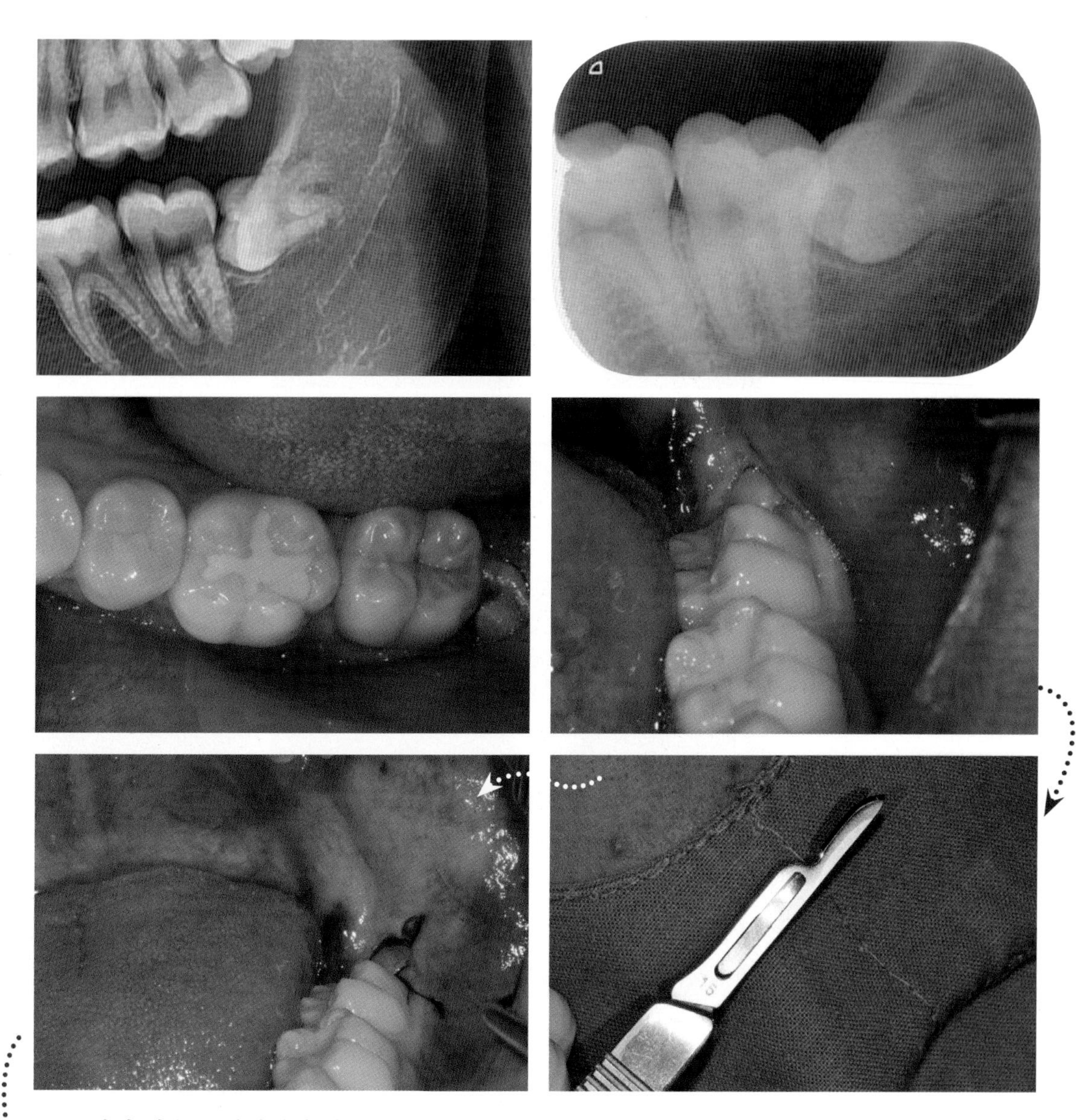

보통 이런 경우는 원심면만 살짝 절개하는 편인데, 아마도 사랑니가 협측에 위치하고 있어서 약간은 골막 박리를 하는게 유리할 듯하여 살짝만 7번 원심면에서 절개하였다. 안 그러면 조직을 너무 협측으로 당기게 되므로 7번 앞쪽까지 조직의 장력이 과하게 미칠 가능성이 많다.

필자는 많이 하는 편은 아니시만, 이 책을 다 쓰고 마무리하는 단계에서 구강외과의사들이 가장 많이 하는 또는 선호하는 절개방법이라고 말씀하시는 원장님을 만났다. 물론 본인 주변에서는 그럴 수 있겠지만, 필자 경험으로는 오히려 GP들이 많이 하고 구강외과 선생님들은 더 크게 여는 것을 많이 봤다. 사실 논문 쓰듯이 정식으로 샘플을 뽑아서 조사하는 게 아니라면 사실 자기 주변 몇 밖에 모르는 것이니 자기에게 맞는 방법을 찾아가면 될 듯하다. 다만 이렇게 7번 원심에서 협측으로 절개할 때는 장협신경(long buccal nerve)을 절단하지 않도록 크게 해야 한다. 특히 구강전정이 얕을 경우에는 조심해야 한다. 장협신경은 손상되어도 크게 상관없다는 분들도 많지만, 손상 안 되면 더 좋은 거니까... ^^

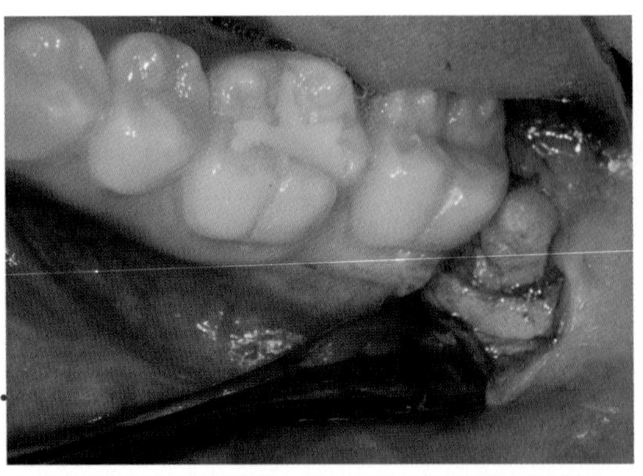

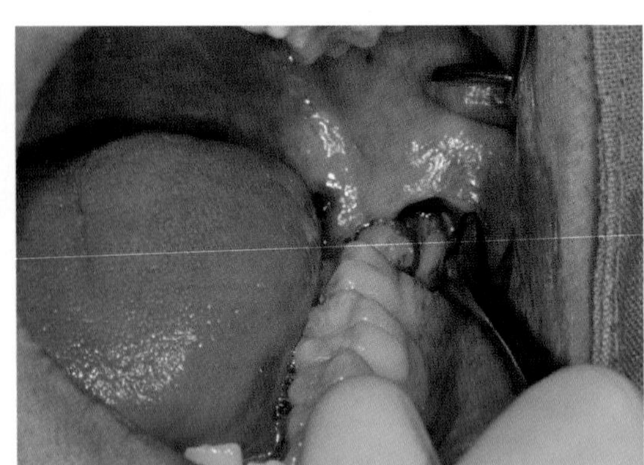

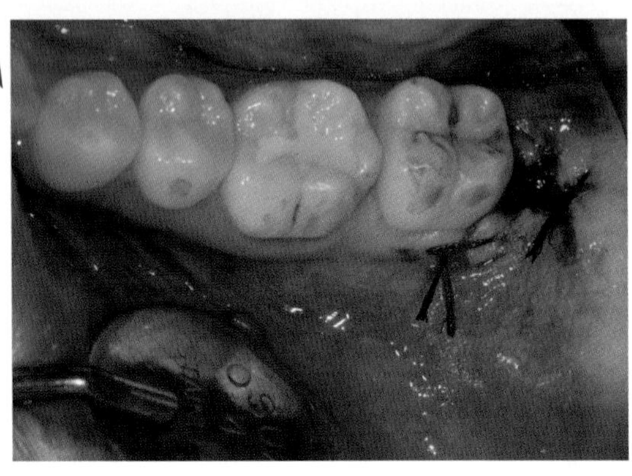

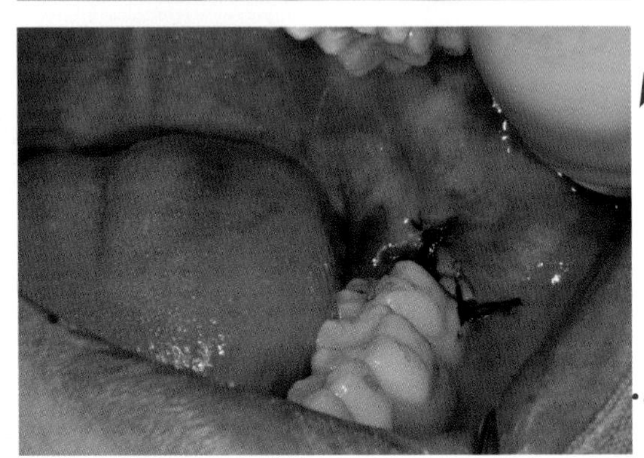

7번 원심면 수직절개를 위해서 일부러 시행해본 케이스이다. 사랑니가 살짝 보이기 때문에 굳이 12번 메스를 쓸 필요가 없어서 두 절개선을 모두 15번 메스로 시행하였다. 단순히 절개, 박리를 크게 시행한다고 해서 술후 부종이 심한 것은 아니다. 얼마나 손상되었느냐와 발치 시간이 얼마나 길었느냐가 중요한 요소이다. 필자는 그래서 이러한 공식을 써본다. 그러니 너무 절개를 최소화하려는 시도로 발치 시간이 길어지는 우를 범해서는 안 된다.

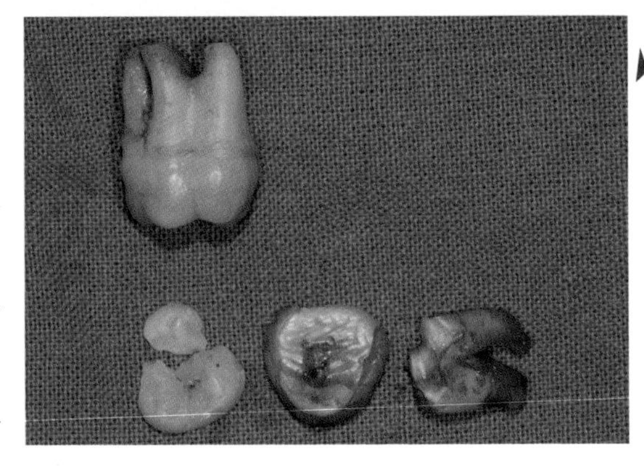

술후 부종통증 = 절개박리골 삭제 등 손상정도 X 발치 시간

07
절개선의 근심연장 – 7번 근심면 수직절개 1 ★★★

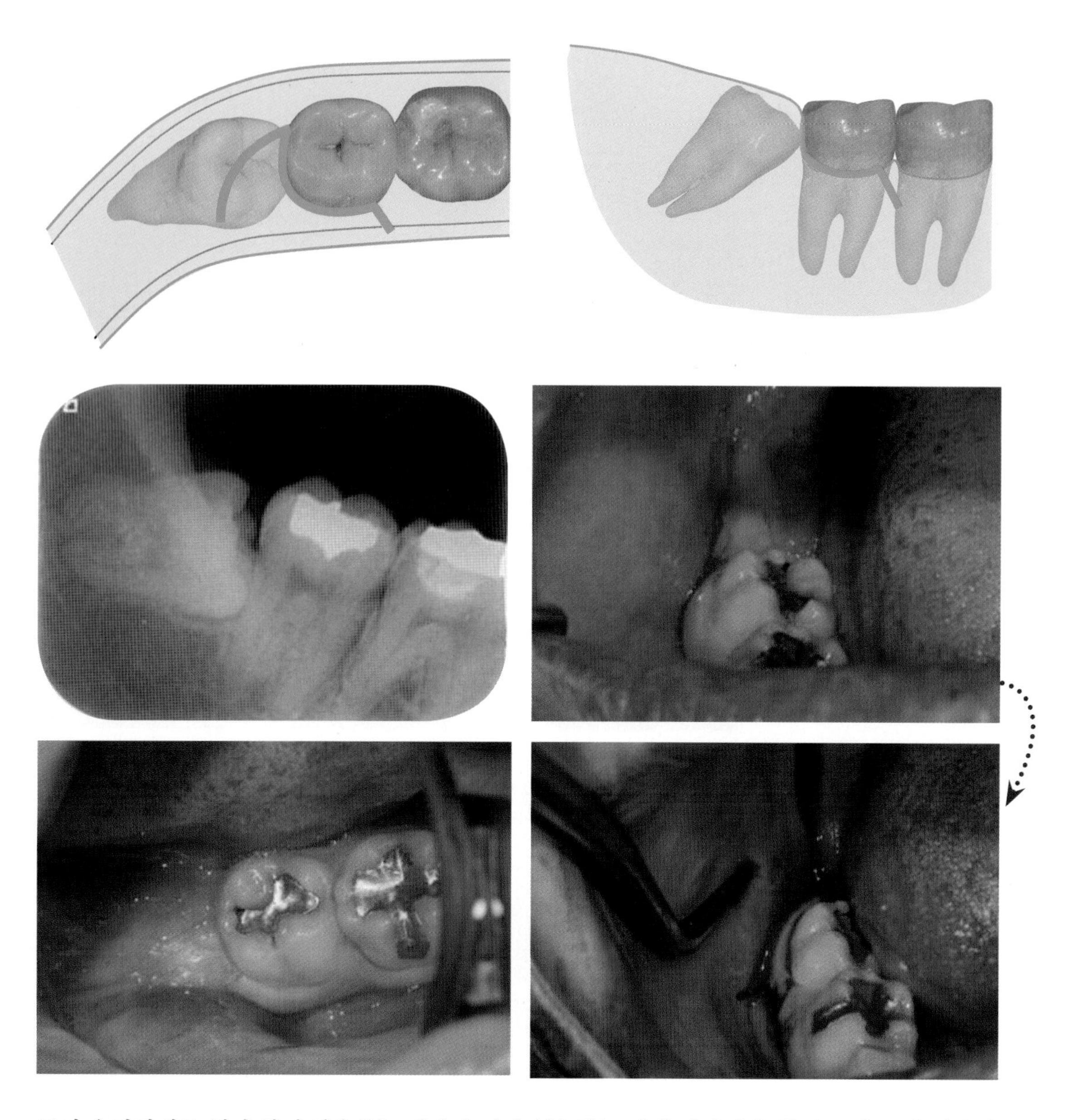

굳이 수직절개를 해야 하면 사용하는 필자가 가장 선호하는 절개 방법이다. 물론 그날 그날 기분이나 컨디션에 따라서도 다르긴 하지만, 굳이 시야 확보를 위해서 절개선을 앞쪽으로 연장해야 한다면 7번 근심면에 절개를 시행하는 편이다. 6번 원심 치간유두까지 포함하여 절개하는 것보다는 시야확보가 더 좋고 술후 플랩이 좀 더 안정적이고 발치 부위를 좀 더 잘 덮을 수도 있어서 선호한다.

08
절개선의 근심연장 – 7번 근심면 수직절개 2 ★

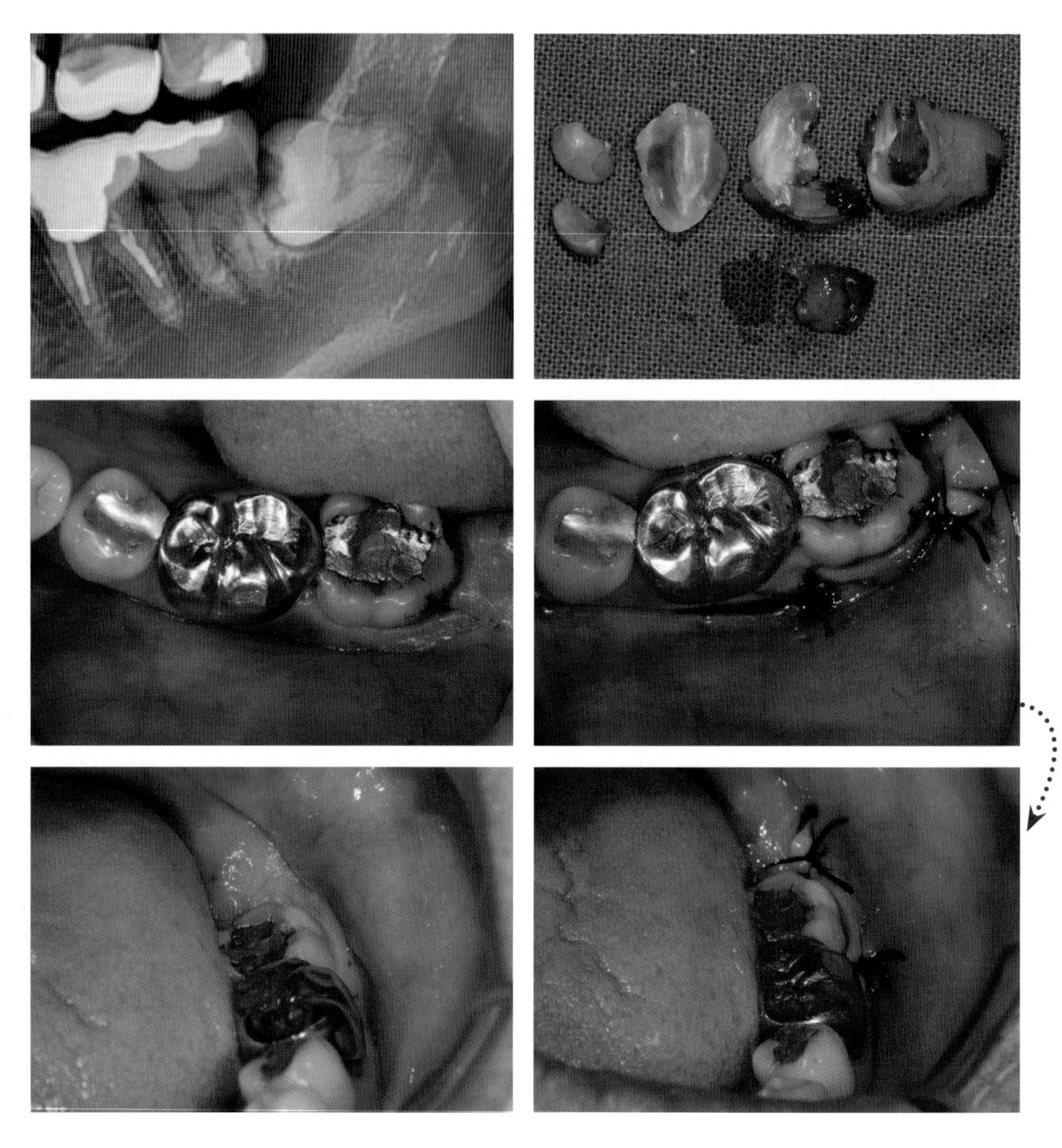

필자가 가장 선호하는 절개 방법으로 12번 또는 15번 메스를 사용한다. 수직절개만을 위한다면 15번 메스를 사용하지만, 7번 원심면 절개에 12번을 사용한 경우에는 근심 수직절개도 12번 메스를 사용한다. 사실 책을 내기 위해서 억지로 사진을 좀 찍다보니 좋은 케이스가 아니라 그다지 저자로서 마음이 편하지는 않다. 한가한 날 내원한 지인들만 사진 촬영이 가능한 점을 봐서 너그럽게 이해해주기를 바란다.

09
절개선의 근심연장 – 6, 7번 치간유두까지 연장 1 ★

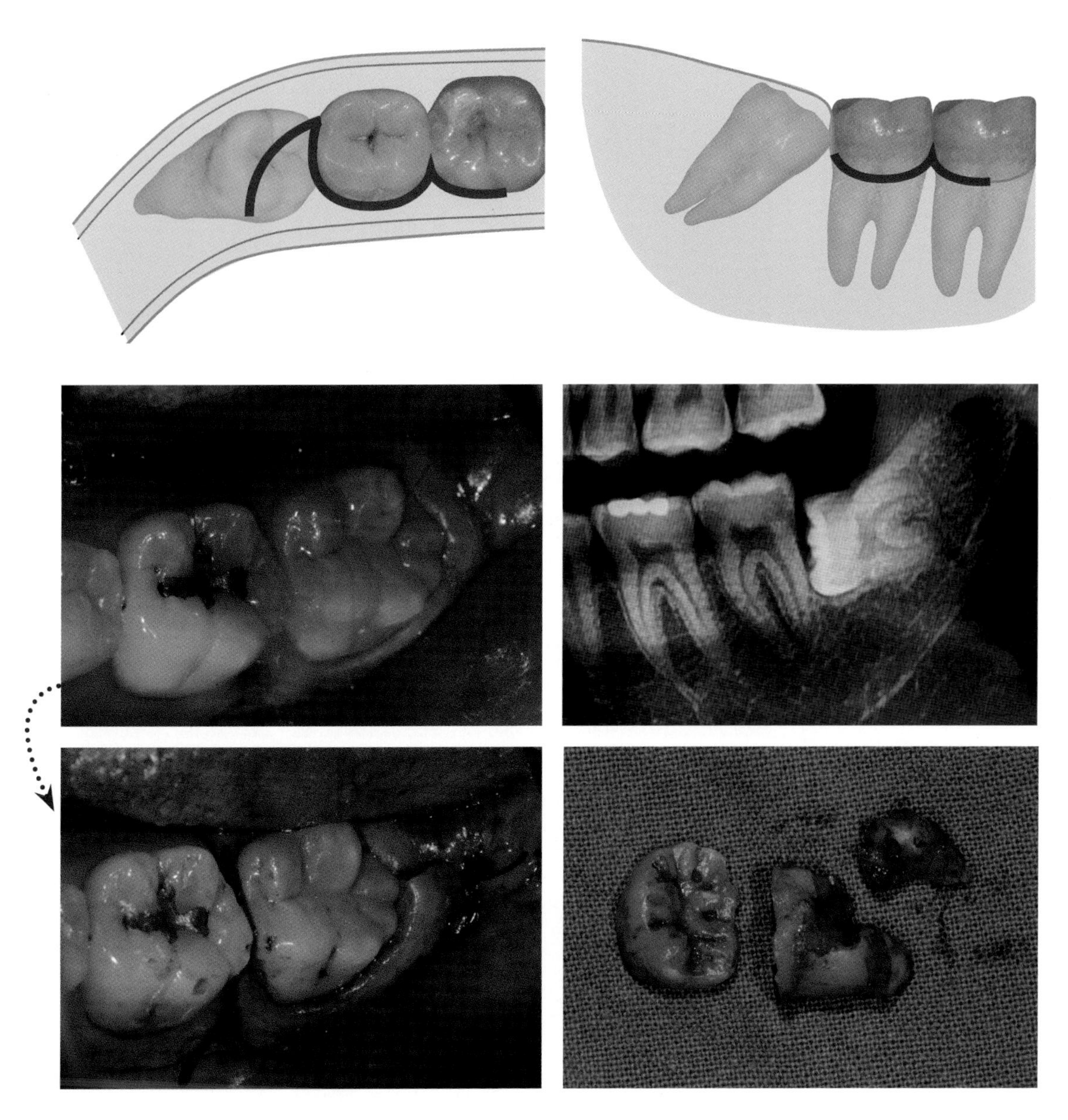

필자가 급할 때 사용하는 방법이다. 보통 사랑니 부분만 절개하고 발치를 하다가 생각보다 사랑니가 협측에 위치하거나 발치가 용이하지 않아서 시야 확보가 필요하면 별도의 절개 없이 페리오스티얼 엘리베이터의 날카로운 쪽을 6번 원심 협측 치간유두를 귤 껍질까듯이 벗겨서 7번 원심 협측 절개선까지 연장하여 박리한다. 종종 부종 방지를 위해서 6,7번 사이 치간유두부의 봉합을 안 하는 치과의사들도 있지만, 필자는 차라리 7번 원심면 쪽을 좀 느슨하게 봉합하는 편이다.

10
절개선의 근심 연장 – 6, 7번 치간유두까지 연장 2 ★★

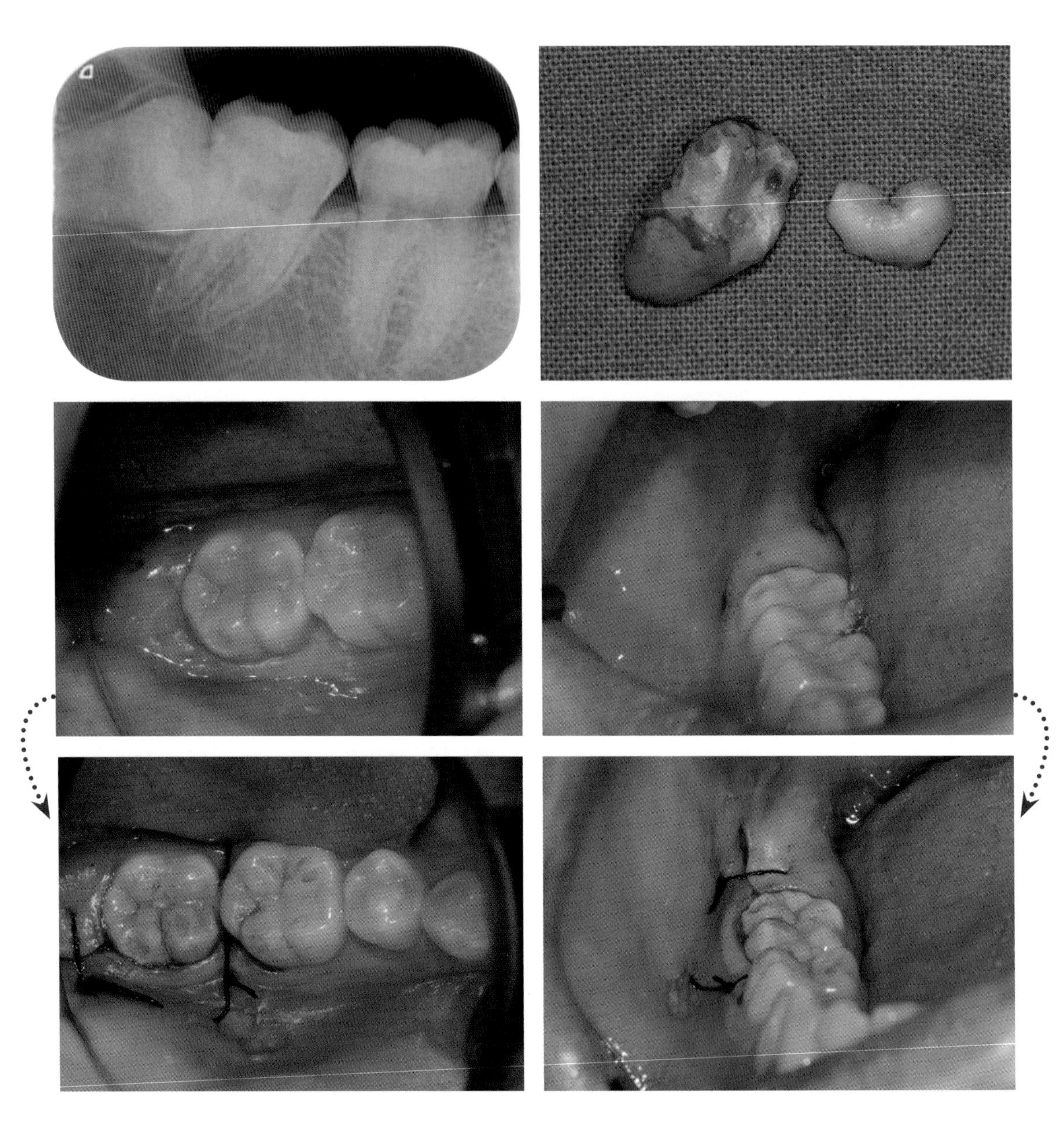

치관크기가 작아서 근심까지 연장하지 않으려다가 사랑니 자체가 협측에 위치하고 있어서 절개선의 위치도 협측으로하고 근심까지 절개선을 연장하였다. 6,7번 사이 치간유두부위는 절개 없이 엘리베이터로만 박리하지만, 초보자라면 12번 메스로 좀 잘라주는 것도 좋다. 페리오스티얼 엘리베이터 자체를 둥근 것만 사용한다면 메스로 설커스를 절개해주는 것도 필요하다고 본다.

확실히 골막을 박리하는데는 내공이 필요한 듯하다. 필자가 발치세미나를 오래 진행하면서 느낀 거지만, 이 단순한 동작이 익숙해지는데도 좀 오랜 시간이 걸리는 듯하다. 초보자라면 우선 사랑니 발치를 통해서 기본적인 절개 박리 봉합을 꾸준히 반복해서 연습할 필요가 있다.

11 절개 후 골막 박리 어디까지 할 것인가? ★★★

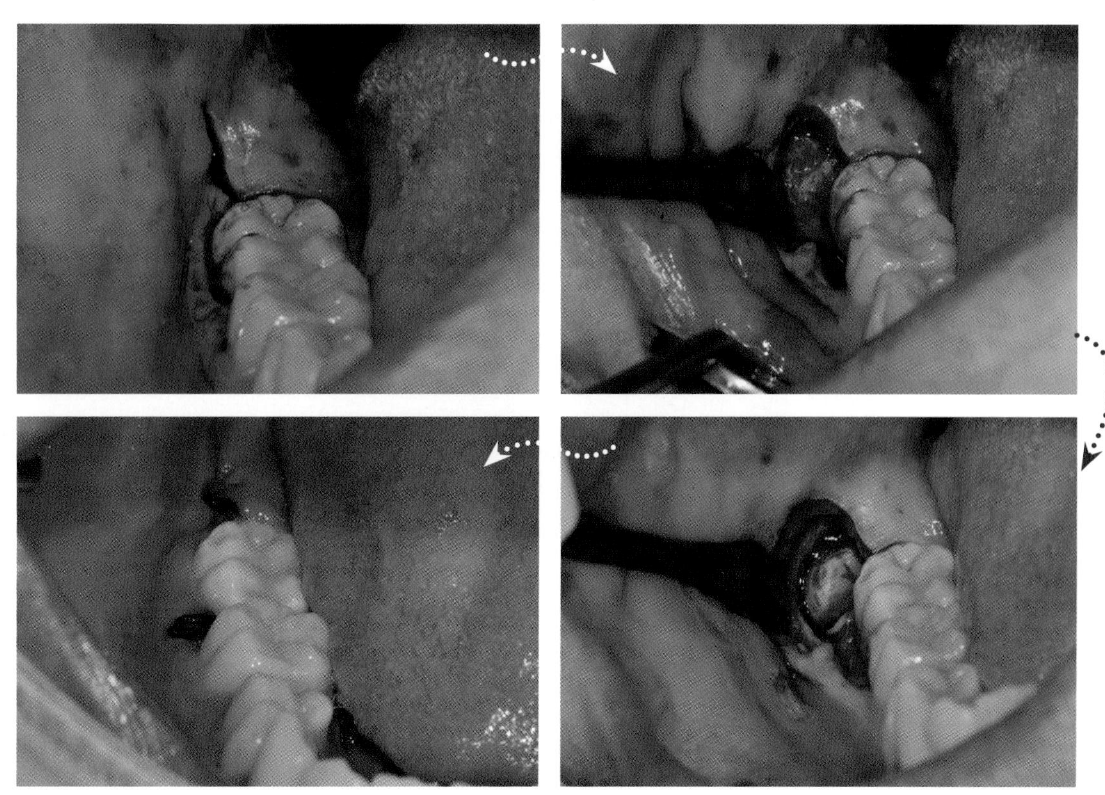

앞선 케이스이다. 저렇게 절개하고 그 이후 발치는 어떻게 진행하였을까? 박리는 어디까지 하고 골 삭제는 어디까지 했을까? 이런 생각이 드는 분들도 있을 것이다. 우선 첫 번째 질문을 던져 본다.

치조골의 신경은 모두 골막에 분포하고 있다고 봐도 될 것이다. 특히나 치조골이 아니라 기저골에 가까워질수록 골막의 중요성은 더 높아진다고 할 수 있다. 필자는 최소절개, 박리, 골 삭제를 원칙으로 하고 있다. 그러므로 박리도 꼭 필요한 경우가 아니면 거의 하지 않는다. 위와 같은 경우는 사랑니가 거의 보이지 않기 때문에 시야확보를 위해서 어쩔 수 없이 골막을 박리하고 협측 골 삭제를 시행하였다. 필자는 늘 골막 박리와 협측 치조골 삭제는 최소화하는 것을 원칙으로 한다.
다만 골막 박리는 발치 실력이 늘면서 자연스럽게 향상되며, 이는 임플란트 수술 실력에도 매우 중요한 영향을 미치므로 초보일 때는 굳이 박리를 최소화하는데만 집중하지 말고, 필요한 만큼은 충분히 시행하여 연습을 하는 것이 좋다. 다만 실력이 늘수록 최소화하려는 노력을 해야 한다.

자 이제 이어서 골막 박리와 협측 골 삭제에 대해서 논의해보자.

사랑니 발치를 위한 골막 박리와 협측 골 삭제★★

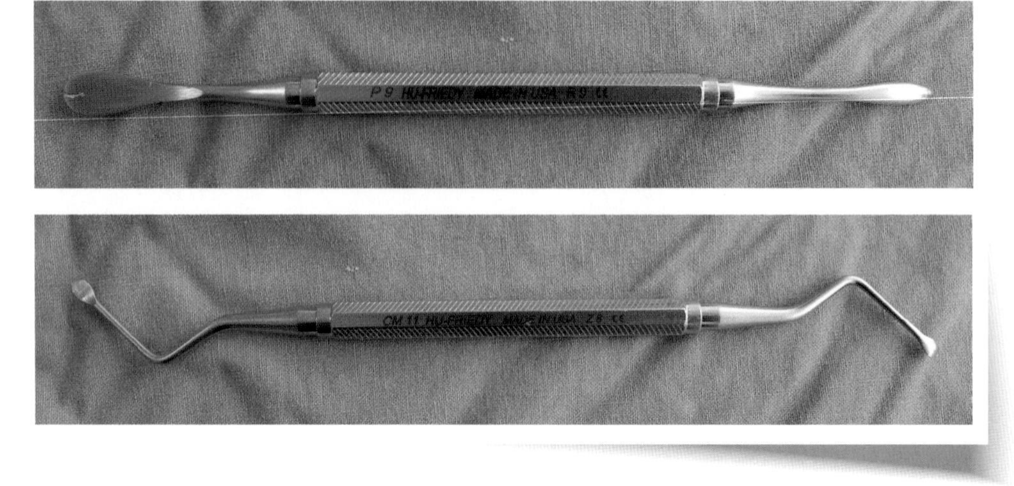

위 사진은 필자가 가장 많이 쓰는 페리오스티얼 엘리베이터(Hu-friedy P9)과 서지컬 큐렛(Hu-friedy CM 11)이다. 다만 EL3C 엘리베이터와 달리 모양과 크기만 비슷하다면 굳이 이 회사 제품만을 고집하지는 않는다. 최근에는 저렴한 국산도 많이 사용한다.

보통 서지컬 큐렛으로 절개선을 한 번 더 잘라주고 벌리는 정도로 시작해서 페리오스티얼 엘리베이터의 뾰족한 면으로 박리를 시작하여 넓은 면으로 마무리한다. 치아 삭제나 골 삭제를 위하여 리트렉션이 필요할 경우에는 그 크기에 맞춰서 날카로운 면과 넓은 면을 번갈아 가면서 사용하지만, 주로 리트렉션에는 넓은 면을 사용한다.

사실 골막 박리나 골 삭제 등은 다른 책에도 많이 언급되어 있으므로, 언급하지 않고 넘어가려다가 간단하게나마 다뤄본다. 굳이 필자의 스타일을 따라할 필요는 없고, 저렇게 생각하는 사람도 있구나... 정도로 알아만 두자.

01 Dr. 김영삼의 골막 박리 및 골 삭제 ★★

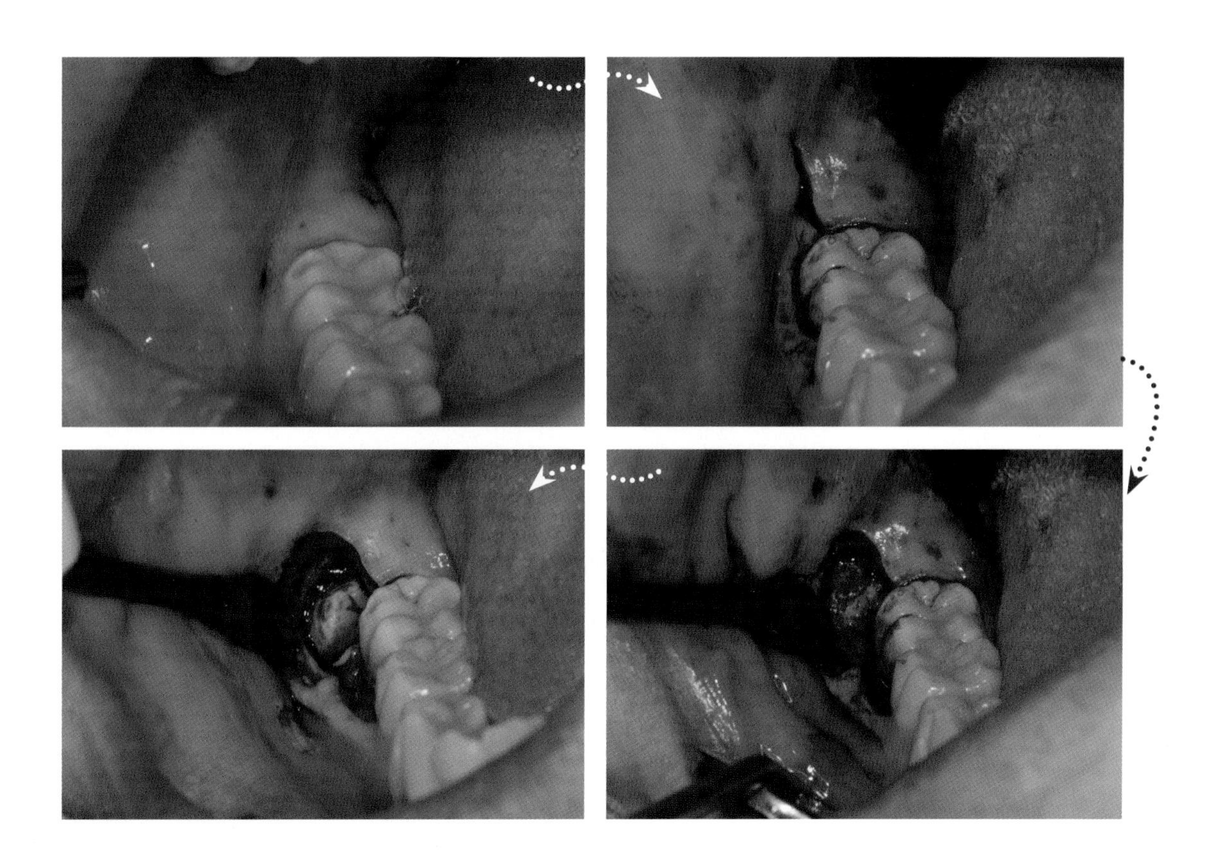

앞서 본 케이스에서의 절개 및 골막 박리, 협측 골 삭제까지 진행한 모습

필자는 골막 박리와 협측 골 삭제를 최소화하는 것을 원칙으로 하고 있다. 대부분의 골막 박리나 협측 골 삭제는 발치를 위한 시야확보를 위해서 시행한다. 잇몸을 절개하고 박리를 하였는데도 사랑니가 잘 보이지 않는다면 하이스피드 핸드피스로 사랑니 협측을 살짝 다듬듯이 돌려주는데, 치조골을 삭제한다기보다는 주변의 연조직을 제거하여 사랑니를 명확하게 보이게 하기 위함이다.
하지만 꼭 해야하는 경우에는 충분히 삭제해줘야 한다. 특히나 사랑니가 협측에 위치해 있거나 사랑니의 협측 최대풍융부 상방으로 치조골이 위치한 경우는 어느 정도의 협측 골을 삭제해줘야 한다.
또한 대부분의 초보 치과의사들은 치관의 근심부분을 잘라낼 때 어려움을 겪는데, 그중 가장 흔한 것이 치관의 협측을 제대로 삭제하지 않았기 때문이다. 대부분의 치아 삭제에서 설측은 끝까지 시행하지 않고 파절시켜서 제거하는 경우가 많다. 그렇기 때문에 협측을 확실히 삭제를 해줘야 한다. 능숙한 사람이라면 협측 치아 삭제도 잘하지만, 초보들은 대부분 협측도 끝까지 삭제하지 못하는 경우가 많다. 그래서 초보 치과의사들의 경우에는 눈에 잘 보이고 안전한 협측을 확실히 삭제해줘야 설측 삭제가 좀 부족해도 근심 치관부를 제거할 수 있다. 특히 초보들에게는 협측 시야확보를 위해서 사랑니의 협측면을 확실히 인지할 수 있을 정도의 협측 치조골 삭제를 권장하는 편이다.

02
초보자들에게 권장하는 골막 박리 및 협측 골 삭제 ★★★

앞서 언급했듯이 초보자들에게 시야 확보는 매우 중요하다. 필자의 철학처럼 절개, 박리, 골 삭제를 최소화하려는 노력을 하는 것은 좋다. 그러나 그러한 것은 어느 정도 사랑니 발치에 익숙한 경우에 해야 한다. 초보들은 절개, 박리, 골 삭제에 몰입하지 말고, 과연 사랑니를 뺄 수 있느냐 없느냐에 더 집중해야 한다. 사랑니를 충분히 잘 뺄 수 있을 때, 그 이후에 절개, 박리, 골 삭제를 최소화하는 노력을 해야 한다. 필자가 임플란트 관련 강의를 하면서 귀에 못이 박히게 하는 말이 있다. <Flapless Implant는 플랩을 할 줄 모르는 사람들이 하는 수술이 아니고, 플랩을 너무 많이 해봐서 안 보고도 알만한 사람들이 하는 것이다.> 라는 말이다. 초보자들이 플랩에 어려움을 호소하면서 flapless 수술에 관심을 갖는데, 이는 걷지도 못하면서 날기를 시도하는 것만큼이나 위험하고, 절대 실력이 좋아지지 않을 것이다.

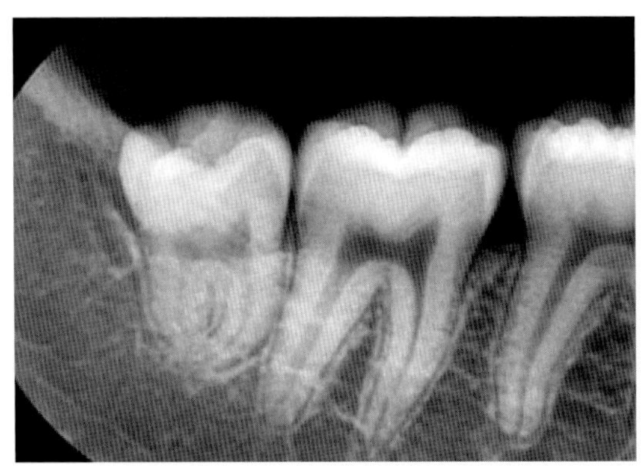

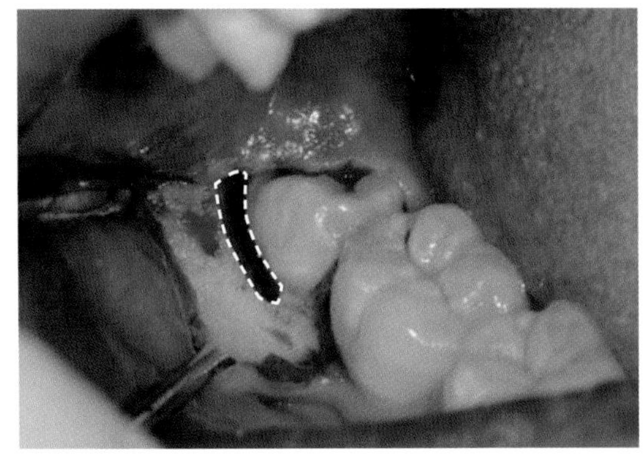

필자는 이렇게 안 하지만 구강외과의사다운 깔끔한 절개, 박리, 골 삭제를 볼 수 있다.

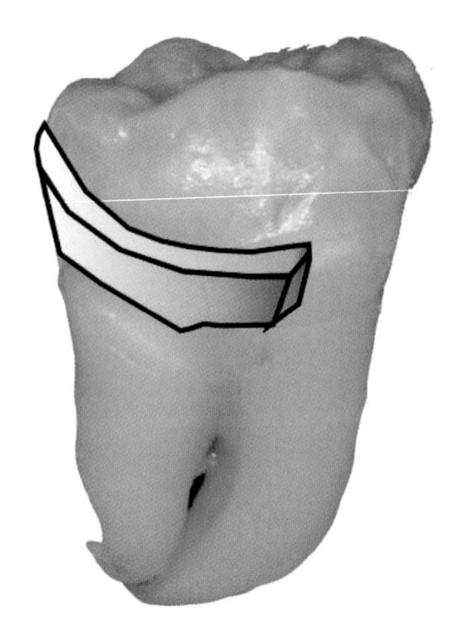

필자와 사랑니 발치 연수회를 같이 진행하고 있는 구강외과의사의 강의 자료에 있는 사진이다. 필자라면 이런 케이스에는 아마도 골막 박리 및 협측 골 삭제뿐만 아니라 잇몸절개도 하지 않았을 것이다.
그러나 꼭 필요한 케이스에는 위와 같이 해주는 것이 필요할 때가 있다. 특히나 초보라면 위와 같은 과정을 거치면서 절개, 박리, 골 삭제, 봉합 등의 술식을 키워갈 수 있다고 생각한다. 그래서 구강외과 수련의들의 발치 교육을 할 때는 위와 같은 과정을 통해서 발치를 하게 하는 것이다. 아무리 공간 감각이 떨어지는 치과의사도 발치는 해야 하기 때문에 누구나 할 수 있는 발치스타일 만들기 위해서 위와 같이 할 것이라고 생각한다. 다음도 서민교 원장님의 다른 케이스이다.

03
구강외과 의사들이 추천하는 골막 박리와 협측 골 삭제 ★★

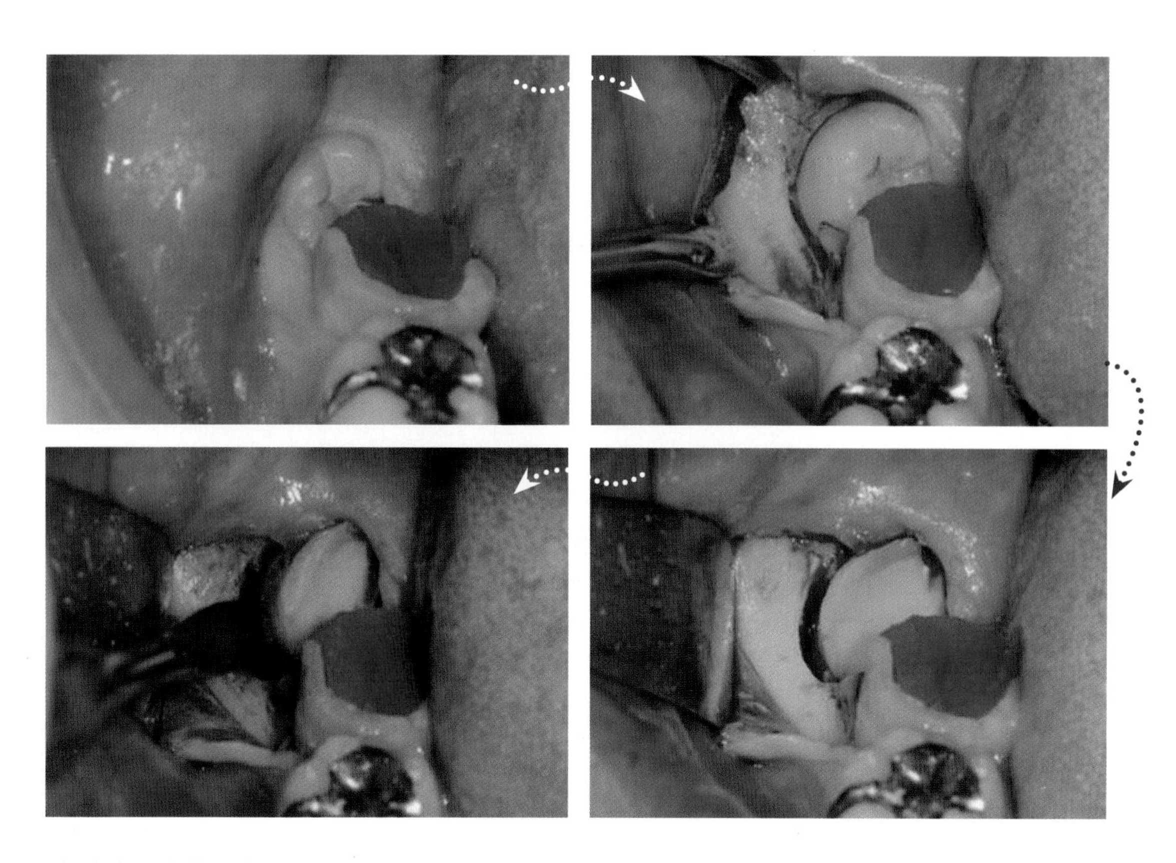

위 케이스에서 엘리베이터를 주목해보자. 이런 두꺼운 엘리베이터는 사랑니 협측의 치조골을 삭제하지 않고는 작용하기 힘들다. 필자는 가는 EL3C 엘리베이터를 사용하기 때문에 엘리베이터의 적용을 위한 협측 골 삭제라기보다는 시야확보를 위하여 연조직을 제거하는 정도로 아주 얕게 시행하는 것이다. 아마도 필자와 같은 좁은 엘리베이터를 사용하는 사람은 시야확보를 위한 협측 골 삭제를 하더라도 좁고 깊게 하면 좋다. 일반적으로 협측을 삭제하기 위해서 피셔 버를 별도로 사용하는 경우도 있다. 구강외과의사들이 치아 삭제에도 피셔버를 많이 사용하는 이유는 피셔 버가 협측의 골 삭제에도 유리하기 때문일 것이다.

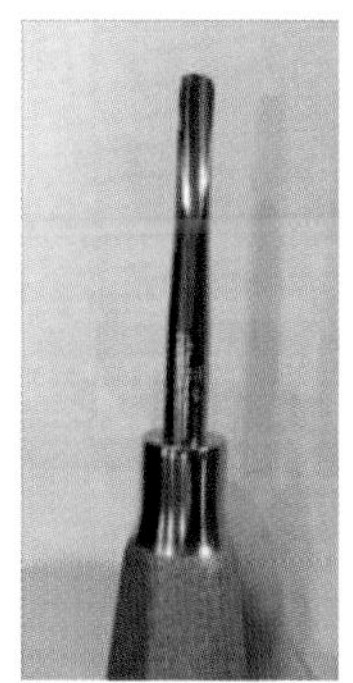

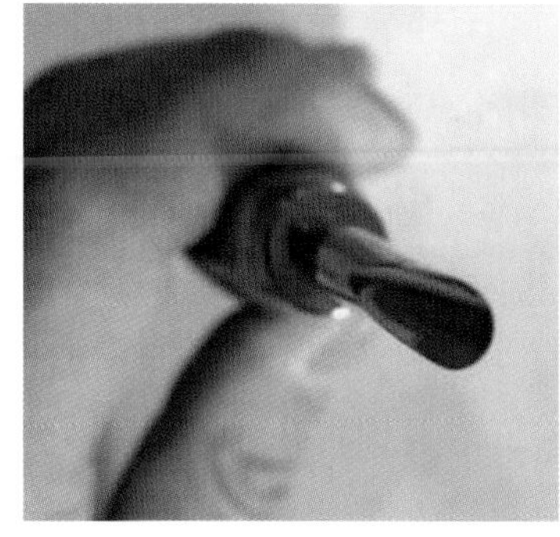

필자가 오랫동안 함께 일한 구강외과의사가 사용하는 엘리베이터 Hu-Friedy EL4S

필자가 함께 일하거나 밖에서 만나본 구강외과 의사들이 가장 선호하는 엘리베이터를 하나 꼽으라면 아마 이런 형태의 엘리베이터일 것이다. 주로 짧고 두껍고 강하고 원호도 매우 크다.
다만 이러한 엘리베이터는 자연상태의 치조골과 치아 사이에 넣을 수 없기 때문에 치아 주변의 치조골을 삭제해야만 쓸 수 있다.

Dr. 김영삼과 사랑니★★

필자는 사랑니 발치를 좋아한다. 남들이 기피하는 치료라 필자가 많이 하게 된 이유이기도 하지만 사랑니 발치 자체를 좋아한다. 필자는 개인적으로 치아를 깎는 것에 대해서 심각한 거부감을 갖고 있는 편이다. 그러다 보니... 보철치료보다는 외과나 치주치료에 관심을 많이 갖게 되었다.

위 사진은 한 부대에서 육군 장병들이 휴가 나와서 단체로 사랑니를 빼러 왔길래 기념으로 촬영한 사진이다. 태어나서 처음으로 수염을 길러본 때라 기념촬영을 많이 했었다. 어쨌든 저 군인들 중에 한두 명은 휴가 나온 김에 술 마셔야 한다고 결국 발치를 안 하긴 했지만, 이렇게 젊은이들이 좋아 해주기 때문에 나름 보람을 느끼면서 살고 있다.

필자에게 사랑니 발치는 낚시와 같다. 물고기를 전혀 안 먹는 사람도 낚시를 좋아하듯이, 필자도 사랑니 발치에서 얻는 이익보다도 그 "손맛"이 너무 좋아서 사랑니 발치를 그만 둘 수 없다. 남들은 그런 손맛을 느끼러 일부러 시간내서 멀리 가기도 하는데 필자는 근무하는 치과에서 그런 짜릿한 손맛을 느낄 수 있으니 그 얼마나 좋은 일인가? ^^

첫 chapter에서는 왜 필자가 사랑니 발치를 좋아하고 많이 하게 되었는지와 필자의 사랑니 발치에 대한 철학에 대해 간단히 설명하려고 한다. 단순히 발치 테크닉이 궁금하신 분이라면... 바로 넘기고 다음 chapter로 넘어가도 된다. 그러나 왜 뜬금없이 책 앞에 자기자랑같은 말들을 이렇게 많이 써놨나.. 하는 생각이 드시는 분들도 있을 것이다. 필자가 이 책에 언급한 내용들이 어느 누구보다도 많이 발치를 경험한데서 나온 결과물로서 신뢰성을 높이기 위해서라고 생각해주기를 바란다. 아니면 필자가 GP이고 약간의 GP 콤플렉스가 있어서 좀 오바해서 경험을 강조했다고 생각해도 좋다.

EASY
SIMPLE
SAFE
EXTRACTION
of
wisdom
tooth

05-1
CHAPTER

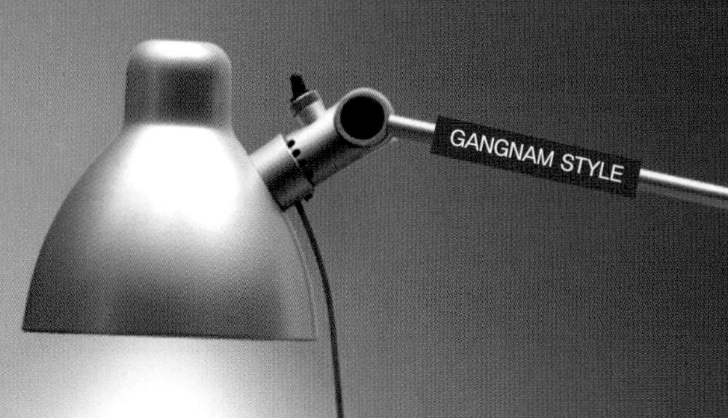

발치기구의 사용방법
엘리베이터, 핸드피스, 포셉

사랑니 발치를 위한 엘리베이터

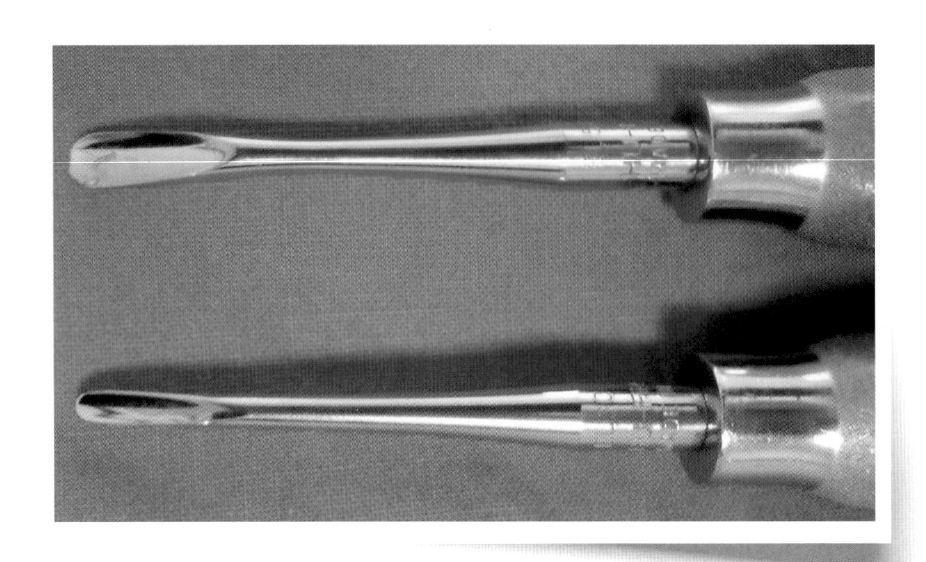

사랑니 발치에서 엘리베이터는 매우 중요하다. 처음에 발치를 배울 때 왜 이 기구를 엘리베이터라고 하는지가 이해가 안 되었다. 주로 틈을 벌리는 정도로만 사용하는 줄 알았다. 발치를 많이 하면서부터 나도 모르게 부르던 이 이름의 의미를 알게 되었다. 정말 좁은 틈에서 치조골 속의 치아를 들어올리는 형태로 작용하는 것이다. 오히려 최근에 기자재 전시회 등에 가면 치아와 치조골 사이에 틈을 벌리는 Luxator는 별도로 많이 접하게 된다. 물론 필자는 사용하지 않고, 심지어 하나도 구비하고 있지 않다. 엘리베이터를 잘 사용하면 굳이 Luxator는 필요 없고, 특히 필자처럼 가늘고 Curved 된 엘리베이터를 사용하는 사람은 특히 Luxator가 필요 없다. 엘리베이터를 처음에 치아와 치조골 사이에 집어 넣을 때는 Luxator로 사용하고, 그 틈에서 힘을 발휘하여 치아를 들어올릴 때는 엘리베이터로 사용되기 때문이다. 이제 치아를 들어올리는 엘리베이터의 세계로 들어가보자.

01
Dr. 김영삼의 엘레베이터 ★★★

필자는 이 엘리베이터(Hu-Friedy EL3C)를 사랑한다. 나의 발치 실력은 이 엘리베이터에 의존한다고 할만큼 매우 중요하다. 얇고 뒤로 휘어져(Curved) 있어서 골 삭제 없이 사랑니와 치조골 중간의 치주인대강에 집어넣어 엘레베이션을 할 수 있기 때문이다. 김영삼의 사랑니 발치에서 이 엘리베이터(Hu-Friedy EL3C)를 빼면 그냥 아무 것도 아니라고 할 수 있을 만큼 소중하다. 또한 필자가 추천해서 이 엘리베이터를 사용하는 사람들 중에 후회하는 사람을 거의 본 적 없다. 내구성도 매우 좋다.

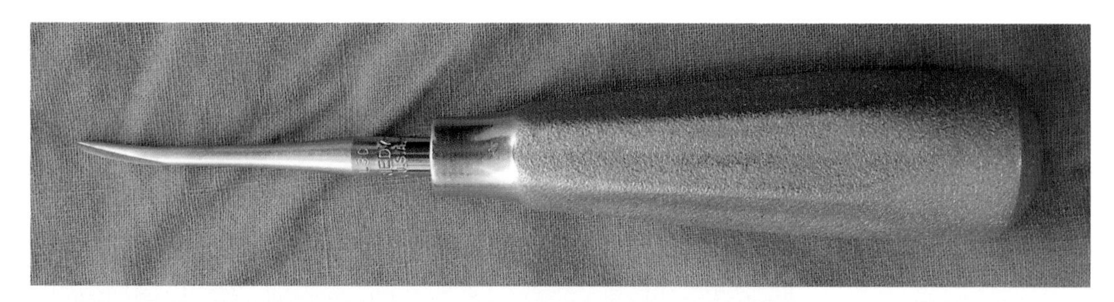

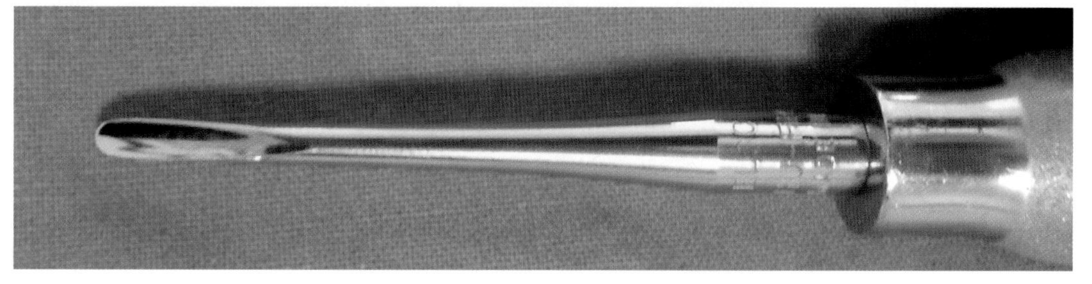

필자가 가장 사랑하는 엘리베이터로 Hu-Friedy(미국)회사 제품이다. 모델명은 EL3C로 모델명에서 3은 3 mm로 엘리베이터의 폭을 뜻하며, C는 Curved를 뜻한다. 가끔 사용하는 EL5C라는 제품도 있는데 치조골과 치관의 사이가 넓거나 두꺼운 버(6번 1.6 mm 이상)를 사용해서 치아를 삭제한 경우에는 보조적으로 사용한다. 발치 세트에 넣어놓지는 않고, 따로 소독해서 보관하고, 필요한 경우에 발치세트에 포장을 벗겨서 놓는다. 보통 구강외과의사들이 가장 흔하게 사용하는 것으로 모델명 EL4S라는 것도 있는데, 이미 눈치챘겠지만 4는 폭이 4 mm를 뜻하며 S는 Straight 를 뜻한다. 대부분 흔하게 사용하는 엘리베이터는 이런 식으로 이름이 붙여져 있다.

참고!!

필자는 EL3C를 엘리베이터라고 부르지만, 판매사원이 말하길 Hu-Friedy 회사에서는 Luxator로 분류한다고도 한다(Catalog 책자에 나와 있는 정식 명칭은 Luxating Elevator). 진짜 엘리베이터는 앞에 EL이 붙는 것이 아니라 E가 붙는다고 한다. 어쨌든 필자는 평생을 엘리베이터라고 불러왔고, 다른 치과의사들도 모두 그렇게 알고 있기 때문에 이 책에서도 계속 엘리베이터라고 부르겠다. 요즘 임플란트와 치주수술이 많이 시행되면서 아주 가늘고 긴 Luxator가 출시되기도 하기 때문에 그런 얇은 기구와 구분하기 위해서라도 엘리베이터라고 불러야 할 듯하다. Luxating Elevator라도 Elevator는 Elevator니까 ^^

02 필자 주변 치과의사들이 추천하는 엘리베이터 ★

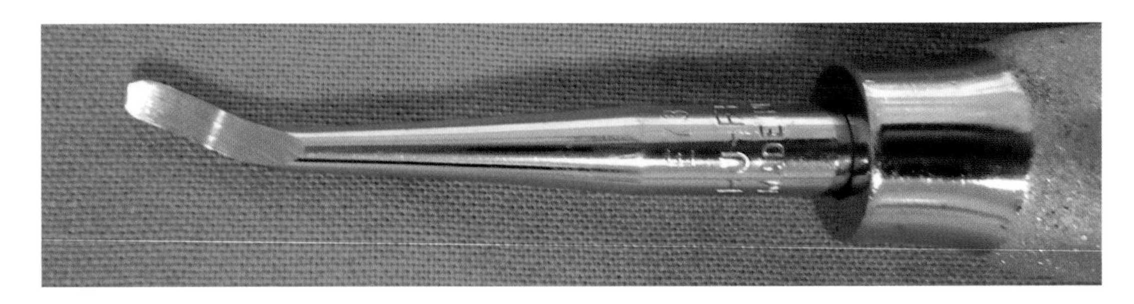

동문 선배 중에 이런 형태의 엘리베이터를 적극 추천하신 분이 계신다. 하악 수직 매복에 매우 유용하다고 추천하셨는데, 이 엘리베이터는 좌우를 따로 갖추어야 하고 선택적인 케이스에만 사용 할 수 있어서 필자는 오히려 EL3C를 더 추천하고 싶다. 한 가지 발치 세트로만 사용하는 내 스타일에는 맞지 않다.

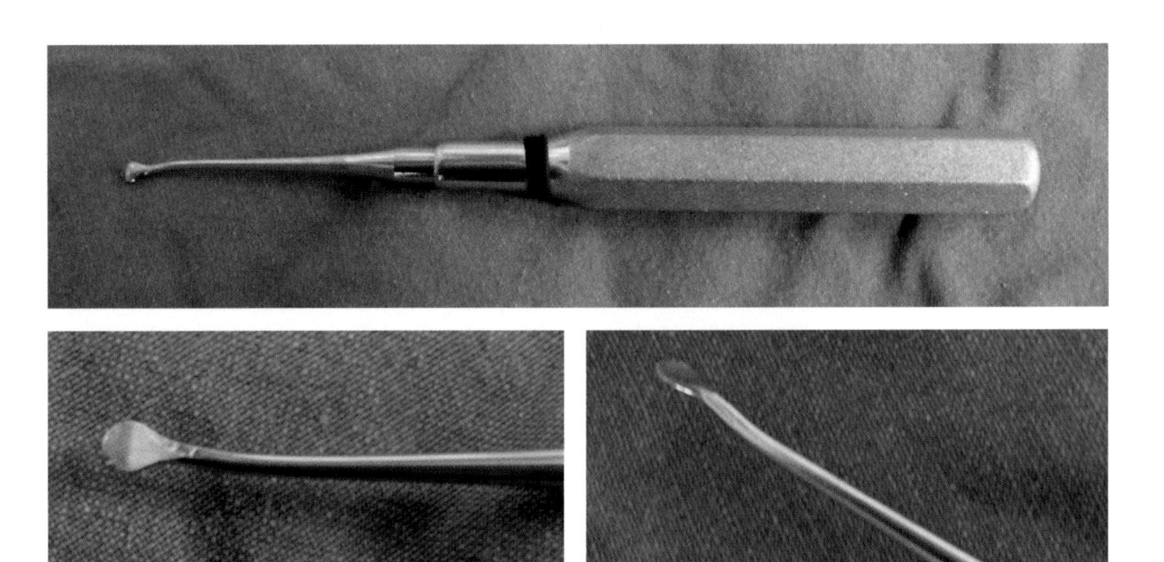

이러한 스트레이트 큐렛(Hu-Friedy CM2)을 강력추천하신 원장님도 계신다. 얇아서 치조골과 치아 사이에 집어 넣을 수가 있어서 골 삭제 없이 사용하기는 좋지만, 수직이어서 접근이 약간 불편할 수 있고, 얇아서 부러지기도 쉽기 때문에 힘을 제한적으로 밖에 사용 할 수 없다. 그러나 보조적으로 이 기구를 발치에 사용하는 원장님은 생각보다 주변에 많다.

모든 기구에는 장단점이 있다. 그러나 그보다 중요한 것이 <내가 사용방법을 잘 아는가?>이다. 또한 <내 손에 얼마나 익숙한가?>이다. 그러한 면에서는 너무 많은 기구를 사용하는 것이 단점이 될 수도 있다고 생각한다. 어쨌든 필자는 엘리베이터는 Hu-Friedy EL3C 엘리베이터만 사용하고 있고, 필자의 추천으로 이 엘리베이터를 사용하는 치과의사들이 셀 수 없을 정도로 많으며, 만족도도 매우 높다.

03
필자가 종종 사용하는 다양한 엘레베이터 ★

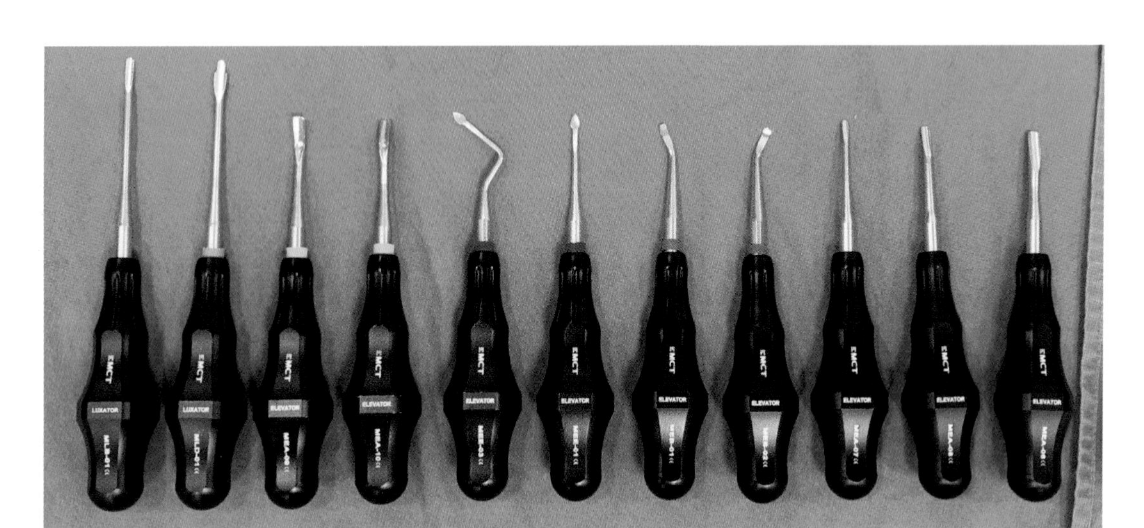

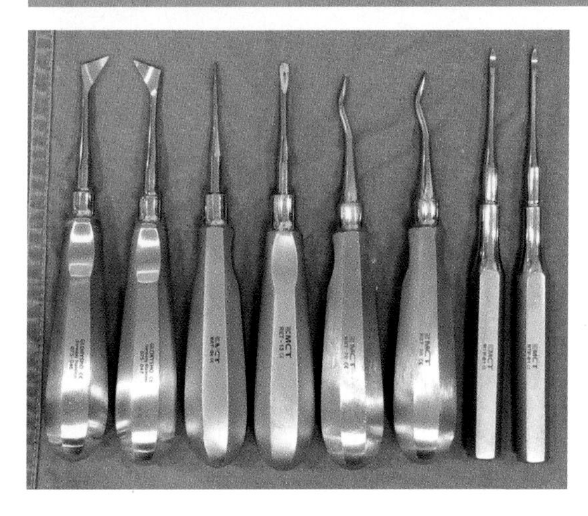

필자가 갖고 있는 다양한 기구들

필자는 발치를 많이 하기 때문에 특이한 모양, 특이한 위치에 있는 사랑니도 빼게 되는데, 그럴 때 가끔 이렇게 특이한 모양의 기구들도 사용한다. 그러나 굳이 이런 기구는 비싼 Hu-Friedy 기구를 사용하지는 않는다. 왜냐하면 사용빈도가 낮아서 비용 대비 효과가 떨어지기 때문이다. 그러므로 이러한 특이한 엘리베이터를 가끔 필요할 때만 선택적으로 쓰기 위해서 다양한 종류별로 갖추고 있다. 큰 힘을 쓰지 않는 유치용 포셉 같은 것도 마찬가지다. 굳이 비싼 제품을 살 필요는 없다. 저렴한 제품이라고 해서 금방 망가지는 경우가 별로 없기 때문이다. 너무 저렴한 기구들이 많아서 굳이 영업은 하지 않고 온라인 쇼핑몰을 이용해서 팔고 있는 듯하다.
(미스타큐렛 쇼핑몰 www.2875mart.co.kr)
필자가 지난 3년 간 수 천 개를 발치하는 동안 Hu-Friedy EL3C이외에는 이 기구들 중에 사용해본 것은 몇 개도 안 되는 듯하다. 다만 다양한 경험을 위해서 일부러 시도하기도 하고, 다른 기구를 쓴 경우는 뽑은 사랑니 옆에 기구를 두고 사진을 찍어 놓기도 한다.

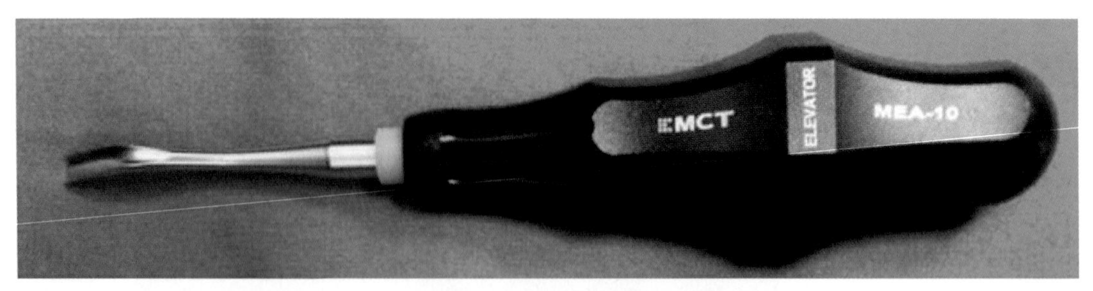

필자가 가끔 상악에서 사용하는 엘리베이터이다 원래는 Canine에 사용하도록 만들어진 듯한데, 필자는 상악에서 엘리베이터가 옆에 접근할만한 각도가 안 나오는 깊게 매복된 경우에 사용한다. 필자 발치의 97~98%는 EL3C이고 나머지 2~3% 중에 1% 정도가 이거라고 보면 된다. 나머지 모든 엘리베이터나 루트 피커 등은 모두 합해도 사용빈도가 0.1% 이하이다. 그럼 나머지 2%는 뭐냐고? 뒤에서 언급하겠다.

지렛대의 원리

사랑니 발치에 있어서 지렛대의 원리는 매우 중요하다. 학창시절에 배운 세가지 원리의 지렛대의 형태에 대해서 알아두자.

지렛대의 원리를 적용한 잇몸박리

제1형

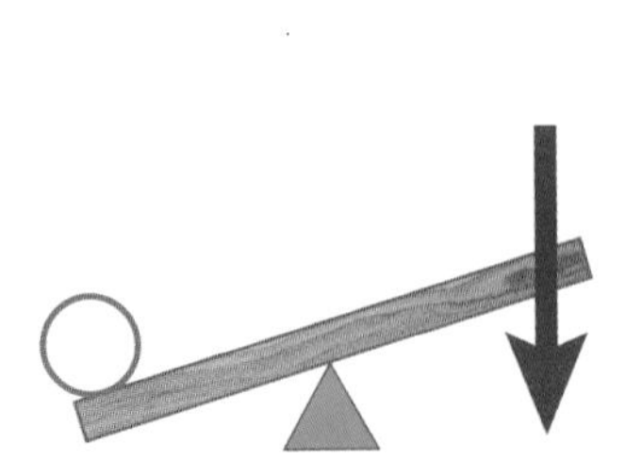

제2형

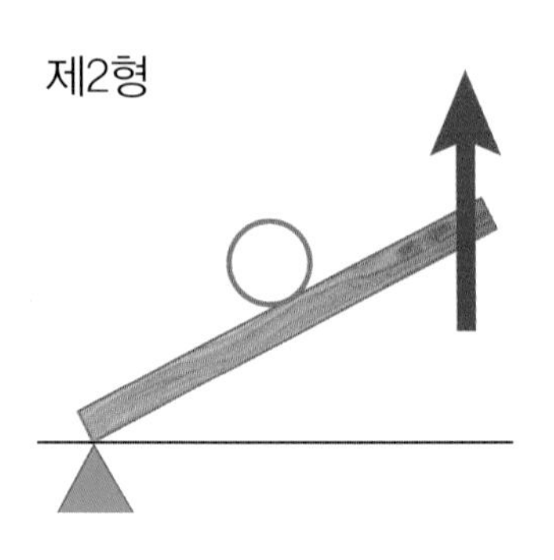

제3형

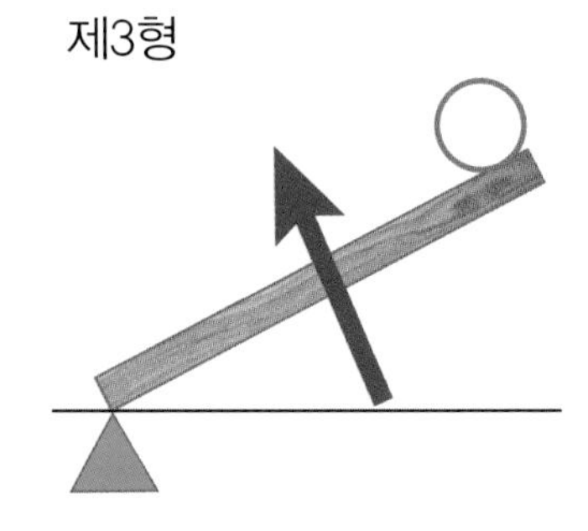

04
엘리베이터의 사용방법 ★★★

발치는 힘이 아니라 기술이다. 물론 힘이 적당히 있으면 좋지만, 힘이 없다고 발치가 어려운 것은 아니다. 엘리베이터는 엄청난 부가적인 힘을 낼 수 있는 지렛대이기 때문에 원리만 잘 안다면 힘이 부족해서 발치를 못하는 일은 없다. 오히려 포셉보다는 힘은 덜 중요한 기구이다. 어쨌든 엘리베이터를 잘 활용하면 발치가 매우 쉬워진다. 필자가 생각하는 엘리베이터 사용의 가장 중요한 원칙은 <절대 7번 원심면에 엘리베이터를 넣지 마라>이다.

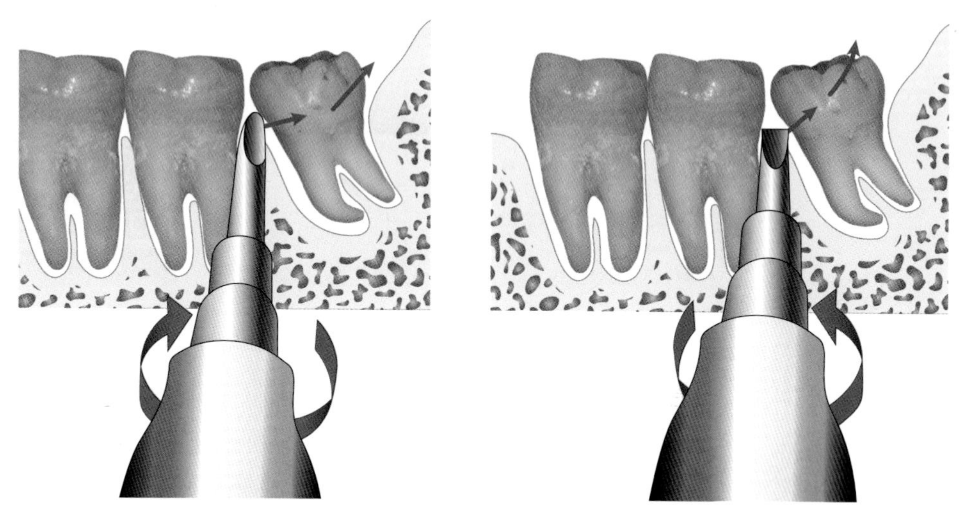

일반적인 외과책이나 다른 사랑니 발치 책 등에 나와 있는 흔한 엘리베이터의 사용 방법을 묘사한 그림이다. 보통 이런 방법은 상악에서 흔하게 사용하기도 하고, 종종 하악에서도 사용하는 사람들이 있긴 하다.

사랑니 발치할 때 엘리베이터를 7번 원심에 넣어서 8번 발치를 하는 것은 절대 주의해야 한다. 사랑니 발치를 하다가 중간에 포기하는 많은 분들의 공통점 중에 하나가 바로 발치 후에 7번이 시큰시큰하다는 것이다. 사랑니를 발치하다가 7번이 깨지거나 빠진 경우는 둘째치고 무엇보다 발치 후에 7번이 시리다고 하는 사람들이 많다.

왜 그럴까? 가끔은 원심면 치주조직이 수술에 의해 일시적으로 손상되어 그런다고 볼 수도 있다. 그러나 몇 달이 지나서도 계속 증상이 지속되는 경우가 있는데, 대부분 위 그림과 같은 엘리베이터의 사용으로 7번 원심 협측 치근 부분의 파절이나 크랙이 야기되었기 때문이다. 결국 근관치료를 하는 경우도 있고 지속적인 통증으로 발치하는 경우도 있다. 사랑니 발치를 안 하는 많은 치과의사들이 신경손상이나 출혈 때문에 안 하는 게 아니다. 대부분 발치 후에 지속적으로 7번의 통증을 호소하는 환자들 때문이다. 눈으로 보면 멀쩡해 보이고 답답할 만하다. 스스로는 사랑니가 없어져서 뒷부분이 노출돼서 그렇다고 자위해보지만, 쉽게 좋아지지 않는 경우도 많다. 그럼 엘리베이터를 어디에 사용해야 하나? 이제 어디에 어떻게 써야 하는지를 배우게 된다.

05
발치의 기본은 지렛대의 원리 ★★

우선 아래의 동영상을 먼저 보자.

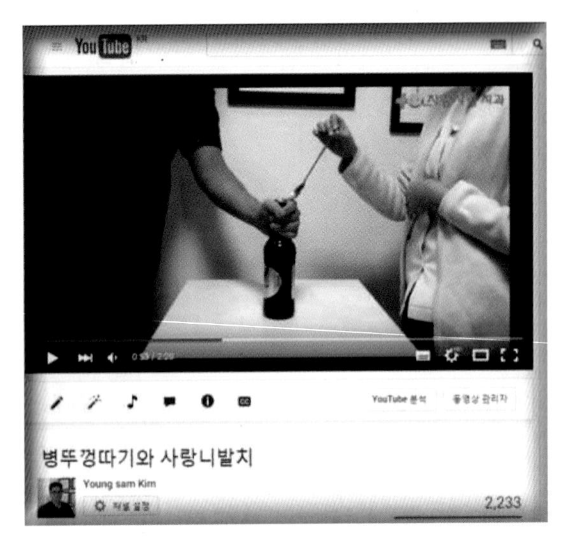

필자가 몇 년 전에 사랑니 발치 강의를 시작하면서 촬영해서 올린 동영상이다. 병뚜껑을 생각해보면 원리가 비슷하다. 아무리 힘이 세다고 해도 기구를 안 쓰면 뚜껑을 따기 어렵다. 그러나 일반적인 병따개로 병뚜껑을 따는 건 매우 쉽다. 필자는 단단하고 각진 물건이 있다면 무엇이든지 병뚜껑을 딸 수 있다. 그 이유는 바로 지렛대의 원리를 잘 이용하기 때문이다. 발치도 마찬가지로 지렛대만 잘 작동할 수 있다면, 쉽게 발치를 할 수 있다. 발치는 흙 속에서 뭔가를 뽑는 듯하게 하는 것이 아니라 칠판에서 자석을 떼듯이 하는 것이다. 흙 속에서 당근을 뽑아 올리는 것보다 정말 맥주 병뚜껑을 따는 것에 가깝다.

필자가 지난 달에 라이브 서저리하면서 있었던 일화이다.
필자가 수직 매복 사랑니를 엘리베이터로 발치하는 것을 시범보이면서 엘리베이터의 작용점과 사용방법 등을 설명하였다. 그리고 작용점이 얼마나 중요한지 설명하고, 엘리베이터가 작용점에 걸리기만 하면 사랑니는 무조건 나온다고 설명하였다.
"수직 매복치 발치할 때 사랑니가 안 나오는 건 엘리베이터가 정확히 작용점에 걸리지 않았기 때문입니다. 엘리베이터가 걸리기만 하면 어마어마한 힘이 생깁니다." 라고 말하자. 수강생 중에 한 분이 의심이 간다는 듯이 "그래도 안 나오면요?" 라고 질문하였다. 그때 필자가 "엘리베이터가 작용점에 걸리기만 하면 치아가 부러지면 부러졌지 안 나오지는 않습니다" 라고 말하고 엘리베이터를 적용시키고 힘을 줬는데, 정말 사랑니가 반절 부러져서 나왔다.
실제로 엘리베이터는 지렛대의 원리를 잘 활용하면 포셉보다 훨씬 강한 힘을 발휘한다고 생각한다. 정말 엘리베이터를 이용하면서 발치하다가 치아가 부러지고, 그 상태로 발치를 마무리한다면 치관절제술로 발치를 성공한 것이나 마찬가지이다.

06
엘리베이터는 절대 미끄러지지 않아야 한다. ★★★

엘리베이터를 사용하는 것은 기본적인 지렛대의 원리이다. 힘이 아니라 기술이다. 지렛대가 작용하는데 가장 중요한 것은 바로 작용점이다. 그렇기 위해서는 엘리베이터가 구강내에서 미끄러지지 않도록 해야 한다. 필자처럼 골 삭제를 하지 않고 치조골과 치아 사이에 가는 엘리베이터를 넣어서 발치하는 경우는 특히 엘리베이터가 미끄러질 수가 있기 때문에 매우 주의해야 한다. 필자도 지금까지 딱 한 번 환자의 오른편에 앉아서 38번 발치를 시도하다가 엘리베이터가 미끄러져서 환자의 인후부위를 7~8 cm 이상 찢은 적이 있다. 당시에는 완전 초보여서 봉합도 잘못하던 시절인데 생각보다 출혈도 적고 통증이 없어서, 몇 바늘 봉합을 하고 마무리하였다. 그 뒤부터는 엘리베이터가 제대로 위치된 것을 확인하고 힘을 주고, 꼭 미끄러지지 않도록 주의한다. 엘리베이터는 명확하게 움직여서 미끄러지지 않는 것을 확인하면서 서서히 힘을 써야 한다. 필자와 같은 EL3C 같은 작고 날카로운 엘리베이터를 사용하는 경우에는 정확하게 힘을 쓰려는 부위에 제대로 꽂혔(?)는지 확인하고 힘을 줘야 한다. 또한 미끄러지더라도 깊은 곳으로 밀려들어가지 않도록 팔꿈치와 반대편 손으로 레스트를 주기도 한다. 필자보다 더한 경험을 한 치과의사들의 이야기도 많이 들었다. 협측으로 밀려서 구외로 뚫고 나온 경우도 있었고, 필자보다 심하게 목구멍을 뚫은 케이스도 있었다고 한다.

수련의들은 초보자들이기 때문에 엘리베이터가 미끄러지지 않도록 하기 위해서 특히나 협측 골을 삭제해서 홈을 만든다. 그러나 협측 골을 삭제하면 그만큼 엘리베이터가 작용하는 곳의 골질이 약해져서 지렛대가 잘 걸리지 않는다는 것도 알아둬야 한다. 필자는 골이 치아의 협측 최대풍융부 또는 교합면 위로 올라와 있는 경우가 아니라면 골 삭제는 거의 하지 않는다. 심지어 치아를 골 내에서 삭제하고 공간을 만들어서 발치하는 방법을 쓰기도 한다. 그러나 초보자라면 어느 정도 익숙해지기 전까지 피셔 버(008 또는 010 정도나 라운드 버라면 4번 이하) 등으로 사랑니 협측을 좁고 깊게 홈을 파서 엘레베이터가 미끄러지지 않게 하는 연습을 하는 것도 좋다고 생각한다. 이 부분은 앞 chapter의 <박리와 협측 골 삭제>를 참고하기 바란다.

언제나 안전... 또 안전이다. 나를 슬프게 하는 한 가지를 절대 만들면 안 된다.

대부분의 교통사고도 운전에 어느 정도 익숙해졌다고 생각될 때 나는 것처럼 이런 사고도 어느 정도 발치에 자신감이 붙었을 때 발생하는 경우가 많으니 늘 긴장해야 한다. 필자는 오늘도 발치하면서 엘리베이터가 미끄러지지 않을까 조심하면서 발치한다.

07
오로지 이거만 씁니다. 굳이 하나만 사용해야 한다면...★

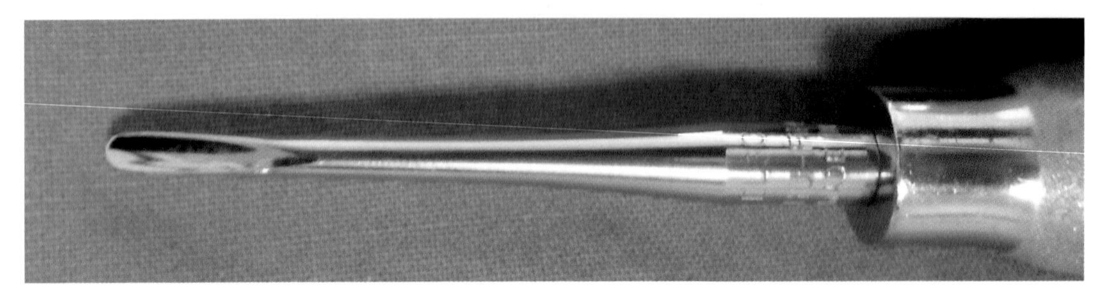

필자의 발치 실력은 이 90%가 엘리베이터에 있다고 생각한다. 왜 자꾸 한이야기 또 하고 또 하는지 모르겠다고 생각하는 분들도 있을 것이다. 그만큼 이 엘리베이터는 중요하다. 이 가늘고 얇지만 잘 부러지지 않는 고품질의 Hu-Friedy EL3C의 세계에 빠져보자.

다만 이 엘리베이터는 날카롭고 예리하기 때문에 초보자가 무턱대고 사용하는 것을 조심해야 한다. 그래서 초보자들에게는 종종 5 mm로 폭이 좀 넓은 EL5C를 함께 쓰도록 권유한다. 이미 발치를 많이 해보신 분도 이 엘리베이터를 꼭 사용해보기를 권한다. 골 삭제 없이 어지간한 발치를 모두 이끌어 낼 수 있고, Curved 되어 상악에서도 사용이 비교적 용이하다.

잠깐!

모든 사랑니는 당일발치가 원칙★

필자는 최근에 페이닥터도 구하고 시간적으로 여유가 좀 생겨서 하루 평균 25명 정도의 환자를 본다. 그 중 사랑니 발치와 임플란트 등 수술환자가 반절 정도 된다.
필자는 사랑니 환자는 내원 즉시 당일발치를 하는 것이 원칙이다. 또한 멀리서 오거나 특별히 당일에 발치하고 싶어서 휴가 내고 오는 환자들이 많기 때문이기도 하다. 선순환인지 악순환인지 그렇게 당일발치하는 습관은 사랑니 발치의 효율을 증대시켜서 발치환자가 더 늘어나는 계기가 되기도 한 거 같다. 더욱 중요한 것은 사랑니만 빼면 치과는 망한다는 것이다. 그렇기 때문에 사랑니 빼는 걸 좋아하지만, 시간을 너무 할애하기는 쉽지 않기 때문이기도 하다.

08
필자의 굴욕적인 이야기 ★

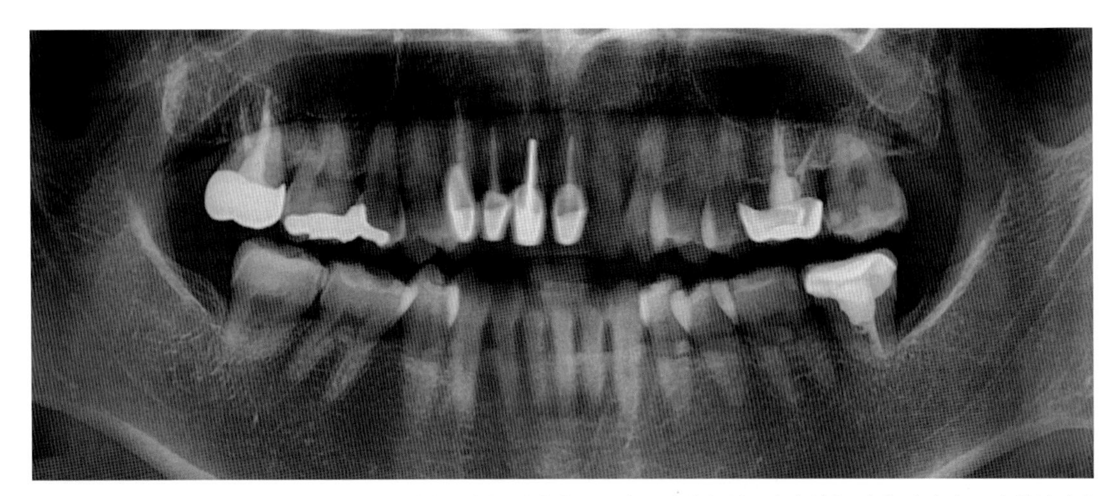

15년 전에 37번이 발치되어 재식립한 케이스이다. 전반적으로 치주 상태가 양호하지 않은 것에 비하면 37번 원심면이 그리 나쁘다고 볼 수는 없을 듯하다.

필자가 지금까지 수많은 발치를 하면서 딱 두 번 다른 치과의사에게 바톤을 넘긴 적이 있는데, 가장 최근에는 7~8년 전으로 필자의 척추질환이 너무 심한 통증을 유발하던 시절이어서 발치가 길어지면서 통증이 너무 심해져서 다른 구강외과 선생님에게 발치를 넘긴 적이 있다.
첫 번째가 대박인데, 15년도 더 전으로 필자가 아주 초보일 때 뽑던 수평 매복치이다. 당시에 필자 대신 뽑아보겠다고 했던 선생님이 8번을 뽑으려다가 실수로 7번을 뽑아버렸다. 다행히 당일 재식립하고 근관치료하고 크라운을 해주었다. 이 환자분은 최근까지도 필자에게 치료를 받고 있다.

잠깐!

내 발치 실력은 지금도 늘고 있다. ★

개원 초에도 어린 나이치고는 사랑니 발치를 잘한다고 생각했는데, 사랑니 발치를 하면 할수록 실력이 늘었다. 사랑니 발치는 내가 최고다. 나보다 더 잘하는 사람은 없다. 이런 건방진 생각들이 막 들었다. 그러다 내가 더 이상 발치를 잘할 수 없게 된 듯하다는 느낌이 들 때, 사랑니 발치 세미나를 하기 시작했다. 그런데 사랑니 발치 세미나를 준비하면서 다른 사람들의 발치에도 관심을 갖기 시작했다. 그러면서 사랑니 발치에도 아주 많은 다른 방법들이 있다는 것들도 알게 되었고, 그것들을 내 발치 테크닉에 하나씩 접목시키면서 내 실력이 더 좋아지는 것을 느낀다.
그러면서 내가 최고가 아니었다는 것을 새삼 느끼면서 더 겸손하게 된다.
<배우는 가장 좋은 방법은 가르치는 것이다>라는 유명한 말이 있다. 필자가 매년 세미나를 개최하는 이유이다. 이제 세미나가 아니라 이 책을 쓰는 것을 통해서 한 번 더 실력을 키우는 계기가 되었으면 한다.

09
폭이 조금 넓은 Hu-Friedy EL5C ★★★

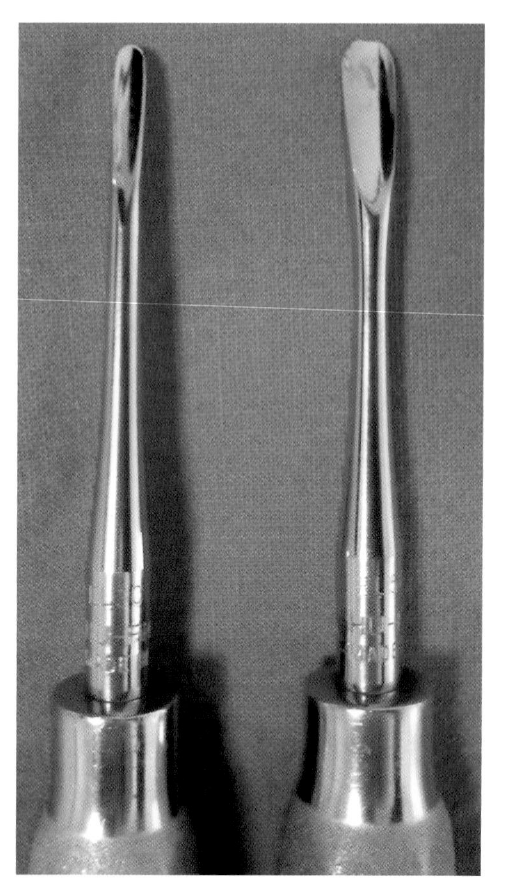

EL3C와 EL5C를 비교하기 위해서 나란히 놓고 찍은 사진이다. 실제 사이즈는 5C가 3C보다 두 배 이상 크진 않은데, 필자 눈에는 2배 이상 커 보인다.

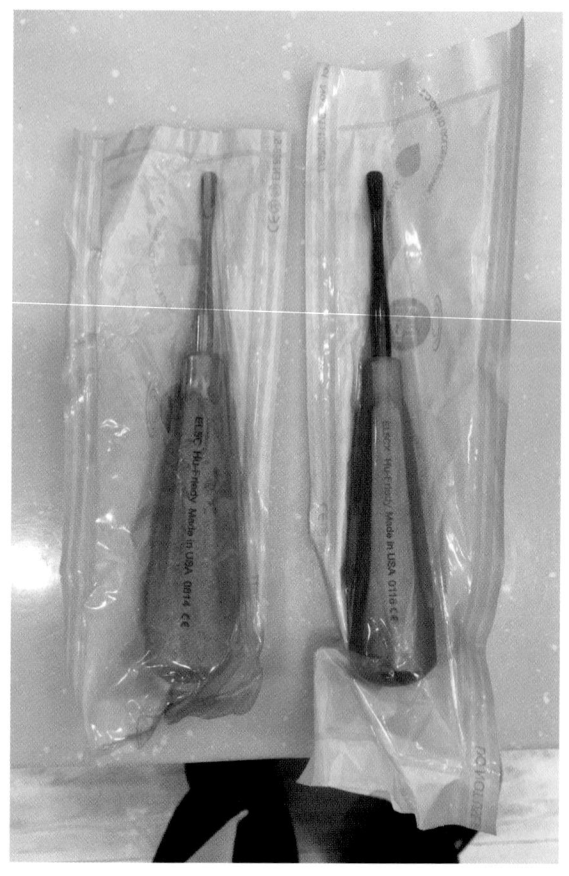

낱개로 별도 포장된 EL5C 모습
EL5C는 다른 엘리베이터와 달리 사용빈도가 좀 높기 때문에 이렇게 별도로 소독 포장하여 언제든지 대기하고 있다. EL3C는 너무 예리하기 때문에 초보자나 처음 쓰시는 분들에게는 종종 EL5C를 먼저 사용해보도록 권하기도 한다. 보통 스트레이트 엘리베이터는 4 mm가 가장 흔하게 사용되기 때문에 스트레이트 엘리베이터만 쓰던 습관이 있는 분들에게 특히 이러한 훈련이 필요하다.

이 엘리베이터는 기본발치 세트에 들어 있지는 않다. 늘 별도 소독 포장해서 필요한 경우에만 까서 사용한다. 수직 맹출한 사랑니 주변에 염증으로 인해서 치조골과 치관부가 넓거나 직경이 큰 6번 이상의 버를 사용한 경우에 회전 작용을 이용할 때 주로 사용한다. 앞서 필자가 사용하는 엘리베이터의 남은 2%가 바로 이 엘리베이터 EL5C이다.

위 사진에서 검은 엘레베이터는 Hu-Friedy에서 좀 더 표면처리가 잘 되어 있다고 출시한 신제품이다. 신제품이라 그런지 아니면 필자가 새롭게 써서 그런지 아직까지는 매우 만족하며 즐겨 쓰고 있다.

10
엘리베이터 폭의 비교★

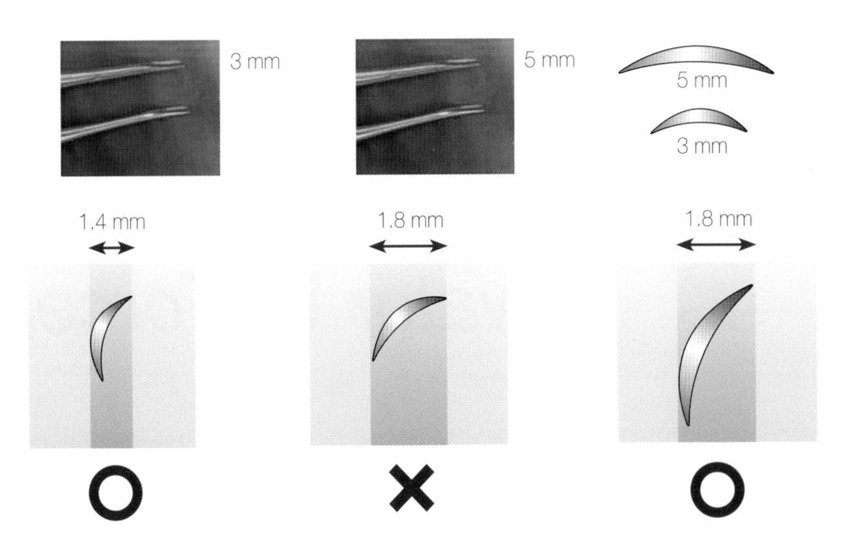

- 넓이가 좁은 3 mm 엘리베이터가 폭이 넓은 틈 사이로 들어가면 헛돌 수 있다는 것을 보여주기 위한 그림이다. 각각 4번 버와 6번 버를 이용하여 삭제한 틈에 넣는 것으로 비교하였다. 3 mm 엘리베이터는 폭이 좁아 예리해서 골 삭제 없이 좁은 틈에서 잘 작용하지만, 반대로 틈이 넓어지면 이와 같이 휠로서의 작용하기는 어려워진다.
- 폭이 넓은 경우에 3 mm 엘레베이터와 5 mm 엘레베이터가 작용하는 것을 그려본 그림이다. 설정은 6번(1.8 mm) 버를 이용하여 삭제한 틈에 작용하는 것으로 해보았지만, 일반적인 발치에서도 틈이 넓어서 3 mm 엘레베이터가 작용하기 어려운 경우에 사용한다.
  필자의 경우는 하악 수직 매복치에서 매복 정도가 덜해서 하악지와 틈이 좀 있는 경우와 치관 주위 염증으로 협측 치조골이 많이 소실되어 엘리베이터가 협측에서 작용하기에는 틈이 좀 넓어진 경우에 주로 사용한다.

폭이 3 mm 엘리베이터(EL3C)는 6번(1.8 mm)같은 굵은 버를 사용하면 휠 작용으로는 거의 사용 할 수 없게 된다. 그러므로 치근이나 치아 몸통부위를 절단할 때는 4번(1.4 mm) 라운드 버를 사용한다. 그러므로 엘리베이터를 사용할 골과 치아 사이의 틈이 크거나 삭제한 치아나 골폭이 큰 경우는 5 mm 엘리베이터가 유용할 때가 많다.
그래서 사랑니 발치 케이스가 적은 치과는 EL3C 3개에 EL5C 1개 정도 비율을 추천하고, 사랑니 발치가 많은 경우는 EL3C 5개에 EL5C 1개 정도를 추천한다. 다만 본인 골 삭제하는 빈도가 높거나 사용하는 버가 굵은 경우는 EL5C를 좀 더 많이 구매하고 사용해보기를 권한다.

사랑니 발치와 관련된 다양한 논쟁 2 ★★

엘리베이터와 포셉 중 어느 것을 선호하시나요?

Elevator Vs Forceps

대부분의 초보 치과의사들은 포셉으로 발치하는 것보다 엘리베이터로 발치하는 것이 더 멋지다고 생각하는 경향이 있다. 물론 지도교수의 스타일에 따라서 어떤 학교는 포셉의 사용을 거의 못하게 하기도 하고, 어떤 학교는 엘리베이터를 최소한으로 사용하기도 한다. 그렇다 보니 포셉과 엘리베이터가 뭔가 상반된 기구처럼 인식되기도 하는데 결코 그렇지 않다. 각각의 기구가 쓰임새가 따로 있는 것이다. 필자는 주로 엘리베이터를 이용하지만, 포셉을 사용 할 수 있다면 먼저 사용한다는 원칙을 가지고 있다. 특히 하악 사랑니가 정상 맹출에 가까워서 협측에 엘리베이터가 걸리지 않거나, 상악에 정상 맹출한 사랑니를 발치할 때는 우선적으로 포셉을 사용한다. 무엇보다 엘리베이터가 지렛대의 받침점로 작용할 협측 치조골이 충분하다면 엘리베이터를 사용하는 것이 원칙이지만, 튼튼한 받침점이 없어서 인접치를 받침점으로 두거나 협측에 버로 홈을 파야만 한다면 포셉을 쓰는 것이 훨씬 더 유리하다. 각각의 경우에 어떤 기구를 어떻게 사용하는지는 여러 chapter에서 별도로 다루기 때문에 여기서 다루지는 않겠지만, 포셉과 엘리베이터는 상호보완적인 면이 더 강하지, 상반되는 기구라고 할 수는 없다.

사랑니 발치를 위한 포셉★★★

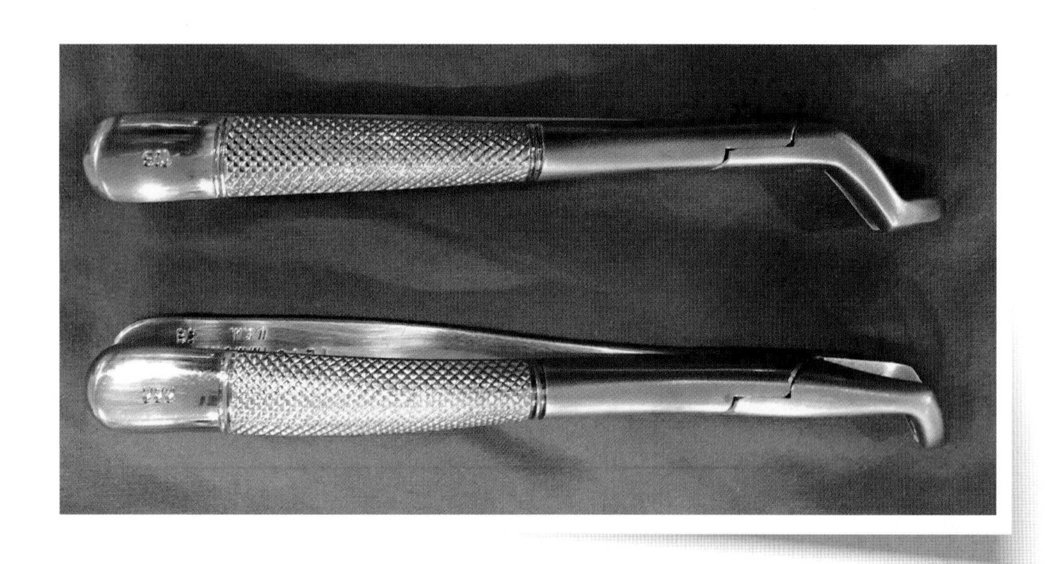

필자는 익숙한 기구를 사용하는 것을 권장하기 때문에 가장 많이 쓰는 포셉은 비싸더라도 Hu-Friedy 기구를 사용한다. 실제로 포셉은 너무 단단하기 때문에 필자처럼 많이 발치하는 사람도 10년을 써도 상하지 않는다. 필자가 쓰는 포셉은 좌우 동일하고 상하만 구분되어 있어서 매우 익숙하고, 이 기구를 사용할 때의 주의할 점도 몸에 배어 익숙해지게 된다. 필자의 생각이지만 치아의 생김새도 모두 다르고 각각인데 사용하는 기구마저 다른 기구들을 사용한다면 더 익숙하지 않게 될 것이다.

01
Dr. 김영삼의 포셉 – Hu-Friedy ★★★

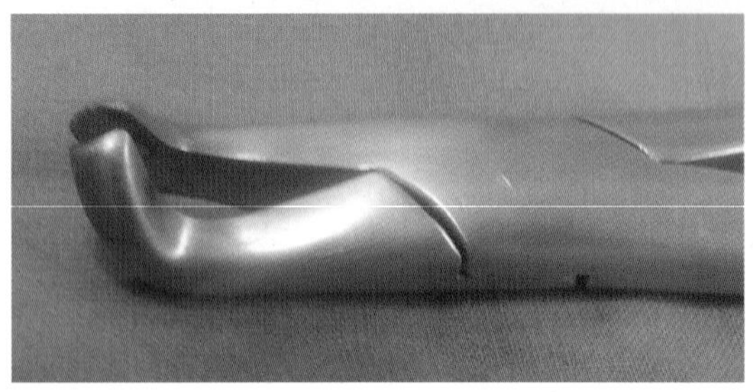

하악은 Hu-Friedy 222번 포셉을 주로 사용한다. 굳이 가운데 비크가 있는 것을 사용하지는 않는다. 한 가지 기구에 익숙한 것이 좋기 때문이다. 가운데 비크가 있는 것은 의외로 단근치나 골 내에 좀 깊숙이 있는 경우 등에는 제대로 잡히지 않고, 치근의 모양이 포셉과 잘 안 맞는 경우가 너무 많다. 필자는 치관이나 치근 모양과 상관없이 사용하기 위해서 이러한 포셉 하나만을 사용한다.

상악도 Hu-Friedy 10S 포셉으로 한 가지를 사용한다. 좌우 구별이 없어서 이 포셉 하나면 충분하다. 상악도 협측 치근의 가운데에 들어갈 수 있도록 비크가 있는 포셉도 있지만 필자는 하악과 같은 이유로 별로 좋아하지 않는다. 대구치라면 모를까 사랑니는 변이가 너무 심해서 그런 포셉이 맞는 경우가 매우 제한적이다. 필자는 지금까지 이 포셉 두 가지로 모든 사랑니를 발치하는데 불편함이 없었다.

02
최근에 Hu-Friedy에서 나온 신제품★

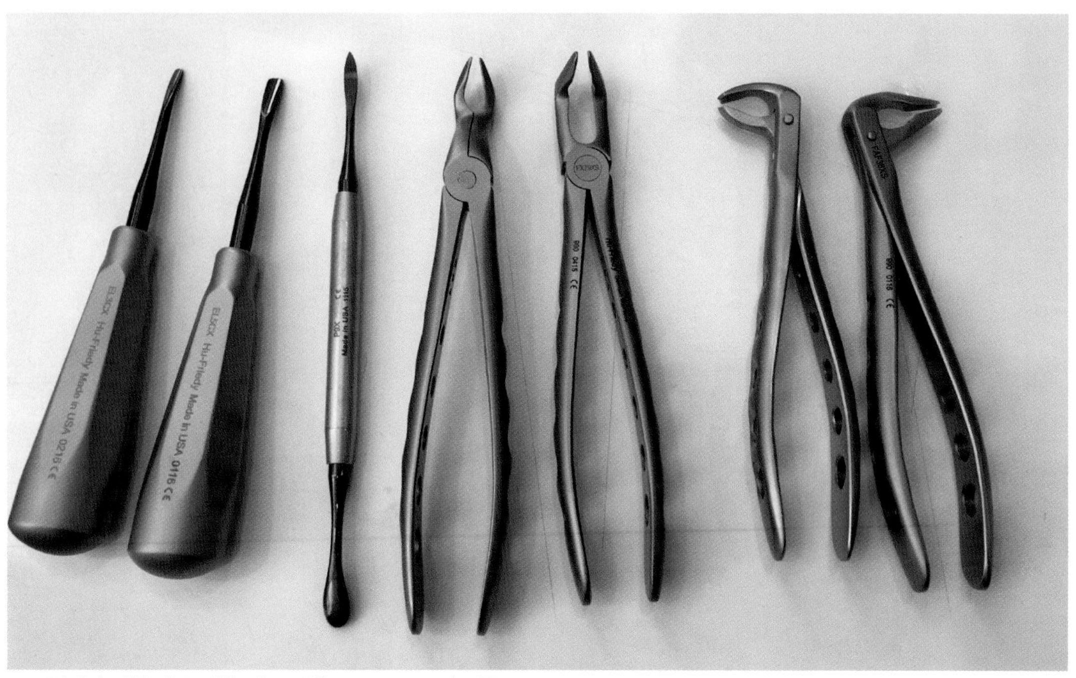

필자가 새롭게 구비한 새로 나온 Hu-Friedy 기구들

2016년에 Hu-Friedy 코리아에서 신제품을 선물해줬다. 필자의 세미나나 강연을 통해서 제품 홍보가 많이 되었다며 고맙다는 취지에서 보답도 할 겸, 신제품 후기도 들어볼 겸 선물해줬다. 필자는 사실 좋은 제품 만들어줘서 필자가 발치를 잘할 수 있게 해준 것에 대해 Hu-Friedy에 고마움을 표시하고 싶다. 물론 유사품도 많지만, Hu-Friedy 기구들이 없다면 필자는 그저 그런 치과의사로밖에 살지 못했을 것이다. 늘 필자가 오히려 Hu-Friedy 회사에 감사하고 있다. 어쨌든 엘리베이터는 소재가 달라서인지 새제품이라 그런지는 몰라도 좀 더 예리한 면이 있어서 대부분 평이 좋다. 그래도 사용하는 곳이나 사용방법은 기존의 제품과 동일하다.

그러나 새로운 포셉은 사용하는 곳이 전혀 다르다. 새로운 포셉은 조금은 탄력이 있어서 처음에는 익숙지 않았지만, 지금은 적절하게 비크가 작은 포셉이 필요한 케이스에 매우 잘 쓰고 있다. 구체적인 사용법은 뒤에서 따로 다룬다.

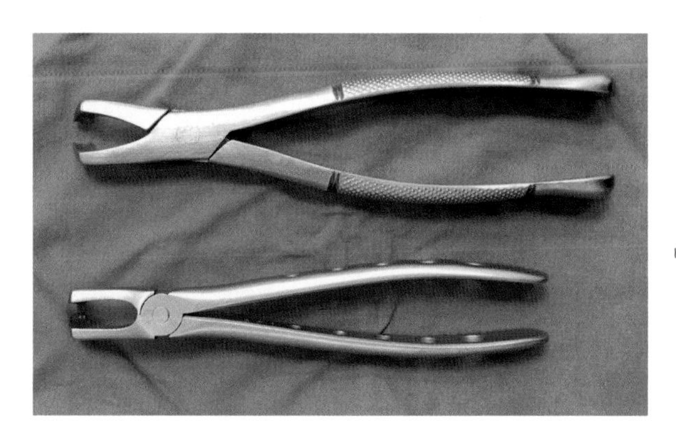

새로운 포셉과 기존 포셉의 길이 비교
새로운 포셉의 길이가 좀 더 짧은 것을 볼 수 있다. 아무리 특수 금속이라도 강도는 기존 포셉보다는 작기 때문에 너무 무리한 힘이 가해지지 않도록 하기 위함인 듯하다.

03
Hu-Friedy에서 새롭게 출시된 비크가 작은 포셉★

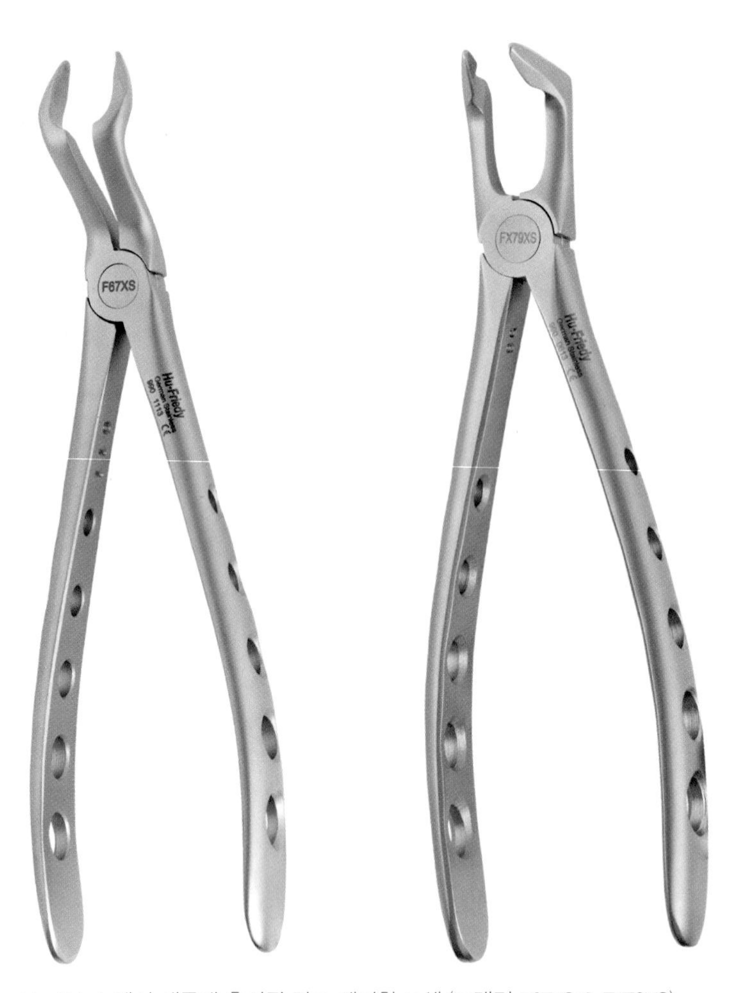

Hu-Friedy에서 새롭게 출시된 작고 예리한 포셉 (모델명 F67XS & FX79XS)

처음에는 익숙하지 않아서 잘 안 썼지만, 조금 익숙해진 뒤로는 나름대로 매우 유용하게 사용하고 있다.
좀 깊게 위치한 상악 사랑니나 왜소한 사랑니, 하악에서 원심면이나 근심면을 잘라낸 뒤의 작은 치관부만 남은 사랑니 등에서 유용하게 사용하고 있다. 조금은 탄력성이 있어서 처음에는 포셉이 부러질까 걱정을 많이 했었다. 제조사에서는 새 포셉이 더 낭창낭창하지만 특수합금으로 더 튼튼하므로 절대 걱정하지 말라고 하고 있다. 아직까지는 부러지거나 휘어지거나 하지는 않고 적재적소에 잘 사용하고 있다. 필자가 가끔 쓴다고 해도 워낙 발치 숫자가 많기 때문에 일반 치과의사들이 자주 쓰는 것보다 빈도가 높을 수도 있다.

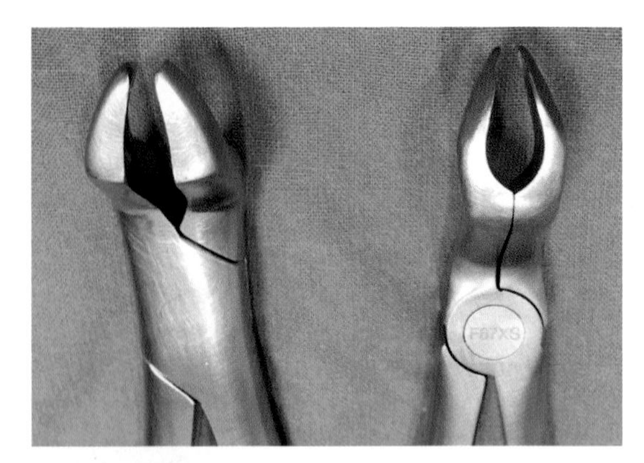

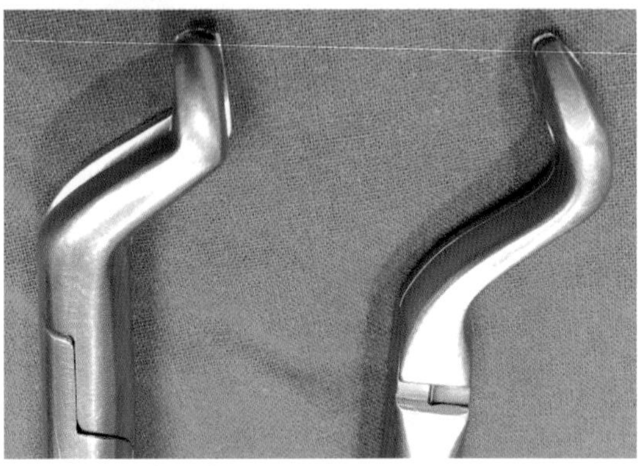

상악 포셉의 비교

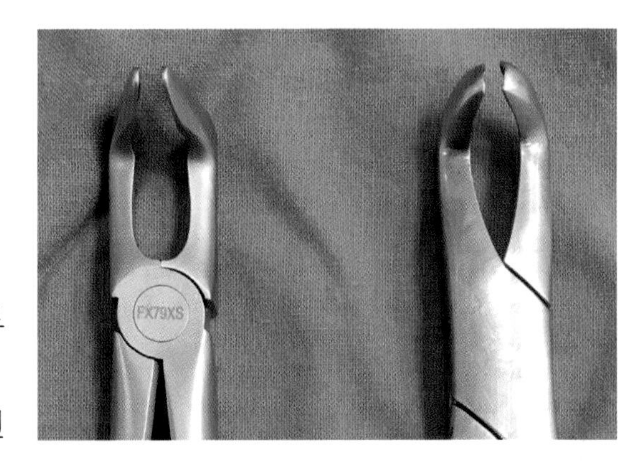

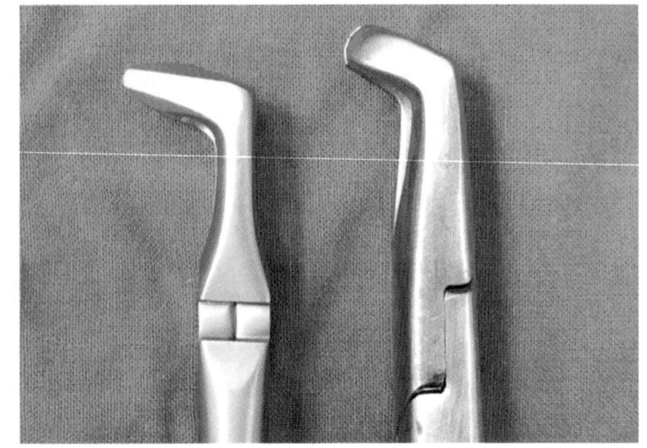

하악 포셉의 비교

04
포셉을 이용한 사랑니 발치의 기본원칙 ★★★

치아를 꽉 잡아라.

포셉이 미끄러지지 않도록 전체 힘의 60% 이상을 사랑니를 꽉 잡는데 써야 한다. 필자의 경우도 포셉으로 치아를 잡고 앞뒤로 흔들어보는데, 이것은 치아를 럭세이션시키기 위한 것이 아니라 포셉이 미끄러지지 않고 잘 잡혔나를 보는 것이다. 포셉이 치아를 명확하게 잘 잡았다는 생각이 들지 않는다면 절대 힘을 주면 안 된다. 포셉이 미끄러지면 포셉의 비크가 인접치를 상하게 하는 경우가 많다. 심지어 튕기면서 대합치를 손상시키기도 한다. 포셉으로 발치 시에 치아를 정말 꽉 잡고 미끄러지지 않게 꽉 잡혔는지를 확인한 뒤에 힘을 써야 한다는 것을 절대 잊지 말자.

포셉은 치아를 잡아 당기는 것이 아니라. 비트는 것이다.

필자가 발치교육을 하면서 첫 번째로 교육하는 것이다. 포셉으로 치아를 뽑듯이 당기면 바로 필자가 지적하는데, 한동안 습관이 들 때까지는 그런 습관을 잘 버리지 못한다. 필자가 이렇게 말하는 이유는 이 책을 읽는 독자들 중에서도 포셉으로 치아를 잡아 당기는 사람이 있을 것이기 때문이다. 특히나 잡아당기다보면 발치도 어렵지만, 언젠가는 반드시 대합치를 손상시키는 날이 올 것이다.

포셉으로 뺄 때는 늘 대합치를 조심하라.

하악 사랑니를 잡을 때는 포셉에 힘을 주기 전에 반드시 대합치에 손가락을 대라. 이 부분은 하악 수직 사랑니 발치에서 다루기 때문에 넘어간다. 또한 상악 발치에서는 당기는 습관이 아니라 비트는 습관으로 발치의 효율뿐만 아니라 대합치 손상도 막을 수 있다.

포셉을 잡고 흔들 때 힘의 중심을 치아에 국한하라.

언젠가 고년차 치과위생사가 어시스트를 하다가 이런 질문을 한 적이 있다. "왜 원장님은 포셉을 많이 쓰는데도 환자들이 턱관절 아프다고 안 해요? 예전 원장님은 사랑니를 원장님 1/10도 안 뽑았는데도 환자들이 발치 도중이나 발치 후에 그렇게 턱 아프다는 사람들이 많은데요. 왜 원장님은 포셉을 써도 환자들이 턱 아프다고 안 해요?" 필자의 답변은 "포셉의 힘이 턱관절까지 전해지지 않도록 해야지" 로 아주 심플했다. 병뚜껑 딸 때 힘이 병뚜껑에만 전해지면 되는데 병을 움직이는데까지 쓰이니까 그런 것이다. 이 부분은 다시 뒤에서 다루기로 하고 어쨌든 하악 치아를 포셉으로 잡고 흔들 때 턱관절에 최소한의 힘이 미치도록 해야 한다. 그러기 위해서는 포셉으로 힘을 주는 회전의 중심점에 치아가 있어야 한다. 숙달되면 치아의 부분에 따라서두 힘을 나눠 줄 수 있게 된다.

포셉으로 치아를 잡고 흔들 때 치근의 모양을 고려하라.

대부분의 다른 발치 책이나 강의에서 남들도 하는 말이다 보니 필자도 상투적으로 써놨지만, 필자 경험상 다른 것보다 중요성은 떨어진다고 본다. 필자의 경험상으로 치근의 모양을 고려했다가 의외의 경우를 너무 많이 봤기 때문이다. 오히려 포셉으로 럭세이션시키는 것도 매우 중요한데, 이런 부분에서 더 유용할 수도 있을 것이다. 포셉이나 엘리베이터로 각각 발치를 시도했지만, 여의치 않으면 두 기구를 번갈아 가면서 럭세이션과 발치 시도를 하기도 하는데, 이런 경우에는 치근의 모양을 고려해서 럭세이션하는데는 도움이 된다고 생각한다.

05
포셉은 꽉 잡아야 한다.★★★

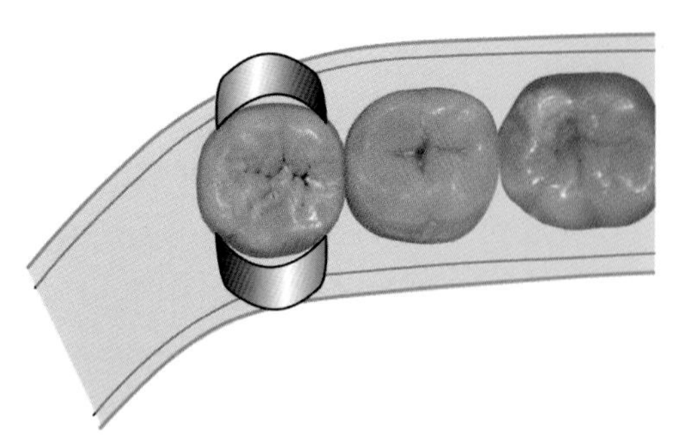

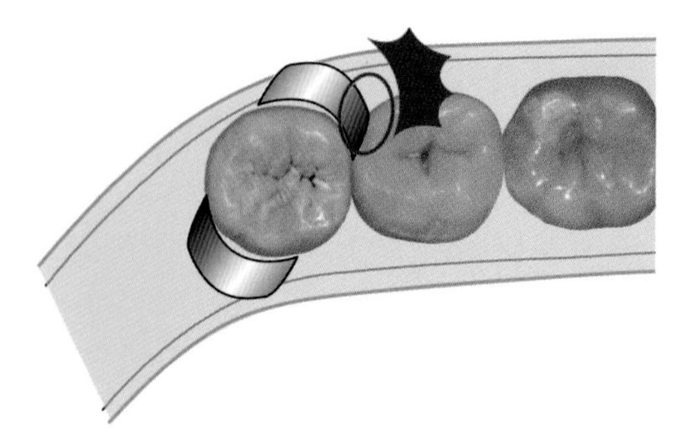

포셉으로 치아를 잡을 때는 매우 꽉 잡아야 한다. 포셉으로 발치할 때 쓰는 힘이 100%이라고 한다면 60% 이상을 사랑니를 잡는데 써야 한다. 그래야 발치 도중에 포셉이 그림과 같이 미끄러지지 않는다. 포셉이 미끄러지는 힘을 간과하는 경우가 많다. 포셉이 미끄러지면 엄청난 지렛대의 힘으로 인접치아를 손상시킬 것이다.

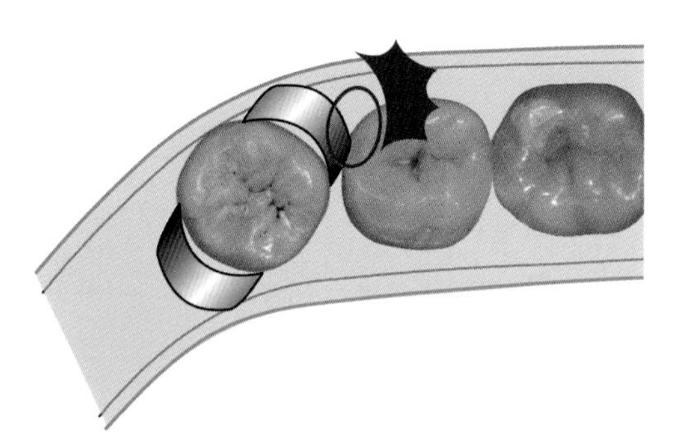

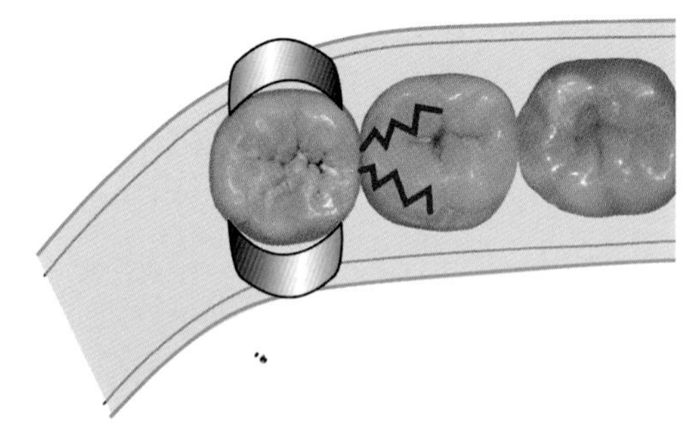

포셉으로 사랑니를 잡고 흔드는 과정에서 미끄러지지 않더라도 치아가 움직이면서 포셉이 7번 치아의 치관을 건드리기도 한다. 크기가 작거나 회전이나 경사가 심한 사랑니의 경우 약간의 움직임만으로도 포셉에 의한 인접치의 손상을 야기할 수 있다. 늘 명심하자. 나를 기쁘게 하는 99가지보다 나를 슬프게 하는 1가지를 안 만드는 것이 발치의 기본이라는 것을.

포셉이 미끄러지지도 않고, 움직이면서 인접치를 건드리지 않았어도, 럭세이션시키는 과정에서 인접치를 손상시킬 수 있다. 포셉에 쓰는 힘은 모두 사랑니를 바깥쪽으로 향하도록 해야 한다.

옆의 그림처럼 포셉으로 사랑니를 잡고 옆에 치아를 놓고 누른다고 생각해보자. 아마도 치아에는 크랙이 생길 것이다. 포셉이 미끄러지는 것은 날카로운 비크의 모서리가 이것보다 훨씬 더 강한 힘으로 인접치를 가격하는 것과 같다. 매우 조심해야 한다. 사랑니 빼고 인접치가 시리다고 하는 경우도 이러한 포셉에 의한 손상도 포함하고 있다.

필자가 사랑니 발치 장기 세미나를 진행하면 첫날 수강생분들에게 왜 사랑니 발치 세미나를 들으러 왔는지를 물어본다. 최근에 그중 한 분이 이런 말씀을 해줬다. "제가 지금 치과 원장님께 사랑니 발치를 배우려고 옵저베이션을 처음 하는데, 원장님이 하악 8번을 포셉으로 잡고 힘을 좀 쓰셨는데 바로 7번 치아가 쩍~하고 금이 가더라구요. 그래서 걱정돼서 사랑니 발치 배우러 왔어요." 라고 말이다. 사랑니 발치를 만만히 봐서는 안 된다고 생각해서 배우러 왔다는 것이다. 이미 필자도 주변에서 많이 들어왔던 이야기이다. 사랑니 발치를 안 하는 치과의사들이 절대 신경손상 때문에 안 하는 게 아니라는 것을 다시 한 번 인식해주기 바란다. 처음 배울 때 습관이 매우 중요하다. 그런 경우는 어쩌다 한 번도 일어나면 안 되고, 평생 한 번도 안 생겨야 한다. 제발 날 슬프게 하는 한 가지를 만들지 말자. 처음부터 원칙을 잘 지키고, 습관을 잘 들이면 된다.

잠깐!

Dr. 김영삼의 사랑니 발치 실력은?★

앞서 말했듯이 필자가 다른 사람들보다 사랑니 발치를 잘한다라고 말할 수 없다. 실제로 필자보다 발치를 더 잘하는 사람이 많지만, 그런 분들은 다른 치료도 필자보다 더 잘하기 때문에 발치에는 관심이 좀 없었던 거 같다. 그러다 보니 필자의 발치 실력을 필자 스스로 말하기는 좀 그렇고 숫자로만 한번 표현해보겠다. 필자가 오래 전에 건강보험심사평가원으로부터 전화를 받았다. 필자의 치과가 전국에서 사랑니 발치를 가장 많이 청구했다는 것이다. 많을 때는 전국 2등의 두 배가 가까이 되기도 한다는 것이다. 그렇게 독보적으로 사랑니 발치 건수가 많다 보니 심평원에서 사실 여부를 확인하기 위한 전화였을 거라 생각된다. 그러나 사랑니 발치는 치과에서 기피하는 치료였기 때문에 더 이상 필자를 귀찮게 하지는 않았다. 그저 정말 뽑는지가 궁금했을 것이다. 사실 필자의 치과는 강남에 위치하고 있어서, 건강보험이 없는 교포나 유학생, 외국인 등이 많다. 실제 사랑니 발치 건수는 심평원에서 생각하는 것보다 더 많을 것이다. 최근에는 발치를 비보험으로 먼저 시행하고 나서 건강보험이 정지되어 있던 걸 해지하고, 다시 환불해가는 환자도 늘고 있다.

필자가 최근에 심평원에 구체적인 통계치를 요구하였으나, 치과의원도 개인사업자이기 때문에 개인정보문제로 알려 줄 수는 없다고 하였다. 그래도 필자가 수집한 장기간의 데이터를 종합해서보면 필자의 치과가 2002년부터 사랑니 발치 전문 치과가 생긴 2011년까지 10년간 전국 1등 정도의 수준을 유지해왔던 거 같고, 그 이후로 2등 정도이다가 요즘은 사랑니 발치 전문 치과가 몇 개 더 생겨서 현재는 전국 3~5위 정도로 예상하고 있다. 최근에 모 치과 원장이 자기가 전국 1등일 거라고 주장하면서 말하는 사랑니 발치 건수는 필자 치과의 반도 안 되었다. 어쨌든 필자 치과가 지금은 전국 3~5등 정도로 생각되지만, 가장 오랫동안 꾸준히 발치를 해온 걸로는 전국 1등이라고 자부한다. 물론 치과의사당 발치 건수는 통계치를 더 알기 어렵기 때문에 치과당 기준으로 말한 것이다.

06
포셉을 사용할 때는 언제나 대합치 주의 ★★★

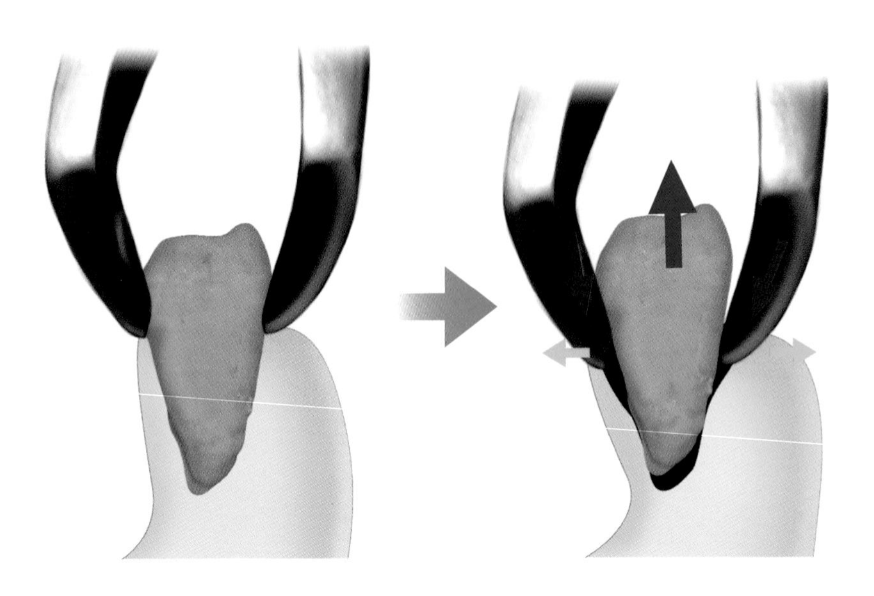

하악의 경우는 반드시 포셉을 사용하는 반대편 악의 대합치 교합면에 손가락을 얹어놓고 힘을 줘야 한다. 힘이 센 남자들은 잡는 힘만으로도 치아와 포셉이 튕겨나가기도 한다. 사랑니가 작은 경우에 특히 주의해야 한다. 포셉이 튕기면 대부분 어금니가 아니라 상악 전치가 깨지는 경우가 너무 많기 때문이다. 특히나 소구치를 발치하는 경우라면 매우 주의해야 한다.

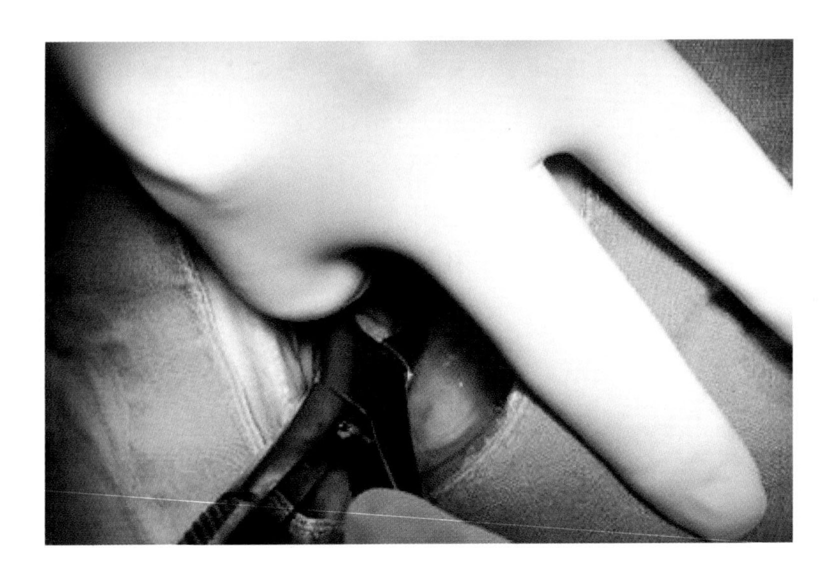

포셉으로 하악 사랑니를 뽑을 때는 치아를 적당한 힘으로 미끄러지지 않을 정도로만 잡은 다음에 반드시 대합치에 손가락을 얹어야 한다. 어차피 포셉으로 잡고 치아를 흔드는데 눈으로 볼 필요는 없다. 앞서 설명했듯이 잡는 힘만으로 사랑니가 포셉과 함께 튀어 올라오기도 하고, 본격적인 발치를 위해서 힘을 주는 경우에도 천천히 빠진다기보다는 튕기듯이 빠지기 때문이다.

07
포셉은 당기는 것이 아니라 비트는 것이다. ★★★

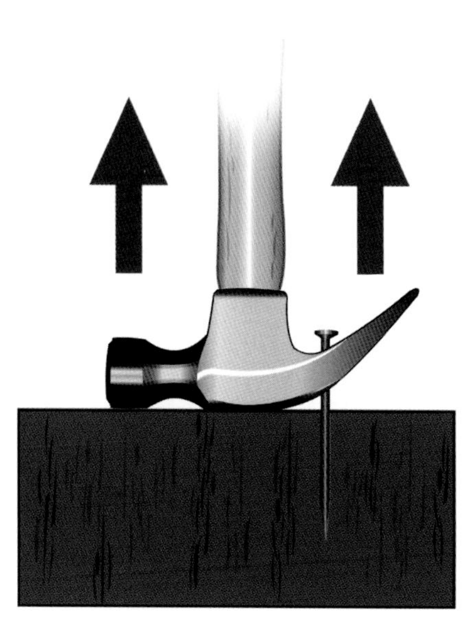
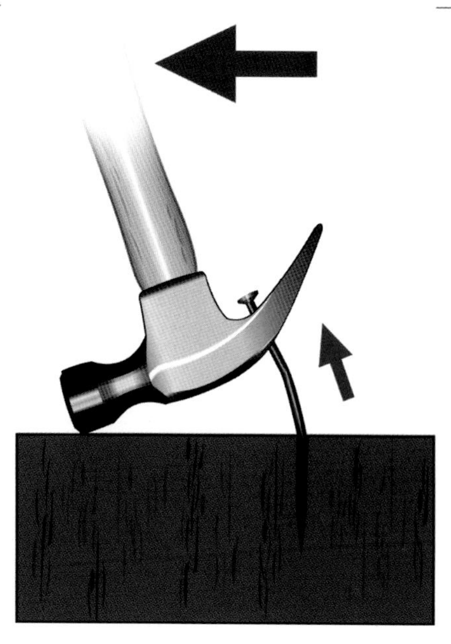

사랑니 발치를 못을 빼는 것에 비교한 그림.

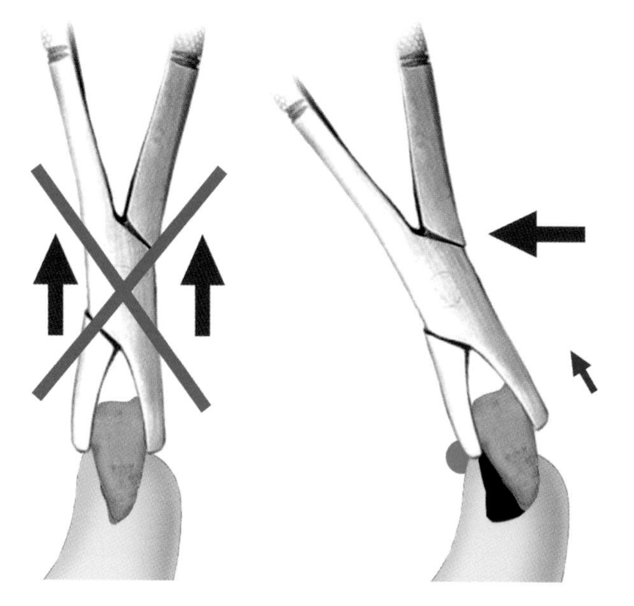

위 그림 하나면 모든 것이 이해갈 것이다. 사랑니는 못을 빼는 것보다 자석을 철판에서 떼는 것과 같다. 다시 말해서 지속적인 힘보다는 떨어질 때 순간의 힘이 더 중요하다. 아마 당겨서 못을 빼려면 나무판을 발로 밟고 있어야 할 것이다. 안 그러면 나무판도 당기는 방향으로 움직일 것이기 때문이다. 포셉을 잘못 사용하면 턱관절이 아픈 이유도 마찬가지다. 포셉으로 힘을 쓸 때는 그 힘이 모두 못과 그 주변에만 들어가야 한다. 그 힘이 나무판 전체에 전달되면 나무판이 통째로 움직이듯이 턱관절도 아프게 된다.

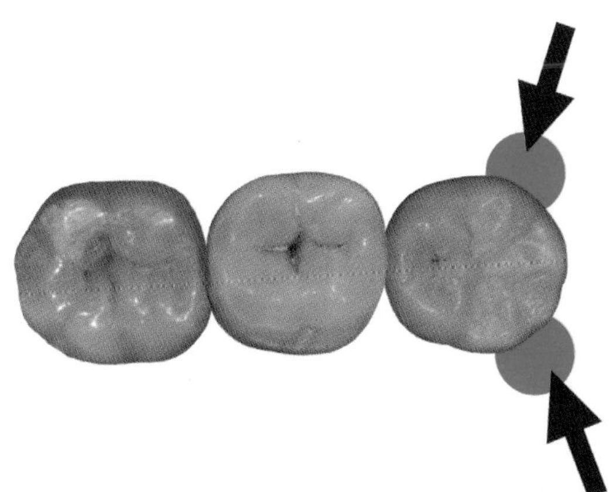

회전축을 되도록 원심에 두자

비틀 때도 비트는 회전의 중심은 그림의 녹색부분처럼 튼튼한 원심 피질골에 두자. 앞서 설명했듯이 그래야만 발치도 쉽고 인접치의 손상을 막을 수 있다. 필자는 굳이 럭세이션을 잘 시키지 않는다. 단번에 비틀어서 빼는 것이 원칙이지만 잘 나오지 않는 경우에만 살짝 럭세이션을 좀 시키면서 힘을 쓸 방향을 짐작해보는 정도이다.

08
턱관절에 절대 무리가 안 가게 해야 한다. ★★★

필자의 사랑니 발치 어시스트를 오래한 직원들이 한결같이 하는 말이 있다. 왜 다른 치과의사들보다 훨씬 포셉으로 발치를 많이 하면서도 턱관절 아프다는 사람이 거의 없냐는 것이다. 앞서 언급한 직원말고도 자주 듣는 이야기이다. 하악 사랑니를 포셉으로 발치하다보면 턱관절이 아프다는 사람들이 있기 마련이고, 발치 후에도 한동안 턱관절 외상을 호소하는 환자들이 많은데, 왜 나에게는 그런 환자가 없냐는 것이다. 심지어 여자원장들도 포셉으로 발치하다보면 턱관절 아프다는 환자들이 나타나는데 말이다. 더구나 필자의 팔뚝 힘은 무식하게 센 거 같은데 말이다. 나는 그 이유가 포셉으로 치아를 잡고 흔들 때 중심축을 잘 두기 때문이라고 생각한다.

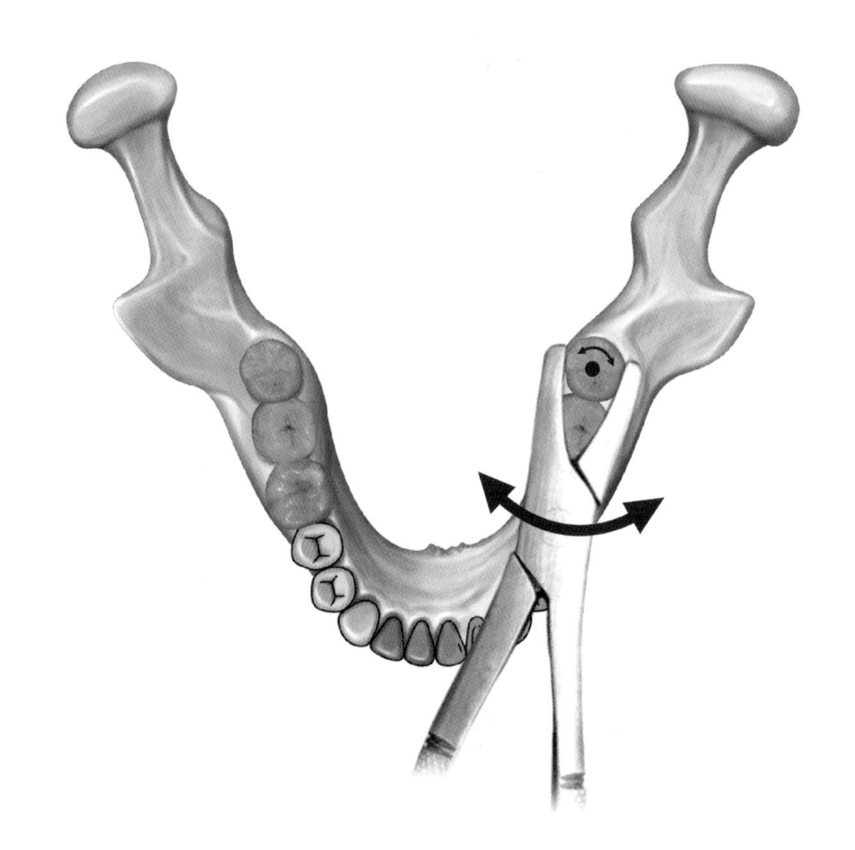

초보자들은 사랑니를 포셉으로 잡고 무작정 잡고 크게 축을 그리면서 비틀거나 당기는 경향이 있다. 그러면 턱관절에 무리가 갈 수 있다. 반드시 포셉이 미치는 힘이 턱관절이 아니라 치아에 중심을 둬야 한다. 앞서 필자가 나무판에서 못을 뽑는 것과 맥주병에서 뚜껑 따는 것을 비교해서 설명한 것을 다시 상기시켜보자. 힘이 나무판 전체나 맥주병 전체로 퍼지지 않고, 나무판에 박힌 못과 병뚜껑 주변에만 집중되어야 한다. 발치를 좀 하다 보면 필자의 말이 점점 이해갈 것이다.

09
사랑니의 치근 모양을 고려해서 비틀어야 한다.★

일반적으로 치근의 방향에 맞춰서 발치를 해야 한다고 설명하는 그림

상식적으로 이런 이야기들을 많이 한다. 필자도 치근모양을 고려하라는 말을 안 할 수는 없다. 그러나 절대 그걸 맹신해서는 안 된다. 우리가 보는 사진은 2차원적이며, 실제 치근 방향은 3차원이기 때문이다. 오히려 치근 모양도 중요하지만, 주변 치조골의 탄력성, 밀도 등이 더 큰 영향을 미치는 것 같다. 사랑니 치근의 모양만큼이나 주변 골조직의 밀도, 강도, 탄력성 등 모든 면이 다르다. 치근의 모양만 보고 한 쪽으로 힘을 썼지만, 막상 그 방향이 치조골이 가장 튼튼한 곳이어서 발치가 어려워질 수도 있다. 어차피 치아가 발치되는 과정은 치근과 치조골의 탄력성을 이용하는 것이기 때문이다. 그래서 필자는 치근의 모양을 고려하라는 부분을 너무 강조하는 사람들은 발치를 많이 안 해봤군.. 하는 생각을 하게 된다. 그것보다 더 중요한 것은 기능하고 있는 사랑니가 매복된 사랑니보다 치주인대 치조골 모두 더 단단하여 발치가 쉽지 않다는 것이다.

결론적으로 치근의 모양을 고려하되 맹신하지 말고, 다양한 방향으로 적용하고 치아를 럭세이션시키면서 어느 방향으로 힘을 쓸 것인지를 느낌으로써 최종 결정할 수 있다.

참고로 CT를 찍지 않는다면 위 그림에서처럼 coronal 면의 치근의 모양을 알 수 없다. 오른쪽 그림을 보자. 그림의 위쪽을 하악 설측이라고 가정해보면, 대체적으로 저와 같이 발치가 잘 되지 않는다. 오히려 설측의 얇은 치조골의 탄성과 협측의 단단한 치조골을 받침점으로 활용하여 바깥쪽으로 비틀어야 발치가 더 잘 되기도 한다.

10
포셉으로 그냥 흔들 때도 회전 중심을 고려하자.★

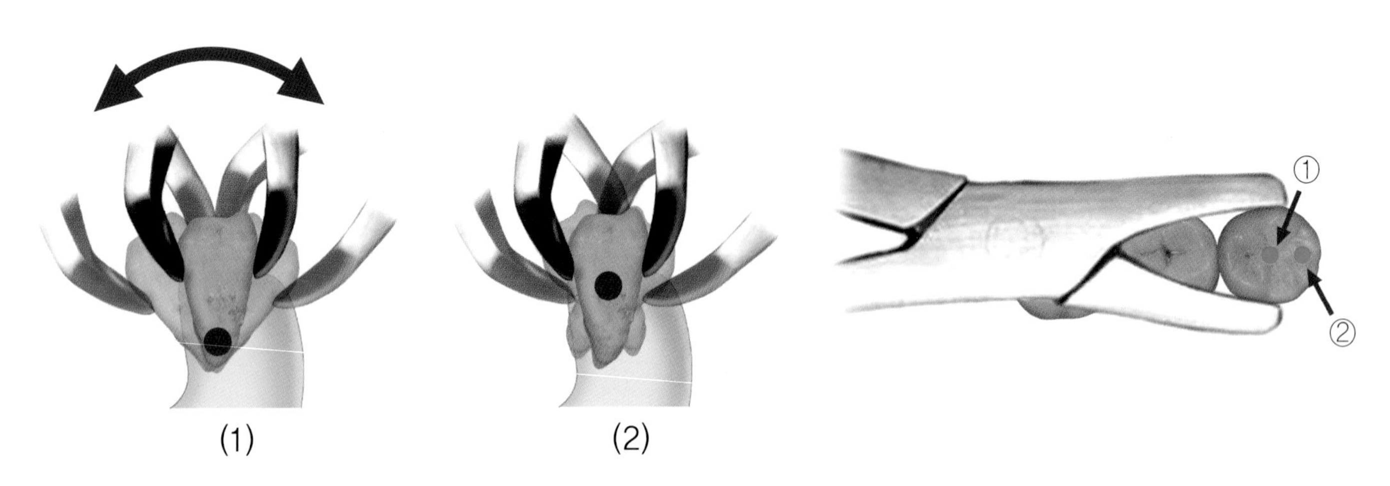

치아를 잡고 흔들 때 그 중심 또한 조절할 수 있어야 한다. 발치를 많이 할수록 이 중심점을 잘 이동하면서 잘 찾는 것도 늘 것이다. 실력이 향상될수록 저 큰 포셉을 움직이면서도 힘을 한 곳으로 몰 수 있다. 필자는 간혹 바쁠 때 사랑니의 치근이 가늘고 휘어진 경우에 일부러 포셉으로 치근을 부러트려서 발치하는 경우도 있다.

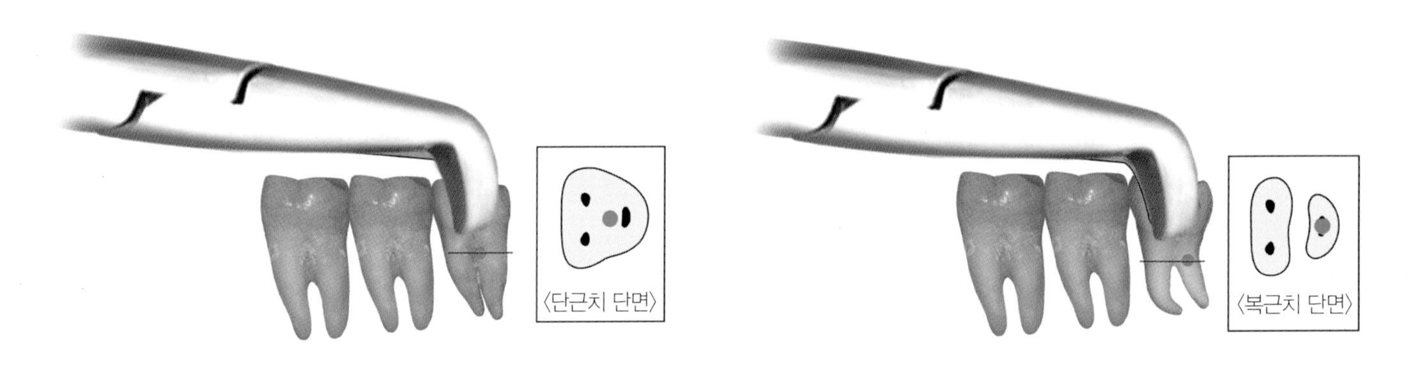

단근치와 다근치일 경우에도 포셉의 회전 중심을 어떻게 할 것인가를 고려해 볼 수 있다. 심지어 발치기술이 향상될수록 치근을 일부러 단숨에 파절시켜서 발치하기도 한다. 그러나 이러한 부분은 절대 그림이나 글로서는 설명이 불가능하다. 본인 스스로 발치하면서 실력을 키워야 한다. 우선은 더 이상 환자가 턱관절이 아프다고 안 하는 단계까지 가는 것이 첫 번째이고, 그렇게 치아에 힘을 집중하는 단계에 다다르면 그 힘을 더 세분화해서 치근에 모아보자. 그러나 앞서도 언급했지만, 크게 중요한 부분은 아니라고 생각한다.

사랑니 발치를 위한 핸드피스와 버★★

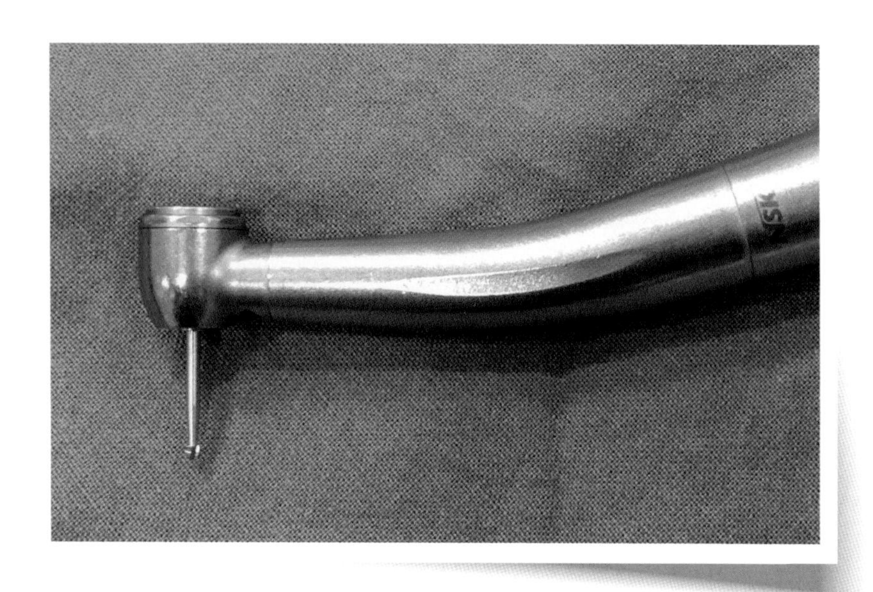

필자는 주로 하이스피드 핸드피스와 서지컬 롱쉥크 라운드 버만을 이용하여 발치하는 편이다. 왜 대다수의 개원가 치과의사들이나 필자가 그렇게 발치하는지를 간단하게 설명해 보겠다. 그러나 핸드피스는 하이스피드뿐만 아니라 로스피드 핸드피스까지도 어느 회사 제품을 쓰나 큰 차이를 두고 있지는 않는다. 심지어 파워만 좋고 화이버옵틱으로 라이트만 나온다면 핸드피스의 헤드가 크든 작든 크게 관여하지도 않는다. 굳이 따지자면 개인적으로는 가성비가 좋은 NSK 핸드피스를 좋아한다. 서지컬 버는 롱쉥크 라운드 버 위주로 쓰는데, 이것도 피셔 버와 비교하여 그 장단점을 설명해보겠다.

01
Dr. 김영삼의 핸드피스 ★

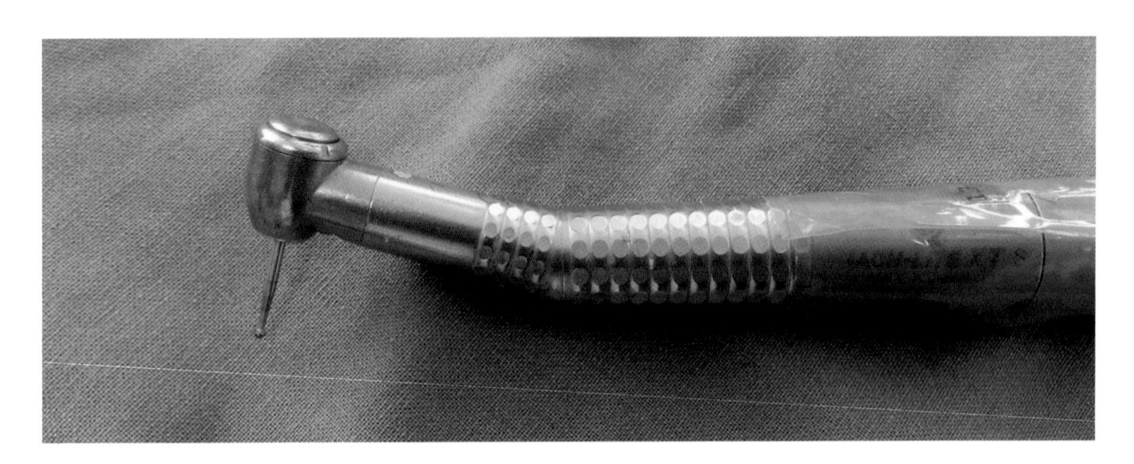

필자가 사용하는 가장 흔한 핸드피스로 화이버옵틱 기능이 있으면 어느 회사제품이나 구별 없이 사용하고 있다. 예전에는 KaVo사의 핸드피스도 사용하였고, 지금은 NSK(일본), MORITA(일본), W&H(오스트리아)를 주로 쓰고 있다.

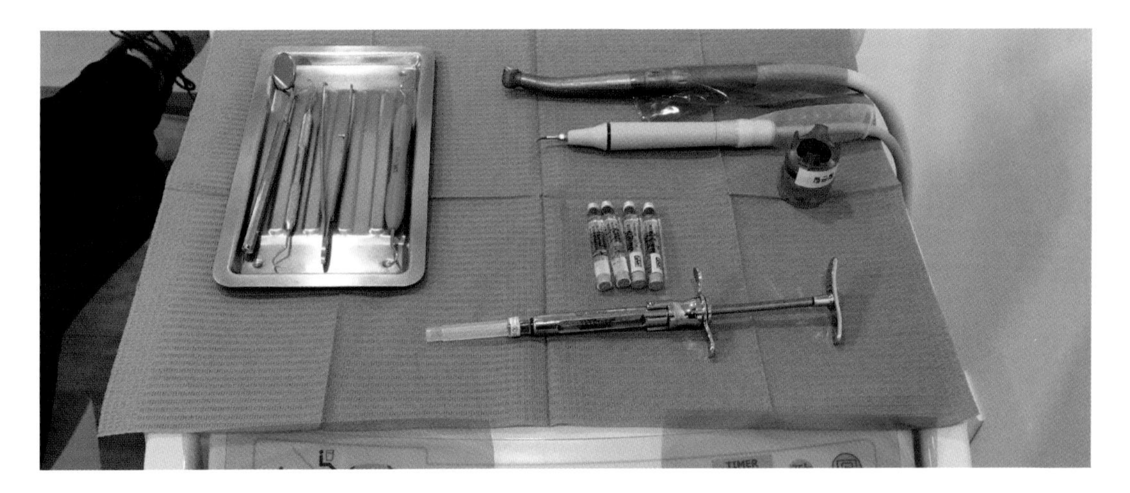

발치에 사용하는 모든 기구는 멸균을 하는 것이 원칙이다. 다만 기본기구, 마취시린지, 핸드피스와 초음파스켈러 등 필요한 기구는 일회용 종이 위에 올려놓는다. 세계적인 수준에 비하면 형편없는 감염관리일 수 있지만, 사랑니 발치가 초저가인 우리나라에서는 이 정도도 나름 매우 높은 수준의 감염관리로 평가는 받고 있다. 핸드피스는 모두 매번 완전 멸균처리하고 있으며, 초음파스켈러 팁도 모두 완전 멸균 후에 감염방지용 고무링으로 포장하여 사용한다. 진동자까지 모두 멸균하면 좋겠지만, 아직 우리나라에서는 시기상조이다. 매번 시도해보지만, 아직 그런 치과들이 거의 없어서 판매나 유통시스템도 구축되어 있지 않아서 재료상에서도 반대하는 편이다. 다만 초음파스켈러가 에나멜 크랙을 야기할 수 있으므로, 매우 치석이 많은 경우에만 필자의 허락 하에 선택적으로 사용하도록 하고 있다. 기본적으로 사랑니 발치 부위는 깨끗해야 하기 때문에 타 치과에서 의뢰한 경우나 매우 깨끗한 경우가 아니면 스켈링을 시행하고 발치하는 것을 원칙으로 하고 있다.

02
Dr. 김영삼이 많이 쓰는 Bur ★★★

▬ 필자가 구비하고 있거나 사용해본 적이 있는 롱쉥크 서지컬 라운드 버 – 좌로부터 4번, 5번, 6번, 8번

필자는 주로 롱쉥크 서지컬 라운드 버를 사용한다. 예전에는 주로 4번(직경 1.4 mm)를 사용하였으나, 이제는 늙어서 수평 매복에서는 6번(1.8 mm)를 주로 사용하고 4번는 보조적으로 사용하거나 수직 매복치 등에서 사용한다. 각각의 버의 쓰임새는 뒤에서 다시 다룬다.

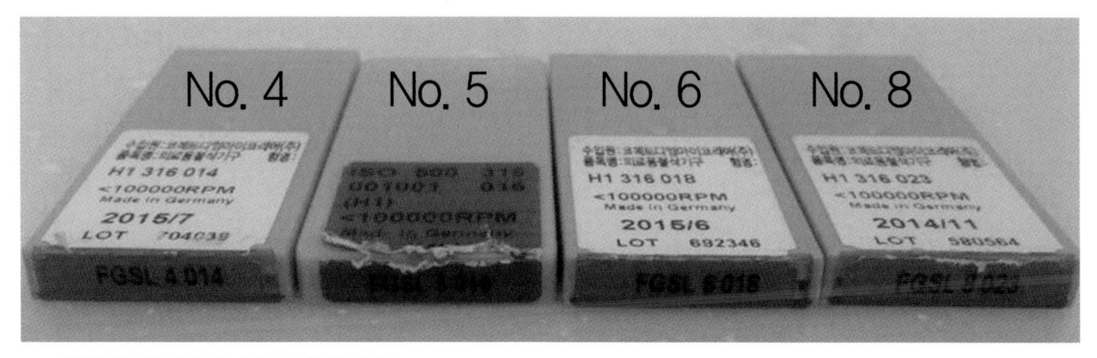

▬ 버의 번호와 지름이 표기된 옆면 사진

지름 차이가 얼마나 큰 차이가 있는지 모르겠다고?
생각보다 매우 크다. 요즘은 필자도 거의 6번 버 하나를 위주로 쓰지만 종종 4번 버를 선택할 때가 있다. 삭제하는 것 자체만이 목표라면 주로 6번 버를 사용하고, 치아를 삭제하고 그 부분을 이용하여 치아를 파절시키거나 할 경우는 4번 버름 사용한다. 필자는 세미나를 하면서는 수강생들에게 반드시 6번과 4번 두 가지를 꼭 구비하도록 한다. 그러나 4번 버는 버의 지름이 1.4 mm로 버의 shank보다 작기 때문에 치아를 깊게 삭제해야 할 경우에는 적절하지 않다. 입구부분을 계속 확대하면서 버가 여러 번 지나가든지, 아니면 버가 지나간 자리를 자꾸 파절시켜가면서 shank가 들어갈 수 있도록 하면서 발치해야 한다. 아마 글자로 표현하면 잘 이해가 안 될 것이다. 그림으로 보도록 하자.

03 롱쉥크 서지컬 라운드 버의 번호와 지름★

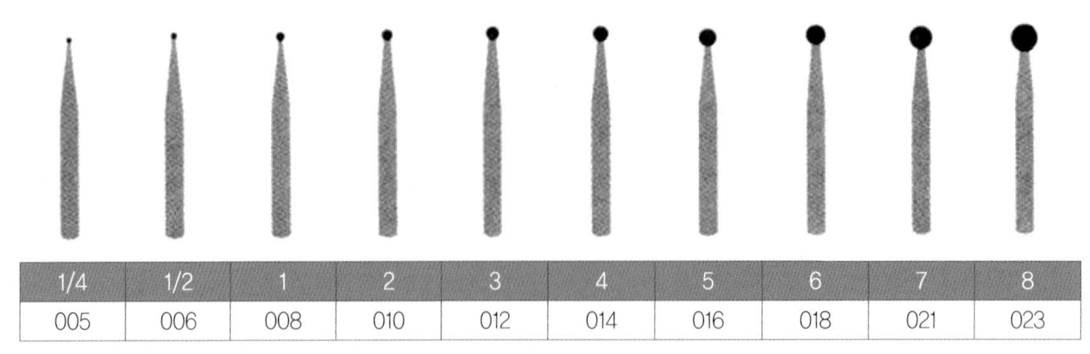

1/4	1/2	1	2	3	4	5	6	7	8
005	006	008	010	012	014	016	018	021	023

버의 번호와 지름

필자는 오래 전에는 4번(직경1.4 mm) 라운드 버를 사용해왔다. 초보일 때는 그저 그거 밖에 없는 줄 알고 사용했고, 경험이 쌓였을 때는 익숙해져서 사용했지만, 지금은 섬세하게 치아를 조각내기 위해서 사용한다. 그러나 필자의 척추가 불편해지면 질수록 좀 더 큰 버를 사용하게 된다. 아무래도 경추관의 협착으로 팔에 힘이 쉽게 빠지고 쉽게 팔이 피로하기 때문이다. 4번 버는 지름이 쉥크 보다 작아서 치아 삭제 도중에 자주 락킹이 생겨서 힘이 많이 들어가기 때문이다. 그래서 어떤 치과의사들은 8번 버 (직경 2.3 mm)의 사용을 권하기도 한다. 8번 버로 치아를 삭제하면 섬세함은 덜하지만 정말 손쉽게 치아를 삭제할 수 있다. 그러나 아직 그 선생님은 본인 명의로 개설해서 핸드피스를 본인 돈으로 고쳐본 적이 없기 때문이 아닐까 생각해본다. 물론 개인차는 있겠지만, 핸드피스 버가 굵어질수록 핸드피스 카트리지 고장나는 빈도가 매우 높아진다. 서지컬 버는 shank가 길어서 핸드피스에 무리가 가는데, 직경이 shank보다 훨씬 더 커지게 되면 그만큼 핸드피스 카트리지 손상이 심해지게 된다. 어쨌든 필자가 느낀 바가 그렇고, 실제로 6번 버(직경 1.8 mm)를 사용 할수록 확실히 4번 버만을 사용했을 때보다 카트리지 손상이 심한 듯하게 느껴지긴 한다. 물론 초보자가 4번 버를 쓰는 경우는 버가 치아 사이에 락킹되는 경우가 많아서 오히려 핸드피스의 손상의 염려가 더 있을 수도 있다.

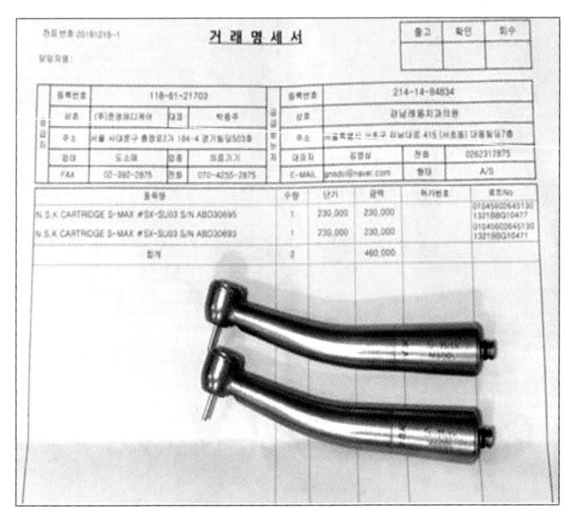

핸드피스 카트리지 교체 가격

필자의 고교 친구가 신흥 10년 다니고 퇴사하여 재료상을 시작하여 꾸준히 16년째 거래하고 있다. 필자가 사람을 쉽게 믿어서 속고 사는 건지는 몰라도 핸드피스 잠깐 수리해도 비용이 이 정도로 나온다. 초저가인 사랑니 발치 수가를 감안하면 큰 비용이 아닐 수 없다.

필자가 NSK 핸드피스를 좋아하는 이유는 그나마도 유지관리 비용이 가장 적게 들기 때문이다.

04
5번 016과 6번 018의 차이는 매우 중요 ★★★

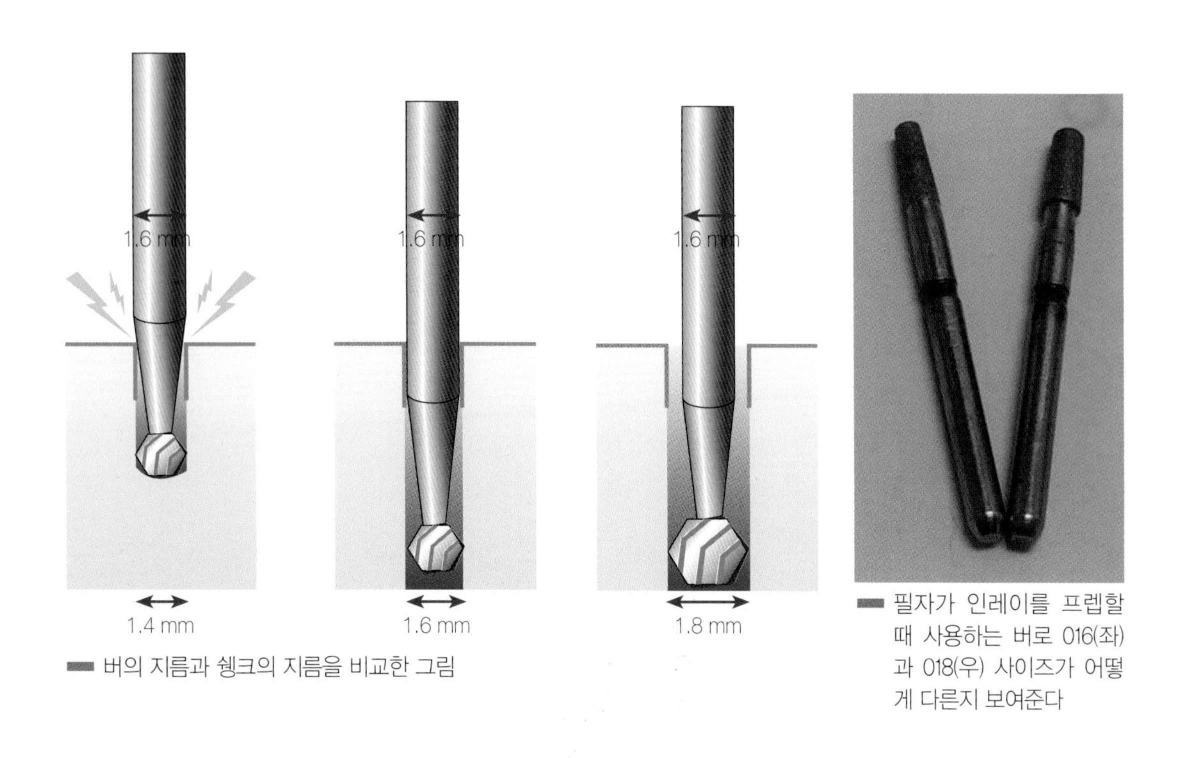

버의 지름과 쉥크의 지름을 비교한 그림

필자가 인레이를 프렙할 때 사용하는 버로 016(좌)과 018(우) 사이즈가 어떻게 다른지 보여준다

Bur shank의 폭은 1.6 mm로 5번 버와 같음

Bur의 shank 지름을 고려하여 버의 크기 순서대로 4,5,6번을 좀 과장해서 그려본 것이다. 4번 버는 치아를 섬세하게 치아를 조각낼 수 있어서 좋지만, 버의 지름이 쉥크의 지름보다 작아서 좀 더 깊게 삭제하기는 힘들다. 그래서 수평 매복치의 치관부를 끝까지 삭제하기 위해서는 쉥크의 지름보다 버의 지름이 큰 6번 버를 추천한다. 필자는 4번 버로 수평 매복치를 발치해야 하는 경우에는 버의 쉥크가 걸릴 때마다 치관부를 파절시켜가면서 여러 조각으로 나눠서 제거하는 편이다.

그렇다면 5번 버를 사용하면 해결되지 않을까? 그러나 모든 것이 중용이 답이 아니듯이, 5번 버는 4번과 6번의 단점을 모두 갖고 있기도 하다. 종종 대학병원 등에서는 버를 한 번만 쓰고 버리는 경우도 있지만, 발치 수가가 매우 저렴한 우리나라의 개인치과 상황에서는 현실적으로 좀 어렵다. 그렇다보니 버를 소독해서 재사용하는데, 일반 치과개원환경에서 5번 버의 존재는 직원들이 4번과 6번으로 헷갈리게 하는 단점이 있어서 아예 치과에 들여놓지 않기를 권한다. 서지컬 라운드 버가 4번과 6번만 존재할 경우에는 직원들이 사이즈 구분을 어느 정도 명확하게 해서 준비해주는데 5번 버가 존재하는 순간 버의 번호가 뒤죽박죽이 되고 만다. ㅠ ㅠ

잠깐!

사랑니 발치와 관련된 다양한 논쟁 3 ★★★

하이스피드 핸드피스에서 사용하는 Bur는?

Round Bur Vs Fissure Bur

필자가 오랫동안 함께 일한 구강외과의사가 사용하는 발치용 버의 모습 (제조사 KOMET (독일)).
6개들이 한 팩 가격 : 하이스피드 발치용 숏 카바이드 피셔 버 16,150원, 하이스피드 서지컬 라운드 버 31,000원 개당, 하이스피드 롱생크 서지컬 피셔 버 47,500원

필자는 하이스피드용 버로 서지컬 라운드 버만 사용한다. 필자가 오랫동안 같이 일했던 구강외과의사가 두 명 있는데, 한 명은 피셔 버만 사용하고, 한 명은 라운드 버와 피셔 버를 함께 사용하고, 필자는 라운드 버만 사용했다. 직원들도 그러한 치과의사들의 습성을 잘 알고 맞게 준비해 주곤하였다(이 책에서는 일반적으로 라운드 버가 아닌 테이퍼한 메탈 버는 편의상 서지컬 피셔 버라고 부르기로 하고, 같은 형태의 다이아몬드 버는 서지컬 다이아몬드 버라고 부르기로 한다).

필자가 라운드 버만 사용하는 이유는 피셔 버가 연조직에 상처를 많이 내기 때문이다. 나의 ESSE 진료 컨셉상 절개와 박리를 최소한으로 하다보면, 연조직이 버에 많이 걸리게 된다. 발치 때마다 플랩을 시원하게 많이 제끼는 습관이 있는 구강외과의사는 연조직에 구애를 받지 않기 때문에 피셔 버를 많이 쓰는데, 일반 초보 치과의사들에게는 라운드 버를 더 권장하는 편이다. 어떤 경우는 자기가 처음 접한 버만을 사용하던 습관 때문에 더 좋은 기구를 모르고 사용하지 않는 경우도 있다. 본인이 초보라면 두 가지를 모두 사용해보고 비교해보는 것도 좋은 방법일 듯하다. 다만 필자는 피셔 버도 많이 사용해봤고, 최근에도 이 글을 쓰기 위해서 한동안 사용해봤지만, 역시 라운드 버가 정답인 거 같다. 어쨌든 독자 중에 아직도 피셔 버가 익숙한 분이 계시다면 이 책을 읽는 동안에는 라운드 버를 사용해보길 권한다. 또한 피셔 버는 쉽게 파절되어 재사용을 잘 안 하게 되기도 하며, 파절된 조각이 조직 내부에 있게 되면서 또다른 문제를 야기하기도 한다.

05
가장 많이 쓰이는 피셔 버 알아보기★

▶ 상품명: Surgical Bur FG

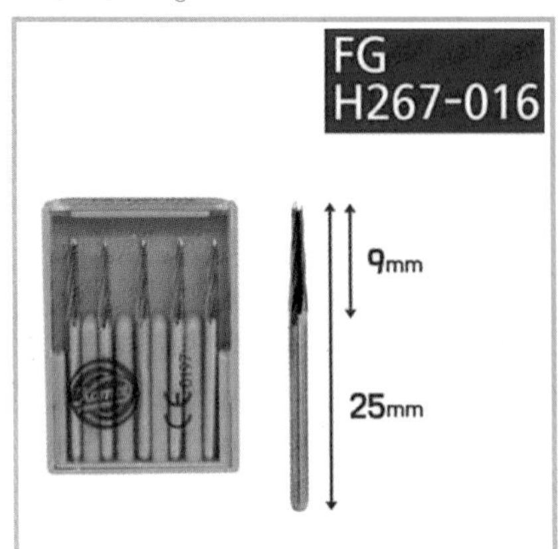

Komet 회사의 제품으로 필자도 가장 오래 사용해 온 버이기도 하고 우리나라에서는 시장점유율이 거의 95% 이상인 것으로 알고 있다. 이 버도 28 mm 제품은 별도로 판매되고 있지만, 필자가 자주 쓰는 서지컬 라운드 버와 길이가 같은 25 mm 버가 가장 일반적으로 판매되고 있다. 25 mm 버는 28 mm 버보다 확실히 핸드피스에 덜 무리가 가고 파절되는 경향도 적다. 피셔 버의 가장 두꺼운 부분이 쉥크의 지름과 같은 1.6 mm에서부터 테이퍼하게 끝으로 갈수록 줄어들기 때문에 길어질수록 버의 지름이 매우 얇게 되어 파절되기 쉬워진다. 굳이 피셔 버를 사용해야 한다면, 일차적으로는 28 mm보다는 좀 더 짧은 25 mm 버를 사용하기를 권한다.

▶ 상품명: Surgical Bur FG (Zekrya Bur)

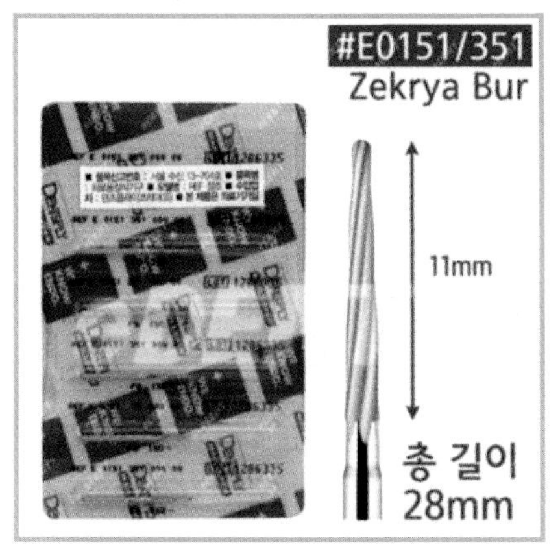

Dentsply사 제품으로 필자가 얼마 전에 OO대학교 치과병원 구강외과에 견학갔는데, 이 대학에서는 이 버를 기본으로 사용하고 있었다. 필자도 구매해서 몇 번 사용해봤는데, 절삭력은 좋지만 핸드피스에 심하게 무리가 가는 것이 느껴졌다. 그래서 버가 많이 파절되는 듯하다. 이 대학에서도 너무 버가 쉽게 파절되어서 모두 1회용으로만 사용하고 있었다. 참고로 같은 제품에 5 mm 더 짧은 23 mm 서지컬 버도 판매되고 있다. 위와 같이 5개 단위로 판매되며 가격은 33,000원이었다. 아무래도 쉽게 파절되다 보니 다른 서지컬 피셔 버보다는 저렴하게 판매하는 듯하다.

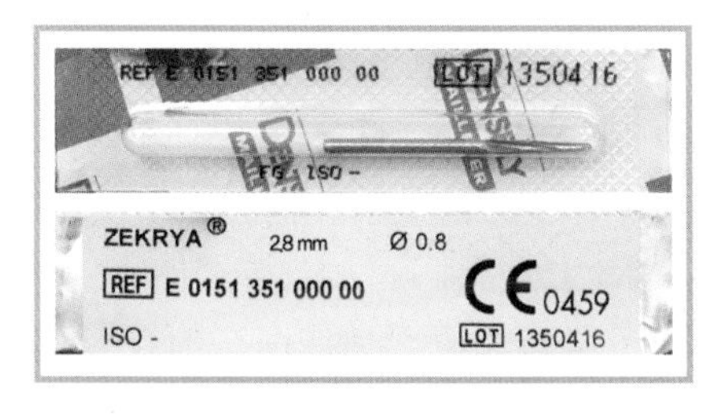

Dentsply에서 나오는 버는 Komet 버와 달리 각각 낱개로 포장되어 있어서 별도의 소독 절차 없이 바로 사용할 수 있다. 이러한 점은 특히나 서지컬 버라는 것을 감안하면 큰 장점이라고 할 수 있다.

필자의 치과에 구비되어 있는 서지컬 버들을 비교해서 찍은 사진으로 왼쪽부터 덴츠플라이 서지컬 피셔 버, 코메트 서지컬라운드 버 8번, 6번, 4번 순서이다. 라운드 버도 28 mm 짜리가 나오는지는 모르겠지만, 아주 간혹 매우 깊은 수평 매복치에서 버의 길이가 짧아서 애 먹는 경우가 종종 있기 때문에 길이가 긴 버를 구비는 하고 있다. 그러나 버가 길수록 핸드피스에 심각한 무리가 갈 수 있으므로 꼭 필요한 경우에만 선택적으로 사용하는 것이 좋을 듯하다.

06
서지컬 피셔 버를 이용하여 발치한 케이스 1★★★

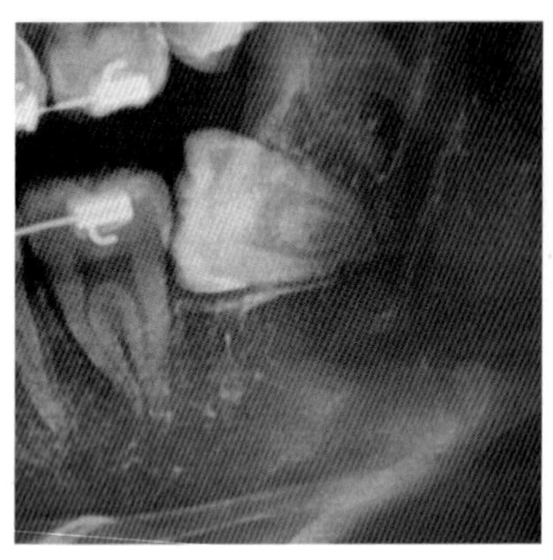
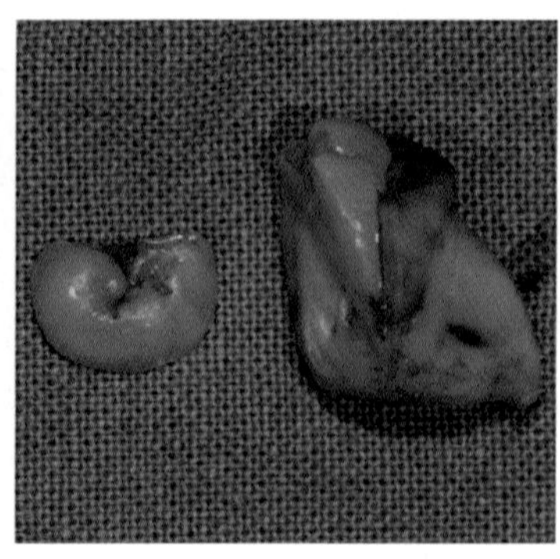
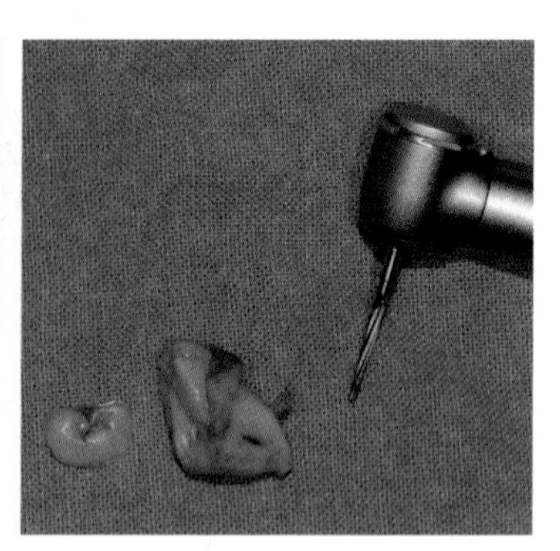

롱쉥크 서지컬 피셔 버를 이용하여 발치한 케이스이다. 필자가 평소와 달리 발치할 경우에 사용한 기구를 발치한 치아 옆에 두고 사진찍는 습관 때문에라도 알 수 있다. 평소 라운드 버에 익숙한 사람들은 이렇게 7번 원심면 하방에 언더컷이 많은 경우는 매우 번거로운 케이스이다. 피셔 버가 절삭력이 좋다고 하지만, 라운드 버로 삭제해도 큰 속도 차이를 느끼지는 못하였다. 또한 치관의 근심부분이 삭제되어도 언더컷이 커서 삭제된 치관부를 제거하는 것이 쉽지는 않아서 삭제된 면을 추가적으로 계속 삭제해서 버의 공간을 넓혀야 되는 단점도 있다.

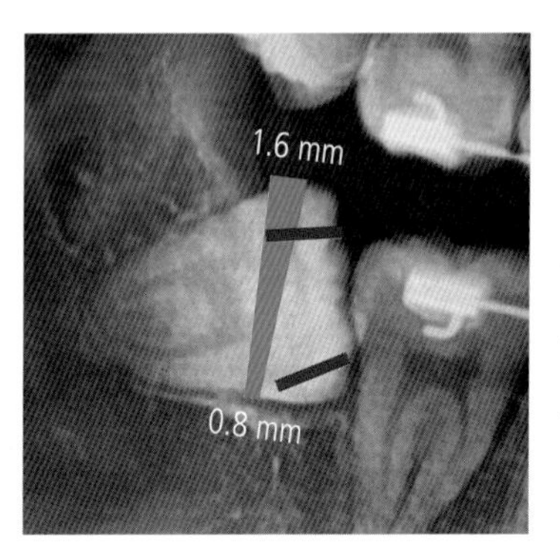

위 케이스에서 언더컷의 양을 빨간색으로 표시하였고, 삭제된 치면을 파란색으로 표시하였다. 왜 삭제된 근심 치관부의 제거가 쉽지 않은지를 알 수 있다. 삭제된 치관부의 하방은 특히나 버의 얇은 끝부분으로 삭제되기 때문에 언더컷 양에 비하면 매우 적게 된다. 보통 피셔 버의 하방의 지름은 쉥크부분의 반절인 0.8 mm 정도라고 보면 되므로 매우 적은 폭만큼 삭제된다고 할 수 있다.

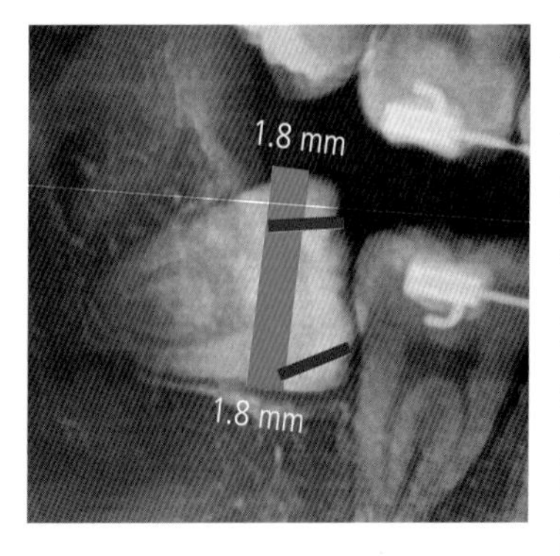

서지컬 라운드 버를 이용하여 치관의 근심부분을 삭제한 것을 보여주는 것이다. 보통 6번버 직경 1.8 mm로 치아를 삭제하면 피셔 버로 삭제한 것보다는 하방에서 1 mm 이상 삭제되기 때문에 언더컷을 많이 상쇄할 수 있다. 물론 언더컷보다는 좀 작을 수도 있지만 근심 치관부가 협측으로 회전하면서 제거되는 것을 감안하면 충분하다고 할 수 있다. 종종 삭제된 근심 치관을 **세로로 나누기**도 하지만 이 부분은 뒷장에서 다루므로 여기서는 언급하지 않는다. 어쨌든 라운드 버로 삭제한 경우에 삭제된 치아의 하방에서 차이가 크게 나기 때문에 언더컷을 많이 상쇄하여 발치가 쉬워진다.

서지컬 피셔 버를 이용하여 발치한 케이스 2 ★

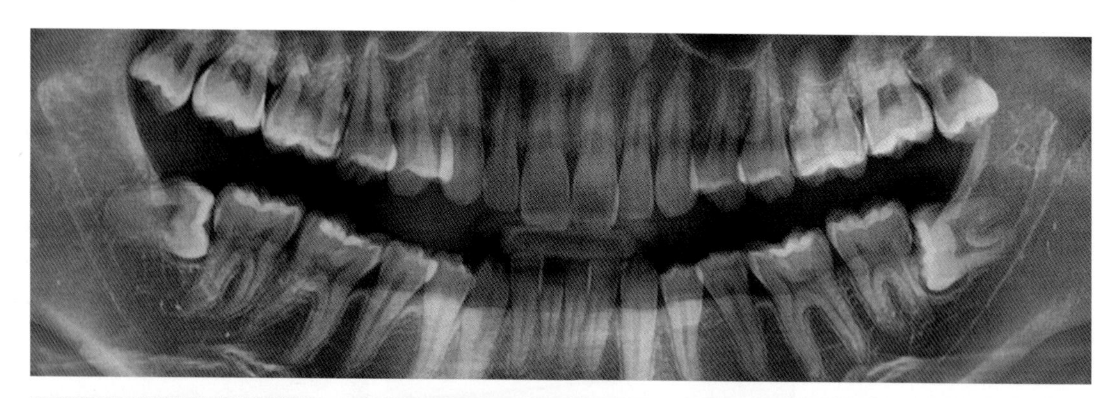

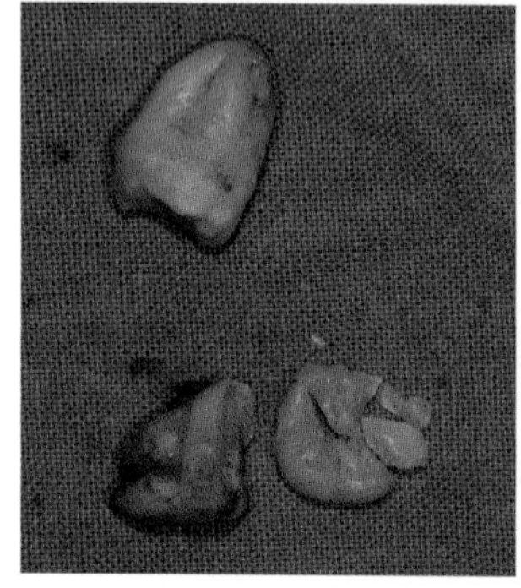

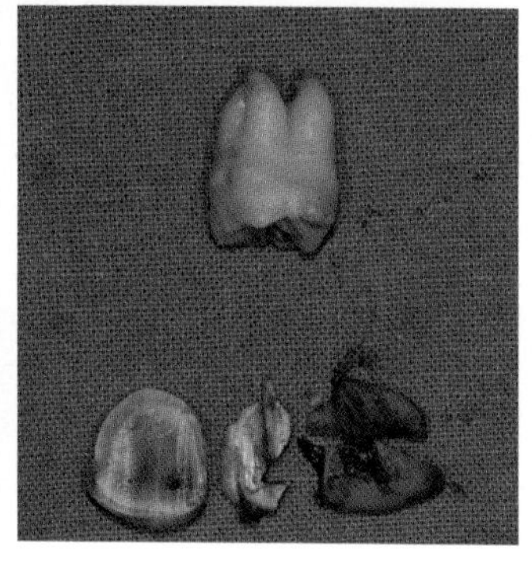

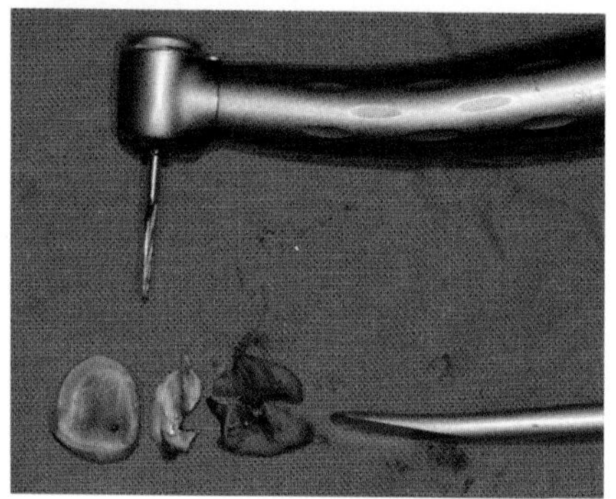

25세 남성 환자로 유튜브에 필자의 강의용으로 올려놓은 라이브서저리 동영상을 보고 내원하셨다고 하였다. 기대치가 높은 환자를 만족시키기란 쉽지 않지만 양쪽 모두 어렵지 않게 발치하였다. #38번 사랑니는 치관 제거 후 치아를 탈구시킨 이후에 치근을 엘리베이터로 넣어서 부러트려서 추가적인 치아 삭제 없이 발치하였다. 여기저기서 자주 언급하지만 필자가 치아 주변에 저렇게 기구를 놓고 사진 찍은 것은 해당 기구를 이용하여 발치하였음을 기록하는 것이다. 별도로 차트에 기록하지 않기 때문에 종종 기구를 치아 옆에 놓고 찍는 습관이 있다. 여기서 피셔 버로 **뒷목치기**를 하는 것은 쉽지 않다. 연조직에 걸리기 때문이다.

죽어도 피셔 버를 써야겠다는 분들은 혹시 길이는 길지만 날은 작은 롱쉥크 숏 카바이드 피셔 버도 제조회사에 따라 생산이 되는 듯하니 알아보시길 바란다. 다만, 개인적으로는 가장 많이 파절될 거 같은 느낌이 들긴 한다.

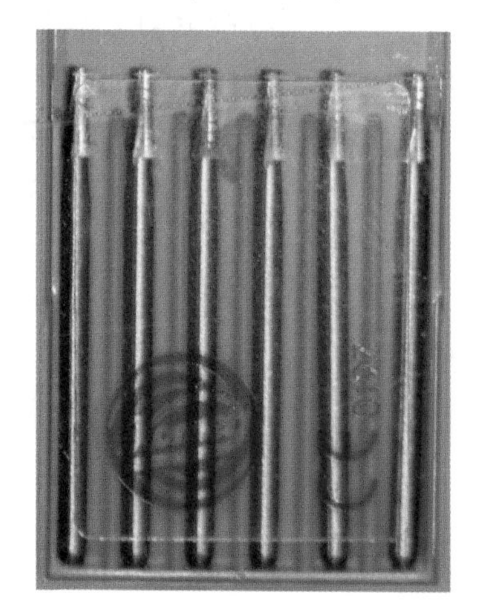

이 책의 마무리 단계에서 전국 사랑니 Top 5안에 들어가는 치과 중에 하나인 대구 차안백치과 원장님 두 분께서는 하이스피드에 이 버를 사용한다고 하셨다. 워낙 유명한 치과 원장님들이시기 때문에 필자도 이 버를 이용하여 발치를 몇 케이스해보고 있다.

서지컬 피셔 버를 이용하여 발치한 케이스 3★

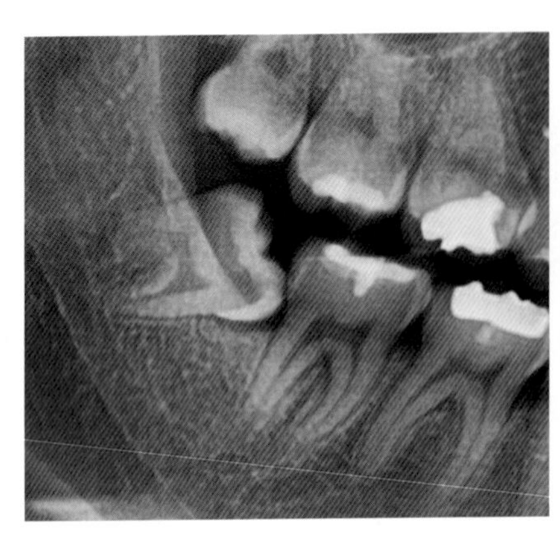
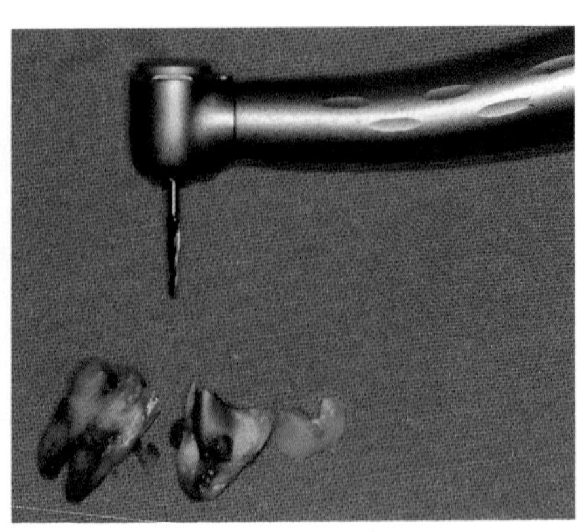

21세 남성 환자로 간단하게 나올 듯하여 **앞머리치기**만 살짝 시행하였는데 입구가 좁아서인지 7번 원심면에 걸려서 들어치기를 시행하여 발치하였다. 보통 굳이 피셔 버를 써야 한다면 이렇게 앞면만 살짝 7번 원심에 걸려있는 케이스에 좋을 듯하다.

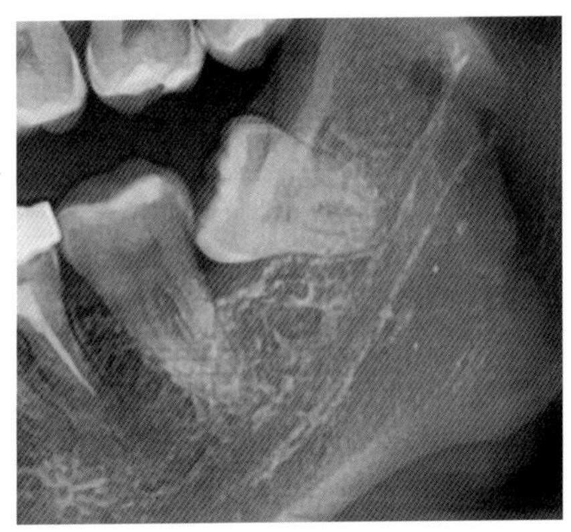
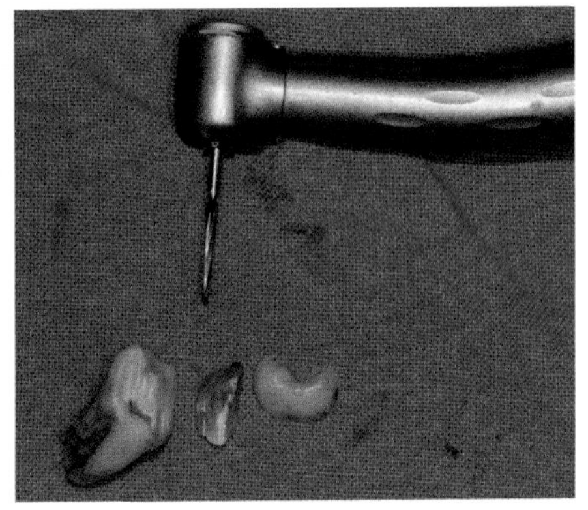

30세 여성 환자로 살짝 7번 원심에 걸린 경우에는 피셔 버가 간단하게 사용될 수 있다. 치아방향이 반대인 것은 피셔 버를 이용해서 **사선치기**를 시행하였는데, 그 설측면을 보여주기 위하여 반대로 놓고 찍은 것이다. 피셔 버로도 어설프게나마 **사선치기**를 할 수 있다. 다만 **사선치기**나 **뒷목치기** 등에서 피셔 버가 설측이나 후방 연조직을 손상시키지 않도록 주의해야 한다.

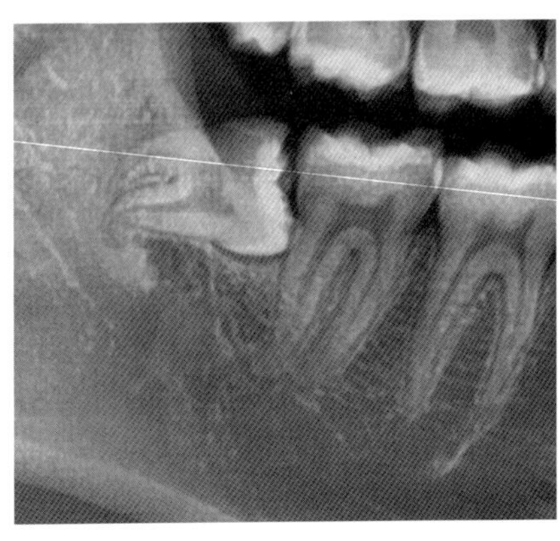
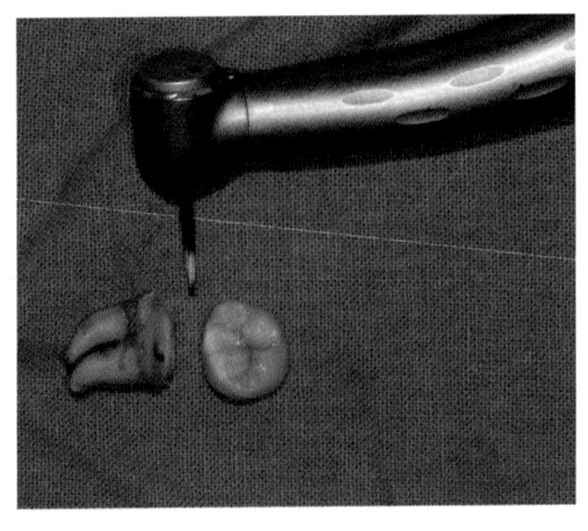

22세 남성 환자로 7번 원심면에 언더컷이 거의 없고 치아의 치관부 주변에 골이 적어서 잘려진 치관부의 제거가 쉽기 때문에 피셔 버를 이용하여 반으로 잘라보았다.

잠깐!

발치와 관련된 다양한 논쟁 4 ★★★

어떤 재질의 버를 사용할 것인가?

다이아몬드 버 Vs 카바이드 버

사랑니를 발치할 때 다이아몬드 버를 추천하는 사람들이 있다. 우선 삭제력면에서 카바이드 버보다는 훨씬 뛰어나기 때문이라고 한다.(필자는 절대 동의하지 않음) 또한 카바이드 버는 치아 삭제 도중에 톡톡 튀는 경향이 있어서 파절되거나 핸드피스 카트리지에 나쁜 영향을 주기도 하고, 치아 삭제 도중 미끄러지면서 연조직에 손상을 주기 때문이라고도 한다. 그러나 이러한 부분은 수많은 장점에 비하면 매우 작은 단점이고, 충분히 술자의 능력으로 극복할 수 있는 부분이라고 생각한다. 발치에서 중요한 부분이 치아 삭제에만 있는 게 아니기 때문에 오히려 삭제력만으로 다이아몬드 버를 사용해야 한다고 하는 것은 문제가 있다고 본다. 카바이드 버만을 사용해야 한다고 주장하는 사람들 중에는 다이아몬드 버는 그 다이아몬드 파티클이 떨어져서 조직 내에 남아 있기도 하고, 치아 조직들이 다이아몬드 버의 틈에 박혀서 소독을 해서 재사용하는 것이 껄끄럽다는 분들도 있다. 물론 필자는 둘 다 무시할만한 수준이라고 생각하고, 자신의 스타일에 맞게 자신에게 맞는 버를 골라서 사용하는 것이 좋을 듯하다.

현재 국내에서 나름 인기 있는 모 회사의 사랑니 발치용 서지컬 다이아몬드 버이다. 10개들이 한 상자에 19,000원 정도로 저렴하기 때문에 1회용으로도 생각해볼 수 있을 거 같기도 하다. 오른쪽은 일본 Shofu사의 다이아몬드 서지컬 버이다. 일본에서 많이 사용한다고 하여 구입하였으나, 길이가 좀 짧은 듯하다. 국내 업체인 오성에서도 비슷한 컨셉의 버가 나오는데 26.5 mm와 30 mm 두 가지이다. 오성도 국산이지만 국내에서 거의 사용하지 않기 때문에 일본에서 많이 사용하는 Shofu의 다이아몬드 서지컬 버에 대한 내용만 올려본다. 이웃나라 일본의 경우 다이아몬드 쉡퍼 버를 이용하여 발치하는 경우도 종종 보게 되는데 세계적으로는 일반적이지는 않은 듯하다. 어쨌든 삭제력이 좋아서 다이아몬드 버를 사용해야 한다고 하는 분들에게는 꼭 카바이드 버를 사용해보라고 말하고 싶다. 사용해서 비교해보고도 다이아몬드 버가 삭제력이 뛰어나다고 말할 수 있는지 보고 싶다. 다이아몬드 버는 치아 하나를 발치하기도 힘들기 때문에 두 번째 소독해서는 거의 발치가 불가능한 상태가 된다고 본다. 카바이드 버는 언제든 재소독해서 여러 번 사용이 가능하다. 또한 다이아몬드 버는 세척이 용이하지 않기 때문에 소독했더라도 재사용하면 안 된다고 주장하는 분들도 계시는걸 보면... 남이 어떻게 말하든 자기가 편하고 자기 진료철학에 맞는 것을 사용하면 될 듯하다.

07
다이아몬드 버를 이용한 사랑니 발치 – 국산**사 ★

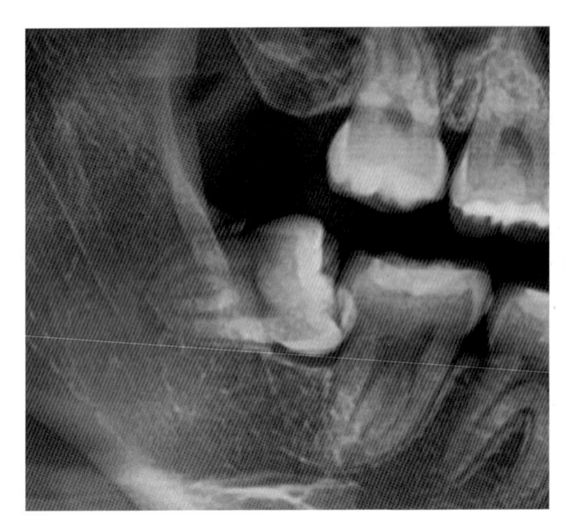

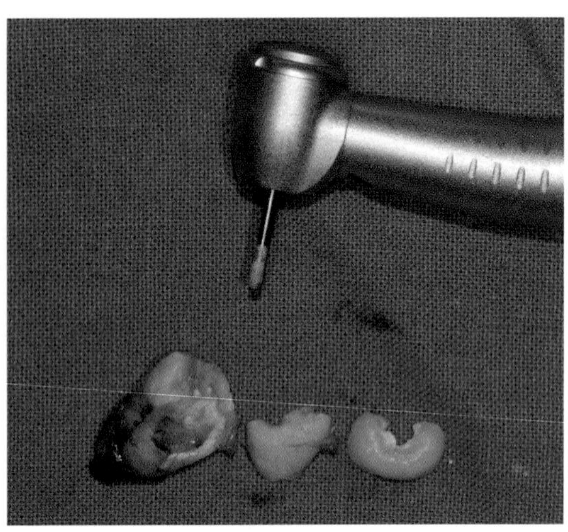

22세 여성 환자로 국산 발치용 피셔 버를 사용하여 발치하였다. 처음에는 삭제가 잘 되지만 다이아몬드 버 특성상 금세 날이 무뎌져서 삭제가 쉽지 않다. 사랑니 원심면 치조골 때문에 탈구시킨 후에 **들어치기**를 통해서 남은 치아를 제거하였다. 버의 길이가 일반 버와 롱쉥크 버의 중간 정도(23.5 mm 정도로 추정)로 수직으로 깊은 위치까지는 치아 삭제가 쉽지 않을 듯하다.

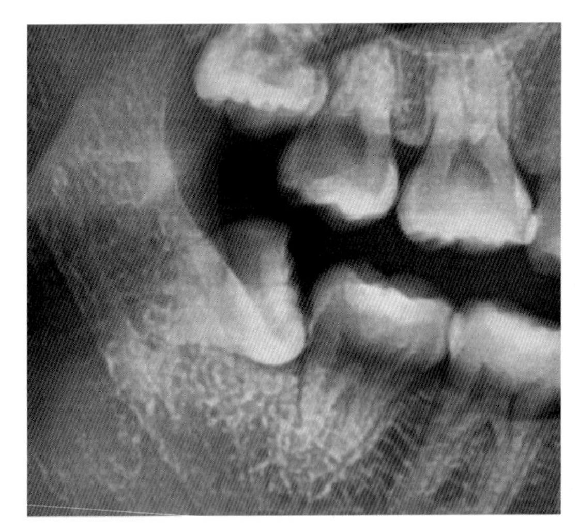

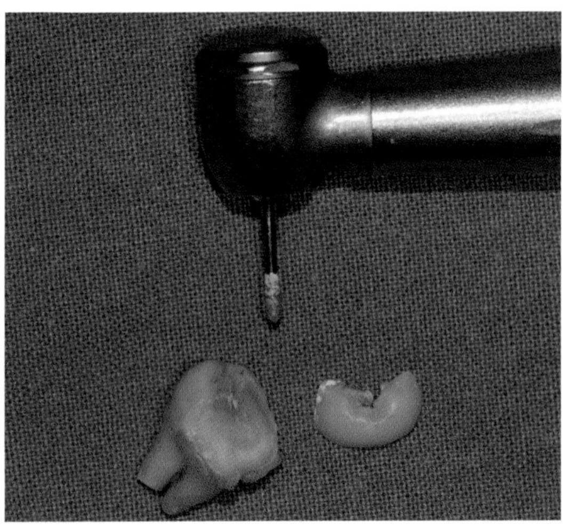

25세 여성 환자로 **앞머리치기**를 시행하고 치아를 발치하였다. 치근단이 파절되어 제거하였다. 이정도 삭제량이 적은 사랑니 발치에는 금방 무뎌지는 다이아몬드 버의 특성상 사용해볼 수 있겠지만 거의 1회용이라고 생각하고 사용해야 할 듯하다. 핸드피스가 톡톡 튀는 경향은 없고, 버가 부러질 위험성은 거의 없지만 그러한 내용은 롱쉥크 서지컬 라운드 버에서도 어느 정도 감안하고 시행할 수 있을 듯하다.

08
다이아몬드 버를 이용한 사랑니 발치 – 일본**사 ★

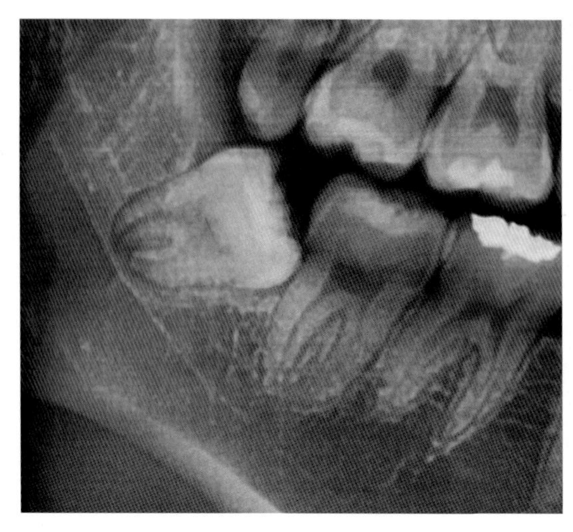
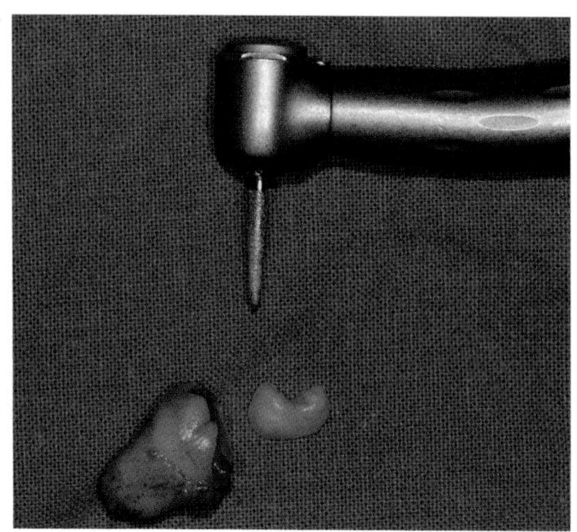

23세 여성 환자로 서지컬 다이아몬드 버를 이용하여 발치하였다. 일본의 *회사 제품으로 일반적인 롱 쉥크 서지컬 라운드 버나 피셔 버와 같이 25 mm 길이이다. 다이아몬드 버의 특성상 부드럽게 치아가 삭제되는 경향은 있으나 날이 쉽게 무뎌져서 치아 삭제가 쉽지 않다. 특히나 버의 하단이 쉽게 무뎌져서 필자처럼 치아에 여러 가지 홈을 파서 치아를 파절시키는 형태의 발치와는 잘 안 맞는 듯하다.

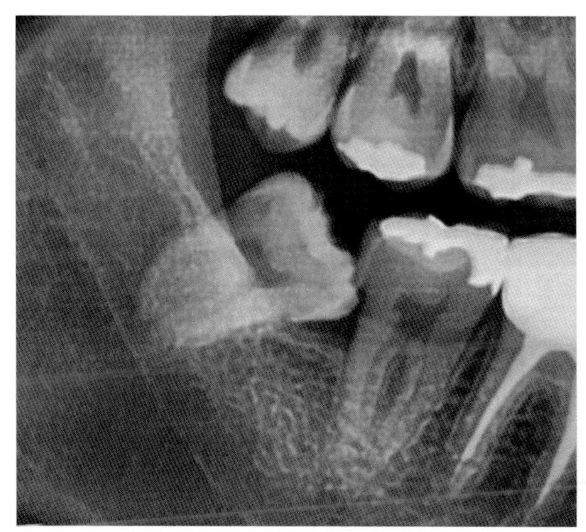
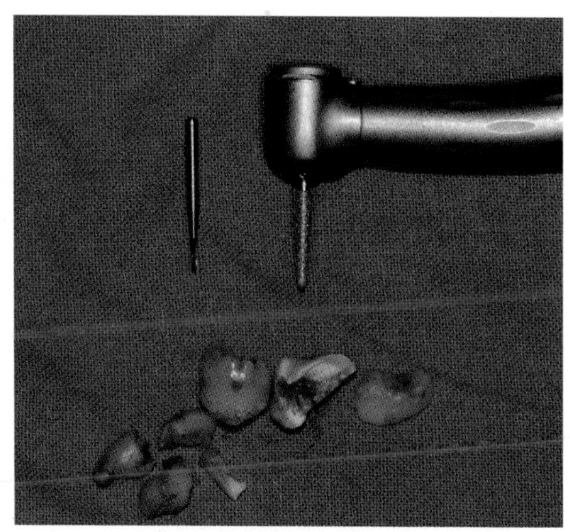

28세 남성 환자로 서지컬 다이아몬드 버를 이용하여 근심 치관부를 삭제하였으나 발치가 용이하지 않아서 **혀쪽치기**를 시행하였다. 치근이 단단하게 매복되어 협측에서 엘리베이터를 적용시키는 과정에서 치관이 파절되었다. 참고로 이렇게 치관부 전체가 치조골 밖으로 나와 있는 남성 환자의 기능하는 사랑니가 가장 치근의 제거가 쉽지 않음을 알아야 한다. 남은 치근을 제거하는 과정에서 다이아몬드 버의 사용이 익숙하지 않아서 차라리 일반 피셔 버를 추가적으로 이용하여 치근을 분리하여 발치하였다.

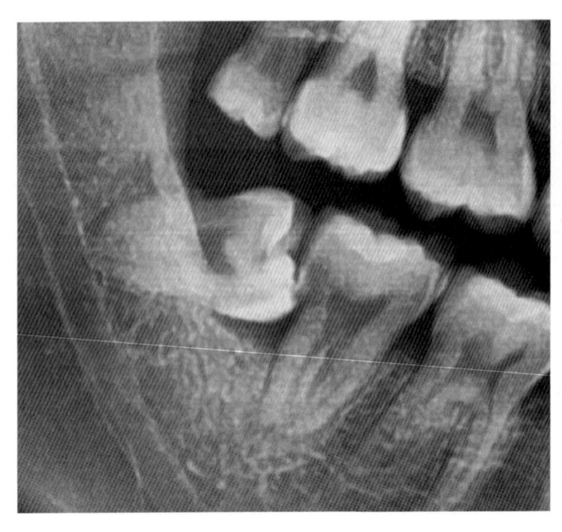

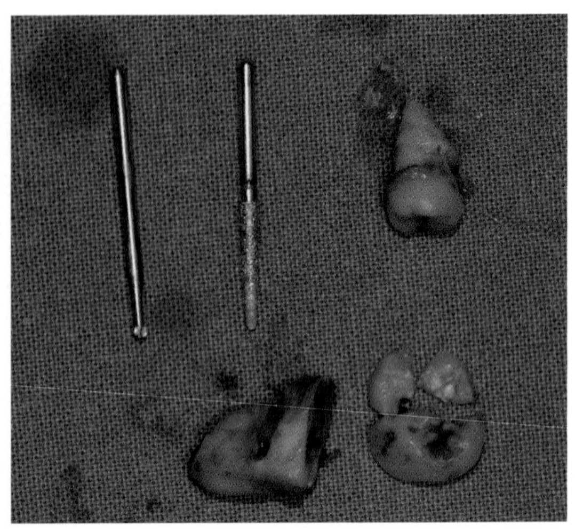

27세 남성 환자로 앞서 언급한 경우와 마찬가지로 수평 매복이지만 치관부는 모두 치조골 밖으로 나와 있어서 협측에서 엘리베이터를 이용하여 발치하기가 쉽지 않은 경우가 많다. 그래서 **뒷목치기**를 시행하여 발치를 시도하였으나 한 번 사용한 다이아몬드 버는 특히 끝부분의 날이 무뎌서 뒷목치기가 쉽지 않았다. 그래서 필자가 이렇게 치아를 조각내거나 홈을 파는데 사용하는 롱쉥크 서지컬 라운드 4번 버를 이용하여 **뒷목치기**를 시행하고 발치하였다.

잠깐!

서지컬 다이아몬드 버에 의한 연조직 손상 주의 ★★

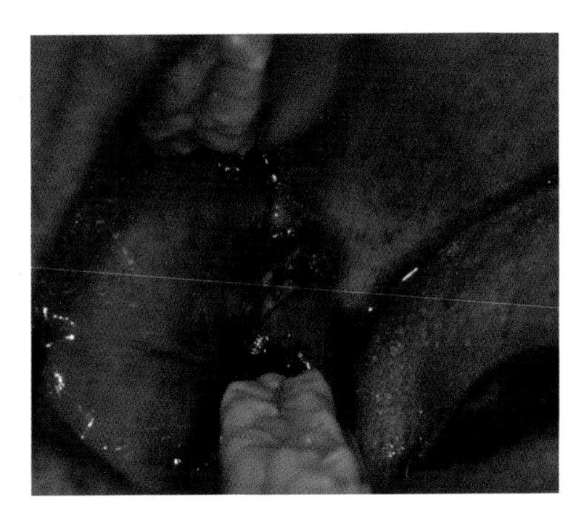

서지컬 다이아몬드 버를 이용하여 **뒷목치기**를 시행하는 과정에서 사랑니 뒤쪽 연조직에 상처가 났다. 일반적으로 연조직이 버에 절대 닿지 않도록 가장 주의해야 하는 서지컬 피셔 버의 경우는 연조직이 버에 콕 박혀서 감기듯이 상처가 나기 때문에 연조직이 깊게 손상된다. 그러나 다이아몬드 버는 대부분 위와 같이 자기도 모르게 살짝 연조직의 표면을 살짝 벗기듯이 삭제한다. 하이스피드 핸드피스에서 중요하게 생각해야 할 부분은 물과 공기가 하이스피드 하방 중심으로 센 힘으로 나가기 때문에 핸드피스에 꽂혀 있는 버의 주변에서는 가운데로 빨려 들어가는 힘이 발생한다. 그래서 분명 치아 삭제를 시작할때는 버 주변에 연조직이 없었지만, 치아 삭제하는 과정에서 연조직이 음압에 의해서 버의 가깝게 딸려와서 상처가 나는 것으로 생각된다. 어쨌든 필자처럼 절개를 최소로 하고 작은 절개선 안에서 치아를 여러 조각으로 나눠서 발치하는 스타일은 버의 끝에만 날이 있는 라운드 버가 가장 적합하다.

09
30 mm 롱쉥크 다이아몬드 라운드 버를 이용한 사랑니 발치 ★★

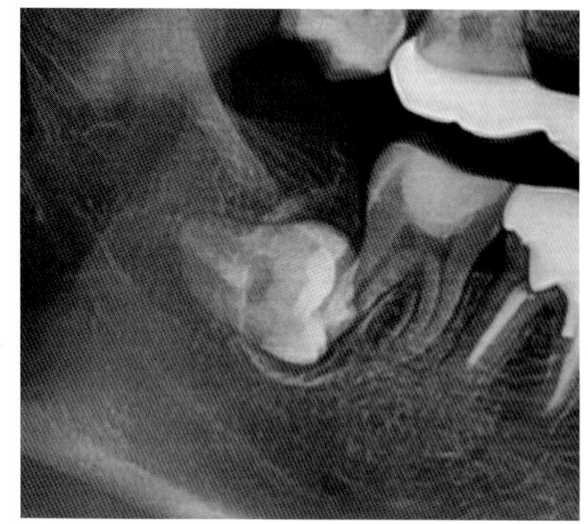

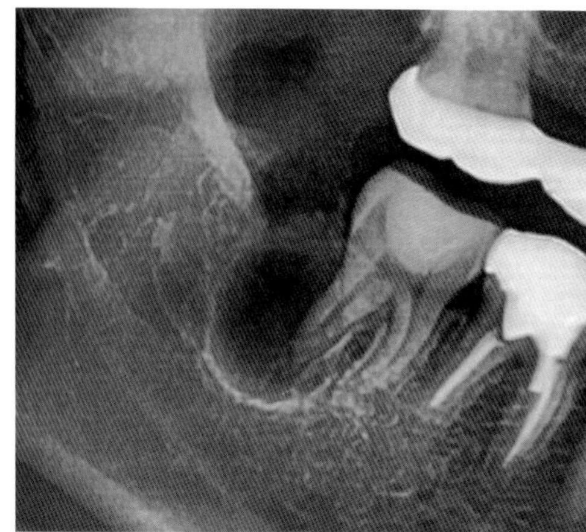

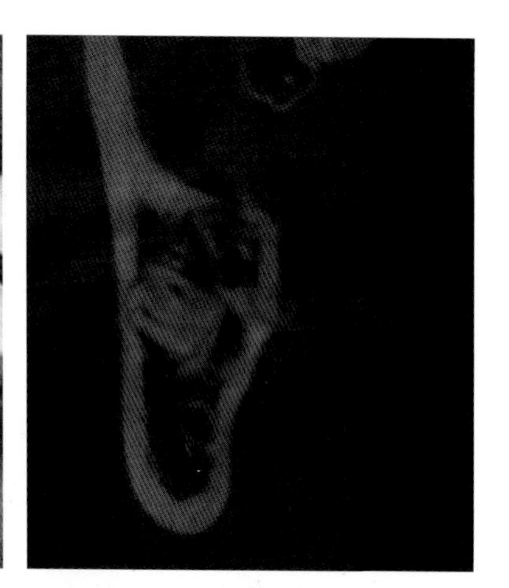

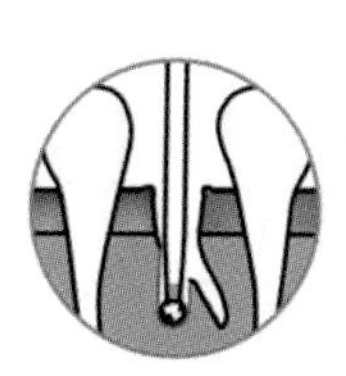

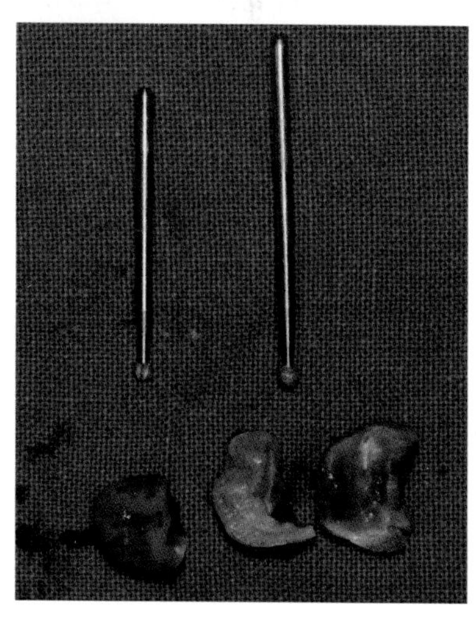

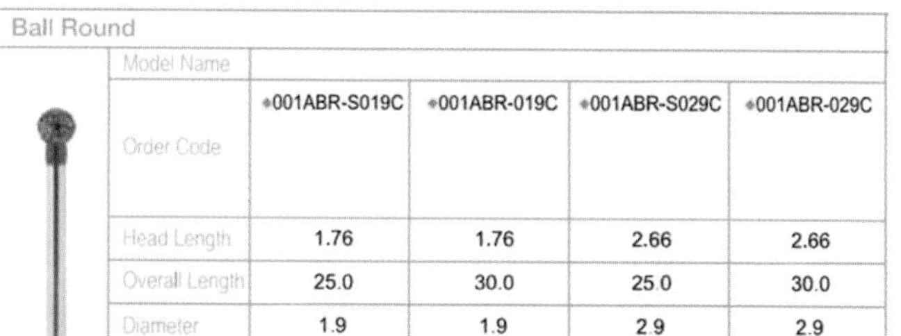

Ball Round

Model Name				
Order Code	◆001ABR-S019C	◆001ABR-019C	◆001ABR-S029C	◆001ABR-029C
Head Length	1.76	1.76	2.66	2.66
Overall Length	25.0	30.0	25.0	30.0
Diameter	1.9	1.9	2.9	2.9

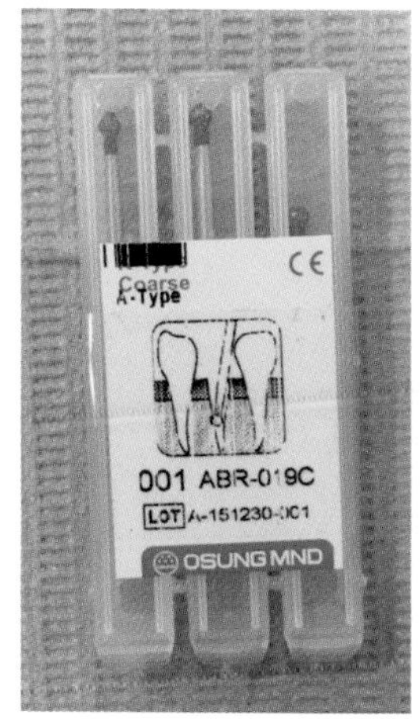

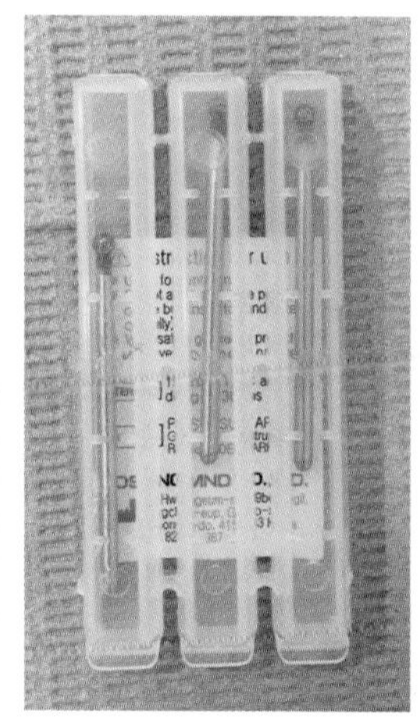

25세 여성 환자로 타 치과에서 사랑니를 뽑아달라고 의뢰되어 발치를 시행하였다. 협측 골 삭제를 비교적 덜하는 필자로서는 교합면 쪽에서 접근을 해야하기 때문에 버의 길이가 모자라서 30 mm 긴 라운드 버를 이용하여 하방까지 삭제하였다.

필자가 알기로는 국내에서 구할 수 있는 가장 긴 서지컬 버이다. 쉥크가 길어서 카트리지에 가해지는 충격을 최소화하기 위하여 카바이드가 아니라 다이아몬드 버 형태로 만든 듯하다. 치아의 전반적인 삭제는 평소처럼 롱쉥크 서지컬 라운드 버 6번을 이용하였으며, 하방의 깊은 부분만 선택적으로 30 mm 버를 이용하였다.

솔직히 이 버가 없다고 해서 이런 사랑니 발치를 못하고 살았던 건 아니지만... 혹시 모를 상황에 대비해서 하나 정도는 갖추고 있으면 마음은 편할 듯하다. 오성에서 만드는 것이므로 아무 재료상에 요청해도 구해줄 거라고 생각된다.

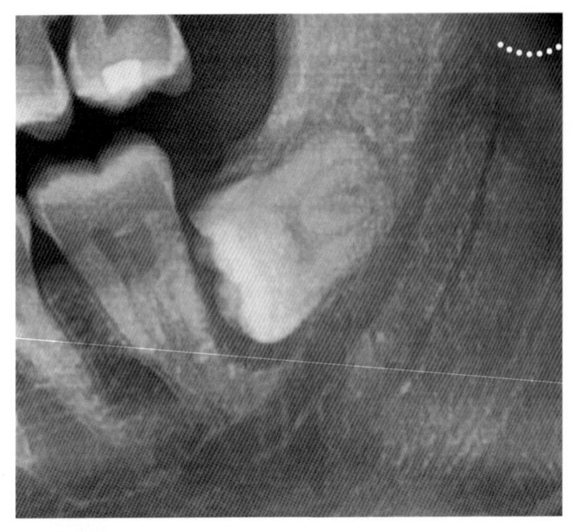
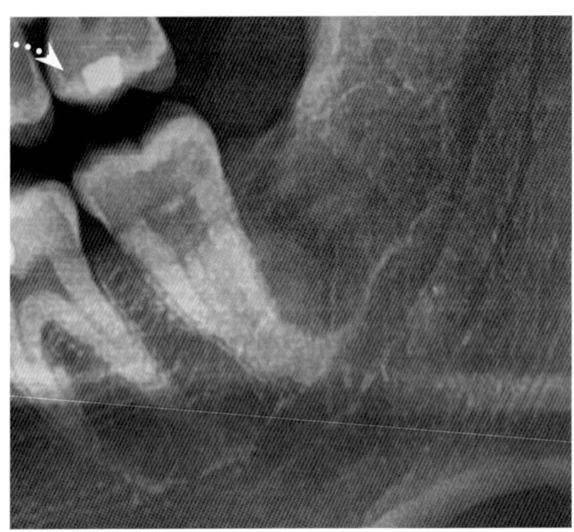

30세 남성 환자로 치관 주위 염증으로 사랑니 발치를 주소로 내원하였다. 발치를 시행하면서 하방에 버가 도달하지 못하는 경우에 필자도 어쩔수 없이 협측 골 삭제를 시행하고 측면에서의 접근을 시도해 보기도 하지만 가끔은 매우 드물게... 또는 일부러(?) 이런 긴 버를 이용하여 발치하기도 한다.

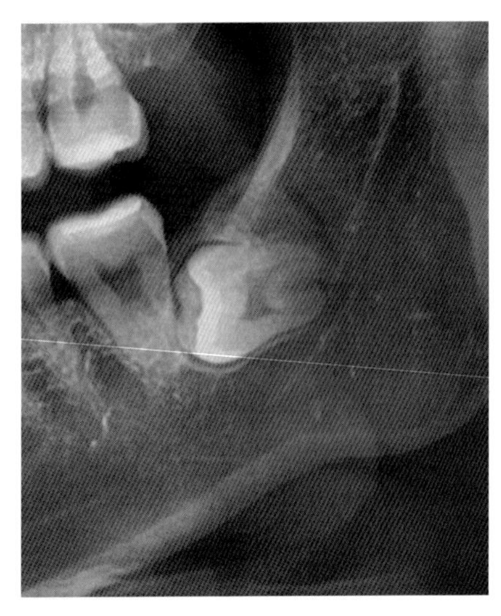
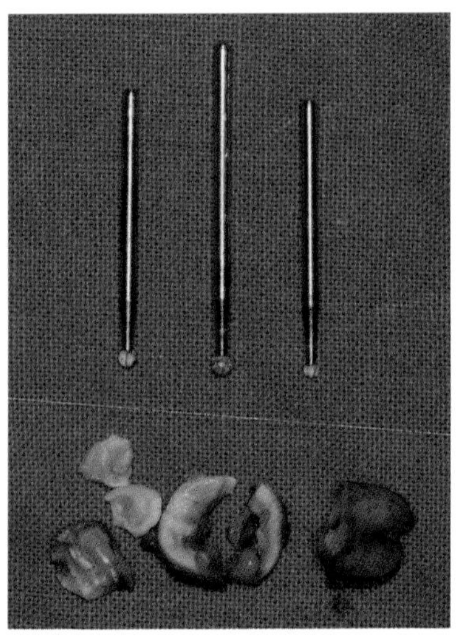

어머니가 치과의사이신 27세 여성 환자로 어머니와 함께 내원하여 사랑니 발치를 시행하였다. 필자는 유명세 때문인지 치과의사 가족뿐만 아니라 본인들이 치료받으러도 많이 오는 편인데, 솔직히 떨리지 않았다면 거짓말일 것이다. 그래도 10분 만에 쉽게 발치를 마무리하여 어머니로부터 칭찬받았다. ^^

잠깐!

발치와 관련된 다양한 논쟁 5 ★★★

어떤 handpiece를 사용할 것인가?

High speed Vs Low speed

사랑니 발치할 때 하이스피드를 사용할 것인가 로스피드 핸드피스를 사용할 것인가에 대한 고민은 이미 오랫동안 되어 왔던 것 같다. 지금도 각자 자기가 사용하는 기구가 좋다고 생각하면서 그 기구로만 진료하는 치과의사들이 많다. 필자가 조사한 바로는 국내에서는 OO대학교만 로스피드 핸드피스만을 이용한 사랑니 발치를 하고 있으며, 다른 치과대학들은 하이스피드를 기본으로 하고, 로스피드 핸드피스를 보조적으로 사용하는 것으로 알고 있다. 다만 구강외과 수술장에서 발치를 할 경우에는 하이스피드 핸드피스가 구비되어 있지 않은 곳이 많아서 로스피드를 이용하여 발치를 하고 있다고 한다. 전세계적으로 봐도 엠피세마를 걱정해서 로스피드로 발치하는 경우는 대체적으로 10% 수준 정도로 보인다. 심지어 필자가 견학해본 스페인 바르셀로나 치과대학의 경우는 외과에서는 로스피드로 발치해야만 한다고 주장하지만, 치주과에서는 하이스피드 핸드피스를 사용하면서 발치를 하고 있었다. 우리가 여기서 굳이 다른 사람의 방식을 비난할 필요도 없고, 맹목적으로 추종할 필요도 없다고 생각하지만, 무엇보다 본인이 사용하는 기구를 능숙하게 올바로 잘 사용하는 것이 더 중요하다고 생각한다.

필자는 하이스피드 핸드피스 사용을 기본으로 하고 있으며, 로스피드는 수평 매복치의 잔존 치근을 제거할 때만 선택적으로 사용한다. 2014년 전까지는 로스피드를 한 번도 안 써본 거 같다. 필자는 로스피드로 발치하면 괜히 하수인 같고 자존심 상한 듯이 느껴졌었던 거 같다. 늘 기구를 최소로 사용하는 것이 더 멋진 발치라고 생각했었던 거 같다. 그 이후로는 마음의 문을 열기 위해서 여러 가지 기구를 모두 사용하기 시작했고, 한동안 로스피드를 이용해서 발치를 하기도 했는데, 역시 속도는 하이스피드 핸드피스를 따라가기 어렵고, 무엇보다도 로스피드는 피로도가 심해서 필자처럼 많은 사랑니를 발치하는 치과의사와는 잘 맞지 않는 거 같다. OO대학교출신들도 대부분 개인치과로 나오면 하이스피드로 전환하는 것으로 알고 있다. 필자는 사랑니 발치 세미나에서는 초보자들에게 꼭 하이스피드로 발치하는 것을 권하는데, 초보자들에게 로스피드 핸드피스는 더 익숙하지 않은 기구이기 때문이다. 대부분 개인치과에서 하이스피드를 자주 사용하기 때문에 초보들에게는 조금은 더 익숙한 기구이기도 하다.

10 하이스피드를 금지하는 학교가 몇 군데 있죠★★

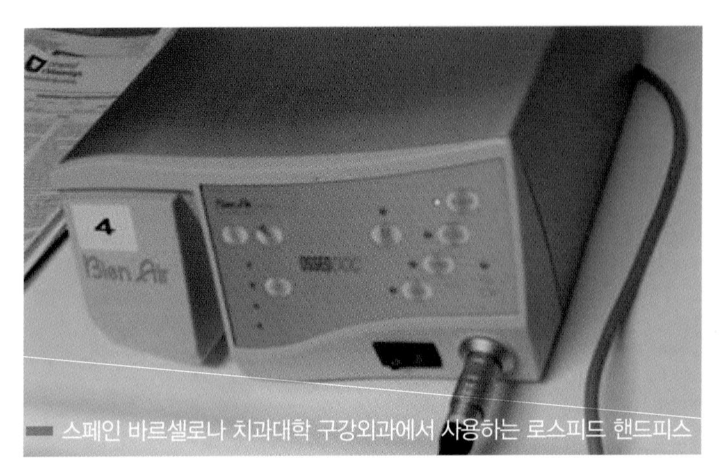

스페인 바르셀로나 치과대학 구강외과에서 사용하는 로스피드 핸드피스

일반진료를 하지 않고 로스피드 핸드피스로 발치만 하는 진료실이라면 별도의 이런 시스템을 사용할 수 있지만, 다른 진료도 같이 하는 치과라면 굳이 이렇게 별도로 갖출 필요는 없을 듯하다. 물론 파워가 좀 떨어지지만, 요즘은 이러한 부분도 개선된 로스피드 등이 속속 보급되고 있는 듯하다.

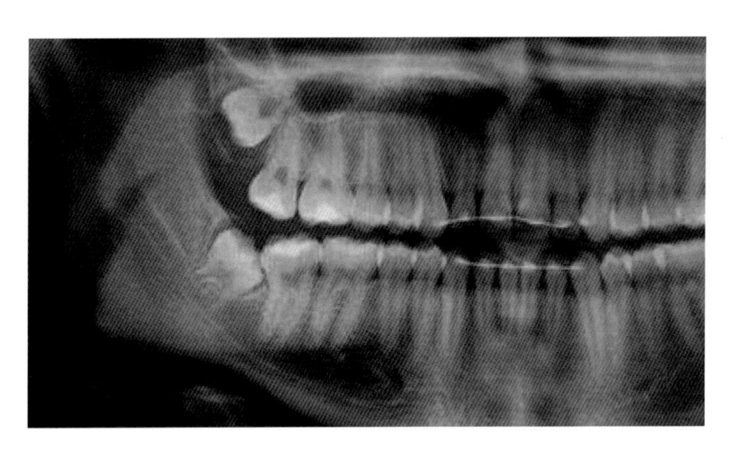

앞서 말했듯이 발치에서 하이스피드를 사용할 수 있느냐 없느냐에 대한 논란은 아직도 진행중이다. 우리나라에서는 11개 치과대학 중 1개 치과대학에서 로스피드만을 이용해서 발치를 하도록 하고 있다. 스페인에서도 바르셀로나 치과대학 구강외과에서는 로스피드만을 이용해서 발치하도록 가르친다고 한다. 필자나 설명하는 스페인 치과의사나 모두 영어가 짧아서 심도 있는 대화를 나누지는 못했고, 필자가 잘못 이해했을 수도 있지만 유독 바르셀로나 치과대학 구강외과만 이런 고집을 하는 듯하였다.

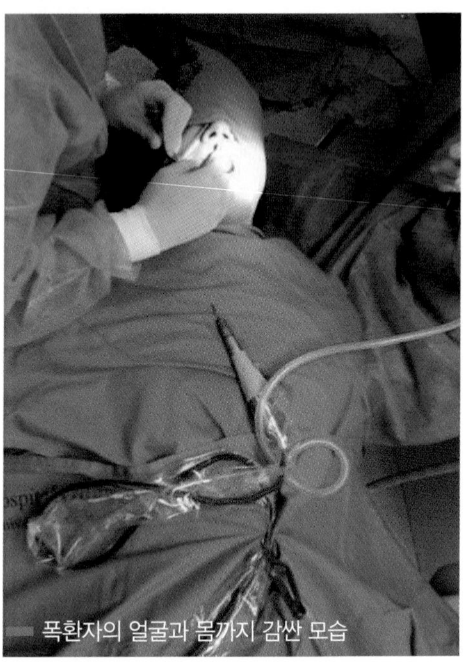
폭환자의 얼굴과 몸까지 감싼 모습

아무래도 대학병원이다보니 감염관리에 최선을 다하는 듯하다. 여기에 보이는 로스피드 핸드피스를 보면, 라인까지 감염관리를 하기 위해서 체어에 부착된 핸드피스를 사용하지 않는 듯하다.

11 스페인 바르셀로나 치과대학 구강외과 수련의 발치모습 ★

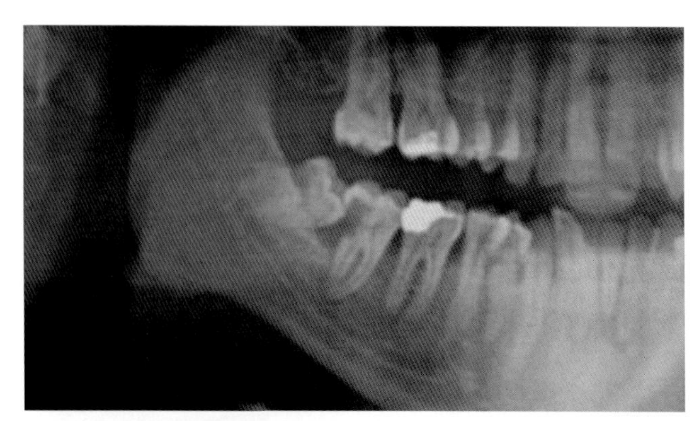

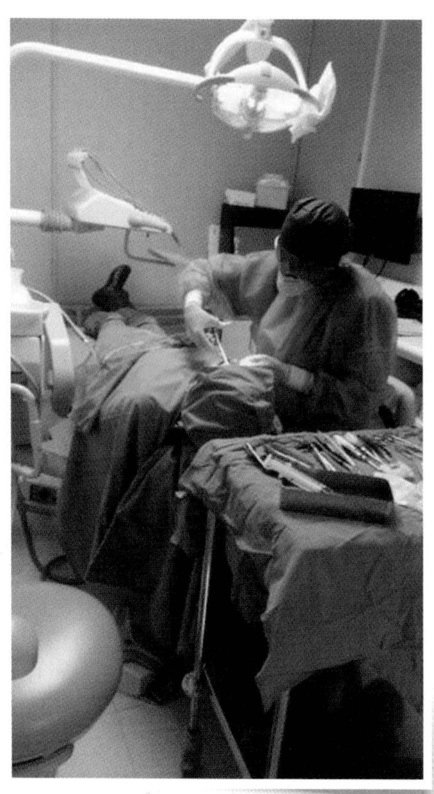

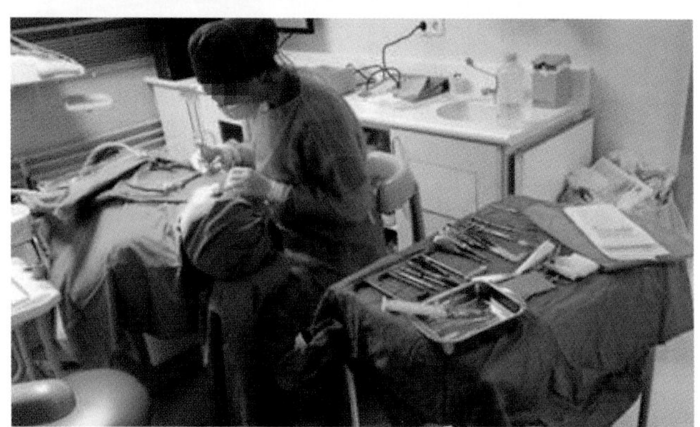

평소 하이스피드를 이용하여 발치하던 필자는 바르셀로나 치과대학에서 로스피드로 발치하는 광경을 보고 많은 것을 느꼈다. 발치 스타일이 좀 거칠기도 하지만, 수련의들이라 아직 미숙해서인지 정말 골 삭제가 심했다. 필자라면 평균 3~5분이면 발치할 사랑니들을 엄청난 절개, 박리와 골 삭제와 더불어 오랜시간 동안 진행하였다. 간혹 좀 어려워 보이는 것들도 있었지만, 어떻게든 발치를 하긴 했다. 그러나 골 삭제 정도가 매우 심하였다.
한동안 로스피드로 발치하는 모대학 구강외과출신과 일하면서 로스피드 발치를 지켜보기도 했고, 필자도 직접 로스피드만으로 많은 발치를 해보았지만, 그래도 발치는 하이스피드가 옳은 듯 해보였다. 그러나 필자가 바르셀로나 치과대학 구강외과에서 발치하는 모습을 보고 확실히 도움된 한 가지는 있다. 바로 이렇게 골 삭제를 많이 하면서 발치를 해도 되는구나... 였다. ^^ 바르셀로나 여행 이후 필자는 발치에 더 큰 자심감을 얻게 되었다.

미국에서 함께 공부했던 스페인 치과의사친구(아니 까딸란) Dr. Xavi Costa 덕에 바르셀로나 여행 가서 가우디 건물 한 번 못보고 바르셀로나 치과대학 발치 스타일에 푹 빠져 있다 왔지만, 매우 기분 좋은 여행이었다. 3년 후 Xavi Costa의 결혼식에 참석하기 위해서 바르셀로나에 다시 갔을 때는 가우디만 보고 왔다. ^^

12
사랑니 발치 장면 VS 임플란트 수술 장면 ★

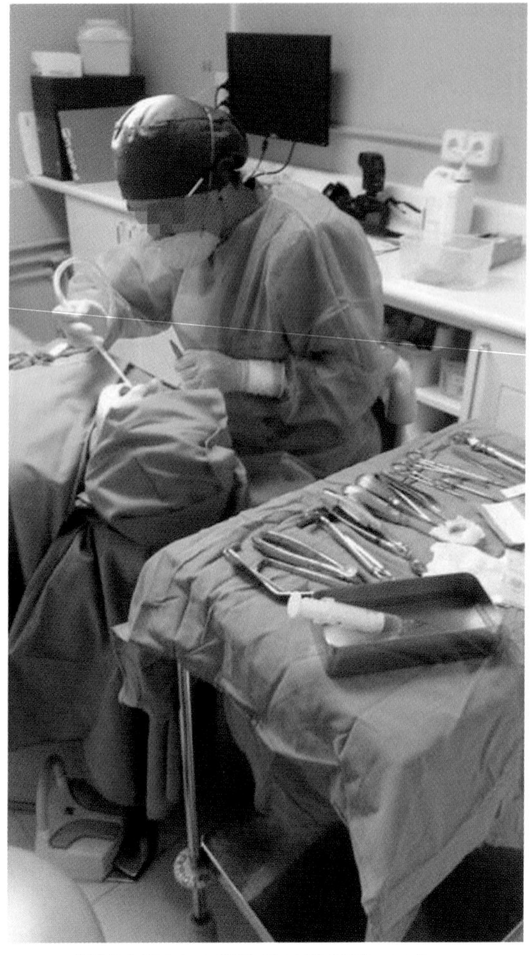

스페인 구강외과 수련의 혼자 발치하는 모습

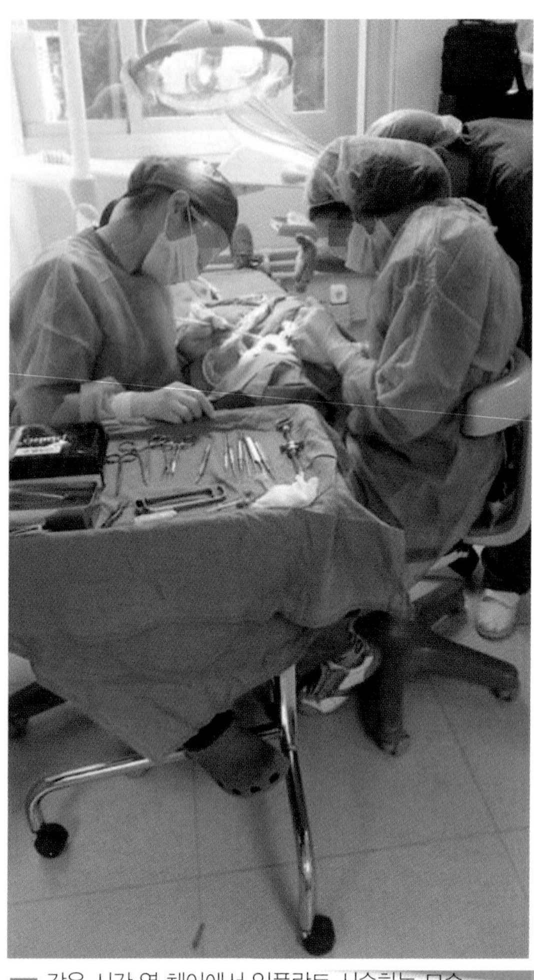

같은 시간 옆 체어에서 임플란트 시술하는 모습

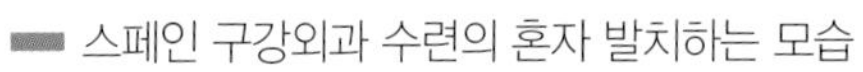

세계 어느 곳이나 마찬가지겠지만 바르셀로나 치과대학도 마찬가지였다. 국가에서 보험되는 공짜 사랑니 발치는 수련의 혼자 준비하고 석션하면서 진행하지만, 바로 옆에서 시술되는 임플란트에는 많은 사람이 모여 있었다.

13
스페인 치과보험은 최악.. ★

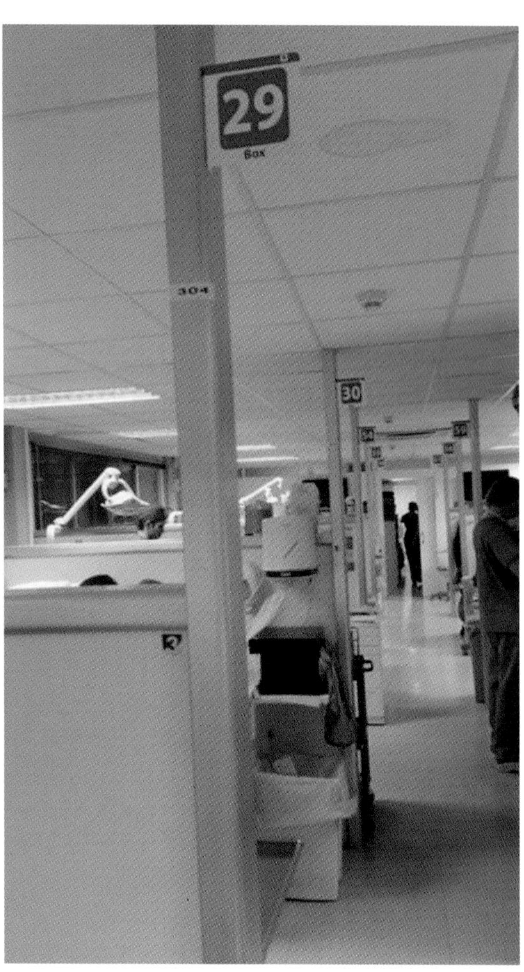

▬ 스페인 구강외과 앞 대기실에 있는 환자들과 구강외과 진료실 내부

스페인에서 치과보험은 방사선사진과 발치만 된다고 한다. 다만 모두 공짜이고 국가 예산으로 공공의료기관에서만 운영된다고 한다. 다만, 매복 사랑니 발치처럼 일반 보건소나 국립치과병원에서 시행하기 어려운 것은 이렇게 치과대학병원과 연계되어 시행된다고 한다.

그러나 방사선 사진 하나 찍는데 최소 한 달 이상 걸리고, 발치하는데는 몇 달이 걸리며, 이런 사랑니 발치를 치과대학병원에 의뢰하여 발치하는 데는 1년 반에서 2년 정도가 걸린다고 하니... 환자들이 오늘이 아니면 발치가 어려울 수도 있기 때문에 이렇게 미리미리 와서 대기하는 것일 것이다.

필자가 지켜보는 기간 내에도 너무 늦어서 결국 7번까지 같이 빼는 경우도 많았다. 반드시 공짜인 것이 좋은 것만은 아닌 듯하다. (영어로 대화한 것이므로 약간의 오해가 있을 수 있다.)

14
필자가 사용하는 로스피드 핸드피스용 라운드 버★★

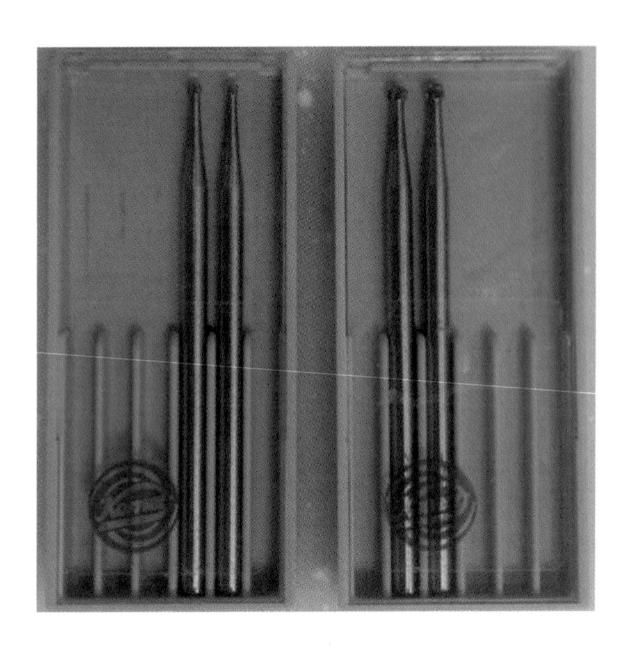

필자는 로스피드 핸드피스용 버도 주로 라운드 버를 사용한다. 다만 실제 발치할 때 일반적으로 로스피드를 사용하지 않고, 아주 작은 치근이 남아 있는 경우에 치근에 홈을 파기 위한 경우에만 선택적으로 사용하기 때문에 필자가 사용하는 Hu-Friedy EL3C 엘리베이터와 함께 사용하기에는 사이즈가 작은 4번 이하의 버가 좋다. 만약 발치할 때 처음부터 끝까지 로스피드 핸드피스를 이용해서 발치해야만 한다면, 절삭력이 좀 더 뛰어난 피셔 버도 나쁘지 않다.

필자가 사용하는 로스피드 핸드피스용 서지컬 버

버 사이즈는 당연히 하이스피드랑 같겠죠?
필자는 주로 로스피도 버도 4번(직경 1.4 mm) 라운드 버이다.

15
로스피드 핸드피스용 피셔 버 ★★★

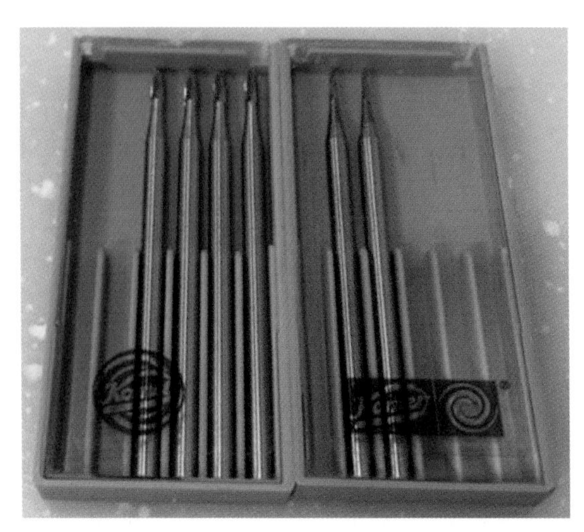

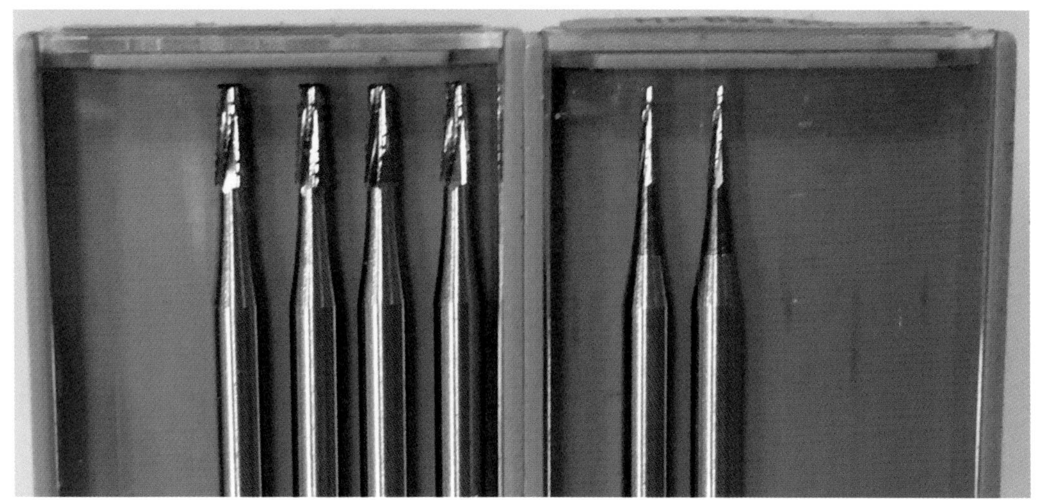

로스피드 핸드피스만을 이용해서 발치하는 치과의사들은 대부분 효율적인 치아 삭제를 위해서 피셔 버를 사용하는 듯하다. 로스피드는 절삭력이 떨어지기 때문에 대부분 016 이상의 두꺼운 버를 사용하는데, 이 버도 생크 두께(2.35 mm)보다 작기 때문에 치아를 통으로 삭제해야 하는 경우는 입구 부분을 좀 더 넓혀야 하는 불편함이 있다. 피셔 버라고 해도 하이스피드 핸드피스처럼 날이 길지 않기 때문에 연조직을 상하게 할 가능성은 별로 없다. 이 책의 수평 매복치 발치의 가장 마지막에 다룰 수평 매복치 발치 시 작은 치근이 남은 경우에 잔존 치근에 1자 드라이버 모양의 홈을 만들 때는 오른쪽의 좁은 피셔 버를 사용하기도 한다. 필자는 경험 삼아서 모든 버를 이용해서 충분히 발치를 해보았다. 그러나 역시 하이스피드 라운드 버보다 빠르고 안진한 것은 없는 듯하다. 또한 로스피드로 발치할 경우에는 삭제력이 좀 떨어지다 보니, 조금은 힘을 더 주게 된다. 그러다 보면 조금은 설측을 뚫기도 하고, 필자처럼 많이 발치하는 경우에는 손목이나 어깨에 피로가 쉽게 와서 오래 사용하기는 힘들어진다. 필자도 주변에 발치를 필자만큼 많이 하는 분들을 보면 대부분 개원 초에는 로스피로 시작을 해도 나중에는 결국 대부분 하이스피드 핸드피스로 바꾸게 되는 것을 많이 목격하였다.

잠깐!

Dr. 김영삼의 사랑니 발치 스타일은 어떨까?

내 스스로 판단을 내리기보다는 필자에게 발치를 배우거나, 필자와 함께 일하면서 발치를 오랫동안 지켜본 치과의사, 발치를 어시스트한 치과위생사들의 이야기를 들어보았다. 앞서 언급했듯이 그들이 하는 말은 대부분 비슷했다.

대부분 <발치를 잘한다기보다는 쉽게 한다?> 이 것이었다.

그들의 이야기를 종합해서 나의 사랑니 발치 스타일을 설명해보면 아무리 난이도가 높은 사랑니 발치도 간단한 사랑니를 뽑을 때와 크게 다르지 않다는 것이다. 그저 필자의 원칙대로 필자의 방식 하나하나를 필요에 따라서 적용한다. 절대 한가지 방법을 오래 시도하지 않는다. 그러다 보니 어려운 발치도 특별히 달라 보이지 않는 것이다.

> 엘리베이터를 쓰는 방식, 핸드피스로 치아를 삭제하는 방식, 포셉을 잡는 방식 모두 내 나름대로의 방식이 있고, 시도해서 안 되면 바로 다음 단계로 들어가기 때문에 한가지 방법으로 시간을 오래 끄는 경우가 거의 없다. 이는 많은 경험을 통해서 각각의 방식이 어느 경우에 더 효율적인지를 깨달았기 때문일것이다.

이 책에서 그러한 부분도 필자의 방식을 하나씩 배워보자. 그리고 그 비결에는 매우 손에 익은 도구만을 사용하는 것도 이유가 될 수 있을 것이다. 그렇기 때문에 간단한 발치나 쉬운 발치나 이용하는 도구가 거의 비슷하다. 사랑니 발치를 많이 하기 위해서는 빠르고 후유증 없이 안전하게 빼야 하기 때문에 필자는 꼭 내 손에 익은 기구와 방식만을 고집한다. 무엇보다 필자는 강직성 척추염 등의 고질적인 척추질환으로 고생하고 있고, 심지어 수술 후 후유증으로 장애등급까지 받은 상태이다. 그러다 보니 같은 자세로 오래 진료를 할 수 없어서 발치를 빠르게 하려고도 했다. 빠른 시간 내에 사랑니를 빼지 않으면 필자는 발치를 계속할 수 없는 신체적인 한계를 가지고 있다. 또한 고개를 숙이거나 척추를 유연하게 움직이기 어렵기 때문에 한자리에서 비슷한 포즈로 발치를 하기 때문에 발치기구나 사용방식이 매우 단순해진 듯하다.

EASY
SIMPLE
SAFE
EXTRACTION
of
wisdom
tooth

05-2
CHAPTER

로스피드 핸드피스를 이용한 사랑니 발치 훑어보기

GANGNAM STYLE

로스피드 핸드피스를 이용한 사랑니 발치 훑어보기

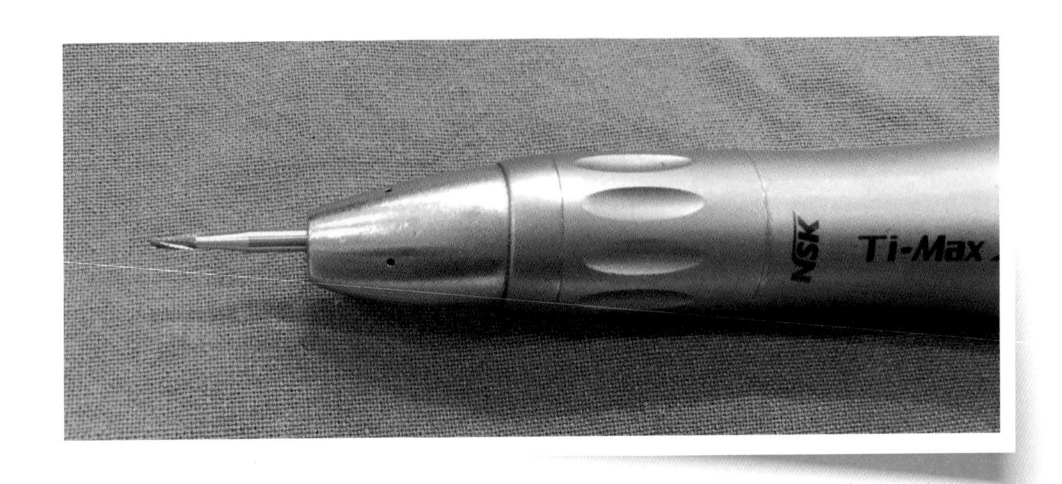

필자는 기본적으로 하이스피드 핸드피스를 이용하여 발치를 시행하기 때문에 별도로 로스피드 핸드피스를 이용하여 발치하는 부분에 대해서는 이 책에 따로 언급하지 않는다. 실제로 특정한 대학병원이 아니고는 로스피드만으로 발치하는 치과의사들은 매우 적고, 대부분 보조적으로 치근을 제거하는 경우나 협측 치조골을 삭제하는 경우 등에만 사용한다. 다만 로스피드 핸드피스만으로 발치하라고 하는 치과대학이 아니라도, 수술방에서 전신마취 하에 발치하는 경우 등에서는 하이스피드 핸드피스가 준비되지 않아서 로스피드 핸드피스로만 발치를 하는 경우가 많다고 한다.
어쨌든 이 책에서 로스피드 핸드피스로 발치하는 것에 대한 설명은 따로 없기 때문에 이 chapter에서 간단하게 언급하는 정도로 마무리하겠다. 초급자라면 바로 패스하고 다음 장으로 넘어가길 바란다.

01
로스피드를 이용한 대표적인 사랑니 발치 방법 ★★

1. 수평 2분할

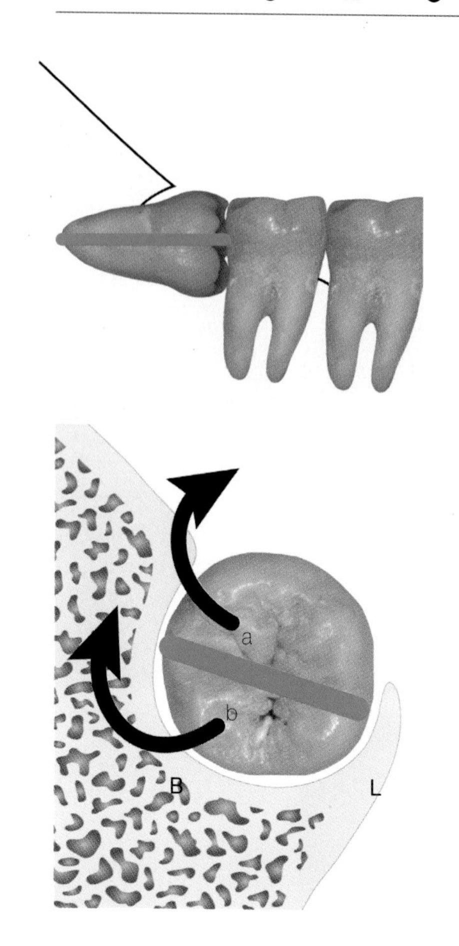

치아를 수평으로 잘라서 윗부분을 제거하고 아랫 부분을 제거하는 방법으로 사랑니 협측 골과 치아를 많이 삭제해야 한다. 공간 감각이 부족한 치과의사들은 이러한 방식의 발치가 보다 쉽지 않을 듯하였고, 공간 감각이 부족할수록 협측 골 삭제량이 증가하는 듯하다. 필자도 이 방법으로도 발치를 많이 해봤는데, 시간이 그리 오래 걸리지는 않았다. 그러나 오랜기간 동안 많은 사랑니 발치를 하기에는 적합하지 않은 듯하다. 또한 이러한 발치 스타일이 출혈, 부종, 신경손상 등 부작용이 확실히 더 빈번히 발생하는 듯 하였다. 필자는 아직 경험해보지는 않았지만 주변에서는 확실히 흔하고 더 빈번하게 부작용을 보였다.

2. 머리치기(수직 2분할)

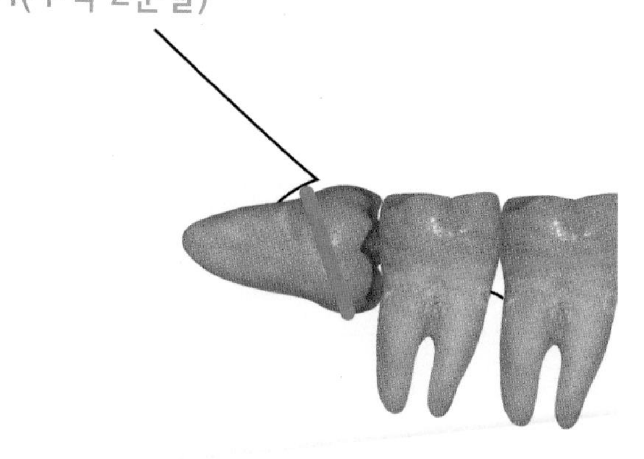

치아를 수평 분할하지 않고 치관부분을 먼저 제거하고 협측 치조골을 제거하는 방법으로 로스피드 핸드피스가 수직이다 보니 치아 삭제를 위해서는 확실히 보다 많은 골 삭제를 동반할 수밖에 없고, 이는 발치 후 출혈과 부종, 신경손상 등 보다 많은 부작용을 야기할 수 있다. 종종 공간 감각이 부족한 치과의사들의 경우는 치아를 삭제하기 힘들기 때문에 상부 골을 거의 들어내듯이 많이 삭제해서 발치하는 경우도 있다고 한다. 이 방법을 단독으로도 사용하기도 하지만, 주로 수평 2분할 발치에 부수적으로 함께 자주 사용된다. 수평 매복치 상방에 골이 많은 경우나 하이스피드 버가 도달하기 어려운 성도로 깊게 수평 매복된 경우에 종종 유용하지만, 그만큼 하이스피드 발치에 익숙해지면 대부분의 경우도 가능하기 때문에 굳이 이 방법대로만의 발치를 고집할 필요는 없다고 생각한다.

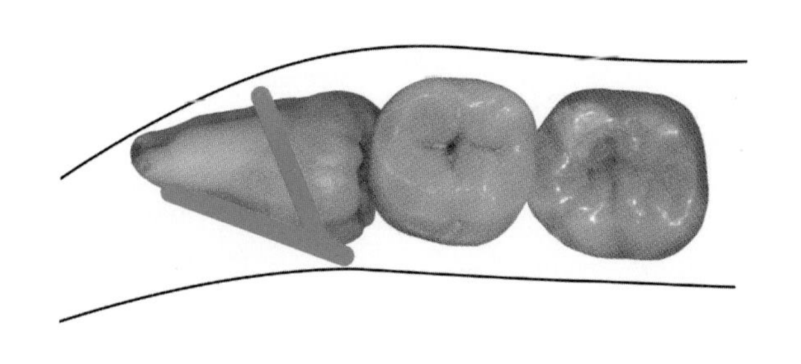

필자는 주로 상악 매복 사랑니를 발치할 때 이러한 방법을 사용한다.

02
로스피드 핸드피스를 이용한 머리치기 발치 ★

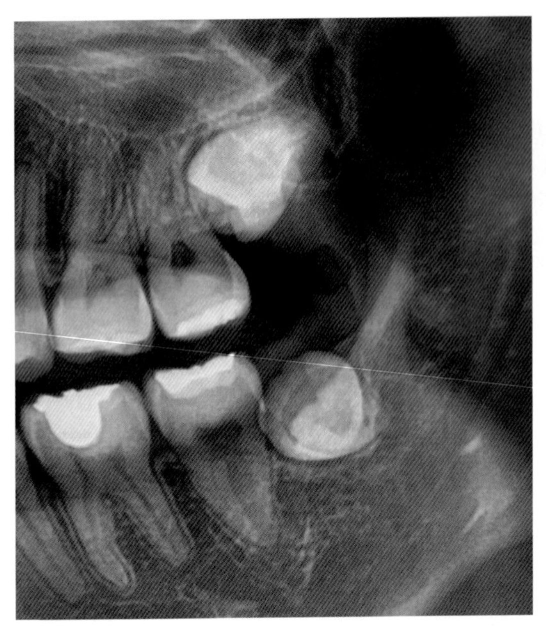

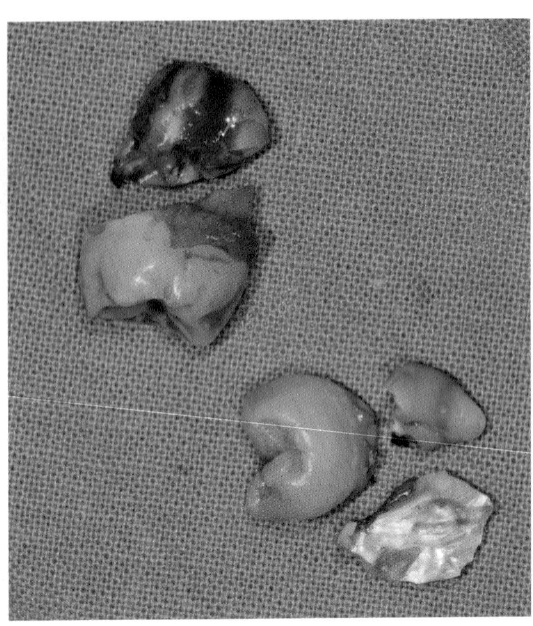

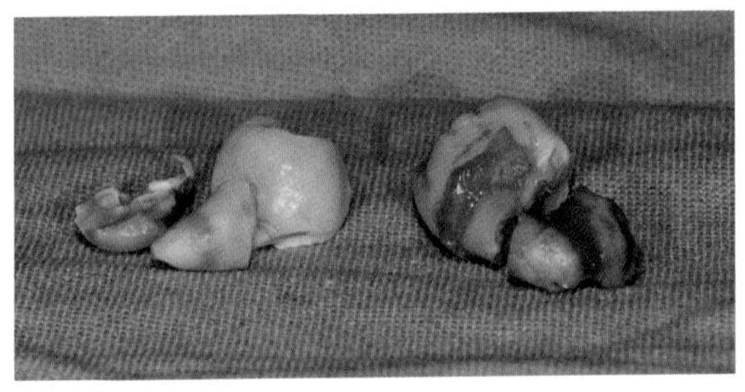

이 케이스의 경우는 상악 사랑니 발치 때문에 로스피드 핸드피스를 사용해야 했기 때문에 기구를 최소로 사용하는 필자의 습관대로 하악 사랑니도 로스피드를 이용하여 발치한 케이스이다. 상악의 경우에는 하이스피드 핸드피스를 거의 사용하지 않기 때문에 선택적으로 로스피드 핸드피스를 종종 사용한다. 그러나 하악의 경우는 거의 사용하지 않으며, 사용한다고 해도 대부분 위와 같은 머리치는 방법이 아니라 수평으로 절개하는 방식으로 많이 한다. 그러나 치관이 위와 같이 설측으로 경사진 경우에는 매우 유용하게 사용하기도 한다. 그러나 이 방법이 수평으로 자르는 방법보다는 다양한 형태로 사용하기 어렵고 협측 골 삭제를 좀 더 많이 해야 하는 단점이 있다. 물론 뽑는 치과의사의 스타일에 따라 다르지만, 필자가 경험한 바로는 좋은 방법은 아니라고 생각한다. 공간감각이 떨어져서 발치 실력이 다소 부족한 치과의사들이 협측 골 삭제를 많이 하면서 발치를 이런 스타일로 많이 한다고 느껴졌다. 물론 필자의 지극히 개인적인 생각일 수 있다. 상악에서는 협측 골을 큰 의미 없이 삭제해도 크게 상관 없고 별다른 대안이 없으므로 이런 스타일로 발치를 많이 시행한다. 이러한 내용은 이 책의 뒷부분 상악 사랑니 발치에서 다뤄보자.

03
로스피드 핸드피스를 이용한 수평치기(수평 2분할) 발치 1 ★

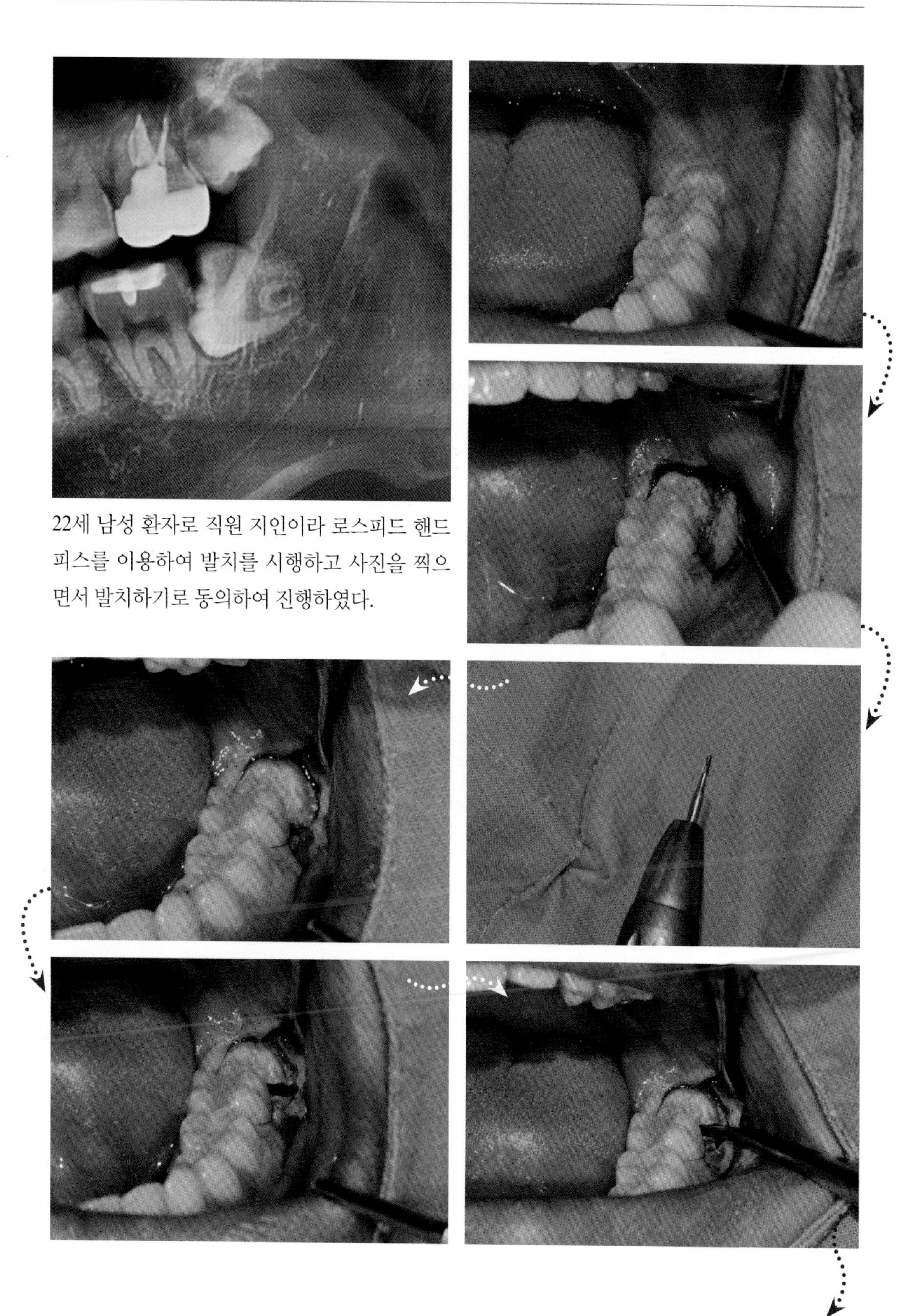

22세 남성 환자로 직원 지인이라 로스피드 핸드피스를 이용하여 발치를 시행하고 사진을 찍으면서 발치하기로 동의하여 진행하였다.

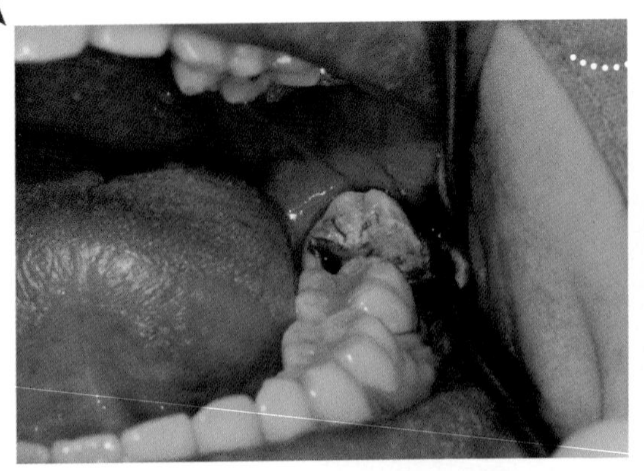
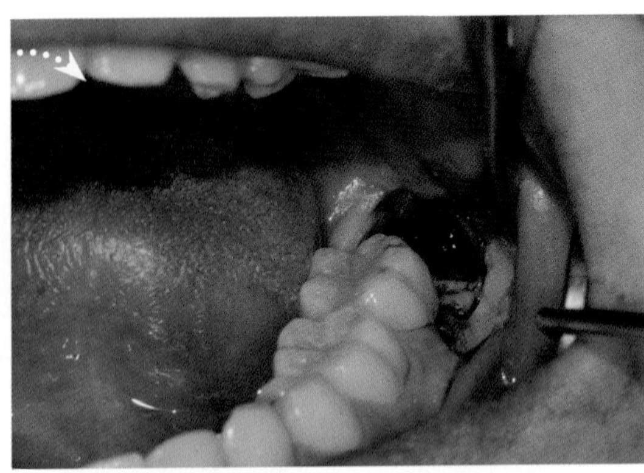
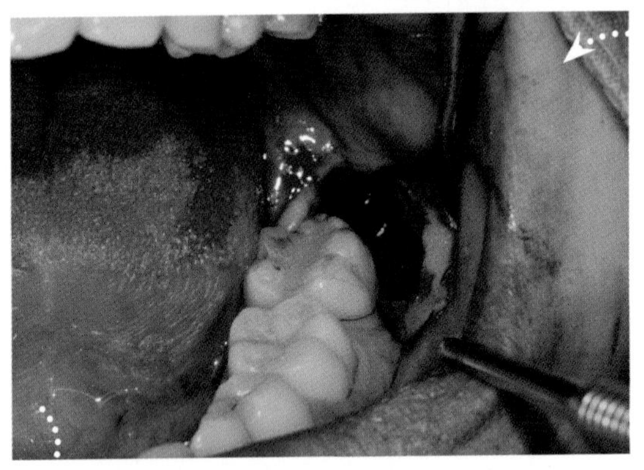
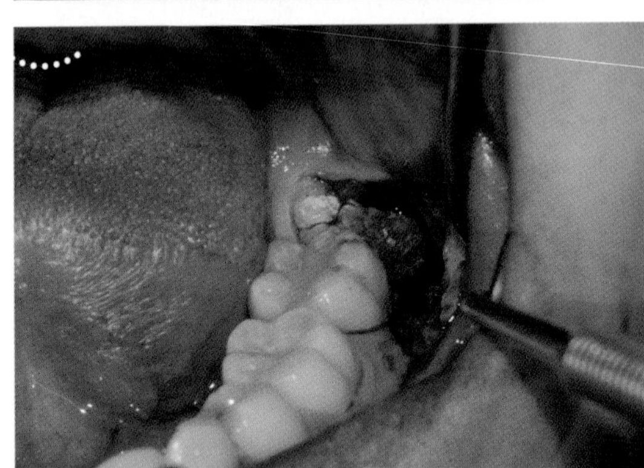
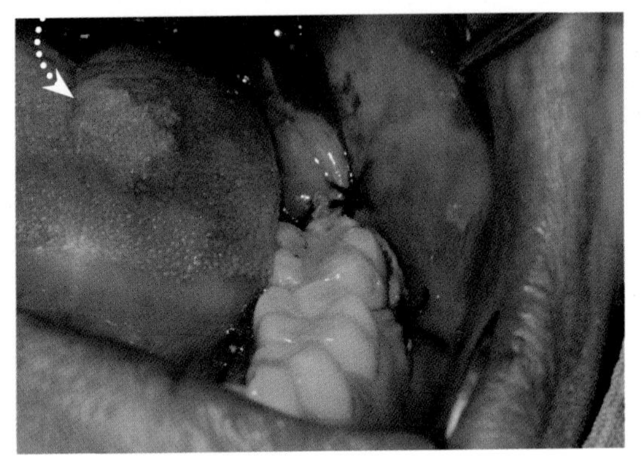
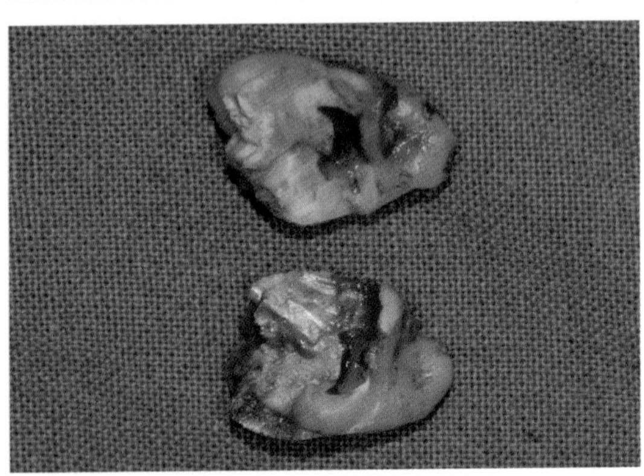
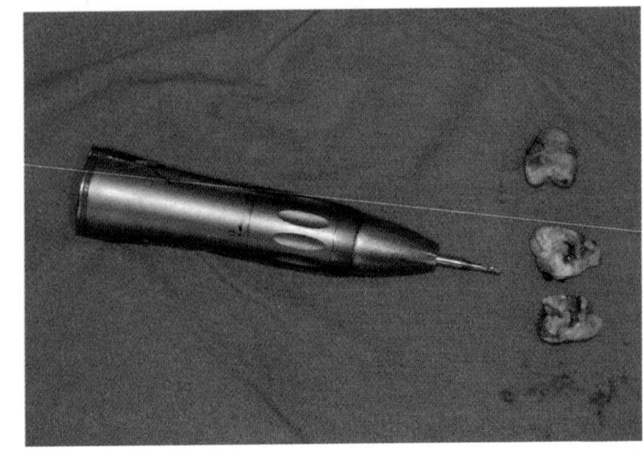

일반적으로 스트레이트 로스피드 핸드피스를 이용하여 발치하는 경우에는 7번 근심 이상으로 잇몸을 박리해야만 한다. 또한 수직적으로 매우 높은 경우가 아니라면 협측의 골 삭제는 반드시 필요하며, 수직적인 높이가 낮을수록 협측 골 삭제량이 많아진다. 협측 골 삭제 후 치아의 협측 중심부에서 치아를 근원심으로 2분할하도록 치아를 삭제하고 엘리베이터를 이용하여 파절시켜서 7번 원심면의 언더컷에 걸리지 않는 상부(원심)를 제거하고 나머지 하부(근심)을 제거하는 방식이다. 실제로 발치하면서는 다양한 변수가 생길 수 있다. 이러한 방법은 주로 구강외과의사들이 하이스피드 핸드피스가 없는 수술방에서 사랑니를 발치할 때 사용하며, 의외로 익숙해지면 이 방법으로도 쉽게 사랑니를 뺄 수 있다. 그러나 우리나라처럼 환자를 많이 봐야 하는 환경에서는 술자의 손목과 어깨에 무리가 가고, 과도한 협측 골의 삭제로 인한 출혈도 문제가 될 수 있다. 또한 설측까지 치아를 삭제하다보면 힘 조절에 실패하여 설측 피질골이 손상되기도 쉽다. 또한 버의 접근 방향과 하부의 근심 조각을 제거하는 과정 때문에 7번 원심면이 손상될 확률도 높다고 생각한다.

로스피드 핸드피스를 이용한 수평치기(수평 2분할) 발치 2★

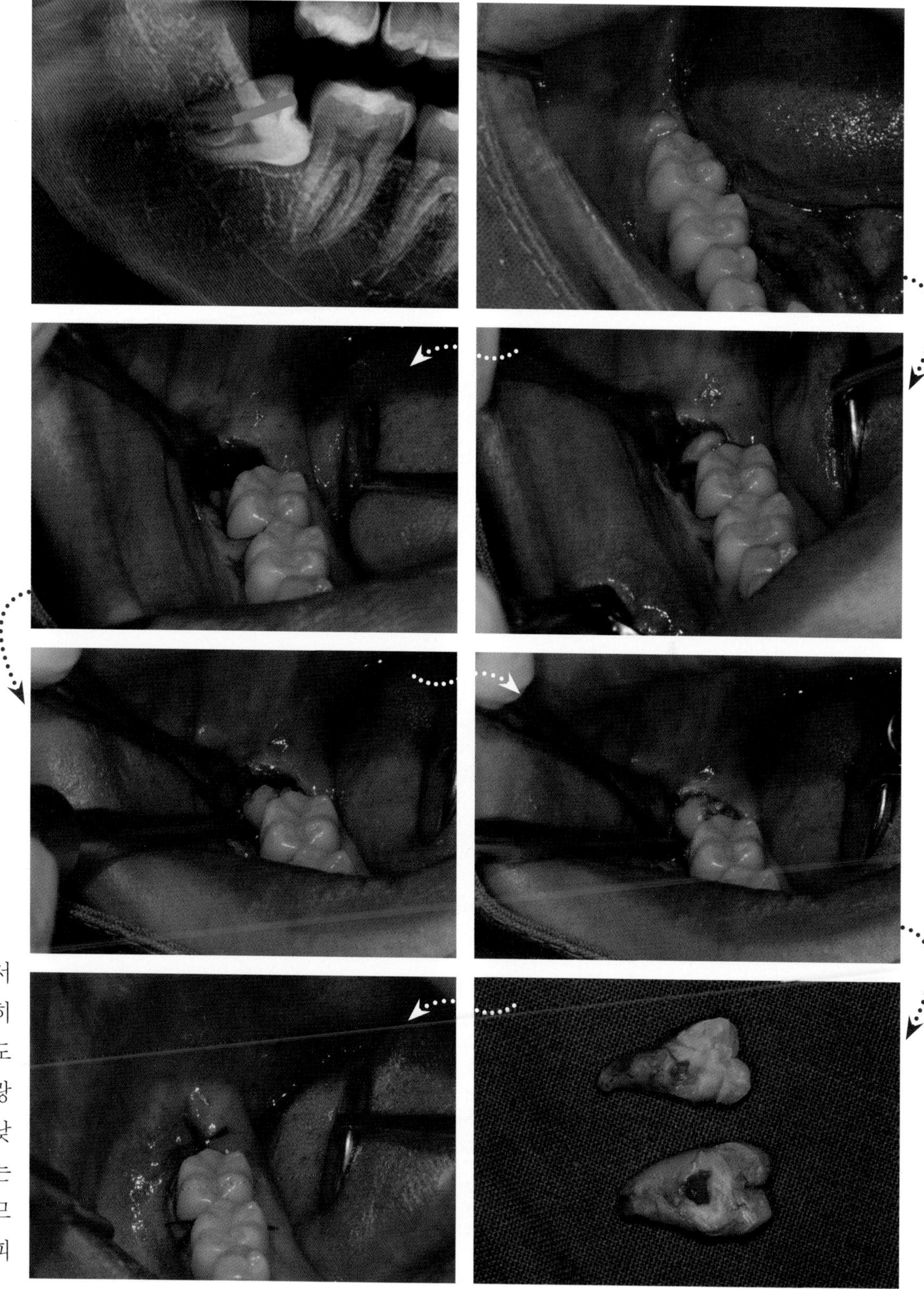

필자가 익숙하지 않아서 일 수도 있지만, 확실히 어깨와 손목이 아플 정도로 힘이 많이 든다. 사랑니의 수직적인 높이가 낮으면 치근의 중심까지는 수평으로 삭제해야 하므로 과도한 골 삭제를 피할 수 없다.

로스피드 핸드피스를 이용한 수평치기(수평 2분할) 발치 3

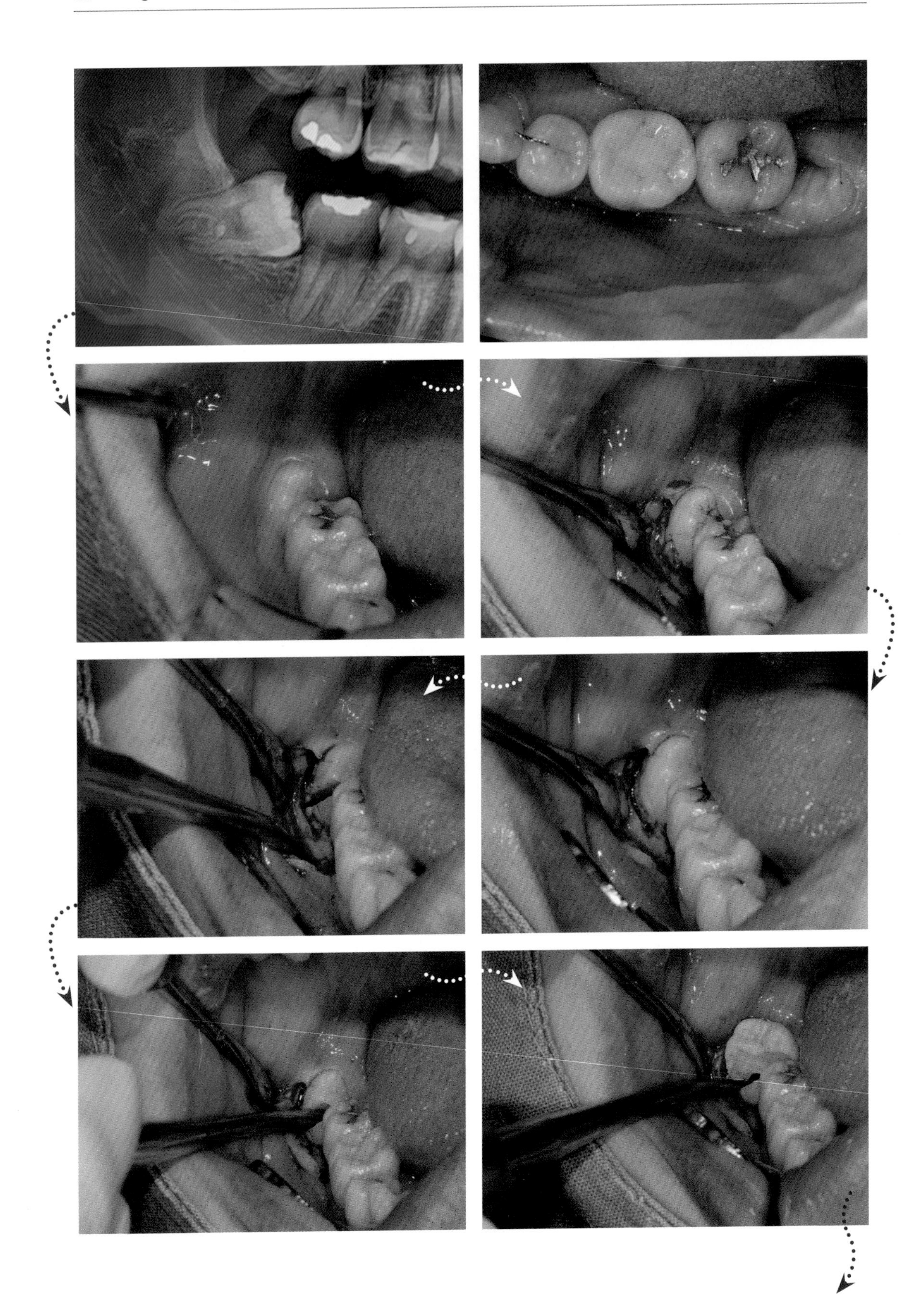

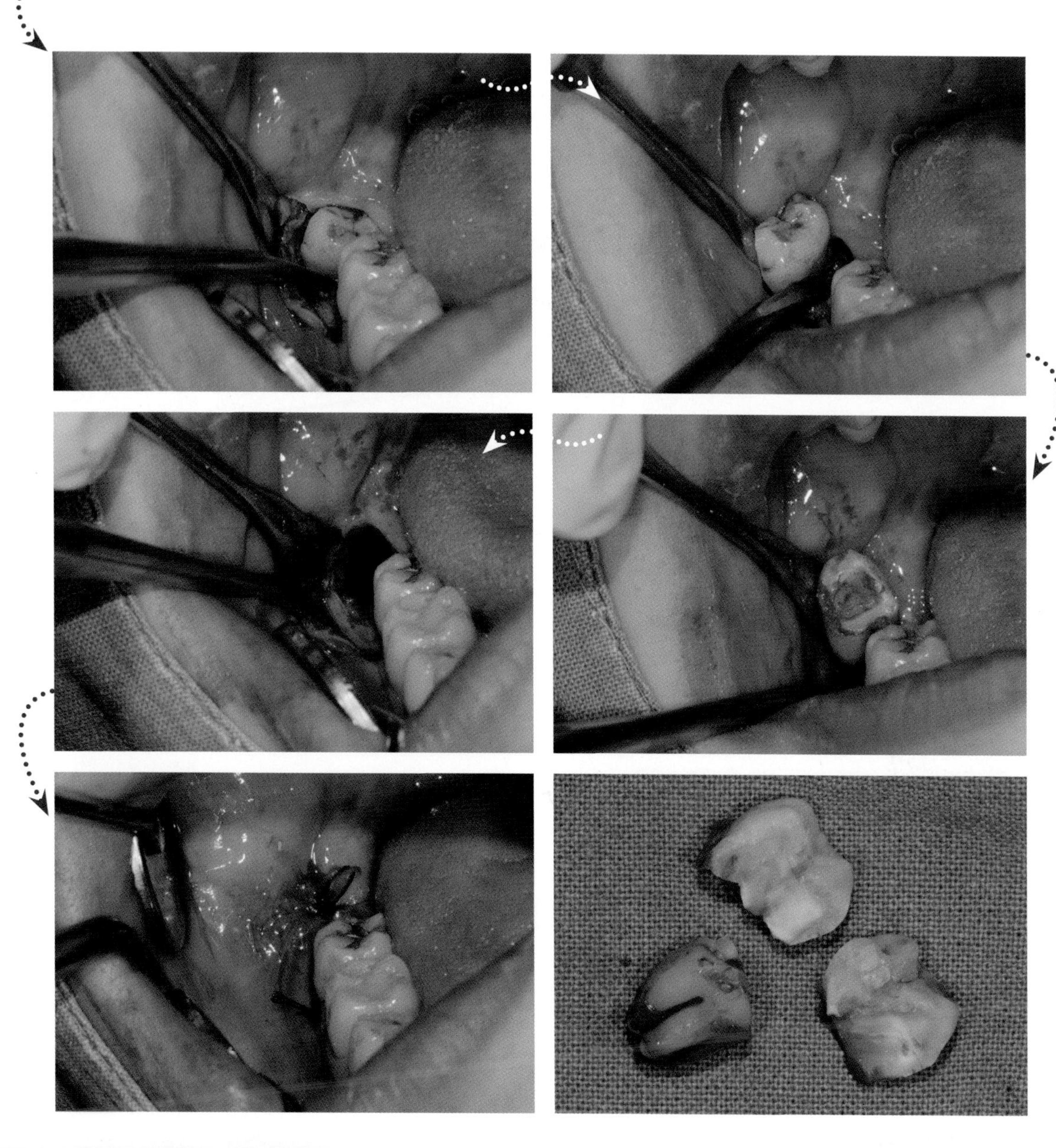

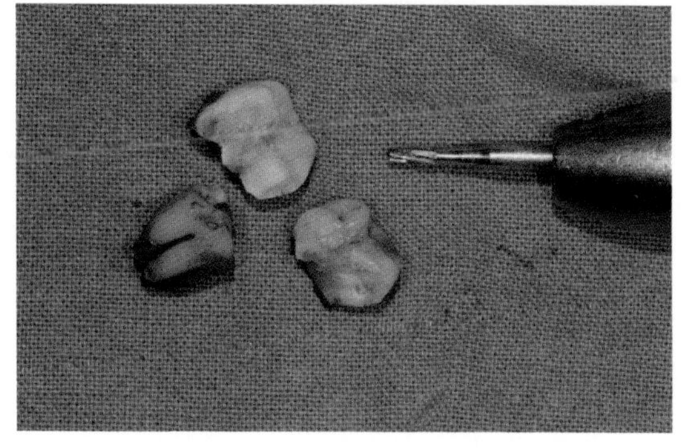

22세 여성 환자로 직원 친구여서 스트레이트 로스피드 핸드피스를 이용한 발치를 촬영하고자 발치하였다. 방사선 사진상 치근이 두 개로 보여서 로스피드 핸드피스를 이용하여 치아를 2등분하여 발치하려고 하였으나 의외로 치근이 붙어 있고, 치근부까지의 삭제량이 적었는지 치관부가 파절되어 발치되었다. 대부분 스트레이트 로스피드 핸드피스를 이용하여 발치하다 보면 이러한 변수가 참 많이 발생한다. 치근의 모양이나 7번 원심면의 언더컷, 원심 협측부의 치조골 등 많은 요소들을 고려해야 한다. 필요하면 의도적으로 이와 같이 치관부와 치근부를 분리하여 발치한다.

04
다른 치과의사의 로스피드 핸드피스를 이용한 발치 과정 엿보기 ★

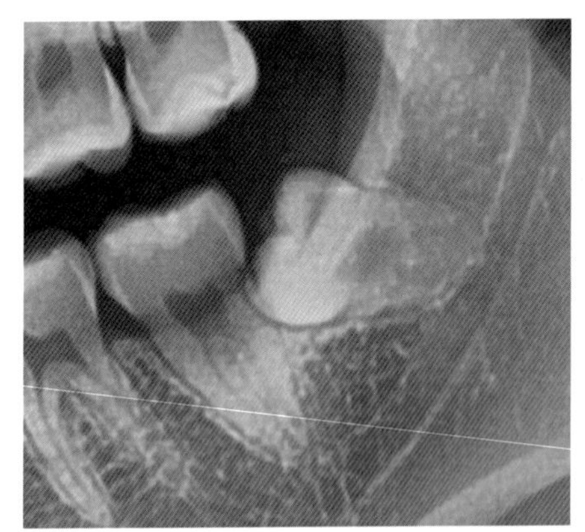

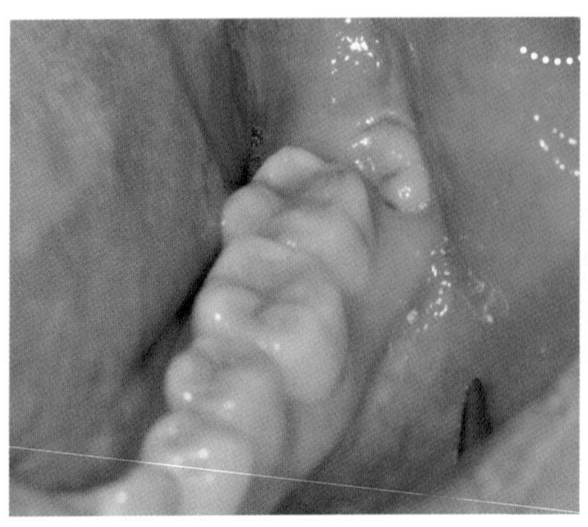

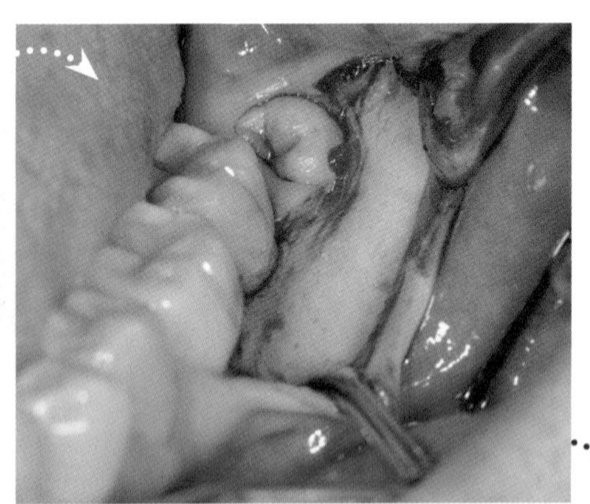

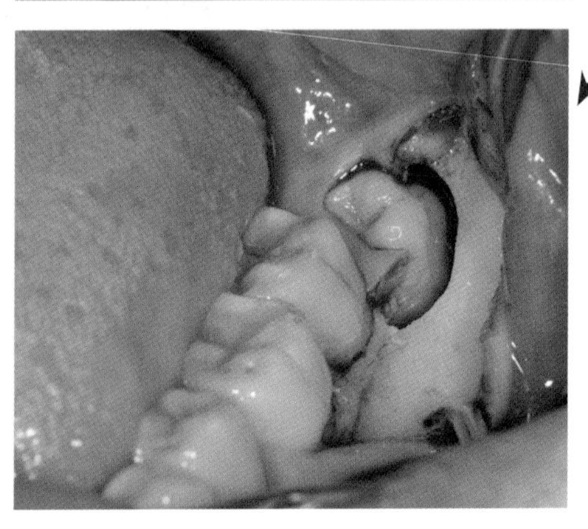

로스피드 핸드피스로 수평 매복치를 발치할 경우에는 치근 부분까지 깊게 삭제해야 하기 때문에 6번까지 길게 판막을 형성하고 협측 골을 깊게 삭제할 수 밖에 없다. 수평 매복일수록 협측 골을 삭제하는 양이 매우 많아진다.

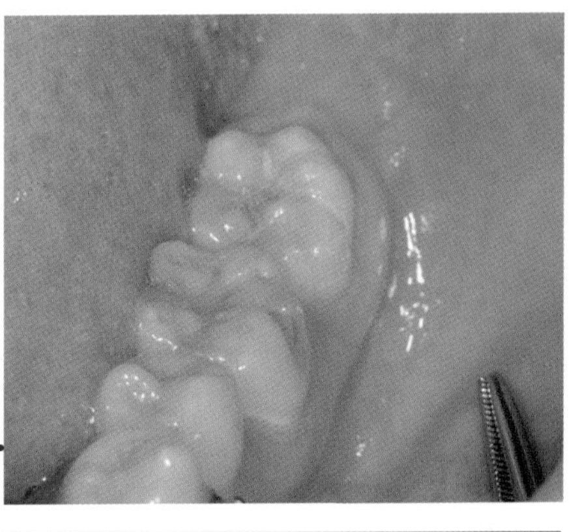

치근을 삭제할 때는 로스피드 피셔 버를 쓰는 경우가 많지만, 위와 같이 치관 주변의 골을 삭제할 때는 라운드 버를 병행해서 사용하는 경우를 흔하게 본다. 골막 박리와 협측 골 삭제 없이는 발치가 불가능하다고 봐야 한다.

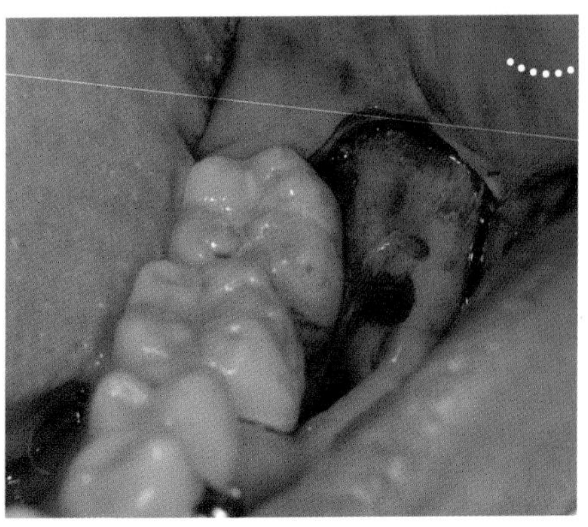

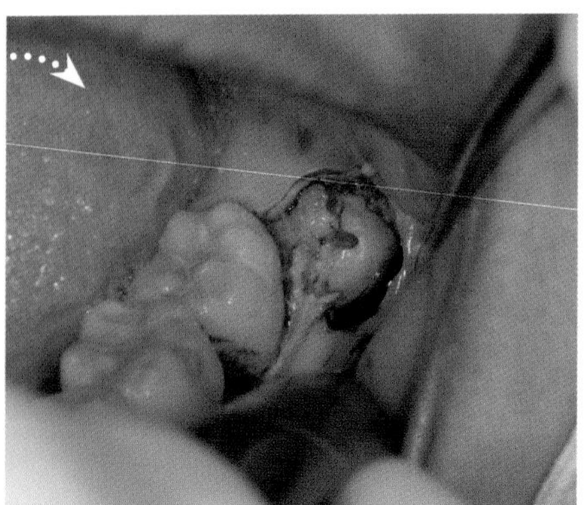

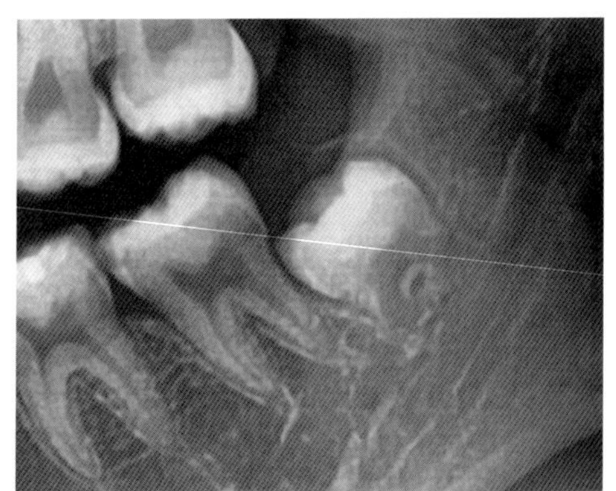

05
로스피드를 이용해서 수평치기(수평 2분할) 발치 1★

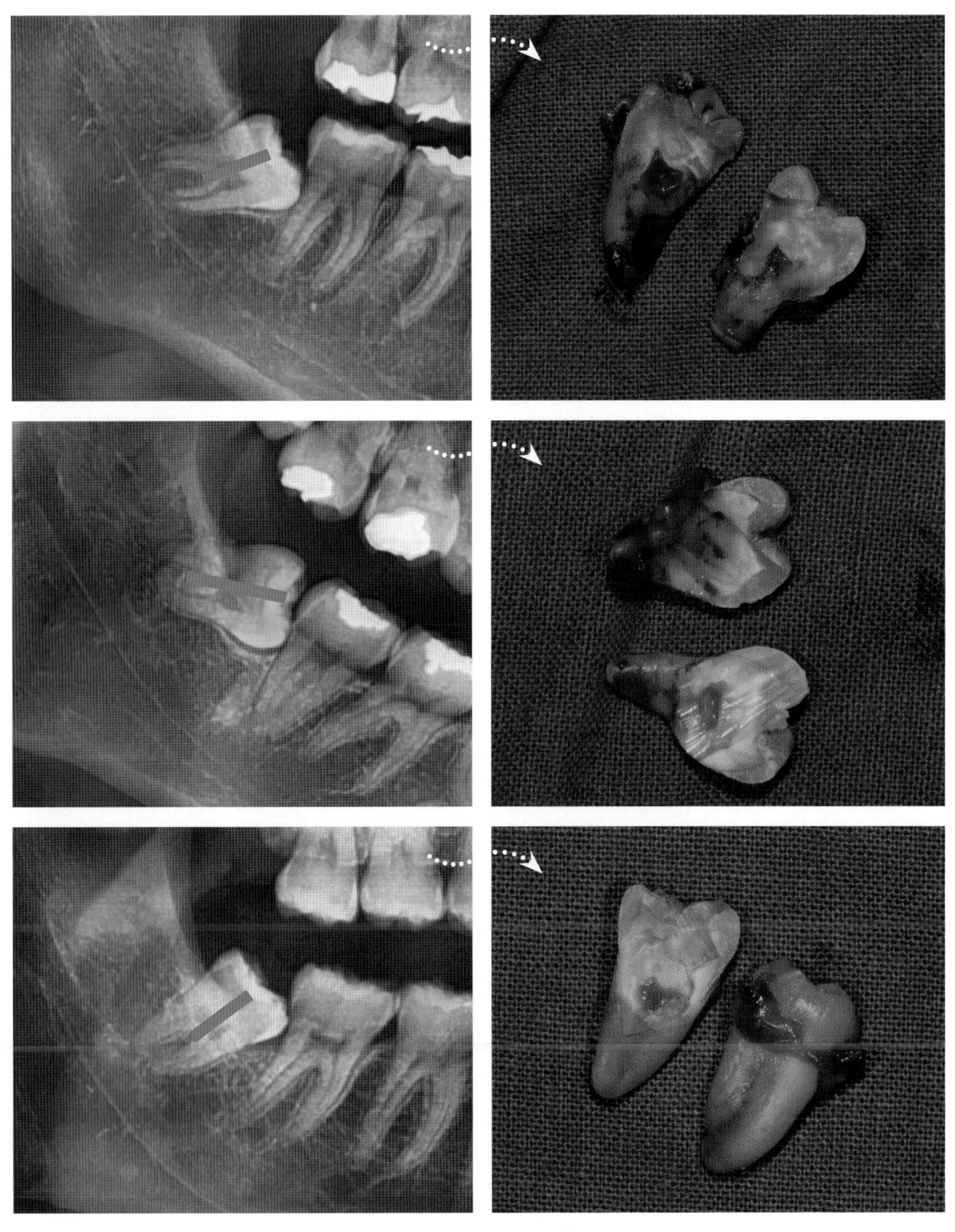

Dr. 이재욱 Comment.

로스피드 핸드피스를 이용하여 발치할 때에는 Case Selection이 매우 중요하다. 특히 초심들은 위 케이스들의 원심 치근 제거 후 무리하게 근심 치근을 들어올리면 7번 원심면에 술후 불편감을 야기할 가능성이 높아진다. 또한 정확히 2분할되지 않고 원심측 치관부만 부러져서 원심 치근만 남는 경우가 발생할 수 있으므로 미리 그러한 가능성을 염두해둬야 한다.

로스피드를 이용해서 수평치기(수평 2분할) 발치 2★

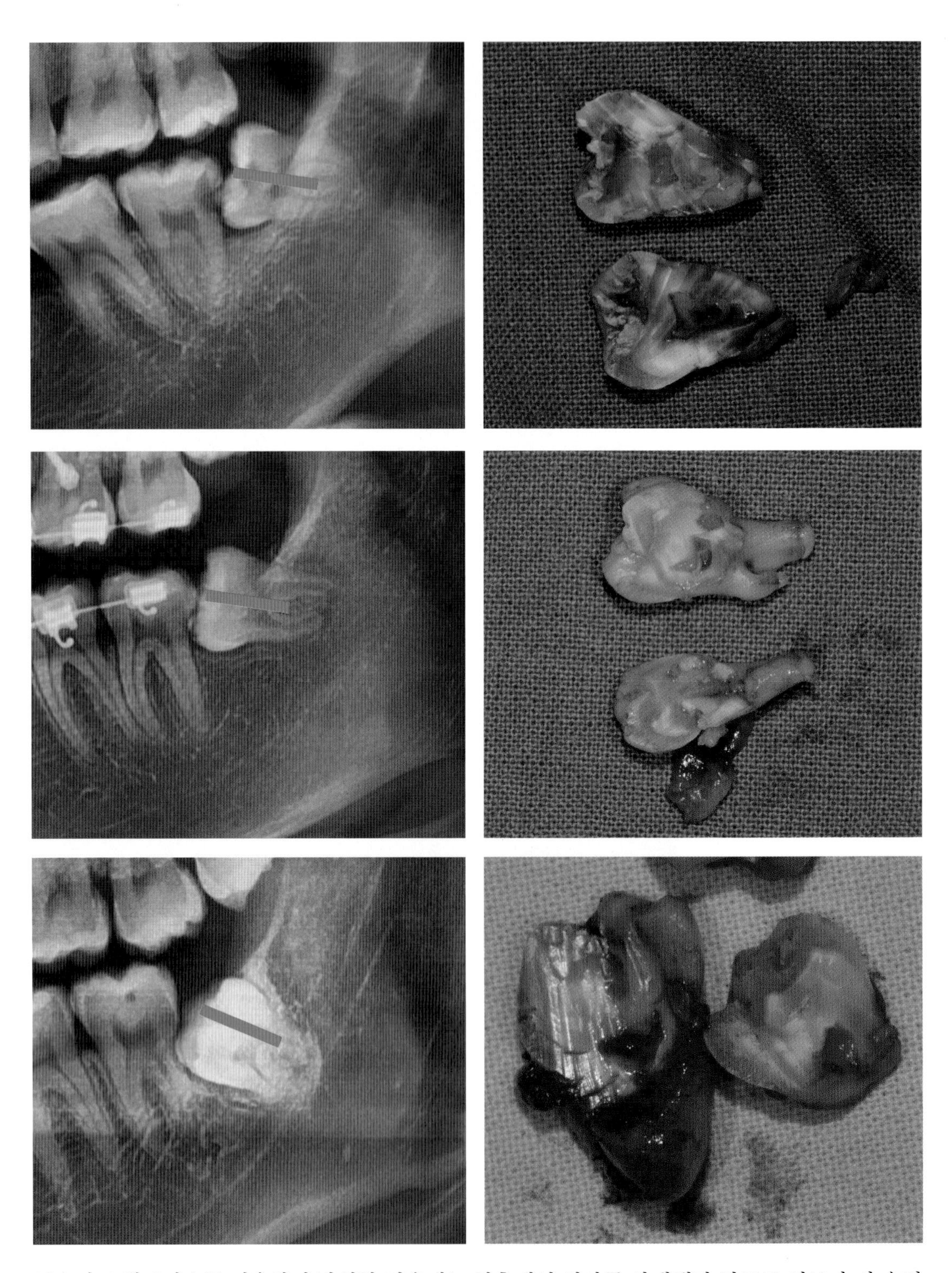

로스피드 핸드피스를 이용하여 발치할 경우에는 협측에서 치아를 삭제해야 하므로 이보다 더 수직적으로는 삭제하기는 어렵다. 그래서 수직 매복에 가까울수록 치아를 수평적으로 2분할하기는 거의 불가능하고 어려워서 치관의 원심 부분을 제거하고 남겨진 치아의 근심 부분을 원심면으로 밀어서 발치를 한다. 이런 경우에는 특히 원심 협측 치조골을 많이 삭제해야 하는 단점도 있다.

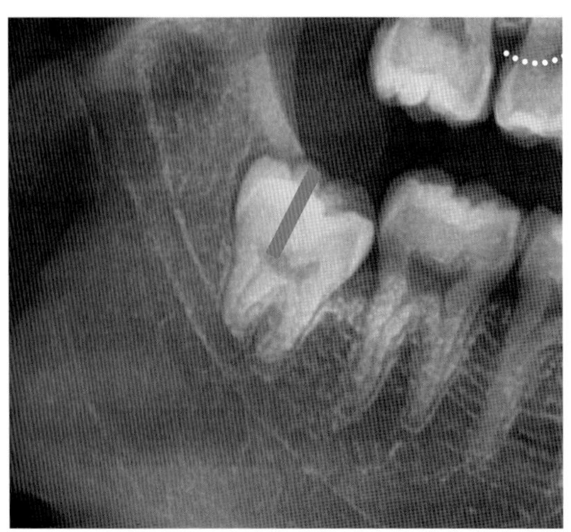
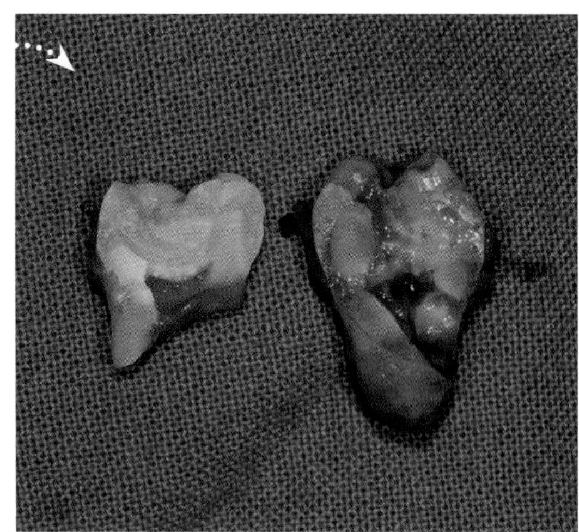

원심면의 골내 언더컷을 제거하기 위해서 로스피드 핸드피스를 이용하여 사랑니의 원심면을 수평으로 옆에서 삭제하고 발치한 케이스

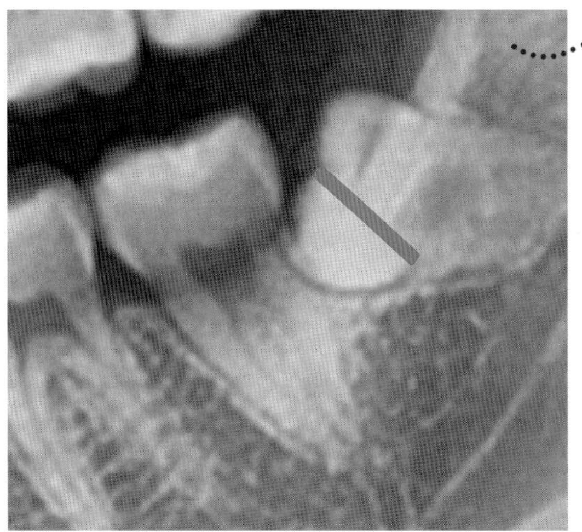
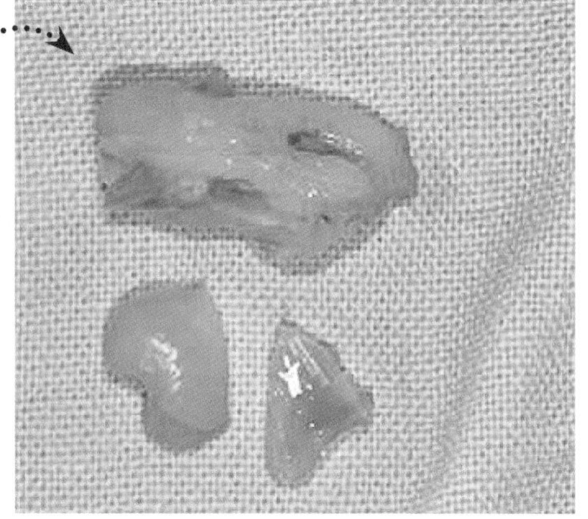

근심면의 언더컷을 제거하기 위하여 로스피드 핸드피스를 이용하여 사랑니의 근심면을 수평으로 옆에서 삭제하고 발치한 케이스

위 두 케이스에서 볼 수 있듯이 로스피드 핸드피스를 이용해서는 치아를 교합면에 수직으로 삭제할 수 없기 때문에 위 두 케이스에서 나오는 각도의 폭이 최대일 것이다. 치아가 수평 매복이 아닌 경우에는 특히나 하이스피드 핸드피스에 비해서 불편함을 감수해야 한다. 위와 같이 사랑니가 수직적으로 원심면이 골내에 매복된 케이스나 살짝 근심으로 경사진 사랑니의 경우는 하이스피드를 이용하면 매우 간단한 치아 삭제만으로 발치를 할 수 있다. 또한 발치만 하고 사는 치과의사가 아니라면, 임플란트를 포함한 대부분 치과진료에서 콘트라앵글 핸드피스를 사용하기 때문에 좀 더 자주 사용하는 기구에 익숙해지는 것도 나쁘지 않다고 생각한다. 필자처럼 하이스피드 핸드피스를 이용해서 8번 치아를 발치하는 습관을 들인 치과의사들에게는 7번 임플란트가 매우 접근이 용이한 쉬운 수술이 될 것이다.

06
수평 2분할과 수직 2분할을 병행한 케이스★

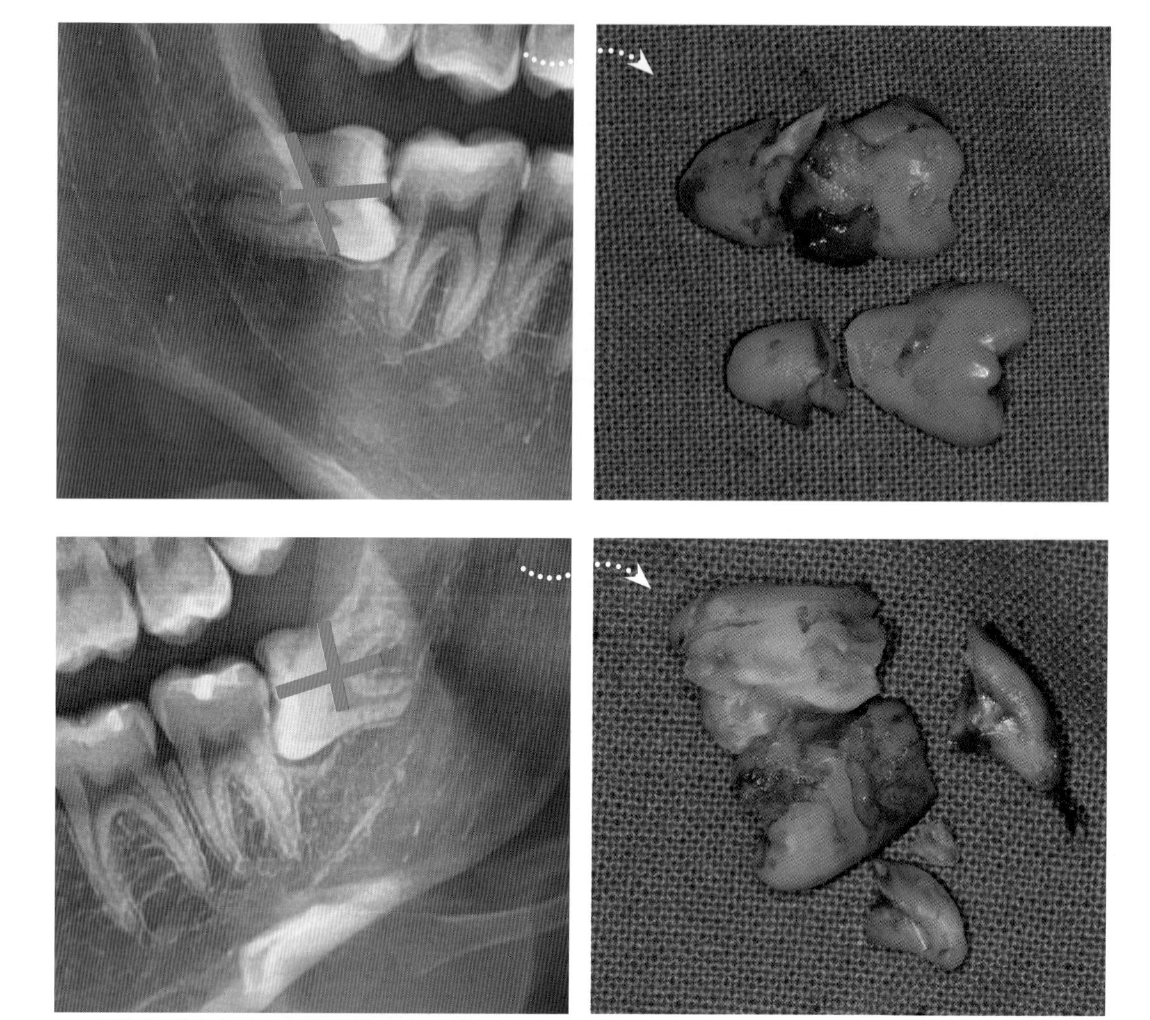

수평 2분할과 수직 2분할을 병행하여 발치한 경우로 매우 흔하게 시행한다.

필자가 이렇게 로스피드를 이용하여 발치를 시행해본 결과 확실히 더 힘이 들었다. 물론 이러한 방식으로 익숙한 구강외과의사는 이러한 방법으로도 발치를 수월하게 하는 것을 볼 수 있다. 그러나 대부분 6번 치아의 협면까지 절개, 박리를 해야 하고, 매복 정도가 심할수록 협측 골 삭제가 심해지기 때문에, 굳이 수술방에서처럼 하이스피드 핸드피스가 없는 경우가 아니라면 추천하고 싶지는 않다. 물론 수평 2분할 말고 치관부 먼저 제거하고 발치하는 경우도 있지만, 그건 더 불편하고 쉽지 않다. 골 삭제를 너무 많이 해야 하고, 케이스에 따른 변수가 많기 때문에 필자는 하이스피드를 이용한 방법을 추천한다.

가끔은 45도 하이스피드 핸드피스를 이용해서 로스피드처럼 발치하는 경우도 있다.

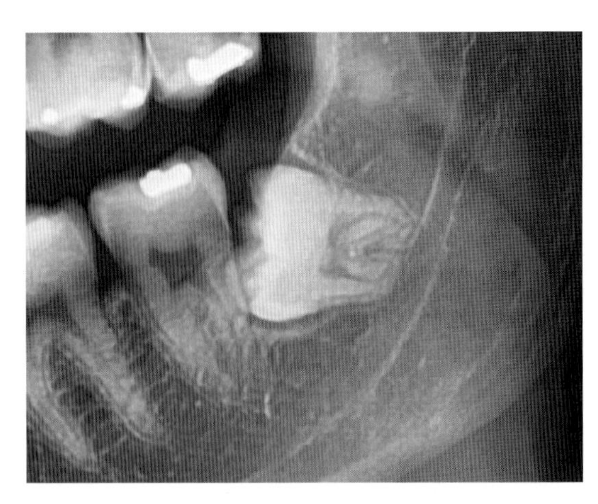
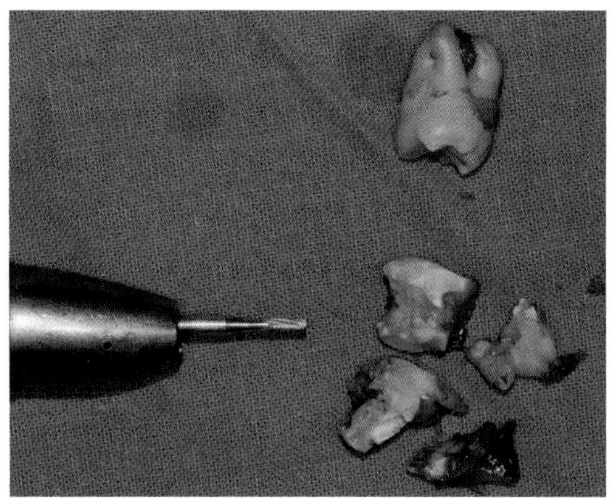

23세 남성 환자로 언더컷이 크고 원심 치조골과 7번 원심 간의 거리가 가까워서 근원심으로 분리된 사랑니의 제거가 쉽지 않았다. 그래서 다시 수직으로(치아를 횡으로) 삭제하여 제거하였다.

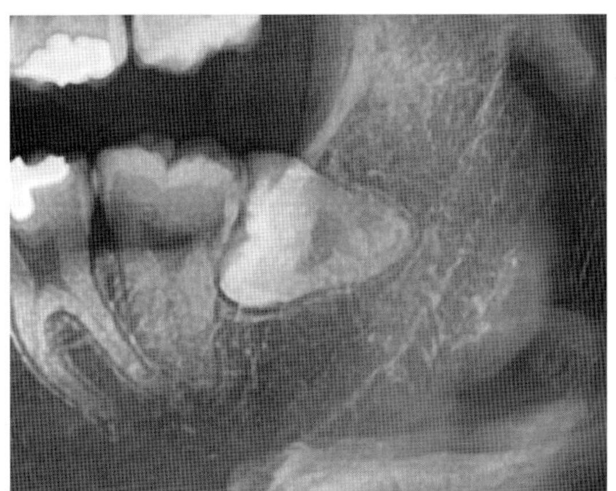
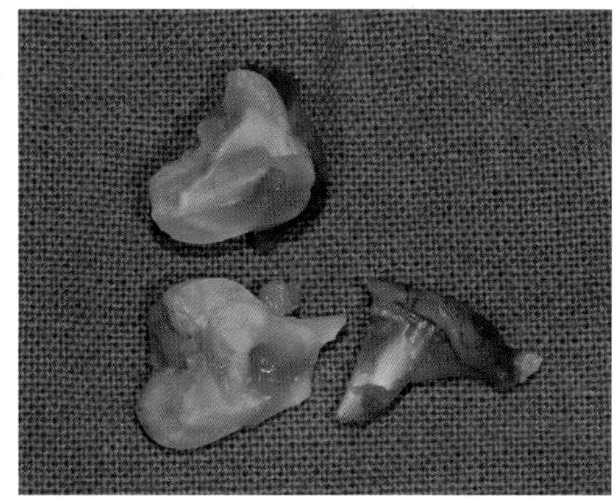

위의 케이스와 같은 경우이다. 탈구된 사랑니를 제거하기 위해서 다시 수직으로(치아를 횡으로) 삭제하여 제거하였다.

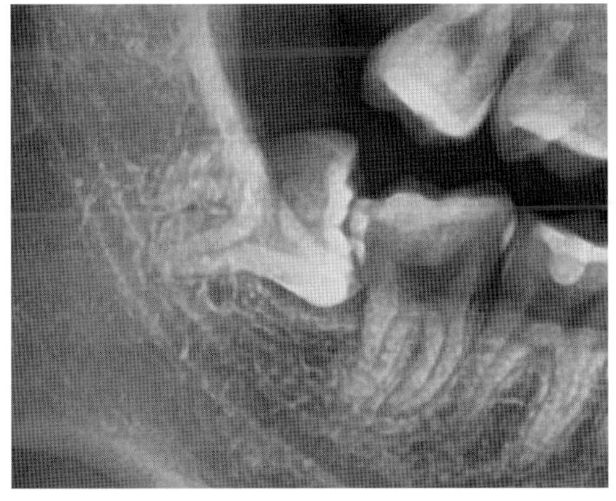
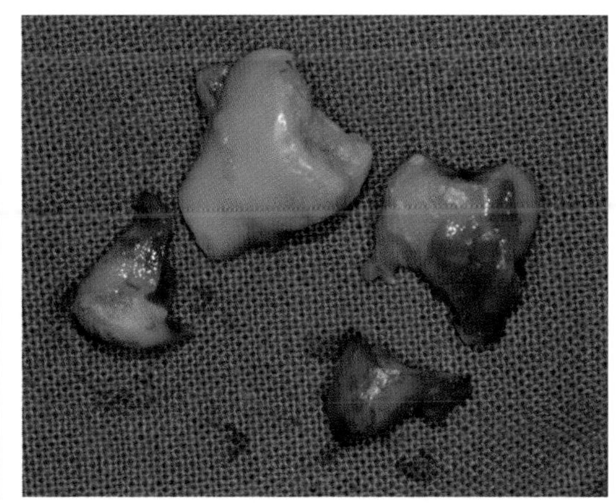

치근의 방향이 아래를 향하고 있어서 다시 한 번 수직으로(치아를 횡으로) 삭제하여 4등분하여 발치하였다.

45도 핸드피스를 이용한 사랑니 발치 훑어보기

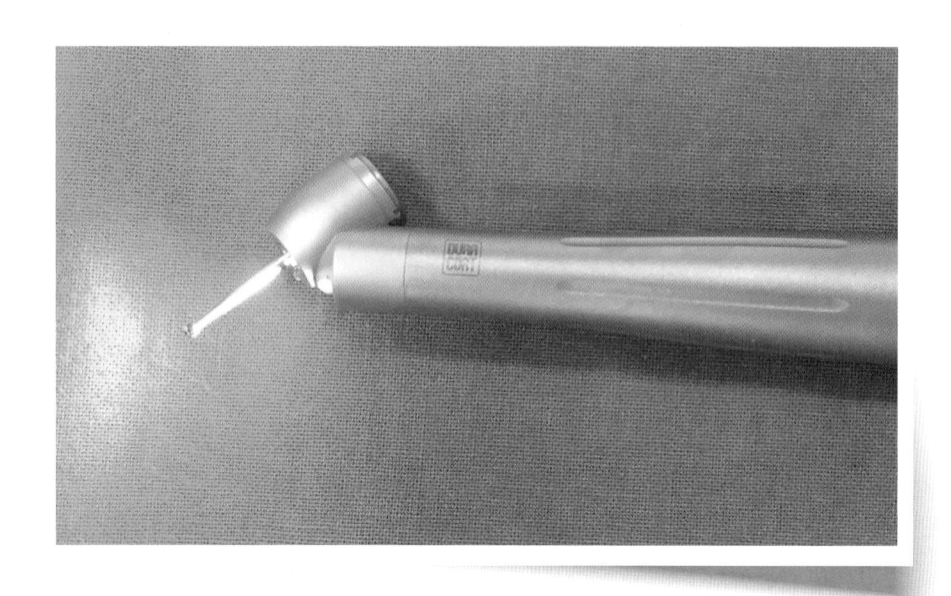

수직 맹출한 하악 사랑니나 설측으로 심하게 경사진 사랑니의 치관 절개에 매우 유용하다. 일반 핸드피스로는 하악지의 외연에 걸려서 하악 사랑니의 협면에 접근할 수 없기 때문에, 45도 핸드피스를 사용하는 것이다. 45도 핸드피스로 사랑니의 근심 협측부분을 삭제하고, 엘리베이터를 이용하여 파절시킴으로써 치관부분을 쉽게 제거할 수 있다. 그래서 필자에게 사랑니 발치를 배우는 분들에게는 꼭 치과에 하나 정도는 비치하고 있으라고 한다. 필자도 치과에 단 하나만 갖추고 있으며, 특히 골격이 건장한 튼튼한 남자의 정상 수직 맹출한 사랑니의 치관을 제거하는데 매우 유용하다. 이러한 방법은 뒤의 수직 매복치 발치에서 다시 다루므로 여기서는 간단히 보기만 하고 넘어간다.

01
45도 하이스피드 핸드피스?★

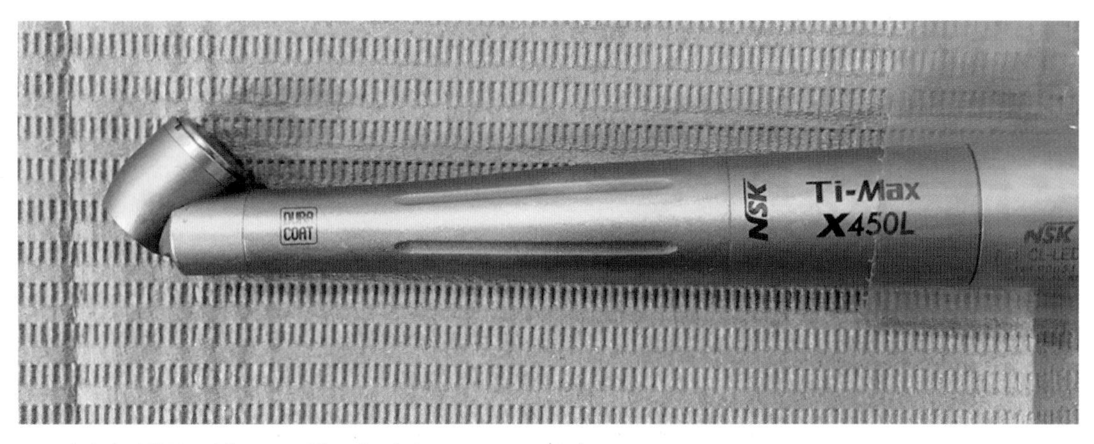

필자가 사용하고 있는 45도 핸드피스 (NSK Ti-Max X 450L)
필자가 도입해서 사용할 당시에는 우리나라에는 45도 핸드피스를 판매하는 곳이 없어서 일본 치과의사 친구에게 구매를 부탁해서 우편으로 받은 것이다. 그러나 최근에 이 제품이 정식 수입되고 있는 것으로 알고 있다. 구매를 원한다면 NSK 한국 대리점에 문의해보길 바란다.

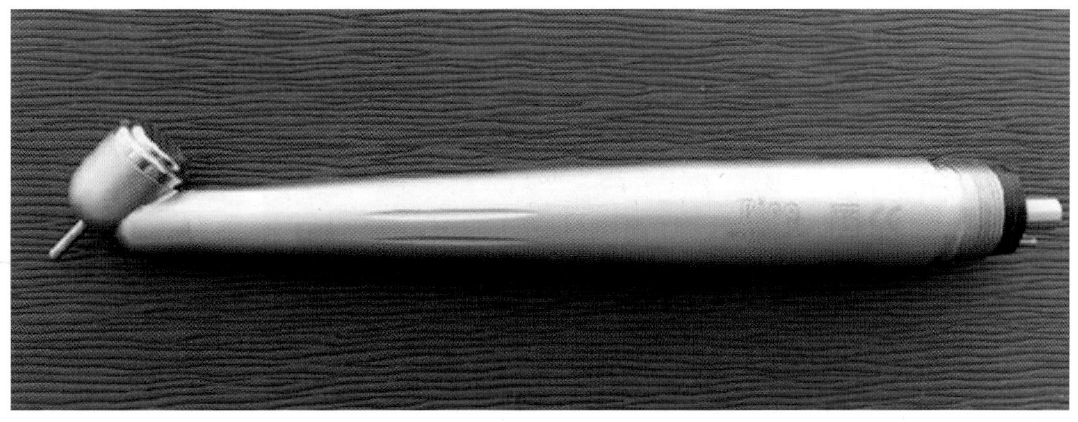

한 때 우리나라에 중국 직구로 들어온 45도 핸드피스 가격이 일본이나 독일 제품의 1/30에도 미치지 못하며, 중국 NSK 현지 공장에서 생산된 것도 비용이 1/10 정도 수준이었다. 혹시 구매하더라도 핸드피스 연결잭 부분을 구매 전에 확인하여야 한다.

45도 핸드피스의 다른 용도에 대해서 언급할 필요는 없을 것 같고, 앞서 언급한 로스피드를 이용한 사랑니 발치에서 1번 수평 2분할 발치법에도 종종 사용되나 필자가 해본 바로는 익숙하지 않아서 인지 더 쉽지 않았다. 오히려 두 번째 수직 2분할은 비교적 용이했으며, 세계적으로 45도 핸드피스로 이렇게 발치하는 치과의사들이 종종 있는 듯하다. 공간감각이 좀 부족한 치과의사라면 이러한 접근법도 시도해 볼만하다고 생각한다.

02
45도 핸드피스를 이용한 수평치기 발치 방법★

45도 핸드피스를 이용한 발치 방법은 로스피드를 이용한 발치 방법과 비슷하다. 옆에서 치아를 반절 잘라서 수평으로 발치하거나 머리를 잘라내는 방법이다. 이 그림은 수평으로 자르는 케이스이지만, 일부러 사용해본 케이스이고, 실제 필자는 이런 경우는 일반적 핸드피스로 위에서 접근하는 편이다. 그러한 내용은 이 책의 뒷부분 근심경사 매복 사랑니에서 다루기 때문에 거기서 논의해보도록 하자.

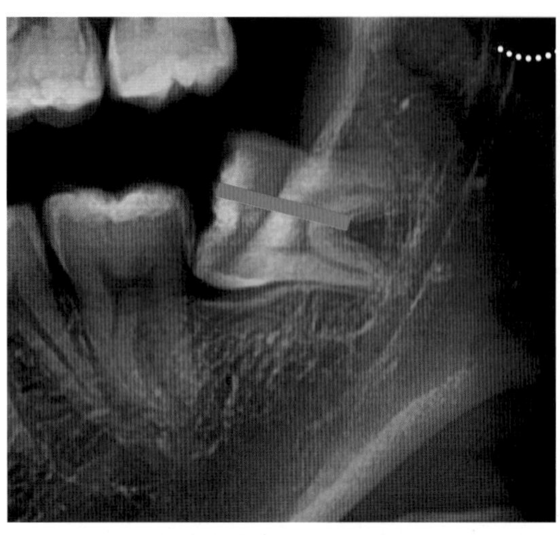

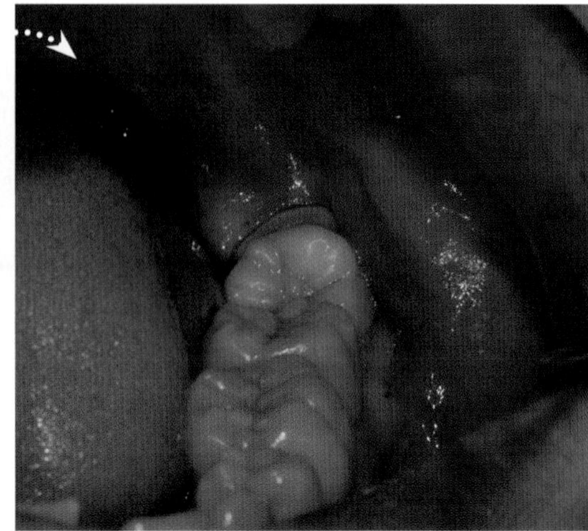

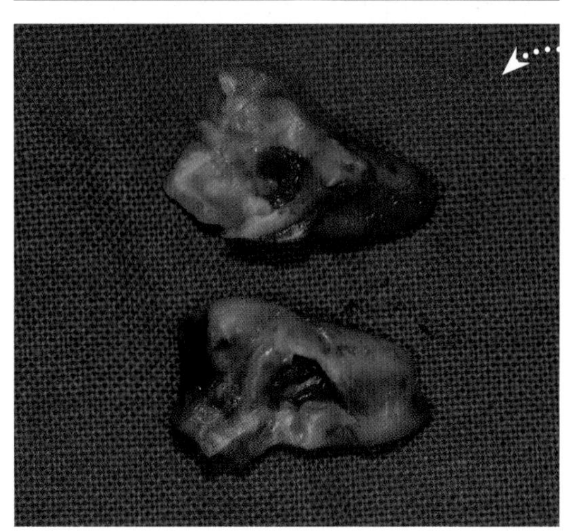

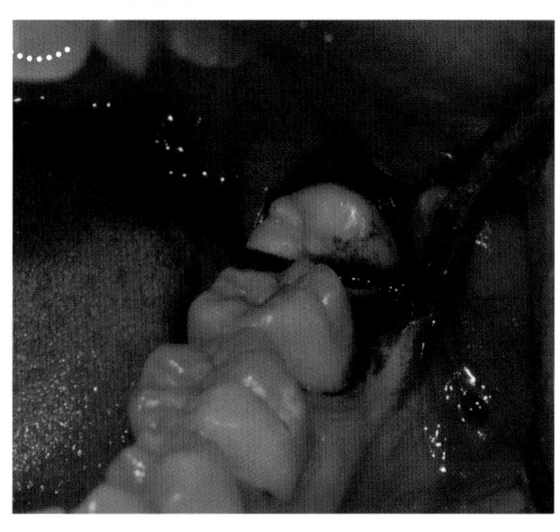

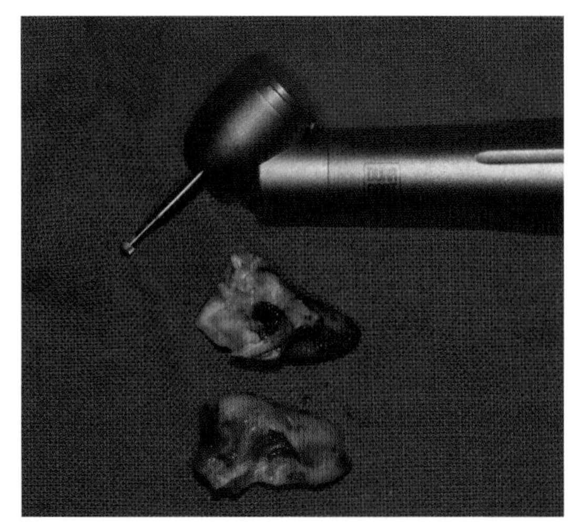

필자는 진료시간에는 너무 바쁘기 때문에 사진을 찍기도 힘들고 정리하는 것은 더욱더 힘들다. 그래서 위와 같이 뽑은 치아 옆에 기구를 놓고 사진을 찍는 습관이 들어 있다. 필자가 뽑은 사랑니 주변에 기구가 있다면, 그 도구를 이용하여 발치했다는 것을 뜻한다. 너무 흔하게 쓰는 경우를 제외한 경우에만 위와 같이 한다. 워낙 예외가 적은 스타일로 발치하기 때문에 예외일 때는 위와 같이 기구를 옆에 놓고 찍는다. 이 책에서 수도 없이 자주 보게 될 것이다.

03
45도 핸드피스를 이용한 치관 절개 ★

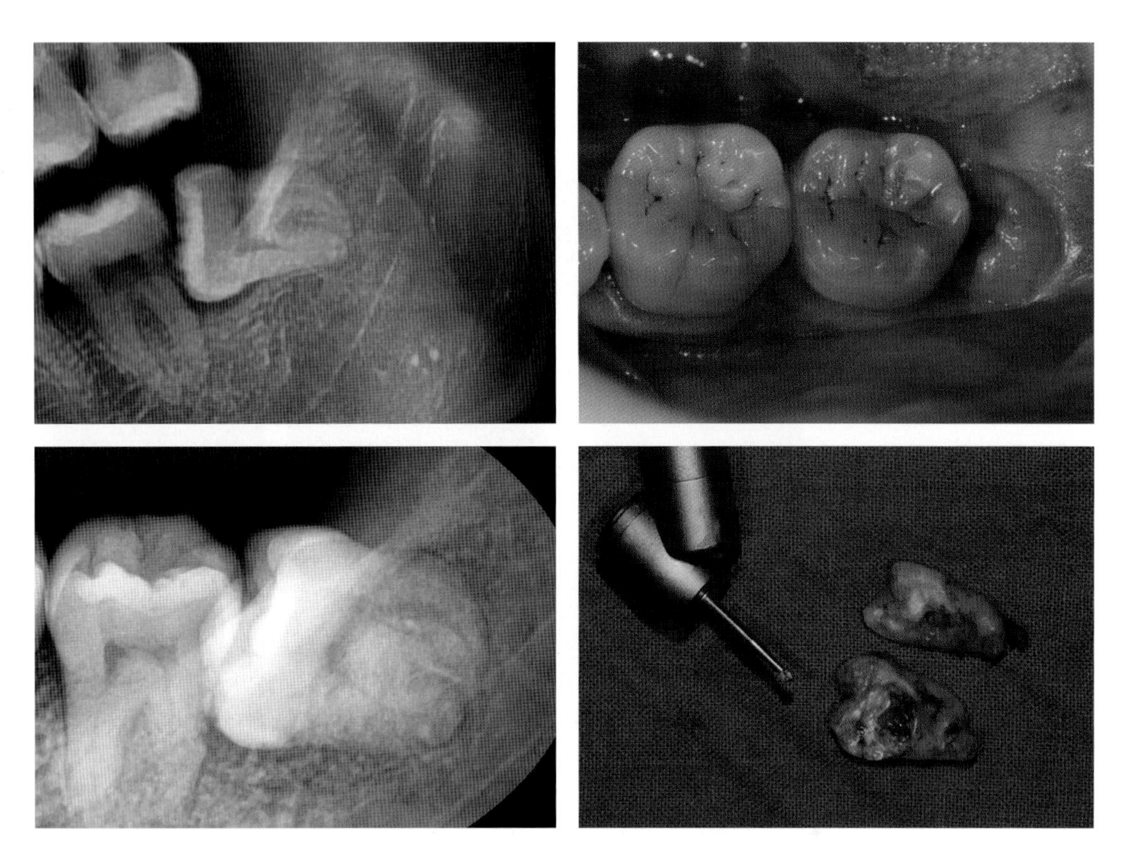

로스피드처럼 반으로 분할해서 위를 제거하고 나서 아래를 제거했지만, 이 방법에 익숙하지 않은 사람이라면 쉽지 않고 위험할 수 있다고 생각한다. 특히나 협측에서 접근하기보다는 습관적으로 접근이 쉬운 교합면쪽에서 접근하다 보니 깔끔하게 반절 잘라지기보다는 중간에 어느 한 쪽이 파절되는 경우가 많다. 또한 로스피드 핸드피스와 달리 좀 더 깊게 삭제하기가 어렵기 때문에 예쁘게 반으로 자르기가 더 쉽지 않다. 무엇보다 깊게 삭제하기 어렵다는 단점이 가장 큰 듯하다. 그래서 필자는 근심 협측을 삭제한 후에 나머지 부분은 엘리베이터로 부러뜨려서 치관부를 제거하는 용도(**목치기**)로만 사용한다.
왜 깔끔하게 수평으로 분할되지 않는지는 뒷장을 보자.

04
단근치 등은 생각보다 치아가 쉽게 2등분되지 않는다.★

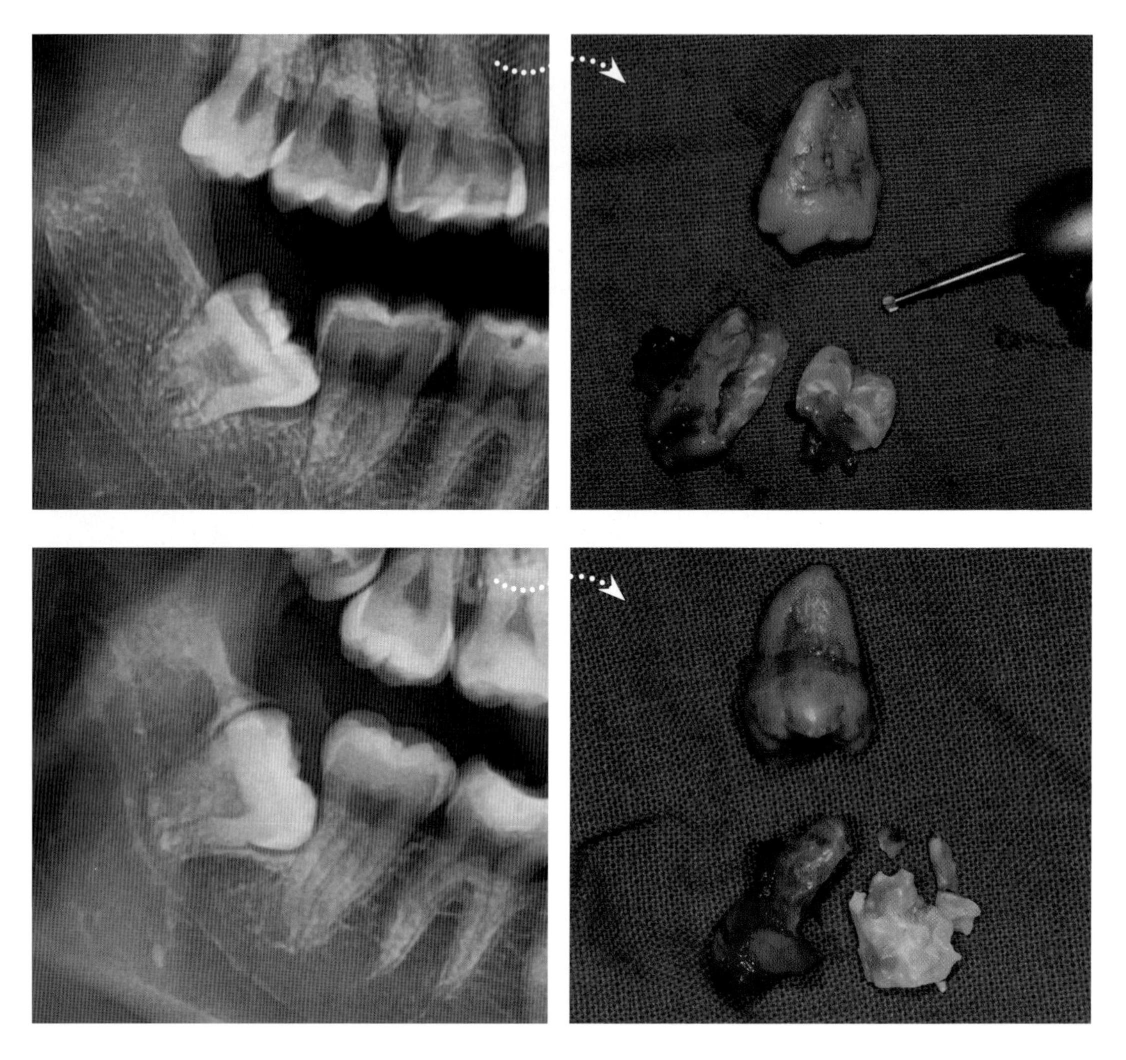

생각보다 쉽지 않다. 협측 골을 삭제하고 하지 않으면 쉽지 않고, 깊은 부분은 로스피드보다 접근이 어렵다. 가끔은 근심면이 아니라 원심면이 잘리면서 발치되기도 한다. 이는 로스피드를 이용하여 측면에서 삭제한 후에 크든 작든 원심쪽 치아를 먼저 제거하는 것과는 비슷한 이치이다. 다만 로스피드처럼 깊게 접근할 수 없다 보니, 2분할이 되었어도 조각이 모두 언더컷에 걸려서 나오지 않는 케이스가 발생할 수도 있다. 무엇보다 술자 자신에게 익숙한 방법대로 발치할 필요가 있다고 생각한다. 필자는 워낙 발치 케이스가 많고, 어쩌다 보면 기구를 모두 다 사용하여 더 이상 소독된 도구가 없어서 남는 도구로만 발치해야 하는 경우에나 이런 기구나 방법 등을 사용한다.

05
45도 핸드피스를 이용한 머리치기 발치 ★

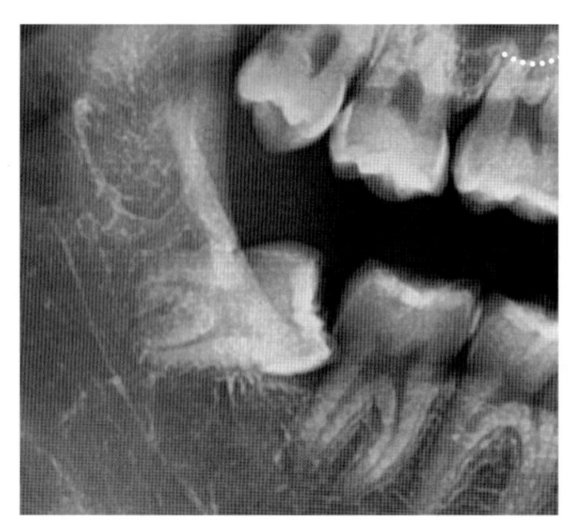
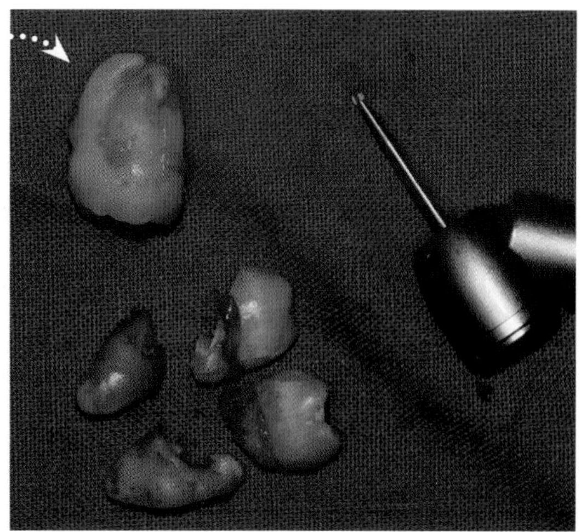

45도 핸드피스를 이용해서 **머리치기**를 한 방법으로 발치한 케이스이다. 아무래도 접근하는 각도 때문인지 골 내 매복이 심하지 않은 케이스라도 잘려진 치관부의 제거가 용이하지 않아서 다시 수평으로도 나눠서 발치한 케이스이다.

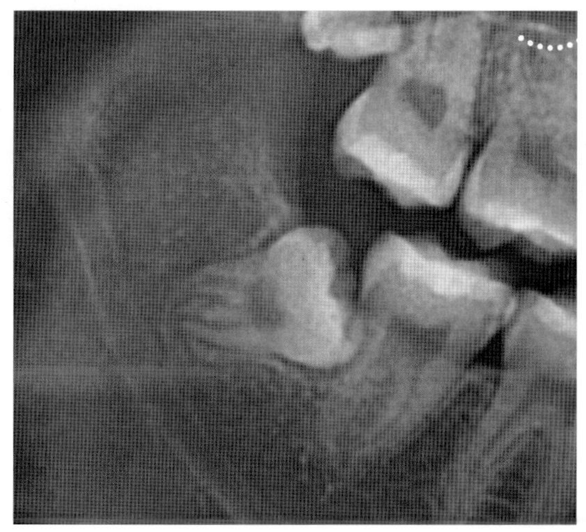
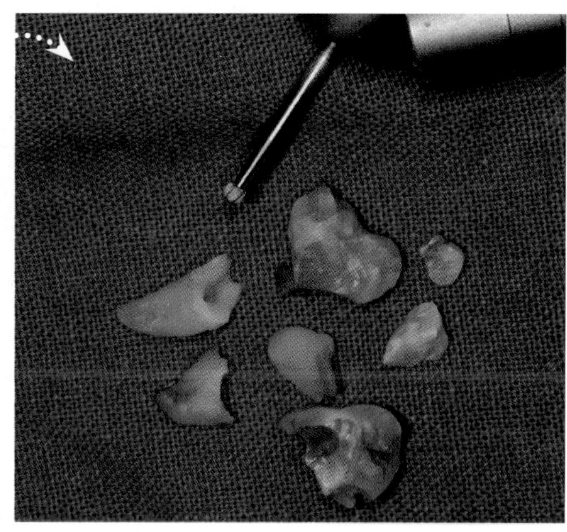

골 내 매복이 좀 더 심한 경우 협측 골 삭제를 넉넉하게 하지 않으면 접근도, 잘려진 조각의 제거도 쉽지 않다. 그래서 오히려 더 많은 조각으로 나눠서 발치해야 한다.

06
45도 핸드피스를 이용한 목치기 ★★

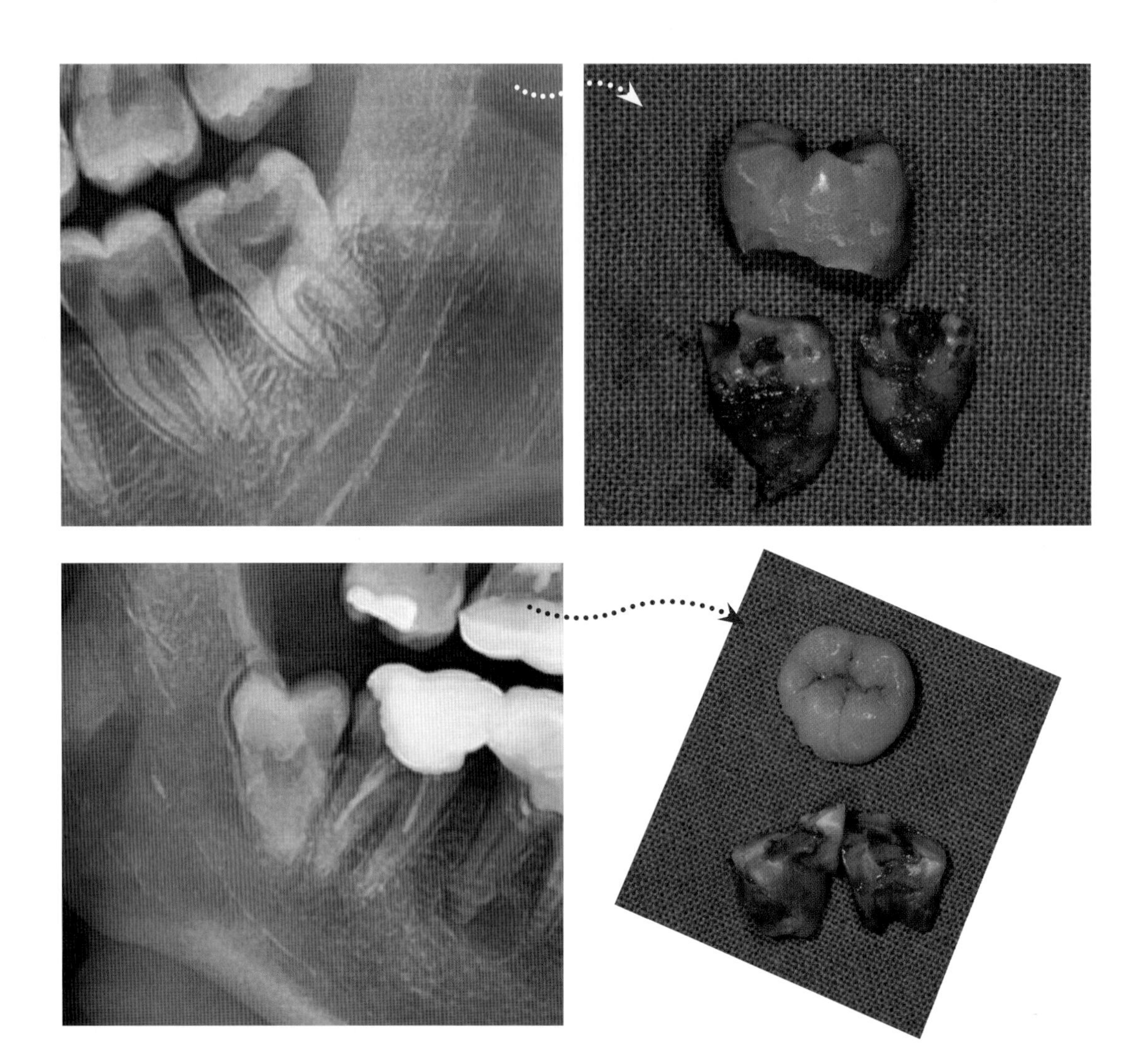

45도 핸드피스를 이용하여 치경부를 치는 방법은 수평적인 경우는 골 삭제를 많이 동반하기 때문에 거의 사용하지 않지만, 수직 맹출한 사랑니의 경우 협측에서는 일반적인 핸드피스가 하악지에 걸려서 접근이 거의 불가능하기 때문에 45도 핸드피스를 이용하여 접근하면 치아 삭제가 매우 쉽다. 이러한 내용은 수직 매복치의 발치에서 다시 다뤄본다.

07
콘트라앵글 로스피드 핸드피스를 이용한 발치 ★

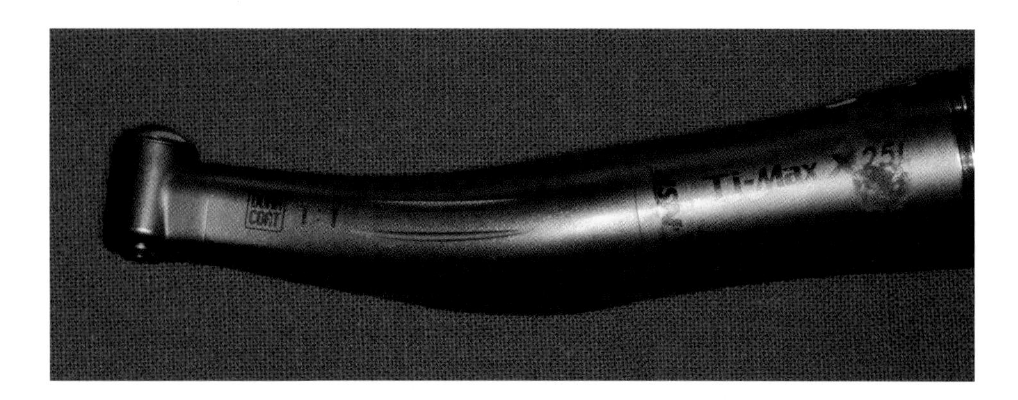

필자가 사용하는 가장 흔한 콘트라앵글 로스피드 핸드피스이다. 개원 초기에는 치과의사라면 누구나 익숙한 꺾어진 부분이 분리 가능했던, 라쳇으로 끼운 버를 잠그는 구형 에어식 로스피드 핸드피스를 사용했었다. 그런데 잦은 고장에 관리도 힘들어서 조금 비싸지만 일체형 전기식 로스피드 핸드피스를 사용한지는 오래 되었다. 초기 비용은 비싸지만 유지관리가 쉽고 비용도 적게 들어서 장기적으로는 더 저렴하다고도 할 수 있다. 요즘은 내부주수 및 라이트까지 갖추고 있어서 사용도 매우 용이하다. 에어식 핸드피스가 기본적으로 3만 RPM 정도의 속도이지만 전기식은 4만 RPM 이상도 가능하다고 한다. NSK 핸드피스에는 1:1 이렇게 숫자가 쓰여 있는데 일반적인 최대속도를 4만 RPM이라고 한다면 그 속도 그대로 낼 수 있다는 뜻이다. 보통 임플란트 엔진은 20:1이라고 쓰여 있는데 그것은 20:1로 감속하여 최대 RPM을 2천 정도로 감속한다는 뜻이다.

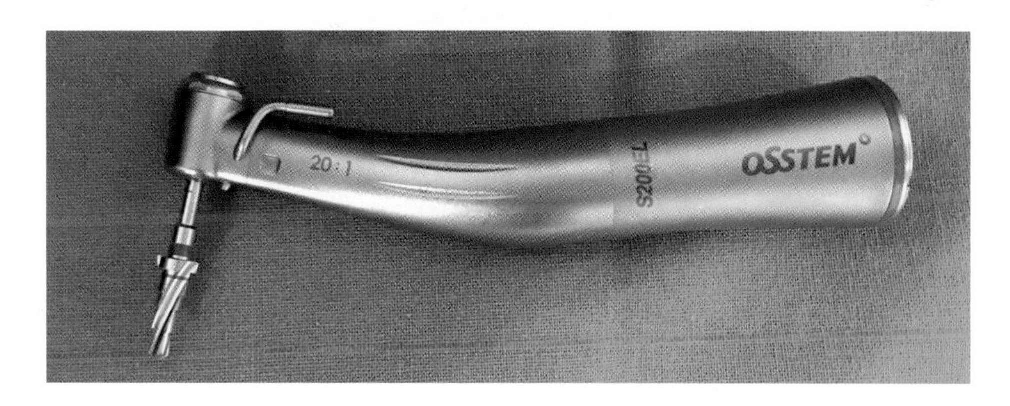

임플란트용 로스피드 핸드피스로 20:1 감속엔진이다. 보통 임플란트 식립을 위한 골 삭제에 최대 1,200 RPM을 사용하기 때문에 이렇게 감속 엔진으로 만들었을 것이다. 또한 근관치료에는 16:1 ~ 64:1까지 다양한 감속엔진이 사용되기도 했었다. 요즘은 별도로 충전형 엔도 엔진을 많이 사용하지만, 개원 초기에는 이러한 엔도용 감속엔진을 이용했었다.

필자는 가격대비 성능을 고려하여 모든 종류의 핸드피스를 대부분 NSK 핸드피스로 갖추고 있으며, 결코 가격에 비해서 성능면에서 뒤떨어지지 않는다고 생각한다. 필자가 최근에 들은 이야기로는 NSK 핸드피스가 세계시장 점유율면에서도 1위로 Kavo를 앞서고 있다고 한다.

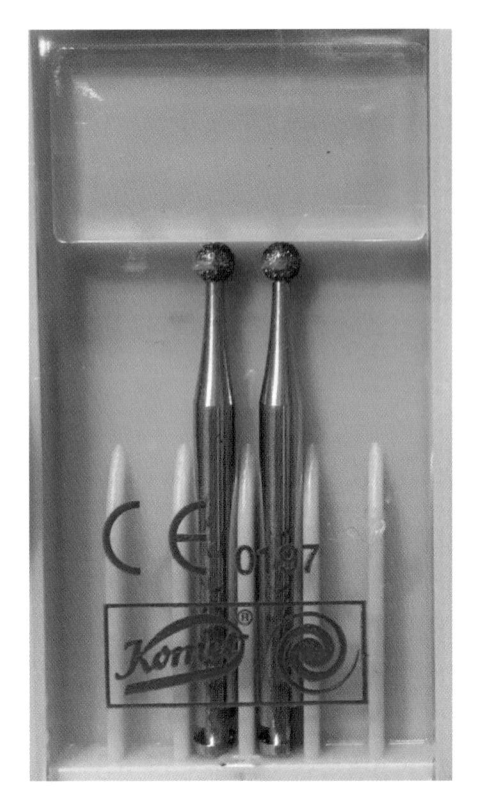

과연 4만 RPM 로스피드 핸드피스로 사랑니 발치를 할 수 있을까? 필자가 여기저기 재료상에 수소문하여 Komet에서 나오는 26 mm 롱쉥크 Oral Surgical 용 버를 구하였다. 쉥크의 지름은 일반 라쳇형 버와 같은 2.35 mm 이며 버의 직경은 2.1 mm로 다이아몬드 버였다. 아무래도 쉥크가 길면 버의 끝에서 핸드피스 카트리지에 전해지는 진동이 너무 크기 때문에 부드럽게 갈리는 다이아몬드 버로 만들었을 것이다. Oral Surcical 용도로 나왔다고 하지만 발치가 아니라 아마도 치근단절제술이나 골융기절제술 후 골을 부드럽게 다듬는 용도의 골 삭제용이 아닐까 생각해본다.

과연 이걸로 발치가 가능할까? 사랑니 발치에 절대 하이스피드 핸드피스를 사용하면 안 된다고 생각하는 치과의사라면 충분히 시도해볼 수도 있을 거라는 생각이 든다. 또한 하이스피드 핸드피스가 발달하기 오래 전이라면 충분히 시도할 수는 있었을 듯하다. 혹시 쉥크가 짧은 일반 로스피드용 메탈 라운드 버를 이용해서도 발치를 시도해 봤지만, 우선 길이가 짧기 때문에 너무 억지스러워서 중간에 포기하였다. 그러나 필자도 상악에서는 거의 하이스피드 핸드피스를 사용하지 않기 때문에 가끔 간단한 골 삭제나 치아 삭제에 고려해볼 수는 있을 듯하다. 아니 아주 오래 전에 너무 난해한 경우이고 스트레이트 핸드피스가 접근이 안 된다는 최악의 상황에서 시도는 해볼 수 있었을 듯하다.

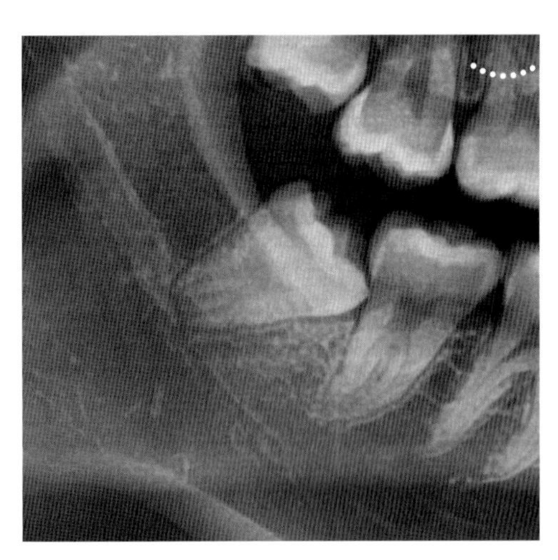

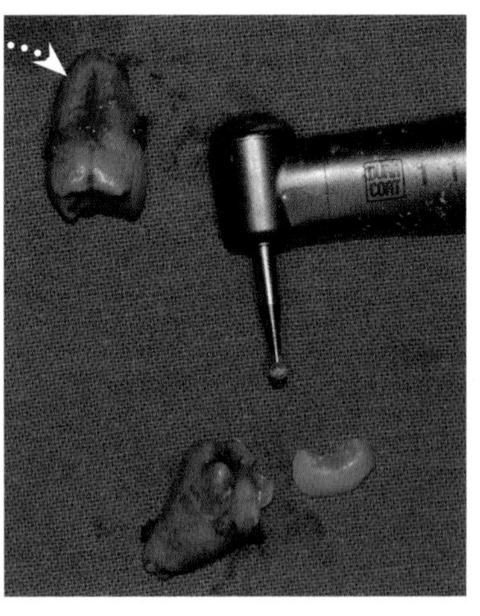

22세 여성 환자로 비교적 매우 간단한 발치로 판단되어서 필자가 일반진료에서 자주 사용하는 NSK 내부주수용 핸드피스에 끼워서 사용해보았다. 버가 금세 무뎌져서 치아 삭제는 매우 힘들고 핸드피스 속도와 토크 모두 떨어져서 치아 삭제가 매우 어려웠다. 버의 지름도 매우 커서 설측을 예리하게 삭제하기도 어려웠다. 무엇보다 핸드피스의 속도와 토크가 떨어져서 저렇게 간단한 치아 삭제에도 중간중간 여러 번 핸드피스의 작동이 멈췄었다. 필자도 일반적으로 로스피드 라운드 버로 충치를 제거하는 경우에는 단 한 번도 로스피드 핸드피스가 약하다고 느낀 적은 없었는데, 에나멜을 포함하여 치아 전체를 삭제하기는 힘들었다. 위 케이스 말고 몇 개를 더 시도하였으나, 필자가 워낙 진료시간에 바쁜 경우가 많아서 중간에 대부분 포기하고 하이스피드로 바꿔서 발치를 하였다. 무엇보다 로스피드 핸드피스에는 필자가 자주 사용하는 롱쉥크 라운드 버와 같은 버가 없고, 제품이 나온다고 해도 버의 지름이 6번 버라고 해도 1.8 mm 밖에 되지 않는데 쉥크의 지름이 2.35 mm 이기 때문에 치아 삭제과정에서 대부분 치아에 끼어서 제대로 작동하기 쉽지 않을 것이다. 그렇다면 하이스피드 버를 꽂을 수 있는(Friction Grip) 전동식 로스피드 핸드피스는 어떨까?

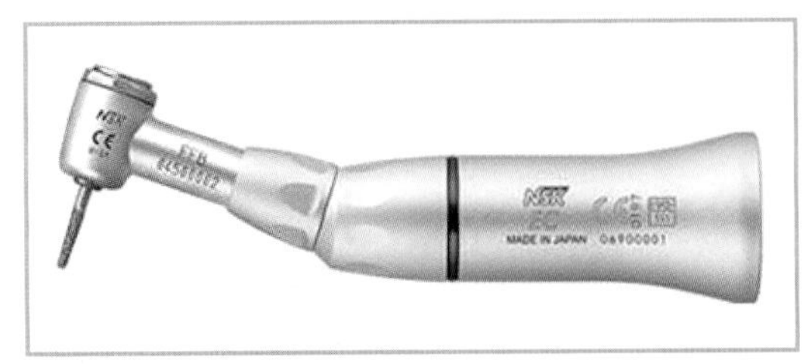

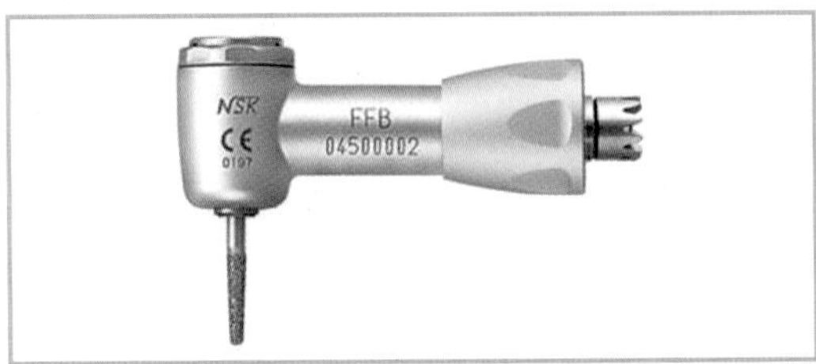

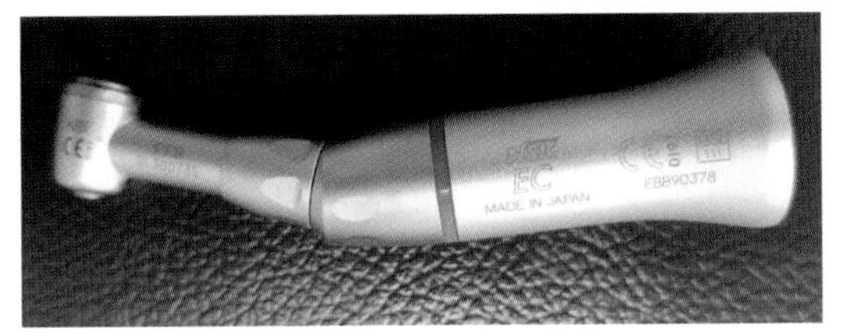

■ 기존에 사용하던 등속 로스피드 사진

요즘은 모르겠지만, 오래 전에 한 번 유행했던 하이스피드용 버를 끼울 수 있는 로스피드 핸드피스이다. 각 회사마다 이런 제품을 대부분 만들고 있으며, 요즘은 전기식 일체형 1:1 형태가 더 일반적일 것이다. 대부분의 경우는 하이스피드 핸드피스를 이용하여 같은 하이스피드용 버로 저속으로 와동이나 크라운 마진을 다듬고 싶을 때 사용하였다. 필자 주변에도 즐겨 사용하는 사람들이 몇 있지만, 대부분 연차가 올라가고 실력이 좋아질수록 사용하는 빈도가 확실히 줄어드는 것을 볼 수 있다. 아니면 좀 더 잘하고자 하는 의욕이 줄어들거나...
그렇다면 이런 1:1 등속 핸드피스에 하이스피드용 버를 사용하여 치아를 삭제하고 사랑니를 발치하면 어떨까? 무엇보다 회전력이 너무 떨어져서 치아 삭제 시간이 너무 오래 걸렸다. 이런 핸드피스가 시중에 나오게 된 이유도 저속이라 치아 삭제가 잘 안 되기 때문에 하이스피드와 차별화된 것일텐데... 굳이 이러한 핸드피스를 이용하여 치아 삭제를 할 필요가 있을까? 물론 하이스피드에서 나오는 에어 때문에 사랑니 발치에 하이스피드를 사용하지 않는 분이라면 힘들더라도 사용해볼 수 있을 것이고, 특히 각도가 잘 안 나오는 상악이라면 더 유용할 수도 있을 것이다. 그러나 무엇보다도 버의 회전속도가 너무 낮아서 치아 삭제가 쉽지 않다.

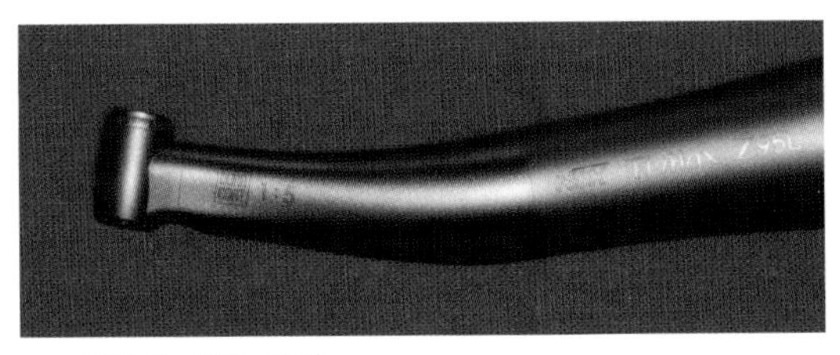
■ 필자가 찍은 사진

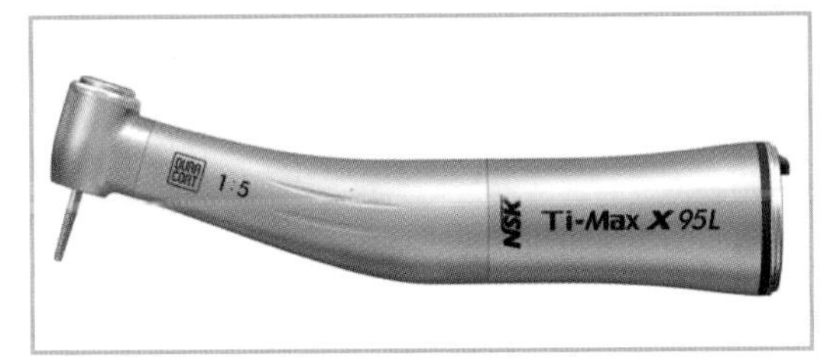

■ 회사 카탈로그 사진

그래서 나온 것이 이러한 5배속 증속형 로스피드 핸드피스이다. 일반적으로 전기식 로스피드 핸드피스의 회전속도가 4만 RPM 정도이니 최대 20만 RPM까지도 가능할 정도이다. 일반적으로 하이스피드 핸드피스가 30~40만 RPM 정도이니 회전속도로만은 결코 떨어지지 않는다고도 할 수 있다. 필자의 하이스피드 핸드피스의 문제인지 모르지만, 필자의 경우는 하이스피드 핸드피스도 강하게 치아를 삭제하다보면 자주 멈추는 경우가 많았다. 회전속도는 높지만 결코 토크가 따라주지는 못하는 듯하였다. 그래서 토크가 좋다는 5배속 구입하였다. 우선 5배속 로스피드 핸드피스를 기존의 1:1용 로스피드 핸드피스 라인을 이용하여 연결하고 하이스피드용 버를 꽂아서 사용하여 발치를 여러 번 시행하였다. 토크가 조금 약하긴 하지만 크게 무리없이 발치가 가능하였다. 그러나 모터에 너무 무리가 가기 때문에 결코 권장할 수는 없다고 업체에서는 만류하였다. 어쨌든 힘이 약간 딸리는 듯한 느낌이지만 발치는 쉽게 가능하였다. 그래도 원칙적으로 5배속 로스피드 핸드피스용 신형 모터가 달린 라인에 연결하여 사용하면서는 토크에 전혀 문제가 없이 잘 사용하고 있다. 그런데 이것은 나름 최고 사양의 핸드피스로 내부주수에 라이트도 나오는 핸드피스이지만 무엇보다도 약간 더 무거운 핸드피스의 무게가 약간의 불편한 점이었다.

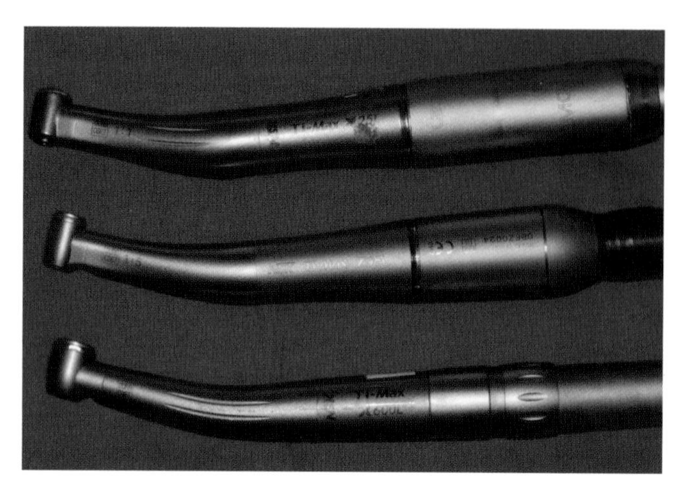

맨 위가 필자가 일반 진료에 사용하는 내부주수용 로스피드 핸드피스이고, 맨 아래가 일반 진료나 사랑니 발치에 사용하는 하이스피드 핸드피스이고, 가운데 있는 것이 새롭게 출시된 NSK 하이스피드용 버를 끼울 수 있는 5배속 하이토크 로스피드 핸드피스이다. 타이타늄소재의 제품도 출시되어 가볍고 매우 빠르고 강하게 작동한다. 비슷한 제품이 유럽이나 일본에는 이미 7~8년 전에 출시되었으나 국내에는 2년 정도 전에 도입되었다. 너무 고가의 제품에 별도로 라인을 설치해야 하는 번거로움이 있어 보급이 많이 되지 않았다. 그러나 최근에 지르코니아 보철물을 많이 제작하다보니 지르코니아를 삭제하여 제거하는 것이 치과의사들의 큰 스트레스 중에 하나가 되었고, 치과의사들이 이러한 제품을 좀 더 많이 구비하는 계기가 되었다. 이 제품의 가장 문제는 강한 토크에 고속회전이다보니 어지간하면 멈추는 일이 없다는 것이다. 그래서 처음 사용하는 치과의사들에게는 너무 강한 힘으로 무리하게 사용하다가 치아에 손상이 가지 않도록 주의하라는 경고를 하기도 한다. 필자가 알아본 바로는 일본에서도 사랑니 발치에 이런 핸드피스에 하이스피드용 버를 꽂아서 사용하는 비율이 점점 높아지고 있다고 한다. 필자도 세계적으로는 좀 늦었지만 한국에서는 얼리 어답터로서 사랑니 발치에 사용하기 위하여 체어 한 대에 설치하였다. 아직은 초기라 내구성 등은 논할 단계는 아니지만, 롱쉥크 서지컬 버의 사용으로 자주 망가지는 하이스피드 핸드피스의 카트리지에 대한 고민이 좀 줄어들기를 바랄 뿐이다. 또한 상악에서는 하이스피드 핸드피스를 사용하지 않고, 굳이 치아나 골을 삭제해야 한다면 스트레이트 로스피드 핸드피스를 사용하였는데, 점차 이 신형 핸드피스를 사용해볼 생각이다. 물론 상악에서는 거의 핸드피스를 사용하지 않지만...

08
5배속 로스피드 핸드피스를 이용한 발치 1★

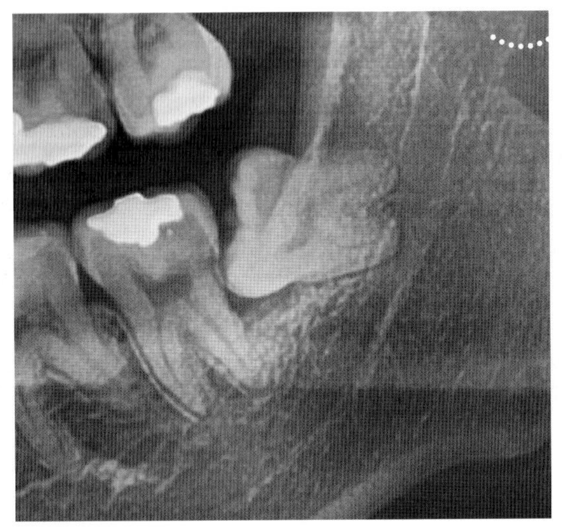
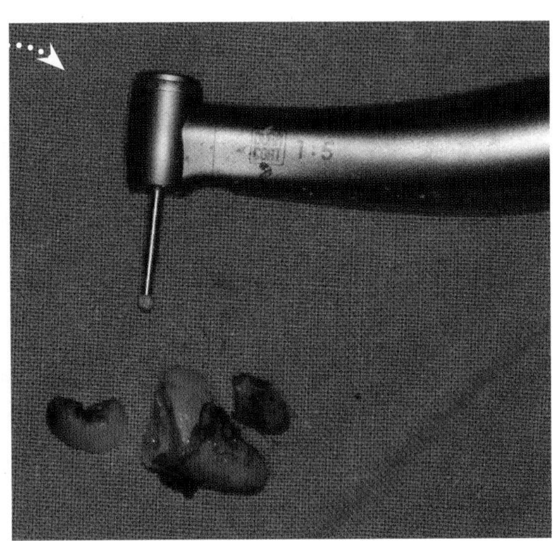

5배속 핸드피스를 이용하여 발치한 케이스로 보통은 기구를 사용한 위치대로 놓고 사진을 찍기 때문에 기구가 근심 방향으로 위치해야 하는데 아무래도 직원들이 1:5가 나오도록 하기 위하여 이렇게 찍은 듯하다. 요즘은 특별히 직원들 업무량이 많아서 발치 후에 사진찍는 것을 최소화하려고 하는데 그래도 찾아보니 아무래도 새로운 기구를 사용할 때 처음에는 주로 쉬운 케이스에 이렇게 몇 장 찍어놓은 것들이 있었다.

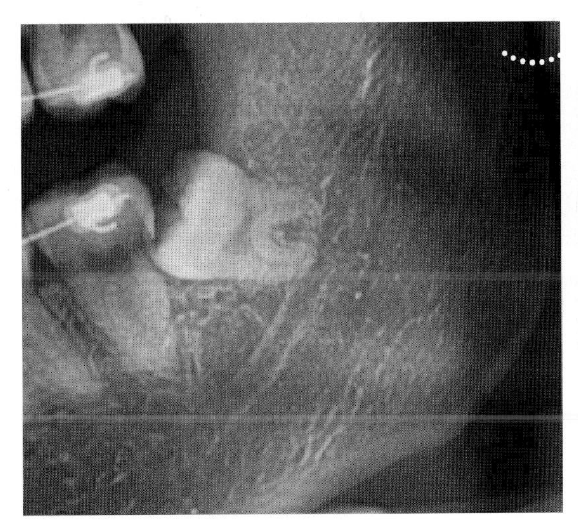
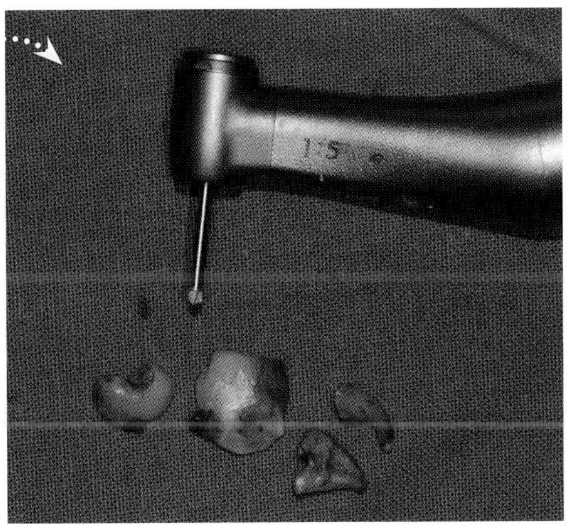

앞선 케이스와 마찬가지로 일반적인 사랑니 발치이나 1:5라는 숫자가 보이게 하기 위하여 이 방향으로 놓고 사진을 찍은 듯하다. 아마도 ㄴ발치를 시도하려다가 3등분 발치가 된 듯하다. 지금 필자의 말이 잘 이해가 안 가는 분이라면 별표에 맞춰서 읽으라는 필자의 권유대로 하고 있지 않은 것이다. 뒷부분을 이미 보고 이 부분을 다시 보는 분이라면 이해가 갈 것이다.

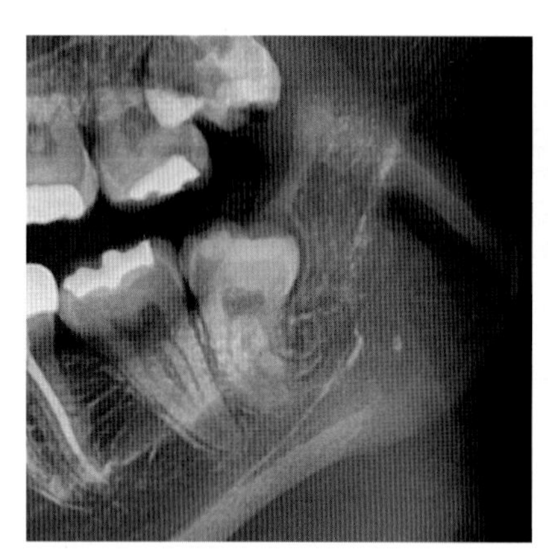

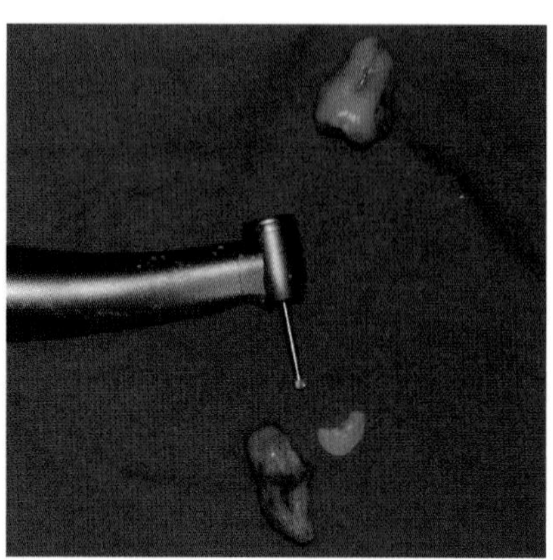

치근만곡이 심한 수직 매복 발치에서 **뒷머리치기**를 시행하고 발치한 케이스이다. 구입 초기에 간단하지만 다양한 케이스에 사용하기 위해서 시행했던 것으로 기억된다. 아마도 사진에는 나오지는 않지만 원심 설측에 작고 만곡된 치근이 추가로 하나 더 있었지만 파절된 듯하다. 사진에 없는 걸 보면 굳이 제거하지 않았거나, 제거하면서 석션에 빨려 들어갔거나 했을 것으로 추정된다. 물론 우리 직원들이 굳이 그 조각까지 맞춰서 사진을 찍을 여유가 없었을 수도 있다.

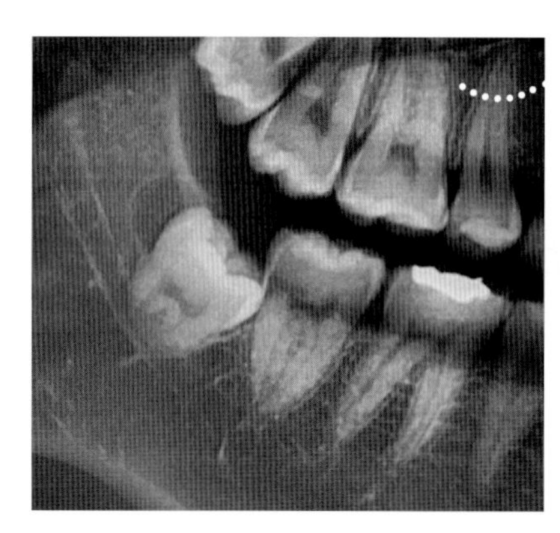

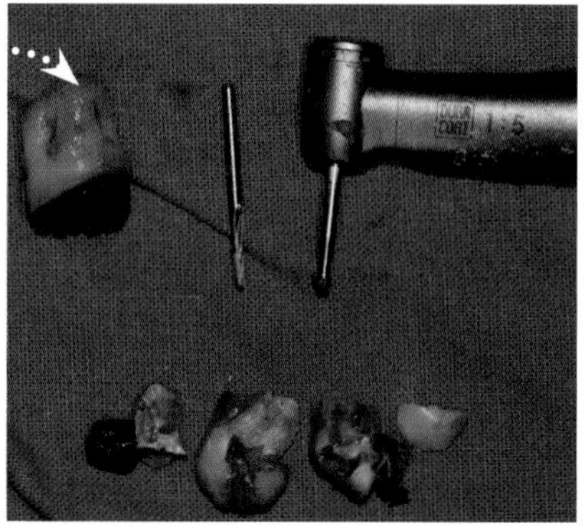

수직 매복된 사랑니지만 골 내 매복이 심하여 앞머리치기 시행 후에 **혀쪽치기**를 통해서 설측 조각을 제거하였고 그래도 골 입구가 작아서 추가로 원심 치관부까지 제거하기 위하여 **뒷머리치기**까지 시행하고 발치하였다. 필자는 치조골 삭제를 최소화하는 것이 원칙이다보니 가능하면 최대한 작은 입구 내에서 치아를 여러 조각으로 나눠서 발치하는 습관이 있다. 사진에 피셔 버와 라운드 버가 함께 보이는 것으로 봐서는 초기에 **앞머리치기**에 피셔 버를 사용하였으나 치아 내부를 조각내는데는 아무래도 피셔 버가 불편하여 라운드 버로 바꿔서 발치를 마무리한 듯하다. 원심에 작은 낭종으로 보이는 작은 방사선 투과상이 있는데, 제거 후에 환자의 동의하에 조직검사를 의뢰하였다. 다행이 일반적인 낭종으로 진단되었다.
어쨌든 아직까지는 충분히 하이스피드와 병행하면서 사용해도 될 듯한 긍정적인 느낌으로 사용하고 있다. 굳이 단점을 찾으라고 한다면 하이스피드 핸드피스와 달리 에어가 분사되지 않기 때문에 잘리는 치아부위에 하얀 치아 조각들이 쌓이게 되어 시야 확보에 문제가 있다는 것이다. 이는 어차피 다른 로스피드도 마찬가지기 때문에 큰 단점은 아니라고 본다.

5배속 로스피드 핸드피스를 이용한 발치 2★

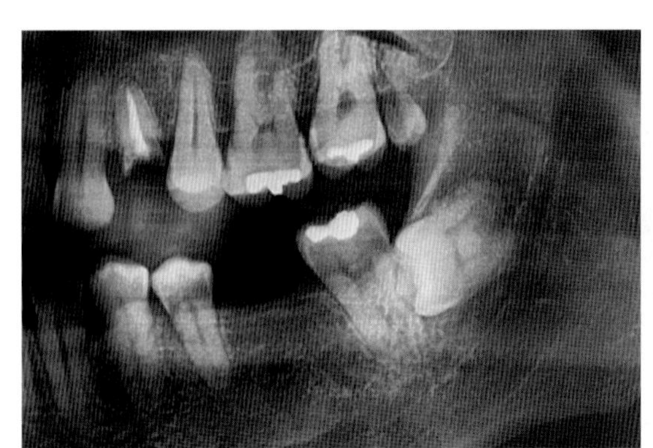
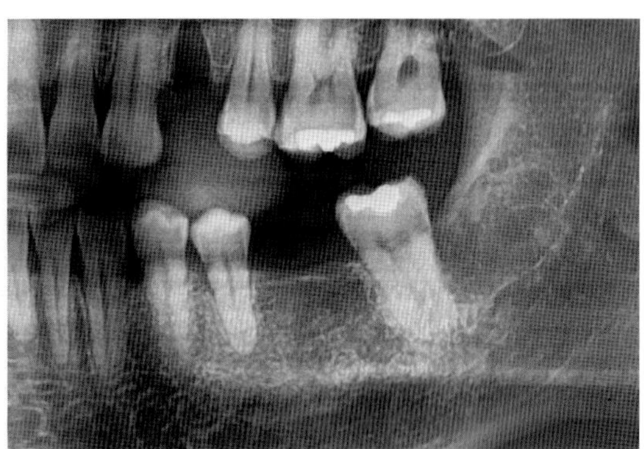
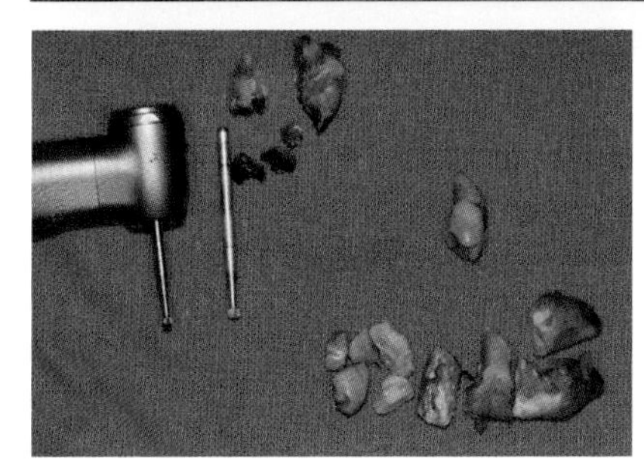

36세 남성 환자로 타 치과에서 교정치료와 임플란트가 예정되어 있는 상태로 본원에 의뢰되었다. 5배속 로스피드 핸드피스를 이용하였을 뿐 통상의 발치 방법과 같은 방법으로 발치하였다. 다만 사랑니가 신경관과 가깝고 발치가 쉽지 않아서 사랑니를 추가로 삭제하여 제거하기 위해서 4번 버로 바꿔서 발치를 진행하였다. **ㄴ발치**를 시행하려다가 치관부가 파절되어 하방 치근에 홈을 파서 제거하였다.

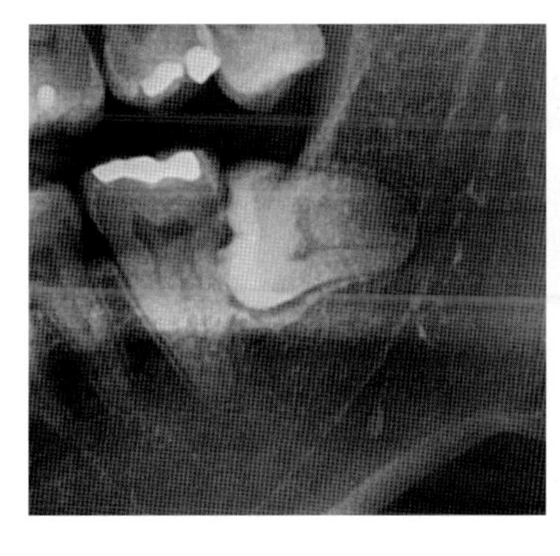
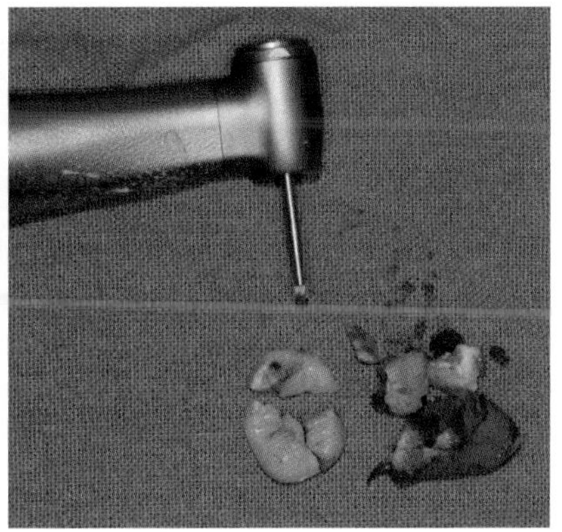

27세 남성 환자로 통상의 방법대로 발치를 시행하였고 근심 치관부 제거 후에도 엘리베이터를 협측에 적용하였으나 발치가 되지 않아 뒷목치기를 실시하였다. 뒷목치기에서도 치아가 파절될 뿐 쉽게 제거되지 않아서 계속 홈을 파서 제거를 시도하였다. 치근단에 보이는 Youngsam's sign을 이해한다면 왜 발치가 쉽지 않았는지 알 수 있다.

09
5배속 로스피드 핸드피스의 전성시대?★

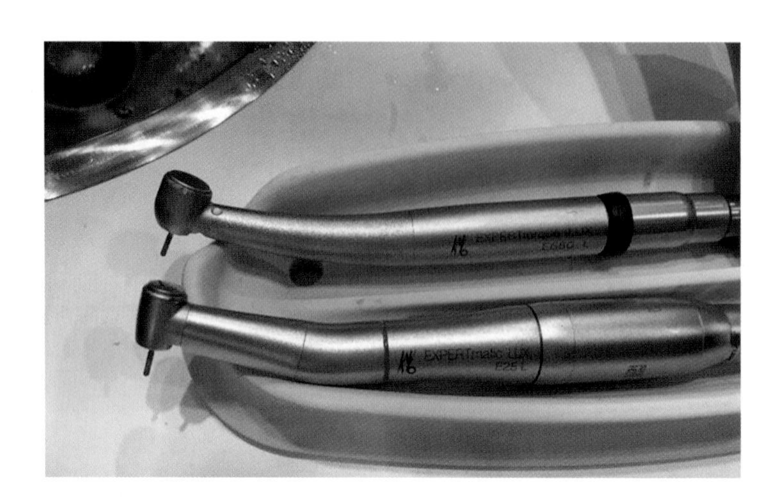

얼마 전 큰 치과기자재 전시회에 갔을 때 보니 대부분의 핸드피스 회사들에서 빨간색 띠를 두른 5배속 로스피드 핸드피스가 메인 전시 품목이었다. 아무래도 금값의 고공행진으로 지르코니아 크라운이 이미 많이 세팅되었기 때문인 듯하다. 주변에 사용하는 동료 치의들도 5배속 핸드피스를 발치가 아니라 기존 크라운이나 지르코니아 크라운의 제거와 일반 지대치를 프렙할 때 많이 사용하기 시작하였고, 반응이 매우 좋았다. 세계적인 명품 핸드피스로 불리는 Kavo 핸드피스 전시장에 갔을 때도 다양한 핸드피스를 전시하고 있었지만, 직접 핸즈온을 해볼 수 있도록 설치되어 있는 제품은 기존의 일반 하이스피드 핸드피스와 5배속 로스피드 핸드피스였다. 다시 한 번 5배속 저속 핸드피스의 인기를 실감하였다.

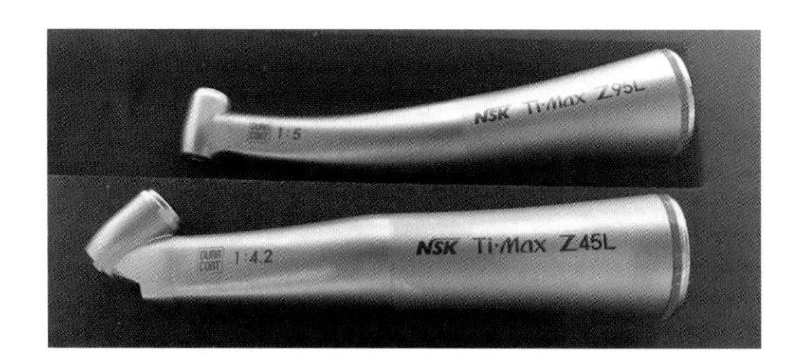

NSK 전시장에서는 필자가 사용하고 있는 것과 같은 종류의 핸드피스를 전시하고 있었다. 역시 주력 전시상품이었다. 세계적으로 발치에 많이 사용되는 45도 핸드피스지만 우리나라에서는 거의 사용되지 않고 있다. 필자는 앞서 언급했듯이 45도 핸드피스를 보조적으로 하나 정도 갖추고 사용하기 때문에 로스피드용 45도 핸드피스(4.2배속)도 구매하여 사용하고 있다. 발치 전용으로 출시되다보니 아예 버에 뿌려지는 물과 Air에서 Air를 쉽게 핸드피스에서 잠글 수 있게 되어 있었다. 실제로 일반 5배속 저속 핸드피스는 Air를 분사하지 않게 하기 위해서는 체어 자체의 라인에서 Air를 잠궈야 한다. 이건 체어마다 옵션이 다르므로 관련 업체에 문의해봐야 한다.

10
45도 5배속 로스피드 핸드피스를 사용한 발치 ★

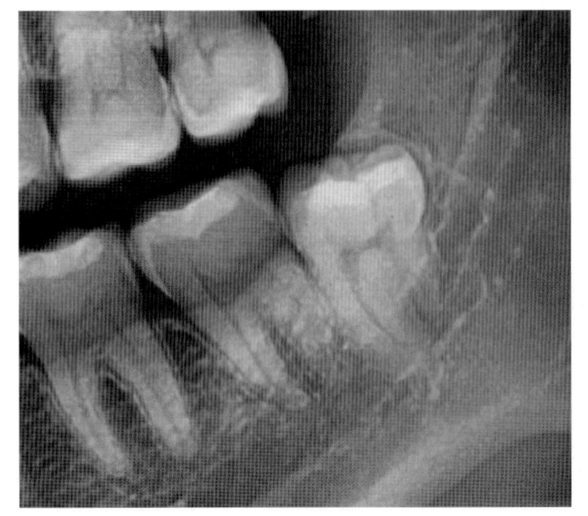
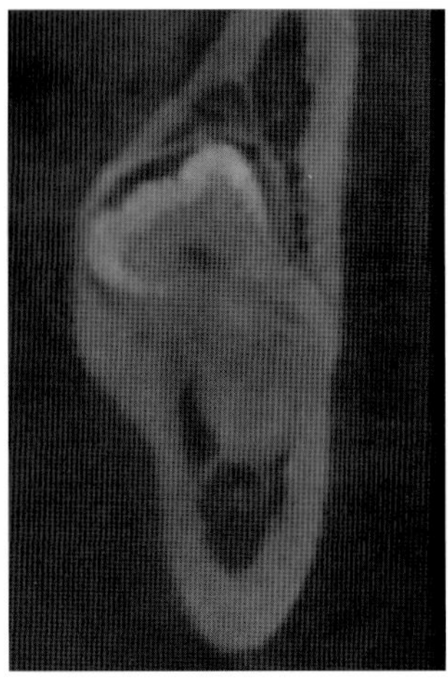
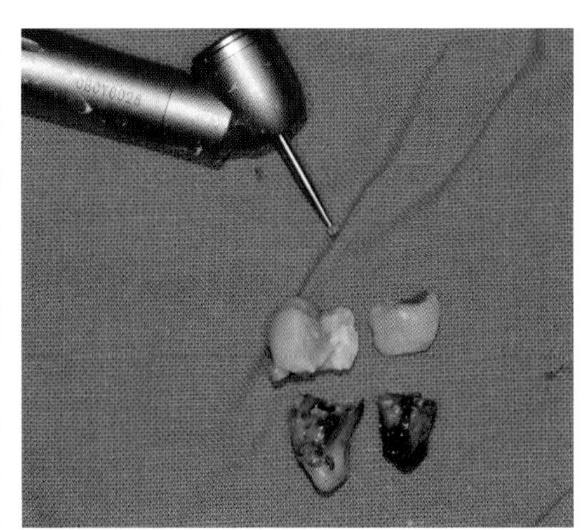

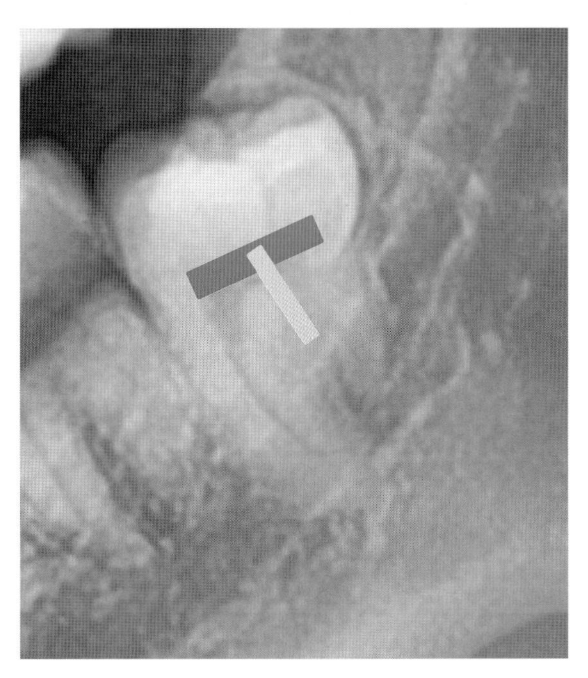
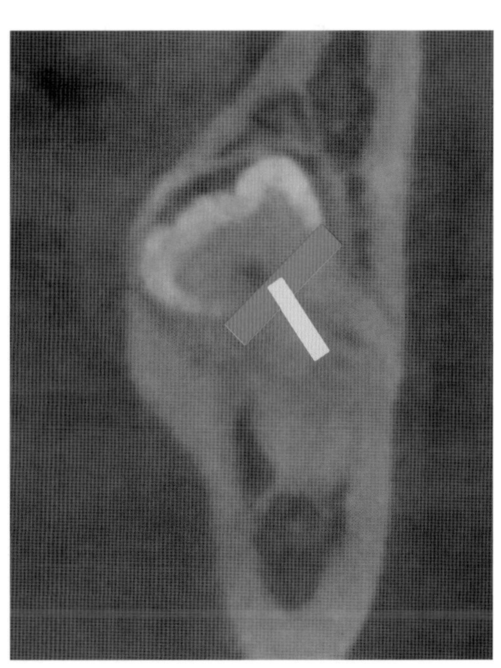

37세 여성 환자로 사랑니가 원심 설측으로 매복되어 발치가 쉽지 않다. 또한 설측에 접하여 신경관이 위치하고 있기 때문에 치관절제술 파트에서 다룬대로 우선 45도 핸드피스를 이용하여 근심 협측에서 치경부를 삭제하고 파절시켜서 치관절제술을 시행한 뒤에 판단해보기로 하였다. 치관이 절제된 이후에도 골 내에 위치하고 있어서 파절되어 분리된 치관부를 근원심으로 다시 분할하여 제거하였다. 남은 치근은 발치가 용이하지 않거나 환자가 통증을 호소하면 그대로 둔다는 가정하에 근원심 두 치근으로 분리하여 제거하였다.

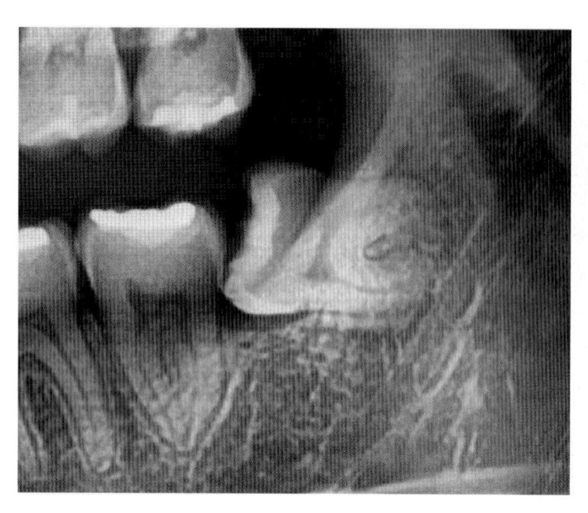
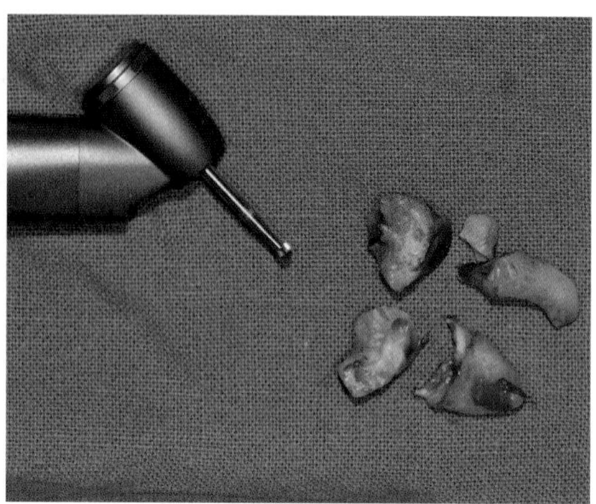

4.2배속 45도 저속 핸드피스를 이용하여 발치한 케이스이다. 일반적인 스트레이트 로스피드 핸드피스를 이용하여 발치하는 방식처럼 사랑니의 측면을 박리하여 측면에서 치아를 2분할하여 발치하였다. 치근 모양이 발치 방향과 달라서 원활한 발치를 위하여 치관도 분할하였다.

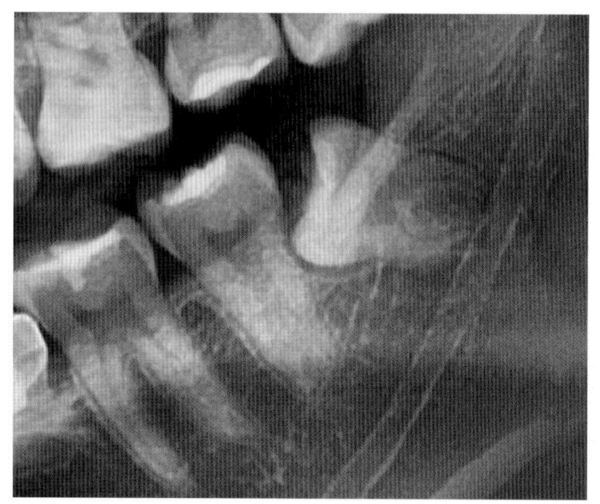
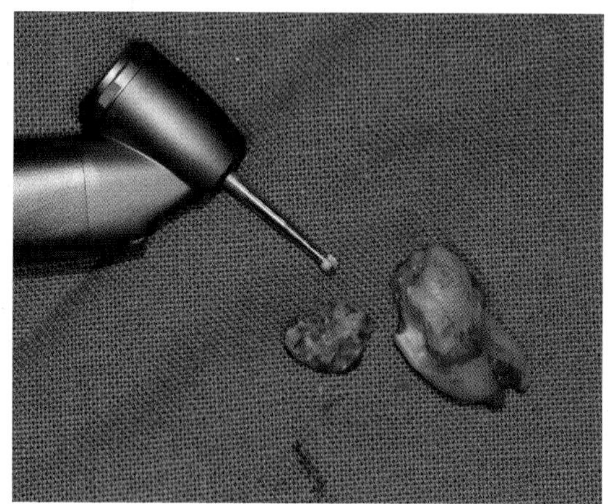

위와 같이 2분할하지 않고도 발치가 가능하다.

ASY
IMPLE
AFE
EXTRACTION
of
wisdom
tooth

06
CHAPTER

GANGNAM STYLE

하악 수직 매복
사랑니의 발치

수직 매복치의 단계별 발치 방법 훑어보기 ★★

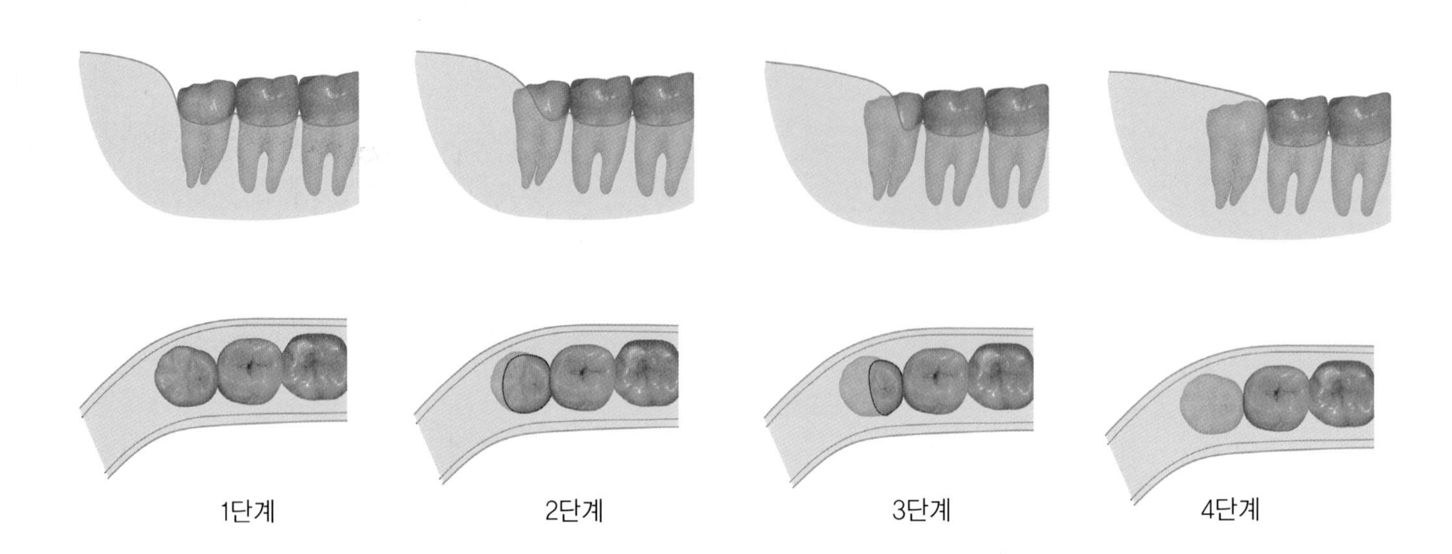

■ 1단계 : 치관이 모두 맹출한 경우

이런 경우는 대부분 치관 주위에 엘리베이터의 지렛대 효과의 받침점을 할만한 피질골이 거의 없기 때문에 포셉을 주로 사용한다. 포셉으로 발치가 되지 않는 경우는 치아를 분리해서 발치한다. 대부분 기능하고 있는 사랑니는 치주인대가 튼튼하기 때문에 특히나 골격 좋은 남자의 경우는 무척이나 어려운 경우가 있을 수 있다.

■ 2단계 : 치관이 2/3 정도(1/2 이상) 보이는 경우

이런 경우의 발치가 가장 쉬운 경우가 많다. 대부분 잇몸 절개 없이 원심 협측 부위에 엘리베이터를 갖다가 대기만 해도 발치되는 경우가 많다.

■ 3단계 : 치관이 1/3 정도(1/2 이하) 보이는 경우

이런 경우도 바로 위의 경우처럼 엘리베이터를 원심 협측에 갖다가 대기만 해도 나오는데, 간혹 사랑니가 빠져나오면서 잇몸의 설측이 찢어지기도 하기 때문에 미리 협측을 살짝 절개해 놓는 것이 좋다. 그래도 수직 매복 사랑니에서는 이런 경우가 가장 발치가 수월한 편이다.

■ 4단계 : 전혀 보이지 않는 경우

전혀 보이지 않는 경우는 잇몸 절개 후 엘리베이터 등으로 원심면에 치조골이 올라와 있는지를 확인해야 한다. 치조골이 교합면의 일부까지 덮고 있다면 치아의 원심면 1/2~1/3을 삭제(**뒷머리치기**)해서 제거하고 발치하는 방법을 많이 사용한다. 의외로 사진상에 보이는 것과 달리 그냥 발치할 수 있는 경우도 많다. 다만 사랑니 전체가 수직적으로 7번 교합면보다 하방이거나 원심 또는 설측, 협측으로 경사진 경우는 약간의 치아 삭제와 골 삭제가 동반될 수 있다.

수직 매복치의 절개 방법★

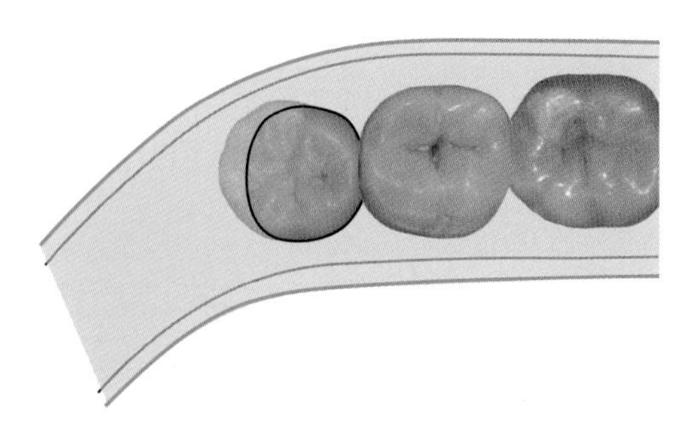

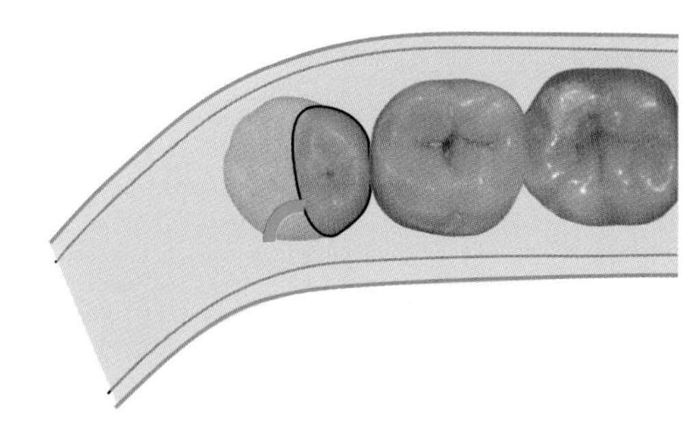

편의상 앞서 언급한 바와 같이 4단계로 구분한다면, 처음 두 단계는 잇몸 절개 없이 발치를 시행한다. 당연히 박리나 골 삭제도 없다. 치관이 ½ 이하로 덥인 경우는 살짝 협측으로 절개를 시행한다. 사랑니가 나오는 과정에서 잇몸이 찢어지는 것을 막는 정도이다. 그렇지만 너무 적게 절개하면 많은 조직이 당겨져서 큰 트라우마를 받게 되고, 탄성 한계를 벗어나면 원하지 않는 설측의 잇몸이 찢어지게 된다. 다시 명심하자. <찢어지는 것보다는 찢는 게 낫다.> 그러나 익스플로러로 치주인대를 잘라주는 것은 필요하다. 필자는 요즘은 잘 안하는 편이지만, 특히 초보 치과의사들에게는 꼭 권하는 편이다.

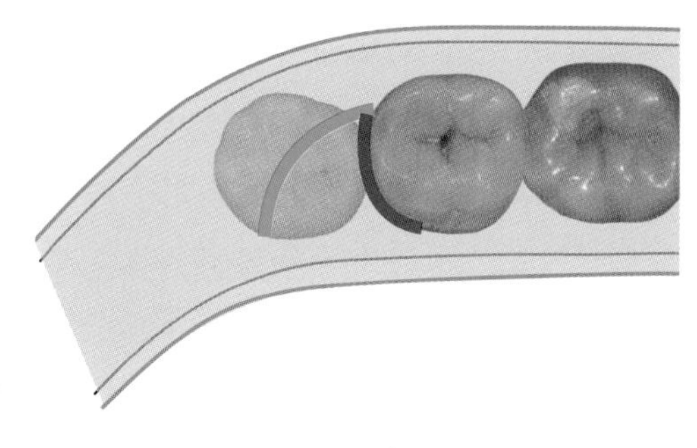

사랑니가 잇몸에 완전히 덥인 경우는 반달 모양으로 협측으로 최대한 잇몸을 당겨 놓고 절개를 하는데, 그 끝나는 선은 7번 원심의 설측이어야 한다. 그렇지 않으면 어차피 사랑니가 나오면서 잇몸을 들어내거나 찢게 된다. 어차피 찢어질 거라면 협측으로 절개해 놓는 것이 좋다. 그러나 이런 경우는 어지간하면 7번 협측이나 근심으로 절개선을 연장하지는 않는다. 대부분의 수직 맹출의 경우 이러한 과정을 거치지 않고도 발치가 가능하다.

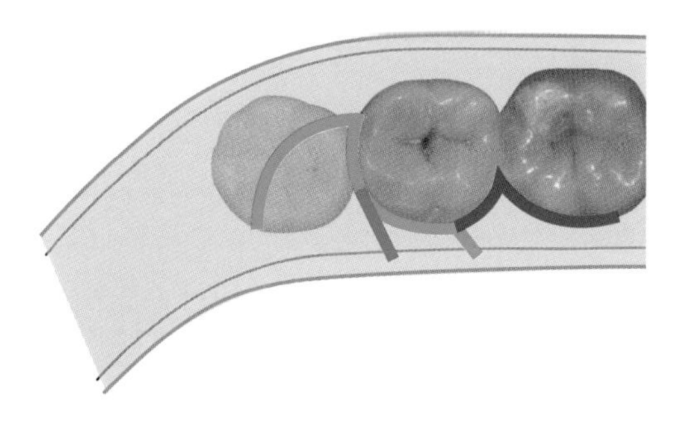

수직 매복치의 경우는 절개선을 근심으로 연장하는 경우가 매우 드물다. 그러나 골내 깊숙히 매복되어 있거나, 협설측으로 심하게 경사져서 시야 확보가 중요한 경우에는 근심으로 연장한다. 특히 사랑니의 협측 최대풍융부가 골 내에 묻혀 있거나 심지어 교합면까지 치조골에 덥여 있는 경우에는 협측 골의 삭제가 필수적인 경우도 많다. 이런 경우 보통 위 그림에서 녹색선에 준해서 절개선을 연장하는 경우가 많다.

정상 맹출한 하악 사랑니의 발치

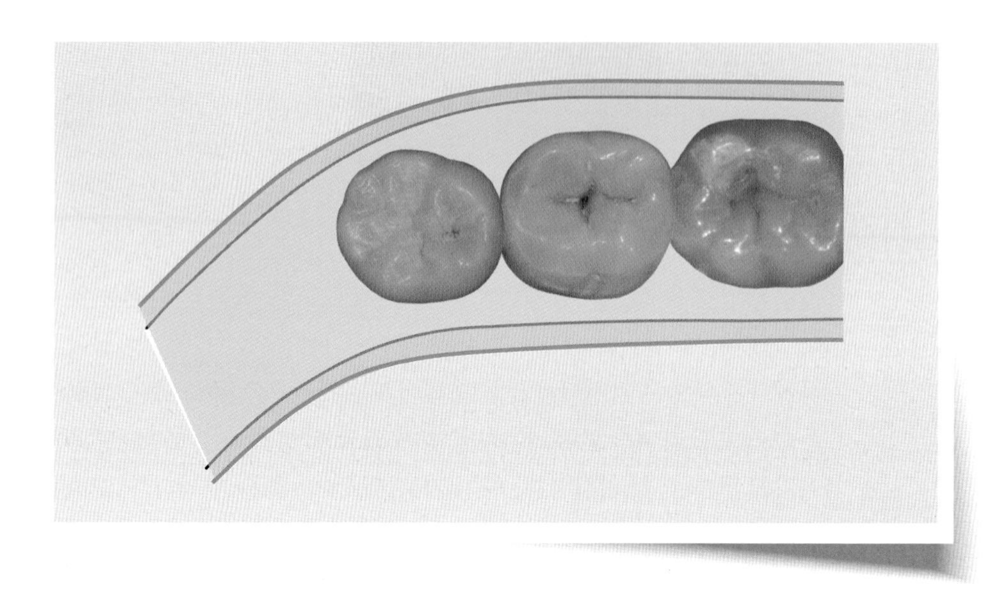

보통 치과대학에 다닐 때 ST Case로 사랑니 발치를 하는 경우에 주로 정상 맹출한 사랑니를 대상으로 하는 경우가 많다. 필자도 그랬다. 솔직히 필자는 운이 좋은 건지 나쁜 건지, 단독으로는 치아를 하나도 안 뽑아보고 치과대학을 졸업했던 것같다. 우리나라 치과대학 교육체계가 정말 잘못되어 있다는 반증일 것이다. 그러나 우리학교 출신이 모두 그랬던 것은 아니다. 왜냐하면 필자가 선배의 ST Case로 사랑니를 뽑혀봤기 때문이다. 선배들이 강의실 들어와서 정상적으로 잘 맹출한 사랑니가 난 후배들을 불러냈다. 필자도 불려 나갔다. 그러나 사랑니 뽑히는 동안이 필자가 태어나서 가장 큰 고통을 겪었던 시간이었다. 사람이 몇 명이나 바뀌었는지 모른다. 발치 수술 중에 통증이 너무 심하였고, 거의 한 시간이 지나서야 발치가 완료되었다. 어쩜 학생들이나 수련의들의 교육이 그런 상태였을까? 교수님들은 모두 어디 계셨을까? 어쨌든 여기서 가장 중요한 것 중에 하나는 정상적으로 수직 맹출한 사랑니가 가장 뽑기 어렵다는 것이다. 아니 가장 어려울 가능성이 많다는 것이다.

01
정상 맹출한 하악 사랑니는 포셉 발치 ★★

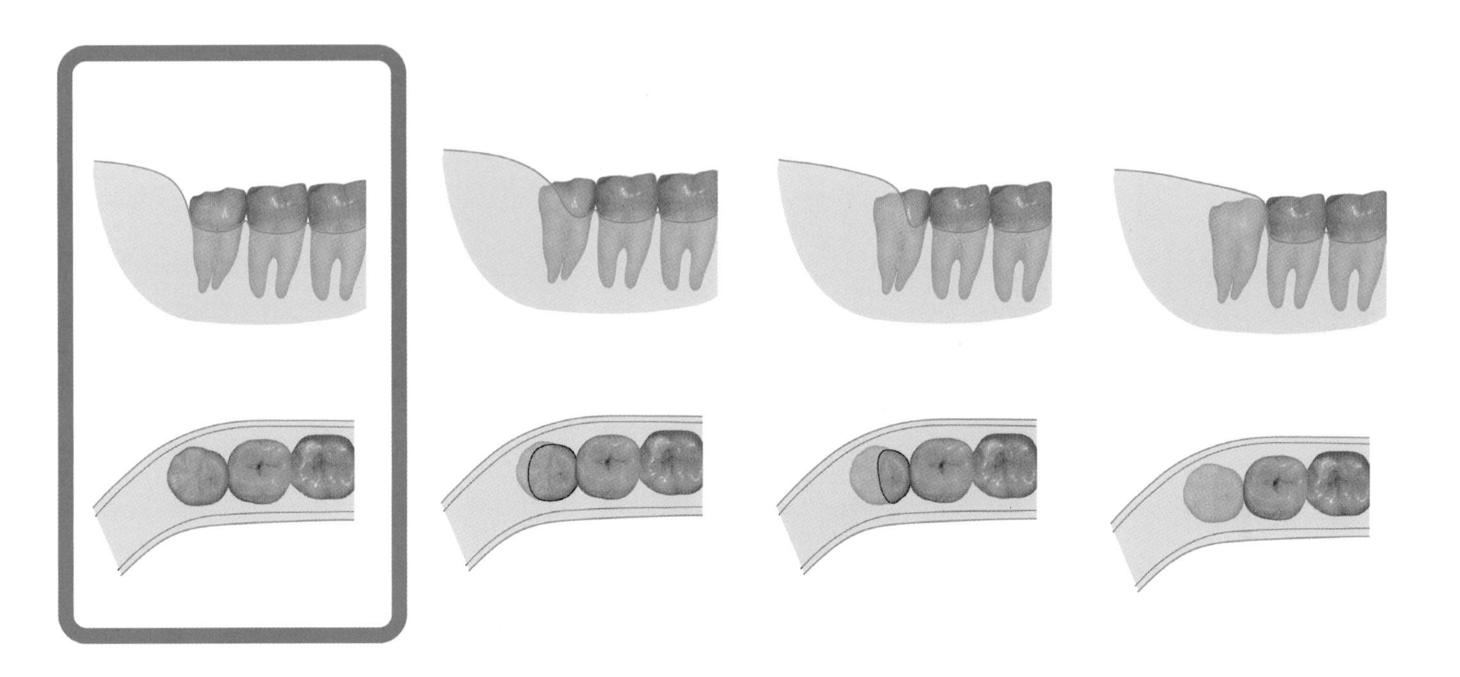

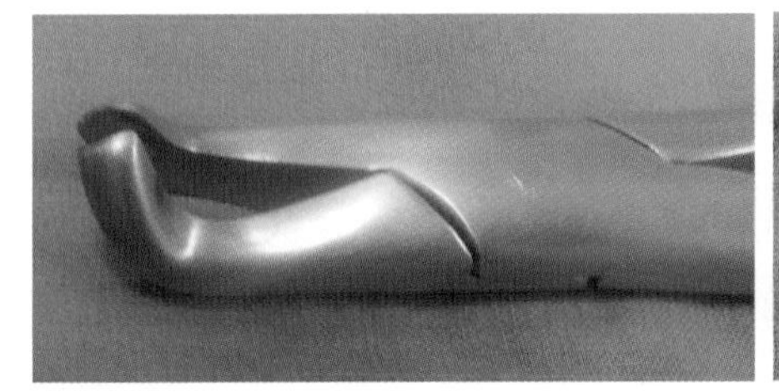

수직으로 맹출한 사랑니의 치관부가 대부분 노출된 경우는 포셉을 이용한 발치를 기본으로 한다. 물론 치관부가 대부분 노출되어 있어도 원심 협측이 잇몸에 치조골과 잇몸으로 둘러싸여 있다면, 그곳을 이용해서 엘리베이터를 사용한다. (바로 뒤에서 다룸)

포셉으로 발치하는 것의 원칙은 치아의 협설측 최대풍융부가 치조골 위로 올라와 있는 상태에서 해야 한다는 것이다. 그런 경우에만 포셉이 치아를 미끄러지지 않게 강한 힘으로 잡을 수 있기 때문이다. 어설프게 덜 맹출한 사랑니를 포셉으로 잡다 보면 종종 잘 잡혔다고 생각한 경우에도 포셉이 톡 톡 튀듯이 미끄러져서 대합치를 손상시키거나 할 수도 있고, 억지로 잡다 보면 치조골과 잇몸이 손상될 수도 있다. 다만 포셉 발치는 힘이 많이 부족한 여성의 경우는 정말 정말 조심해야 한다.

포셉으로 발치 시에는 매우 강한 힘으로 치아를 잡아야 한다. 보통 내가 쓰는 힘의 70%를 잡는데 쓰고, 치아를 발치하는 데는 30%만 쓰라고 한다. 초창기 강의할 때는 6:4로 하였는데, 그래도 발치 도중 포셉이 미끄러지는 치과의사들을 많이 보았다. 최대한 강한 힘으로 잡고, 치아를 움직이는 데는 그보다 훨씬 작은 힘을 써야 한다. 그래야 포셉이 미끄러지지지 않고, 주변 치아나 조직을 손상시키지 않는다.

02
포셉 발치의 기본자세★★★

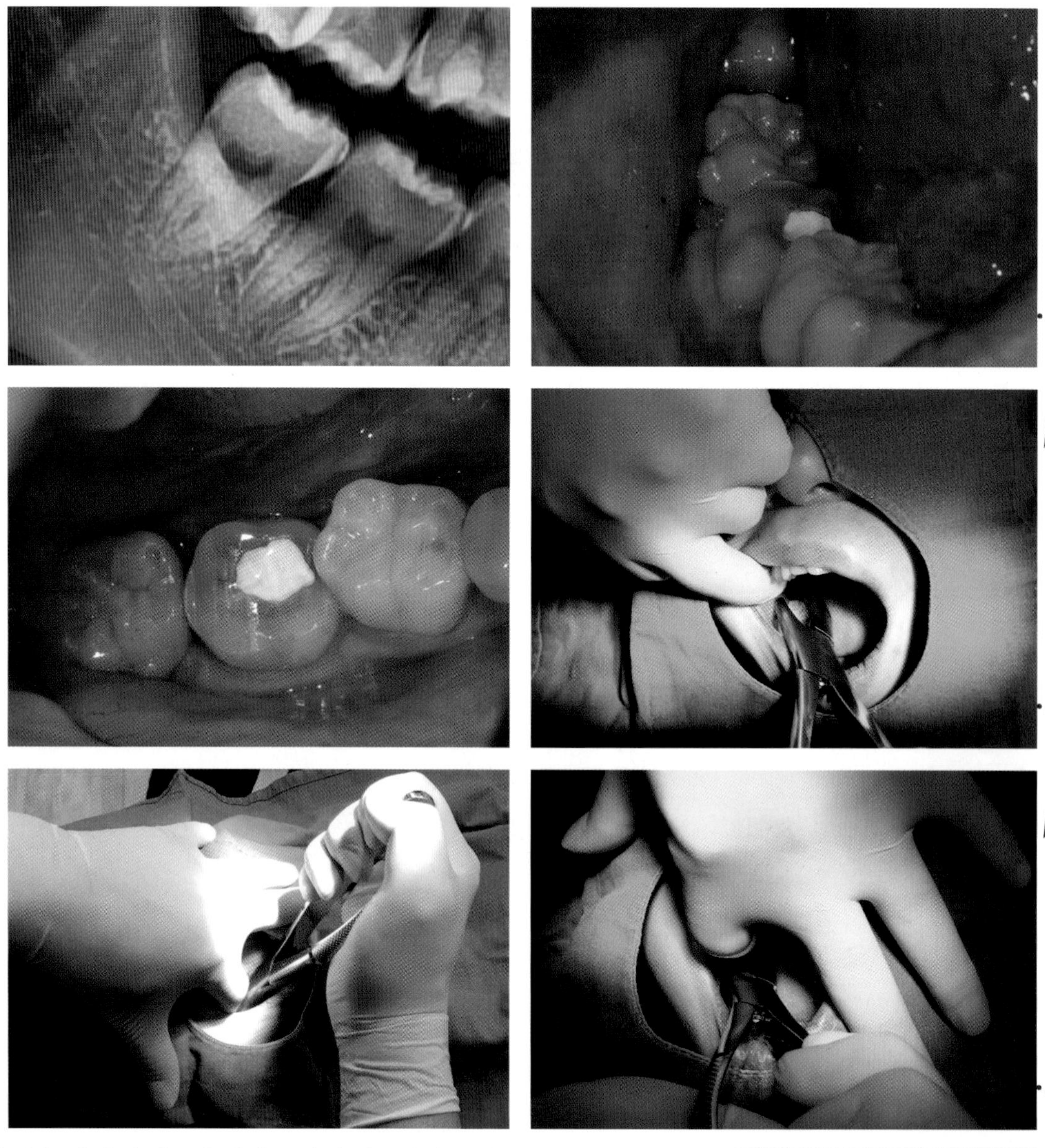

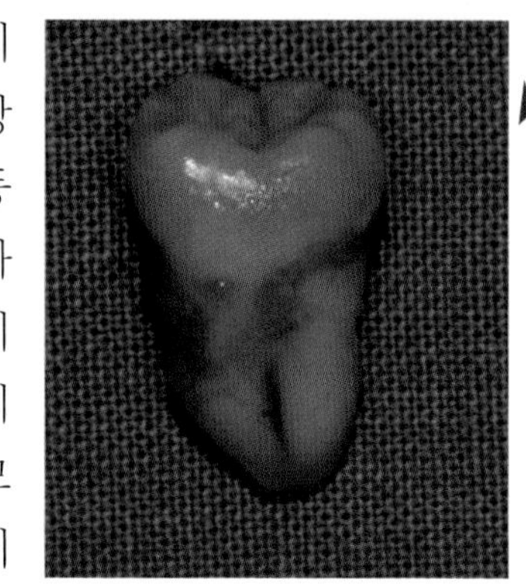

포셉 발치에서 가장 중요한 것은 앞서 말했듯이 절대 포셉이 미끄러지지 않는 것이다. 포셉이 미끄러지다 보면 주변 치아를 손상시키는 일이 발생할 수 있다. 그래서 포셉을 잡는 힘을 매우 강하게 해야 하는데, 그러다 보면 의도하지 않게 포셉을 손에 잡고 쥐는 힘만으로도 사랑니가 자동으로 발치되면서 포셉이 대합치를 때리는 경우도 있다. 이런 걸 방지하기 위해서는 포셉으로 사랑니를 잡을 때 한꺼번에 힘을 주지 않고 단계별로 천천히 힘을 주고, 마지막에 강한 힘을 쓰기 전에는 반드시 조금 더 확실하게 포셉이 미끄러지지 않는지 체크해야 한다. 또한 사랑니가 발치될 때나 점차 힘을 주는 동안 언제든지 예상치 못하게 사랑니가 튀듯이 발치될 수 있다. 그러므로 필자는 반드시 왼손 검지손가락을 상악 대합치 위에 두고 있다. 사랑니를 안 뽑는 사람들이 사랑니를 못 뽑아서 안 뽑는 게 아니라, 뽑다가 이런 데서 스트레스 받아서 안 뽑는 것이다. 그 스트레스 중에 가장 흔한 것이 바로 포셉에 의한 대합치 파절이다.

03
정상 맹출한 하악 사랑니의 포셉 발치★

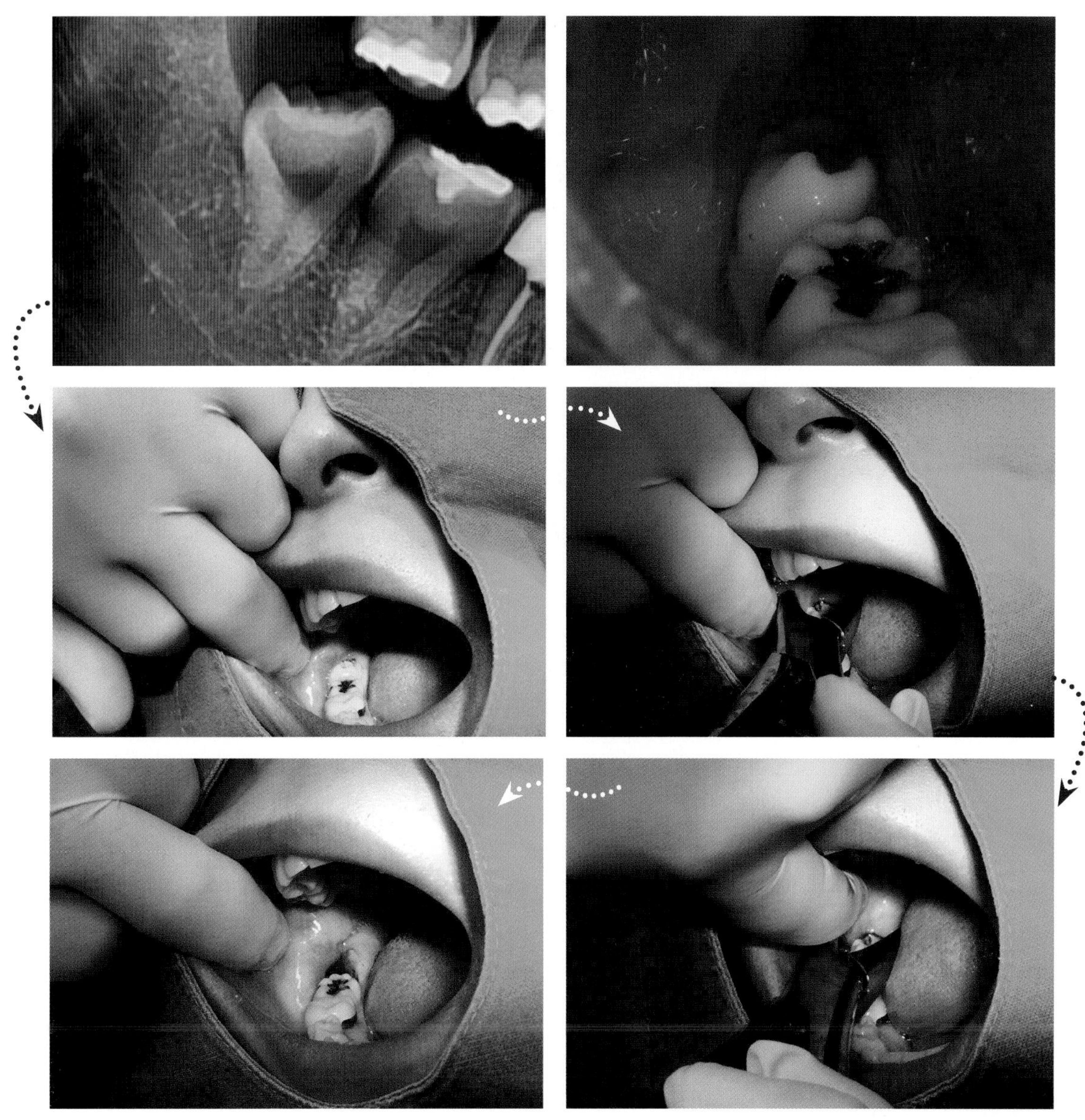

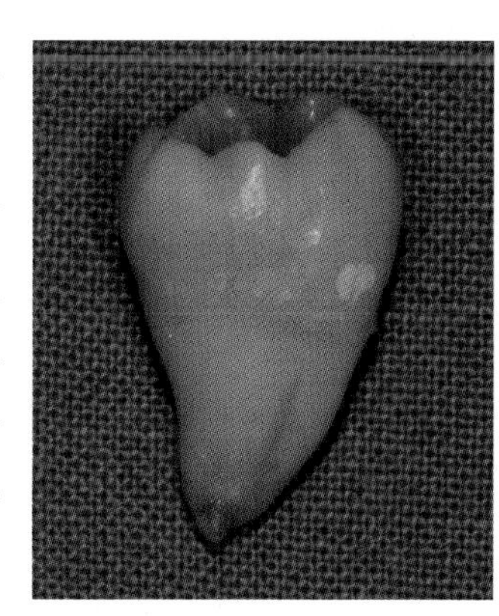

엑스레이와 임상사진에서 협설측 최대풍융부가 모두 잇몸 밖으로 나와 있는 것이 확인되었다. 이런 경우에는 엘리베이터를 작용하는 것이 쉽지 않다. 엘리베이터를 쓰려면 협측 잇몸을 박리하고 협측 치조골에 엘리베이터가 들어갈만한 깊이의 홈을 파야 한다. 그래서 이런 상태라면 무조건 처음에 포셉을 선택하는 것이 좋다. 아마 힘이 부족한 여자치과의사라도 이런 elongation된 단근치 사랑니를 쉽게 발치할 수 있을 것이다. 그리고 이런 단근치의 경우는 잡는 힘만으로도 포셉과 사랑니가 튀듯이 발치되는 경우가 많기 때문에 반드시 대합치에 위에 왼손 검지손가락을 얹어야 한다. 그리고 포셉이 튀면서 상악 전치를 손상시키는 경우가 많기 때문에 왼손 검지손가락으로 최대한 전치부까지 감싸야 한다.

04
포셉으로 사랑니를 잡고 흔들기★★

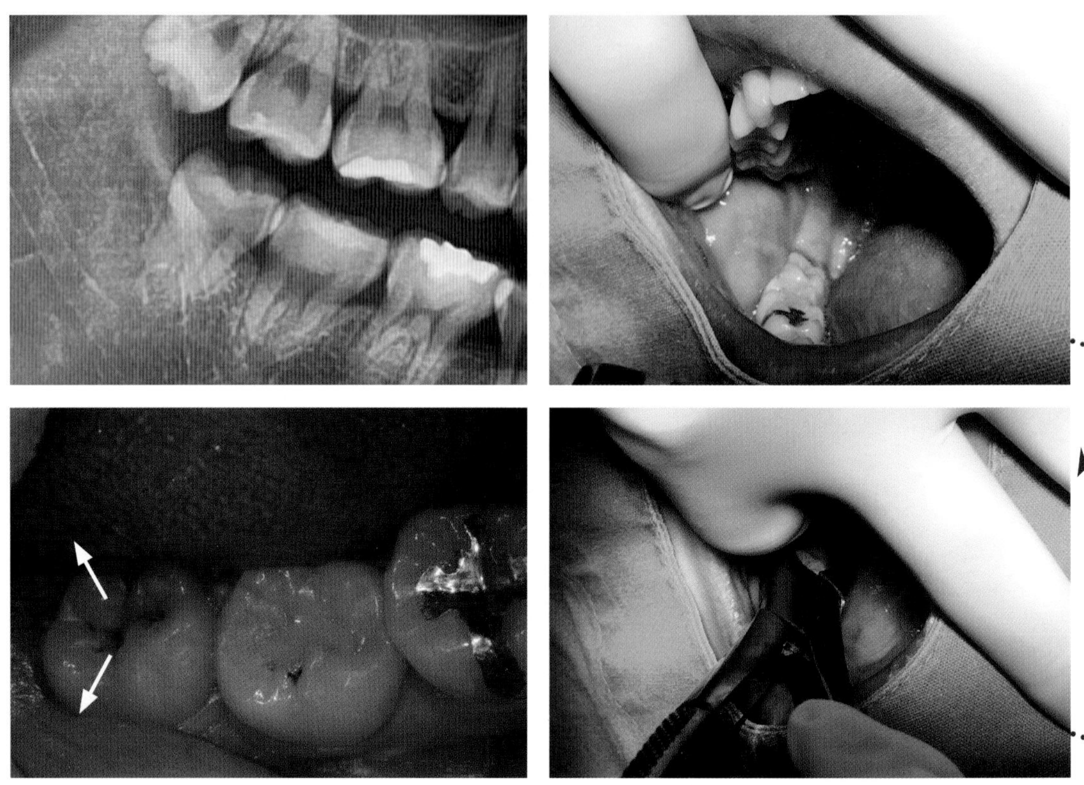

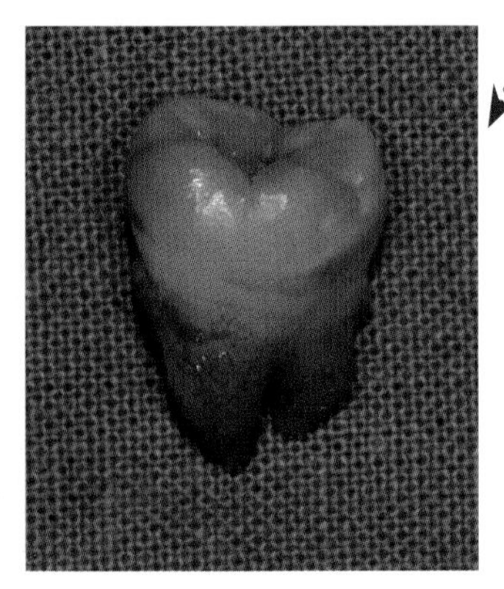

포셉으로 사랑니를 잡고 흔들 때는 사랑니의 근심면이 7번 치아의 원심면과 닿아 있다는 것을 잊지 말아야 한다. 포셉으로 사랑니를 잡고 흔들 때 그 힘이 7번에 미치게 되면 7번 치아가 매우 깨지기 쉽게 된다. 이러한 부분은 앞장의 기구의 사용방법에서 설명했으므로 그 부분을 참고 바란다. 필자의 경험상 사랑니를 설측으로 힘주면 나올지 협측으로 힘주면 나올지는 사랑니를 잡고 움직여봐야만 느낌으로 알 수 있다. 사랑니를 움직이면서 좀 더 많이 움직이는 방향으로 힘을 점점 더 많이 주게 된다. 굳이 필자 경험대로 말하자면, 협측으로 움직일 때 조금 더 많이 발치된 듯하다.

사랑니가 정상 맹출하여 엘리베이터도 안 걸리고 포셉으로도 발치할 수 없다면?
이 chapter의 가장 뒷부분을 보자.

05 동영상 보기★★★

완전 노출 처음부터 포셉 발치 ^^

완전 노출 엘리베이터 시도하다가 안 되서 포셉으로 발치

똑바로 난 사랑니 엘리베이터가 안 걸리면 포셉 발치

엘리베이터 걸어보면서 안 걸린다고 포셉으로 발치

완전 노출 교정 중이어도 원심면에서 엘리베이터로 발치

완전 노출이고 치관 주위 폭이 넓어서 5c로 발치

하악 설측 경사 상악 협측 경사 사랑니 포셉 발치

이 책이 완성되는 단계에서는 아직 동영상이 많지 않다. 책이 완성되고 한가해지면 그때 추가로 차례로 동영상을 더 만들어서 올릴 예정이니 아래 유튜브 주소를 꼭 구독신청 필수!!

강남사랑니 발치연구회

잠깐!

발치를 잘하는 사람이 아니라 발치를 잘 가르치는 사람이고 싶다.

발치 실력을 객관화하거나 수치화할 수는 없지만 굳이 그렇게 한다면 필자의 실력은 어떨까? 필자 스스로 결코 높지 않다고 생각한다. 특히나 하악골 하연에 붙어 있는 사랑니를 발치하거나 낭종이나 양성종양 적출과 함께 해야 하는 사랑니 발치 등은 필자는 할 수도 없고 해보지도 않았다. 언제나 묵묵히 낮은 수가에도 사랑니 발치 뿐만 아니라 하악골 재건이나 구강암의 치료 등에 종사하시는 구강외과 전문의들에게 치과의사로서 뿐만 아니라 국민의 한사람으로서 마음 속에 고마움을 느끼고 있다. 행여나 이 책이 그 분들의 전문성을 뛰어넘는 오만함으로 비칠까 걱정이 되기도 한다. 필자는 사랑니 발치를 잘하는 사람이 아니라, 일반 치과의원기준에서의 사랑니 발치를 좋아하고 같은 치과의사들끼리 관련된 정보를 나누는 그런 사람이고 싶다. 대부분 후배들에게 사랑니 발치를 가르치는 입장에서 만나지만 언제나 열린 마음으로 소통하고 싶은 치과의사 1인일 뿐이다.

잠깐!

어떻게 사랑니 발치를 많이 하게 됐나? ★★★

우리나라의 사랑니 발치 비용은 너무 저렴하다. 덕분에 필자는 사랑니를 질리도록 많이 뽑을 수 있었다. 2002년 2월에 하루 유동인구가 100만이 넘는 젊은이들이 넘치는 거리 강남역 10번 출구(당시는 6번 출구)에 개원했다. 당시 구치부 교합면 레진필링 진료비가 10만원이고 임플란트는 300만원 수준이었는데, 사랑니 발치 비용은 가장 비싼 완전 매복치도 3만원 정도였다. 이렇게 터무니 없이 낮은 사랑니 발치비용 때문에, 사랑니 발치는 대부분 치과의사들의 기피 대상이었다. 덕분에 나처럼 보잘 것 없는 젊은 치과의사에게도 많은 기회가 주어졌다. 필자는 처음부터 충치 치료보다는 발치 같은 외과적인 치료를 더 좋아했다. 그나마 사랑니 발치가 가장 자신 있는 치료였다. 그래서 다른 치료를 하러 온 환자들에게도 사랑니가 있으면, 사랑니 발치를 먼저 권유하게 되었고, 그때부터 사랑니 발치를 좋아하고 열심히 하는 치과의사가 되었다.

잇몸에 덮여 있는 하악 수직 매복 사랑니 발치

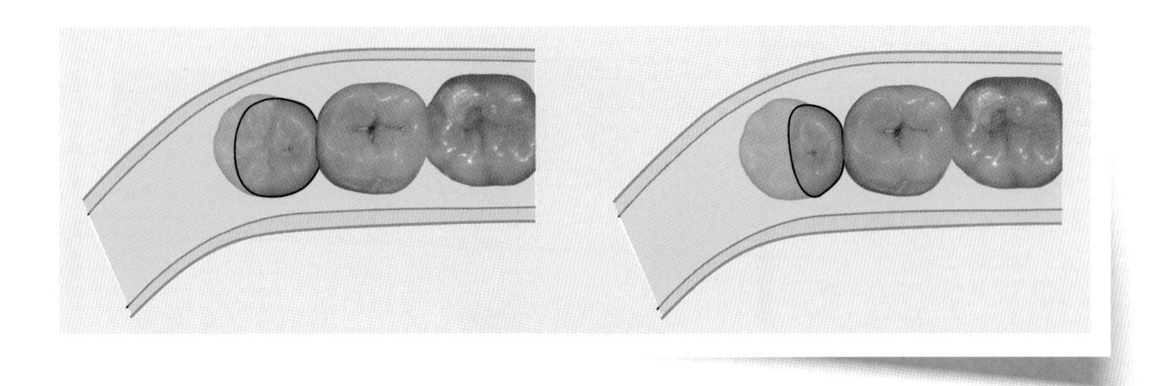

앞서 정상 맹출한 사랑니가 가장 어려운 사랑니일 수도 있다고 이야기 했다. 그럼 반쯤 잇몸에 덮여 있는 수직 매복 사랑니는 어떨까? 사실 이런 것이 가장 쉬운 사랑니 중에 하나이다. 경우에 따라서 다르기도 하지만, 이런 사랑니가 대체적으로 가장 쉽다. 대부분의 경우에 엘리베이터 하나만으로 발치가 가능하므로, 엘리베이터를 잘 쓰는 필자는 대부분 쉽게 발치를 하게 된다. 치과대학에서 학생들에게 사랑니 발치 교육을 해야 한다면, 오히려 이런 사랑니를 엘리베이터로 뽑는 연습을 하는 것은 어떨까? 물론 포셉을 사용하는 발치와 엘리베이터를 하는 발치를 모두 다 해봐야겠지만, 필자는 굳이 꼭 하나만 해야 한다면 이런 반매복 수직 사랑니의 발치를 가장 추천한다. 결국 엘리베이터의 사용에 의한 발치가 모든 발치의 기본이 되기 때문이다. 이런 사랑니 발치만 잘해도 수평 사랑니까지 매우 발치가 쉬워진다. 그래서 기본적으로 엘리베이터를 잘 사용하는 연습을 수직 매복 사랑니에서 많이 해봐야 한다.

01
엘리베이터를 이용한 수직 매복 사랑니의 발치 ★

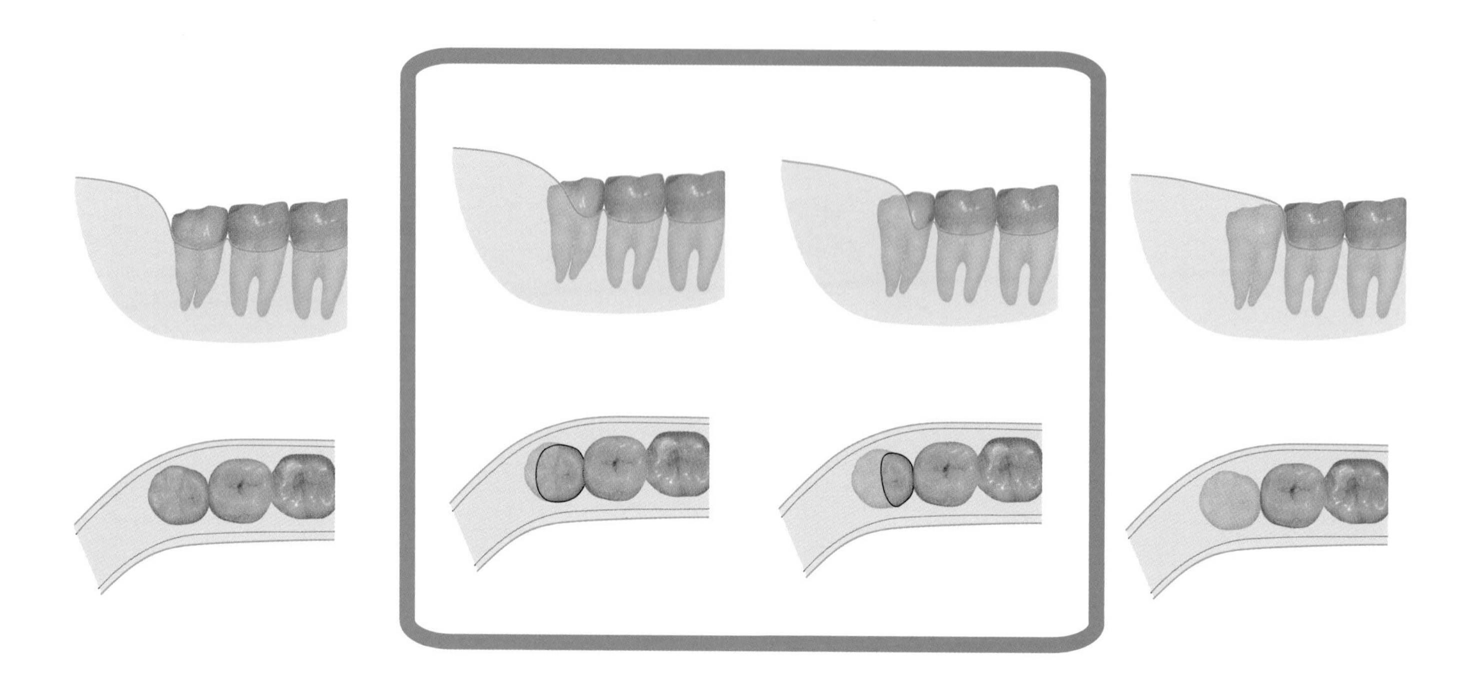

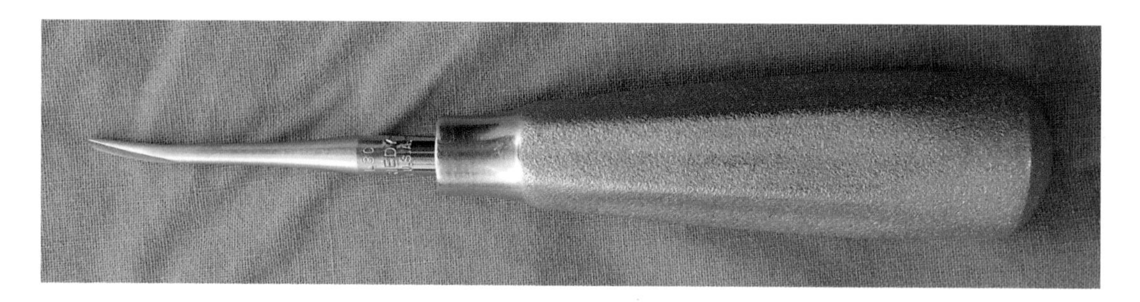

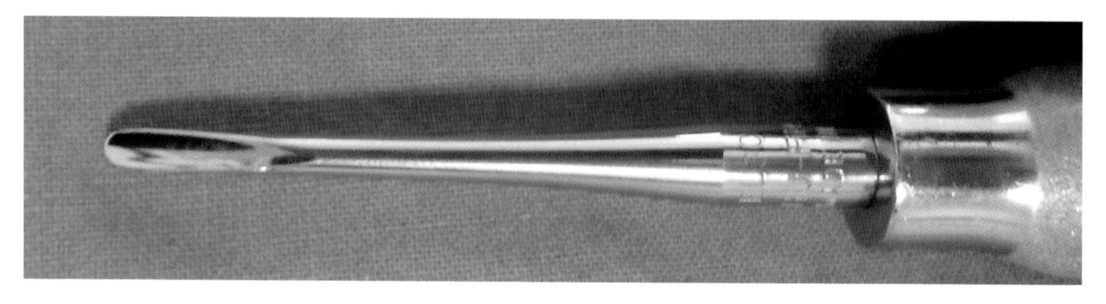

치관 반 정도 보이는 경우의 수직 매복 발치가 발치 중에 가장 쉽다. 이런 경우는 절개 없이 엘리베이터만 잘 사용해도 대부분 발치가 된다. 필자가 가장 좋아하는 발치다. 마취 및 봉합 시간을 제외하면 몇 초만에 손맛을 느낄 수 있는 발치이다. 필자가 사랑니 발치를 교육하면서 가장 보람 있는 파트이기도 하다. 누구라도 이 손맛을 본다면, 낚시광들이 낚시에 열광하듯이 엘리베이터 발치에 열광하게 될 것이다.

02
엘리베이터를 적용시킬 곳은? ★★

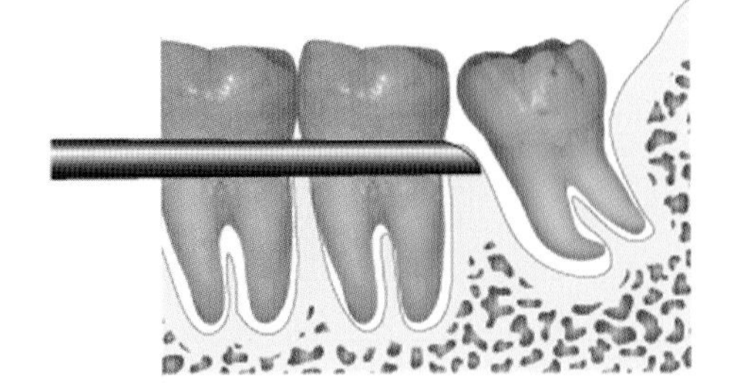
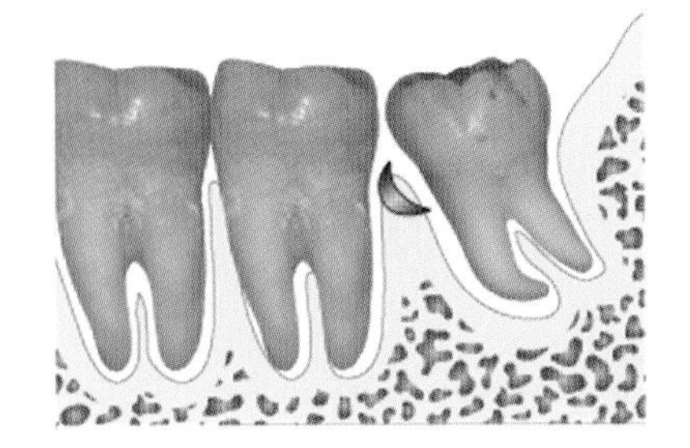
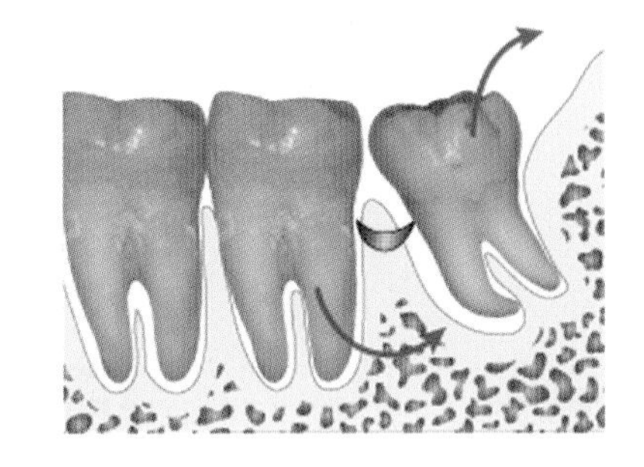
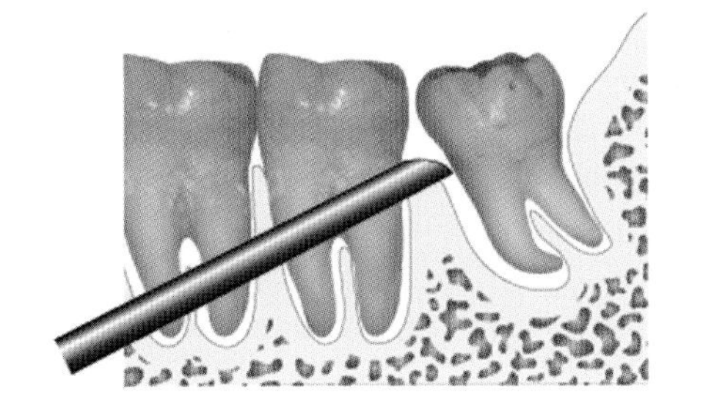
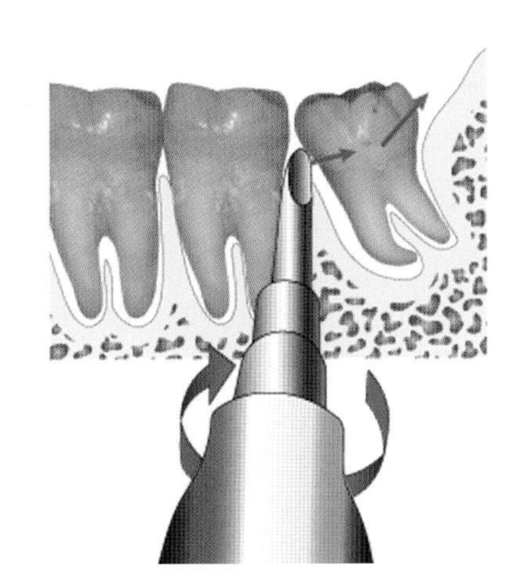
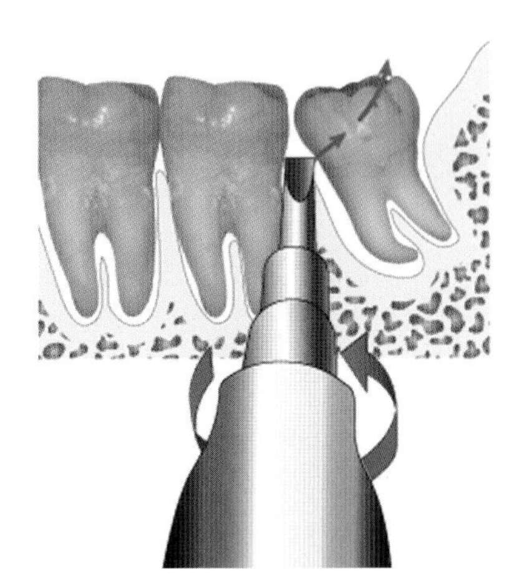

구강외과 교과서에 나와 있는 엘리베이터를 작용시키는 방법에 관한 그림을 비슷하게 그려본 것이다. 필자가 발치하면서 가장 강조하는 것은 바로 나를 슬프게 하는 한 가지를 안 만드는 것이다. 늘 강조하지만 사랑니 발치를 안 하는 치과의사들이 못해서 안 하는게 아니라, 발치하고 나서 스트레스 받아서 안 하는 것이다. 저렇게 7, 8번 사이에 엘리베이터를 적용시키면 7번 원심면이 상하기 쉽다. 몇 개 또는 몇 십 개... 아니 몇 백 개 정도는 발치하고 문제가 없을 수도 있다. 그러나 필자처럼 만 건 이상 넘게 발치하는 치과의사라면 그 중 몇 개는 7번 원심 협측 치근부가 반드시 손상될 것이다. 사랑니 뒷부분이 휑한 연조직인 상악에서도 7번 원심면에도 되도록 엘리베이터를 적용시키지 말라고 말한다. 그런데 하물며 뒤쪽이 하악지에 막혀 있는 하악 8번 근심에 엘리베이터를 사용하는 것은 언젠가는 7번 치아의 원심부를 작살내겠다는 각오나 마찬가지이다. 지금까지 엘리베이터를 8번 근심 부분에 작용시키던 분들은 그럼 엘리베이터로 발치를 하지 말라는 말인가? 이런 생각이 들 것이다. 이제 한 번 보자. 발치가 안전해지기만 하는게 아니라... 빠르고 쉬워진다.

03
7번과 8번 사이에 엘리베이터를 위치시켜서 발치하는 동영상 ★

유튜브에 wisdom tooth extraction을 검색하면 나오는 흔한 영상들이다. 모두 스스로의 방식을 자랑하듯이 공개적으로 올려놓은 동영상들이니 필자의 의견을 더해보겠다. 어디까지나 필자 개인의 사견이다. 누구의 방식을 따를 것인지는 스스로 판단하길 바란다.

동영상 보기 1

이 동영상의 4분 45초부터 보자. 이미 필자보다 훨씬 훌륭한 치과의사이겠지만, 필자라면 엘리베이터로 원심 협측에 적용시켰을 것이다. 이렇게 발치를 많이 하다 보면, 그런 와중에 바쁘고 마음이 조급하다면, 결국 7번 원심면을 손상시키는 날이 올 것이다. 또한 이런 발치를 하면서는 7번이 움직일까 걱정되어 손가락으로 누르면서 하는 경우도 있는데, 얼마나 7번이 위험한지를 반증하는 것이라고 생각한다. 발치 후에 환자들이 씹을 때마다 7번이 시큰거린다는 말을 하는 경우가 대부분 이런 발치에서 7번 원심면에 미세한 크랙이 갔기 때문이다.

동영상 보기 2

전형적인 사랑니 근심에 엘리베이터를 위치시켜서 발치하는 영상이다. 필자라면 여기서도 반드시 원심 협측에 엘리베이터를 작용시킬 것이다. 필자의 경험상 원심 협측에서 적용시킬 때는 근심에 적용시킬 때보다 훨씬 더 강한 힘으로 발치를 할 수 있다.

동영상 보기 3

EWF technique이라고 유튜브에 올라와 있는 영상들(EWF : Extraction Without Forceps)
이 경우도 마찬가지이다. 조금 더 맹출해 있기 때문에 원심면이 더 여유는 있겠지만, 그래도 원심 협측에 우선이고, 그래도 안 된다면 차라리 포셉을 사용하는 것을 권하고 싶다.

04
하악 수직 매복치에서 엘리베이터는 바로 이곳에 ★★

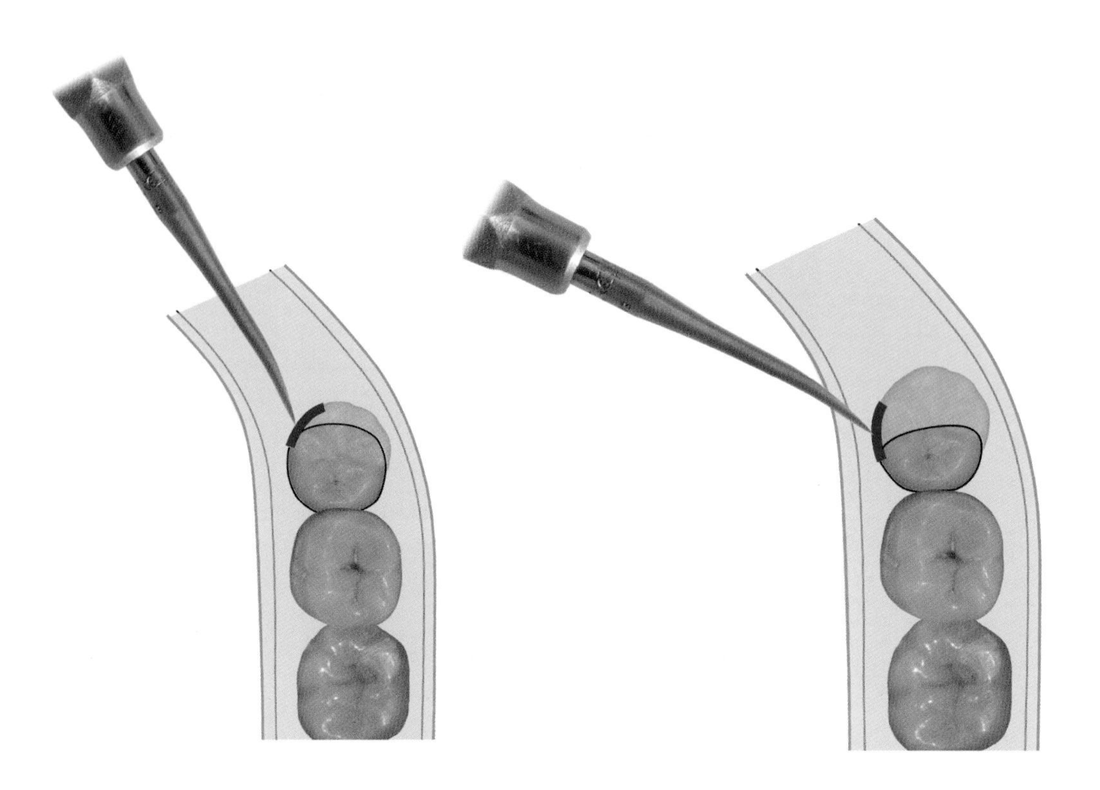

수직 매복 사랑니의 발치에 있어서 원심 협측 치조골에 받침점을 주고 엘리베이터를 적용하는 것이 가장 쉬운 발치가 될 수 있다. 처음부터 두꺼운 EL4S 등을 사용하던 치과의사들은 이런 부분을 잘 이해하지 못한다. 원심 협측을 공략하기 위해서는 Hu-Friedy EL3C 엘리베이터가 필요하다. 약간 Curved되어 치아의 협측 최대풍융부에 잘 안 걸리고, 좁고 뾰족해서 치조골 삭제 없이 치아와 치조골 사이에 꽂듯이 적용시킬 수 있다. 이 느낌은 EL3C 엘리베이터를 안 써본 사람은 알지 못한다.
필자가 지금까지 사랑니 발치 강의를 하면서 가장 고맙다는 말을 많이 듣는 것이 바로... 이 EL3C 엘리베이터로 수직적인 단순 매복 사랑니의 원심 협측에 위치시켜서 뽑으라고 한 것이다. 꼭 기억하자!!
"Hu-Friedy EL3C & 원심 협측"

05
엘리베이터를 협측에 위치시키려면? ★

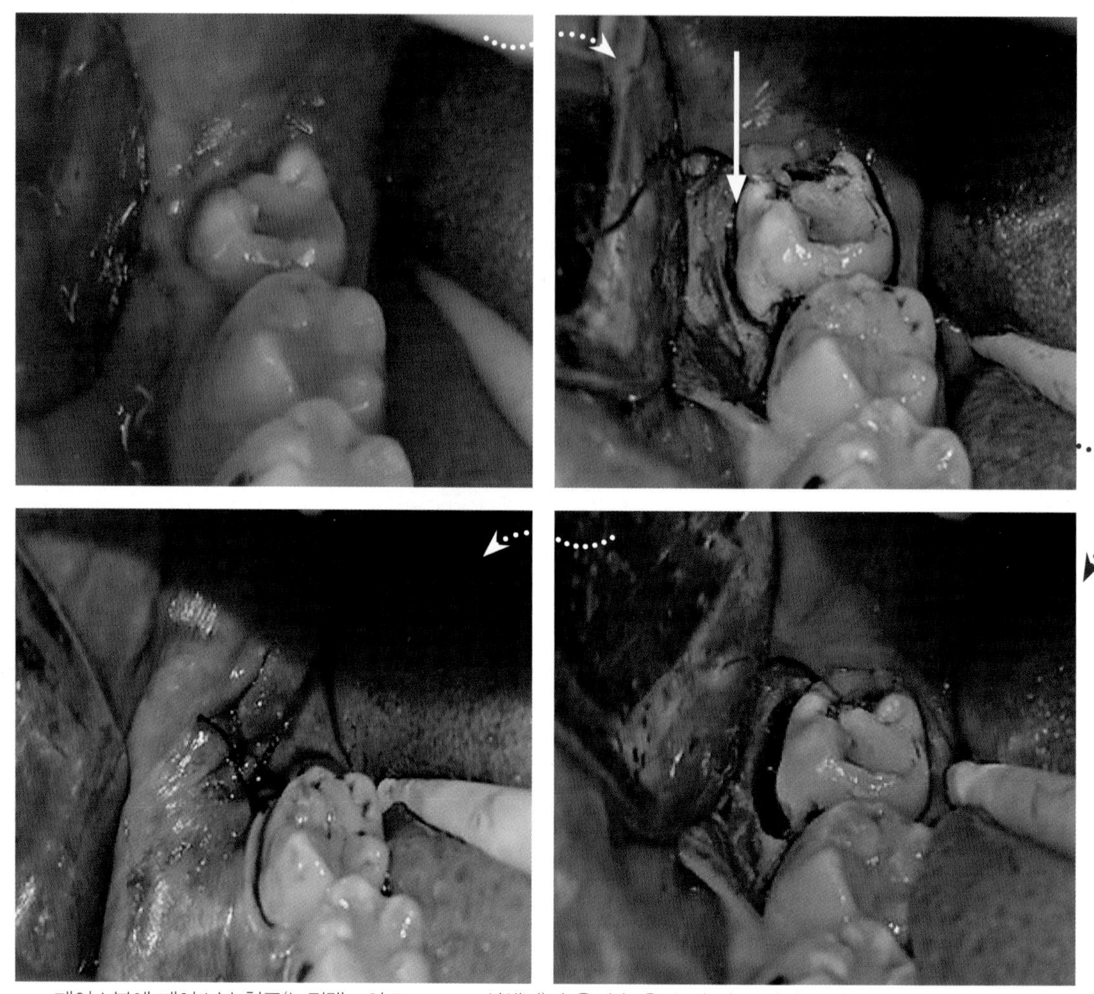

페이스북에 페이스북 친구(뉴질랜드의 Peter Kim 선생님)가 올려 놓은 수직 매복 치아를 발치하는 과정

위와 같은 발치 과정은 가장 일반적인 발치 과정을 나타내는 케이스라고 할 수 있다. 이런 식의 발치는 구강외과 수련을 받은 치과의사들이 하는 경우가 많다. 전형적으로 외과적인 테크닉 교육을 위한 방식대로 교과서적인 방법이다. 아마도 엘리베이터는 EL4S같은 굵은 것을 사용했을 가능성이 높다. 그러나 EL3C같은 얇고 작은 엘리베이터를 이용하면 굳이 이렇게까지 복잡하게 하지 않아도 발치가 쉽게 될 수 있다. 필자라면 여기서도 절개, 박리, 골 삭제 없이 사랑니의 원심 협측인 화살표 방향의 치아와 치조골 사이에 엘리베이터를 넣어서 발치했을 것이다.
이제 한 번 그 실전으로 들어가보자.

06
엘리베이터를 이용한 수직 매복치 발치 1 ★★★

CASE 1

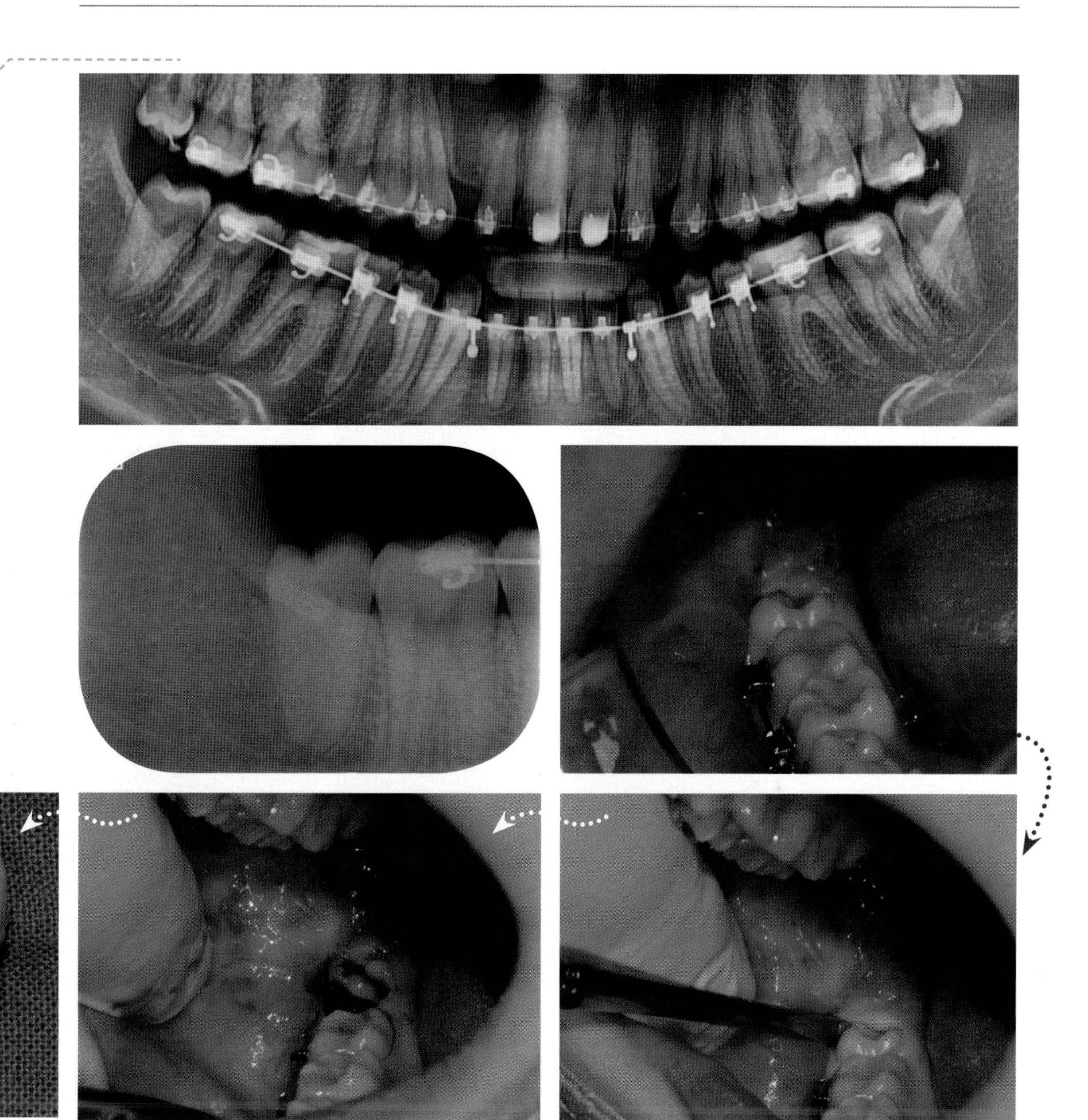

사랑니 치관이 치조골 위로 대부분 올라와 있고, 잇몸이 살짝 덮고 있다. 포셉으로 잡기에는 잇몸 손상될 가능성이 많다. 필자의 경험상 포셉보다도 엘리베이터가 더 강한 힘을 낸다고 생각된다. 사랑니가 조금만 더 맹출하거나 원심쪽 치조골의 높이가 조금만 더 낮아도 엘리베이터가 안 걸리는 경우가 많다. 사랑니의 원심쪽 최대풍융부가 골 내에 매복된 정도로 보이는 이 정도가 엘리베이터를 이용해서 발치하기 가장 좋은 경우이다.

이런 경우는 치관의 크기도 작고 잇몸의 탄력성으로 충분히 사랑니가 나올 듯하여 절개 없이 발치하였다. 치근의 모양이나 치조골 상태를 보면 엘리베이터를 원심 협측에 넣고 들어 올리듯 힘을 주면(비틀어주면) 1초 안에 발치가 될 듯하다.

07
한달 후 같은 환자의 반대쪽 사랑니 ★★★

CASE 2

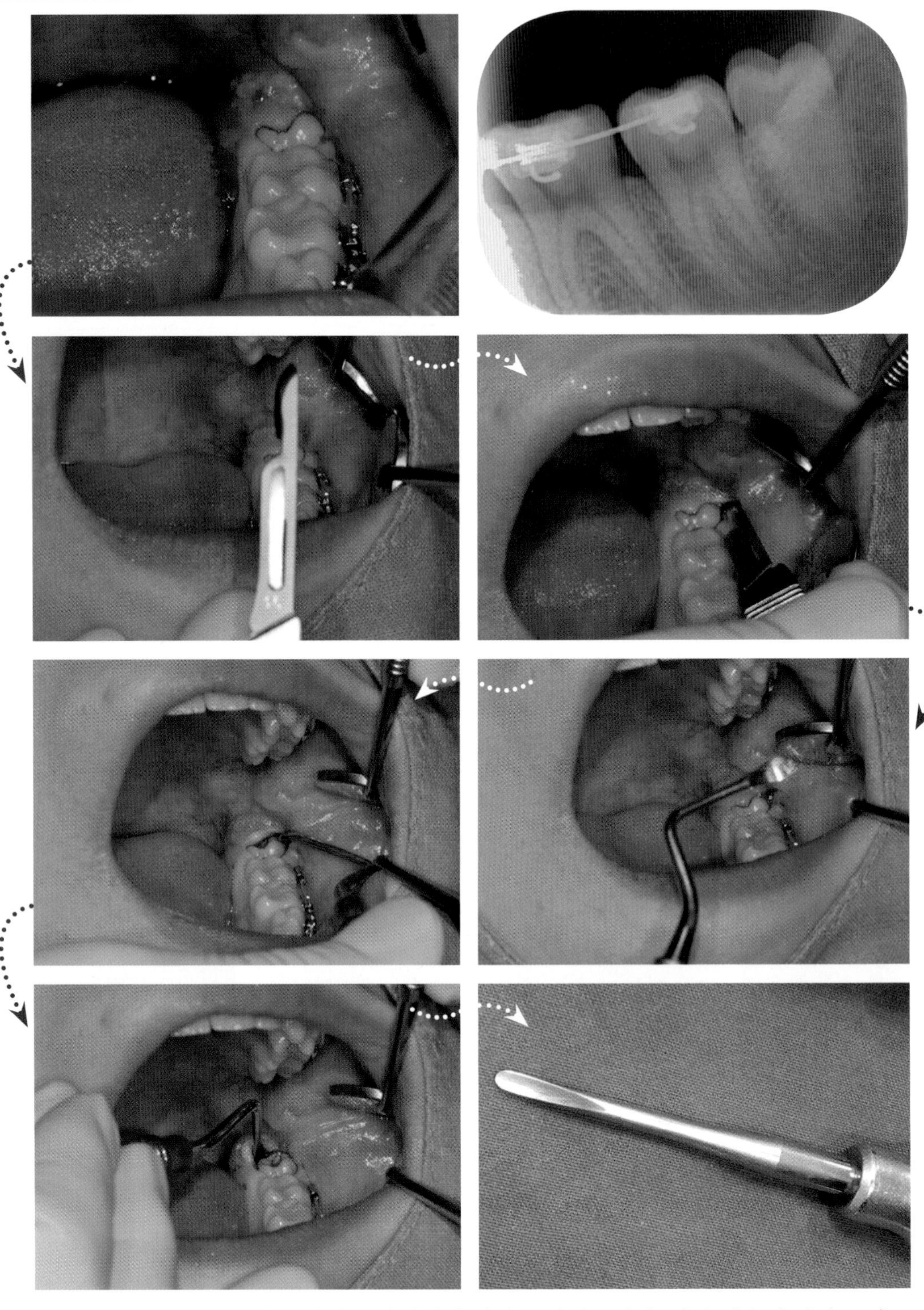

사랑니의 치관이 잇몸 절개 없이는 발치되기 어려운 케이스이다. 이런 경우에 필자는 반드시 협측에 작은 절개선만 하나 살짝 넣는다. 보통의 잇몸 절개라기보다는 원심 협측으로 엘리베이터가 들어갈 자리만 확보하는 절개라고 보면 된다. 교합면 위쪽의 잇몸은 서지컬 큐렛을 반대로 엎어서 제2형 지렛대의 원리로 들어 올리는 방식으로 박리를 하면서 교합면 쪽에 치조골이 올라와 있는지를 확인한다(5-1장 p.228 지렛대의 원리 참조).

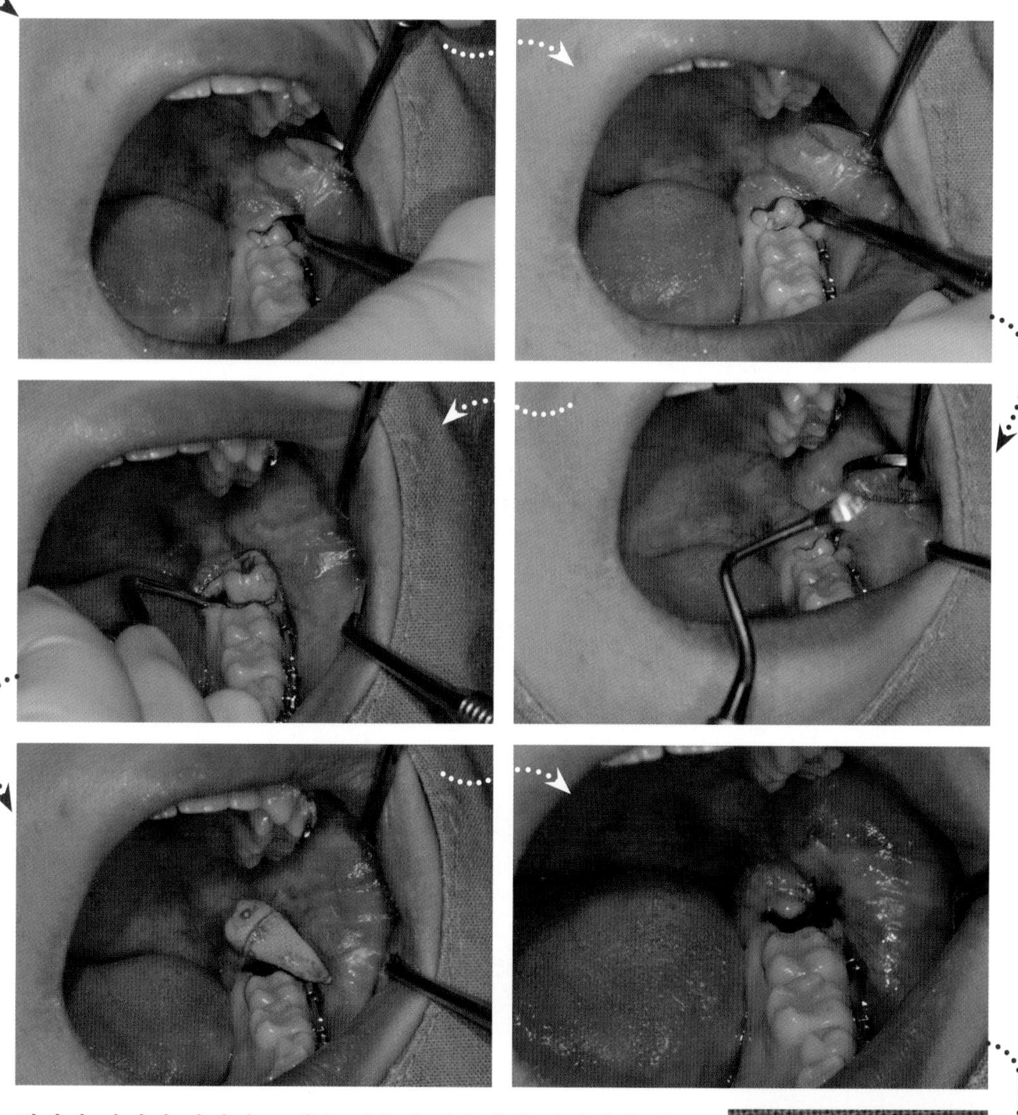

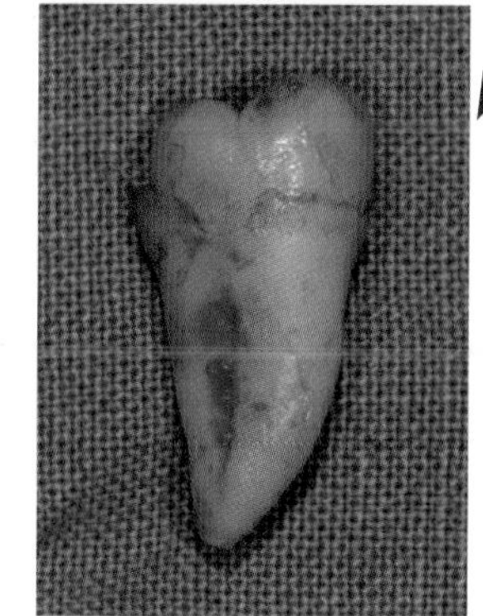

치아가 빠지면 서지컬 큐렛을 설측에 적용하여 절개선이 있는 협측으로 밀어내는 형태로 사랑니를 끄집어낸다. 서지컬 큐렛이 여러 모로 유용하다. 그리고 봉합은 아주 작은 절개선에만 작게 하는 편이다. 필자의 최소 절개 방식인데, 그래도 늘 명심할 게 있다. 찢어지는 것보다는 찢는 게 낫다. 그러니 어차피 찢어질 거 같다면 반드시 먼저 절개하고 시도하자. 조직이 찢어진다는 것은 주변조직까지 이미 탄성 한계를 벗어난 힘을 받았다는 뜻이므로 생각보다 트라우마가 클 수 있다. 간혹 이런 경우도 엘리베이터로 협측에서 설측으로 더 세게 밀어서 발치를 시도했다면, 아마도 원심 설측 잇몸이 찢어졌을 수도 있다.

08
엘리베이터를 이용한 수직 매복치 발치 2★

CASE 3

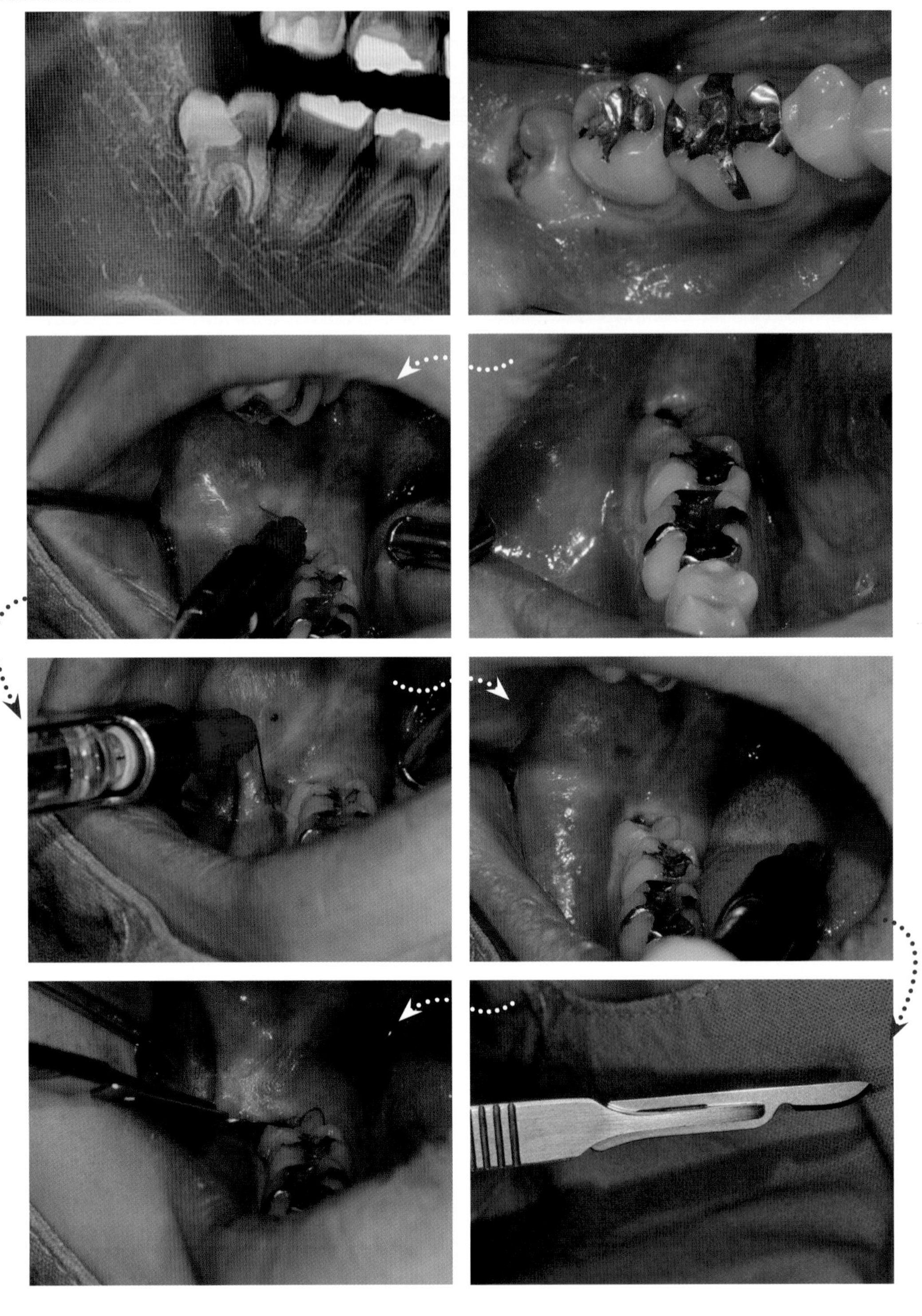

필자의 조카가 사랑니를 빼러 와서 동의를 구하고 사진촬영을 하였다. 통상의 방식대로 하악지, 협측, 설측에 순서대로 마취를 시행하였다. 사진상에 사랑니의 원심이 골 내에 매복된 듯하게 보여도 이런 경우 대부분은 엘리베이터로만으로 발치할 수 있다.

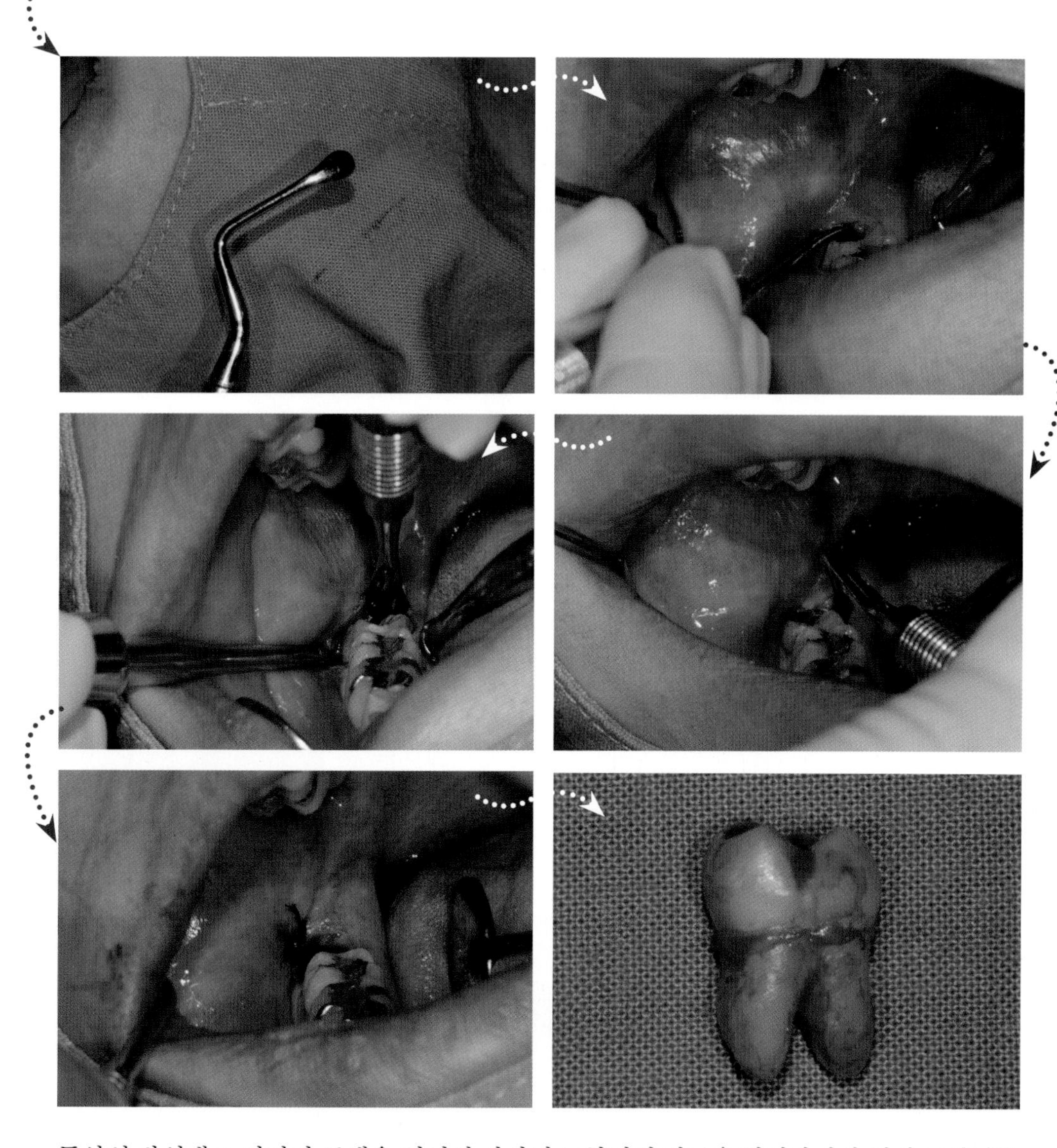

통상의 방식대로 서지컬 큐렛을 엎어서 사랑니 교합면의 잇몸을 박리하면서 원심 교합면쪽에 치조골이 있는지 확인한다. 이런 경우 사진에서 보이는 것과 달리 대부분의 교합면은 잇몸으로만 덮여있다. 엘리베이터를 원심 협측에 적용하여 탈구시킨 뒤에 사랑니를 끄집어 내기 위하여 원심 설측에 페리오스티얼 엘리베이터의 둥근 면을 엎어서 사랑니와 잇몸 사이에 넣어서 사랑니가 나오면서 설측 잇몸을 찢는 것을 막는다. 의외로 유용한 방법이지만 설대 사랑니와 원심 설측 잇몸 사이의 틈에 집어 넣는 이상의 힘을 쓰면 안 된다. 사랑니가 매우 크거나 설측으로 경사진 경우에 매우 유용하다. 그래도 잇몸이 너무 당겨지지 않도록 절개선을 조절하는 것이 중요하다.

09
엘리베이터를 이용한 수직 매복치 발치 3★

CASE 4

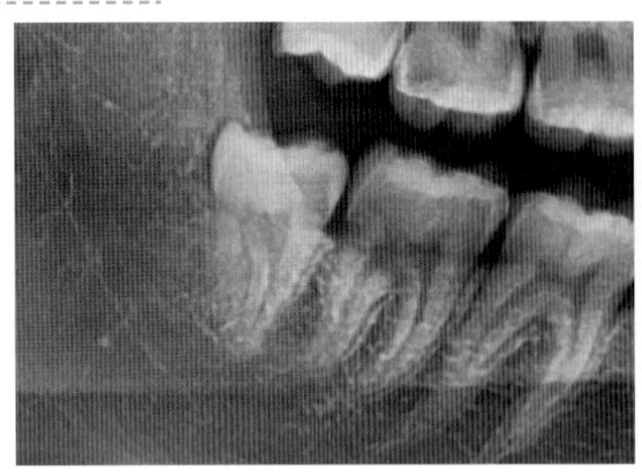

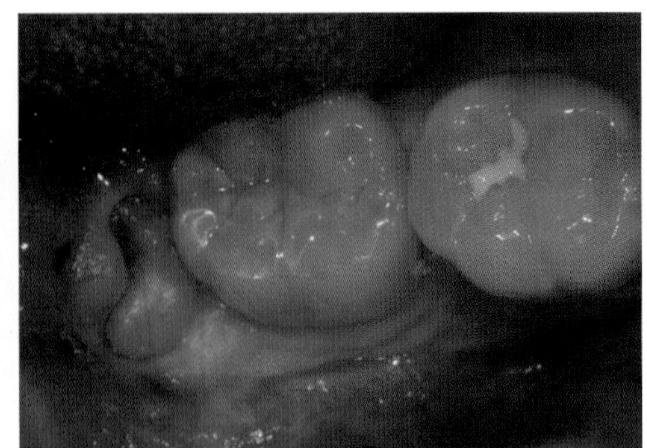

잇몸 모양을 봤을 때는 절개 없이 사랑니가 잇몸 밖으로 나오기는 힘들 것 같다. 이런 경우는 절개를 좀 더 확실히 해줘야 한다. 필자는 절대 설측은 절개하지 않기 때문에 비슷하게 협측을 절개하였다. 그러나 이 케이스에서의 핵심은 바로 서지컬 큐렛으로 치아로부터 잇몸을 좀 박리하면서 사랑니의 교합면 위에 하악지가 올라와 있는지를 확인해보는 것이다. 사진에서 보이는 것처럼 교합면이 모두 눈으로 보일만큼 잇몸으로만 덮여 있다.

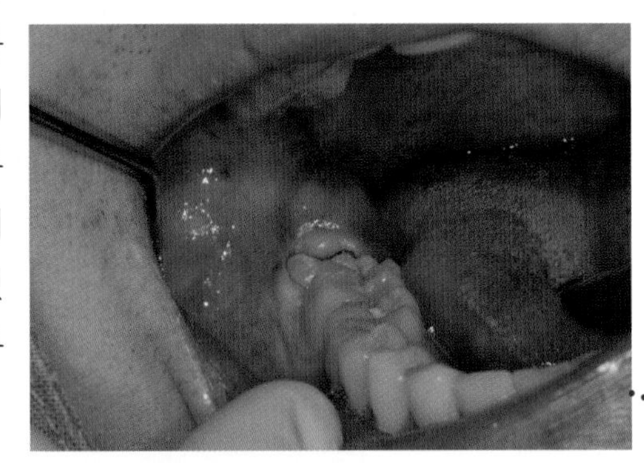

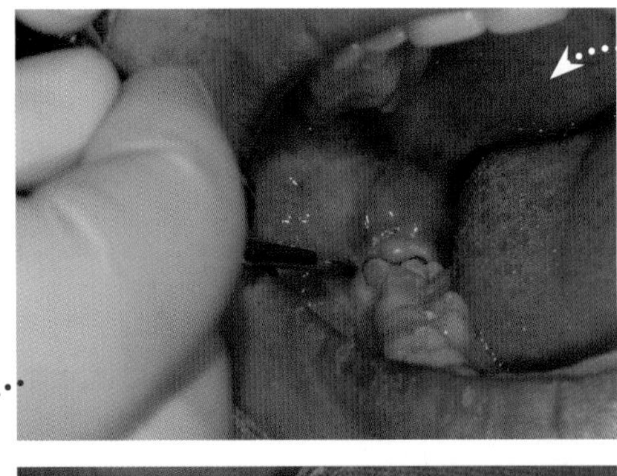

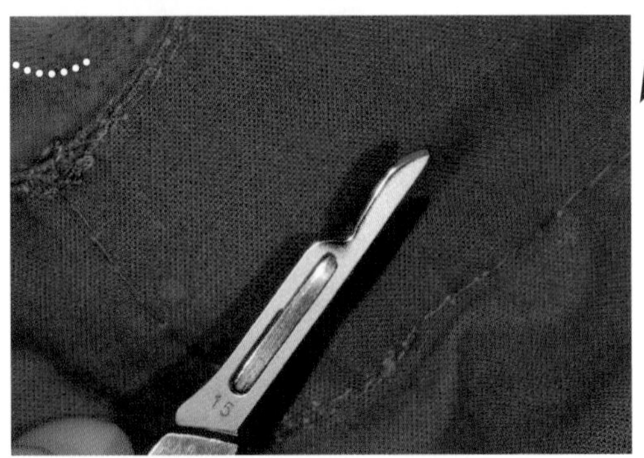

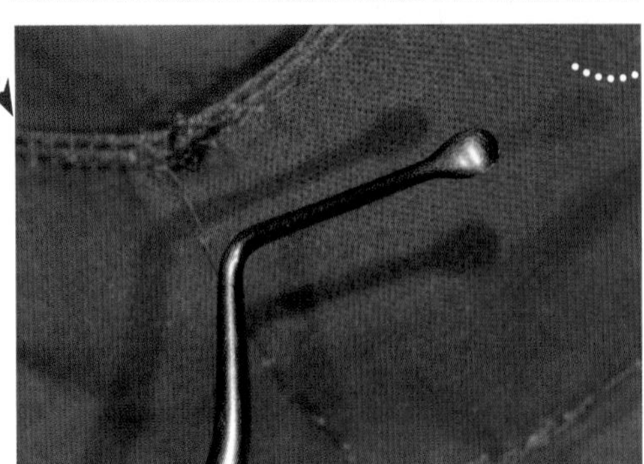

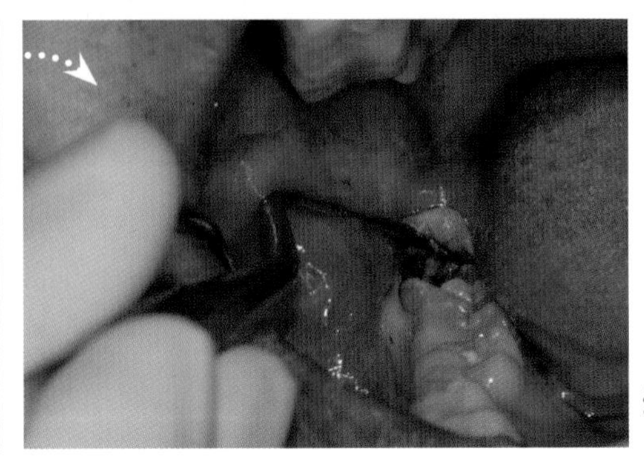

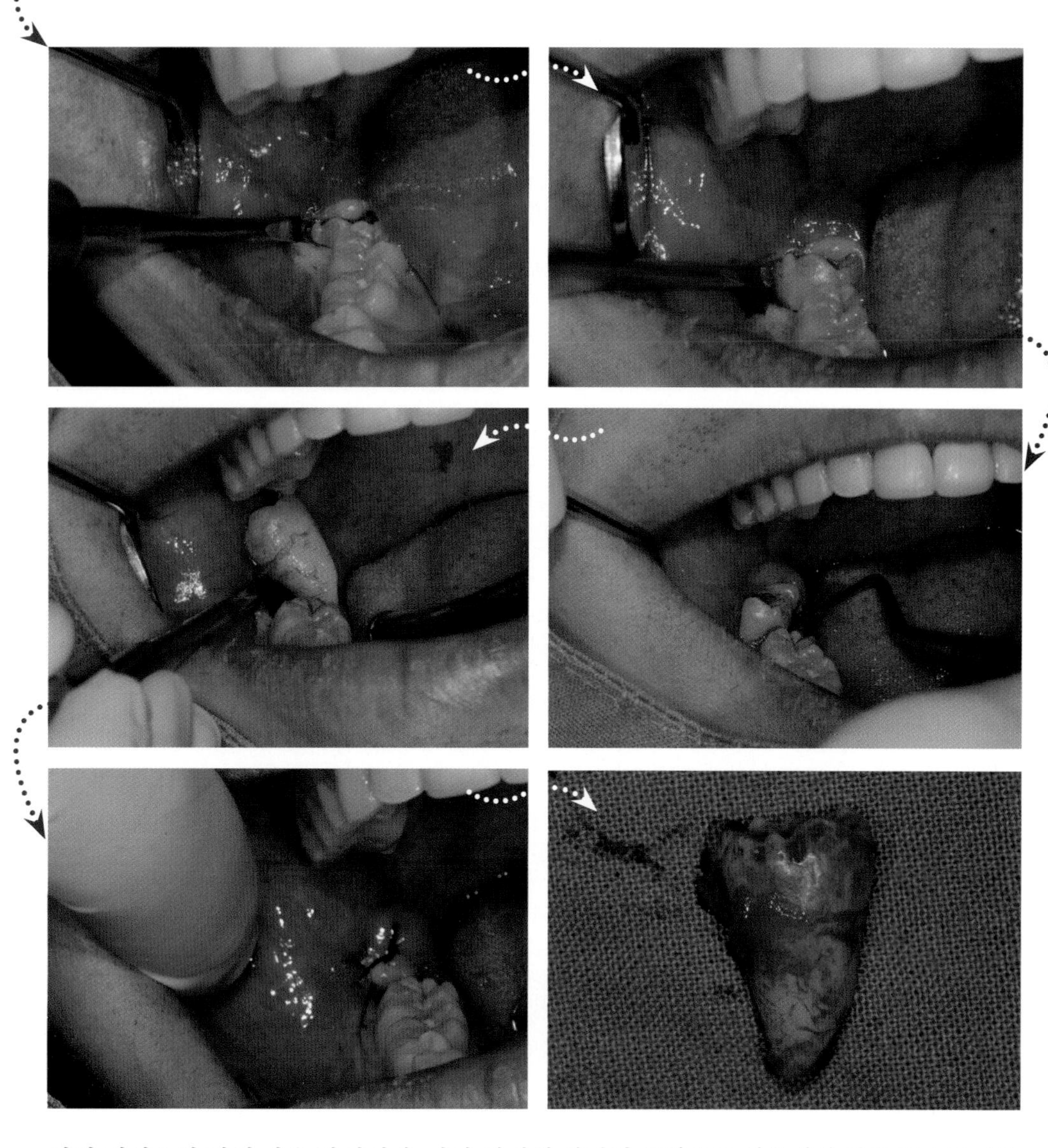

이전 케이스와 거의 같은 방식이다. 다만 여기서 서지컬 큐렛으로 설측에서 협측으로 들어올리지 않고, 원래 방식 그대로 엘리베이터로 협측에서 사랑니를 빼내려 했다면 아마도 설측 잇몸 부위가 찢어졌을 것이다. 필자도 매우 바쁠 때는 그냥 엘리베이터로만 빼려는 충동을 많이 느끼는데, 그러다 보면 설측 잇몸이 찢어져서 괜한 봉합만 한 번 더하는 불편이 생길 수 있다. 물론 그 정도 위치에 설신경 등 중요 구조물이 있을 리는 없지만, 그래도 설신경은 너무 변이가 심하기 때문에 늘 설측은 조심해야 한다. 저렇게 만 번하면 한 번쯤은 큰일이 날 수도 있으니까 말이다.

10
엘리베이터를 이용한 수직 매복치 발치 4★★

CASE 5

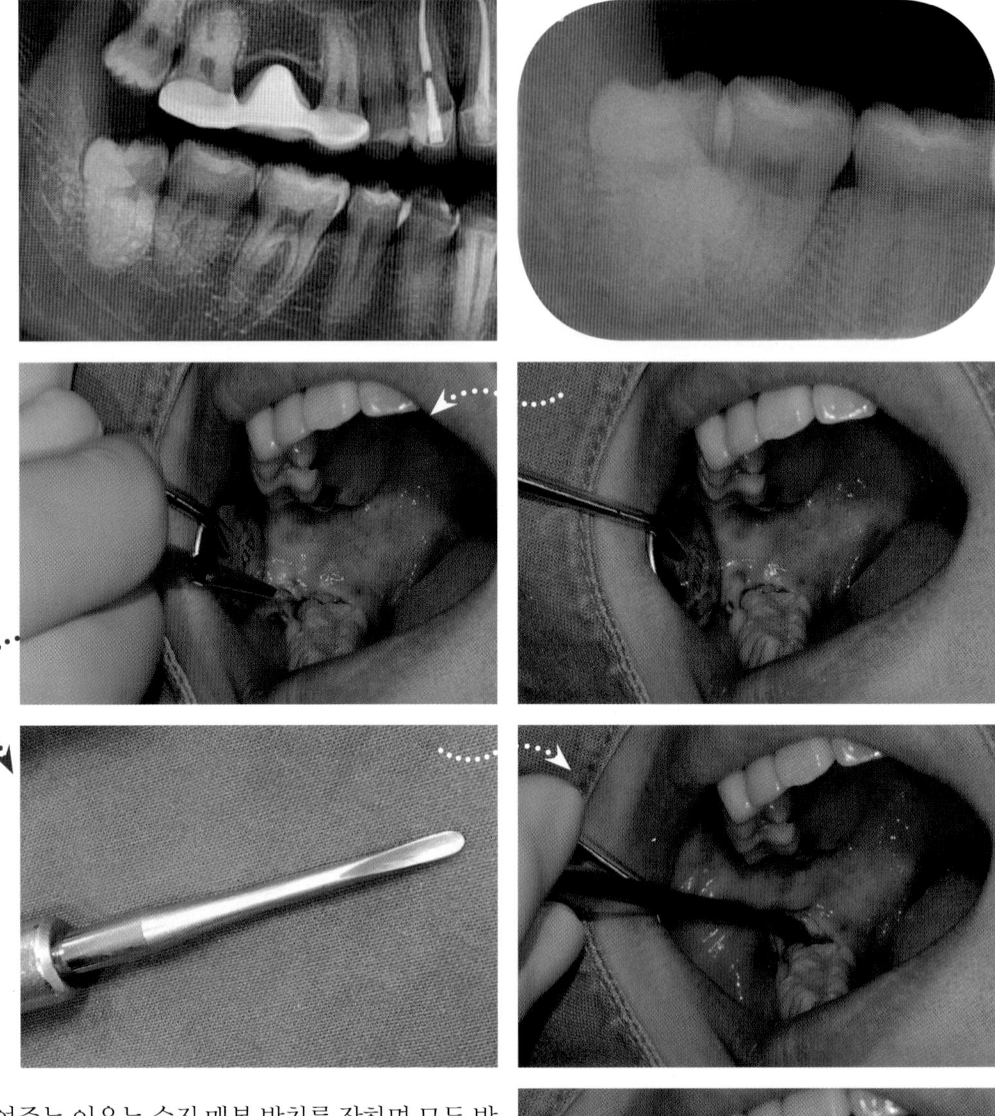

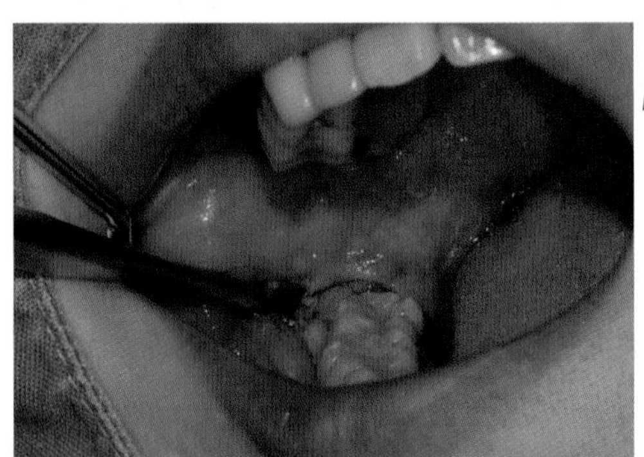

비슷한 케이스를 자꾸 보여주는 이유는 수직 매복 발치를 잘하면 모든 발치가 쉬워지기 때문이다. 이런 발치 스타일이 눈에 익어야 한다. 결국 수평 매복치도 치관 부분을 잘라내고 나면 다시 수직 매복치 발치의 연장선이다. 그러므로 수직 사랑니부터 열심히 발치하고 점점 근심 경사 사랑니로 접근하는 방식도 좋을 듯하다. 물론 환자 케이스가 그렇게 맘대로 주어지는 것은 아니지만...
바쁠 때는 절개, 박리까지 날카로운 EL3C 하나만으로 다 할 때도 있다. 이 경우는 절개 후 원심 교합면 확인까지 엘리베이터 하나로 한 경우이다.

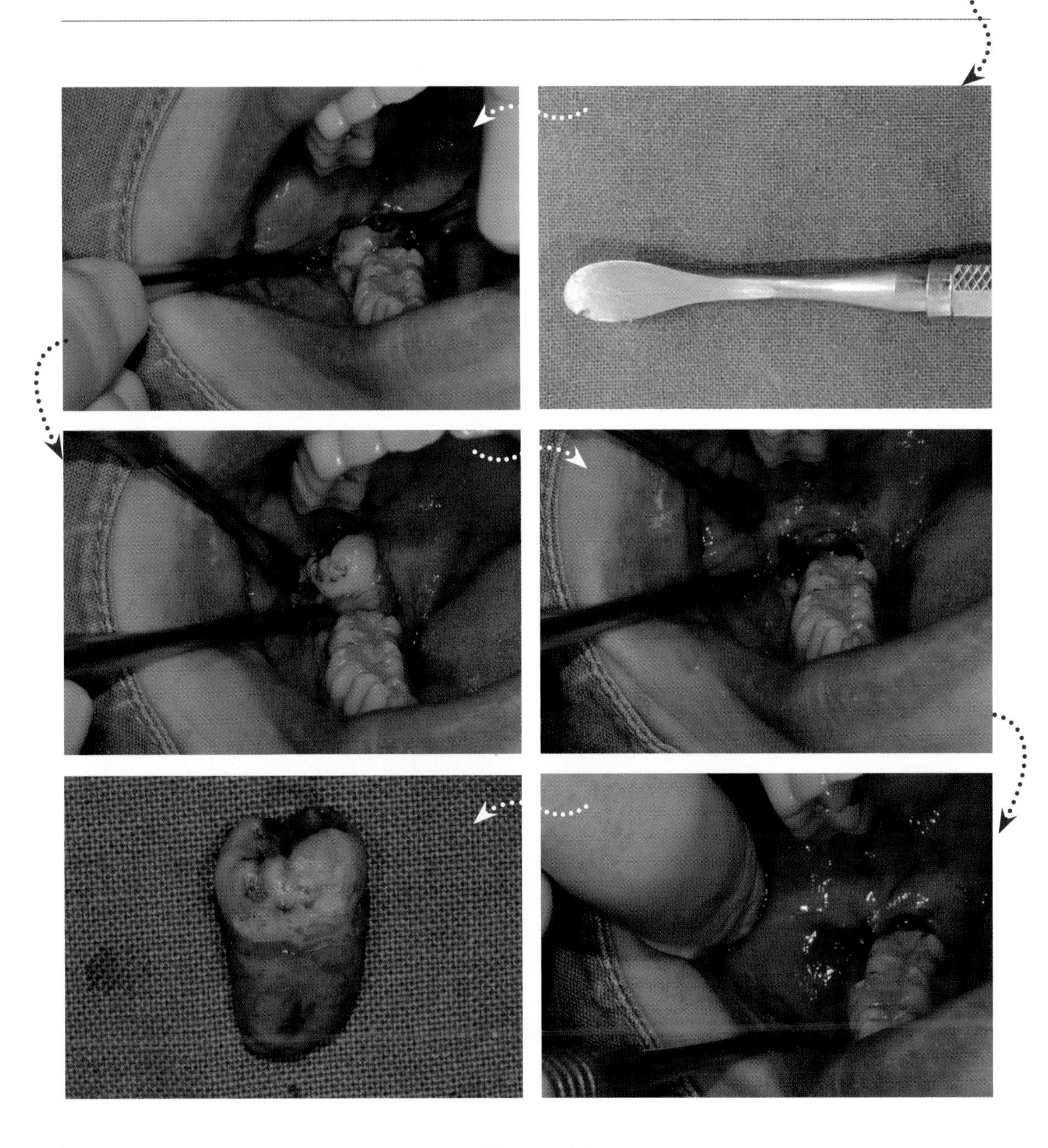

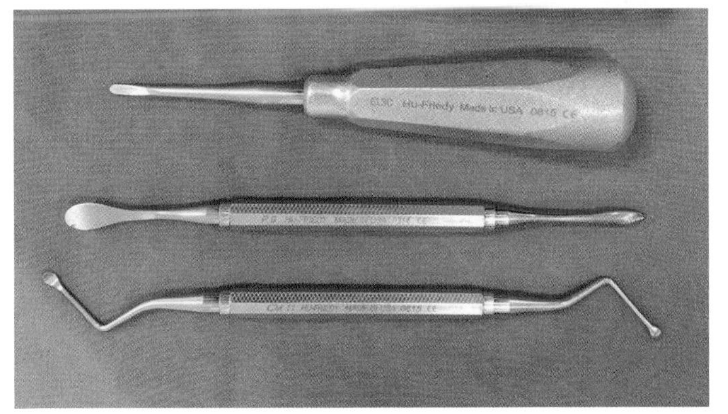

필자의 사랑니 발치 수술세트에는 기본기구를 제외하면 위 세가지가 하나씩 밖에 없다. 그러나 이걸로도 충분하다. 사랑니 발치를 매달 수 백개씩 하는 필자치과에도 이것 이외의 도구를 사용하는 경우는 거의 없다.

11
엘리베이터를 이용한 수직 매복치 발치 5 ★★★

CASE 6

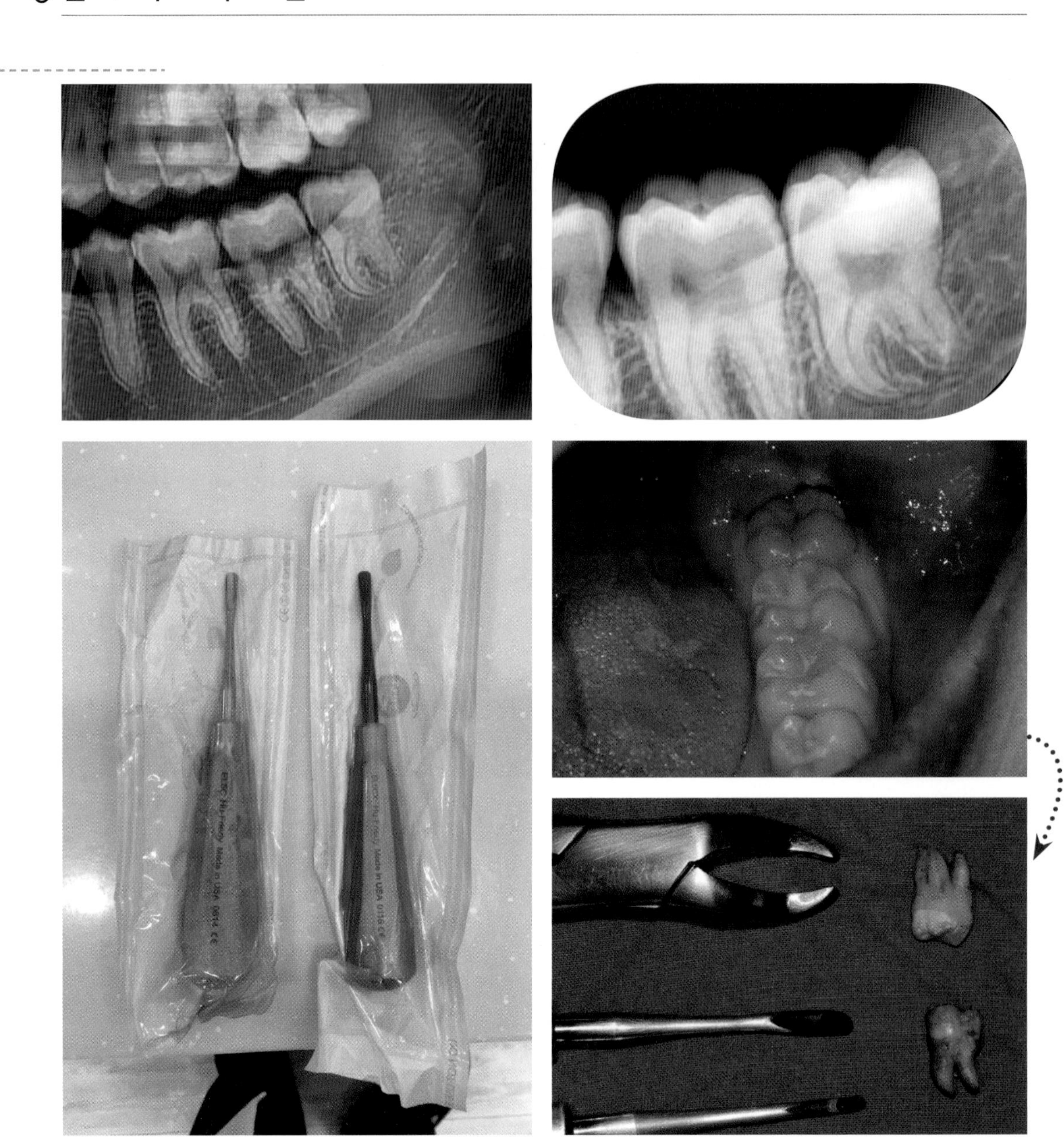

폭이 넓은 EL5C 엘리베이터를 별도로 소독하여 발치 시 종종 사용한다.

사랑니가 정상 맹출되어 치관부 교합면은 노출되었지만 원심면은 어느 정도 치조골 조직에 둘러싸여 있는 듯하다. 보통 포셉은 기본 발치 세트에 들어 있지 않고, 포셉보다는 엘리베이터 발치가 더 쉽고 빠를 것으로 예상하여 시도하였다. 그러나 이런 경우 협측 골과 사랑니 사이가 조금 넓어서 폭이 좁은 EL3C는 헛돌게 된다. 그래서 바로 폭이 넓은 EL5C 엘리베이터를 이용하여 발치하였다. 필자가 발치 후에 저렇게 기구를 옆에 놓고 사진을 찍으라고 한 경우는 대부분 사용한 기구를 기록하기 위한 습관임은 앞서 언급한 적 있다. 저 사진의 뜻은 EL3C로 시작했다가 EL5C로 발치가 끝났다는 뜻이다.

12 엘리베이터를 이용한 수직 매복치 발치 6 ★★★

CASE 7

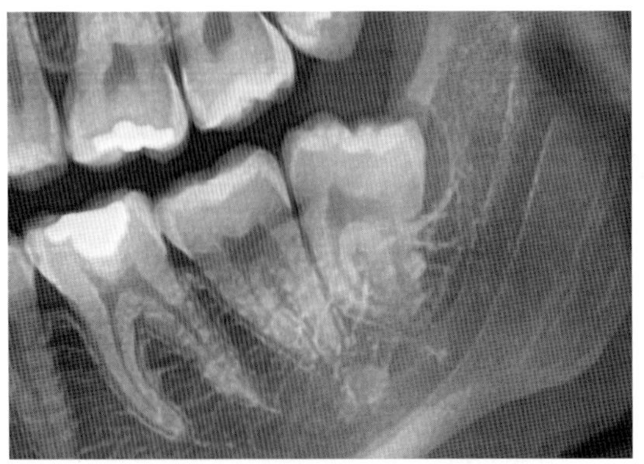

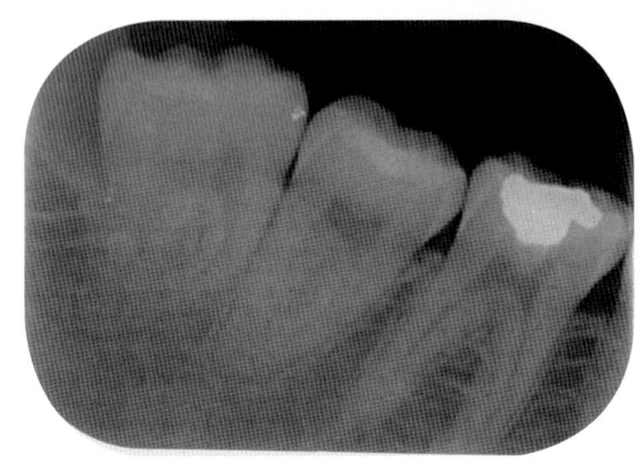

이런 경우도 매우 흔하다. 골내 매복 정도로 보면 EL3C 엘리베이터로 3초 안에 발치가 끝날 거 같지만, 의외로 쉽지 않다. 파노라마 방사선의 판독 chapter에서 다룬 적 있듯이, 이런 경우는 오랜 염증으로 골조직이 파괴되어 사랑니와 협측 골의 사이가 넓게 된 경우이다. 이런 경우도 마찬가지로 EL3C는 폭이 좁아서 헛돌기 때문에 폭이 넓은 EL5C를 사용하여 발치한 케이스이다. 사랑니 치관 주변에서 염증성 치주조직을 함께 제거한 사진이다.

13
절개 없이 엘리베이터로만 발치하는 영상 ★★★

½ 잇몸 보임 절개 없이 엘리베이터 사용

½ 노출 절개 없이 엘리베이터 서지컬 큐렛 설측에서 병행

⅔ 노출 절개 없이 엘리베이터 사용 설측에서 서지컬 큐렛 45-1 수강생 보조

14
절개 후 엘리베이터로 발치하는 영상 ★★

⅓ 미만 노출 절개 후 엘리베이터 사용

⅓ 미만 노출 절개 후 서지컬 큐렛으로 안쪽 걷어냄

⅓ 미만 노출 절개 후 엘리베이터 봉합

⅓만 노출 절개 후 엘리베이터 사용후 설측에서 서지컬 큐렛 사용

⅓만 노출 절개 후 엘리베이터 사용

⅓만 노출 절개 후 엘리베이터 바꿔서 발치 EL4S → EL3C

사랑니 발치와 관련된 다양한 논쟁 6

상하악 어느 사랑니 먼저 뺄 것인가?

구강외과학 교과서에 보면 발치의 순서에 *[상악 치아를 하악 치아보다 먼저 발거한다 (상하악 매복치를 발거할 경우는 제외) 이유는 마취의 효과가 상악에서 보다 빨리 나타나기 때문이며, 또한 하악을 먼저 발치할 경우 상악 치아의 법랑질 혹은 충전물 등의 잔사가 하악의 발치와로 떨어질 염려가 때문이다.]*라고 기술되어 있다. 또한 *[다수 치아일 때는 최후방 치아를 먼저, 해부학적 구조 때문에 발거가 힘든 치아(견치 및 제1대구치)의 경우 인접치아를 먼저, 치아의 치근이 파절된 경우는 파절된 치근을 먼저 제거하고 다음 치아를 발치]* 등이 기술되어 있다.

그렇다면 실제는 어떨까? 정말 교과서대로 상악을 먼저 빼고 하악을 나중에 빼는 치과대학도 있고, 굳이 언급하지 않고 알아서 판단하게 하는 학교도 있고, 하악을 먼저 빼는 것을 원칙으로 하는 학교도 있다. 그러나 교과서에 저렇게 언급되어 있다고 무조건적으로 상악을 먼저 빼는 것은 어딘가 어색한 느낌이 든다. 대부분 상악은 몇 초만에 빼고, 하악은 짧게는 몇 분에서 길게는 30분 이상 걸리는 경우도 있다. 그런데 하악 사랑니를 발치하는 동안 상악에서는 피가 계속 나고 있고, 하악 치아를 삭제하는 도중에 잔사가 구강 내로 튀면서 상악 발치와로 들어갈 수 있기 때문이다. 이미 각자 자기 철학대로 발치를 잘하고 있으므로, 필자가 따로 어떤 것이 정답이라고 하기는 어렵다. 그저 필자 개인의 철학을 말하자면, 필자는 하악을 먼저 빼는 것을 원칙으로 하고 있다. 대부분의 경우 하악 발치가 오래 걸리고, 치아 삭제를 하는 비율도 훨씬 많기 때문이다. 마취 효과가 상악에서 빨리 나타나기 때문에 상악을 먼저 뺀다는 말도 설득력은 있지만, 하악도 마취 효과는 바로 나타나고 대부분 하악 발치도 생각보다 빨리 이뤄지기 때문에 상하악 동시에 마취하고 하악을 먼저 뺀다고 해서 하악 마취 효과가 늦게 나타나거나 하악 빼는 동안 상악 마취가 풀려버리는 경우는 거의 없다. 물론 굳이 하악 먼저라고 표현하기보다는 조금이라도 오래걸릴 것 같은 것 먼저라고 하는 것이 더 맞을 수도 있다.

당일에 상악 양쪽 또는 하악 양쪽 사랑니를 발치해야 한다면 어떤 사랑니를 먼저 뺄 것인가? 당연히 같은 악의 두 개의 사랑니를 빼는 경우에도 좀 더 오래 걸리는 것을 먼저 발치하고 쉬운 쪽을 나중에 발치하는 것이 맞을 것이다. 실제로 필자도 그렇게 하고 있다.

잇몸에 완전히 덥인 수직 매복 사랑니의 발치

교합면의 원심부가 골 내 위치

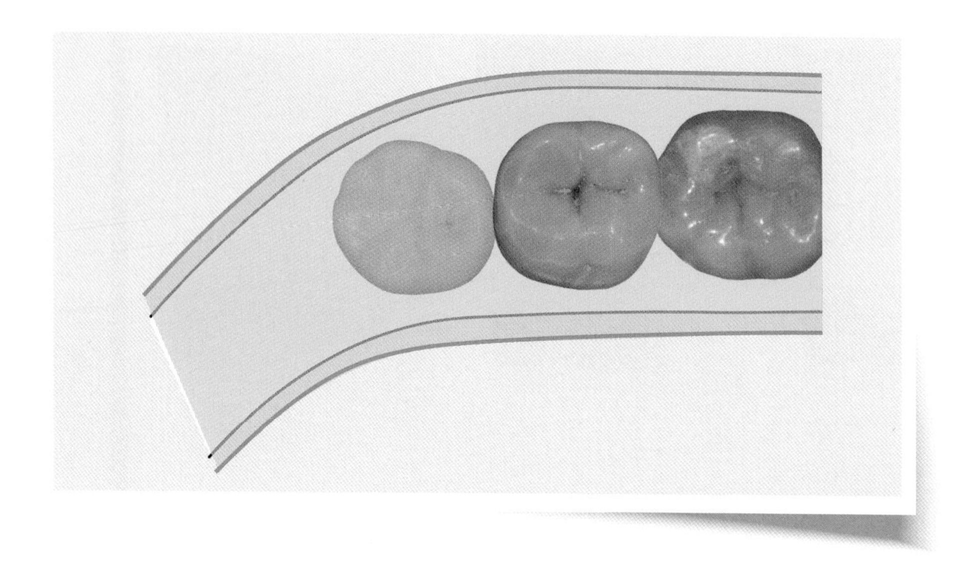

잇몸에 덮여 있어도 기본적으로 잇몸을 절개, 박리하고 나면 엘리베이터를 이용한 다른 수직 매복 사랑니의 발치와 같다. 그러나 이런 경우에 종종 교합면의 원심부까지 골 내에 매복되어 있는 경우는 결국 골을 삭제하든지, 치아를 삭제해서 발치해야 한다. 필자의 경우는 대부분 치아를 삭제해서 발치를 한다. 그러나 분류상으로는 사랑니가 안 보이게 잇몸 속에 매복되어 있는 것으로 하였지만, 실제로는 사랑니가 보이는 경우에도 원심면이 골 내에 매복된 경우도 매우 흔하다. 그러므로 굳이 다른 분류로 본다면 원심 교합면이 골 내에 매복되어 있는 경우라고 하는 것이 옳다. 그러나 이런 경우는 치관의 협설 경사에 따라서도 많이 달라지게 되므로 파노라마 상에서도 명확하게 미리 알기란 어렵다. 결국은 잇몸을 절개하고 교합면의 원심면과 협측을 확인해서 교합면이 모두 제대로 치조골 밖으로 나와 있는지 확인해야 한다. 또한 협측 최대풍융부가 골 내에 위치하고 있는지도 확인하는 것이 좋다. 수직적으로도 깊게 매복되어 있다면 사랑니의 원심면만 삭제해서는 해결되지 않고, 협측 골을 삭제하거나 필자처럼 사랑니의 설측을 제거하여 공간을 확보해 주는 것도 좋다. 이러한 부분은 뒤에서 다시 다루게 되므로, 이장에서는 수직 맹출한 사랑니의 원심면을 삭제하여 제거하고 발치하는 방식에 대해서 알아보자.

01
잇몸에 완전히 덮인 수직 매복 사랑니의 발치★★

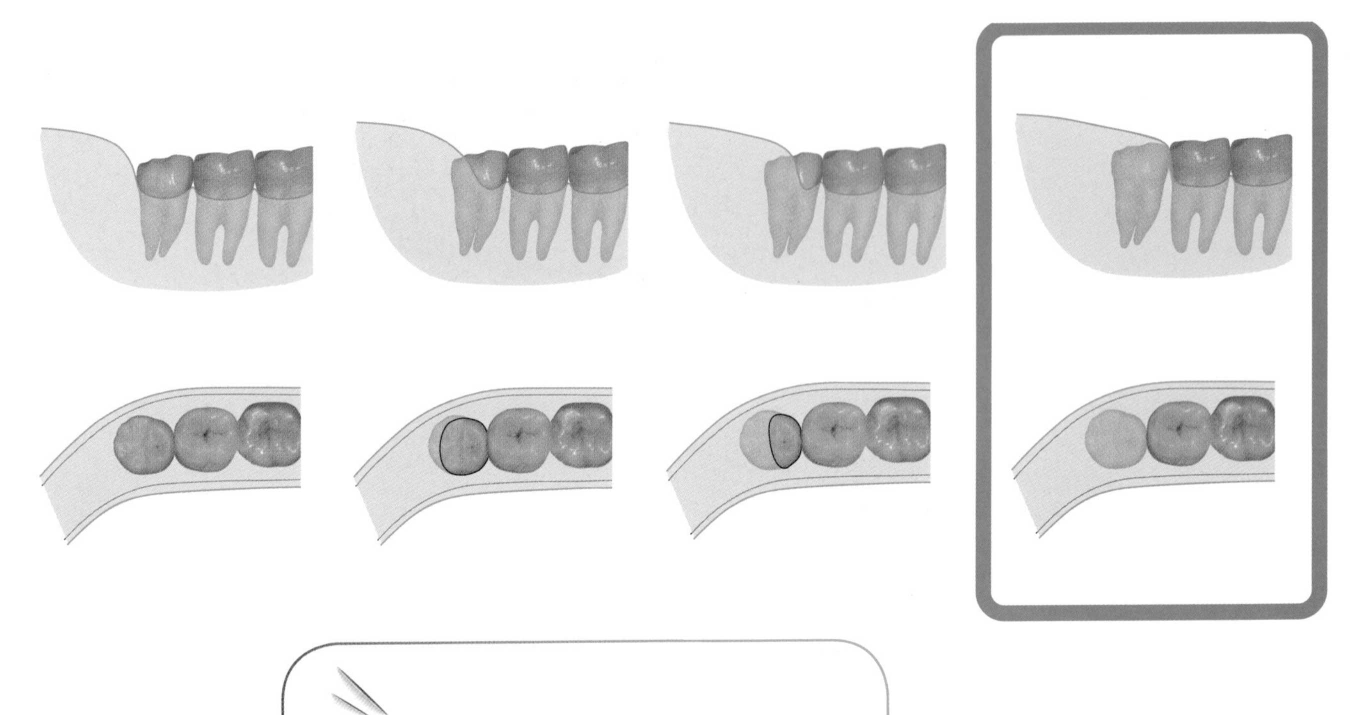

Dr. 김영삼 매복치 발치 기본철학

최대한 절개, 박리를 피한다.
최대한 골 삭제를 피한다.
100조각이라도 치아를 자른다.

지금까지의 발치에서는 치아 삭제는 없었지만, 이제 본격적인 치아 삭제를 위한 발치에 들어갈 차례이다. 필자의 발치에 대한 기본 철학은 사랑니 주변 조직의 손상은 최소화하면서 굳이 삭제가 필요하다면 어차피 빼 버릴 사랑니만 삭제하여 발치하는 것이다.
사랑니가 수직 매복되어 있지만, 교합면이 잇몸에 거의 덮여 있는 경우는 발치할 때 고려할 건 한 가지이다. 교합면에 치조골이 올라와 있느냐이다. 이렇게 사랑니의 원심 교합면이나 최대풍융부가 원심쪽 골에 걸려 있느냐 아니냐가 가장 중요한 핵심이다. 이렇게 원심 최대풍융부가 골조직 속에 있는 경우에는 원심 협측 골을 삭제하기보다는 치아의 원심면을 삭제해서 분리한 뒤에 발치하는 것이 핵심이다. 다음 뒷장에서 언급하는 뒷머리치기이다. 사랑니를 삭제하여 발치할 때는 명확한 목적을 가지고 최대한 일직선으로 삭제해야 한다. 그래야 파절시키기 좋고 남은 치질도 보존되어 엘리베이터가 걸려서 발치되는데 도움이 된다.

02
원심면 삭제 방법 (뒷머리치기) ★★★

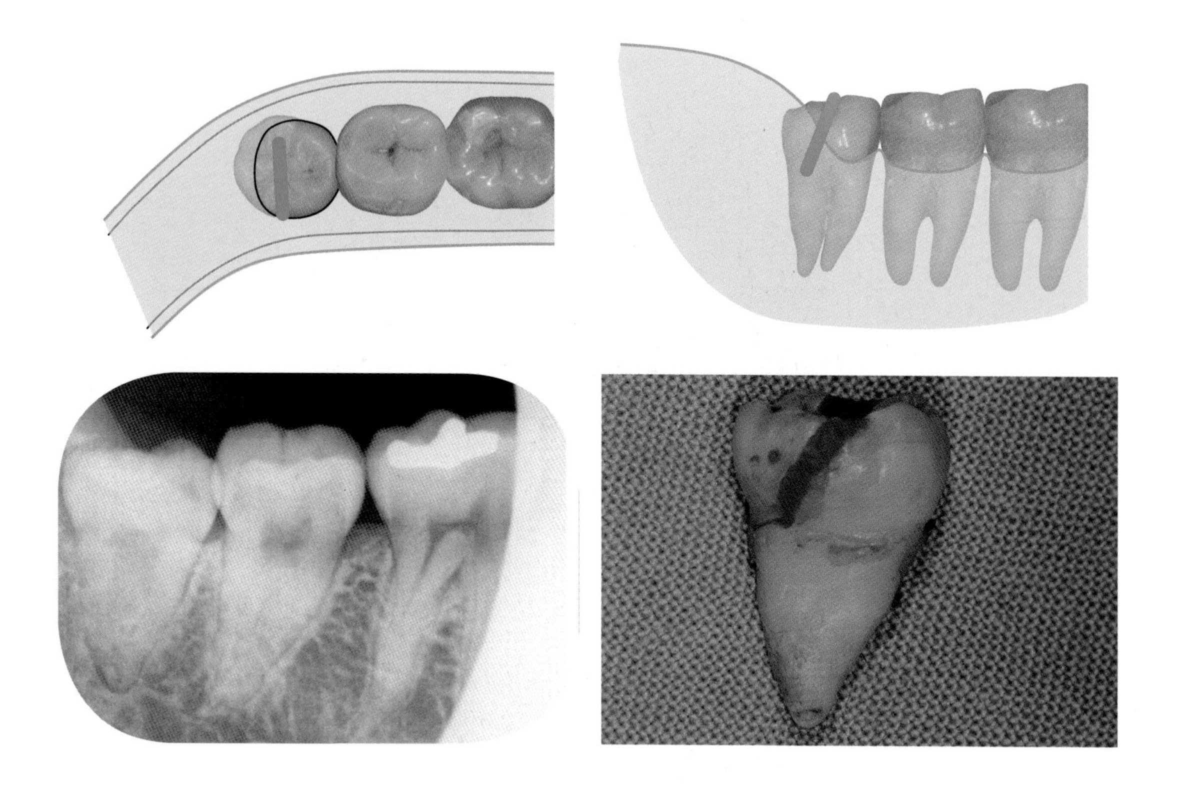

원심면을 삭제하는 것은 간단하다.
위에 표시된 만큼 핸드피스 버로 좁고 깊게 형성해야 한다. 필자의 경우 치아 삭제 후 치아를 파절시키는 경우는 직경 1.4 mm 4번 서지컬 버를 주로 사용한다. 종종 직원이 잘못해서 직경 1.8 mm 6번 버를 주기도 하는데 그러면 그냥 6번 버를 사용한다. 다만 6번 버로 치아 삭제 후 파절을 시키는 경우는 깊게 파야 한다. 그렇지 않으면 대부분은 잘 파절되지 않는 경우가 많다. 이 chapter에 나오는 케이스의 대부분은 4번 버를 사용한 것일 것이다. 그러나 필자가 치과 환경상 요즘은 6번 버 하나로 통일하고 4번 버를 보조적으로 사용하는 방식으로 바꾸다 보니, 최근에는 6번 버를 사용한 것도 있다. 그러나 이 책에 나오는 사진들이 대부분 최근에 찍은 것이라기보다는 예전에 찍은 사진들을 고른 것이다 보니 4번 버의 비중이 훨씬 더 많을 수 있다.
어쨌든 발치 실습에서 주로 4번 버를 이용하여 좁고 깊게 형성하도록 한다. 굳이 사선으로 하려고 하지 않아도 치근단으로 갈수록 원심면으로 자연스럽게 사선이 된다. 이는 원심면으로 피절되기에 더 좋은 것이므로 자연스럽게 사선이 되도록 삭제한다. 무엇보다 중요한 것은 협측에서 엘리베이터가 들어가서 파절시켜야 하므로 확실히 치조골과 맞닿는 부분까지 삭제해야 하고, 설측은 설측 조직 손상을 막기 위해서 에나멜까지 삭제하지 않고 덴틴 정도에서 삭제를 마무리해도 좋다.

03 사랑니 발치는 할아버지 산소에서 칡 캐듯이...★★

실제 필자의 할아버지 산소이다. 본인의 종교와 무관하게 자녀들의 종교적인 색체가 약간 가미되어 있어 옥의 티지만, 그래도 필자에게는 가장 신성시되는 곳이다. 어릴 적 할아버지와 함께 자주 왔었고, 주변에 나무도 함께 심고 추억이 가득한 곳이기도 하다. 지금도 초록이 푸르른 봄에는 할아버지 생각이 많이 나는데, 이번 어버이날 카네이션 몇 개 드리고 왔다.

필자가 사랑니 발치를 강의하면서 그 마음가짐을 <할아버지 산소에서 칡 캐듯이 하라>라고 표현하기도 한다. 우리가 할아버지 산소에 가는 길에 산속에서 산삼을 발견한다면 어떻게 캘 것인가? 아마도 산삼 뿌리는 조금도 손상되지 않게 잔뿌리까지 지켜가며 흙을 걷어낼 것이다. 그러나 사랑니는 반대이다. 할아버지 산소에 칡뿌리가 파고 들어간 것처럼 생각해야 한다. 할아버지 산소를 파먹은 칡을 캐서 먹을 것도 아니고... 할아버지 산소의 흙은 최대한 손상되지 않고, 칡뿌리만 갈기갈기 잘라서 뽑아야 한다. 소중한 할아버지 산소를 온전하게 보존해야 하는 것처럼... 사랑니는 칡이요... 치조골은 산소이니... 남아서 나와 함께 밥 먹고 살아갈 치조골은 최대한 삭제하지 않아야 하고, 어차피 빼서 버릴 사랑니만 열심히 삭제해서 빼야 한다. 혹시 앞으로도 치조골을 무지막지하게 삭제하고 싶거든, 할아버지 산소에 칡을 다시 떠올려보기 바란다.

04
치아의 원심면 삭제의 중요 팁★★

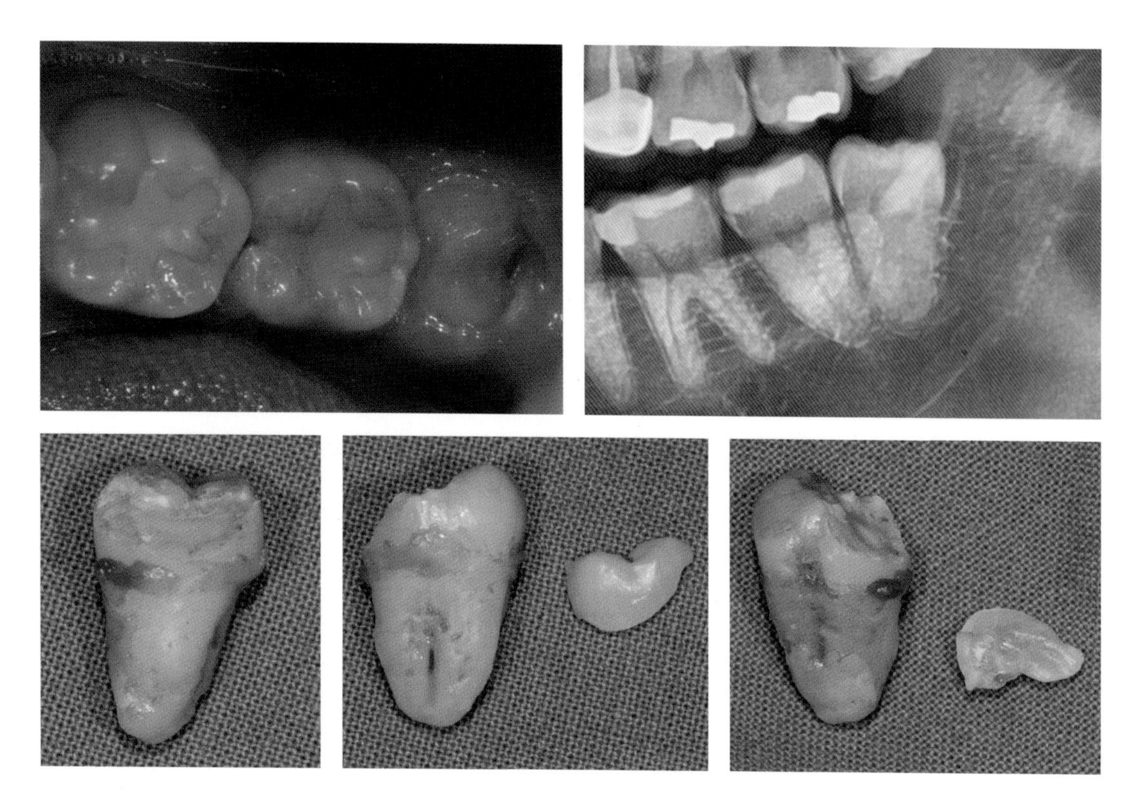

원심면을 삭제한 뒤에 발치한 수직 매복 사랑니이다. 원심면에서 본 경우와 협설측에서 본 그림을 모두 보면 알겠지만, 주로 치아 삭제는 협측에서 이루어지고, 설측은 끝까지 삭제하지 않는다. 에나멜은 쉽게 파절되기 때문에 굳이 미리 위험을 무릅쓰고 삭제할 필요가 없다.

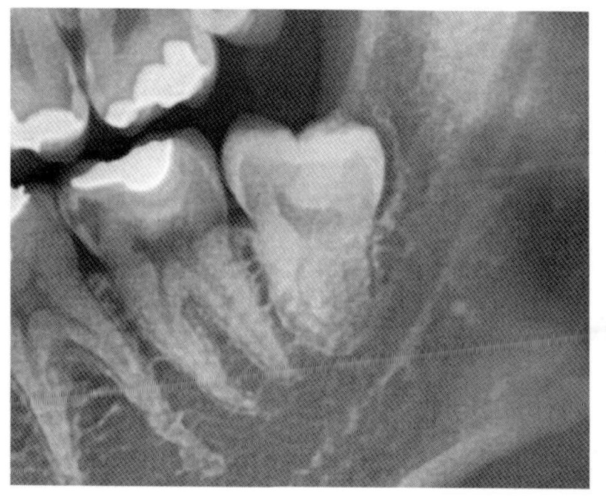

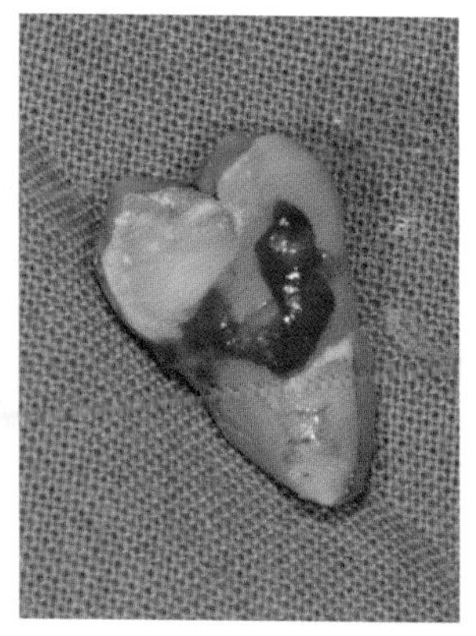

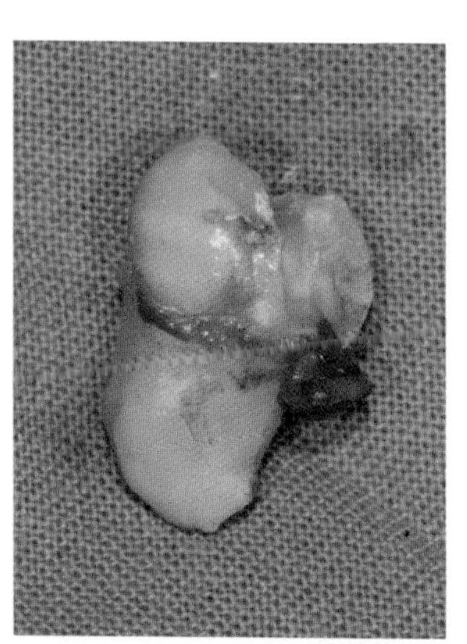

위의 케이스에서도 명확하게 확인할 수 있다. 대부분의 경우 원심 협측면에 하악지에 의한 언더컷이 존재하기 때문에 원심 협측 치관부분만 잘 절개되어도 발치에는 큰 어려움이 없다. 다만 원심 치관부를 충분히 잘 잘라주면, 남은 치아 전체가 발치되기도 매우 쉽다.

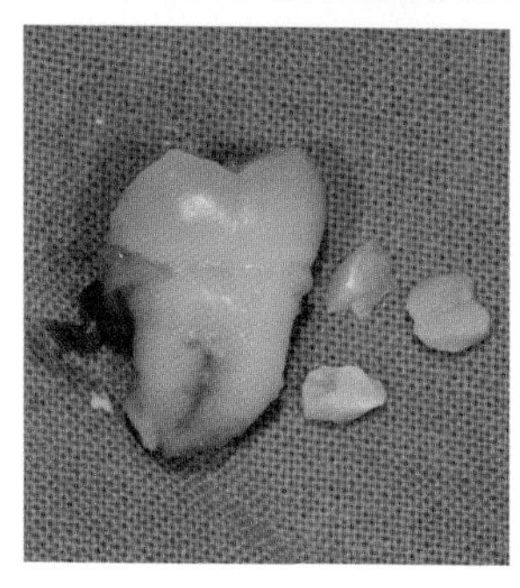

05
원심면 삭제 방법 (뒷머리치기) 1 ★★★

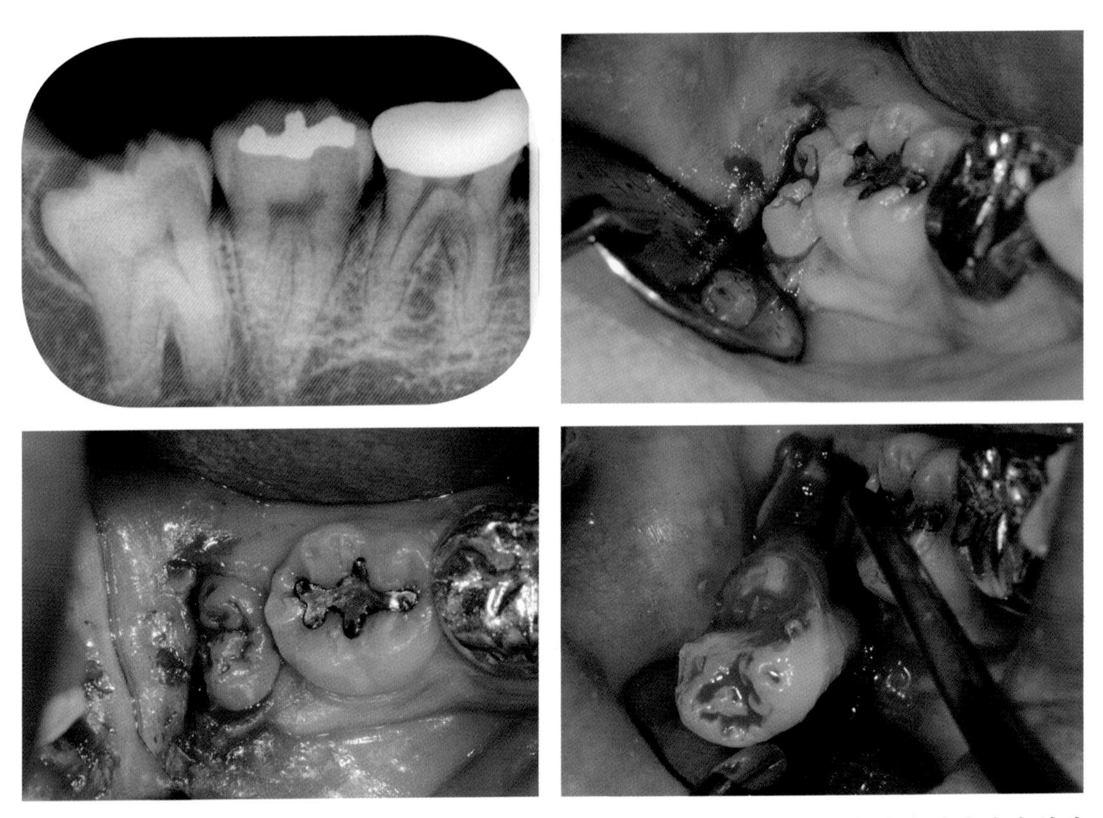

사랑니가 완전히 잇몸 속에 있어도 교합면 쪽에 치조골은 전혀 올라와 있지 않은 경우가 많다. 반대로 위와 같이 사랑니의 원심면은 치조골 속에 있고 근심면이 잇몸 밖으로 노출되어 있는 경우는 드물다. 그러나 사진찍기에는 좋은 케이스라 촬영을 시도해 보았다. 대부분의 경우는 약간의 잇몸절개를 시행하고 하는 경우가 많다. 실제로 이런 경우도 심심치 않게 있다. 보통의 경우 서지컬 큐렛으로 교합면과 잇몸 사이에 넣어서 원심 교합면쪽을 확인한 뒤에 플랩 형성 없이 바로 위와 같이 삭제하기도 한다. 이러한 사랑니 원심면 삭제 후 발치하는 방식은 매우 유용하며, 그 빈도도 매우 높다. 그래서 필자는 사랑니 발치 임상 교육을 할 때, 굳이 원심면을 안 잘라도 되는 수직 매복의 경우에도 원심면을 삭제하고 발치하는 연습을 하도록 한다.

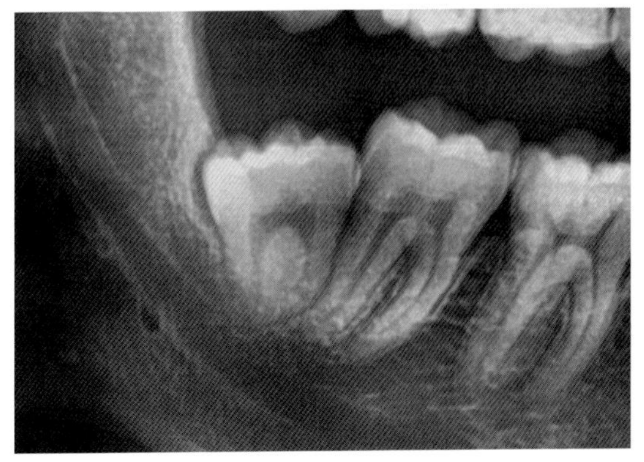

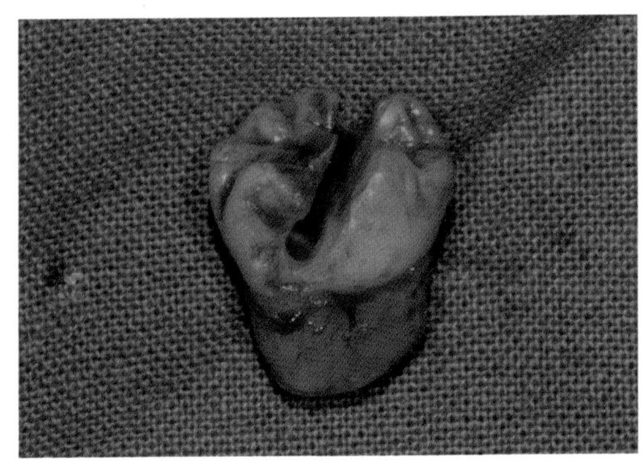

방사선 사진상으로는 원심면이 치조골에 묻혀 있는 것처럼 보이지만, 대부분의 경우는 그렇지 않은 경우가 많다. 경험이 쌓이면 쌓일수록 이런 판단을 하는 능력이 향상될 것이다. 사랑니 발치 세미나에서 수강생이 치아 원심면을 삭제를 발치 전에 해본 케이스이다. 원심면을 파절시키기 위해서 엘리베이터를 삭제한 틈으로 집어넣고 회전을 시켰는데 사랑니가 발치되어 버렸다.

원심면 삭제 방법 (뒷머리치기) 2 ★

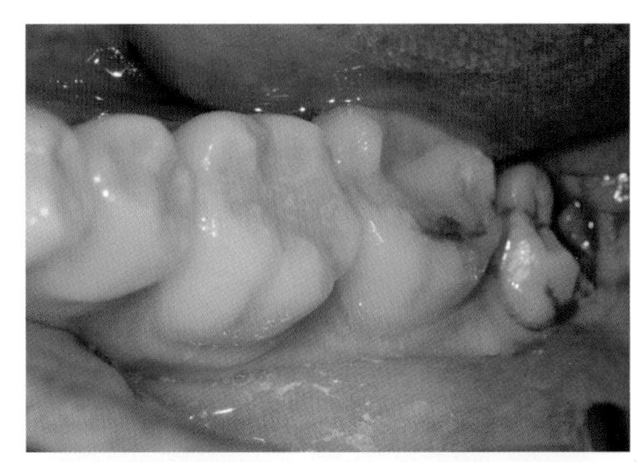

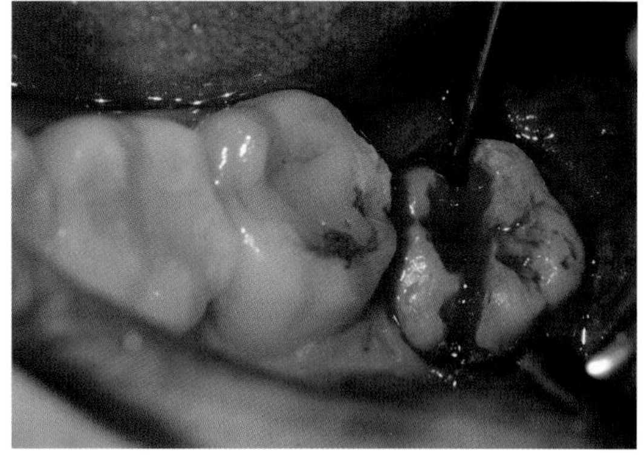

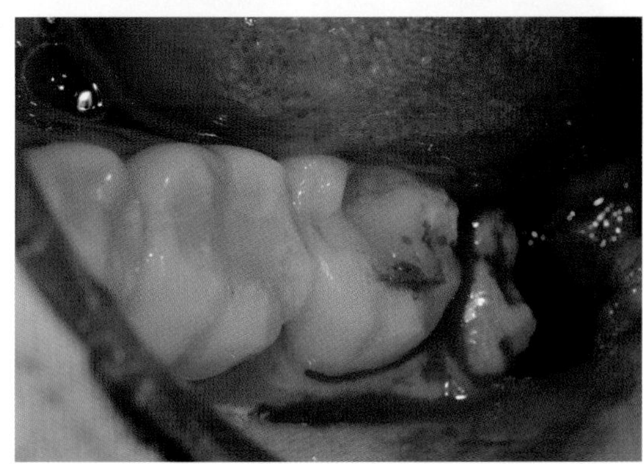

앞에서 본 것과 비슷한 케이스이다. 대부분의 경우는 약간의 플랩을 형성 후에 시행하는데, 일부러 사진찍기 위해서 시행하지 않았다. 굳이 원심쪽을 삭제하지 않아도 자연스럽게 치경부로 갈수록 원심면을 향하기 때문에 파절시키면 대부분 원심면이 파절된다. 또한 공간이 좁아 보여도 삭제한 버 두께 때문에 공간이 생겨서 대부분 앞쪽으로 파절되어 나온다.

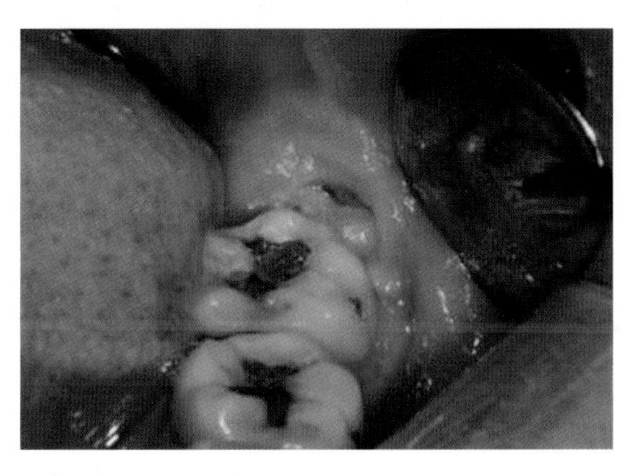

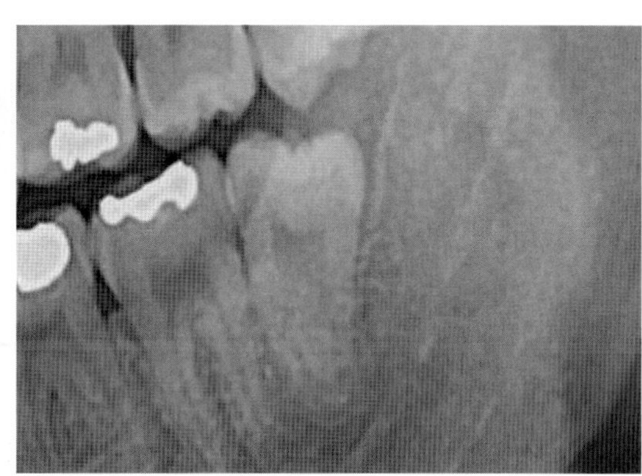

위와 같은 경우가 전형적으로 원심면 삭제를 처음부터 시도해보기 좋은 케이스이다. 물론 초보자라면 잇몸 절개 후 원심면까지 서지컬 큐렛으로 확인을 해봐야 한다. 대부분 파노라마 사진상에서 보이는 면이 똑같더라도 임상적으로 협측에 위치하면 하악지에 의하여 교합면의 원심 협측이 골에 의하여 덮여 있을 수 있다. 이런 경우에는 원심골 삭제가 필요한 경우가 많다. 그러나 필자의 경우는 치아가 설측으로 경사진 경우에는 원심면이 치조골에 덮여 있지 않아도 원심면 삭제를 하는 경우가 종종 있다. 그 이유는 설측으로 경사진 경우에는 치아가 발치되는 과정에서 설측 잇몸이 과도하게 당겨지거나 찢어지는 경우도 있기 때문에 미리 원심 치관부를 제거해주면 발치가 훨씬 쉬워진다. 대부분의 경우 협측 위주로 삭제하고 설측은 끝까지 삭제하지 않지만, 설측으로 경사진 경우는 더욱더 그래야 한다. 막상 치아를 자르고 파절시키는 시간은 매우 짧기 때문이다.

06
발치된 치아를 보면 ★★

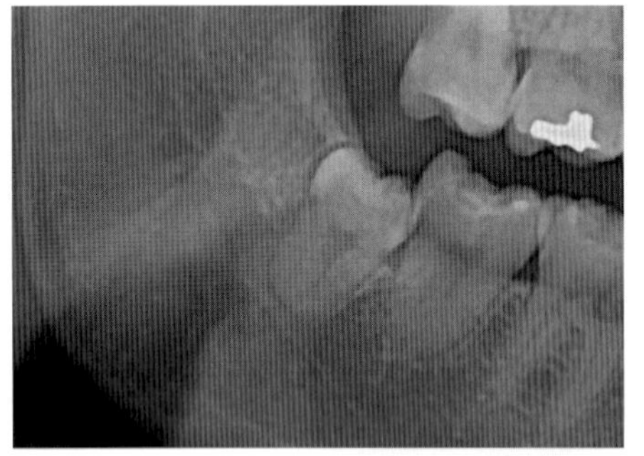

발치한 치아를 왁스로 붙여본 사진이다. 교합면에서 보면 명확하게 치아가 다 잘린 것처럼 보이지만, 설측은 최대풍융부까지는 삭제하지 않은 것을 볼 수 있다. 필자가 일부러 사진을 찍기 위해서 이렇게 한 것이 아니다. 필자는 발치하면서 그런 거 신경 쓸 시간이 별로 없다. 그저 발치 후에 발치한 치아를 가지고 생각해볼 뿐이다. 우연이 아니라 이런 치아들을 모두 왁스로 붙여보면 사진과 같다.

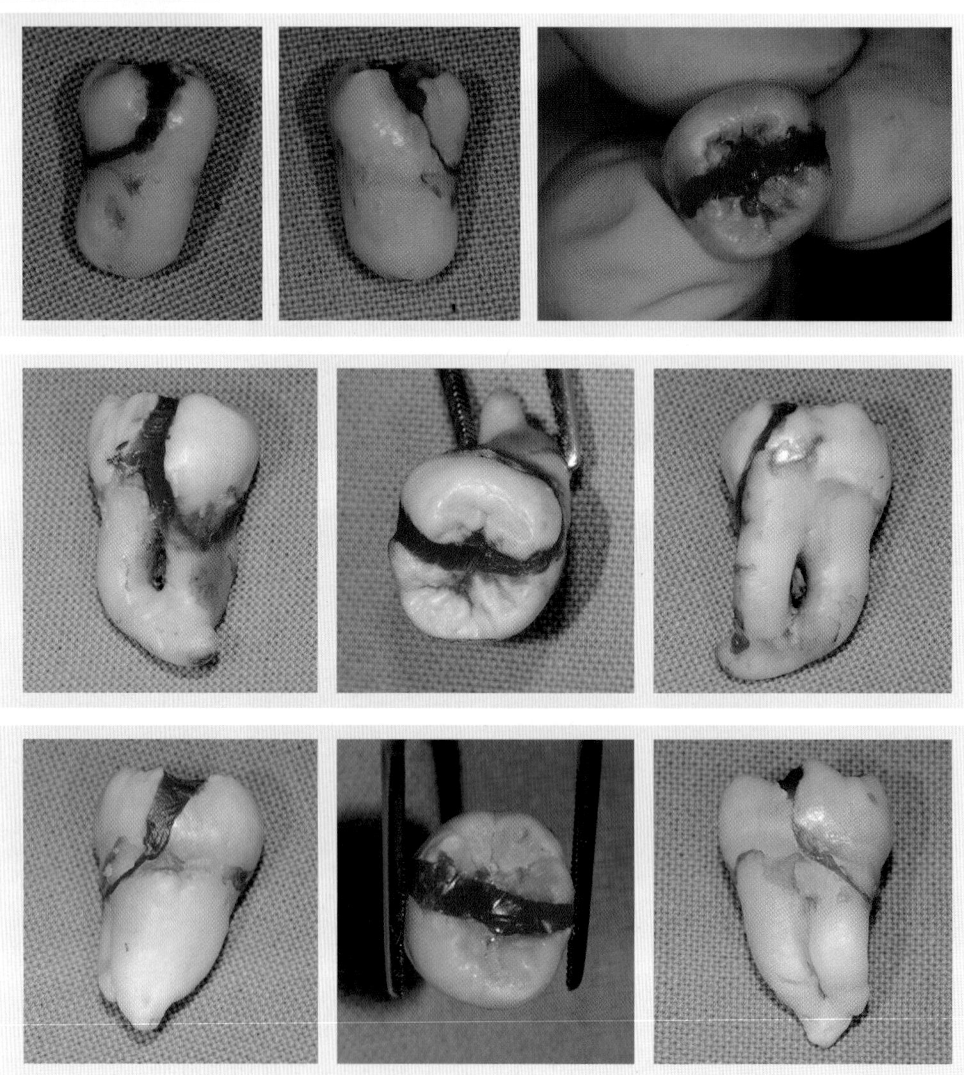

이 치아들도 모두 수직 매복된 사랑니의 원심면을 삭제하고 발치한 케이스이다. 모든 사진에서 보이듯이 일관되게 협측은 끝까지 삭제하였고, 설측은 파절시킨 것을 볼 수 있다. 비단 이런 케이스에서 뿐만 아니라, 다음 장의 수평 매복치의 발치에서도 마찬가지이다. 파절시켜서 잘라내는 부위는 굳이 에나멜까지 삭제할 필요 없다. 에나멜은 덴틴이 없으면 매우 인장강도가 낮아서 대부분 쉽게 파절되고 부스러진다.

07
맹출 방향과 정도에 따른 다양한 케이스 1★

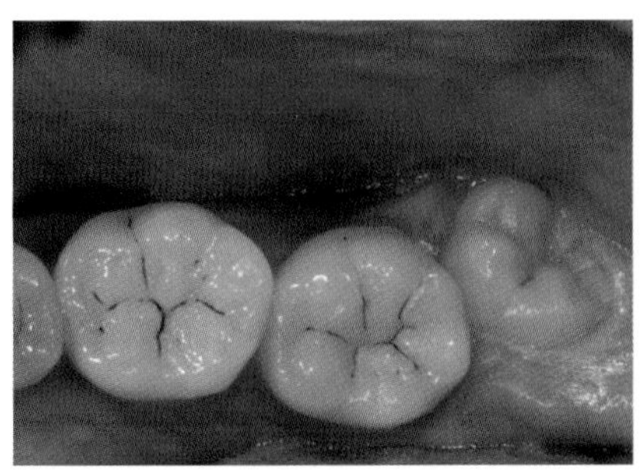
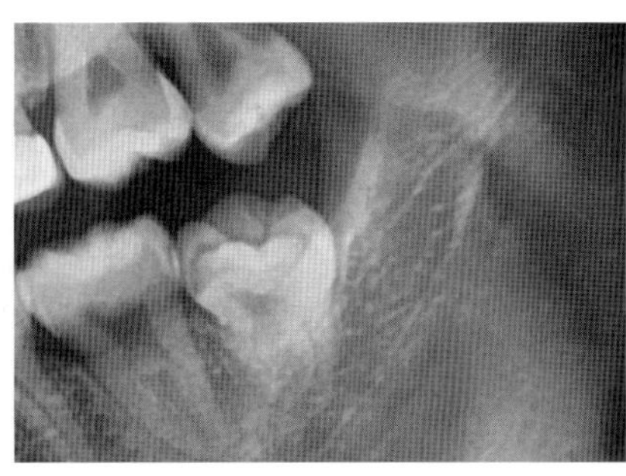
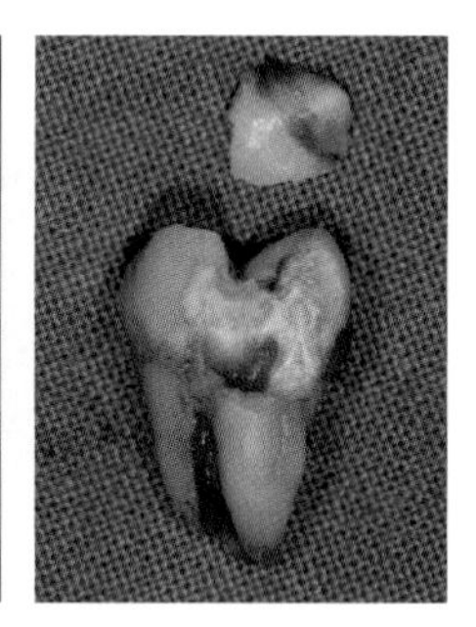

이렇게 치관이 2/3 이상 보이는 경우에는 잇몸 절개 없이 원심 치관부를 삭제할 수 있다. 물론 이 정도의 경우에는 치관 삭제가 필요 없다. 일부러 해보는 경우가 대부분이다. 뒷장의 수평 매복에서도 언급하겠지만, 굳이 필요 없어도 치관 삭제를 통해서 치관부에서 치관이 움직일 공간확보를 충분히 해주면 발치가 더욱 쉽고 안전해진다.

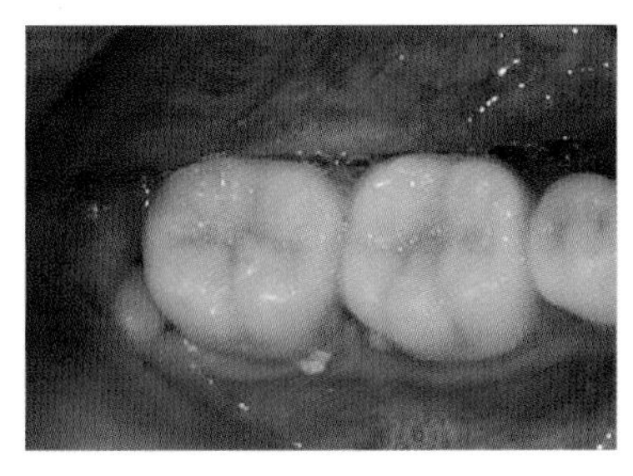
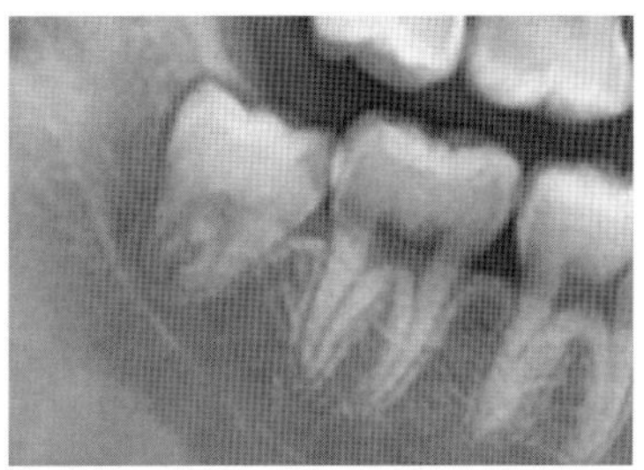
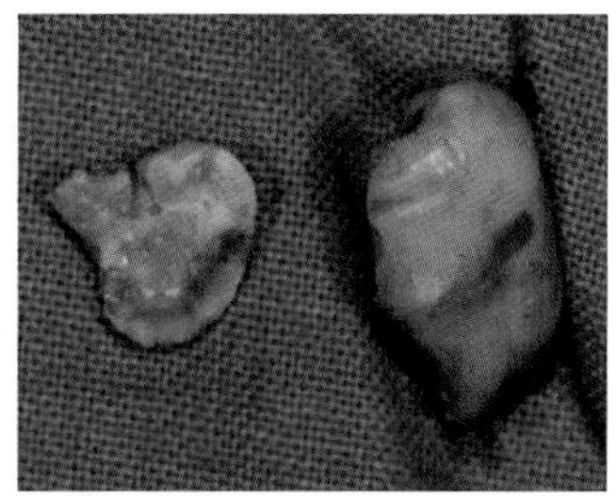

치관이 일부 보이는 경우는 잇몸을 절개한 후 원심면 치아를 삭제할 수 있다. 사실 절개선이 골막까지 가지도 않기 때문에 간단히 시행해도 된다.

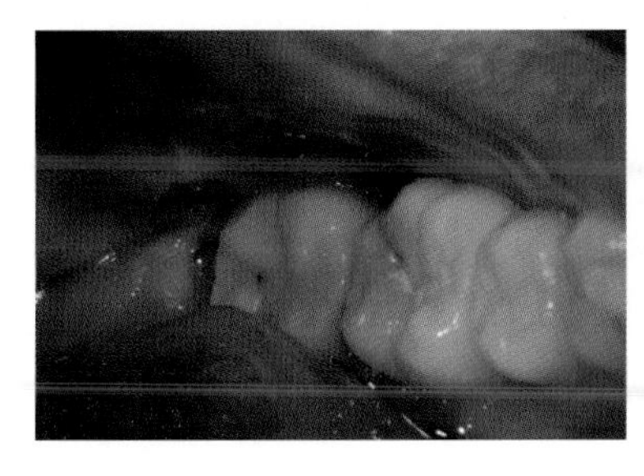
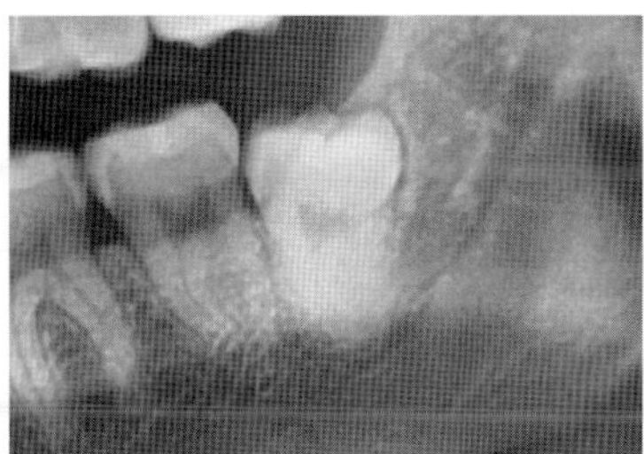
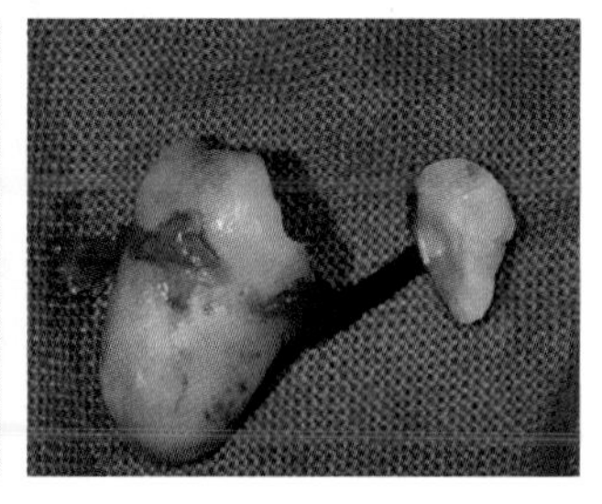

사랑니가 하나도 안 보이는 경우에는 절개를 확실하게 해주고, 종종 필요에 따라서 근심까지 확대하여 박리할 필요도 있다. 물론 잇몸절개 방식은 개인에 따른 편차가 너무 큰 듯하다. 그러나 결국 치아가 잘린 모양은 비슷하다. 이 책을 통틀어서 이 부분의 사진이 가장 아쉽다. 너무 쉽고 간단한 케이스이다 보니 발치 과정 사진을 거의 안 찍어둔 듯하다.

맹출 방향과 정도에 따른 다양한 케이스 2 ★★

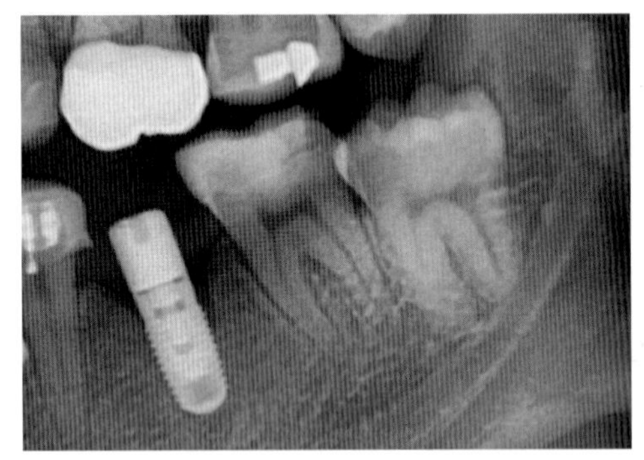

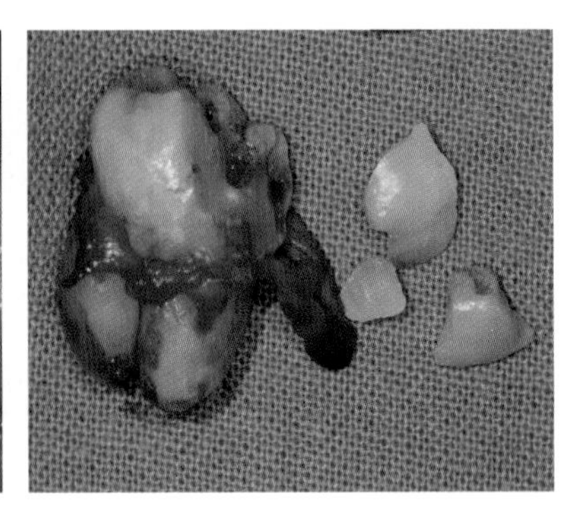

타 치과에서 임플란트를 식립하고 내원한 케이스이다. 이런 발치를 할 때는 매우 중요한 포인트가 있다. 종종 8번 근심에 엘리베이터를 작용시키는 치과의사들이 이런 경우에 종종 봉변을 당한다. 6번이 없는 경우에는 7, 8번이 힘 싸움을 하면 대부분 8번이 이긴다는 것을 알아야 한다. 더구나 8번 원심에는 든든한 하악지가 지탱해주고 있으니 말이다. 이런 경우에도 어지간하면 원심면을 삭제해서 치아가 움직일 수 있는 공간을 확보해주면 발치가 매우 더 쉬워진다.

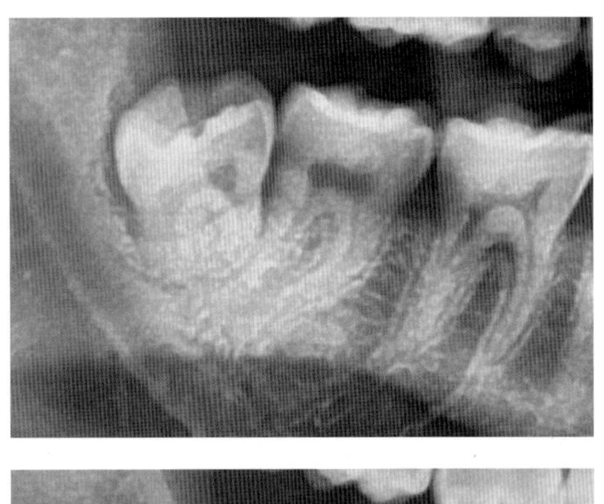

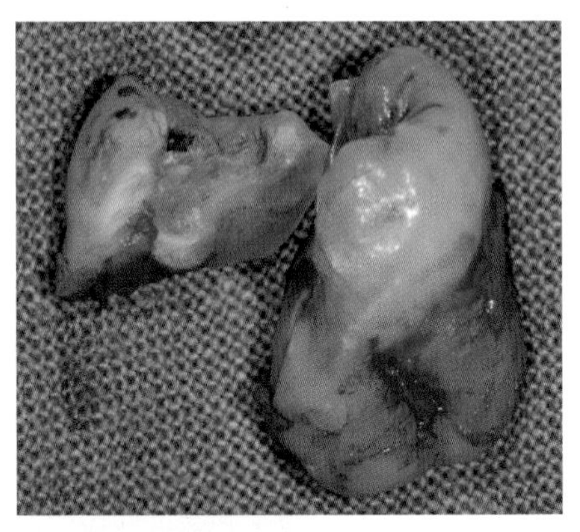

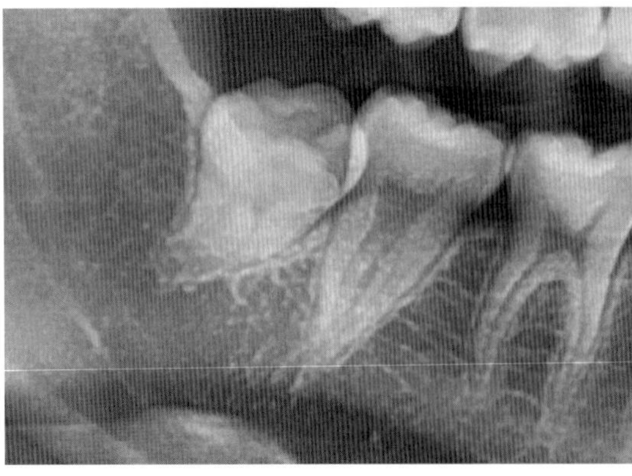

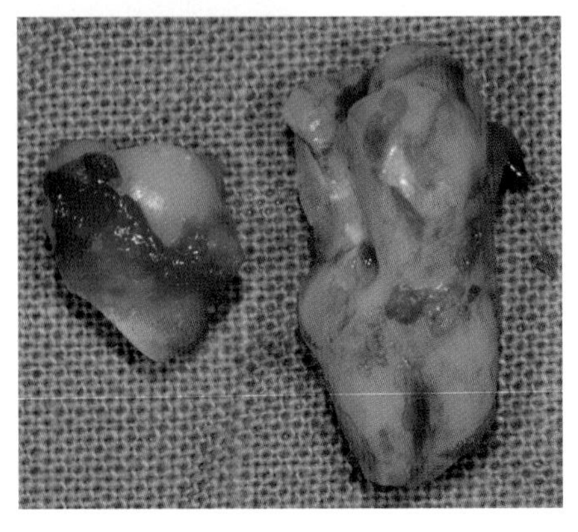

치아가 원심으로 경사진 경우에 치관부의 원심 삭제가 특히 유용한 경우가 많다. 그러나 치관이 근심으로 경사진 경우에도 유용하다. 이런 경우에 사랑니 치관의 근심면을 삭제할지, 원심면을 삭제할지 고민을 해보긴 하지만 대부분 결과가 비슷하다. 큰 차이는 없지만 근심면은 삭제가 편하고, 원심면을 삭제하면 발치가 더 편한 경우가 많다.

08
치관의 원심면을 삭제하여 발치 1★

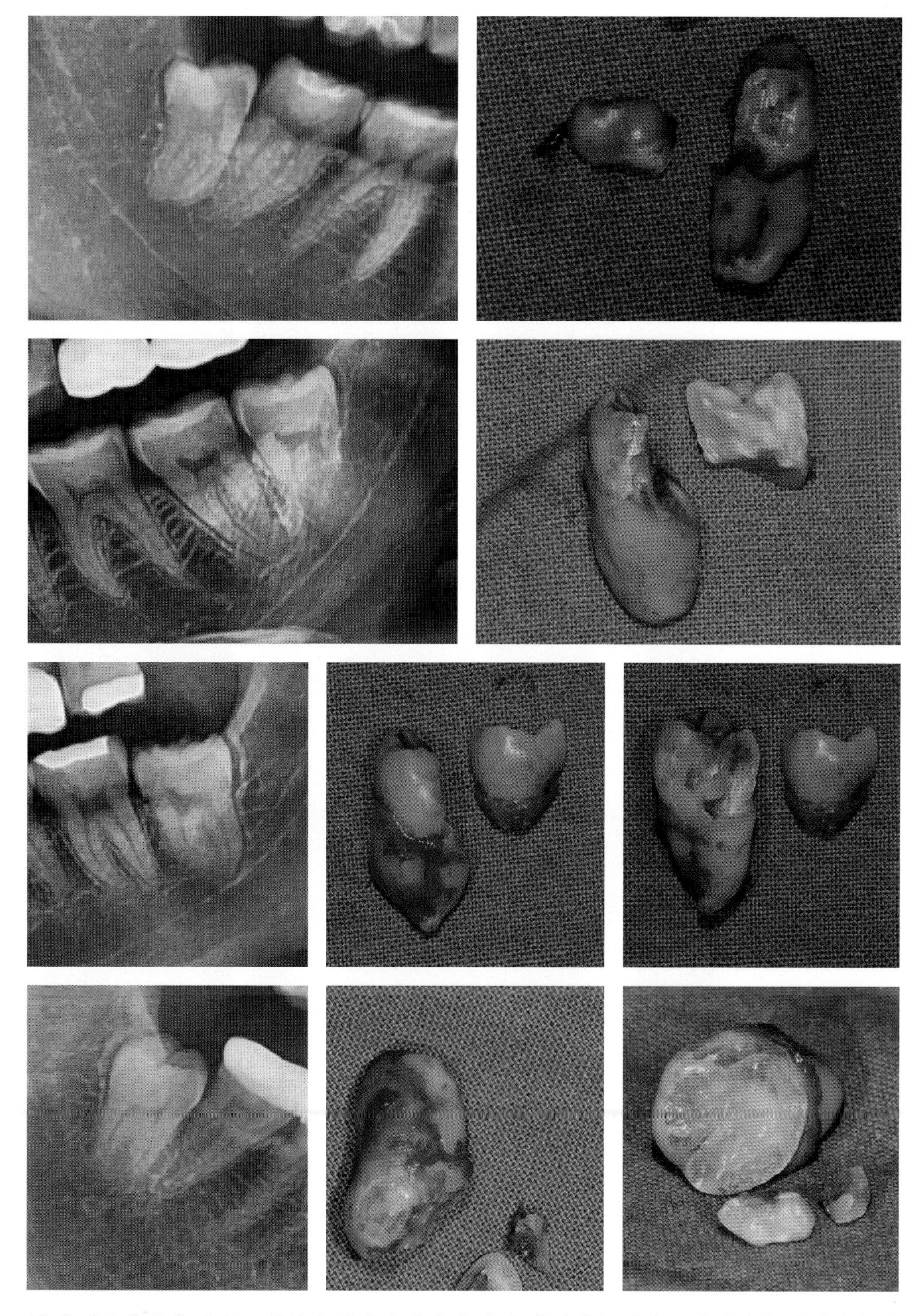

앞서 언급했듯이 필자는 개원가 특성상 사랑니 발치 전 사진은 찍기는 어렵지만, 발치한 후에는 환자 동의 없이 사진을 찍어도 되기 때문에 발치 후 사진은 많다. 보통 치아 삭제 없이 발치한 케이스는 거의 사진을 안 찍어서 발치 후 사진이 거의 없지만, 치아 삭제가 된 케이스의 경우는 우리 직원들이 발치 후 사진을 많이 찍어서 케이스가 셀 수 없이 많다.

치관의 원심면을 삭제하여 발치 2★

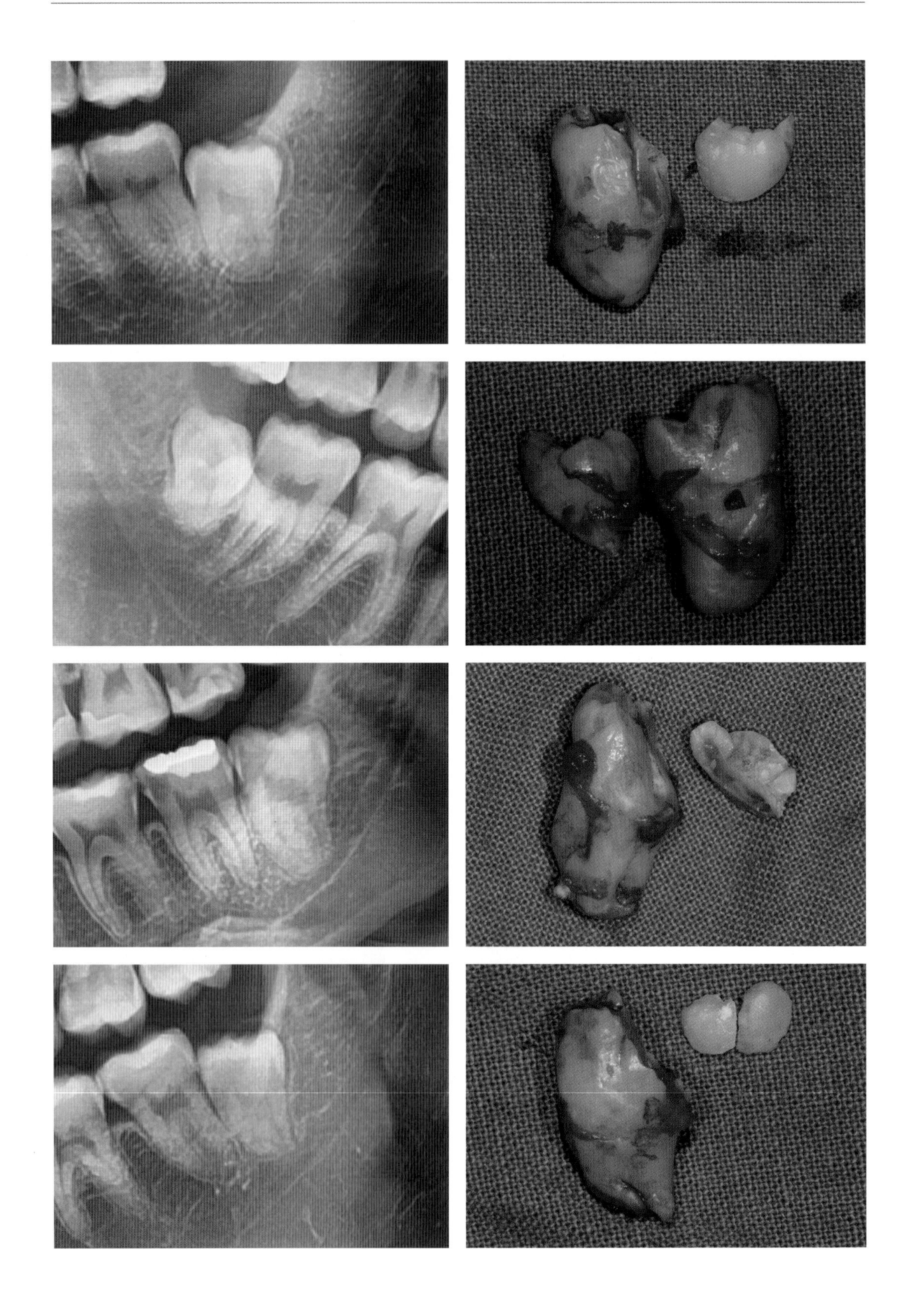

치관의 원심면을 삭제하여 발치 3 ★

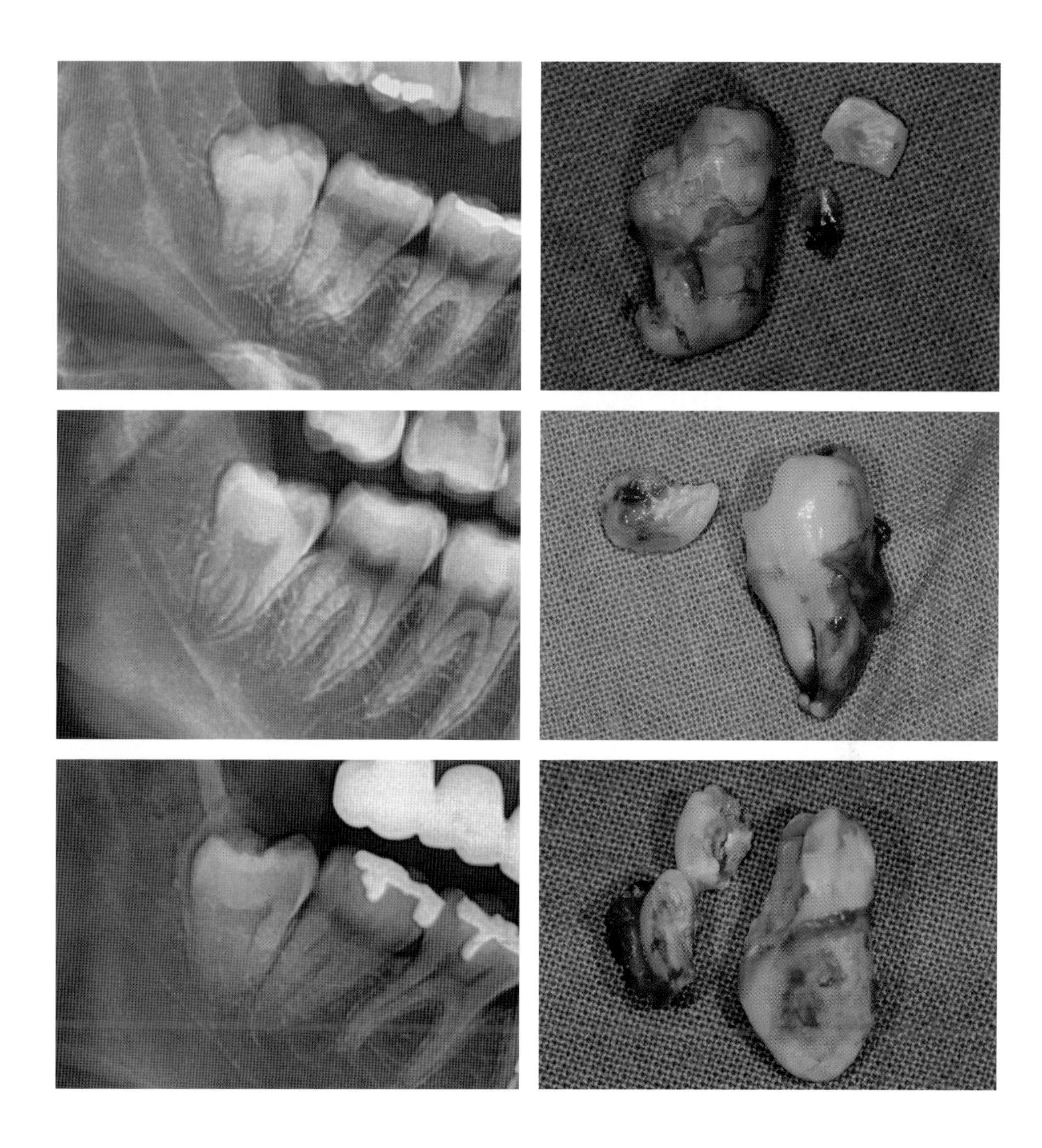

09
동영상 보기 ★★

수직으로 원심면 삭제 후 엘리베이터로 발치

수직 매복 원심면 골 삭제 후 엘리베이터 발치

수직 매복 원심면 삭제후 포셉발치

매우 빼기 힘든 튼튼하게 박힌 하악 수직 사랑니

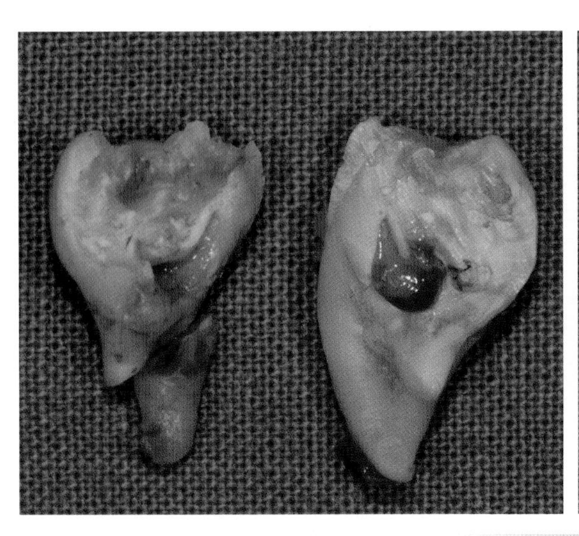

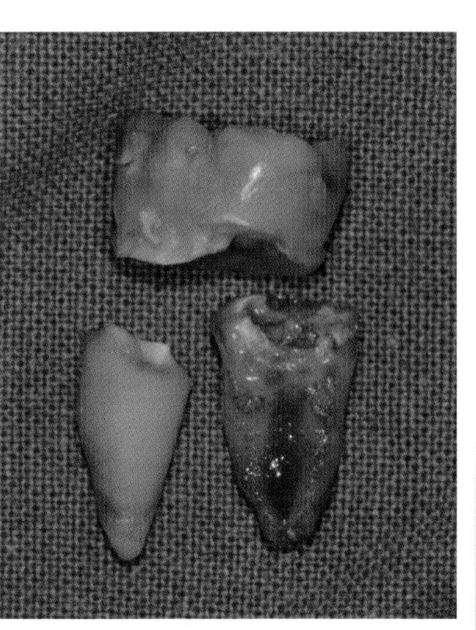

필자가 앞서 정상 맹출하여 기능하고 있는 사랑니가 발치하기에 가장 어려울 수도 있다고 언급하였다. 정상 맹출한 사랑니의 경우에 대부분은 포셉을 사용하는데, 포셉으로 잡아서 꿈쩍도 하지 않는다면 대략난감하다. 기능하지 않는 매복된 사랑니 치근의 치주인대들은 매우 약하다. 그래서 보통 발치하다가 치근이 남은 경우에는 대부분 익스플로러로 제거가 된다. 그러나 기능하는 사랑니의 경우는 대부분 치주인대가 매우 강하게 발달되고 치근 주변의 치조골도 골밀도가 증가하여 발치가 매우 어려워진다. 이런 경우에는 대부분 치아를 세로로 반절 쪼개서 치근을 하나씩 제거해야 한다. 여기서는 그렇게 치근을 둘로 나누는 방법에 대해서 살펴본다. 처음부터 치관을 세로로 쪼개기 시작하는 방법과 우선은 치관을 제거하고 치근부분에서부터 나누는 방법이 있다. 이제 두 가지 방법을 알아보고 장단점도 파악해보자.

01
매우 빼기 힘든 튼튼하게 박힌 사랑니 (난발치?)★

아마도 사랑니를 좀 뽑아본 사람이라면 수직으로 맹출하여 기능하고 있는 사랑니가 가장 빼기 힘들다는 것을 알 것이다. 필자도 마찬가지로 가장 힘든 사랑니는 수직 맹출하여 튼튼하게 자리잡은 중년 이상 남성의 사랑니이다. 예전에는 세로로 반절을 쪼개는 방식을 선호하였으나, 단근치일 경우는 사용 할 수 없고, 의외로 시간이 많이 걸리는 단점이 있다. 또한 마취가 잘 되지 않아서 고생하기도 한다. 그러나 요즘은 굳이 시간을 허비하지 않고, 안 되면 바로 치관절제술 방식으로 발치한다. 이제 두 가지 방식 하나씩 보도록 하자.

세로로 반절 잘라서 빼기 동영상 보기

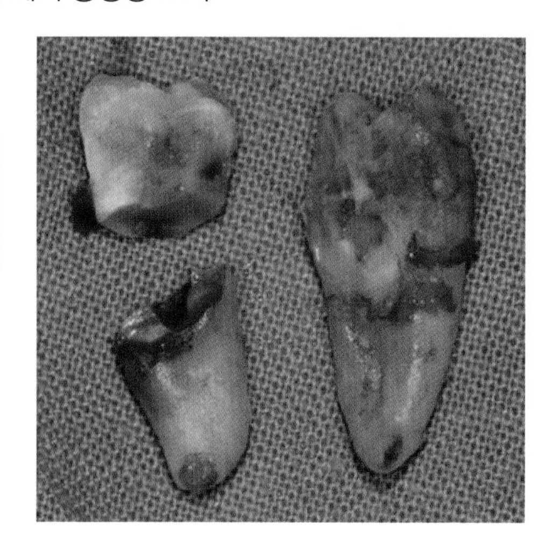

치관 제거 후 발치 동영상 보기

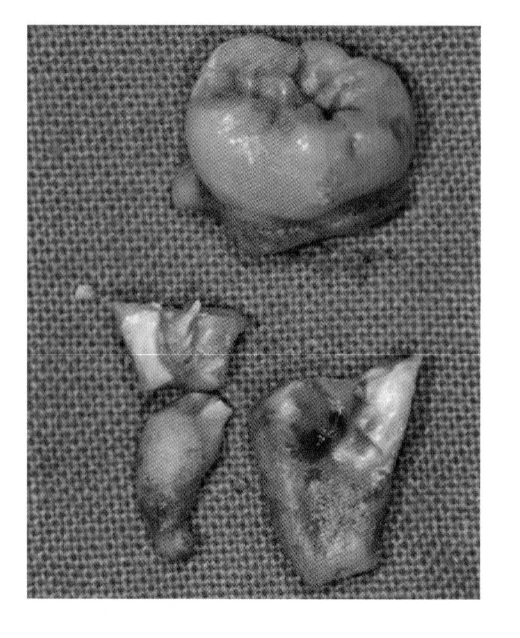

02
급하게 사랑니를 뽑아달라고 의뢰가... ★

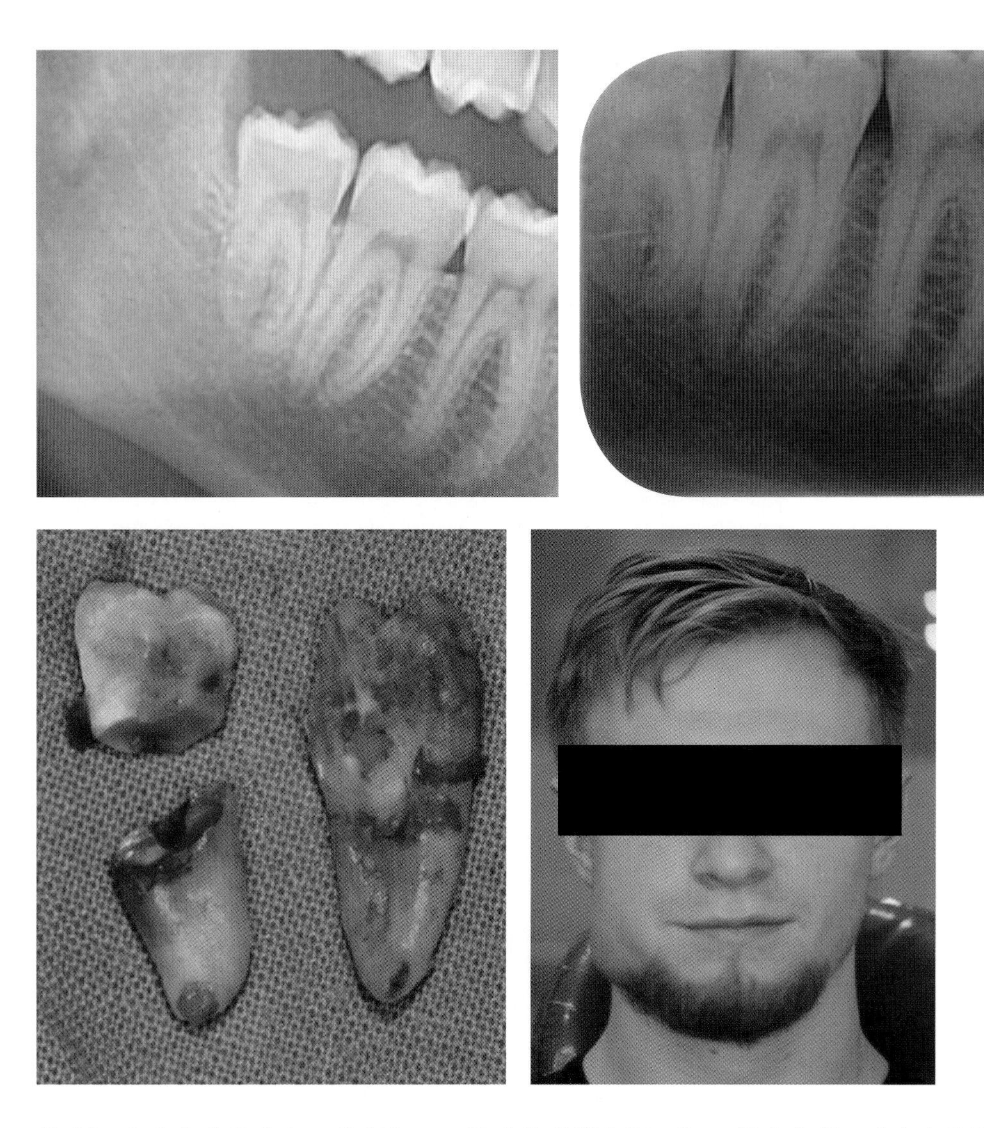

환자는 사랑니 때문이라고 생각하고 모 치과에 내원하였는데, 그 치과에서는 사랑니 발치를 못한다고 필자에게 급하게 의뢰되어 왔다. 그러나 염증은 사랑니와는 무관해 보였다. 지금까지 상황을 종합해보면 방선균증 정도로 의심되지만, 어쨌든 필자는 사랑니 발치만 해달라고 해서 해준 케이스이다. 필자의 치과는 강남역에 위치한 덕에 오랜기간 동안 외국인 환자들을 많이 봐왔다. 외국인 학원 강사들이 대부분이었고, 아랍이나 터키 사람도 매우 많았다. 주변에 국내 유일의 터키 레스토랑이 있기 때문이기도 하다. 어쨌든 건장한 백인 남성의 똑바로 난 사랑니는 정말 쉽지 않다. 엘리베이터, 포셉 등 어느 것에도 반응하지 않았다. 바로 치아반측절제술을 시행하여 발치하였다. 치아반측절제술을 시행한다고 해도 대부분 치근과 치관의 분리되는 경우가 많고, 특히 원심 치관과 치근은 거의 분리된다. 굳이 예쁘게 반측절제하는 것에 의미를 둘 필요는 없다.

03
사랑니 세로로 반절 나눠서 빼기 1 ★★

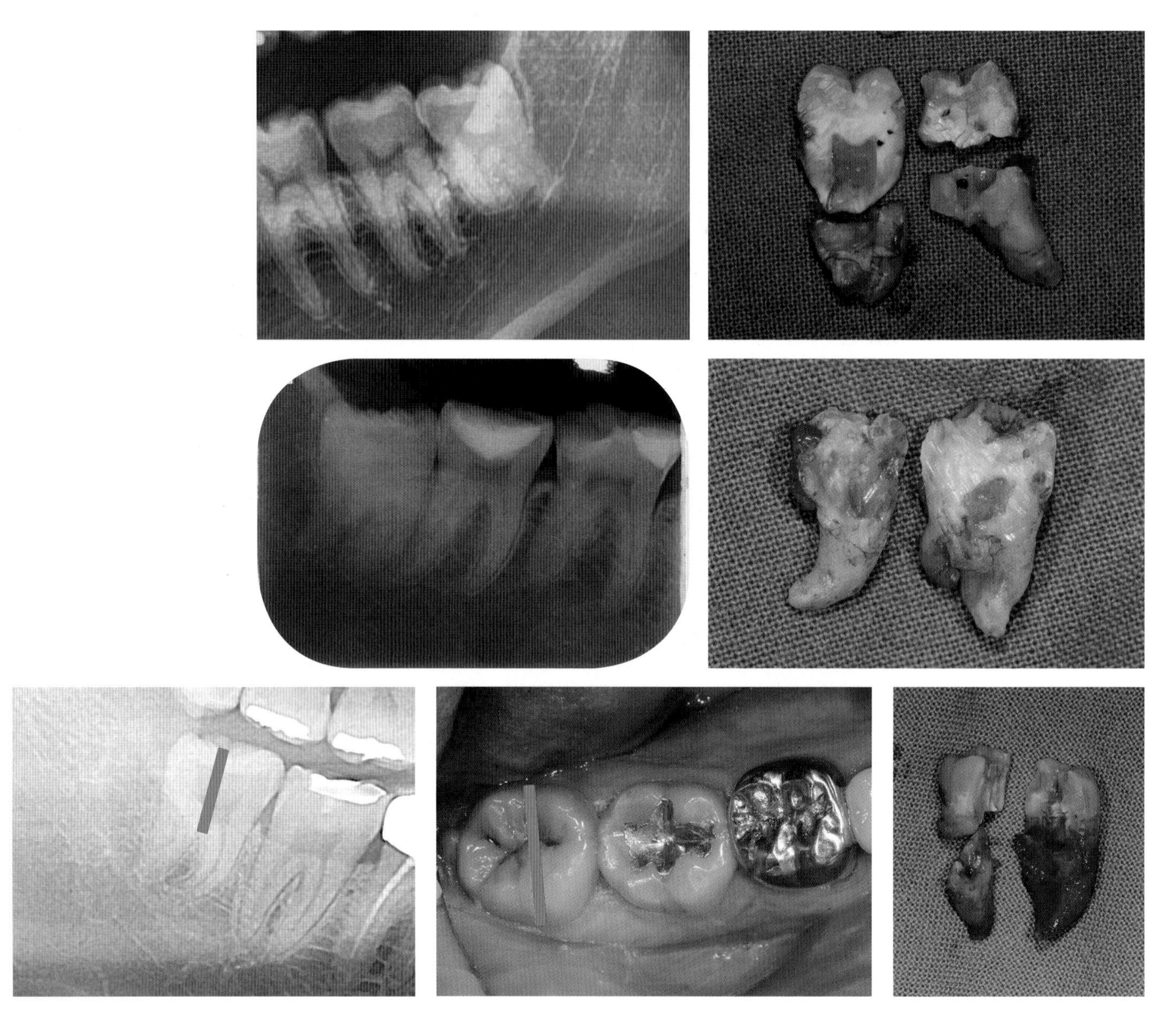

필자는 일차적으로 이런 발치 방법을 선택하지는 않는다. 다만 엘리베이터가 원심 협측에 걸리지도 않고 포셉으로도 꿈쩍도 하지 않을 때 선택적으로 사용한다. 이런 경우가 대부분이 다근치일 경우가 많기 때문이다. 대부분 단근치는 포셉에 반응하지 않는 경우가 별로 없다. 치아를 세로로 반으로 자르는 방식도 그 시작은 약간 근심인 게 좋다. 보통 4:6으로 근심으로 치우치라고 하는 편이다. 치아를 세로로 자르는 데 있어서 또 하나의 핵심은 생각보다 매우 깊게 잘라야 한다는 것이다. 그래서 4번 버를 쓸 때는 쉥크에 걸려서 잘 안 들어가기 때문에 원심 치관부를 파절시켜서 제거하고 다시 치근 사이를 더 자르기도 한다. 굳이 서지컬 피셔 버가 있다면 써도 좋다.

사랑니 세로로 반절 나눠서 빼기 2 ★

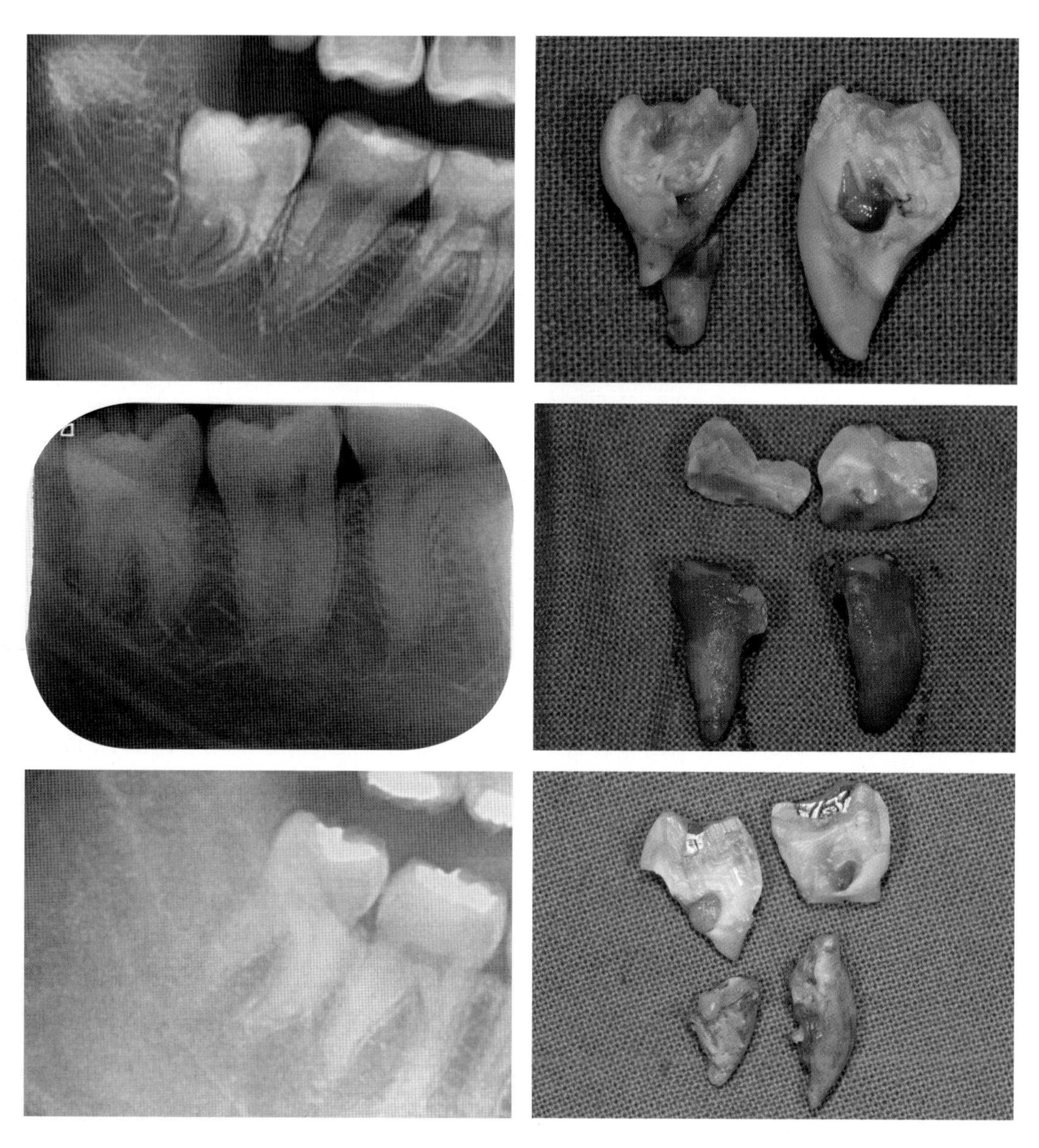

이렇게 세로로 잘라서 빼는 데는 한 가지 단점이 있다. 우리가 하악 7번 근관치료 시작할 때처럼 마취가 잘 안 된다는 것이다. 대부분의 사랑니는 공간이 부족하여 뒤로 밀리기 때문에 사랑니의 치근단은 설측 피질골에 가깝다. 그래서 설측에 마취를 하면 매우 마취가 쉽고 빠르다. 그러나 똑바로 난 사랑니의 경우는 치근단이 7번과 비슷하게 단단한 피질골의 가운데 있어서 마취가 잘 안 되는 경우가 많다. 그럴 경우에 위에서 자르려고 노력하지 말고 치경부에서 세로로 자르도록 접근해보는 방법도 좋다. 치경부에서 치주강 내로 접근하면 매우 접근이 쉽다. 이후에 치수강 마취를 하고 치아 삭제를 하면 좀 더 쉽다. 이러한 방법은 수평 매복치를 발치할 때도 비슷하게 이용하는 편이다.

사랑니 세로로 반절 나눠서 빼기 3 ★★

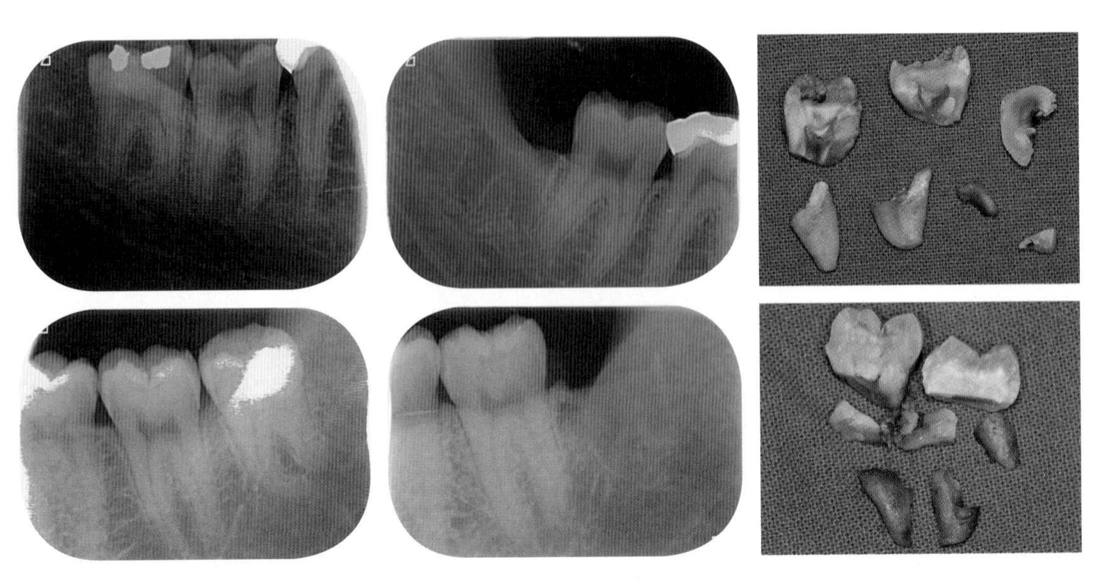

보통 이론적으로 생각해보면 이렇게 치근이 휘어진 경우에 세로로 잘라서 빼면 좀 더 쉬울 것 같은 생각이 들지만, 그건 어디까지나 이론일 뿐이다. 실제로 필자는 더 쉽다는 생각이 들지는 않았다. 오히려 요즘은 휘어진 치근 정도는 일부러 남기고 뽑는 게 더 쉽겠다는 생각을 하는 편이다. 누가 옆에서 지켜보는 것처럼 치근 하나만 남겨도 무슨 큰 부끄러운 발치처럼 생각하여 남은 치근 하나까지 다 빼려고 했던 젊은 날이 오히려 더 부끄럽기도 하다. 아마도 이런 케이스라면 요즘처럼 바쁜 시절엔 포셉으로 비틀어서, 오히려 치근을 부러뜨려서 발치하는 편이 낫겠다는 생각도 든다. 필자는 포셉 발치할 때 일부러 치근을 부러뜨리면서 발치하는 방법도 종종 사용한다. 그저 쉽고 간단하고 빠르고 안전하기 때문이다.

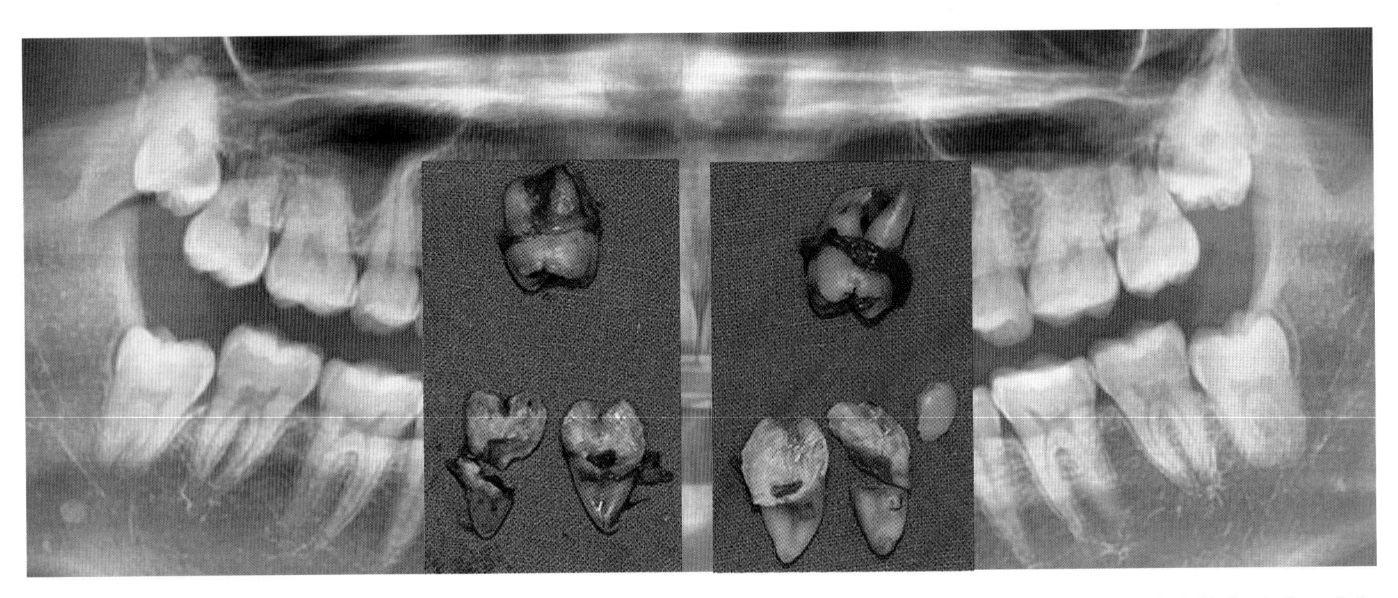

28세 남성 환자로 사랑니가 치조골에 매우 강하게 박혀 있어서 발치가 매우 어려웠던 케이스이다. 한 쪽이 어려우면 다른 쪽도 어려운 경우가 많다. 사진상으로 보이는 것과 달리 상하좌우 모두 쉽지는 않았다.

04
치아를 반으로 나누기 위해서 가운데에 맞춰서 삭제해도... ★

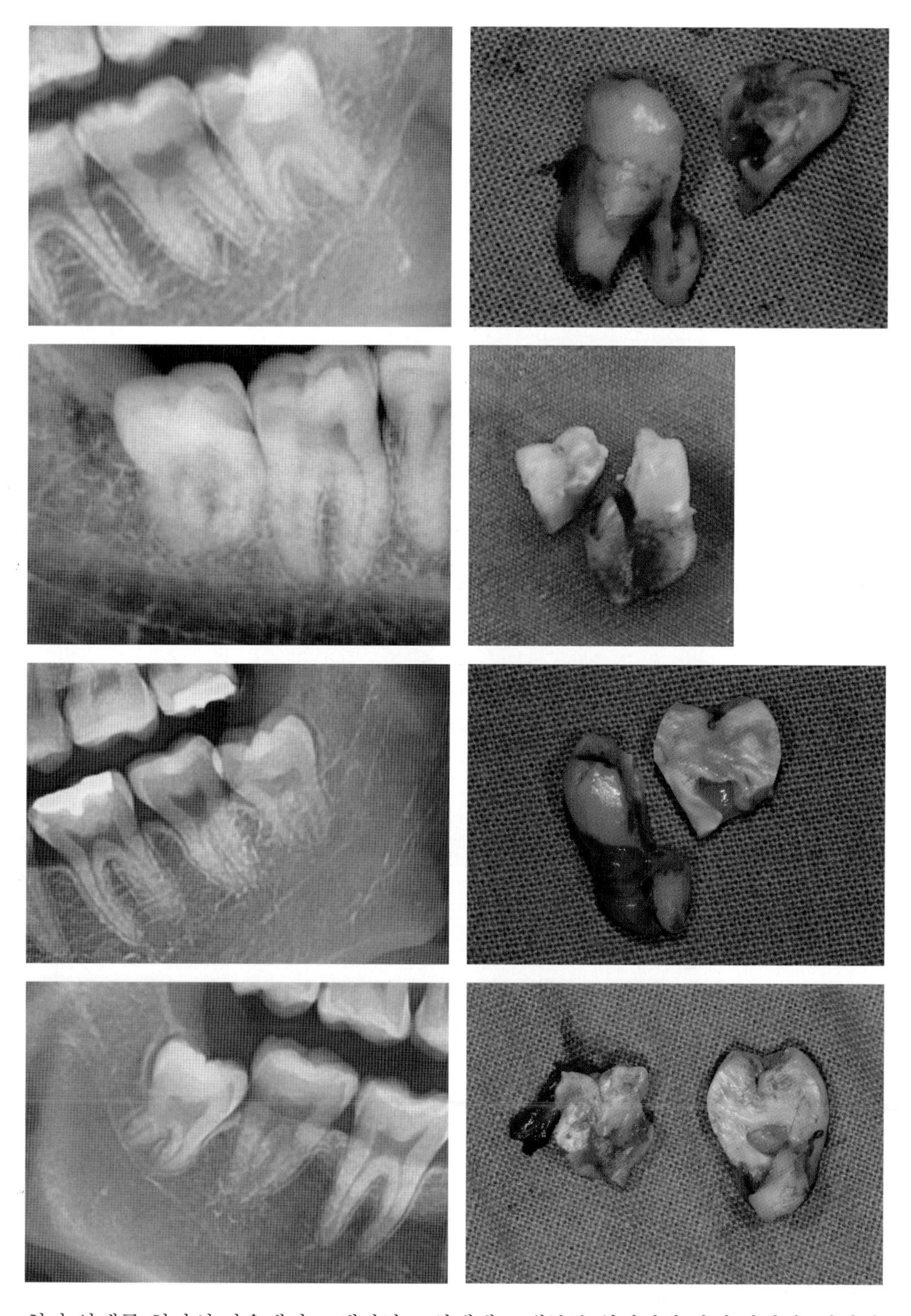

치아 삭제를 치아의 가운데라고 생각하고 삭제해도 대부분 원심면이 잘려 나간다. 심지어 다근치여서 치아를 반절로 분할하려고 시도한 케이스도 대부분 생각처럼 반절로 나눠지지 않고 원심면이 잘려나가는 경우가 많다. 물론 그러나 저러나 발치는 쉽게 되었으니 상관없다.

05
치관 절제 후 발치 (목치기) ★★★

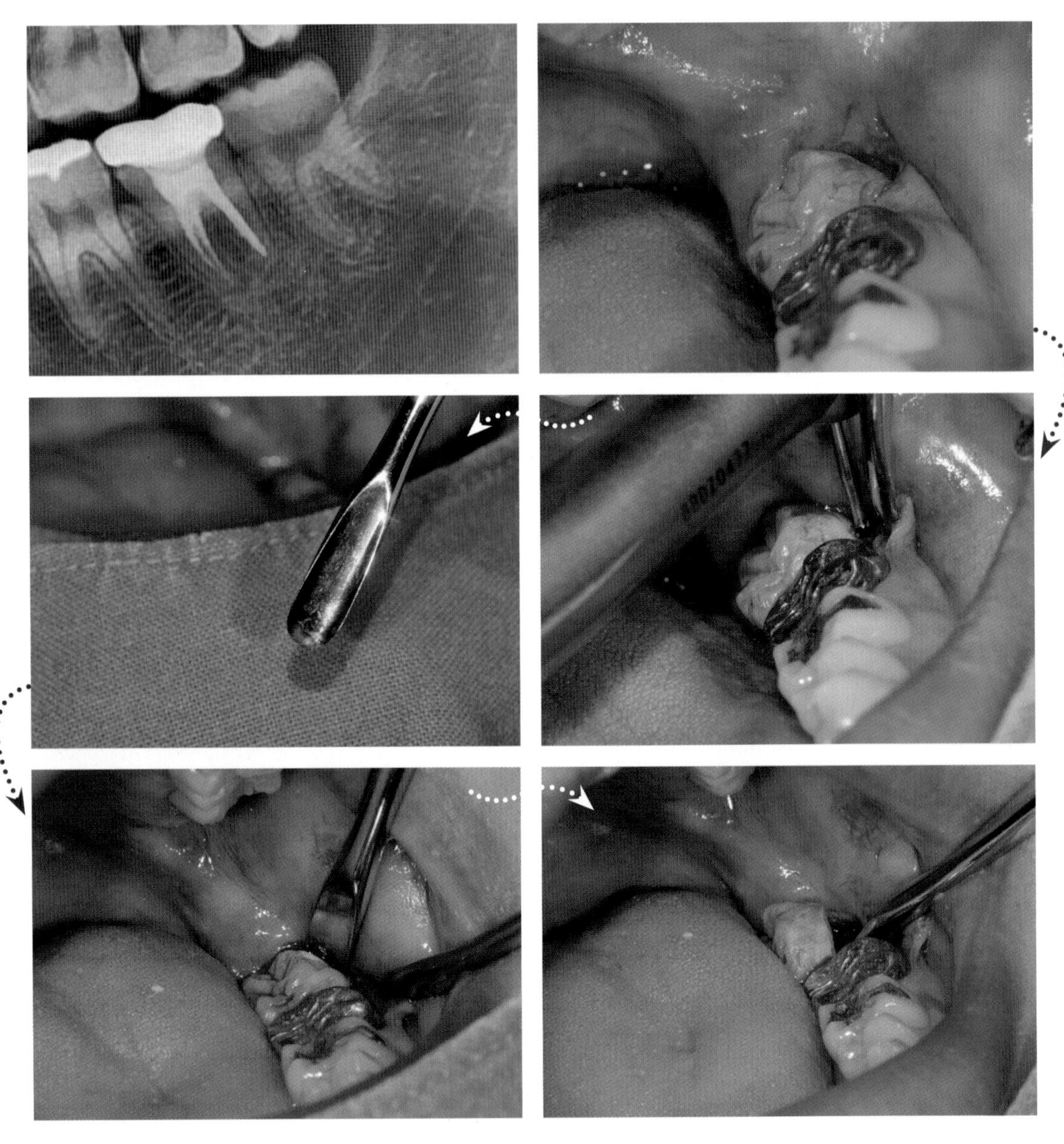

엘리베이터로도 포셉으로도 발치가 쉽게 이루어지지 않을 경우에는 치관을 먼저 제거(**목치기**)하고 나머지 치근을 제거하는 방법이 좋다. 물론 치관절제술로만 끝내는 방법도 나쁘지 않다고 생각한다. 처음부터 치관절제술만 할 생각이라면 잇몸을 박리하여 최대한 치조골 레벨에서 치근을 삭제하는 것이 좋다. 그러나 치관 절제 후 발치할 생각이라면 너무 치근 부분에서 삭제하면 오히려 남은 치근을 제거하기가 쉽지 않을 수도 있다.

물론 이런 발치에서 가장 중요한 것은 사랑니는 무조건 다 뽑아야 한다고 생각하고 있는 환자들에게 굳이 이런 사랑니는 안 뽑아도 된다고 설득해보는 것이다. ^^

만약 치관을 제거한 상태에서 발치를 멈춘다면 의도적 치관절제술★

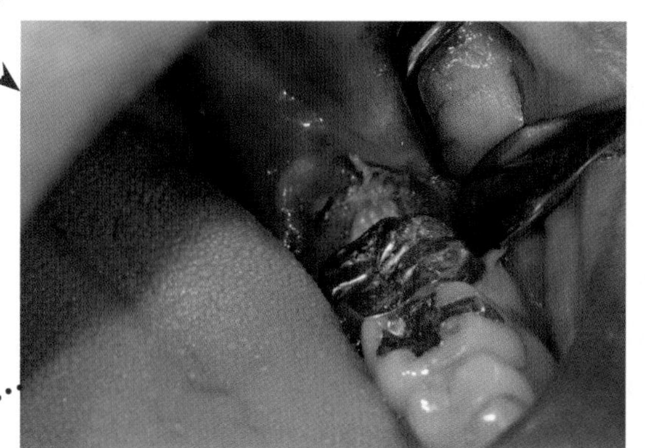

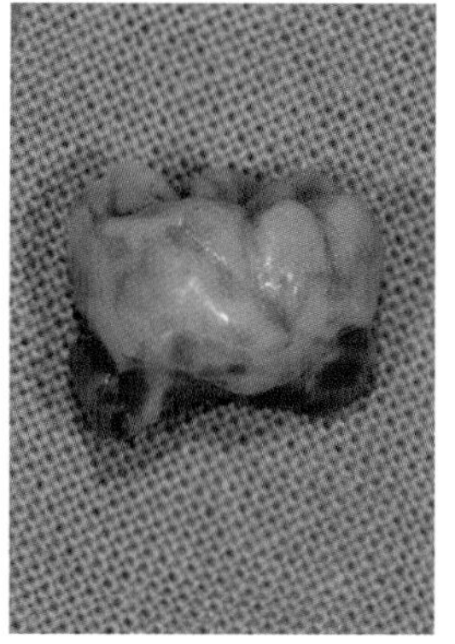

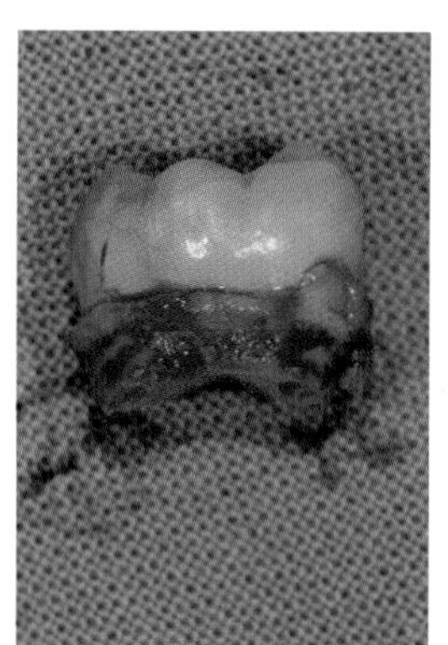

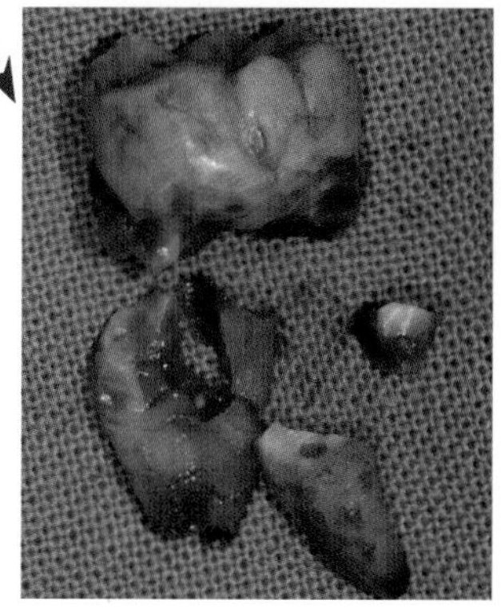

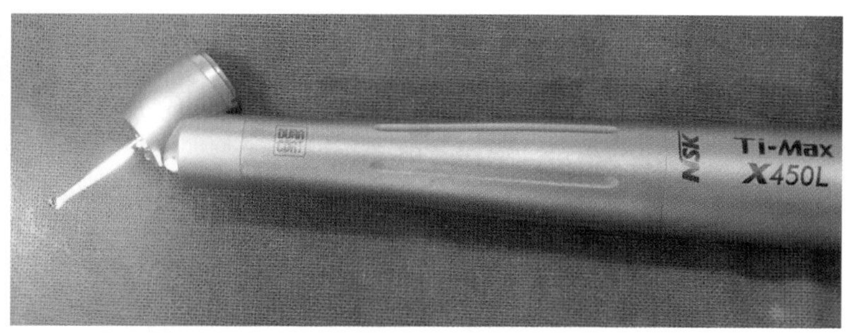

필자가 일본인 친구한테 해외 직구한 핸드피스

치관 절제 후 남은 치근까지 제거한 모습이다. 그러나 이렇게 정상적으로 맹출한 경우만 협측에서 일반 핸드피스로 접근이 가능하다. 종종 비슷한 방법으로 설측에서 접근하는 치과의사들도 있지만, 필자는 설측에서 접근하는 것은 바람직하지 않다고 생각한다.

그래서 최근에는 45도 핸드피스를 구해서 사용하고 있다. 1~2년 전까지 우리나라에는 45도 핸드피스가 정식으로 수입되는 경우가 없었기 때문에 필자는 5~6년 전에 일본인 치과의사 친구에서 NSK 일본 본사에 구매를 요청하여 택배로 받아서 사용했었다. 딱 10년 전에 미국 UCLA 치과대학에서 같이 생활했던 친구로 지금은 일본으로 돌아가서 치과대학에서 교수로 일하고 있다. 필자는 45도 핸드피스에 대해서 매우 만족하고 있다. 현재는 NSK 코리아가 설립되어 우리나라에 정식으로 수입이 되고 있다.

치과의사는 좋은 도구가 없다면 좋은 치과의사가 될 수 없다는 말을 명심하자. 더도 말고 덜도 말고 치과에 딱 하나만 있으면 된다고 생각한다.

그 일본인 친구가 글을 쓰고 있는 지금 날짜로 내일 가족과 함께 한국으로 여름 휴가를 온다. 필자는 내일 공항까지 마중 나갈 생각으로 너무 기쁘다. ^^ 그 친구에게 아직 한국에는 판매되지 않고 있는 로스피드용 롱쉥크 서지컬 버를 좀 구해달라고 했는데 내일 가져오는지 모르겠다.

06
치근이 휘어진 경우에도 매우 유용 ★★

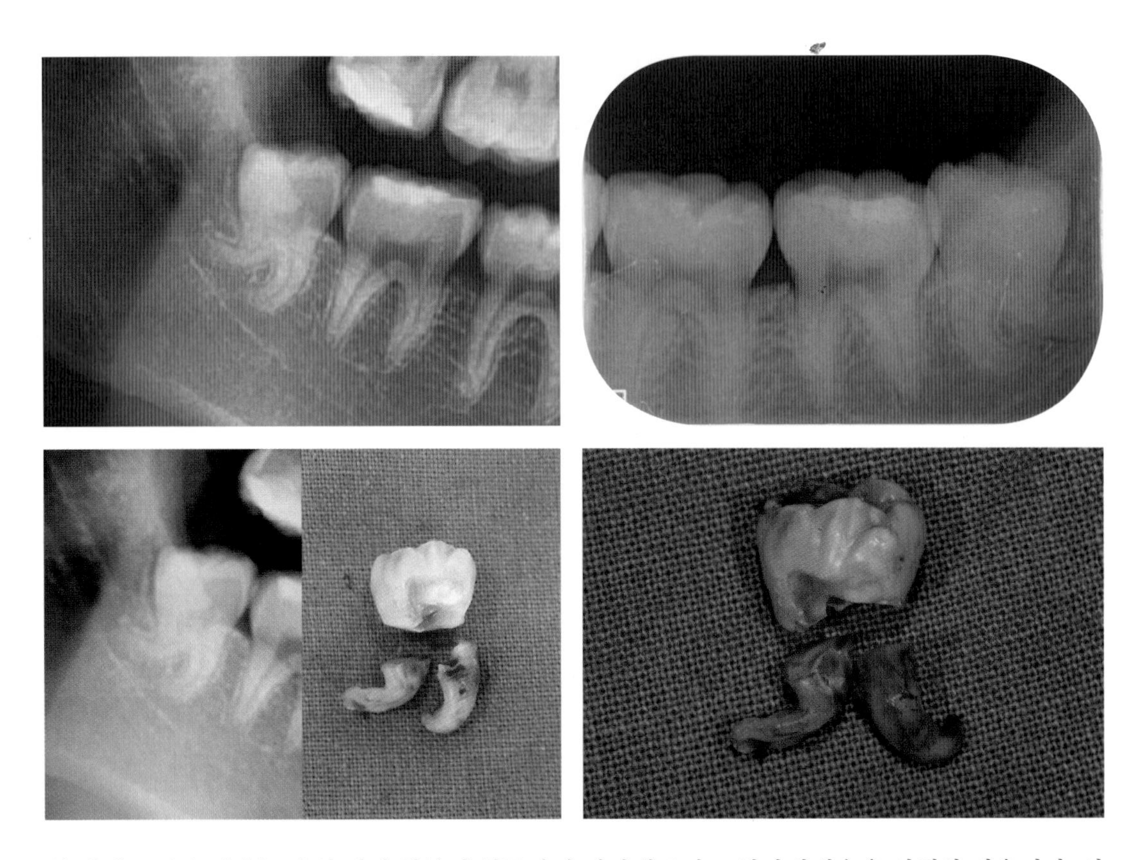

위 케이스 같은 경우는 욕심 내서 일부러 치근까지 제거해보려고 치관절제술을 시행한 경우이다. 일반적으로 엘리베이터나 포셉을 사용해서 발치할 경우 치근단 하방이 파절되기 때문에 이렇게 치근이 신경관과 겹치고 위험한 다크 밴드같은 싸인이 보이는 경우는 치근을 그대로 두는게 좋다.
그래서 이 케이스는 처음부터 치근을 모두 제거해서 페이스북에 올릴 생각으로 욕심 내서 치관절제술을 시행하고, 치근을 치경부에서 엘리베이터로 제거하였다. 발치된 사진에서 왼쪽 사진은 필자가 핸드폰으로 찍어서 페이스북에 올린 사진이고, 오른쪽 사진은 직원들에게 알아서 찍어놓은 사진이다. 나중에 확인하고 어찌나 가슴이 아프던지... ㅠ ㅠ 이런 식으로 좋은 발치 케이스 사진이 많이 날아갔다. 필자가 너무 바쁘다 보니 여러 조각으로 잘라서 뺀 치아를 일일이 맞춰주지 않고 사진 찍으라고 하면 저런 사진이 나오기도 한다.
원심 치근의 하방에 신경관이 지나가는 자리가 어설프게라도 보인다.

07
목치기 케이스 1 ★★★

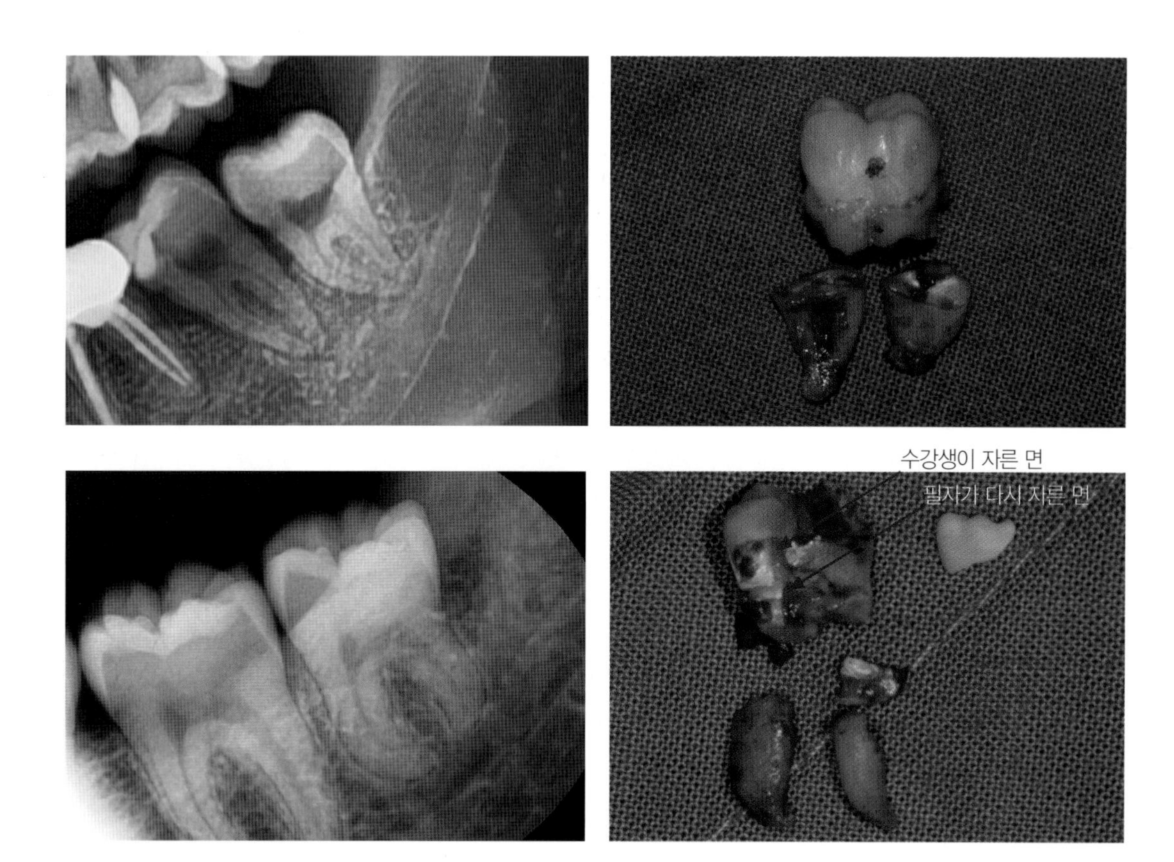

필자 치과 직원의 남동생으로 누나에 의해 강제소환되어 사랑니 발치 세미나의 라이브 서저리 환자 케이스가 된 경우이다. 그냥 발치를 하려다가 45도 핸드피스 사용 방법을 알려달라는 주문이 들어와서 사용해본 것이다. 수강생 선생님이 치아를 자르는데 너무 상부에서 잘라서 필자가 3 mm 정도 더 하방을 다시 삭제하여 치관을 절제한 경우이다. 대부분의 경우 엘리베이터가 들어갈 정도의 폭과 깊이만 삭제하면 치관은 쉽게 파절되어 제거된다. 다만 폭이 넓은 5C가 조금 더 용이할 때가 있다.

위 케이스 동영상

목치기 케이스 2 ★

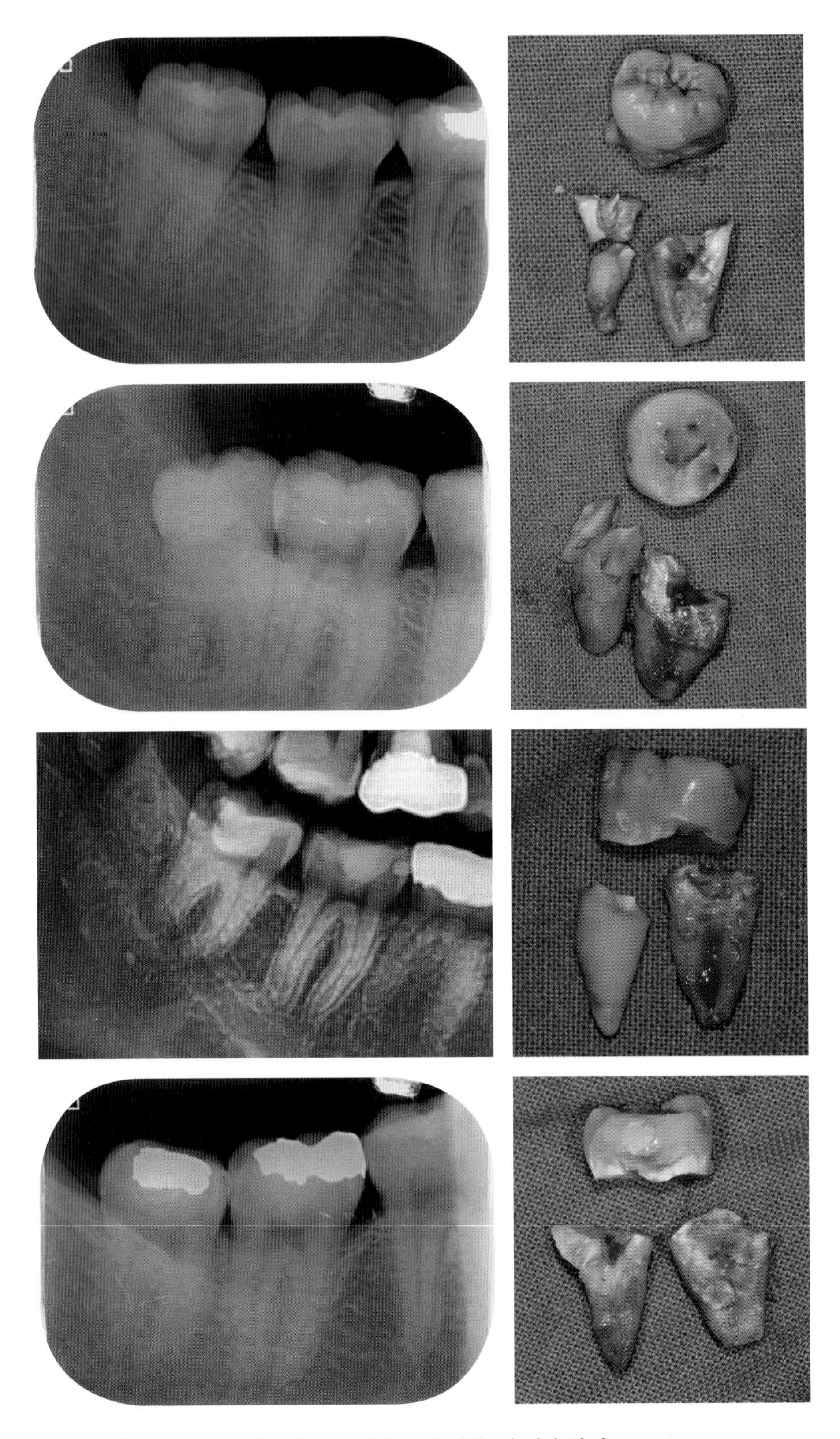

주로 포셉으로도 엘리베이터로도 반응하지 않을 때 사용한다.

잠깐!

사랑니 발치를 많이 하면 다른 수술도 잘하게 된다. 

골프 선수 최경주 명언

타이거 우즈가 나보다 골프를 잘하는 이유는
나보다 연습을 열심히 하기 때문이다.

오늘 1000개를 치겠다고 하면 1000개를 때려야
한다. 오늘 999개를 치고, 내일 1001개를 치겠다고
하는 순간 성공할 생각을 말아야 한다.

질릴 때까지 해야 실력이 확실히 는다. – 김영삼 명언 –

세상 무엇이 다 그렇듯이
하는 방법을 배우는 것이나
한 두번 해보는 것만으로는
절대 실력이 늘지 않는다.
너무 많이 보고 직접해보고를
반복해야만 진정한 내 실력이
될 수 있다. 그래서 필자는
이 책을 주의 깊게 한 번
보기보다는 설렁설렁이라도
두 번 이상 보기를 권한다.
동영상도 좀 더 반복해서
보길 바란다.
결국은 방법이란 내 몸에
익혀야만 진정으로 내 것이
되기 때문이다.

최초로 검색엔진에 사랑니 발치 광고 ★★

필자가 사랑니 발치를 많이 하게 된 계기는 아무래도 검색엔진에 광고를 한 덕이기도 하다. 다른 치과에서는 실력 있는 치과의사들도 일부러 사랑니를 뽑지 않을 때, 필자는 과감하게 인터넷에 검색광고를 시작했다. 당시에는 사랑니 관련 키워드는 판매조차 하지 않는 <기본요금> 키워드였다. 그러다 보니 클릭당 계산하면 몇 십원, 몇 백원 수준으로 매우 저렴했고, 검색해도 우리치과 밖에 없었기 때문에 광고효과 또한 매우 좋았다. 그러나 지금은 사랑니 발치 검색광고 비용이 10여 년 전에 비해 100배 정도 증가한 거 같다. 그래서 필자는 지금은 유료 광고를 하지 않지만, 환자 소개나 블로그 소개 등을 통해서 내원하는 환자가 많다. 필자는 척추가 좋지 않아서 주 3~4일 근무하는데 사랑니 발치가 월 300개가 넘어가자 도저히 감당할 수가 없어서 작년부터는 다시 구강외과의사를 영입해서 함께 열심히 사랑니 발치를 하고 있다.

위에서도 말했지만 지금도 검색엔진에 유료로 등록하는 광고기준으로 사랑니 발치 관련 키워드의 비용이 5천원에서 1만원 전후라고 한다. 최대 2만원 가까이 간 적도 있다고 한다. 과연 그렇다면 한 사람의 사랑니 발치 환자가 오게 하는 비용은 얼마나 될까? 아무리 저렴해도 클릭당 몇 천원이면 10명, 20명은 클릭해야 한 명은 올테니... 거의 10만원에 가까운 광고비용이라고 생각해야 할 듯하다. 그런데 자기 발로 찾아온 사랑니 환자를 그냥 보내는 치과는 얼마나 손해가 큰 가?

키워드 광고 예상 가격

구분	예상 1위 가격
사랑니	6,940원
강남사랑니	5,080원

필자가 최근인 2017년 7월에 광고대행업체에 문의하여 알아본 사랑니 관련 검색 키워드의 클릭당 가격이다.

요즘은 사랑니 발치 전문이라고 하는 치과도 많이 생겼다. 그래도 그 중에 빠른 치과들도 필자가 사랑니 발치를 전면으로 내세우고 10년 이상은 지나서 생긴 치과들이다. 그러나 앞으로는 더 많이 급속도로 늘어날 것으로 생각된다. 그러니 제 발로 찾아온 사랑니 발치 환자라도 놓치지 말아야 한다. 필자의 경우 저번 달에는 다른 환자 소개로 내원한 환자만 100명이 넘었다. 모두가 자산이라고 생각하고 감사하는 마음으로 사랑니를 발치할 것이다.

키워드 예상 비용

구분	순위	비용
강남역치과	1위	60,790
	2위	35,010
강남사랑니	1위	10,280
	2위	8,280
강남역 사랑니 발치	1위	6,490
	2위	4,490

책 원고를 마지막으로 탈고하던 2017년 12월 다시 홍보업체에 문의하여 광고 금액을 확인한 결과 이렇게까지 비용이 올랐다고 한다.

EASY
SIMPLE
SAFE
EXTRACTION
of
wisdom
tooth

07
CHAPTER

근심 경사
매복 사랑니의 발치

사랑니 발치의 난이도 ★★

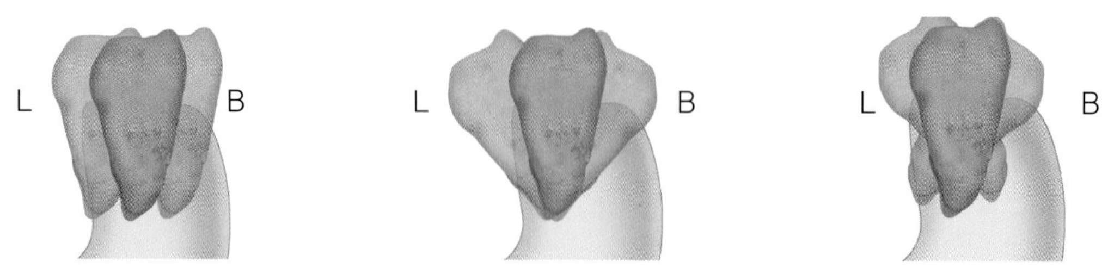

수직 맹출한 사랑니에서 위치를 협설로 다양하게 구분해본 그림이다. 세 가지 그림에서 모두 치관이 설측에 위치할수록 난이도가 높아진다고 생각해도 좋다.

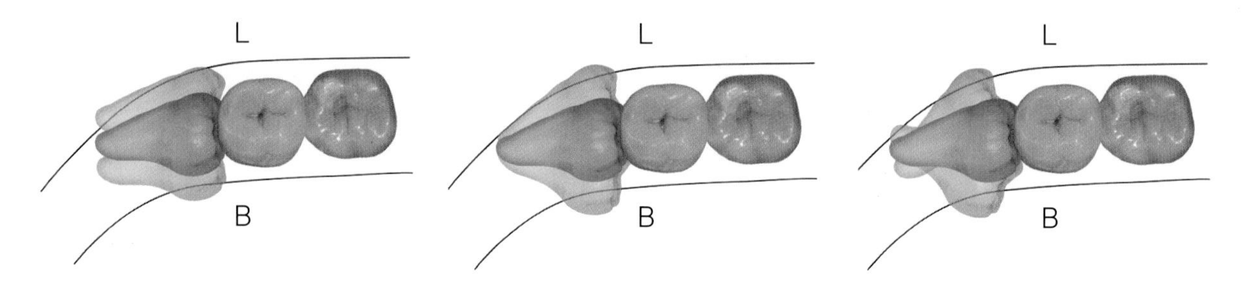

수평 맹출한 사랑니에서 위치를 협설로 다양하게 구분해본 그림이다. 세 가지 그림에서 모두 치관이 설측에 위치할수록 난이도가 높아진다고 생각해도 좋다. 수직 맹출과 수평 매복의 중간 단계인 근심으로 경사진 사랑니에서도 마찬가지로 치관부가 설측에 위치한 경우가 일반적으로는 난이도가 높다고 알아두면 좋다.

사랑니 발치를 잘하는 것에서 가장 중요한 것은 난이도를 판단하는 것이다. 더구나 사랑니 발치를 배워가는 단계라면 무엇보다 좌절하지 않는 것이 중요하기 때문에, 쉬운 것부터 하나씩 시도해봐야 한다. 필자는 지금도 느끼는 것이지만 중요한 것이 난이도에 늘 변수가 많다는 것이다. 그렇기 때문에 알 필요가 없는 것이 아니라, 작은 것 하나라도 세심하게 생각해서 최대한 변수를 줄여 가는 것이다.
무엇보다 가장 먼저 알아둬야 할 것이 있다. 사랑니는 설측에 위치하고 있으면 발치가 어렵다는 것이다. 이 책을 읽는 독자라면 제 스타일의 발치를 배우는 것이니 우선 그렇게 머리속에 입력해놓자. 수직 매복치도 설측 위치가 발치가 어렵고 설측으로 경사진 것이 발치가 어렵다. 특히나 설측 경사는 설측 피질골을 얇게 해서 사랑니 발치 과정에서 설측 피질골이 파절되거나 치근에 붙어서 딸려 나오기도 한다(이 책 후반부에 언급). 또한 그런 과정에서 구강저를 건드리거나, 설신경을 손상시키는 등 많은 변수가 있다. 근심 경사된 사랑니나 수평 매복 사랑니에서도 마찬가지이다.

사랑니 발치의 난이도 평가 그림★★★

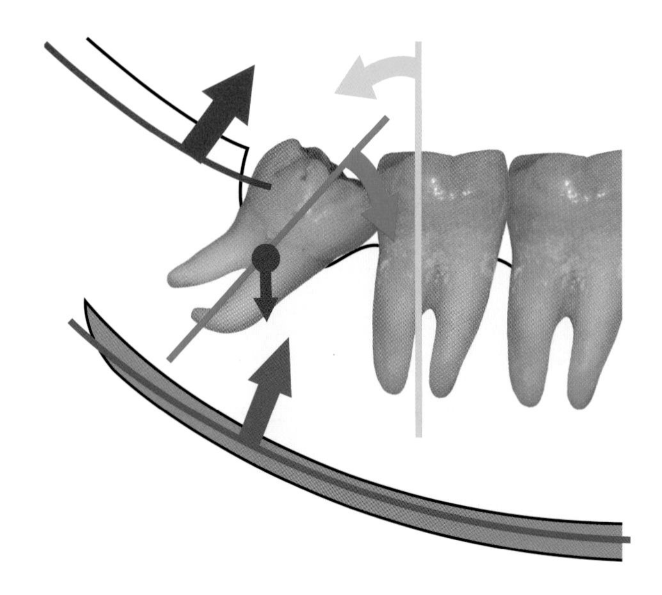

사랑니 난이도의 방사선학적 평가에 앞서서 사랑니 발치의 난이도 평가 그림을 보자. 화살표 방향으로 갈수록 난이도가 높아진다.

1. 보라색 – 사랑니의 위치가 7번을 기준으로 하방에 위치할수록 힘들다. 말이 필요 없다.
2. 녹　색 – 사랑니가 근심으로 많이 경사질수록 난이도가 높다. 그만큼 사랑니 치근을 제거하기 위해 삭제해야 할 치관부가 많아지고, 시야도 좋지 않다.
3. 노란색 – 7번이 원심으로 경사질수록 난이도가 높다. 사랑니의 근심 경사만큼 언더컷이 많이 생겨서 시야 확보도 어렵고 제거해야 할 치관부도 커지고 제거할 양도 많아진다.
4. 파란색 – 하치조신경관이 상방에 위치한 경우다. 의외로 사랑니 자체는 크게 매복이 심하지 않은데, 하치조신경관이 위로 올라와 있는 경우가 있다.
5. 빨간색 – 화살표처럼 치조골이 사랑니를 많이 덮고 있을수록 난이도가 높다. 이런 부분도 간과하기 쉽지만 실제 발치를 하게 되면 골 삭제를 피할 수가 없기 때문에 고려하지 않을 수 없다. 필자는 치조골 삭제를 거의 하지 않고 발치하지만, 이런 경우는 어쩔 수 없이 CEJ 근처까지 또는 최소한 협측 최대풍융부까지 치조골 삭제를 해야 한다.

잠깐!

난이도의 다른 변수는?★

보통 같은 조건이라면 나이가 많고 남자일수록 발치가 어렵다고 한다. 그러나 필자의 경험에서 유추해보면 큰 차이를 느끼지 못하는 경우가 많다. 필자의 경험에서 내린 결론을 말한다면 <아주 오래 걸리고 힘든 사랑니는 대부분 나이 들거나 남자인 경우가 많을 뿐> 이지, 결코 나이 들거나 남자라고 해서 발치가 모두 더 어렵다고 느껴지지 않는다.

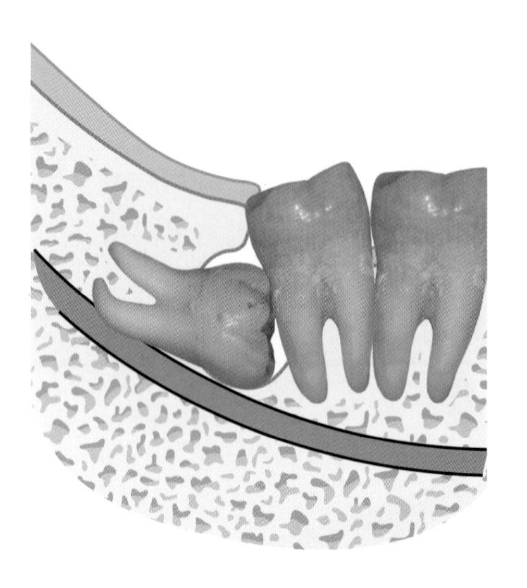

수평 매복 사랑니 중에 가장 난이도가 높다고 생각되는 화살표 방향대로 그려본 그림이다. 이와 같이 매복된 사랑니는 여러 가지 면에서 고려할 사항이 많다. 그러나 숙달된 치과의사라면 이런 사랑니라고 해서 특별히 다른 방법을 사용하거나 하지는 않을 것이다. 어떠한 사랑니도 통상적인 본인의 방법대로 발치를 할 것이다. 그러나 초보인 시절에는 이런 발치는 시도하지 않는 것이 좋다. 초보일수록 성공하는 습관을 들이는 것이 중요하기 때문이다.

사랑니를 잘 뽑는 사람들의 대표적인 특징 중에 하나는 아무리 어려워 보이는 사랑니도 쉽게 뽑는다는 것이다. 필자도 마찬가지로 이런 사랑니라고 해서 특별히 더 어렵게 발치를 하지는 않는다. 물론 간단한 사랑니에 비해서 시도하는 발치 테크닉이 몇 가지 더 들어갈 뿐이다.
사랑니 발치하는데 걸리는 시간은 아무리 발치를 많이 한 필자도 종잡을 수가 없다. 어렵고 오래 걸릴 거라고 예상한 것 중에서도 95%는 쉽게 발치가 되고, 매우 쉬울 거라고 예측된 사랑니도 5%는 예상 외로 종종 시간이 걸릴 수도 있다. 95%와 5%는 단순히 예를 들어본 것이지만, 그만큼 생각보다는 예측이 잘 안 맞는 경우가 많다는 것이다.
그래도 이러한 예측 실력도 많은 공부와 경험으로 늘어나는 것일 테니, 초보라면 우선은 기본적인 난이도에 영향을 미치는 요소들을 살펴보며 경험을 쌓아가야 할 것이다.

다른 조건이 같다면 사랑니 발치에서 중요한 거리는... ★★★

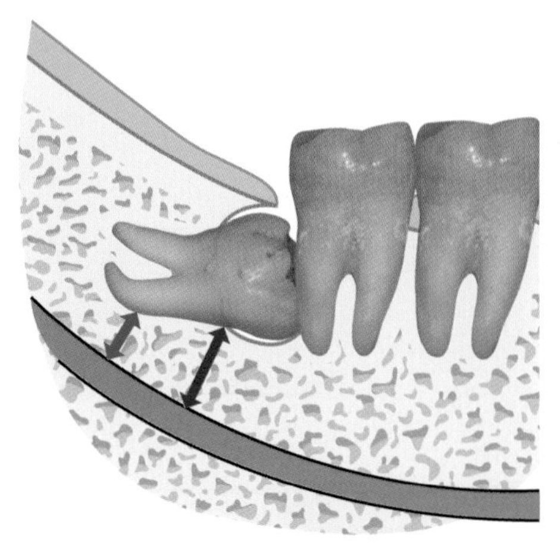

수평 매복 사랑니에서 치근과 치경부의 신경관과의 거리를 표시한 그림으로 필자는 빨간 화살표가 중요하다고 생각한다.

대부분의 초보 치과의사들은 사랑니의 파노라마 방사선 사진을 보고 하악관과 뿌리의 거리나 관계(파란 화살표)에 집중한다. 그러나 그 부분은 크게 신경쓸 이유가 없다. 어차피 뿌리는 뼈 속에 있어도 되는 것들이고, 최악의 경우 치관만 깨끗이 제거하고 의도적 치관절제술로 치근은 그대로 두어도 되기 때문이다.
사랑니 발치에서 중요한 것은 수평 매복 사랑니 하방의 CEJ로부터 하악관까지의 거리(빨간색 화살표)가 가장 중요하다. 정말 중요한 것은 파란색 화살표가 아니라 빨간색 화살표인 것이다. 발치에서 핵심은 완벽한 치관의 제거이기 때문이다.
요즘 CBCT가 많이 보급되어 CT 상으로 치근과 신경관의 3차원적인 위치 관계 등을 판별할 수 있게 되었지만, 그렇다고 난이도에서 큰 차이가 있지는 않다고 생각한다. 어쨌든 결론적으로 사랑니 발치에서(특히 수평 매복치) 치관부의 완벽한 제거가 가장 중요하다.

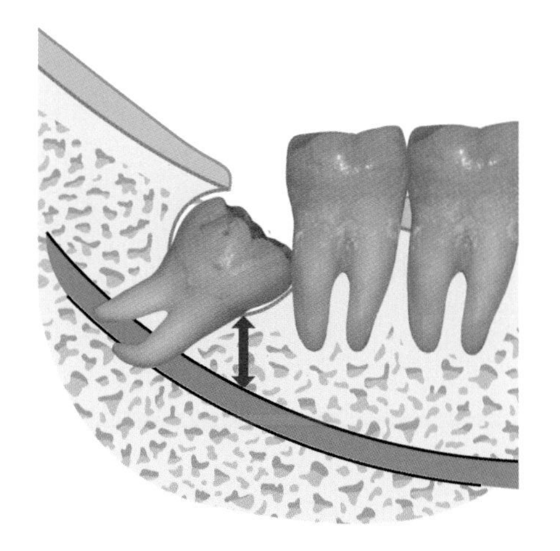

치근은 신경관과 중첩되어 위치하지만, 신경관과 근심 치경부와의 거리 충분하게 여유 있는 그림이다. 이런 경우에 있어서 치근이 신경관과 겹쳐 있는 것은 발치 방법에서 큰 문제가 되지 않는다. 통상의 발치 방법대로 발치하되, 치근 부분을 제거하면서 조금만 더 주의하는 정도로도 충분하다.

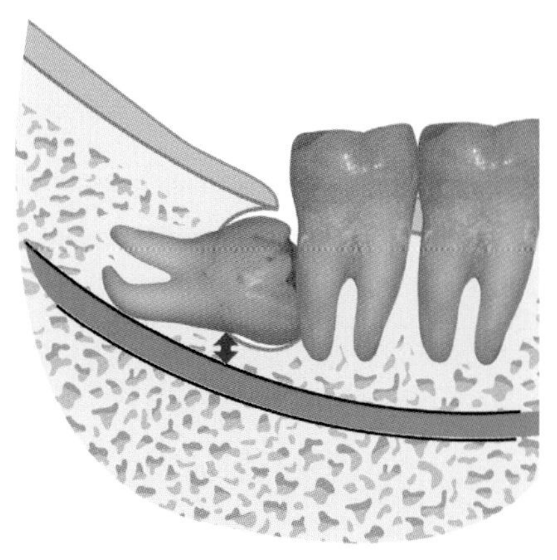

치근이 신경관과 겹쳐 있지는 않지만, 근심 치경부와 신경관의 거리는 매우 가까운 경우이다. 이런 경우는 치관부를 제거하기 위하여 치아를 삭제할 때 매우 주의해야 한다. 초보자들이 발치의 난이도를 높게 생각해야 하는 경우는 바로 이런 경우이다.

근심 경사 매복 사랑니 발치 (복잡 사랑니 발치) ★★

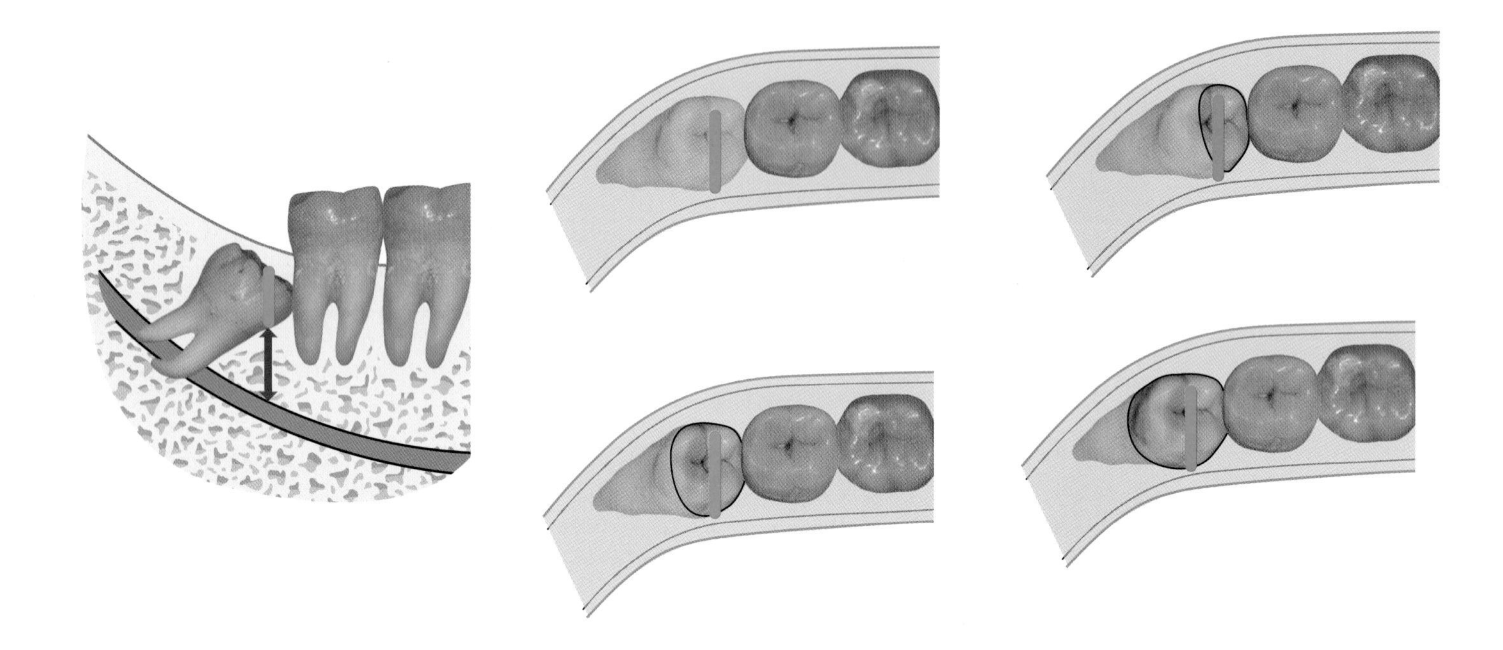

필자는 근심 경사 매복 사랑니 발치에서 가장 중요한 것은 7번 원심면에 걸려 있는 사랑니의 치관부의 제거라고 생각한다. 결국 언더컷만 제거하면 수직 매복 발치와 크게 다르지 않다. 높이가 낮든 높든, 경사가 심하든 안 심하든, 대부분 비슷하다. 오로지 핵심은 근심 치관부의 제거이고, 필자는 절개를 되도록 안 하거나 최소로 하고, 골막 박리는 거의 안 하면서 위와 같이 파란선 정도로 삭제하는 편이다. 깊게 삭제하지 않고 주로 파절시키기 때문에 4번 버를 주로 쓰는데, 요즘은 늙어서 그런지 6번 버도 많이 쓰고 있다. 근심 치관부를 삭제하고 난 뒤의 발치는 수직 매복 사랑니와 거의 비슷하다. 잇몸에 덮여 있는 경우도 거의 비슷하다.

전형적인 구강외과 발치 스타일 ★★

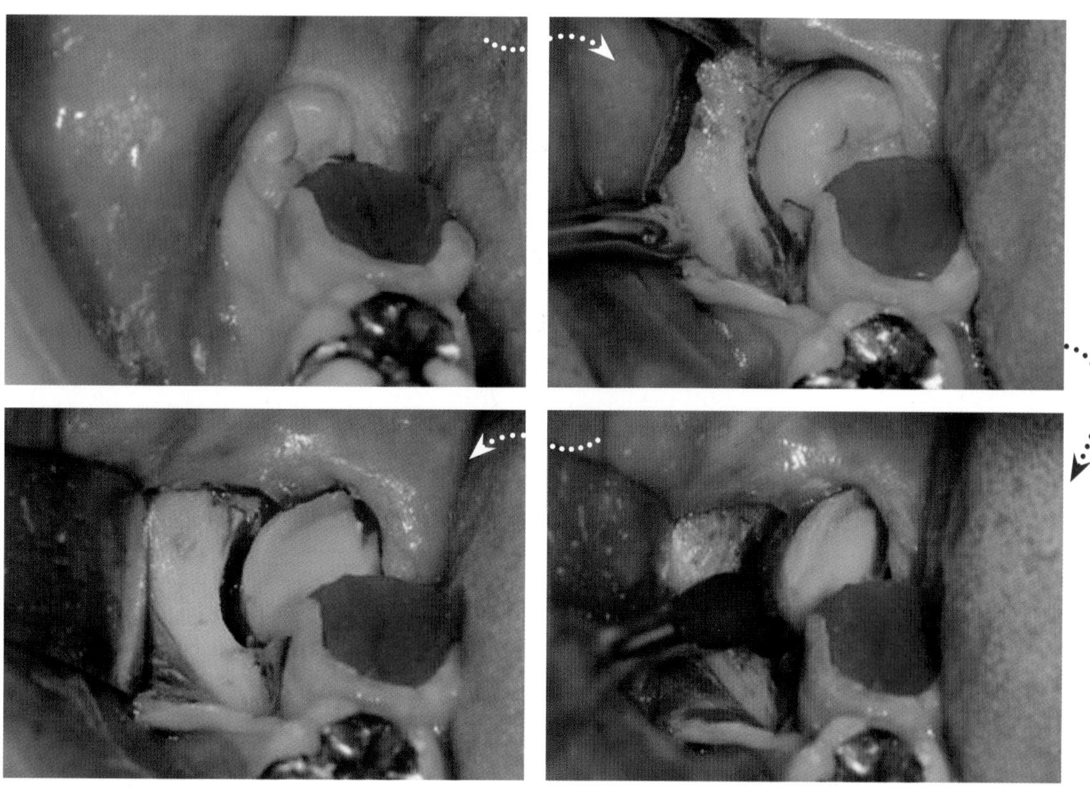

앞서 절개, 박리 파트에서 보았던 서민교 원장님 케이스이다.

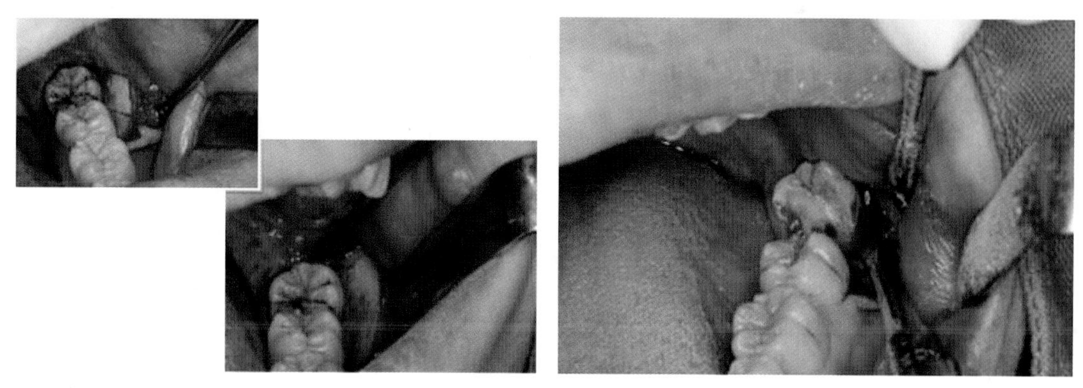

판막을 당기는 것이 아니라, 피질골 상부에 얹기만 하는 것이다.
필자와 함께 사랑니 발치 세미나를 진행하는 패컬티 Dr.서민교의 발치 케이스

전형적인 구강외과의사들의 발치 스타일이다. 필자라면 위의 케이스도 전혀 플랩을 형성하지 않고, 치아의 근심면만 살짝 삭제하고 발치했을 것이다. 다만 초보자에게는 매우 중요하다.
그래서 필자가 진행하는 장기간 발치 핸즈온 코스에서 필자 다음으로 첫번째 연자를 서민교 원장으로 진행한다. 초보에게는 무엇보다 중요한 것이 시야 확보이기 때문이다.

구강외과 선생님들의 일반적인 발치 모습이다. 물론 사진을 찍기 위해서 조금은 평소보다 더 많이 피판을 형성했을 수도 있지만, 교과서적인 발치의 모습이다. 아니 모범적이라고 해야 할 것이다. 그러나 이 정도의 박리와 골 삭제는 술후 출혈과 부종을 야기할 수 있다. 물론 깔끔하게 잘 하면 생각보다 덜한 경우도 많지만, 이렇게 안 하면 그럴 가능성은 더 없다. 방구가 잦으면 똥된다는 말이 있다. 어쨌든 분명 숫자가 많으면 그만큼 무슨 일이 일어날 가능성도 많다는 뜻이다.

그래서 필자는 최소 절개, 최소 박리, 최소 골 삭제를 목표로 한다.
절개와 박리는 술후 통증과 부종의 원인이 되고, 그만큼 시간도 오래 걸리고 봉합 시간도 오래 걸린다. 물론 초보 치과의사라면 시야 확보를 위해서도 많이 하는 게 좋고, 임상실력을 키우기 위해서라도 많이 시행하고 발치하는 것이 바람직하다고 생각된다. 오히려 시야 확보를 잘 해놓고 해야 발치 시간도 줄일 수 있기 때문이다. 앞서 이야기했지만, 이것이 아직 환자들의 입 안에서 손놀림도 익숙하지 않은 전공의들에게 발치 교육을 위와 같이 하는 이유이다.
또한 골 삭제를 최소화한다. 그 이유는 내가 좋아하는 EL3C 엘리베이터를 써야만 하고 쓰기 위함이기도 하다. 골 삭제를 시행하면 술후 출혈과 통증, 부종 때문만이 아니라, 아주 튼튼한 협측 피질골이 손상되어 엘리베이터를 작용시키기 쉽지 않기 때문이다.

타임머신을 타고 과거로 간다면?

영화에 보면 주인공이 타임머신을 타고 과거로 가서 모험을 하는 이야기들이 종종 있다. 치과의사인 여러분이나 필자가 타임머신을 타고 돌아올 수 없는 500년전 조선시대로 갔다고 가정해보자. 영화에서처럼 우리는 왕 앞으로 끌려가서 나의 정체를 이야기하고 설명을 하고 주인공을 위기로부터 구하고... 어쩌고... 하는 스토리가 있을 것이다. 그런데 필자는 늘 현실적인 고민을 해본다. 과거로 돌아가서 왕이 나에게 미래에서는 뭐하던 사람이었냐고 물어보면 나는 뭐라고 해야 할까? 당연히 치과의사라고 해야 하는데... 과거로 돌아가서 아무런 연장 없는 치과의사는 정말 아무 것도 아닌 것이다. 그렇다면 여러분은 과거로 돌아가서 왕이 하고 싶은대로 다해보라고 하면 뭘 할 것인가? 필자는 가장 먼저 대장간에 가서 스켈러를 만들 것이다. 그리고 가능하다면 시간을 투자해서라도 천천히 미러와 간단한 에어나 석션시스템도 고려해볼 것이다. 스켈러는 쉽게 만들 수 있으니, 좀 더 투자해서 그레이시 큐렛도 번호대로 하나씩 만들어갈 것이다. 물론 Dr.Gracey가 큐렛을 개발한지 100년도 안 되었으니 과거로 돌아가서 만든 큐렛의 이름은 그레이시가 아니라 여러분이나 필자의 이름을 따서 영삼큐렛시리즈로 만들 수도 있다.
필자가 뜬금없이 과거로 돌아가는 이야기는 왜 했느냐면... 결국 치과의사는 적절한 기구가 없으면 아무 것도 아니라는 뜻이다. 아직도 필자가 이 책의 초반에 사라는 기구를 사지 않았다면, 다시 한 번 생각해보고 구매해보자. 우선 갖추고 필자를 따라해보자. 골프채 하나 없이 책으로 골프를 배울 수는 없다. 직접 플레이도 하면서 책도 봐야 진정한 도움되는 책이 될 수 있다. 지금은 조선시대가 아니다. 당장 전화 한 통이면 구할 수 있다.

사랑니 발치 세미나에서 실제 케이스 비교

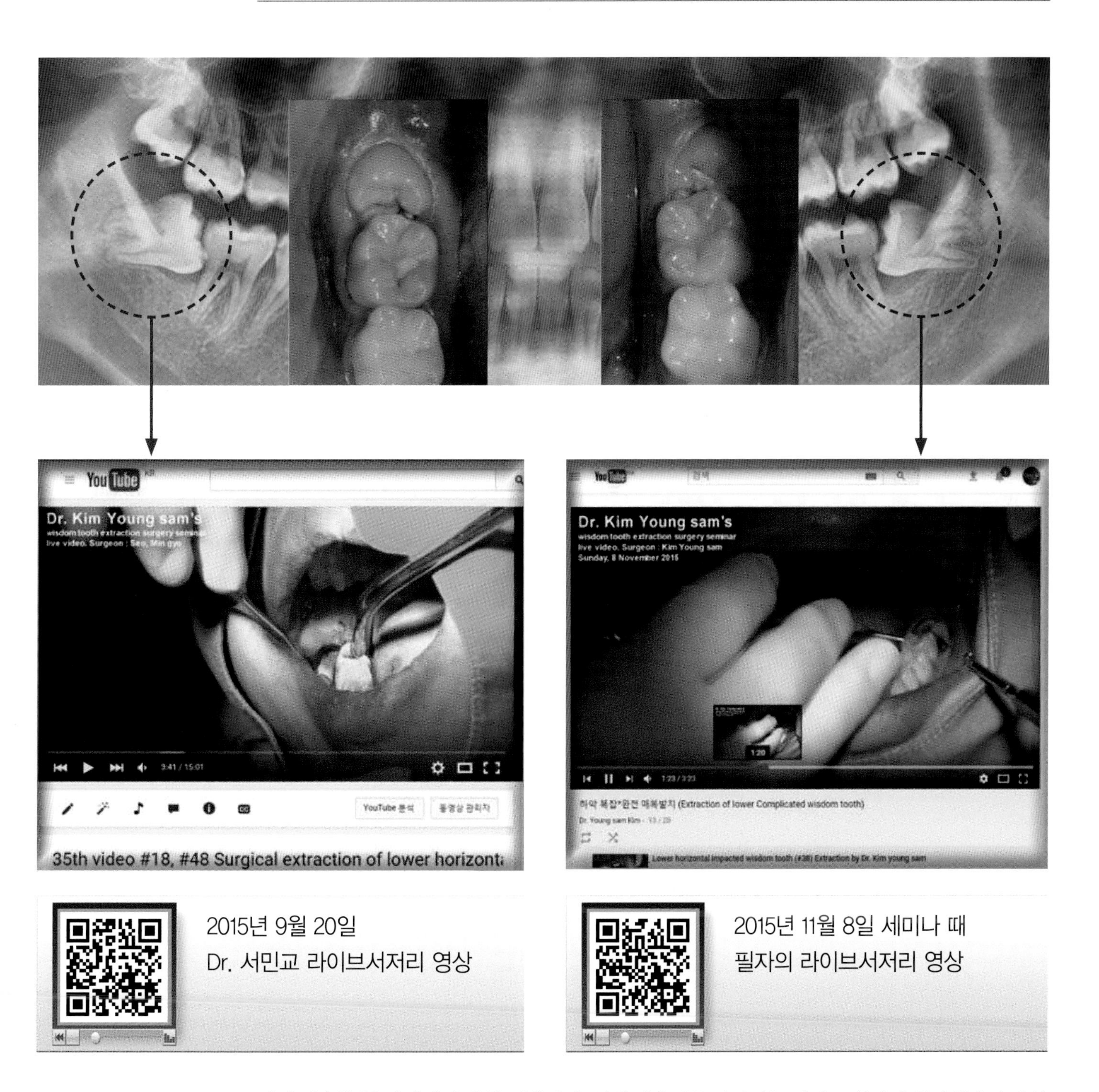

2015년 9월 20일
Dr. 서민교 라이브서저리 영상

2015년 11월 8일 세미나 때
필자의 라이브서저리 영상

거의 비슷한 두 사랑니의 발치 영상이다. 하악 우측 #48 사랑니는 서민교 원장님 구강외과 스타일로 깔끔하게 발치한 영상이다. 환자는 당일부터 부종과 통증으로 고생하였다. 그래서 다음 발치 세미나 때 반대쪽(#38) 뽑는 걸 안 한다고 하였다. 필자가 안 아프게 뽑아준다고 약속하고 필자 스타일대로 절개 없이 사랑니의 근심 치관부만 제거하고 발치를 완료하였다. 당연히 술후 부종, 통증이 전혀 없었다. 각자 발치 스타일에 장단점이 있겠지만, 술후 부종과 통증은 필자 스타일이 확실히 적다.

근심 경사 매복치의 절개 방법★

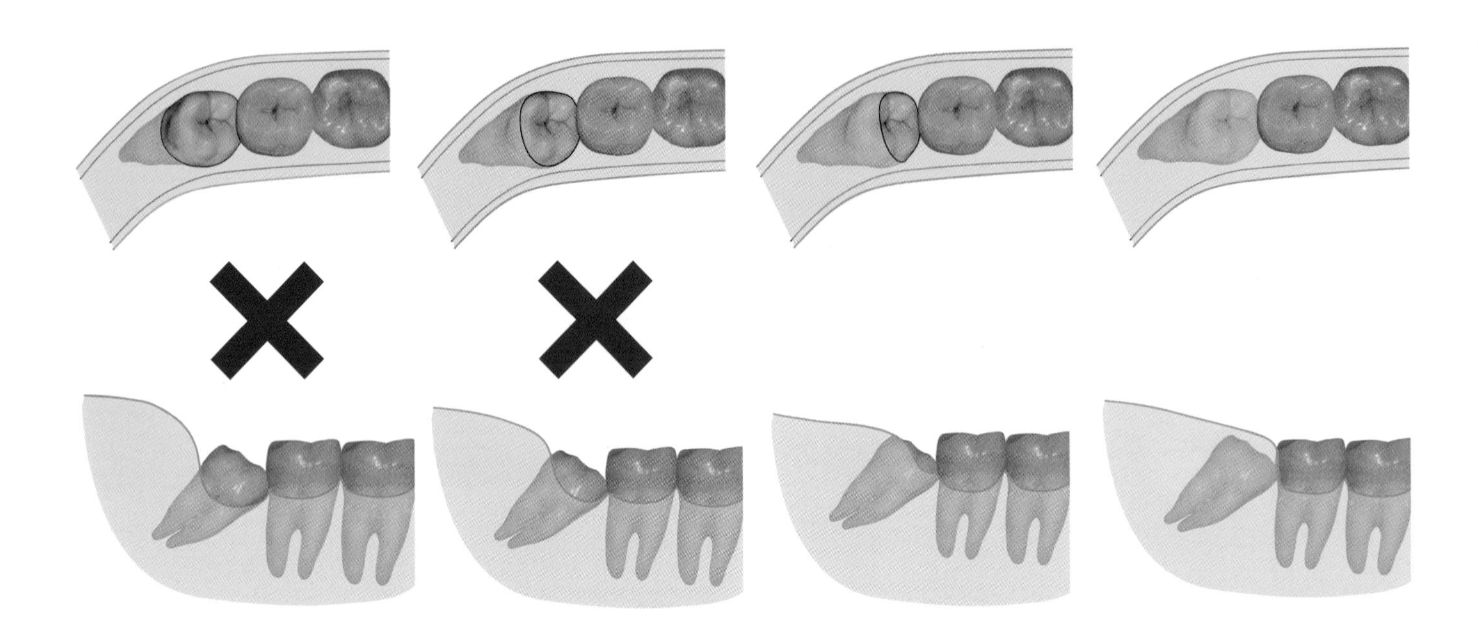

편의상 위와 같이 4단계로 구분한다면, 수직 매복과 마찬가지로 처음 두 단계는 잇몸절개 없이 발치를 시행한다. 당연히 박리나 골 삭제도 없다. 다만 수직 매복보다는 절개하는 빈도가 조금 높고, 절개하는 양은 적은 경우가 많다.

절개 빈도가 높은 이유는 치아 삭제가 필수이다 보니, 협측 시야 확보가 필요한 경우가 더 많아서이다. 그러나 근심 경사된 사랑니는 치관의 교합면의 원심쪽이 앞으로 기울어져서 7번에 조금더 가깝고, 치관의 근심 부분이 이미 삭제되었고, 나오는 방향도 근심이기 때문에 원심 설측으로 잇몸이 찢어지는 경우가 거의 없기 때문에 굳이 절개를 크게 할 필요는 없다.

치관이 1/3 정도 덮인 경우는 살짝 협측으로 절개를 시행한다. 사랑니가 나오는 과정에서 잇몸이 찢어지는 것을 막는 정도이다. 어차피 치관의 근심 부분을 삭제하기 때문에 시야 확보에는 큰 도움이 되지는 않는다.

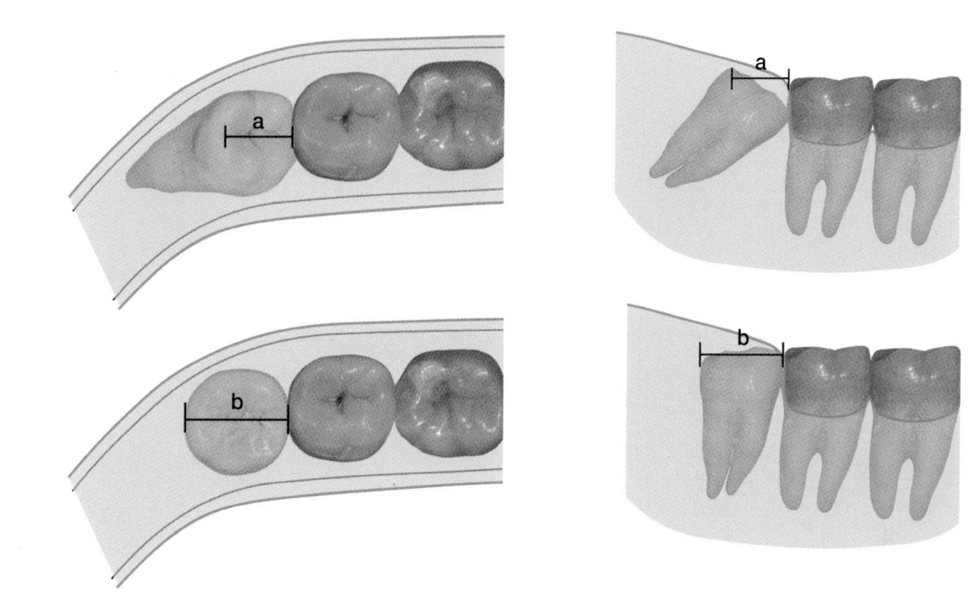

그림에서 보는 바와 같이 잇몸에 의해서 완전히 덮인 경우는 반달모양으로 절개를 하는데, 마찬가지로 수직 매복보다는 치관의 원심 부분이 앞쪽에 와 있어서 절개하는 양은 조금 적은 편이다.

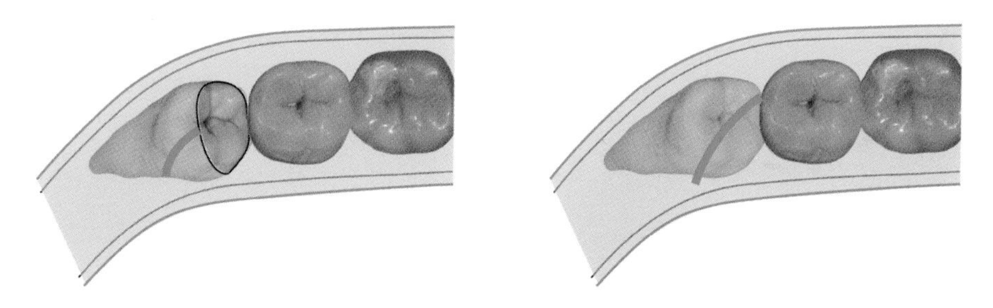

그러나 빨간 화살표와 같이 절개선의 끝이 7,8번 접촉점의 설측에 와 있어야 한다는 것은 확실하다. 시야확보를 위해서이기도 하지만, 치관의 근심면을 버로 자르기 때문에 어차피 치관 상부의 설측 교합면쪽 잇몸은 버에 의해서 손상 받기 때문이다. 그러므로 꼭 버가 지나갈 자리까지는 잇몸을 절개해주는 것이 좋다.

또한 수직 매복치처럼 익스플로러로 치주인대를 잘라주는 것도 좋다. 앞장에서 언급했듯이 특히 제대로 맹출한 것일수록 원심면 치주인대가 강하게 부착되어 있는 경우가 많다.

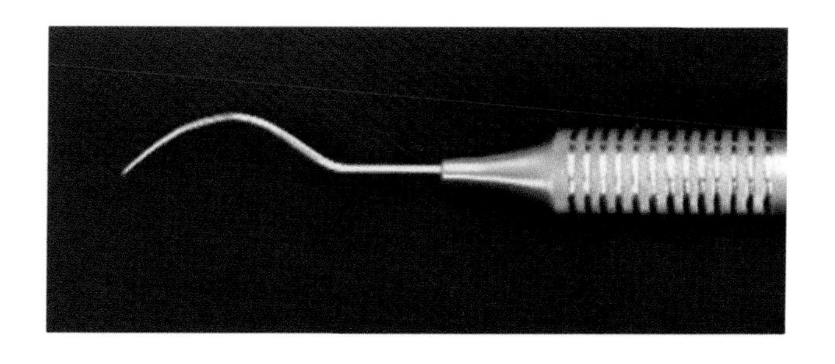

Dr. 김영삼의 발치의 기본원칙 – 치아를 쪼개라. ★★★

- 매복치 발치 시 치아를 여러 조각으로 나누어라.
  사랑니를 발치할 때 원칙이다. 수직 매복 발치에서도 언급했지만, 주변 골을 삭제하기보다는 치아를 삭제해야 한다. 주변 골을 삭제하면 시야 확보에 좋긴 하지만, 엘리베이터의 지렛대가 잘 작용할 만한 피질골을 잃게 되기도 한다. 그러므로 필자는 최대한 치아 삭제를 한다. 이번 장부터 본격적으로 필자의 치아 삭제를 살펴보자.

- 여러 조각으로 나누는 것도 원칙이 있다.
  절대 하지 말아야 할 행동이 명확한 이유없이 치아를 삭제하는 것이다. 바로 이어서 치아 삭제 방법을 이야기해본다. 자세한 이야기는 거기서...

- 삭제된 치관부 제거 시에 7번 원심면의 언더컷을 고려하라.
  치아마다 언더컷의 양과 모양, 부위가 다르다. 이 부분을 꼭 고려해야 한다. 필자는 이런 형태 때문에 잘린 치관부를 다시 자르는 경우도 많다(머리나누기).

- 늘 협측이나 설측으로 회전시켜서 조각을 빼라.
  7번 원심이 볼록하지만 그건 가운데 뿐이다. 협설측으로는 최대풍융부보다 공간이 넓기 때문에 그곳을 이용해서 잘린 조각을 제거해야 한다.

- 치근이 갈라졌으면, 오히려 빼기 쉬운 경우도 많다.
  치근이 갈라져 있다면 일차적으로는 발치가 단근치보다는 어려울 수 있지만, 두 치근을 갈라놓으면 단근치 두 개가 되는 것이니 오히려 발치가 쉬워진다. 가장 발치가 어려운 치근은 단면이 땅콩이나 오리발 모양처럼 두 치근이 갈라진 듯 하지만 가운데가 오목하게 연결된 경우이다. 방사선 상으로는 간혹 오류가 있을 수 있으니 주의해야 한다.

- 두 치근 중 어려운 것을 먼저 빼는 게 좋다.
  필자의 스타일이다. 필자는 치조골 삭제 없이 엘리베이터를 지렛대로 이용하는 편이다 보니 치조골이 약하면 발치하기가 어렵다. 보통 쉬운 걸 먼저 빼면, 치조골이 약해져서 어려운 치근을 뺄 때 더 많은 치조골을 삭제해야 할 수도 있다. 이건 어디까지나 필자의 생각이다.

- 치근 조각을 남기는 걸 두려워 마라. 같은 사람의 같은 단백질을 가진 조직이다.
  치관부 삭제 후 남은 치근을 제거하다가 실패하는 경우를 발치의 실패라고 생각하면 안 된다. 필자가 앞서 이야기했듯이 그건 그런 방식으로 발치를 성공한 것이라고 자평하라. 다만 치관부의 확실한 제거는 필수이다.

사랑니 발치를 위한 다양한 치아 삭제 방법

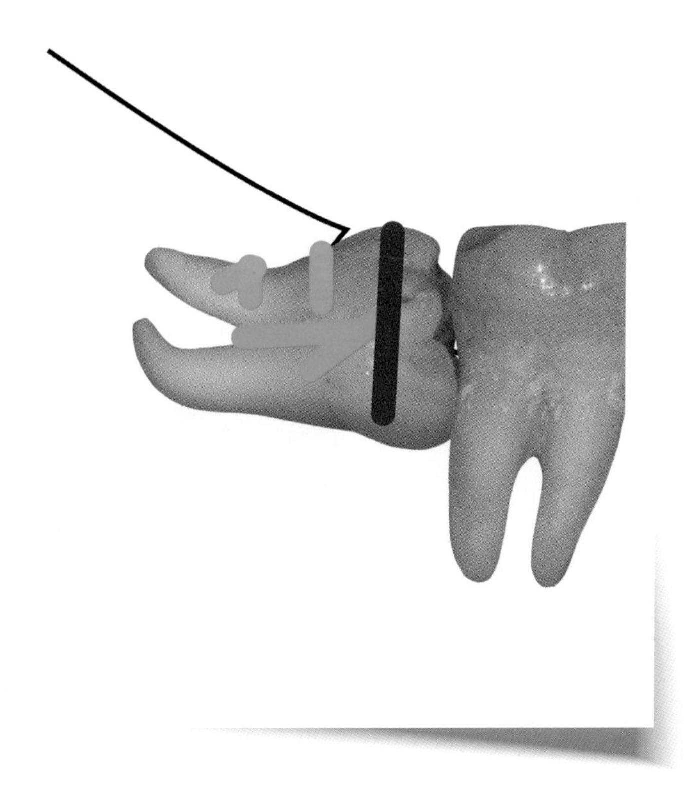

사랑니를 잘 빼기 위해서는 후유증이 없어야 한다. 그러기 위해서는 골 삭제를 최소한으로 해야 하고, 그래서 더욱더 치아 삭제가 중요하다. 그런데 사랑니 발치를 위한 치아 삭제를 하는 과정에서 명확한 계획없이 되는대로 삭제해가면서 발치를 시도하는 경우가 있다. 그러나 그런 식으로는 절대 발치 실력이 늘지 않는다. 이제부터는 본인이 치관 삭제하는 것에 필자처럼 이름을 붙여보자. 절대 이름없는 치아 삭제를 해서는 안 된다. 명확한 목적을 가지고 치아 삭제를 해야 한다. 필자는 거의 하이스피드만으로 발치하는 경우가 많은데, 본격적인 발치 방법에 대한 언급하기 전에 하이스피드 핸드피스를 이용하여 치아 삭제하는 방법에 대해서 알아볼 것이다. 이제 본격적으로 필자가 이름 붙인 치아 삭제 방법에 대해서 알아보자.

01
여러분 씨름의 기술을 아십니까? ★

씨름의 대표적인 허리 기술

배지기
오른배지기 · 왼배지기
맞배지기
엉덩배지기
돌림배지기
들배지기
들어놓기
들안아놓기
돌려뿌리치기
공중던지기
허리꺾기
밀어던지기
그리고 되치기

씨름을 보다 보면 그냥 아무렇게나 힘 자랑하는 것 같지만, 그 기술 하나하나에도 이름과 방법이 있다. 정확한 목적을 가지고 정확한 포인트에 정확한 힘을 쓰는 사람과 무턱대고 힘만 믿고 상대를 넘어뜨리려는 사람과는 당연히 차이가 있을 것이다.

사랑니 발치를 위한 치아 삭제도 마찬가지다. 명확한 계획하에 명확한 목표를 갖고 해야 한다. 종종 필자가 손잡이 빠진 문을 예로 든다. 당겨서 여는 문이 손잡이가 빠지면 어떻게 될까? 치아를 눈에 띄는 보이는 부분 위주로 삭제하다 보면 문에서 손잡이만 떼어 내버리는 꼴이 되는 경우도 많다. 눈에 보이는 건전한 치질과 단단한 치조골이 발치의 필수인데, 그 부분만 갈아 내버리는 것이다. 결국 눈에 보이지 않는 부분만 가지고 발치를 해야만 하는 최악의 경우가 되는 것이다.

★★

필자가 비유를 손잡이를 없앴다고 하였지만, 실제로는 큰 물체의 튀어나온 일부만을 보고 있는 것과 같을 것이다. 우산이 땅 속에 꽂혀 있다고 보자. 보이는 부분을 모두 갈아버리고 나면 흙 속에 우산이 어떻게 얼마나 묻혀 있는지 짐작하기 어려울 것이다. 그러므로 눈에 보이는 부분이 삭제하기는 편하지만, 절대 치아 삭제가 발치 그 자체가 아니듯이 그저 삭제만 쉽게 하고 사랑니는 빼기 힘든 상황이 될 수도 있다.

이런 경우에 필자는 초보자들에게 발치 중간중간 엑스레이 촬영을 권한다. 본인이 시행하는 치아 삭제 목표가 얼마나 진행 중이고, 정확히 이루어졌는지를 방사선을 통해서 자주 확인해야 한다. 굳이 예를 들지 않아도 치과의사라면 누구나 상황은 상상할 수 있을 것이다.

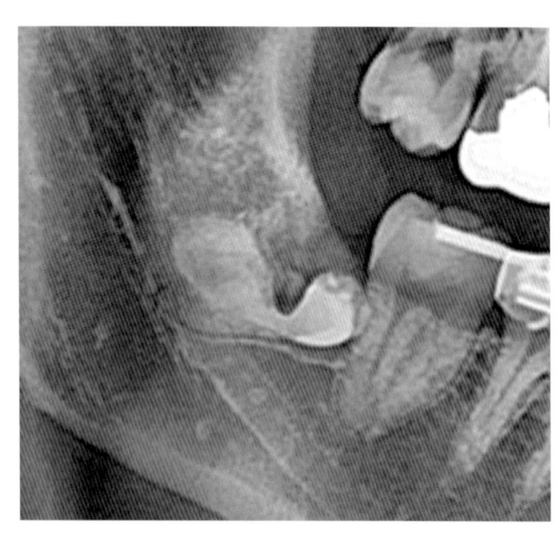

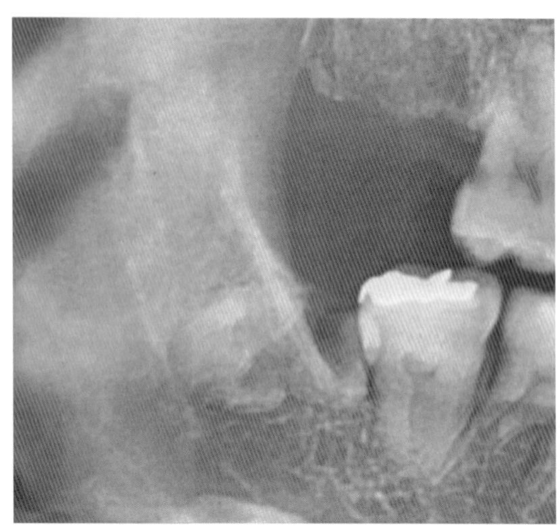

앞서 치관절제술에서 본 케이스이다. 전형적인 손잡이 빠진 문이나 다름 없다. 왼쪽 사진은 치관부를 제거하기 위한 수직 삭제가 제대로 되지 않았다. 오른쪽은 발치 후 나름 오랜 시간이 지난 경우지만, 손잡이만 갈아 내버린 것과 비슷한 경우이다.

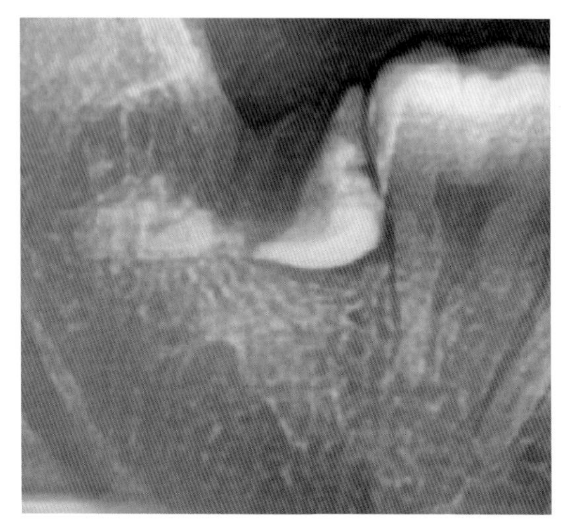

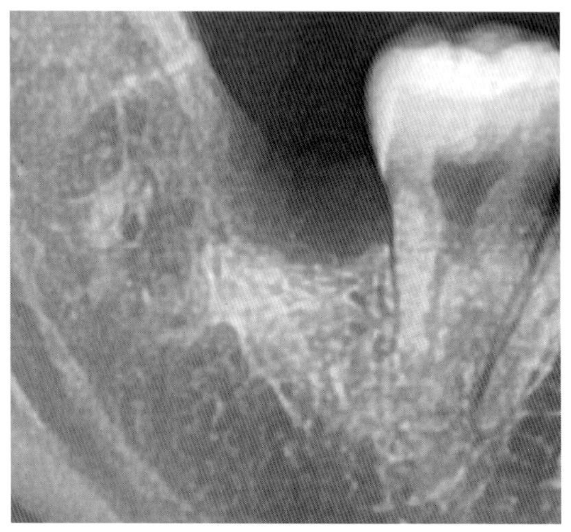

위의 사진은 필자의 페친이 페이스북에 올린 사진이다. 마지막까지 발치를 완료한 사진을 놀렸지만, 사랑니 빼는 과정을 올린 첫 번째 사진에서 문고리가 빠진 걸 볼 수 있다. 처음 수직적인 삭제는 근심 치관부를 삭제하기 위함일 텐데, 근심 치관부가 제거되지 않은 상태로 눈에 보이는 원심 치근을 모두 갈거나 빼 버린 거 같다. 물론 7번 원심 언더컷이 심한 특별한 경우에 이런 방식으로 발치를 하기도 한다. 특히 로스피드나 45도 핸드피스를 사용하는 경우에 종종 시행된다. 그러나 이제부터는 명확한 목적하에 정확한 치아 삭제를 해보도록 하자. 그래서 필자는 필자가 시행하는 치아 삭제에 명확한 이름을 한 번씩 붙여봤다. 이름이 중요한 것이 아니라, 그만큼 명확한 목적이 있어야 한다는 취지가 중요하다.

02 치아 자르기 (#48 사랑니) ★★★

■ 머리 자르기

① 바깥뼈치기
② 앞머리치기
③ 뒷머리치기
④ 혀쪽치기
⑤ 목치기
⑥ 뒷목치기(홈만들기)
⑦ 머리잘라내기
⑧ 머리나누기 (가로나누기(8-1) & 세로나누기(8-2))

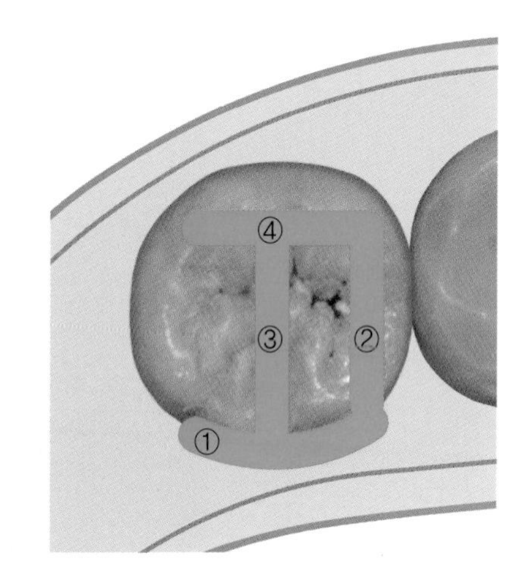

■ 뿌리 자르기

⑨ 들어치기
⑩ 뿌리나누기
⑪ 사선치기
⑫ 뒷뿌리치기(홈만들기)
⑬ 뿌리사이에 홈만들기

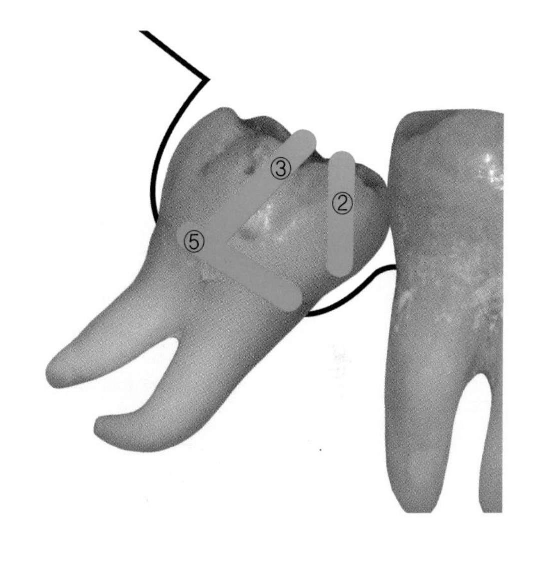

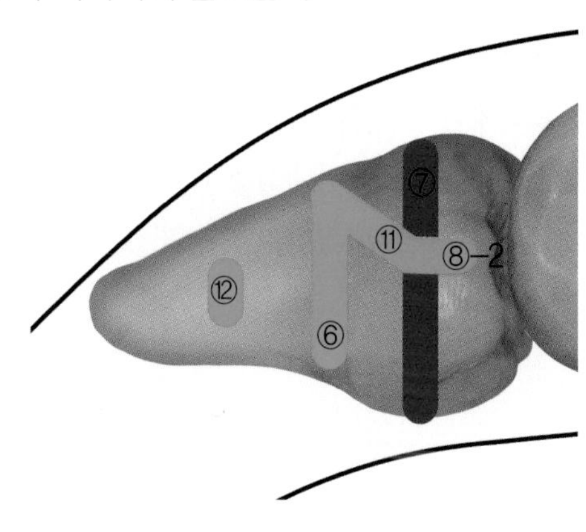

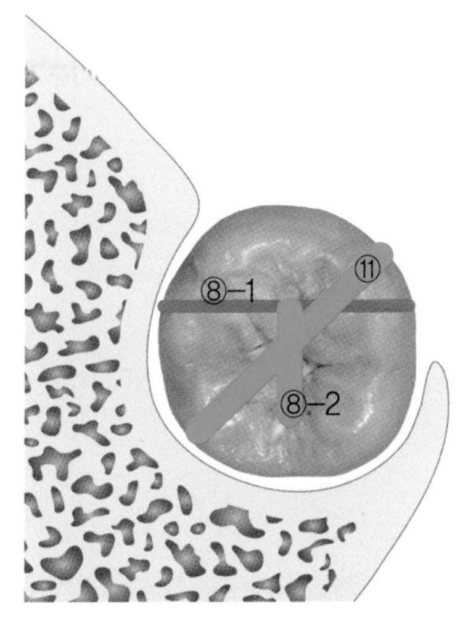

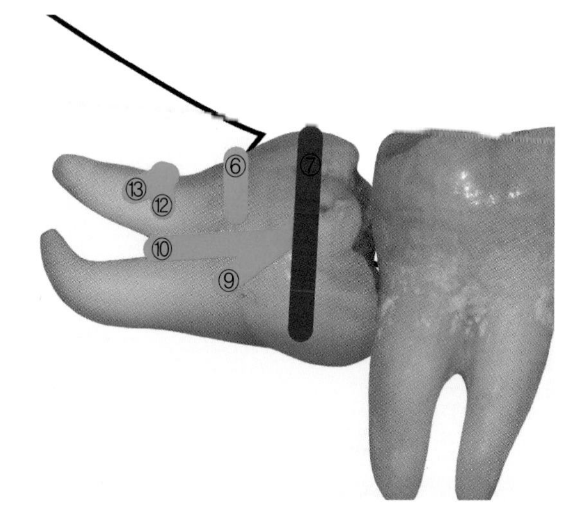

앞머리치기 ★★

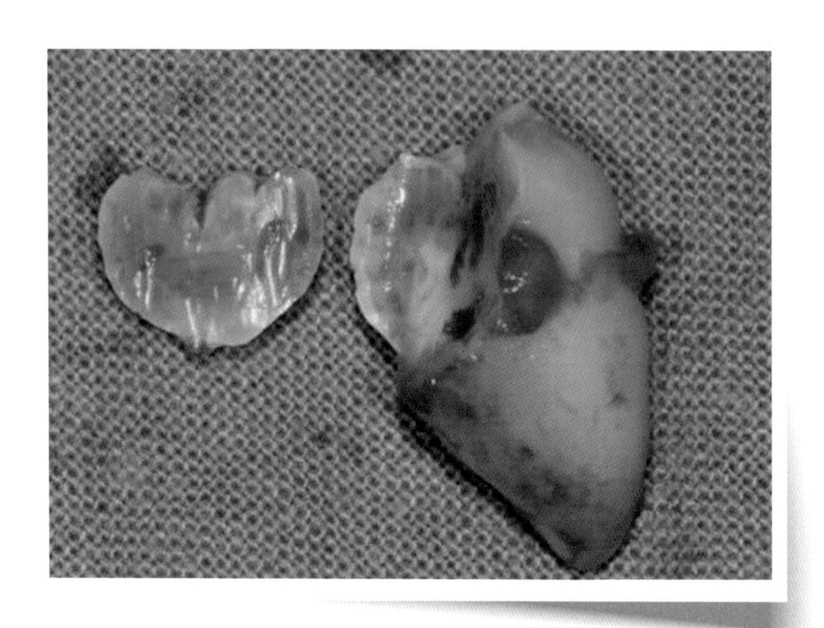

필자의 경우에는 근심 경사된 매복 사랑니의 발치를 위해서는 대부분 **앞머리치기** 하나면 충분하다. 7번 원심면 하방에 걸려 있는 부분만 잘라낸다는 느낌으로 삭제한다. 그 이후에는 수직 매복치 발치와 동일하게 진행한다. 근심 조각이 제거된 것이 확인되면 원심 협측에 엘리베이터를 대고 사랑니를 앞으로 눌러서 끌어내듯이 원심 협측부 치주인대강을 벌려준다. 골내 매복 정도나 치근 형태 등에 따라서 수직 매복치에서 사용했던 다양한 방법을 동원하여 남은 치아를 제거한다.

이런 근심 경사 매복치 발치에서 가장 중요한 부분이자 그 시작 부분인 **앞머리치기**를 시행한 뒤에 발치하는 케이스를 한 번 보자.

01
근심 경사 매복 사랑니의 발치 ★★★

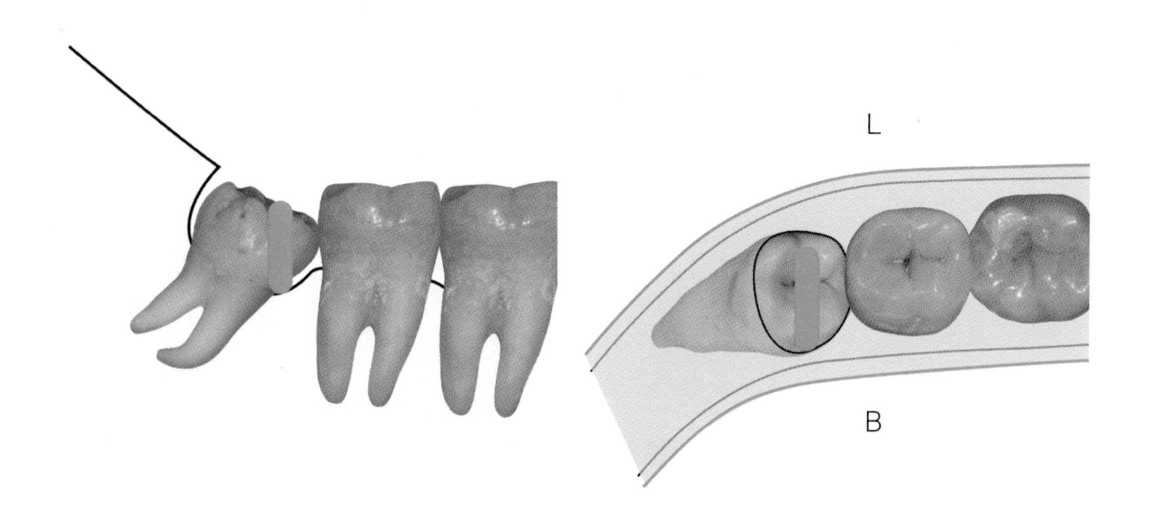

앞머리치기에서 가장 이상적인 삭제면을 교합면과 협측에서 본 그림이다. 삭제면을 좀 굵게 그린 이유는 요즘 들어 필자가 굵은 6번 버를 많이 쓰기 때문이기도 하다. 아주 예전에는 실제로 피셔 버로 자르기도 했고, 심지어 크라운이나 인레이 형성할 때 사용하는 얇은 니들 버를 사용하기도 했었다. 그러나 얇은 버를 사용하면 삭제 이후에 남은 조각을 제거하기가 어렵기 때문에 요즘은 굵은 버를 많이 사용한다.

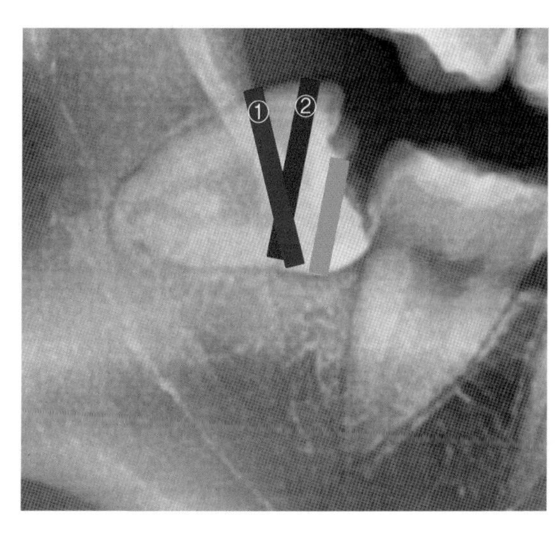

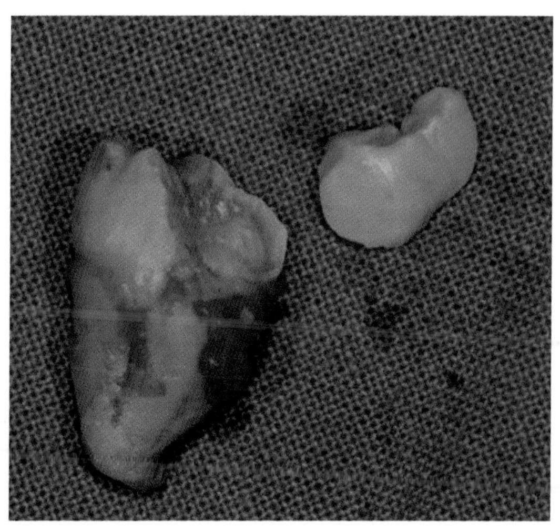

대부분의 치과의사들이 위와 같이 ①번 빨간선처럼 자르려다가 핸드피스 각도가 잘 안나와서 결국 ②번 빨간선처럼 접근하게 된다. 그럴 바에야 차라리 파란선처럼 최대한 7번에 붙여서 잘라야 한다. 치관부 내에서 살짝 자르면 협설로도 상하로도 치관 주변이 대부분 넓은 연조직 스페이스이기 때문에 치관 절개를 쉽게 할 수 있다. 또한 근심 조각은 대부분 에나멜 상에 있어서 쉽게 바스러져서 제거하기도 쉽다.

02
근심 경사 매복 사랑니 발치 과정 ★★★

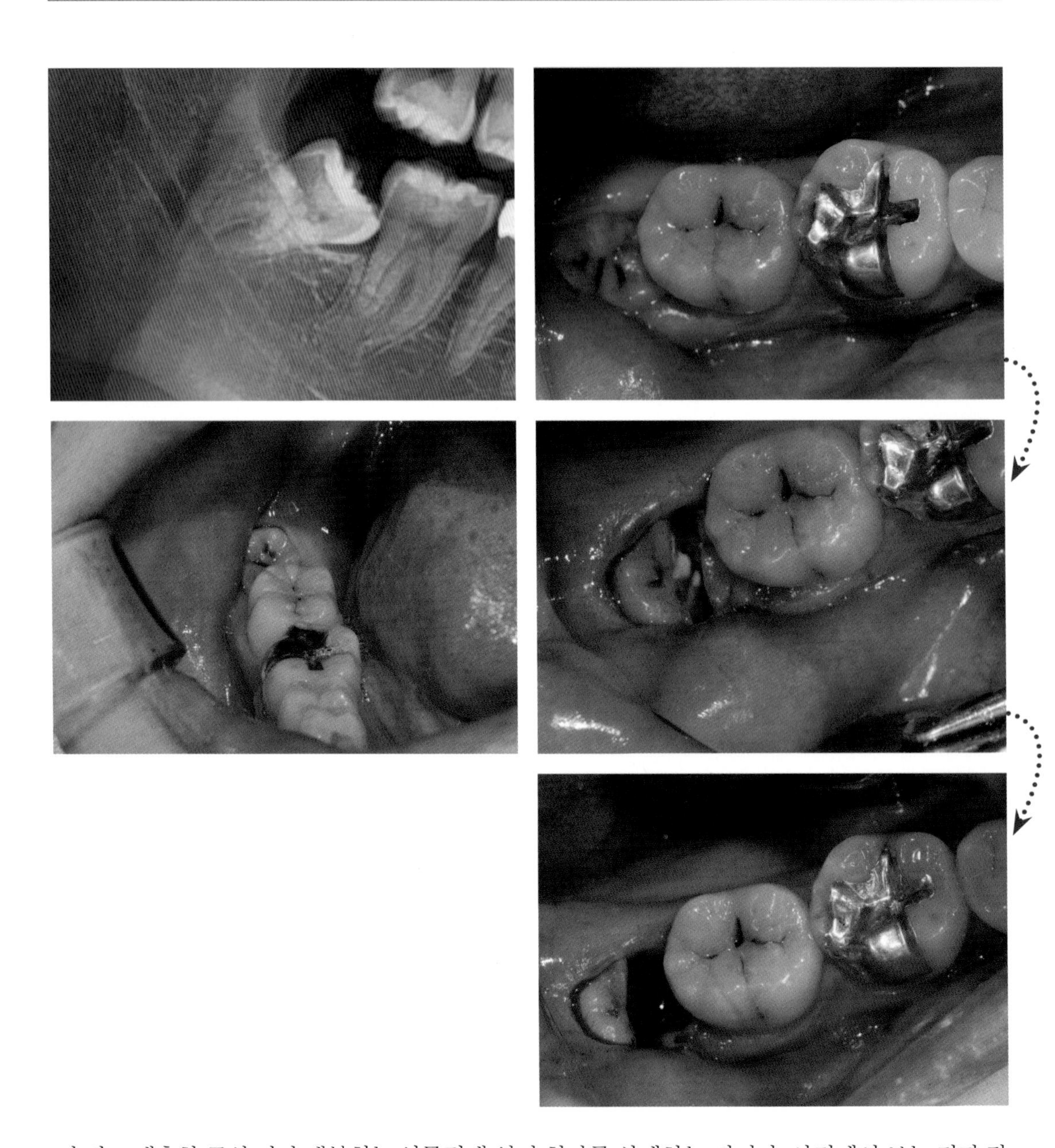

이 정도 맹출한 근심 경사 매복치는 잇몸절개 없이 치아를 삭제하는 편이다. 사진에서 보는 것과 같이 손쉽게 몇 초 안에 치아를 삭제할 수 있다.

종종 강의할 때 하악 대구치 근심면 크라운 프렙할 때 앞 치아 원심면 상하지 않게, 건전치질이 한 조각 떨어지게 하는 것처럼 또는 근심으로 경사진 하악 대구치 MO inlay 프렙할 때 근심 박스 형성 하듯이 하라고 한다. 대부분의 경우 언더컷이 있어도 삭제한 버의 두께 때문에 그 공간으로 근심 치관 조직은 제거된다.

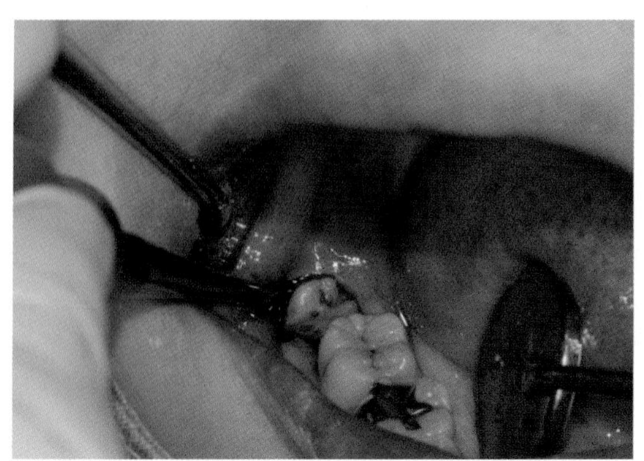

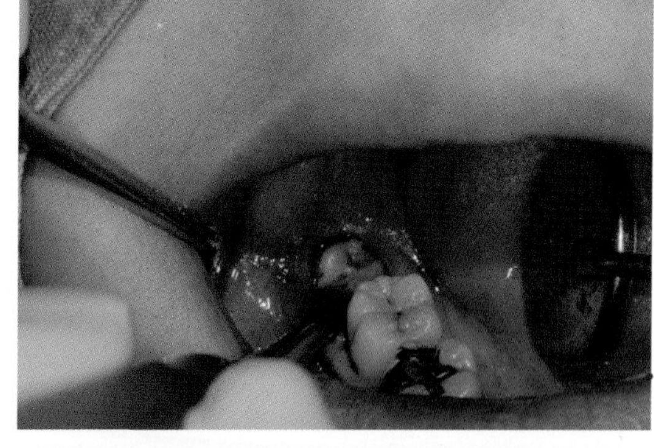

근심 치관부가 제거되고 나면 수직 매복 발치와 같은 방법으로 엘리베이터를 원심 협측에 적용하여 발치한다. 다만 수직 매복에서처럼 근심에서 접근하는 것을 전혀 안 하지는 않는다. 최대한 7번 손상가지 않게 근심에서도 필요에 따라서 엘리베이터를 사용 할 수 있다.

이 단계에서 엘리베이터가 원심 협측에서 제대로 작용하지 않는다면, 수직 매복에서처럼 다양한 방법을 이용할 수 있다. 방사선 사진상에서 치조골이 CEJ 하방에만 있는 것으로 보이는 경우에는 포셉을 사용하기도 한다. 이는 뒤에서 자세히 다루기로 한다.

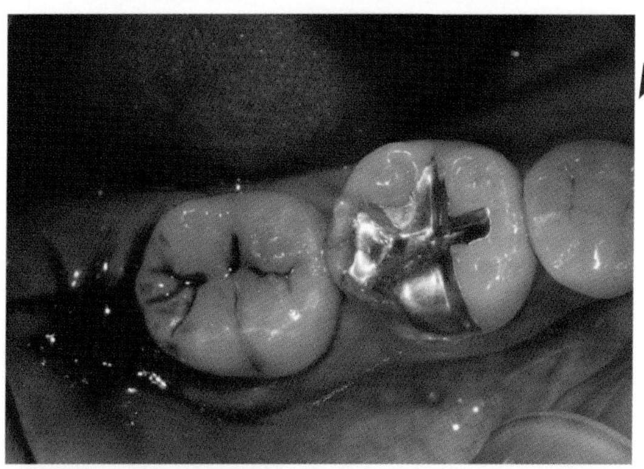

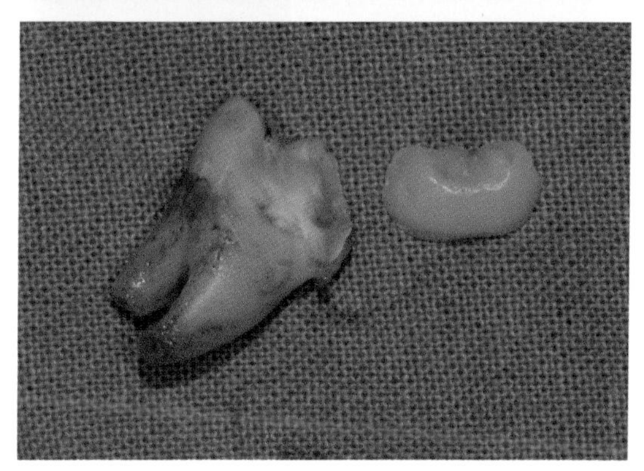

03
보이는 부분이 작아도 근심 치관부 삭제는 쉽다. ★★

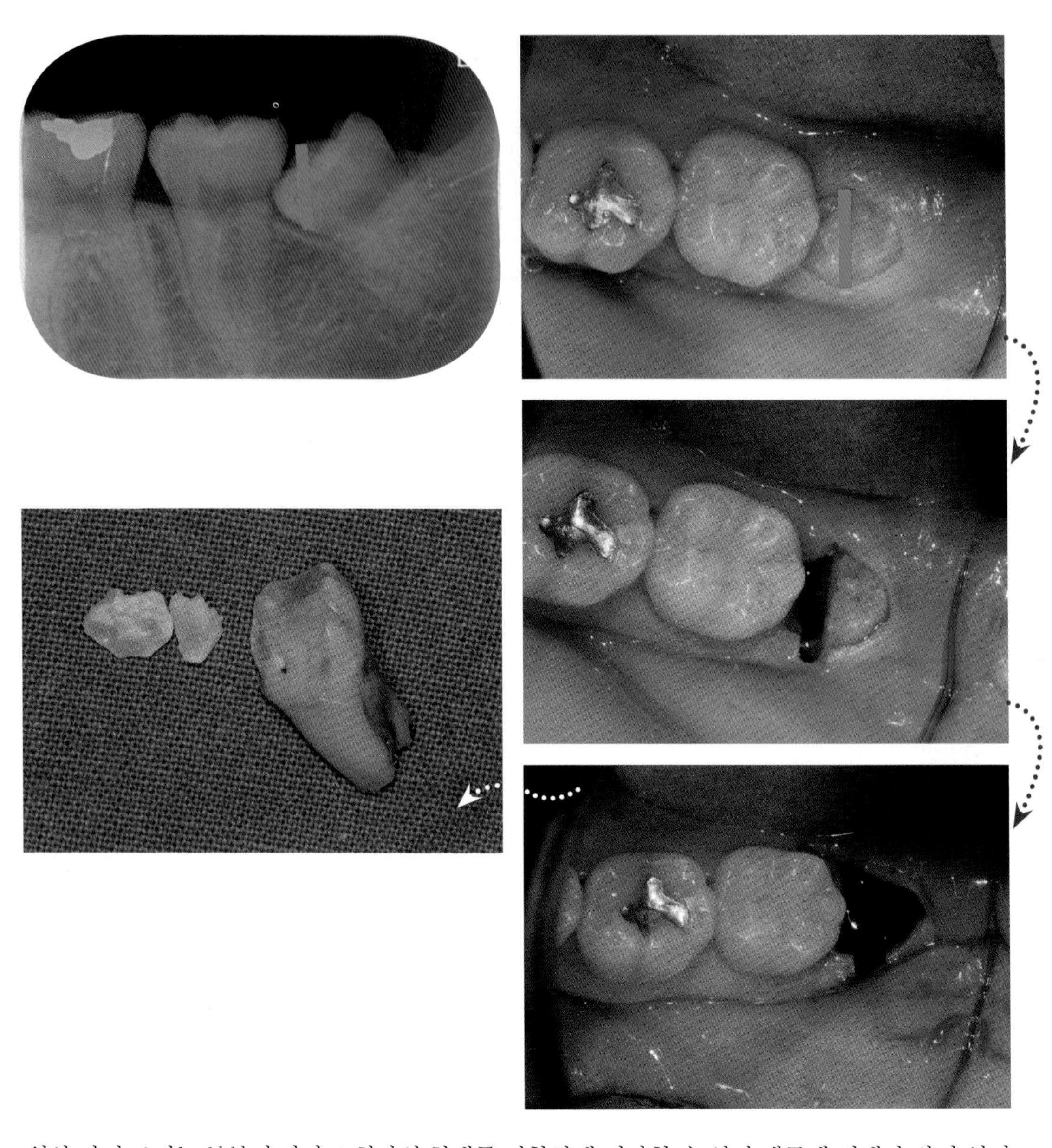

위와 같이 보이는 부분이 작아도 치아의 형태를 명확하게 짐작할 수 있기 때문에 절개나 박리 없이 치아 삭제 후 발치하였다. 여기서 포인트는 특히 협측은 확실히 삭제해줘야 한다는 것이다. 설측은 확실하게 삭제를 못하는 경향이 있기 때문에 파절시키기 위해서라도 협측을 확실히 삭제해주는 것이 좋다. 초보자들의 경우 처음 한두 번은 협측을 부실하게 삭제하는 경향이 있다. 그러나 한두번만 실습해봐도 이 부분은 쉽게 해결하는 것을 볼 수 있다.

04
비슷한 케이스 ★

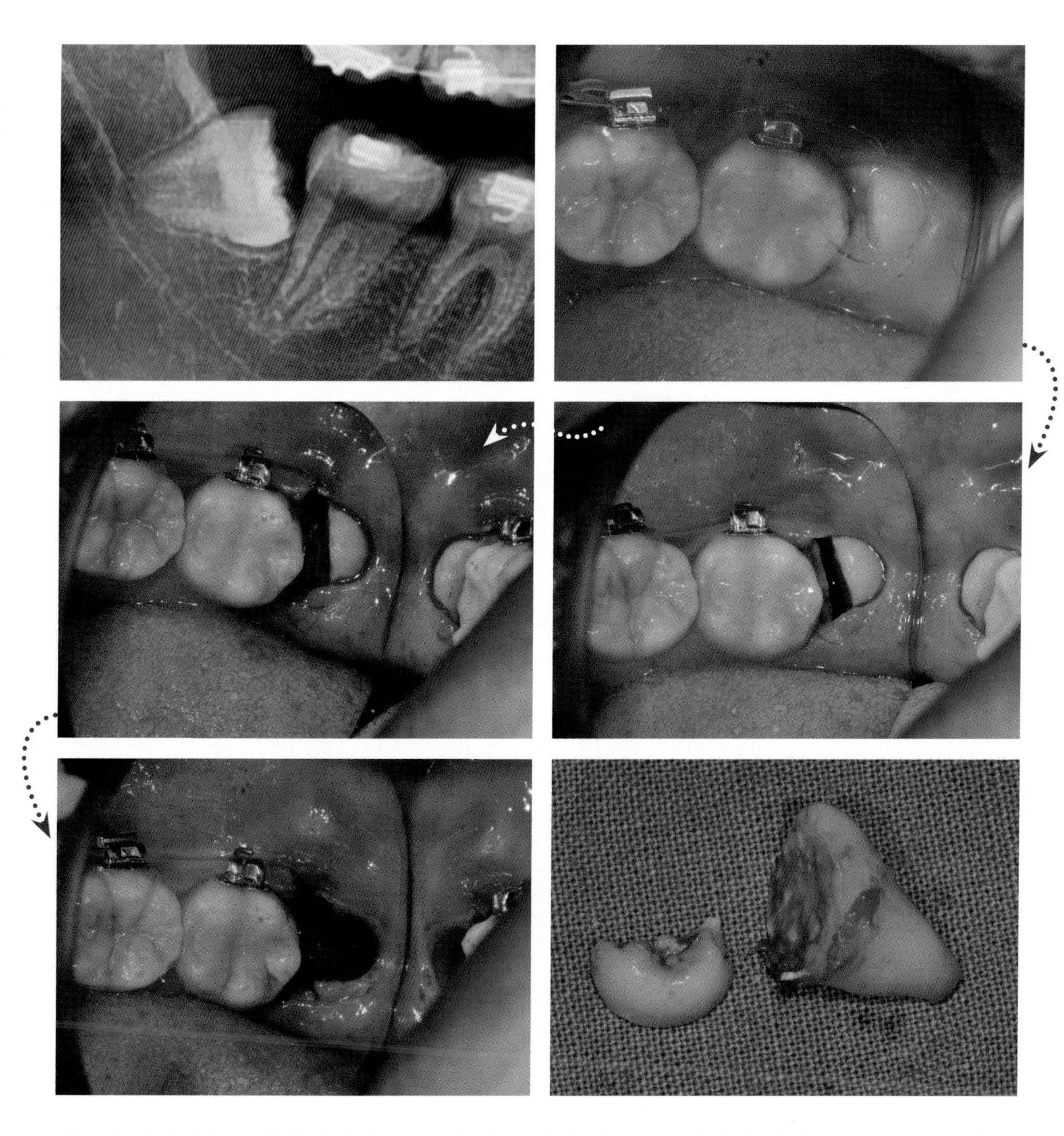

대부분 이런 경우는 발치 시간이 3분 이내(마취, 봉합 제외)이고 술후 출혈이나 부종, 통증 등이 매우 적다. 필자의 교육 경험상 방법만 익숙한 치과의사라면 초보자도 대부분 10분 이내에 완료하는 것을 흔히 봤다.

05
사랑니가 전혀 안 보이는 경우도 ★★

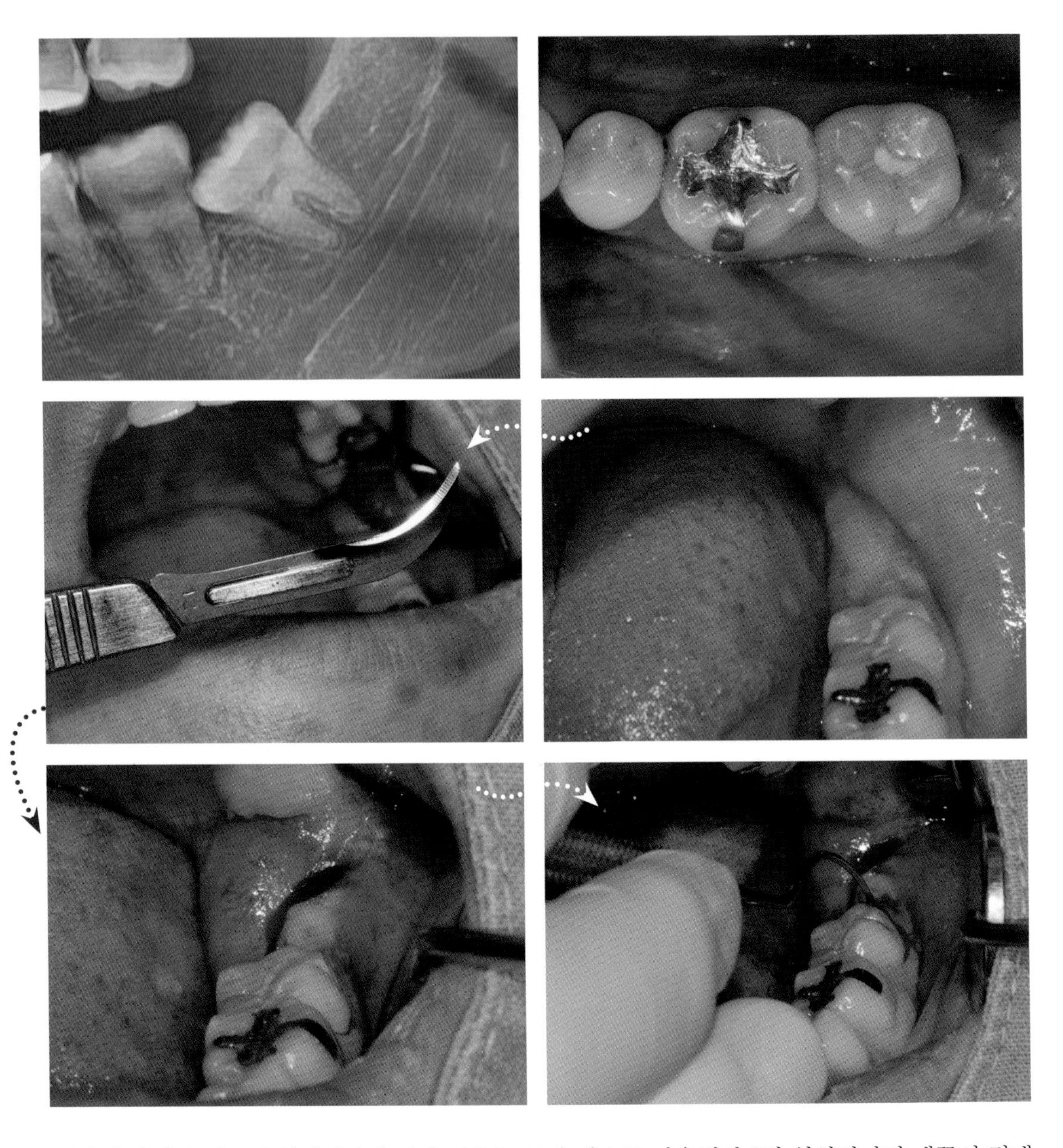

이렇게 완전히 잇몸이 원심면까지 덮인 경우는 12번 메스를 이용해서 7번 원심면까지 깨끗이 절개해준다. 사랑니의 최대 풍융부가 골 내에 깊숙히 있을 정도로 깊게 매복된 경우가 아니면 절개선을 근심으로 연장하지 않는 경우가 대부분이다. 변형된 익스플로러로 7번 원심면과 협측, 사랑니의 원심면이 접근 가능하면 치주인대를 잘라주면 좋다. 그러나 기능하지 않는 사랑니의 원심 치주인대는 튼튼하지 않은 경우가 많다.

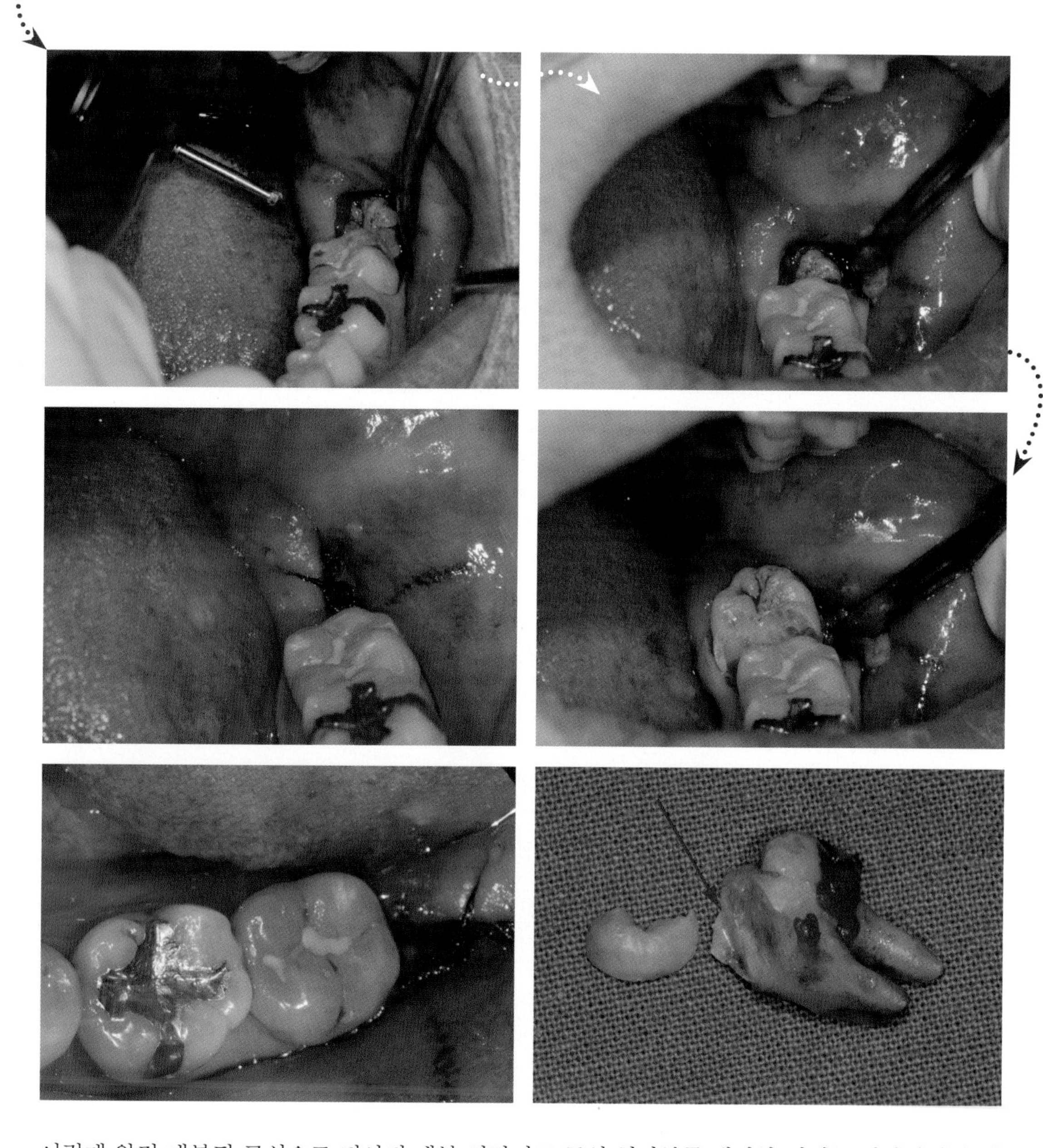

이렇게 완전 매복된 근심으로 경사진 매복 사랑니도 근심 치관부를 제거한 뒤에는 일반적인 수직 매복 사랑니의 발치와 같다. 잇몸을 절개하고 근심 치관부만 삭제하면 수직 매복치와 크게 다르지 않다. 엘리베이터를 원심 협측에서 사랑니를 앞으로 눌러주듯이 힘을 준다.

여기서 사랑니에서 근심 치관부가 잘려나간 빨간 화살표가 가리키는 부위를 보자. 설측은 끝까지 삭제가 잘 이루어지지 않는 것을 볼 수 있다. 굳이 그럴 필요가 없기 때문이다.

06
설측이 덜 잘린 경우는 흔하다. ★★

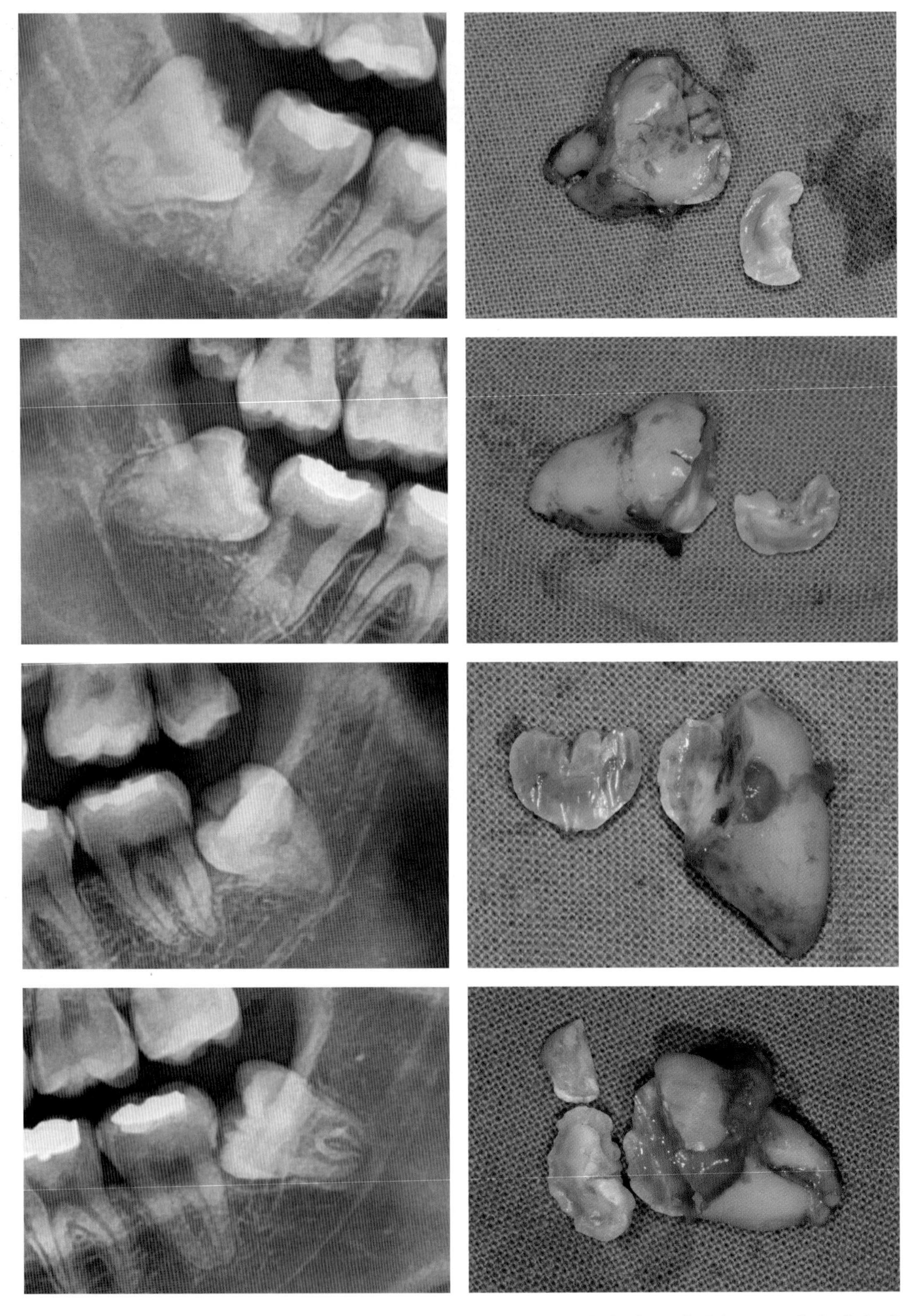

어차피 언더컷에 걸린 부분만 삭제하면 되기 때문에 설측에 좀약간 남은 치질은 큰 문제가 되지 않는다.

07
근심 경사 매복 사랑니의 발치 케이스 – 앞머리치기 1★★

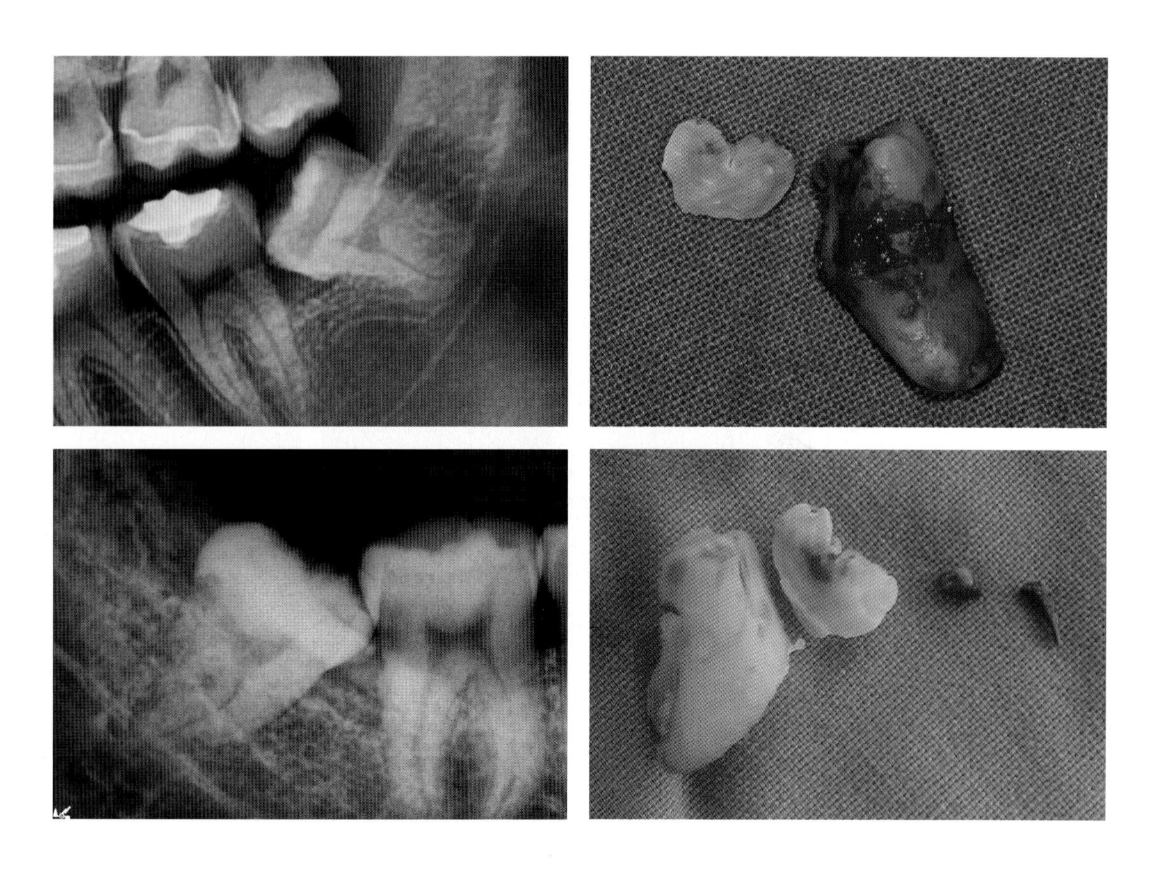

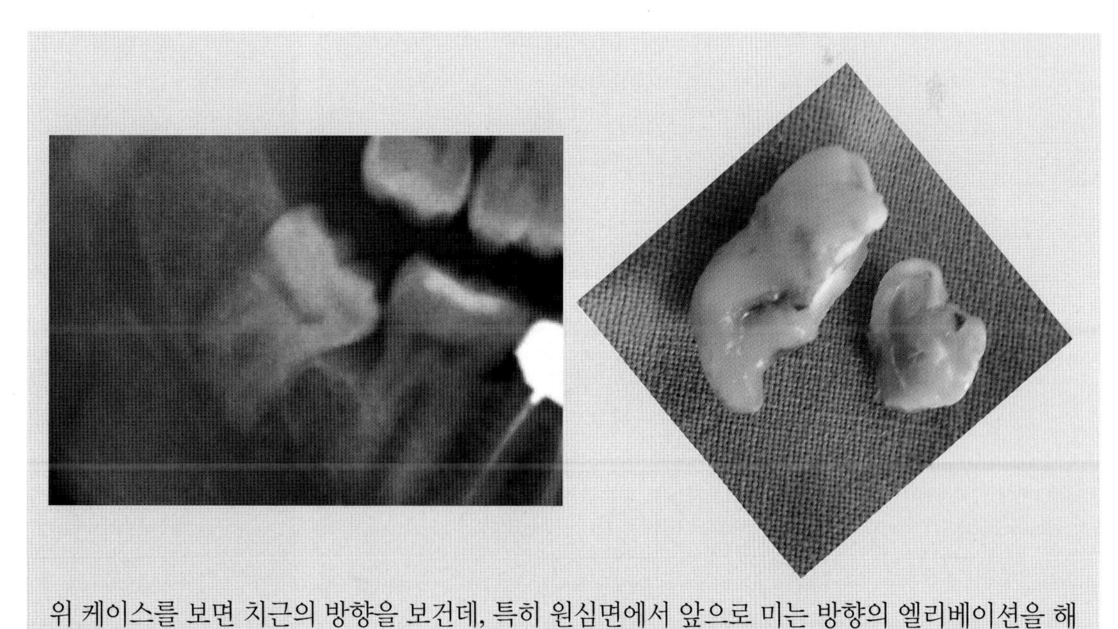

위 케이스를 보면 치근의 방향을 보건데, 특히 원심면에서 앞으로 미는 방향의 엘리베이션을 해야 할 듯하다. 그러나 명심할 점은 이런 케이스가 아니라도 기본적으로 원심면을 앞으로 누르는 액션이 중요하다.

근심 경사 매복 사랑니의 발치 케이스 – 앞머리치기 2 ★

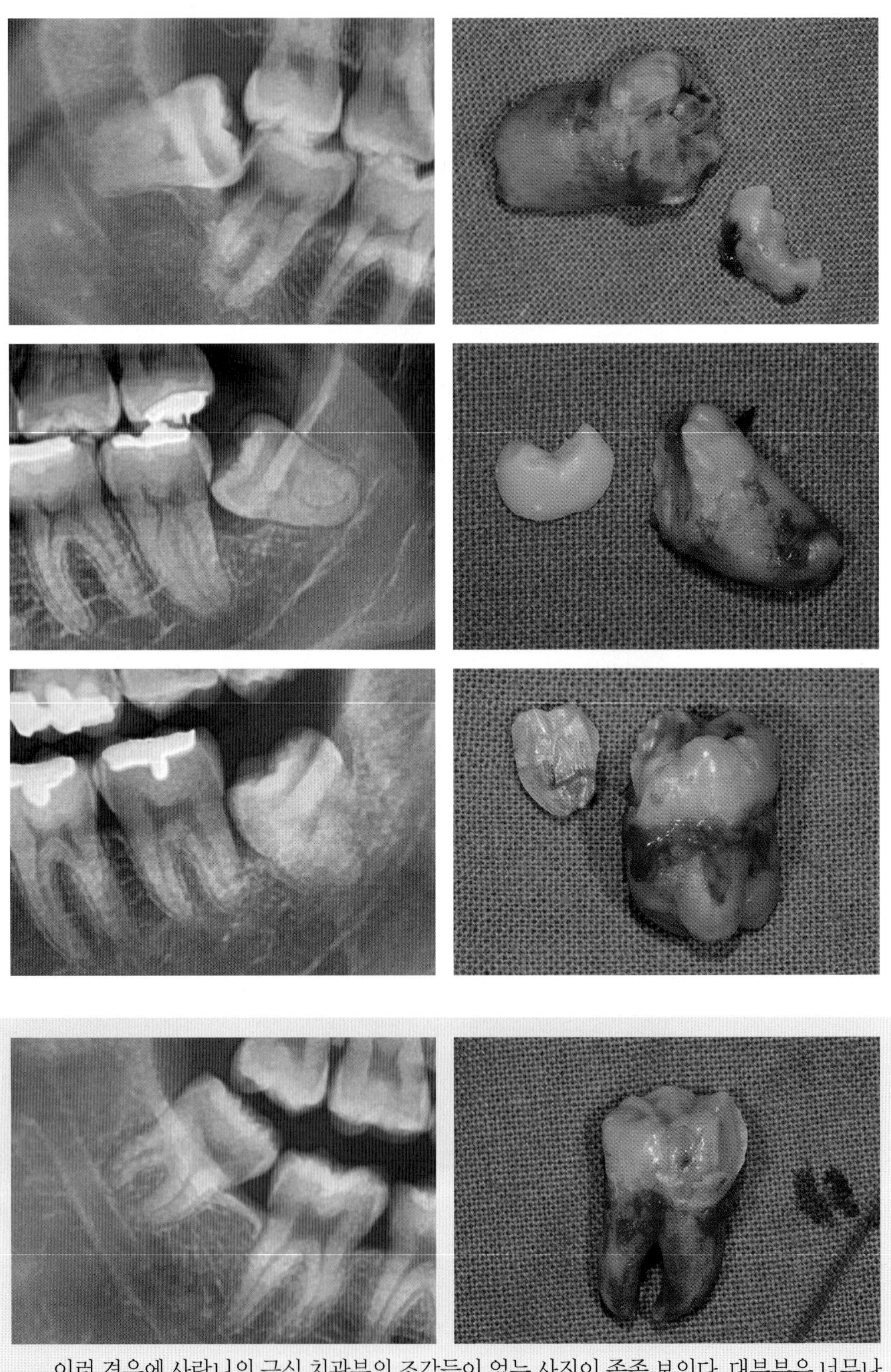

이런 경우에 사랑니의 근심 치관부의 조각들이 없는 사진이 종종 보인다. 대부분은 너무나 얇게 잘려서 부서지면서 석션에 빨려 들어간 경우가 대부분이다.

근심 치관부 세로 나누기 ★★★

근심 치관부를 삭제하였지만 7번 원심 부분의 언더컷이 매우 큰 경우는 삭제된 조각의 제거가 쉽지 않은 경우가 종종 있다. 4번 서지컬 버같은 작은 사이즈의 버를 쓸 경우에도 종종 이런 경우가 있다. 물론 근심 치관부가 깨끗하게 잘 커팅이 되었다면 아무래도 제거가 더 쉽긴 했겠지만, 모든 일이 계획대로 되는 것이 아니다 보니 근심조각이 7번 원심이나 주변 조직에 걸려서 안 나오는 경우가 있다. 이런 경우에는 굳이 힘을 줘서 조각을 밀어내기보다는 필자는 근심 치아를 삭제한 그 면에서 좀 더 근심면으로 가운데에 세로로 삭제선을 주는 편이다. 그리고 서지컬 큐렛을 넣어서 회전시켜서 제거하기도 하고, 일부러 파절시켜서 두 조각으로 만들어서 제거한다. 이렇게 잘려진 근심 치관부를 세로로 반 나눠서 각각 제거하는 것을 <근심 치관부 세로 나누기>라고 해봤다. 근심 경사 매복치에서 많이 사용하는 방법은 아니지만, 수평 매복치에서는 매번 사용할 만큼 유용한 방법이다. 여기서는 살짝 언급만 해보겠고, 자세한 건 수평 매복치에서 다뤄보자.

01
근심 치관 세로로 나누기 – 7번 원심 언더컷이 심한 경우 ★★★

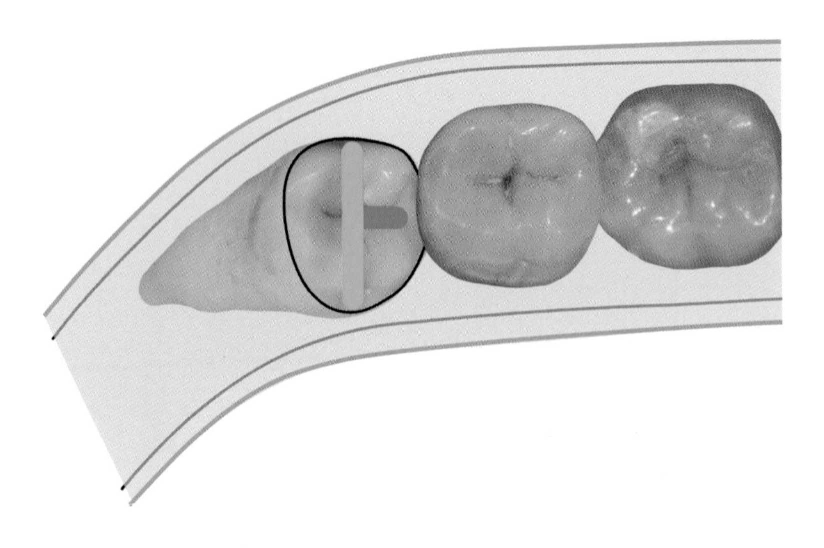

그림처럼 가로로 근심 치관부를 삭제한 후에 센트럴 그루브를 따라서 7번 손상되지 않게 삭제된 안쪽면에서 세로로 삭제한다. 그리고 세로로 삭제된 곳에 서지컬 큐렛을 넣어 협설로 파절시켜서 분할하고 제거한다. 근심 경사 매복치에서는 굳이 서지컬 큐렛을 넣지 않아도 저절로 깨져서 갈라지기도 한다. 크게 중요한 부분은 아니지만 완전 90도 수평 매복치에서는 매우 중요하므로 살짝만 언급해본다.

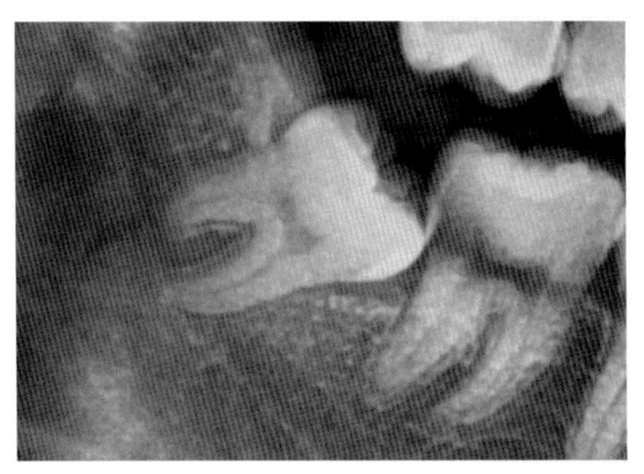
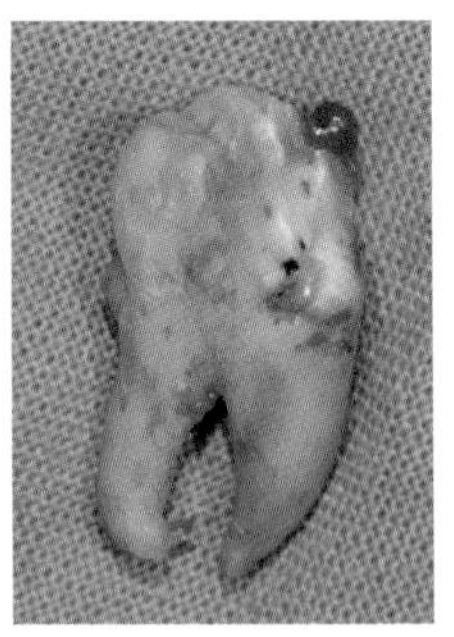
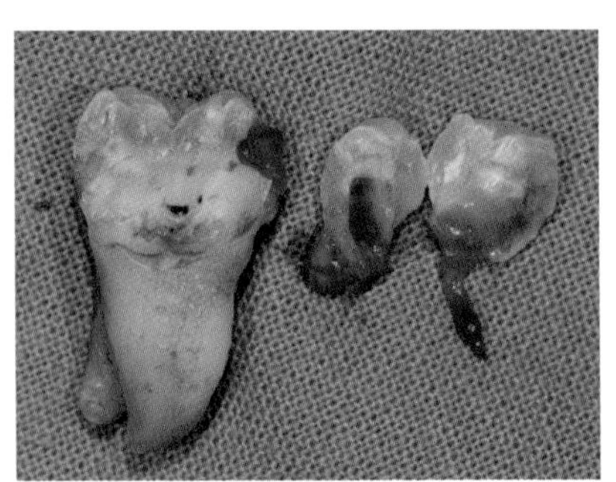

사랑니가 조금 깊숙히 매복되어 있고 7번 원심쪽에 언더컷이 심해서 삭제된 조각이 제거되지 않아서 세로로 안쪽을 삭제하여 2분할하여 발치한 케이스이다.

02
근심 치관 세로 나누기 ★★

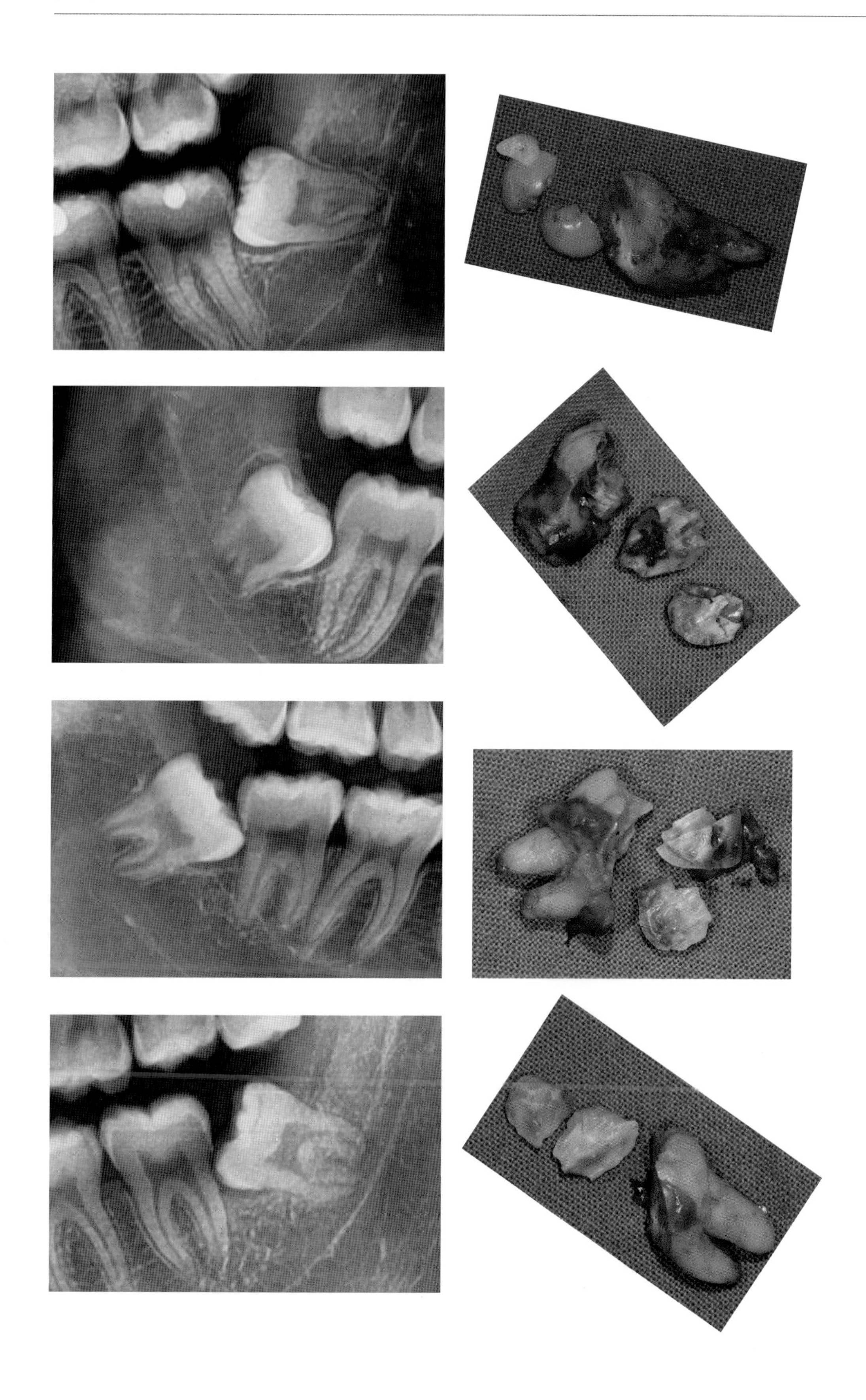

03
일부러 나눈 건지 저절로 나눠진 건지... ★

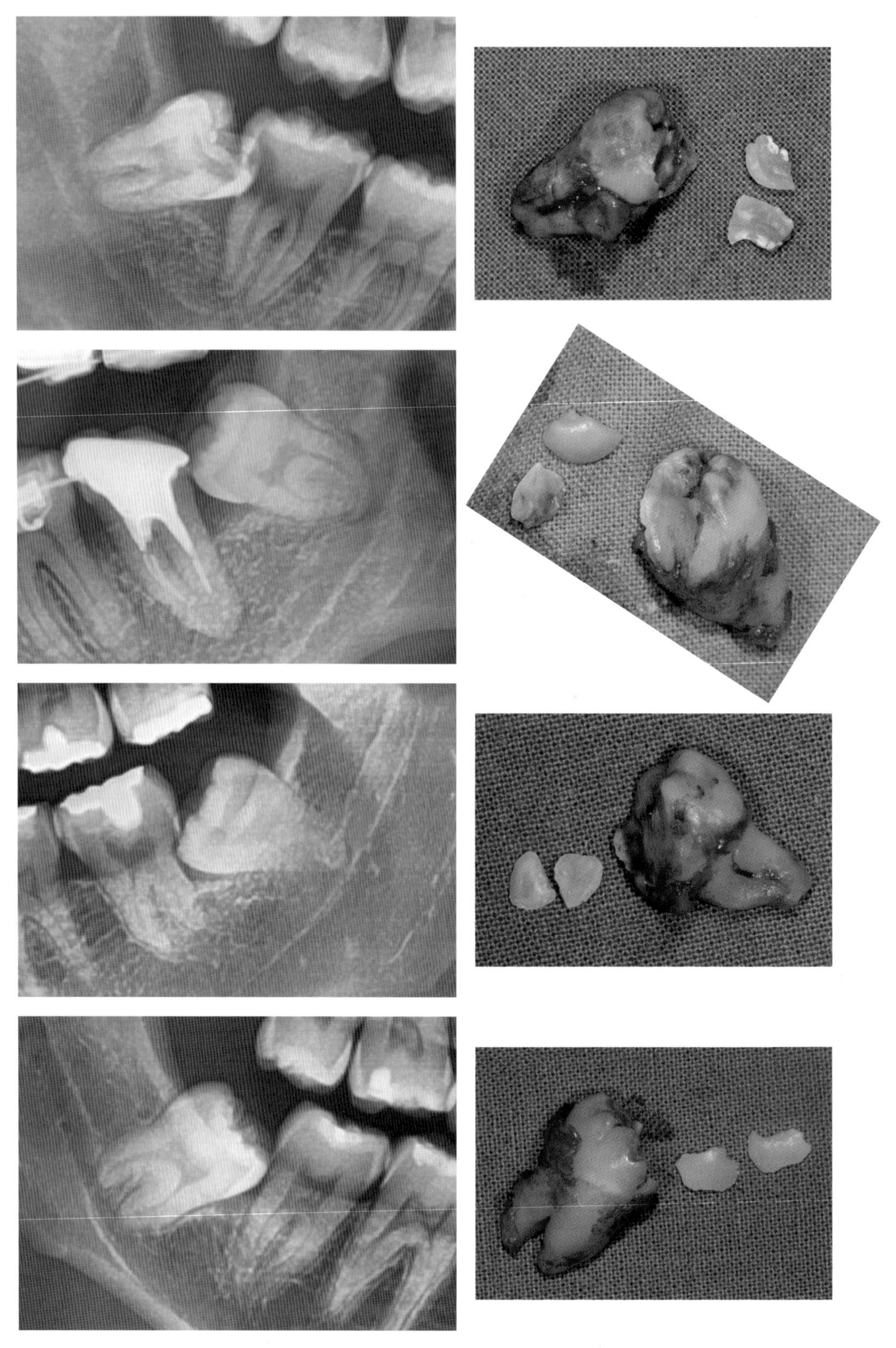

근심 조각을 삭제하여 제거하다 보면 이렇게 저절로 깨지는 경우가 매우 흔하다. 에나멜은 인장강도가 매우 낮기 때문이다. 이런 부분을 응용하여 수평 매복치도 쉽게 접근할 수 있다.

04
초보자를 위한 가장 쉬운 발치 연습 ^^★

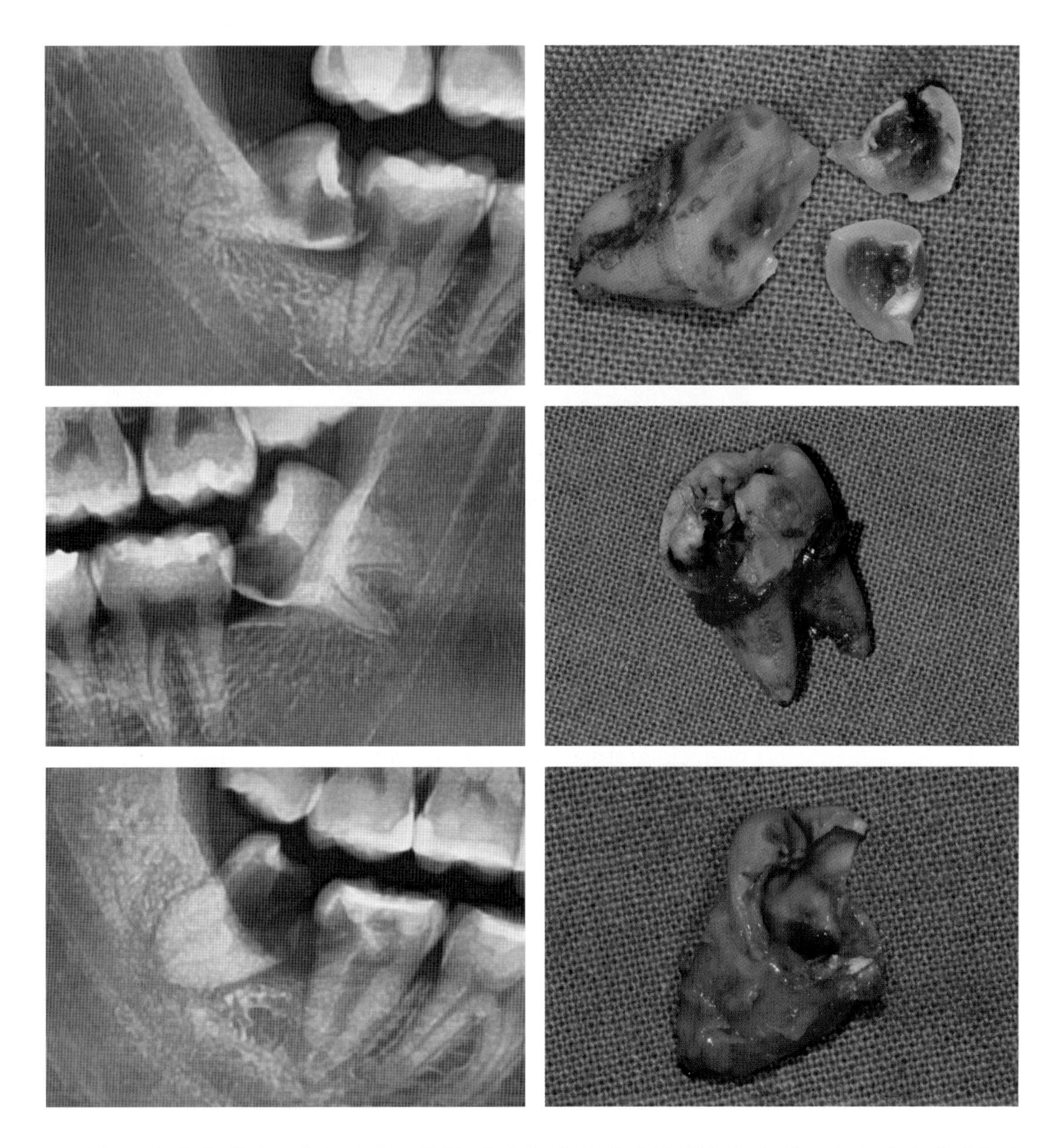

조금은 극단적인 케이스지만 필자는 종종 기회가 되면 이제 졸업한 초보 정도라면 이런 케이스의 근심 치관부 삭제를 연습시킨다. 근심 치관부 삭제가 사랑니 발치의 반이기 때문에 성공하는 습관을 들이기 위한 것이다. 가장 마지막 케이스는 좀 극단적인 케이스로 근심 치관부가 달걀껍질 정도 남아 있지만, 그래도 깨끗이 근심부를 제거하는 훈련을 하기에는 좋은 케이스라고 생각한다. ^^

근심 경사 사랑니 포셉의 발치

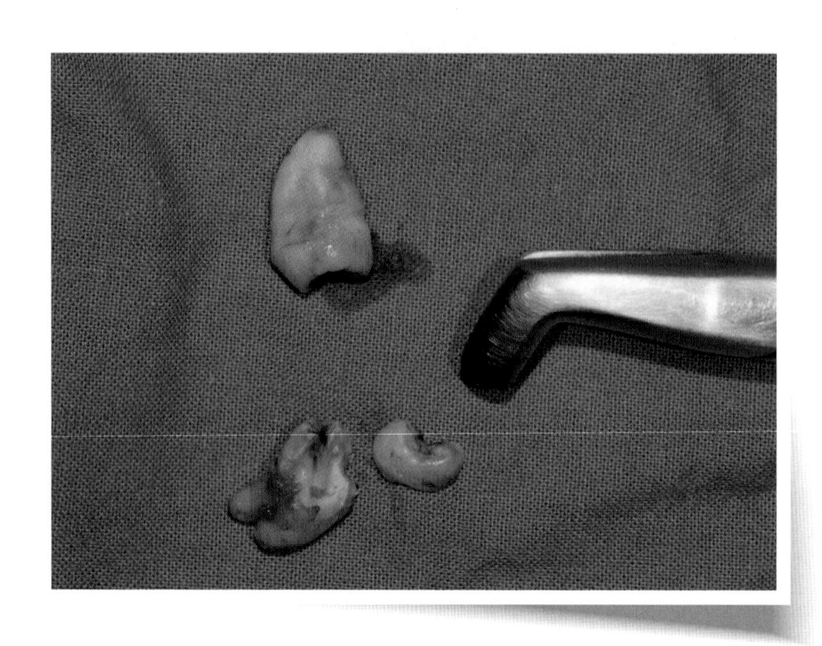

이 챕터의 제목을 근심 경사 사랑니의 포셉 발치라고 정해봤다. 대부분 하이스피드 핸드피스로 발치하는 치과의사라면 이런 경우에 7번 원심에 걸리는 사랑니의 근심부분을 잘라내는 것부터 할 것이다. 그런데 근심 경사만 조금 있을 뿐 치관부가 치조골에 거의 덮여 있지 않은 사랑니는 그 뒤 남은 치관과 치근을 제거하는 것이 더 어렵다. 이럴 때 포셉을 사용하면 매우 유용하다는 것을 모르는 치과의사들이 많다. 좀 더 많이 맹출한 것일수록 포셉으로 발치하는 것이 매우 유리하다. 근심 경사된 사랑니의 근심면을 삭제하고 난 뒤에 포셉으로 발치하는 것은 일반적인 수직 맹출한 사랑니보다 훨씬 발치가 쉽다. 일반적인 수직 매복 치아를 포셉으로 잡고, 발치 전에 럭세이션을 시킬 때는 앞 7번 원심면이 손상갈까 조심해야 하지만, 이런 경우는 그렇지 않아도 되기 때문이다. 다만 크라운이 좀 작아져 있는 상태이기 때문에 비크가 미끌리거나 해서 7번 치아를 손상시키지 않도록 주의해야 한다.

01
근심 경사 사랑니 포셉 발치 1 ★★

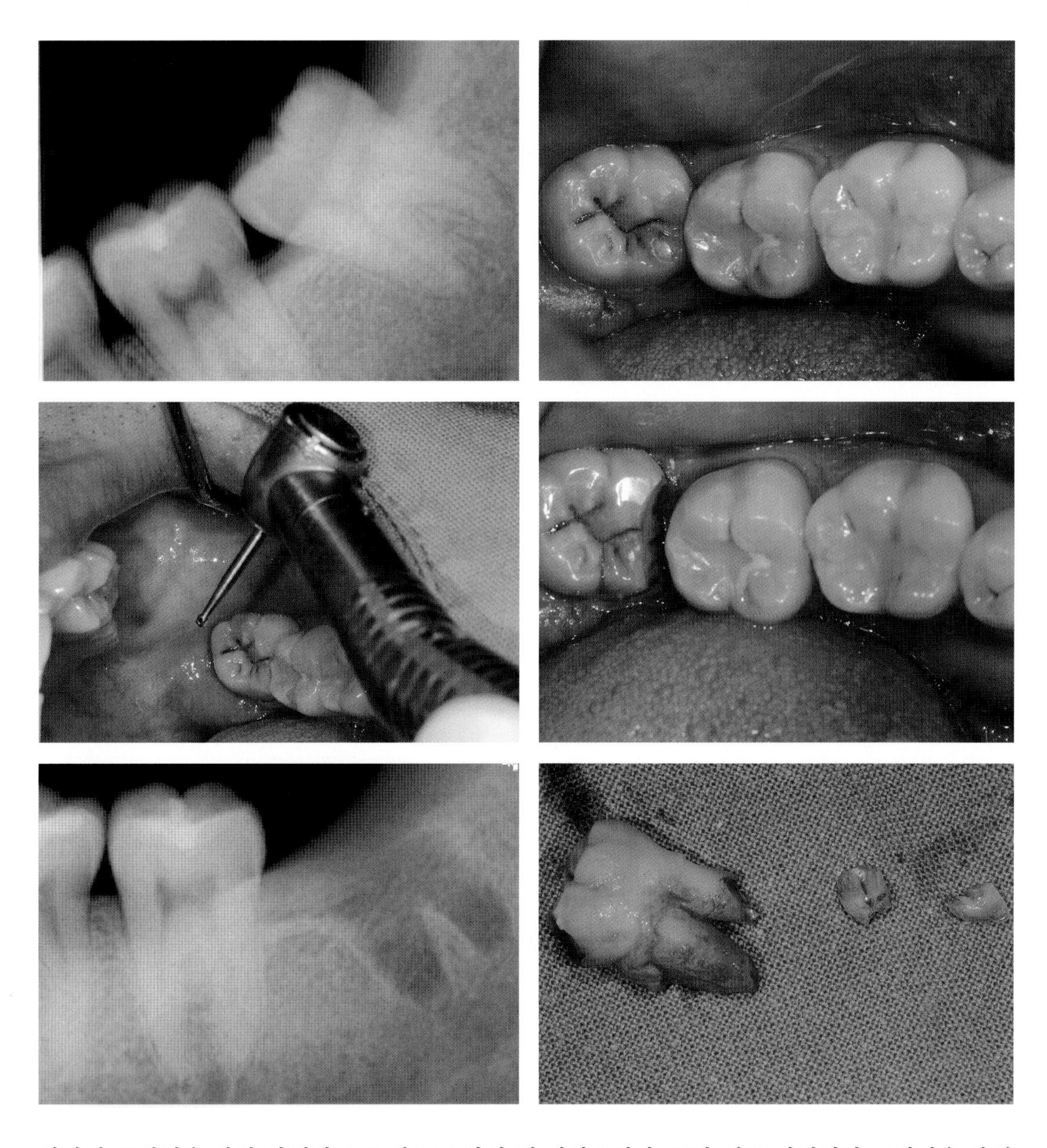

사랑니 근심면을 살짝 삭제하고 포셉으로 잡아 뺀 케이스이다. 그냥 빼도 되겠지만 근심면을 삭제하면 치아가 그만큼 럭세이션되기도 쉽고, 나오는 방향도 다양화되기 때문에 이렇게 근심면을 삭제 후 빼는 것이 좋다. 이런 케이스에서 포셉으로 럭세이션을 시키는 과정에서 간혹 7번 원심면에 크랙이 가는 경우가 많기도 하다. 또한 한국에서는 이렇게 치아 삭제를 하면 단순 매복에서 복잡 매복으로 매복치 청구 단계가 하나 더 올라가서 좋기도 하다.

02
근심 경사 사랑니 포셉 발치 2 ★★

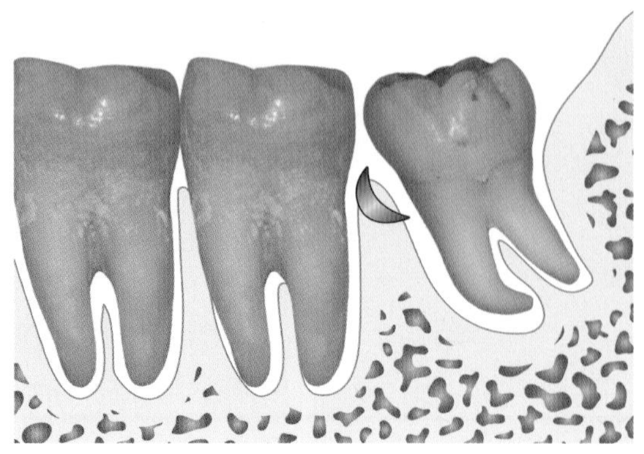

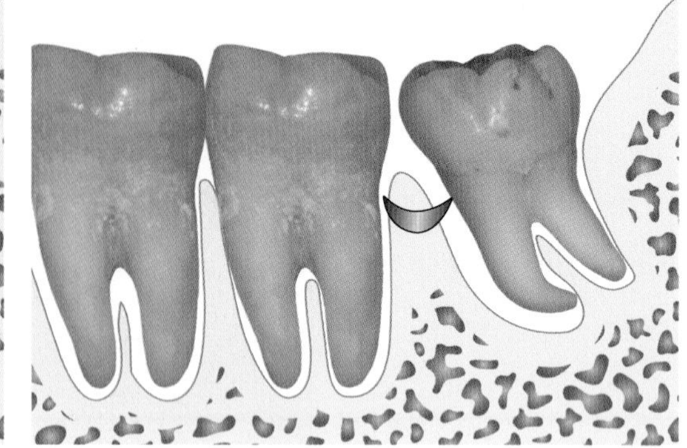

이렇게 근심에서 엘리베이터로 뽑을 수도 있지만…

보통 이런 경우 한 손가락으로 7번 교합면을 누른 체로 엘리베이터로 사랑니의 근심부를 들어올리는 방식으로 발치하라는 경우가 많다. 저렇게 잘못 시도하다가 7번이 발치되기도 하기 때문이다. 어쨌든 필자는 사랑니의 근심면에 엘리베이터를 작용시키는 것을 선호하지 않는다. 저렇게 자주하면 반드시 7번이 손상되는 케이스가 생길 거라는 확신 때문이다.

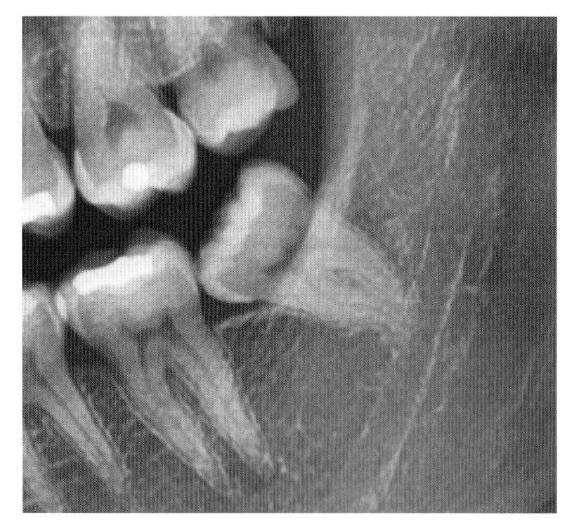

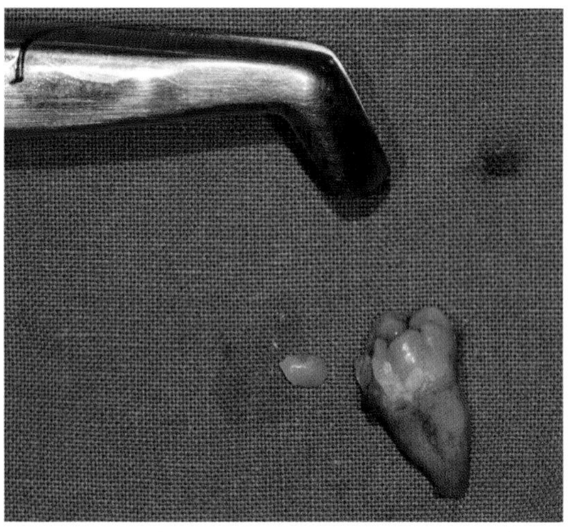

이렇게 근심면을 삭제하고 발치하는 경우에는 수직 매복의 경우처럼 포셉을 이용하여 발치하는 경우가 많다. 물론 수직 매복에서 포셉을 이용하는 것보다 쉽다. 근심면에 7번과 사이에 여유 공간이 있어서 치아를 움직이기도 편하기 때문이다. 필자는 가끔 발치에 사용한 도구를 기억하기 위해서 위에 놓고 사진 찍는 습관이 있다.

03
사용한 도구를 놓고 찍는 습관★

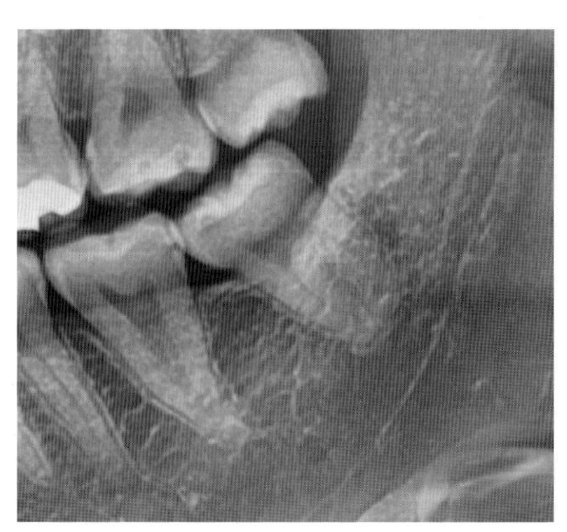

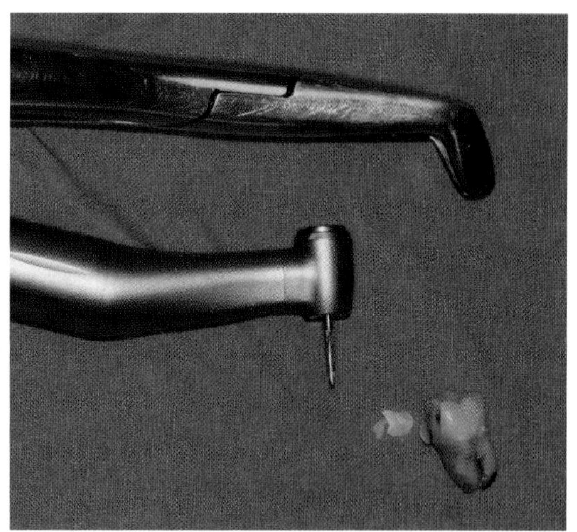

이렇게 살짝 근심으로 경사지고 기능하는 사랑니의 경우는 의외로 발치가 어려운 경우가 많다. 이런 경우에 무턱대고 포셉으로 잡고 치아를 흔들게 되면 7번 손상 가능성도 매우 높다. 이런 경우는 의외로 포셉의 한두 번의 액션으로 나오지 않는 경우가 많기 때문에 앞뒤 좌우 방향으로 여러 번 흔들기 때문이다. 그래서 **앞머리치기**를 시행하여 사랑니가 움직일 수 있는 공간이 늘어나게 되면 발치도 쉬워지고 7번 손상도 막을 수 있다. 예전에는 일반적으로 인접면 크라운 프렙할 때 사용하는 얇은 다이아몬드 버로 삭제를 하기도 했었다. 물론 라운드 버나 다이아몬드 버나 피셔 버나 뭐든 준비되어 있는 것을 사용한다. 피셔 버는 특별히 쓰는 일이 별로 없기 때문에 아무거나 써도 되는 이런 케이스에서 사용한 듯하다.

이미 이 책 여러 곳에서 기구와 함께 찍혀진 사진을 봤을 것이다. 매번 그런 건 아니지만... 좀 한가할 때는 직원들에게 부탁하기도 하고, 필자가 직접 위치시키고 찍도록 하기도 한다. 위 사진은 NSK 5배속 콘트라앵글 로스피드 핸드피스에 25 mm 일본 MANI 사의 피셔 버를 사용하여 근심 치관부를 삭제하고 Hu-Friedy 222번 포셉으로 뽑았음을 의미한다. 아마도 NSK 새 핸드피스를 사용하기 시작했을 때 찍은 듯하다.

04
생각보다 그 습관이 오래된 듯…★

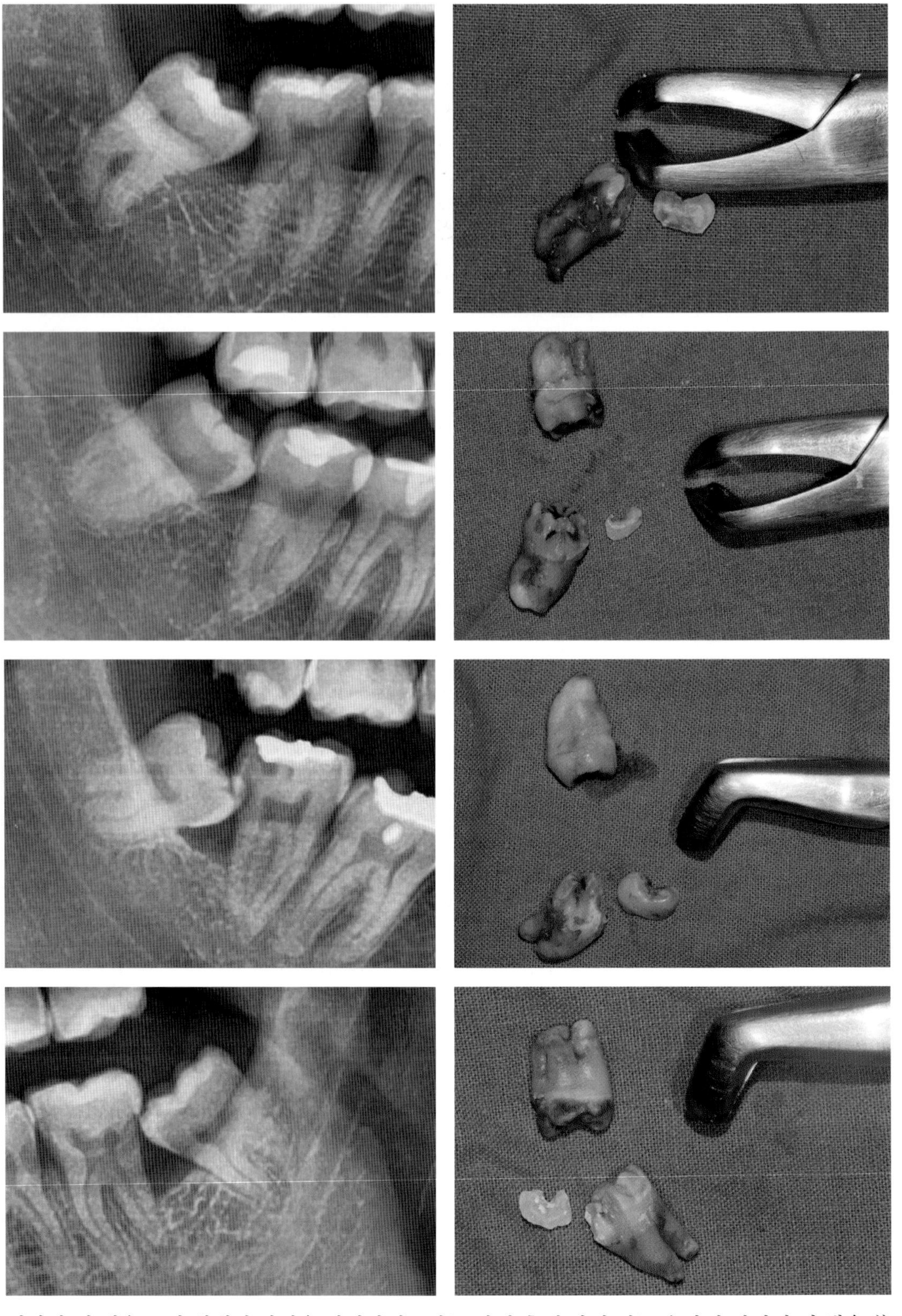

필자가 이 책을 쓰기 위해서 사진을 찍었다기보다는 발치 후에 사진 찍는 습관이 있어서 이 책을 쓸 용기가 났다는 말이 맞을 것이다. 찾아 보니 이런 사진이 너무 많아서 한 번 올려본다.

05
근심면을 살짝 삭제 후 포셉으로 발치★

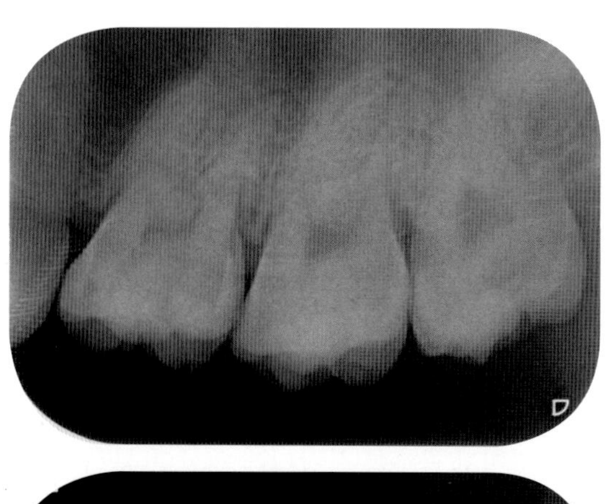

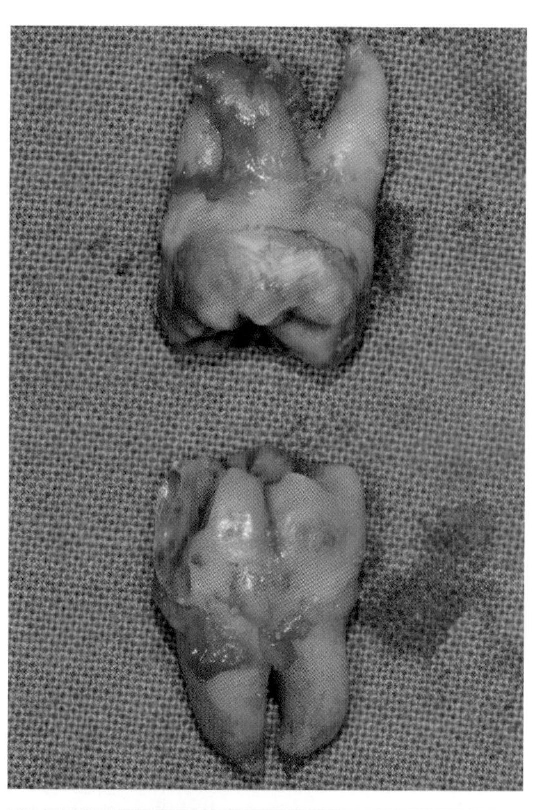

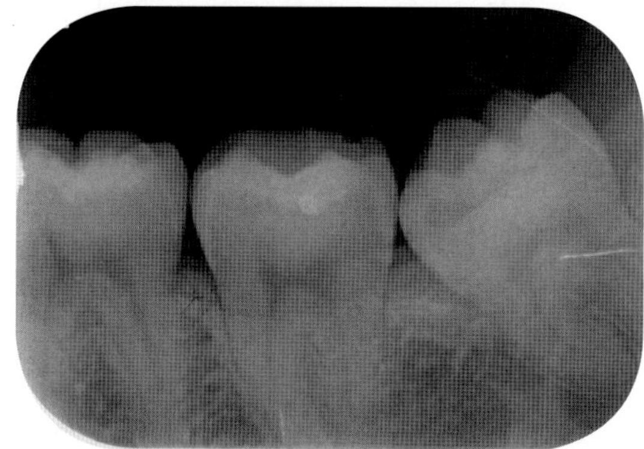

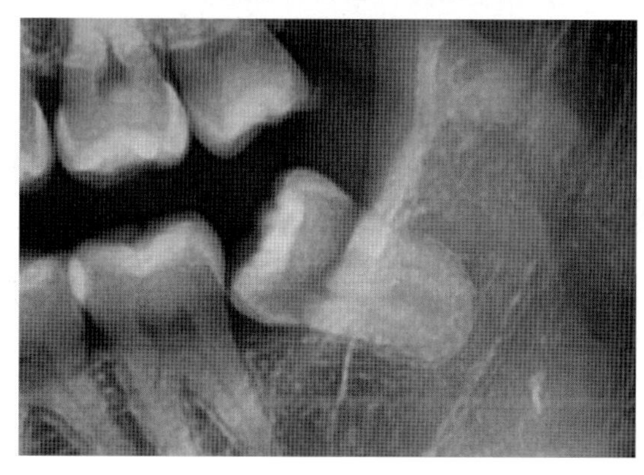

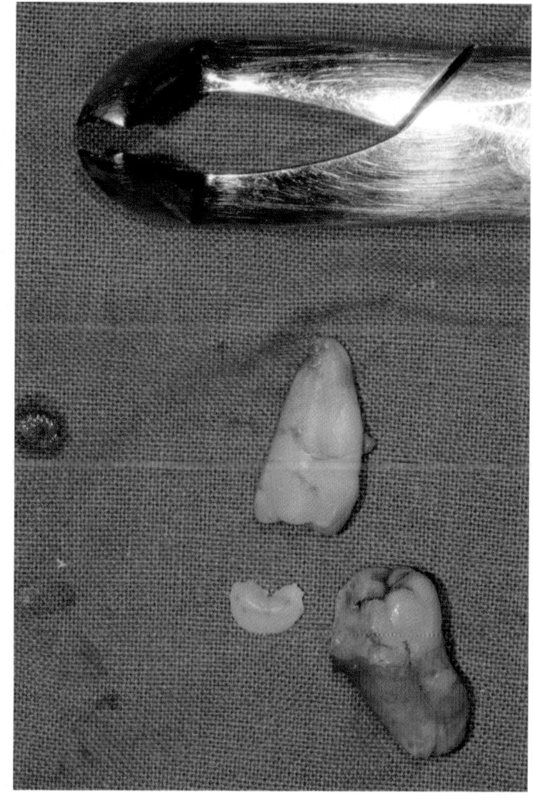

종종 필자는 하악 포셉으로 상악 사랑니를 발치할 때도 있다. 직원이 상악 발치에 하악 포셉을 잘못 가져왔을 때와 하악 포셉 발치 후에 상악 발치가 매우 심플할 때는 종종 시도한다. 필자처럼 사랑니를 당기는 게 아니라 꺾어서 빼는 포셉 액션에서는 그리 어렵지 않으나, 큰 힘이 들어가기는 쉽지 않다. 굳이 이런 시도는 하지 않는 것이 좋을 듯하다.

잠깐!

미국과 영국의 사랑과 전쟁이 아니라 사랑니 전쟁 ??

1990년대 후반부터 영국은 본격적으로 사랑니를 뽑을 필요가 없다는 내용을 발표했다. Guidance on the extraction of wisdom teeth가 그것인데, 요약하면 굳이 사랑니는 가능한 뽑지 말자는 것이다. 충치나 잇몸질환이 없고 무증상인 매복사랑니를 그대로 둬도 문제 생기는 경우가 10명 중에 한 명도 안 되는데, 이러한 사랑니를 예방적으로 발치하면 신경손상 등 수많은 부작용을 열거하며... 이러한 부작용까지 염려하며 굳이 뽑을 필요 없다는 것이다. 이제 질세라 바로 미국이 왜 사랑니를 뽑아야 하는지를 발표하기 시작했다. 통증이 없어도 이미 충치나 잇몸질환이 진행중인 환자들이 많고, 나이가 들수록 사랑니에 의한 피해가 커지고 발치 후유증도 심해지며, 더 오래 관찰했더니 10명 중에 한명이 아니라 훨씬 더 많은 사람이 사랑니에 의한 문제가 발생하여 사랑니를 뽑았다는 것이다. 그래서 지금은 어떨까? 영국의 주장보다는 미국의 주장에 조금은 더 힘이 실리고 있는 편이다. 그러나 우리가 이런 논문만을 믿을 필요는 없다. 어차피 의료도 산업이고 생각만큼 이러한 주장이나 연구결과나 순수하지 못하다는 뜻이다. 누구나 알다시피 영국은 의료사회주의 국가나 마찬가지이다. 국민이라면 누구나 공짜로 의료혜택을 받을 수 있다. 당연히 사랑니 발치도 공짜다. 당신이 영국의 치과의사라면 사랑니 뽑고 싶은가?? 그러니 하기 싫은 핑계를 엄청 찾는 것이다. 미국은 어떤가? 사랑니 발치가 세계에서 가장 비싸다. 매복치다 싶으면 몇 백만원도 한다. 미국인의 사랑니가 특히 더 매복이 심각하지도 않을텐데, 같은 일을 하고도 돈을 많이 버는 미국인 치과의사들이 자기 밥벌이에 지장이 올만한 이야기를 하는 영국 치과의사들에게 질 수 있을까? 필자가 몇 년 전에 본 글인데 정확하게 다시 레퍼런스를 찾을 수가 없어서 그냥 가십거리로 쓰는데... 당연히 사랑니 발치하면 돈을 많이 버는 미국이 사랑니 발치하나 안 하나 버는 돈에 별 차이 없는 영국보다 훨씬 사랑니 발치하는 비율이 높았다. 그렇다면 미국처럼 큰 돈은 아니지만, 정말 죽지 않을 만큼 작은 돈만 주는 우리나라는 어떨까? 그 논문에 의하면 퍼센티지는 기억은 안 나지만 우리나라는 영국과 미국의 딱 중간이었다. <하고 싶은 일에는 방법이 보이고, 하기 싫은 일에는 핑계만 생각난다>는 필리핀 속담이 떠오르는 일화이다.

어쨌든 필자는 두 나라 간의 사랑니 전쟁에서 그래도 뽑자는 여론이 좀 더 우세해지는 것에 감사하고 있다. ^^ 결국 사랑니 뽑아서 먹고 사는 필자도 속물이기 때문인지...

근심 경사 사랑니 다양한 형식의 발치

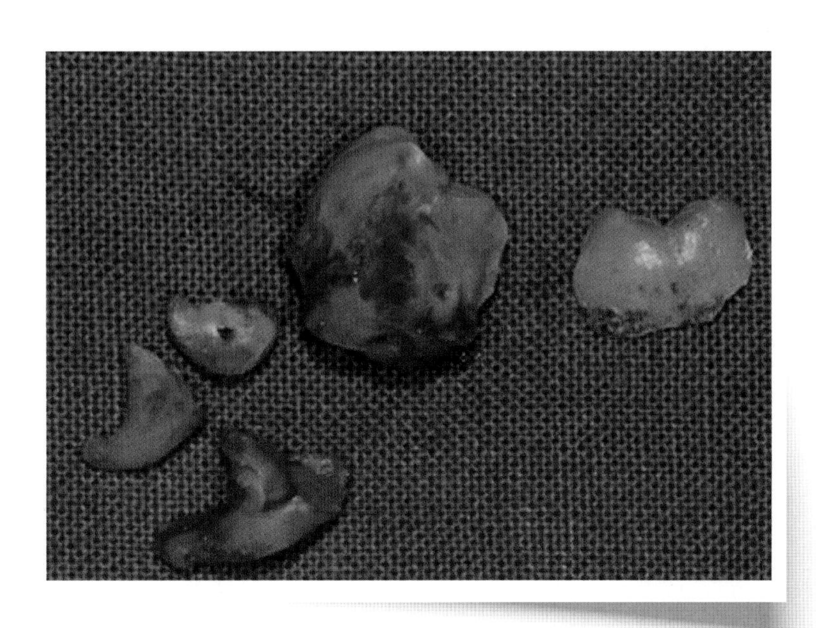

근심 경사 사랑니도 근심면을 삭제하고 나면 결국 수직 매복치와 마찬가지가 된다. 그래서 수직 매복치에서 사용한 방법 그대로 사용한다. 근심 언더컷에 걸리는 부분을 삭제해서 제거한 뒤에는 일반적으로 수직 매복치와 마찬가지로 엘리베이터를 가장 먼저 사용한다. 그러나 엘리베이터의 사용이 원활하지 않다면 바로 포셉을 이용하거나 치관 2분할이나 치관절제술 후 치근 발치하는 방법 등을 이용할 수 있다. 여기서는 그러한 케이스들을 다뤄보자.

01
근심 삭제 후 엘리베이터도 포셉으로도 발치가 안 된다면? ★★★

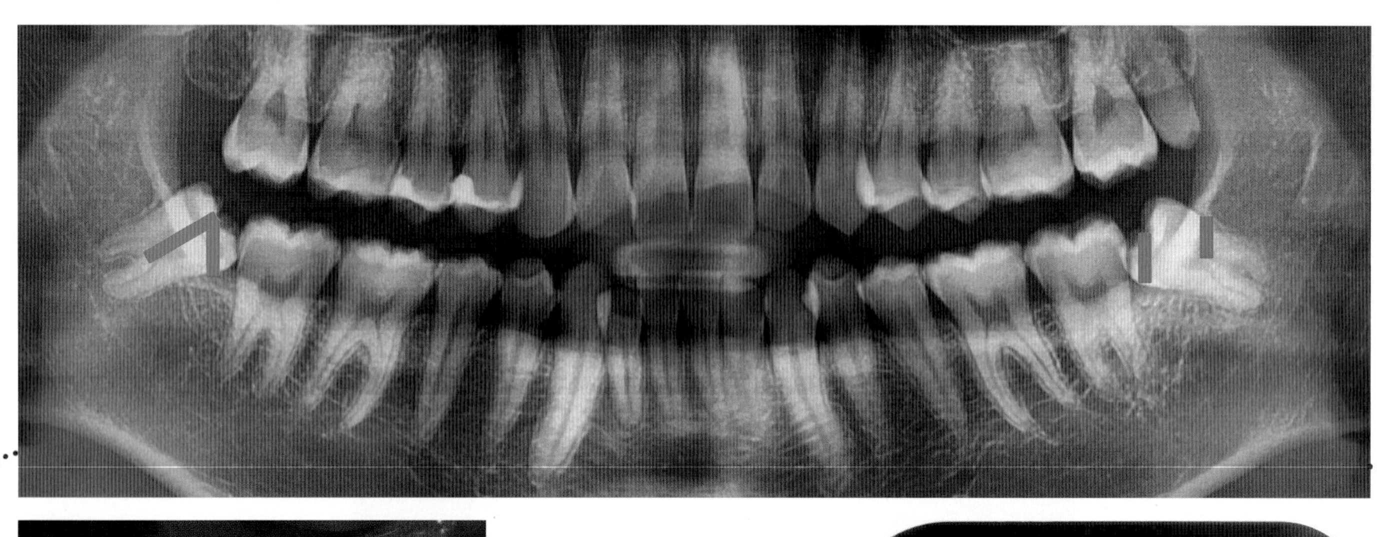

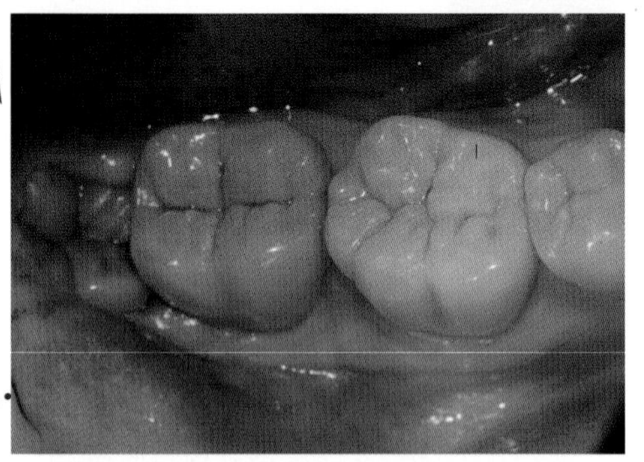

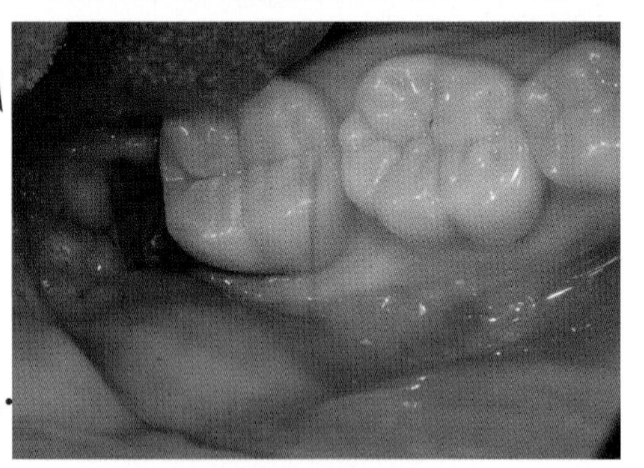

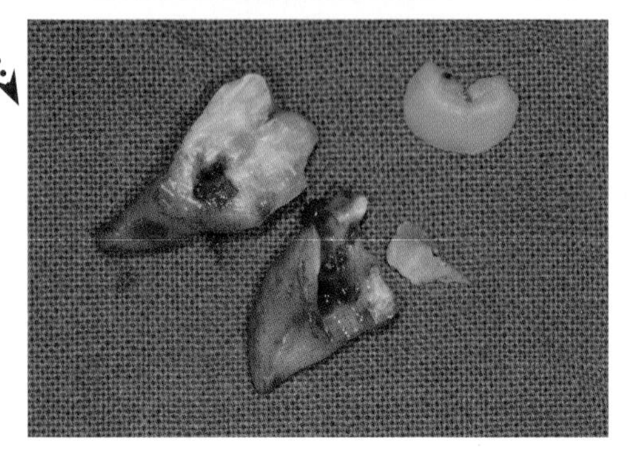

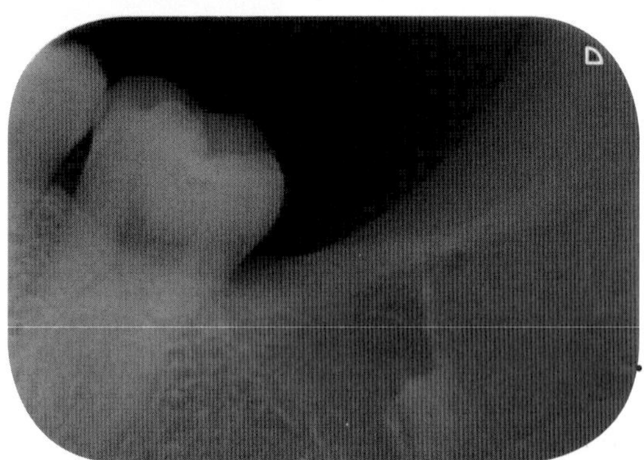

이런 경우는 수직 매복 사랑니 발치에서와 같다. 치근을 반으로 나눠서 발치를 하든지 치경부를 날려서 치관부를 제거하고 발치를 하든지 말이다. #38은 발치가 원활하지 않아서 원심 치근단을 좀 남겨 놓은 것을 확인할 수 있다.

02
근심 경사 매복치 치아 2분할(hemisection) 발치 ★★

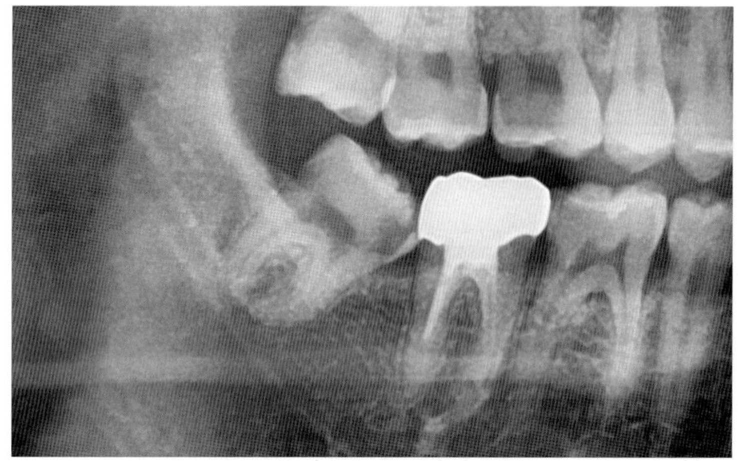
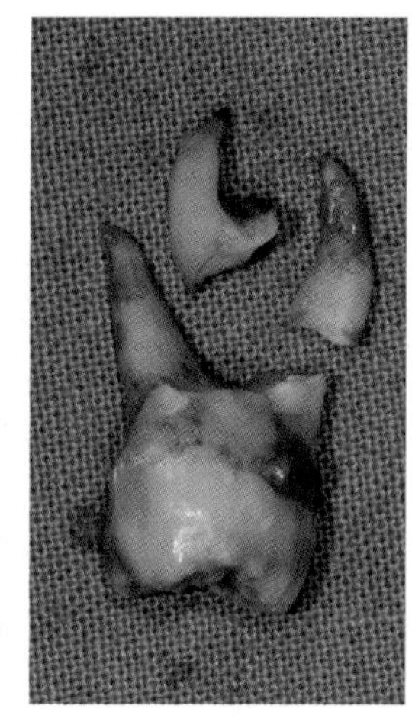
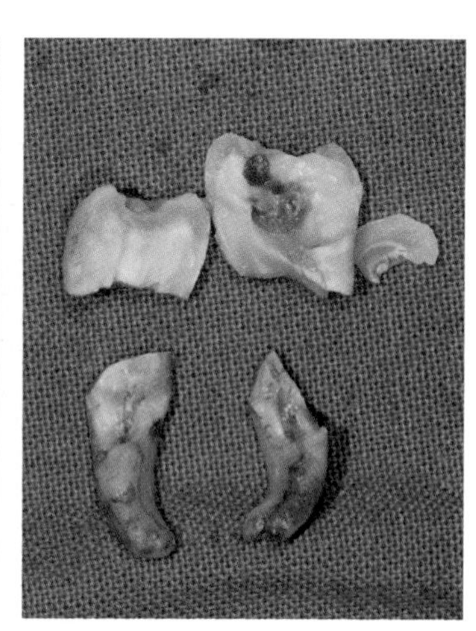

이런 형태의 건장한 젊은 남성의 사랑니가 일반적인 수평 매복 사랑니보다 힘든 경우가 많다. 상하악 모두 매우 어렵고 힘들게 발치하였다. 특히나 이렇게 치근이 벌어져 있고, 기능하는 상악 사랑니 경우에 부러진 치근을 제거하는 것은 초보자들에게 추천하고 싶지 않다.

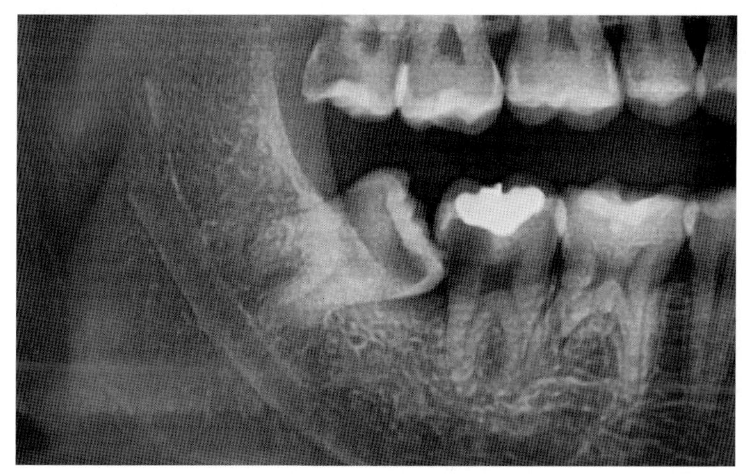
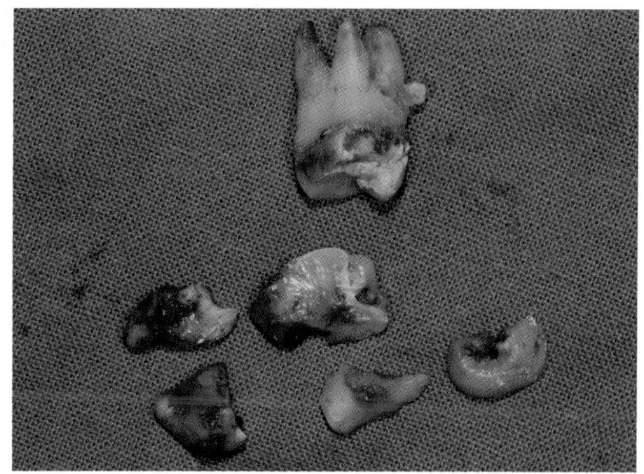

마찬가지로 가상 어려운 케이스 중에 하나이다. 더구나 원심 치근단에 Youngsam's sign도 보이고 있다. 특히나 이렇게 충치가 심한 사랑니의 경우 포셉을 너무 강하게 사용하면 치관부만 파절되는 경우도 많다. 이런 경우에는 뒤에 이어지는 뒷목치기나 ㄴ발치 등을 고려해보는 것도 좋다. 그러나 늘 발치를 시작할 때는 그냥 쉽게 잘 나올 거라는 생각으로 시작하기 때문에, 발치가 속된 말로 말리는 경우가 많다. 쉬워 보이는 발치라도 단계별로 차례차례 시도하는 것이 좋다.

03
근심 경사 매복치 치관절제 후 치근 발치 케이스 ★★

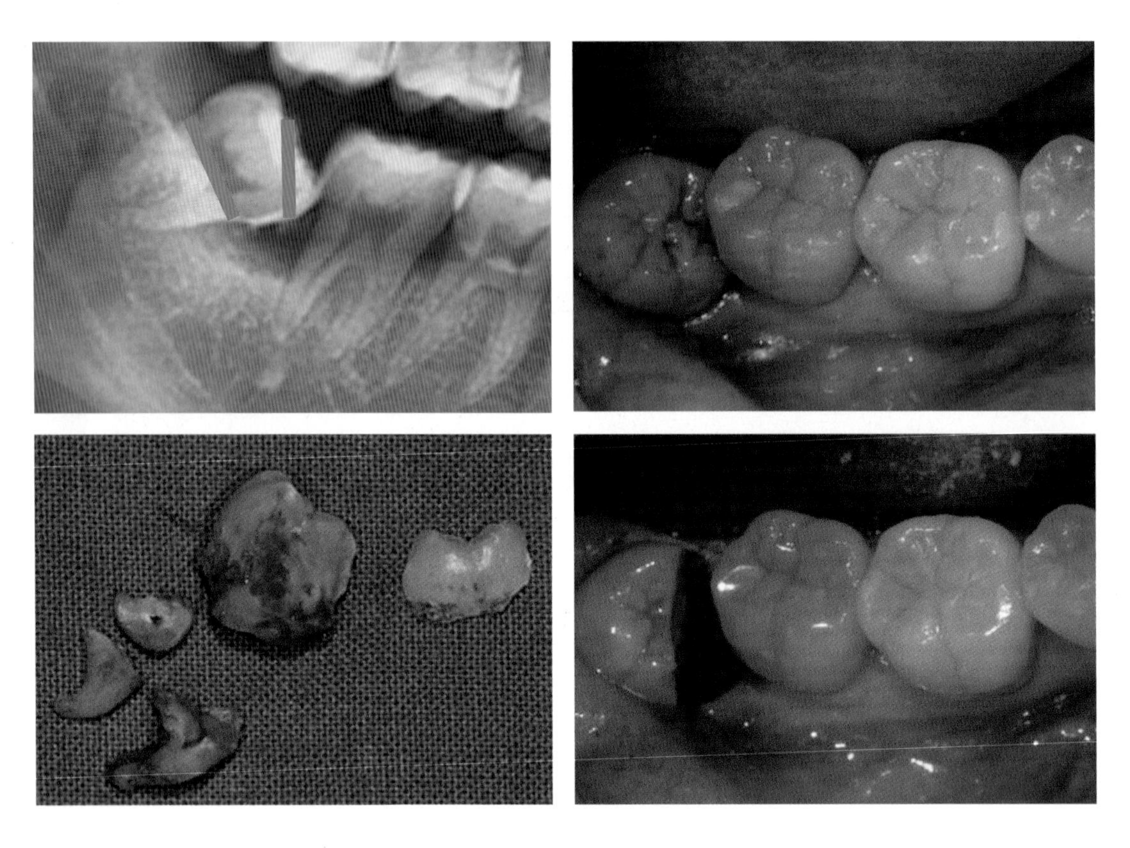

통상의 발치와 동일하게 진행하였으나, 치근만곡이 심하여 발치가 쉽지 않아 치관절제술을 시행하고 치근을 제거한 케이스

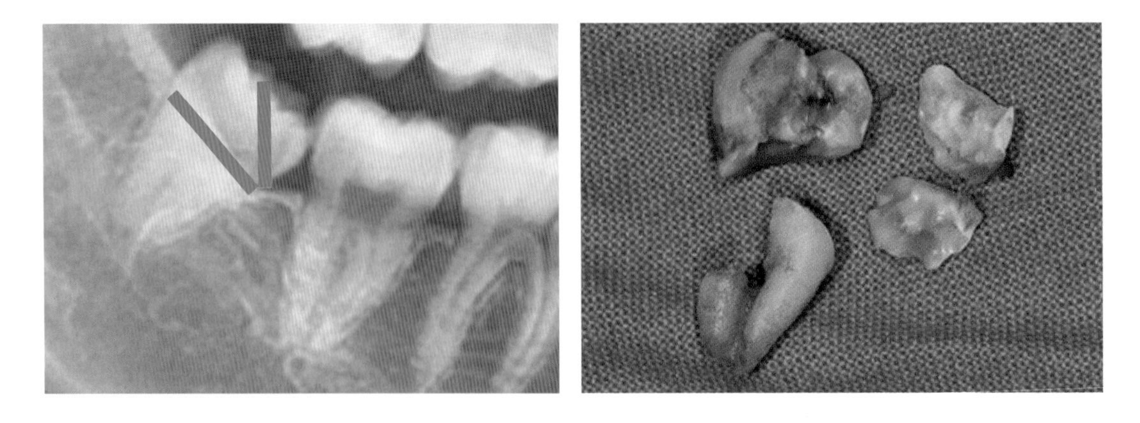

사진상에는 간단한 발치로 보이지만 만만하지 않은 케이스로 치관절제술을 시행하고 나서도 남은 치근을 제거하기 위해서 치근 중심까지 삭제한 흔적을 볼 수 있다. 이런 식으로 치근이 두개처럼 보이지만 연결된 케이스의 발치는 어렵다. (이렇게 얇은 면으로 치근이 연결되어 있는 것을 필자는 오리발이라고 부른다.) 그 중에도 전반적인 치근의 모양이 둥글둥글 뭉뚝하게 생긴 경우가 가장 어렵다. (필자는 이렇게 둥글고 뚱뚱하게 연결된 치근을 엉덩이라고 부른다.)

04
완전 수평 매복이라도 사랑니 교합면이 7번 교합면보다 높다면 ★★

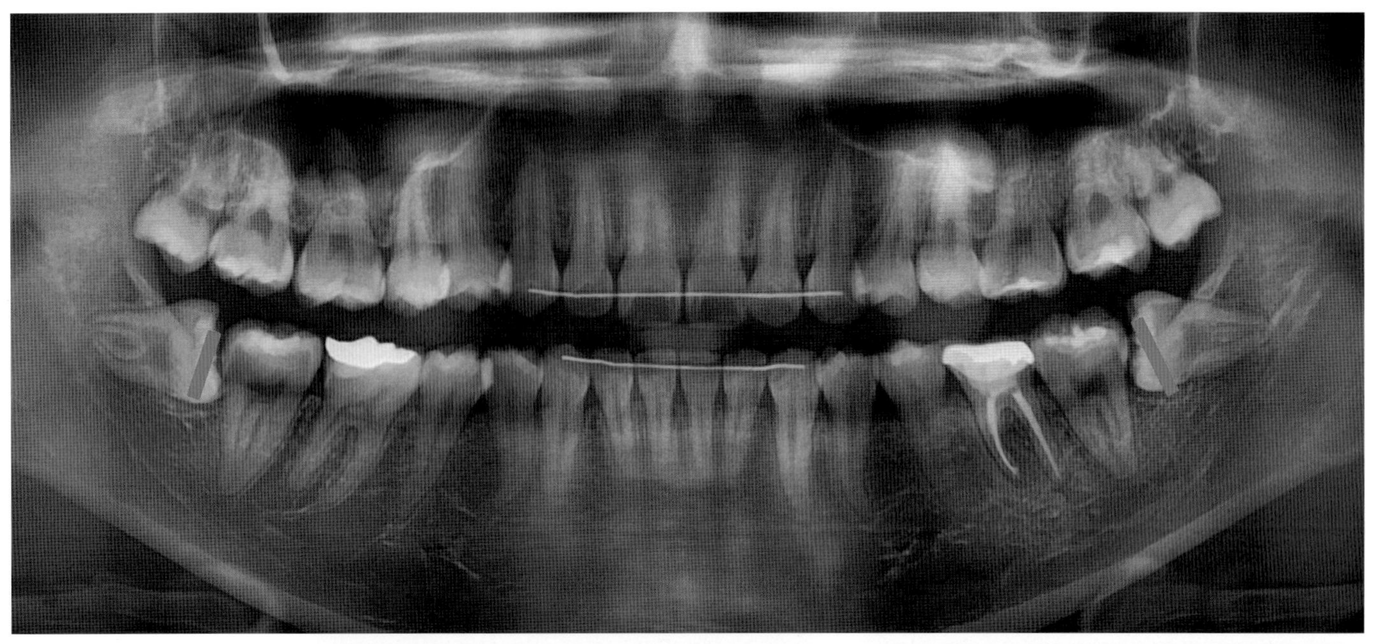

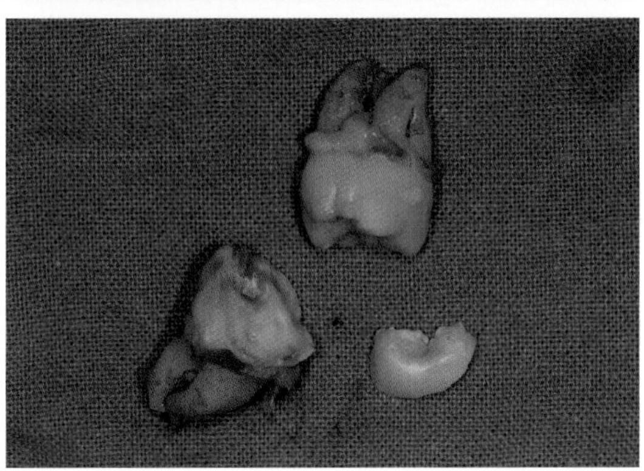

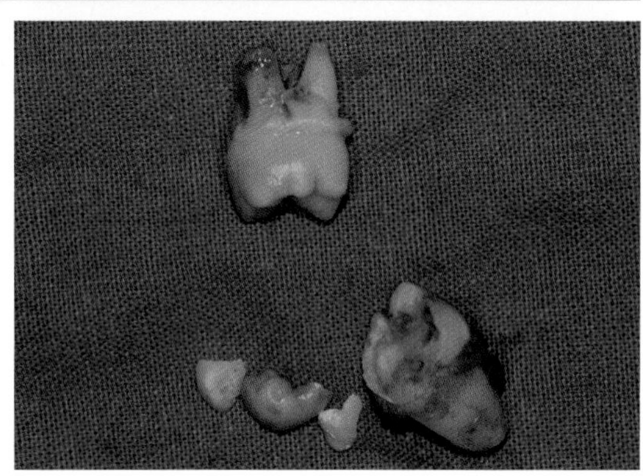

이런 경우의 발치를 치관 전체를 반 절로 나눠서 발치하는 치과의사들도 많다. 필자의 경우는 남은 치관은 모두 손잡이라고 생각하기 때문에 불필요한 치관 삭제도 많이 하지 않는다. 그저 사랑니가 나올 때 7번 원심에 걸리는 부분만 살짝 삭제하여 발치한다. 위 케이스는 양쪽 모두 같은 스타일로 한 것을 볼 수 있다. 이런 경우 굳이 각도를 조절할 필요 없이 핸드피스 손 가는대로 7번 원심면만 손상 안 되게 삭제하면 된다. 대부분 사진상에 이 정도지만, 실제 치아는 입체적이기 때문에 보통 협면 쪽에서 삭제를 시작하면 인접치 손상은 거의 없다. 이런 경우 실제로 보면 7번과 8번 사이에 충분한 공간이 있는 경우가 대부분이다. 물론 이런 경우에 피셔 버는 좋지 않다.

들어치기

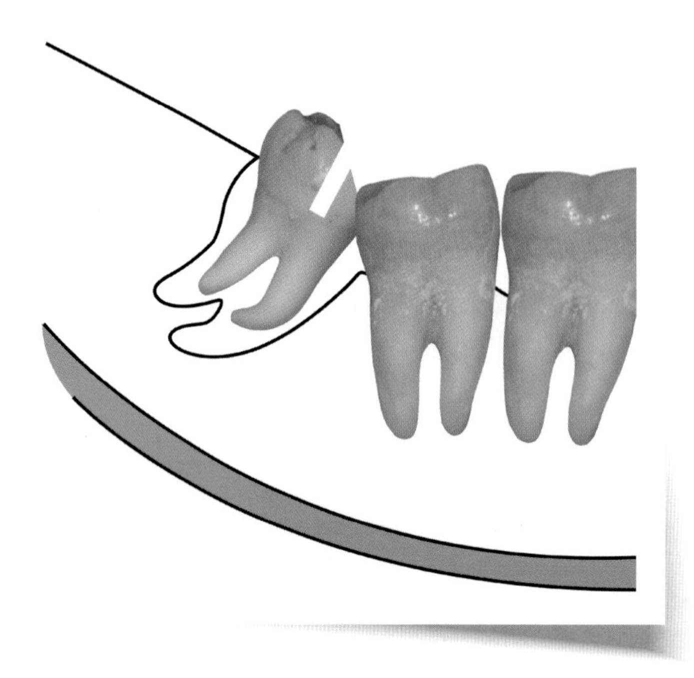

근심 경사 매복 사랑니를 발치하는 경우 언더컷 부분의 법랑질 정도만 삭제를 하기 때문에 사랑니가 나오면서 살짝 7번 원심면에 걸리는 경우가 있다. 대부분은 협설쪽으로 방향을 조금 달리해보거나 치아와 치조골의 약간의 탄력성을 이용하여 조금 강하게 엘리베이터를 작용하여 빼기도 한다. 그러나 필자는 사랑니가 나오다가 걸리면 머뭇거리지 않고 나오다가 걸린 그 상태로 사랑니를 들어올린 채 걸리는 부분을 삭제한다. 그래서 이름을 들어치기라고 해보았다. 보통 이렇게 치아를 일부 삭제하고 파절시켜서 제거하는 경우는 대부분 4번 버를 쓰는 것을 원칙으로 하고 있다. 물론 지금은 버 사이즈를 크게 구분하지는 않고 쓰고 있지만, 초보자나 처음 시행하는 치과의사에게는 꼭 4번 버를 쓰도록 권하고 있다.

01
들어치기란? ★★★

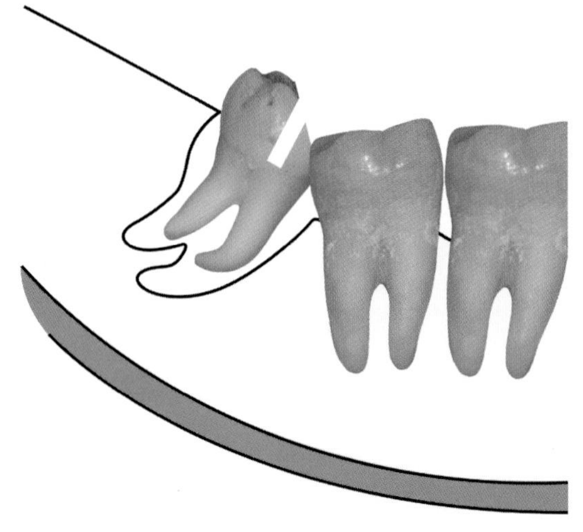

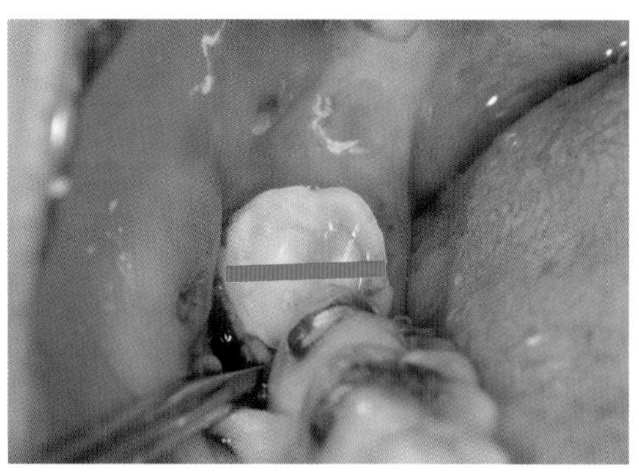

사랑니 발치 시에 사랑니 근원심 폭경이 제2대구치 원심면에서 치조골까지의 길이보다 큰 경우에는 어쩔 수 없이 사랑니가 나오다가 위와 같이 제2대구치 원심면에 걸릴 수밖에 없다. 이런 경우에 원심면의 골을 삭제하기도 하지만, 치아를 협설로 잘라서 걸리는 부분을 삭제하면 발치가 매우 쉬워진다.

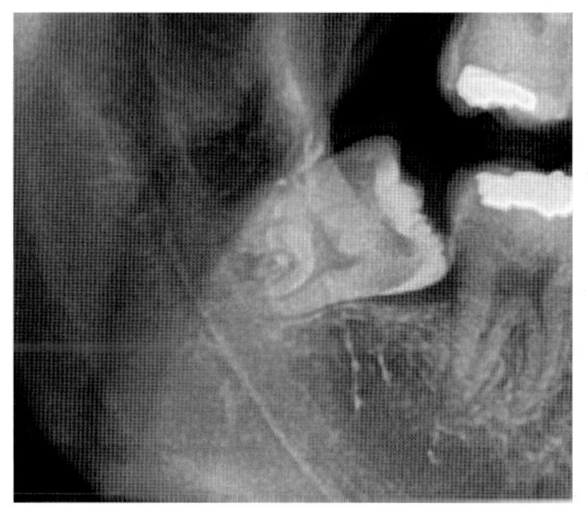

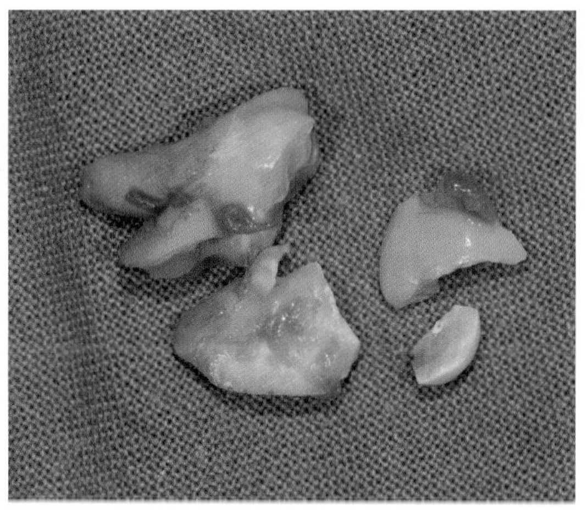

들어치기의 전형적인 보기이다. 근심면만 살짝 삭제하고 발치하려 했더니 치아 크기 자체가 너무 커서 입구를 통과하지 못해서 **들어치기**를 시행하였다. 보통 이런 경우에 원심쪽의 골을 삭제하거나, 로스피드 핸드피스로 치근을 2등분 하거나, 45도 핸드피스 등으로 측면에서 치아를 삭제하여 2등분 하거나 다양한 방법이 있을 수는 있다. 그러나 필자는 사용하는 도구를 최소화하는 것이 원칙이므로 사용하던 핸드피스로 걸리는 부분만 삭제하고 발치한다.

02
들어치기 과정 ★★

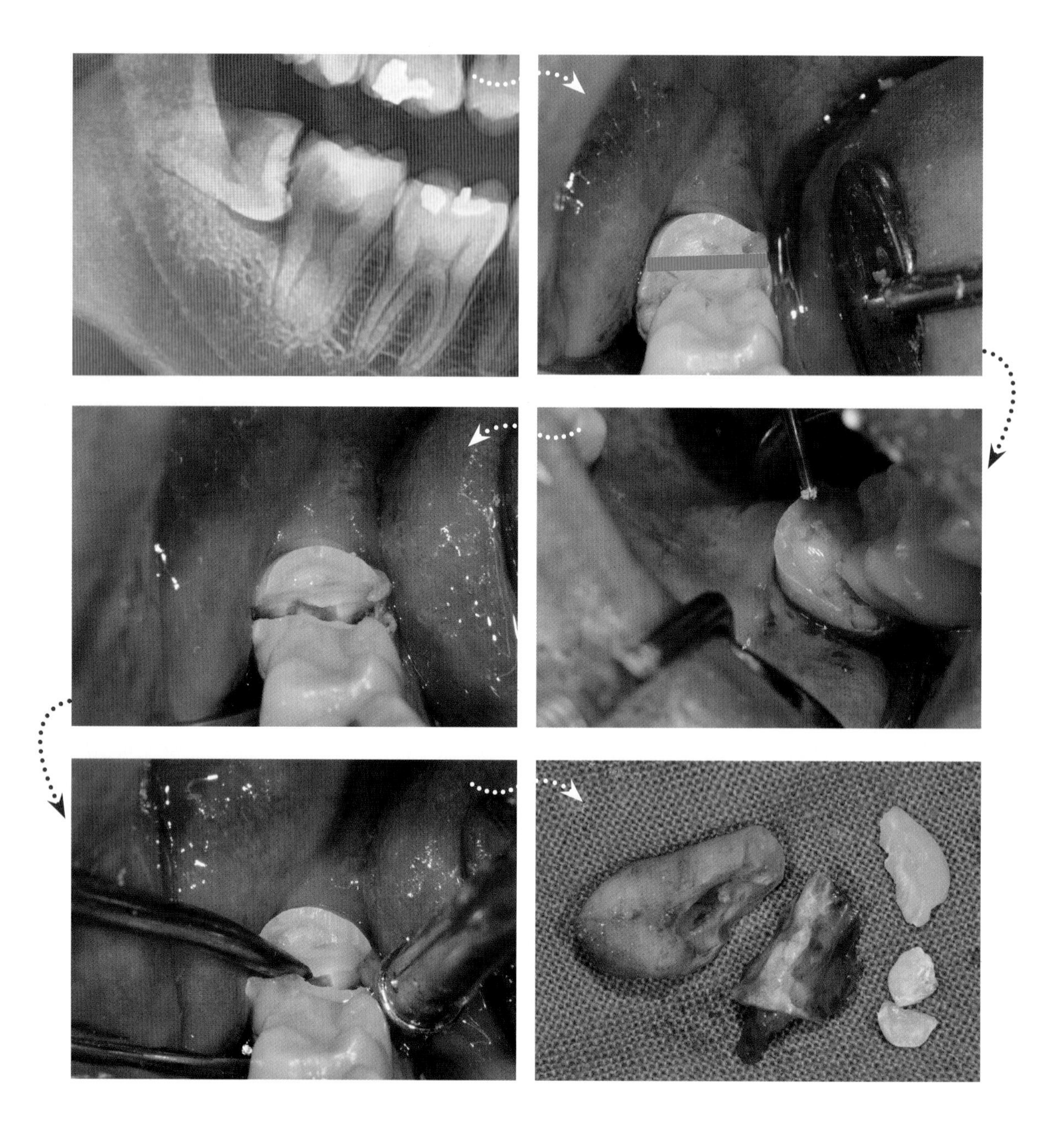

03
들어치기 케이스 꼭 필요한 경우 ★★

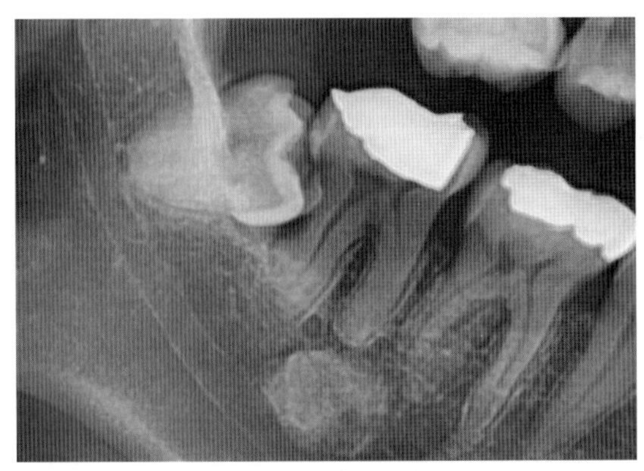

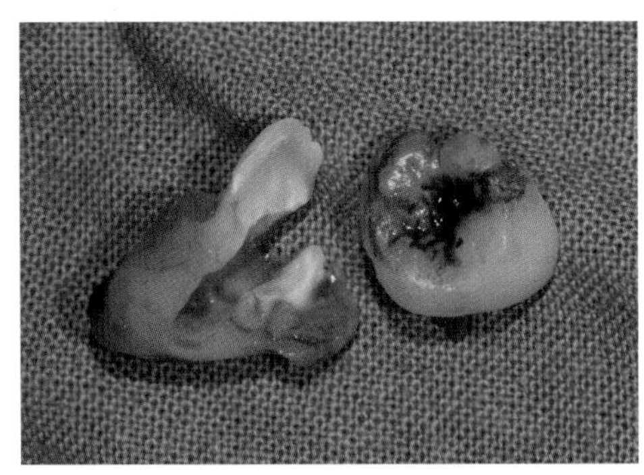

대부분의 **들어치기**가 필요한 경우는 7번 원심에서 후방 치조골까지의 거리가 사랑니의 폭보다 좁은 경우이다. 그런 경우는 나오면서 대부분이 7번 원심 부위에 걸릴 수밖에 없다. 위 사진에서도 7번 원심부터 치조골까지의 거리가 사랑니의 폭보다 작은 것을 볼 수 있다. 어쩔 수 없이 **들어치기**를 시행하고 삭제한 부분을 파절시키려고 엘리베이터를 집어 넣었는데 발치된 케이스이다. 방향을 잘못 잡았거나, 치조골의 탄성한계 안에서 걸린 정도였던 것 같다. 이런 경우가 종종 있다. 심지어 **들어치기**를 하는 과정에서 발치되기도한다. 아마도 핸드피스로 삭제하는 과정에서 조금씩 치아가 움직이다가 저항이 가장 적은 방향으로 이동했기 때문일 것이다. 어쨌든 그런 이유로 **들어치기**를 하는 방향을 볼 수 있는 좋은 케이스가 되었다.

사랑니의 원심면에 치아가 삭제된 부분은 치조골을 삭제한 것이 아니라 원심 치경부에 홈을 판 것이다. 앞서 파노라마 방사선 파트에서 언급한대로 이렇게 치관부의 염증이 심한 경우는 치관부 염증에 의한 압력으로 치근이 후방 치조골에 유착되는 형태로 붙어버리기 때문에 엘리베이터가 들어갈 틈이 없어서 꺼내기 위해서 삭제한 것이다(**뒷목치기**). 이 부분은 이 장의 뒷부분에서도 다루기 때문에 여기서는 더 이상 언급하지 않겠다.

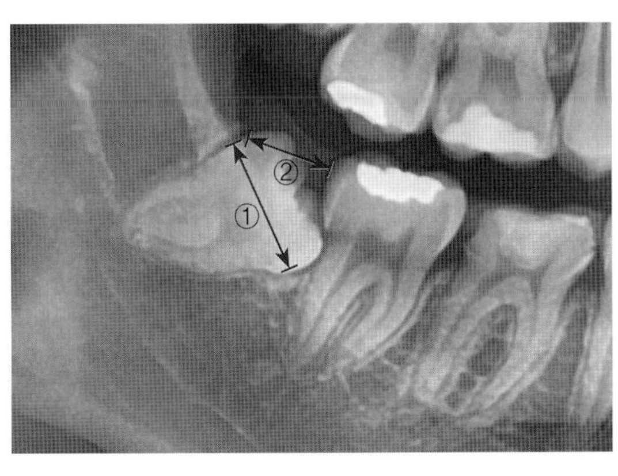

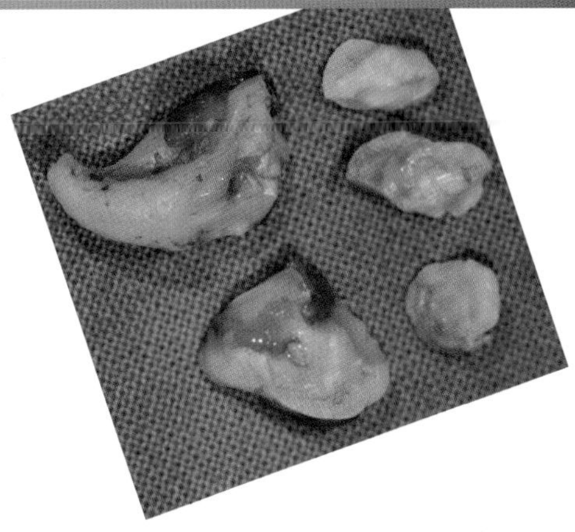

이 케이스에서도 7번 원심면에서 치조골까지의 거리 ②가 치아의 근원심 크기 ①보다 작은 것을 볼 수 있다. 당연히 치조골 삭제를 최소로 생각하는 필자는 **들어치기**를 시행하였다.

04
들어치기 동영상 ★

45도 맹출 빼다가 걸려서 들고 다시 삭제

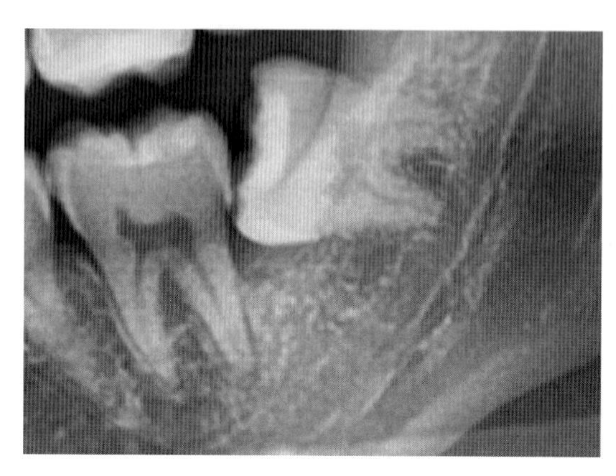

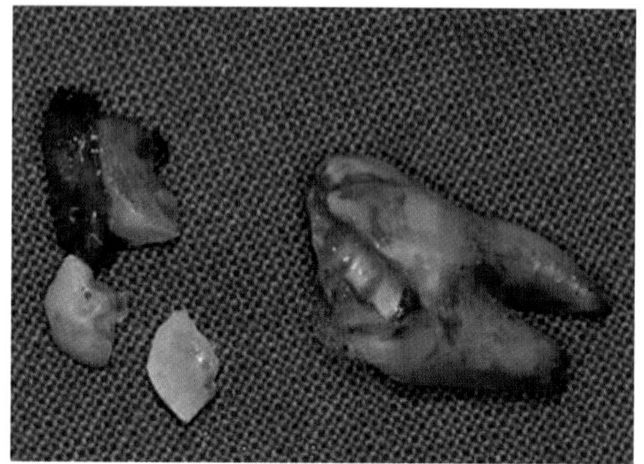

앞서 보았던 서민교 원장과의 비교 동영상이다. 여기서도 치아가 나오다가 걸려서 삭제하는 장면을 볼 수 있다.

사선 절개를 했는데도 나오다가 걸릴 수 있음
(익스플로러 사용, 사선 절개 나오다 걸려서 들고 삭제해서 치근 2분할)

05
들어치기한 치아 여러 각도에서 ★

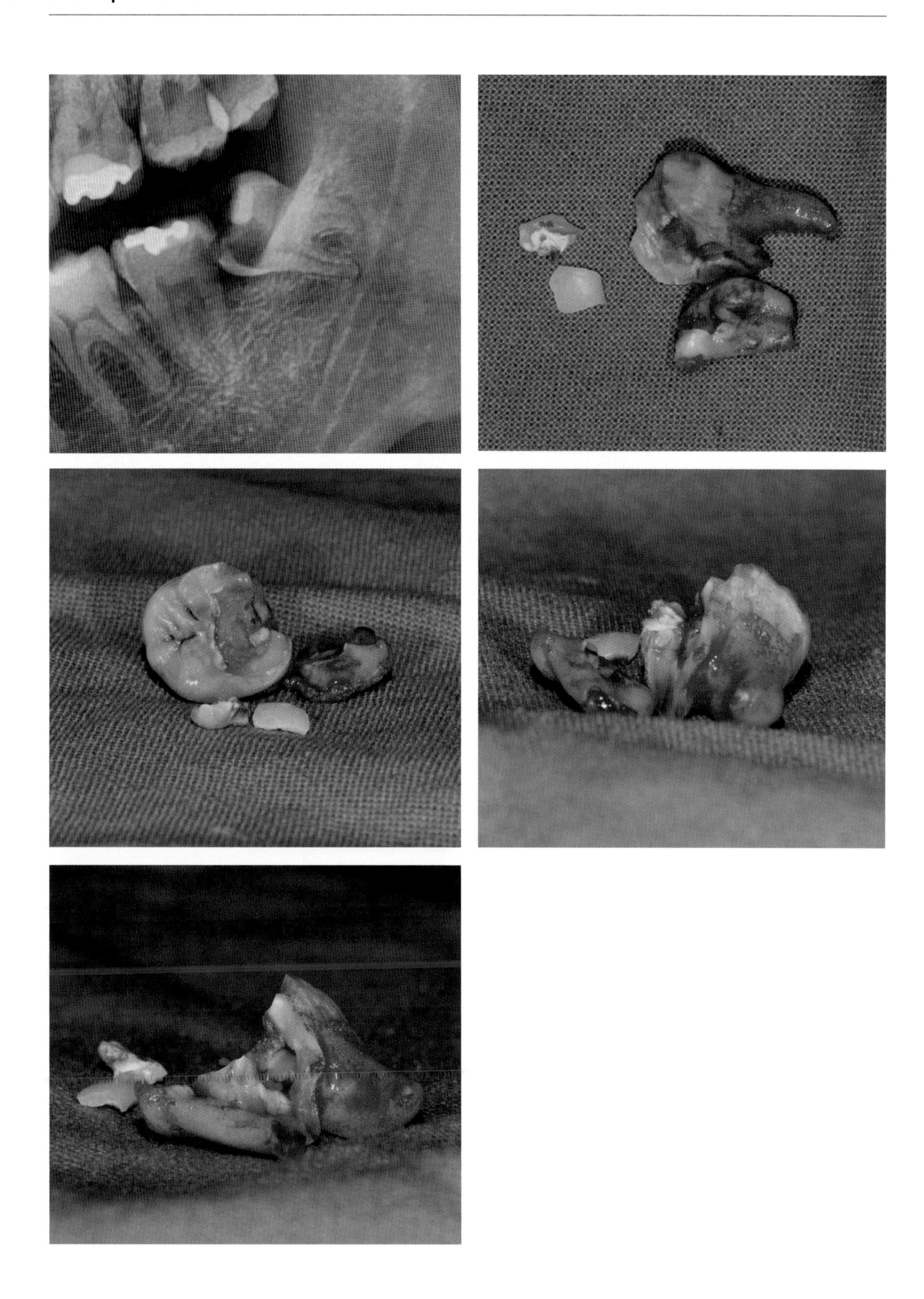

06
들어치기 케이스 1 ★

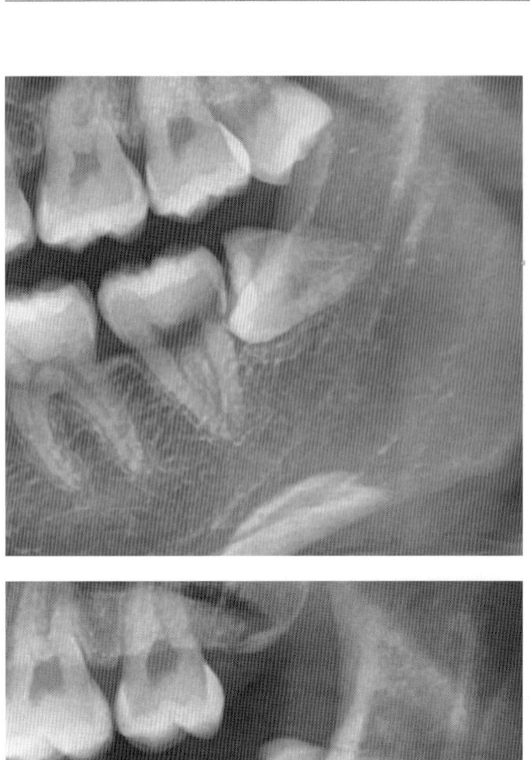

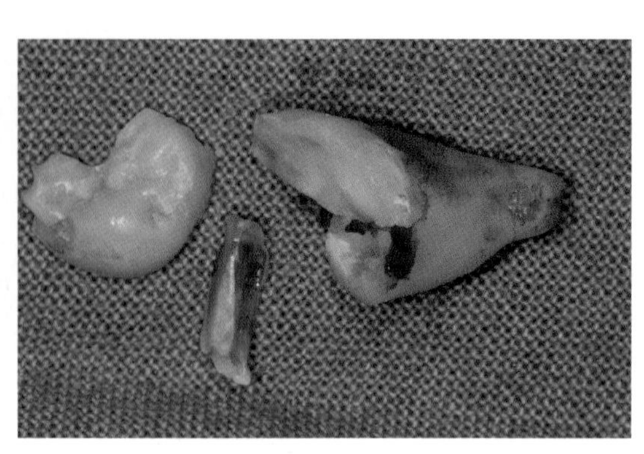

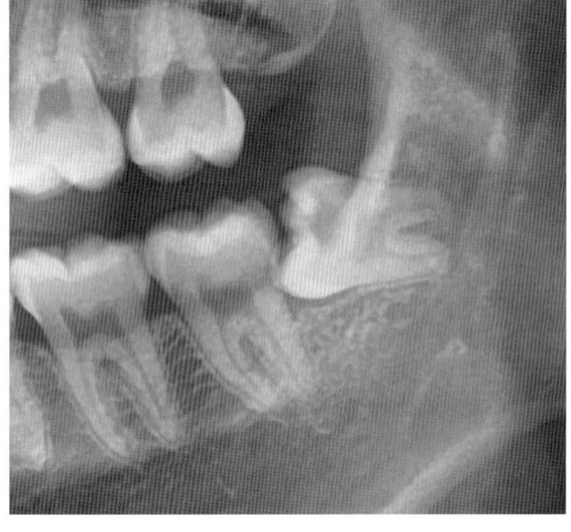

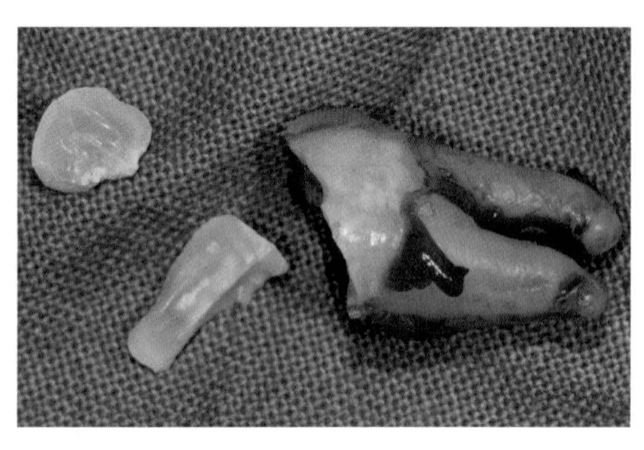

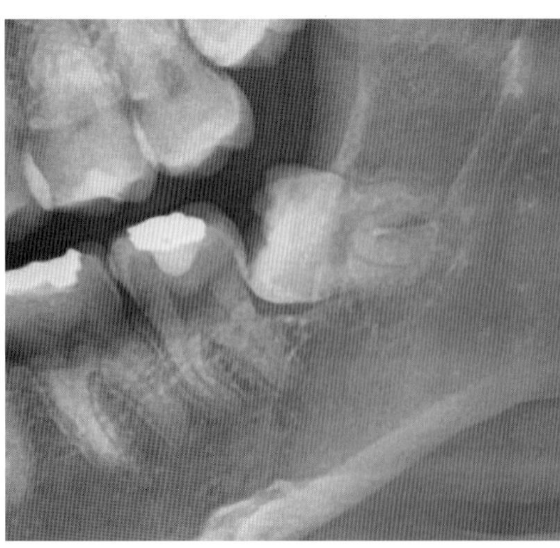

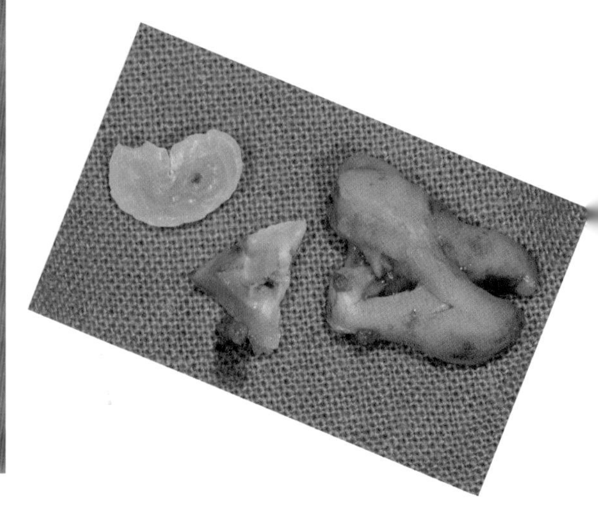

들어치기 케이스 2 ★★

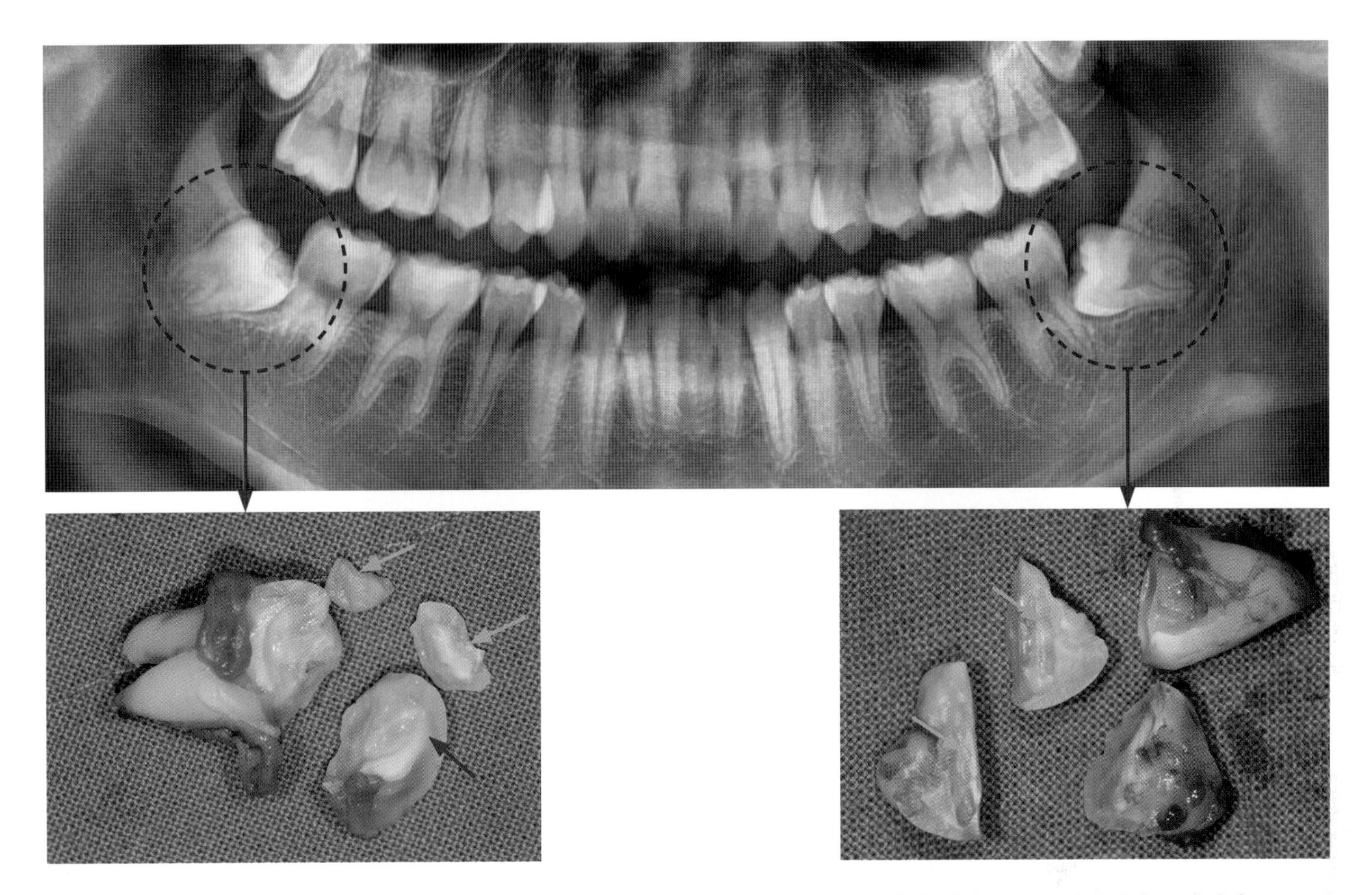

노란 화살표는 **앞머리치기** 후 세로 나누기한 조각이고, 빨간 화살표는 **들어치기**한 조각이다.

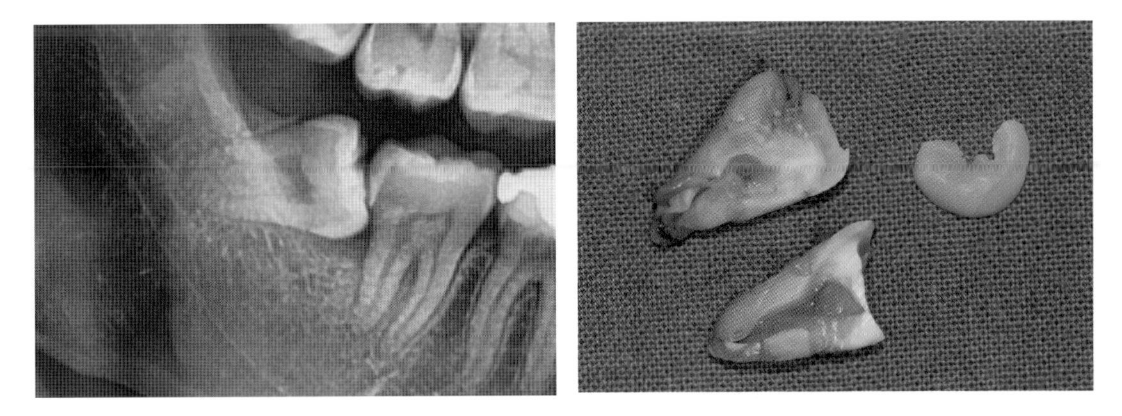

들어치기 과정에서 치근이 거의 반으로 잘린 경우로서 다근치에서는 흔하게 발생할 수 있다. 굳이 치근을 나누려고 하지는 않지만, 두 치근 사이가 가장 약하기 때문일 것이다. 치근 분지부가 치관에 가까운 경우는 그 부분이 가장 약하기 때문에 처음부터 그 곳이 파절될 걸 예상해서 그 곳을 삭제하는데 그런 경우 자연스럽게 뿌리 나누기가 된다.

들어서 뿌리나누기 ★★

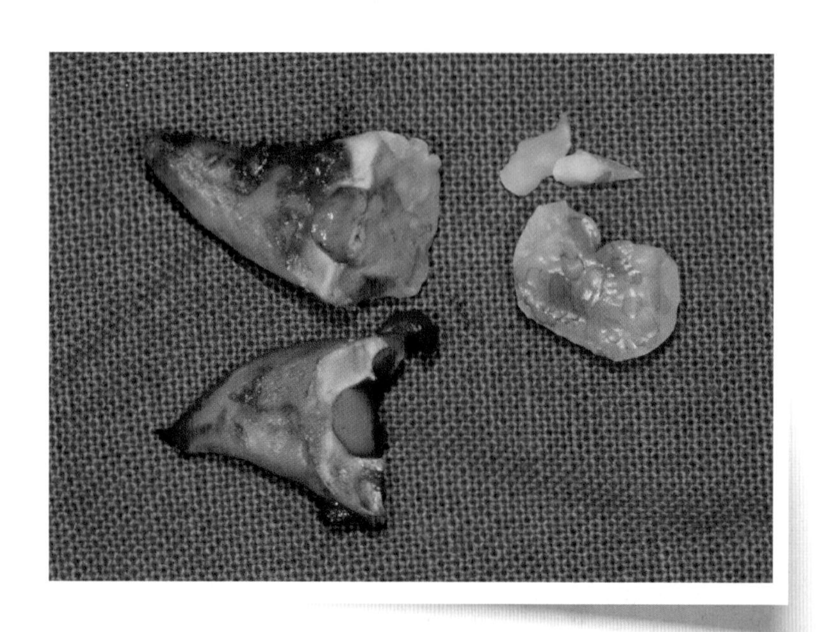

사랑니가 발치되는 과정에서 발치와의 입구가 작은 경우 7번 원심에 걸려서 못 나오게 된다. 이런 경우에 **들어치기**를 하는데, 다근치이고 치근이개부가 높은 경우는 치아 삭제 후 치근을 파절시킬 때 대부분 두 치근 사이가 파절되는데, 이런 경우의 발치는 매우 쉬워진다. 이런 과정을 반복하다 보면, 자연스럽게 **들어치기**가 **뿌리나누기**로 진화하게 된다.

치관 2분할 발치와 다른 점은 이미 사랑니는 치조골에서 나온 상태로 탈구 발치와 내부에서 움직이고 있는 상태라는 것이다. 물론 발치를 거듭하다 보면 두 가지 또한 비슷하게 진행하기도 하지만, 초보자일수록 명확한 목적을 가지고 치아 삭제를 해야 하므로 이름을 따로 분류해보았다.

01
들어치기에서 자연스럽게 뿌리나누기로 ★

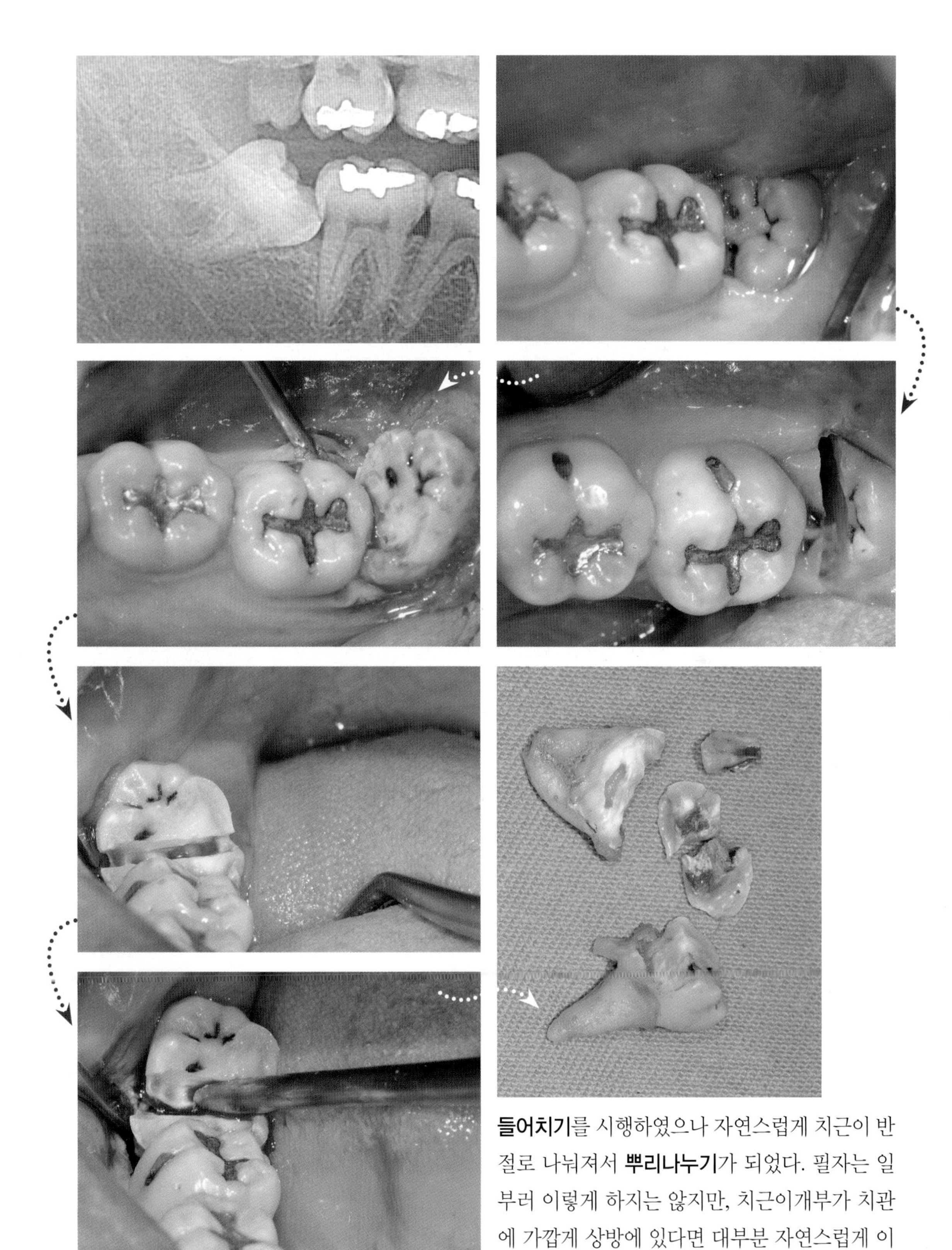

들어치기를 시행하였으나 자연스럽게 치근이 반절로 나눠져서 **뿌리나누기**가 되었다. 필자는 일부러 이렇게 하지는 않지만, 치근이개부가 치관에 가깝게 상방에 있다면 대부분 자연스럽게 이렇게 파절된다.

02
들어서 뿌리나누기 케이스 1★

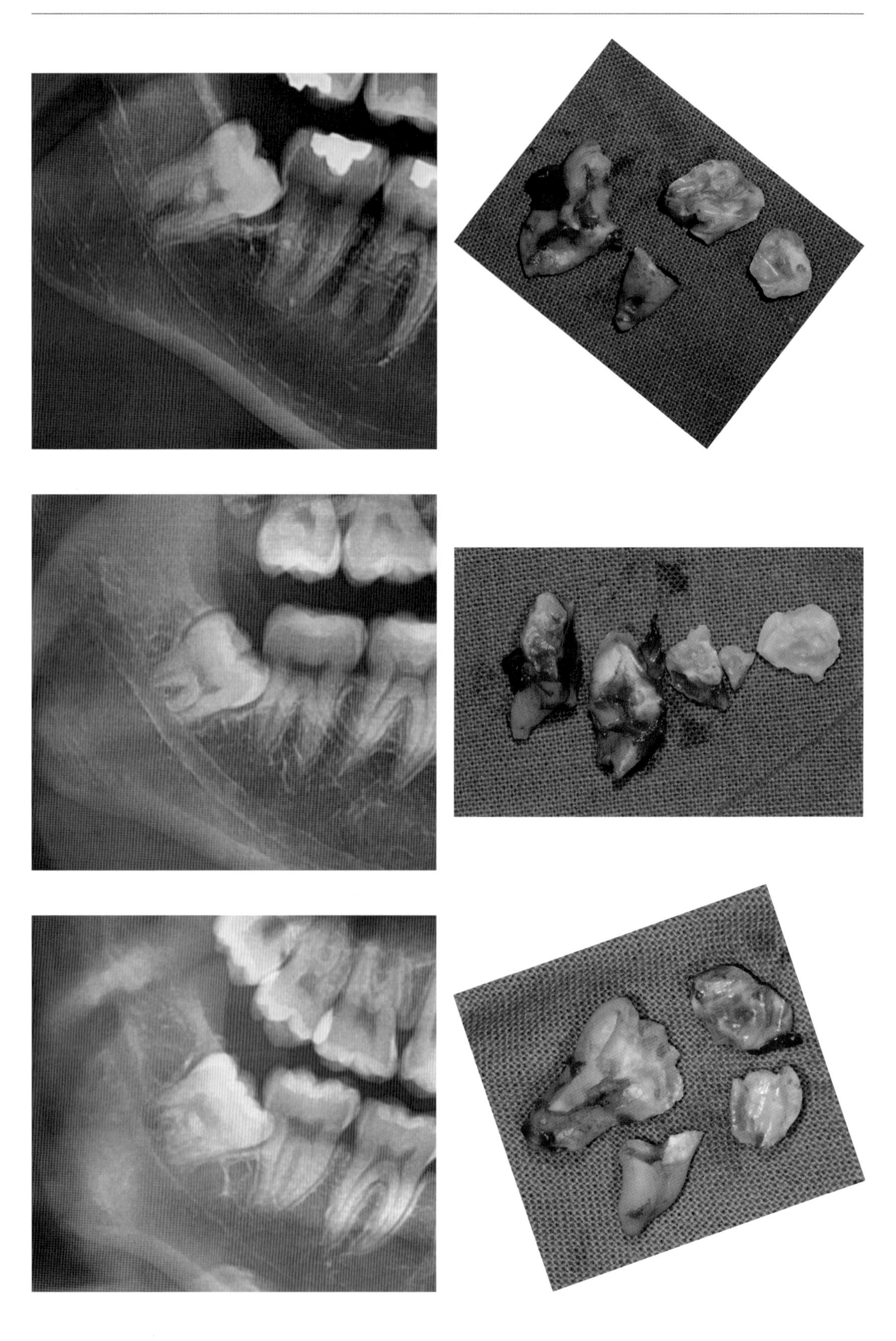

들어서 뿌리나누기 케이스 2★

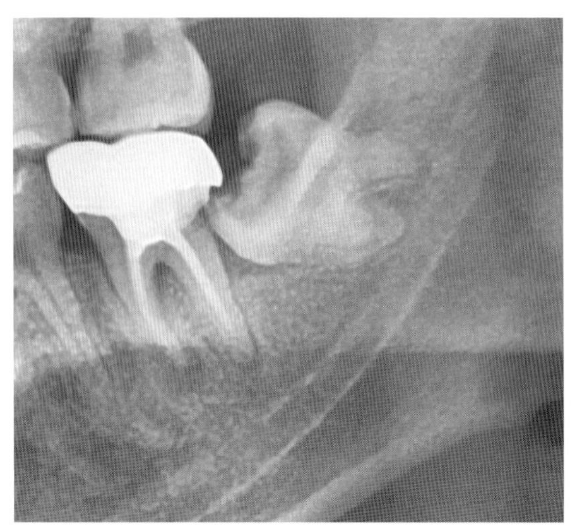

들어서 뿌리나누기 케이스가 아닌 것처럼 보이지만 치근이 세 개여서 그 중 하나를 나눈 것이다.

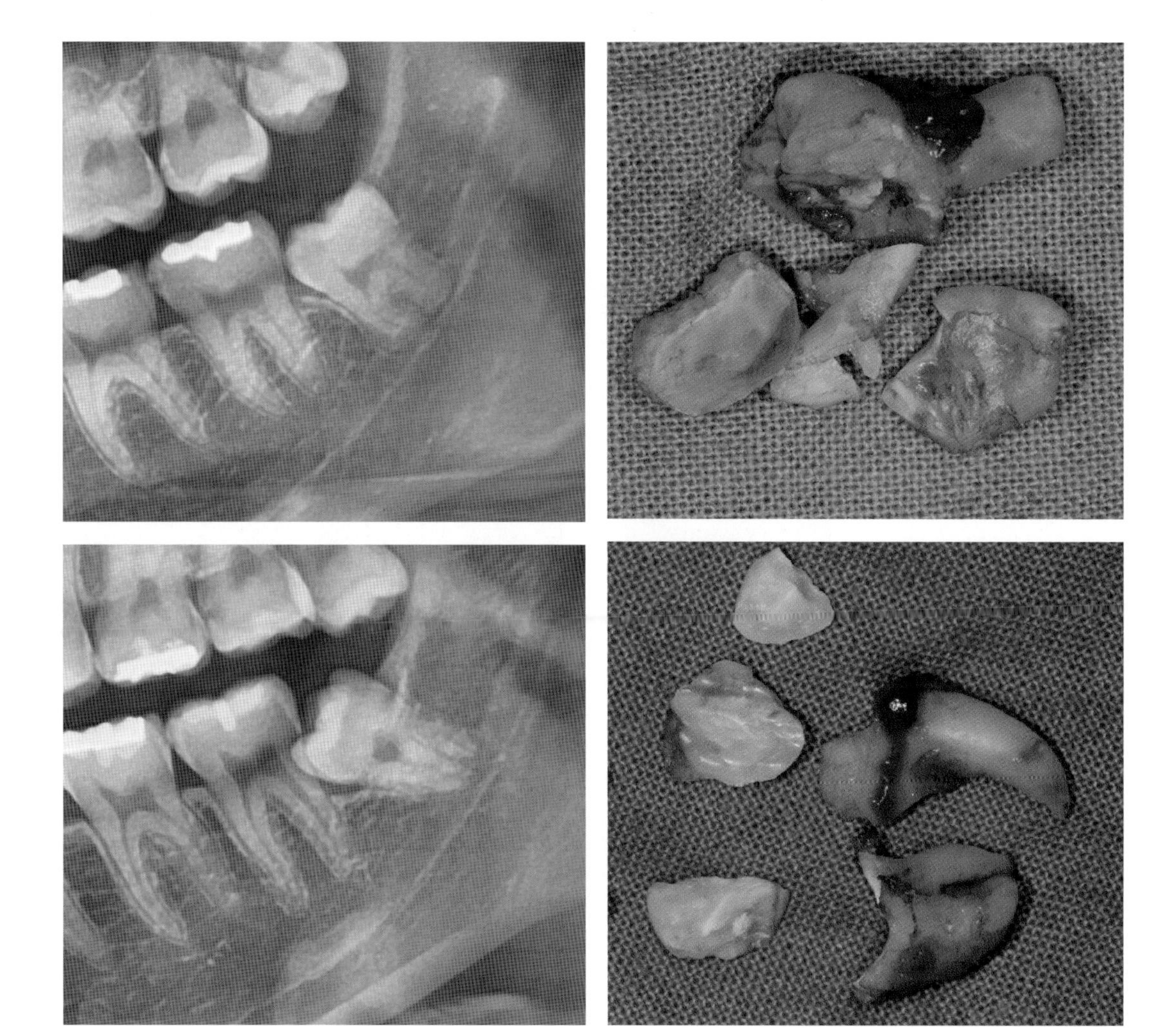

들어서 뿌리나누기 케이스 3 ★

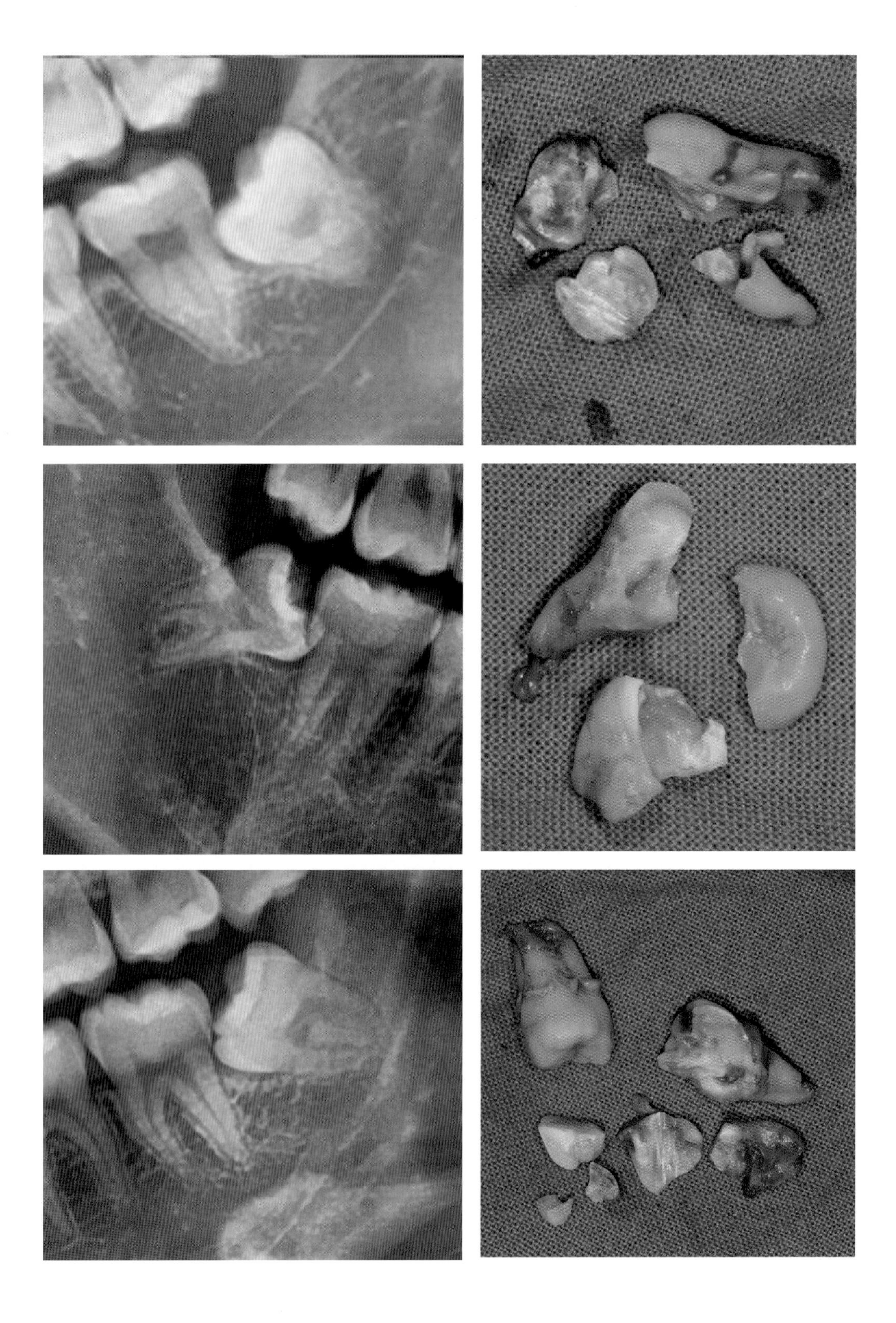

03
치근이 확실하게 갈라져 있으면★★

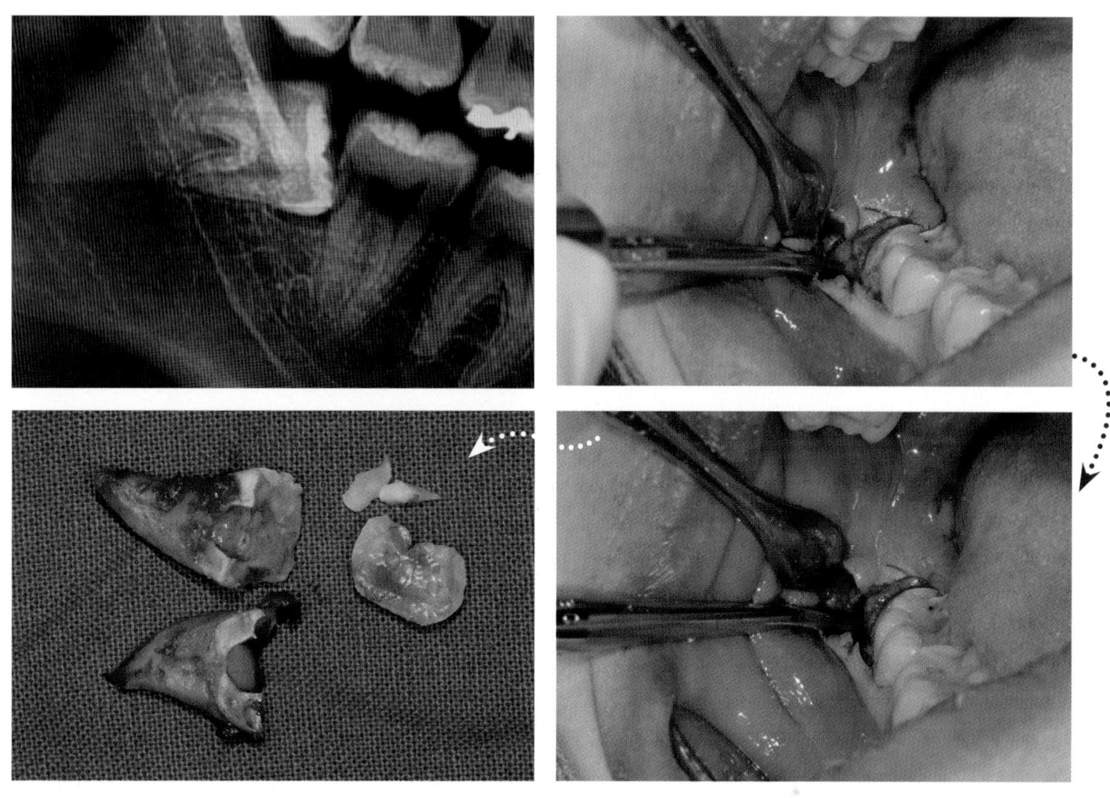

사랑니가 나오다가 7번에 걸린 경우에 치근이개부가 상방에 있고 확실히 치근이 갈라져 있으면, 엘리베이터를 두 치근 사이에 집어 넣고 파절시켜서 두 치근을 제거한다. 필자가 자주 쓰는 방법이다. 치근이 예쁘게 반으로 나뉘지 않고 한 오른쪽과 같이 치근이 파절되더라도 발치는 쉬워지는 경우가 많다. 필자는 증류수가 나오는 하이스피드 핸드피스만 사용하기 때문에 사랑니가 이미 탈구된 뒤에는 되도록이면 하이스피드를 사용하지 않으려고 한다. 아무래도 치조골 내부가 증류수와 치아 조각으로 채워지는 것을 막기 위함이다. 그러나 발치 시간을 짧게 하는 것이 가장 좋기 때문에 탈구된 뒤에도 하이스피드를 사용하지만 안 할 수만 있다면 안 하는게 가장 좋기 때문이다.

직원들이 이런 케이스들을 보면 원장님은 뚝딱뚝딱 몇 번하면 치아가 살아서 나온다는 표현을 자주한다.

04 엘리베이터로 치근 나누기 ★

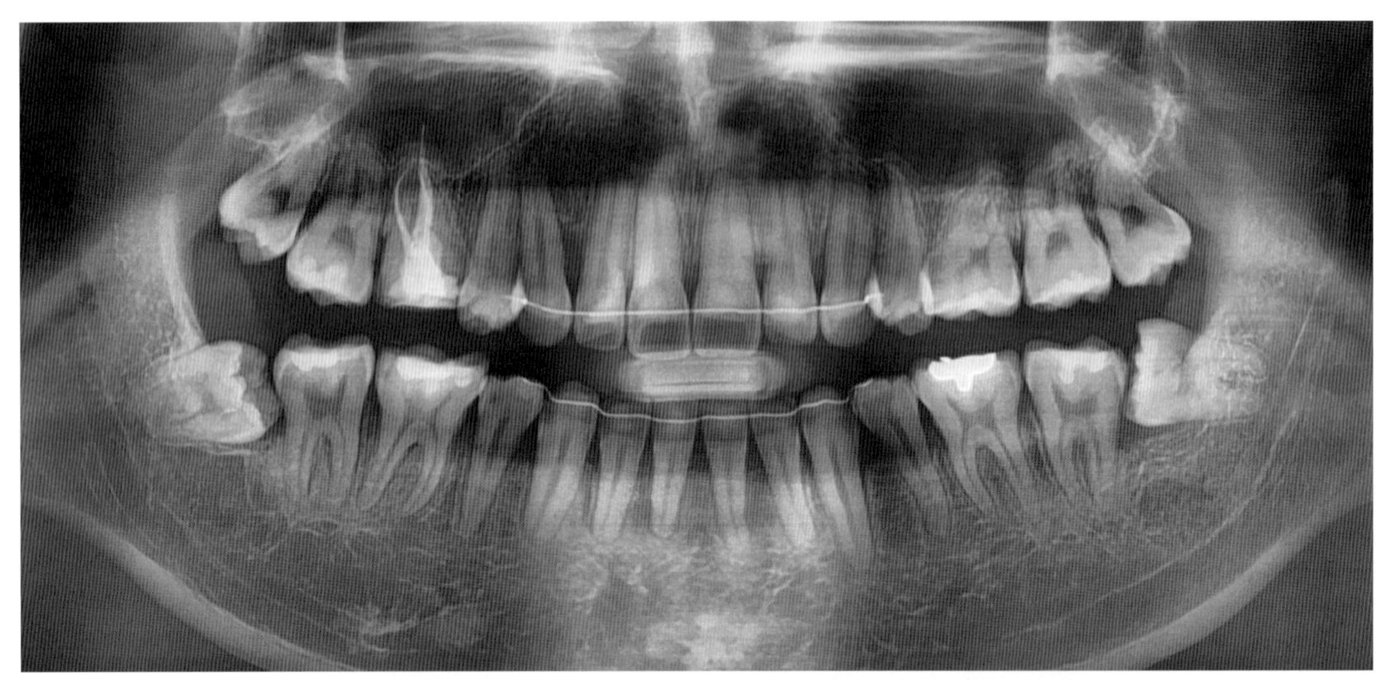

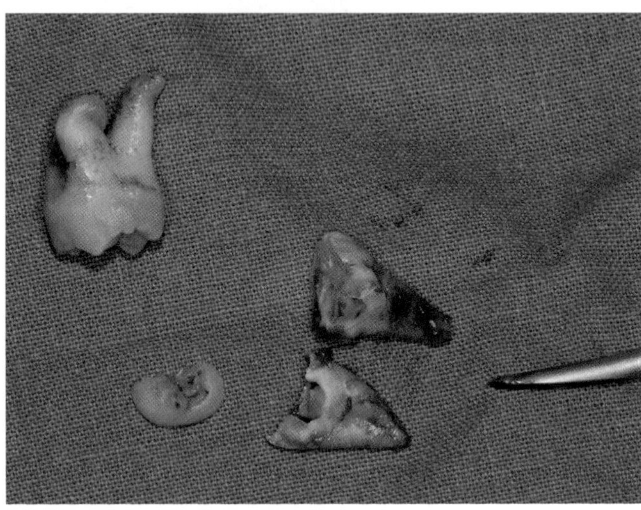

양쪽 사랑니를 같은 방식으로 발치하였다. 필자가 발치한 사랑니 주변에 기구를 놓고 사진 찍는 습관이 있다는 말은 이미 언급하였다. 아마 이 사진에서도 유추할 수 있을 것이다. #48 사랑니의 치근 사이를 보면 전혀 삭제된 흔적이 없다. 이 정도 치근이면 필자는 엘리베이터를 두 치근 사이에 집어넣어서 파절시켜 발치한다. 가능한 경우라면 머뭇거리지 않고 바로 시행한다. 근심 치관부가 제거된 뒤에 남은 사랑니를 EL3C 엘리베이터로 탈구시킨 뒤에 나오다가 걸리면 바로 잡고 있던 엘리베이터로 두 치근 사이에 집어넣어서 파절시킨다. 보통 몇 초 안에 기계적으로 발치가 되기 때문에 임상사진이 별로 없다. 다만 두 치근 사이에 엘리베이터가 잘 들어가지 않으면 바로 **뒷목치기**나 **들어치기**를 시행한다.

사선치기

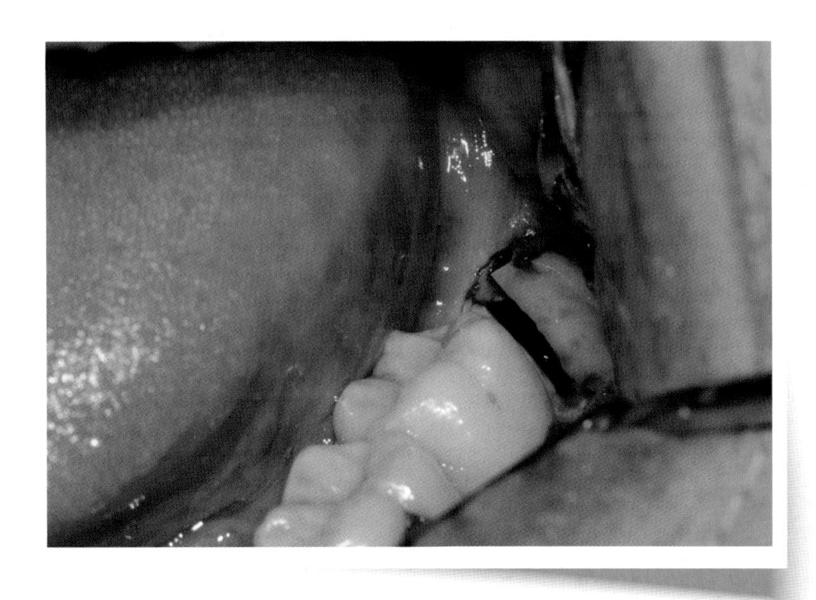

근심 치관부를 삭제한 뒤에 위와 같이 사선으로 한 번 더 잘라서 치아조각을 제거하는 방법이다. 예전에는 필자가 사선절개라는 표현을 썼는데, 절개는 메스로 하는 것같은 느낌을 받기 때문에 2017년부터는 **사선치기**라는 말로 변경하였다.

필자가 가장 즐겨쓰는 방법으로 이 방법을 잘 익혀두면 발치가 매우 쉽고 안전해진다. 필자도 발치에 흐름이 있어서 이 방법을 종종 안 쓰다가도, 뭔가 막힐 때는 다시 기본으로 돌아와서 모든 발치에 다 사용하기도 한다.

골 삭제를 최소한으로 하고 치아 삭제를 통해서 발치를 쉽게 하려는 기본적인 마인드에도 상통하는 방법이다. 필자가 가장 추천하는 방법으로 필자와 발치 세미나를 함께 참여한 사람들은 이 방법을 사용하는 것을 많이 보았다. 왜 이 방법이 좋은지 하나하나 살펴보기로 하자.

01
사선치기란? ★★★

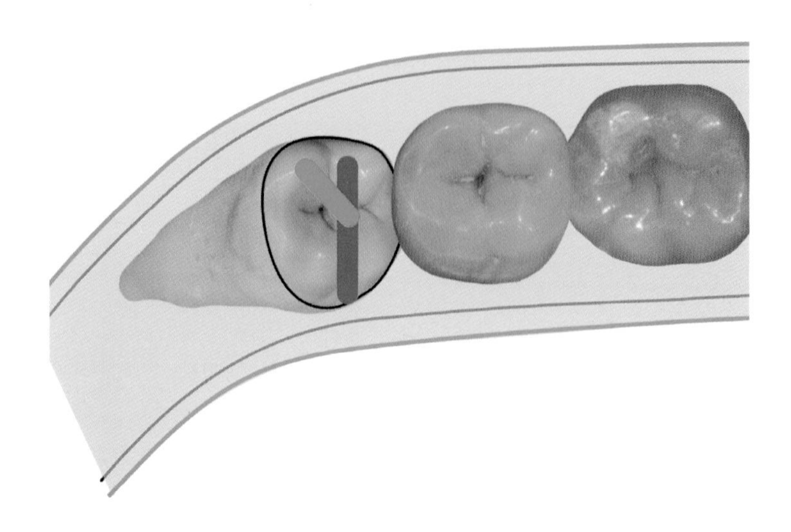

근심 치관부를 삭제한 뒤에 위와 같이 사선으로 한 번 더 잘라서 치아 조각을 제거하는 방법이다. 수직 매복 사랑니에서 **혀쪽치기**(뒤에 나옴)와 같은 개념이라고 생각해도 좋다. 다만, 교합면에서 봤을 때도 사선이긴 하지만, coronal 면에서 봐도 사선이기 때문에 **사선치기**라고 하였다.

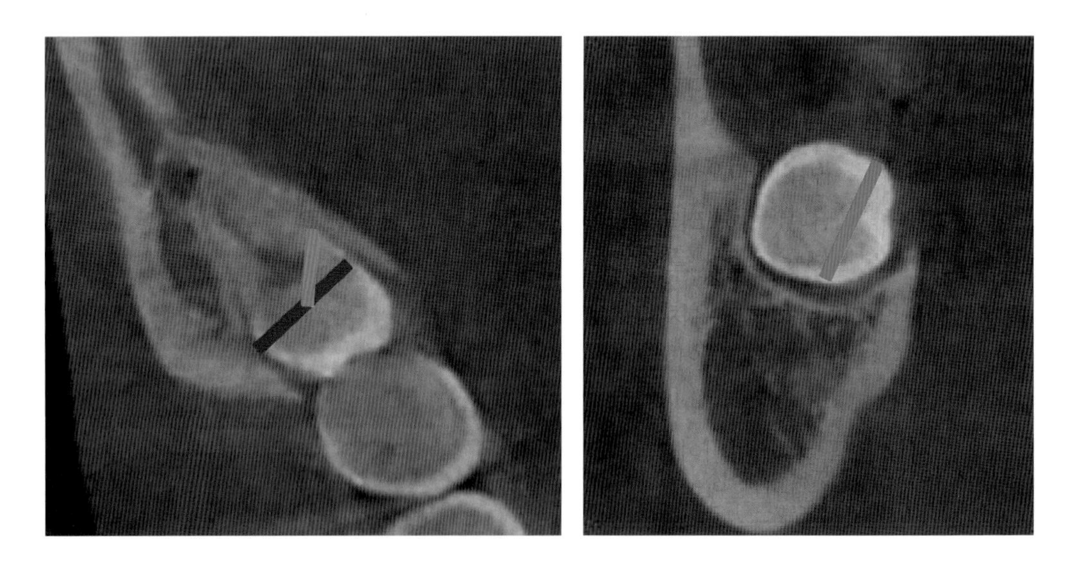

CT 이미지를 통해서 cross section과 coronal 면을 본 것이다. 이런 이미지로 보면 **사선치기**를 왜 **사선치기**라고 하였는지 더 잘 느껴질 것이다. **사선치기**는 삭제 후 파절시키는 것이 원칙이므로 초보자들에게는 주로 4번 버를 주로 사용하도록 한다(필자는 버 바꾸기 귀찮으면 그냥 쓰던 6번으로).

02
사선치기 방법★★

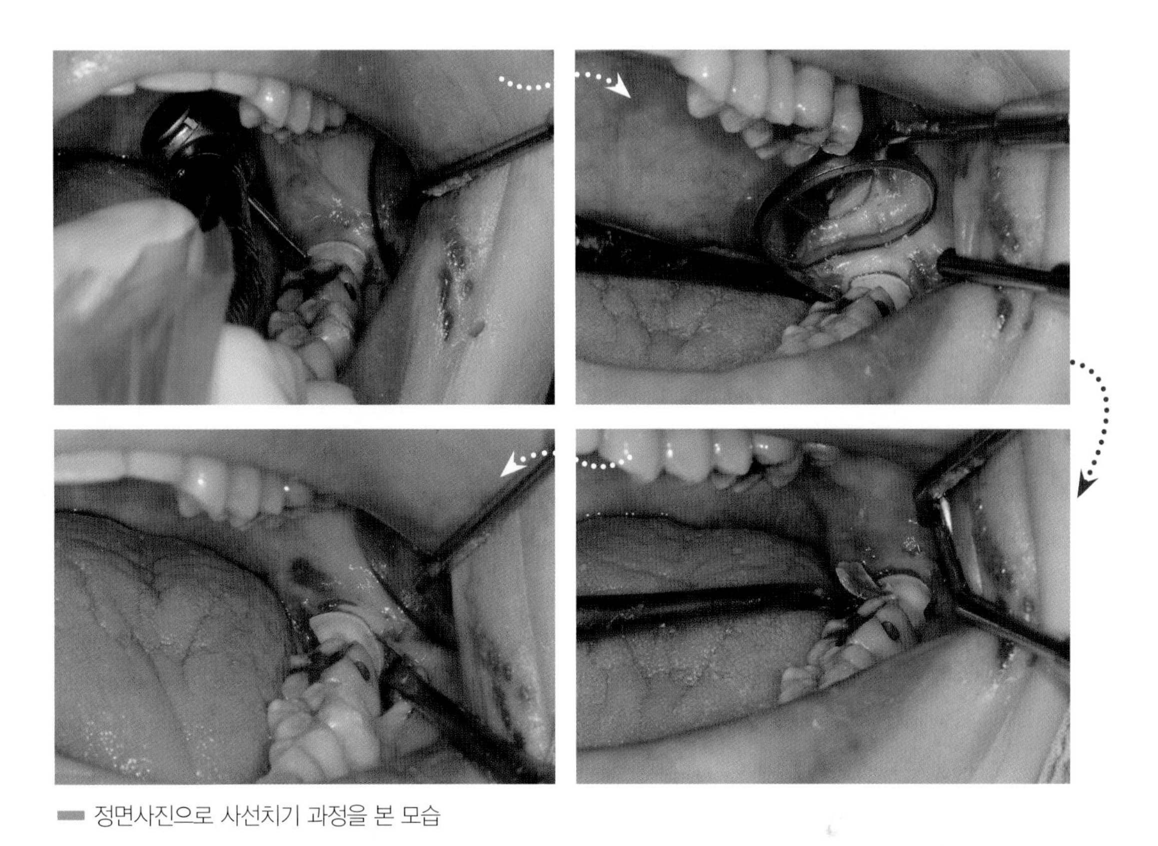

정면사진으로 사선치기 과정을 본 모습

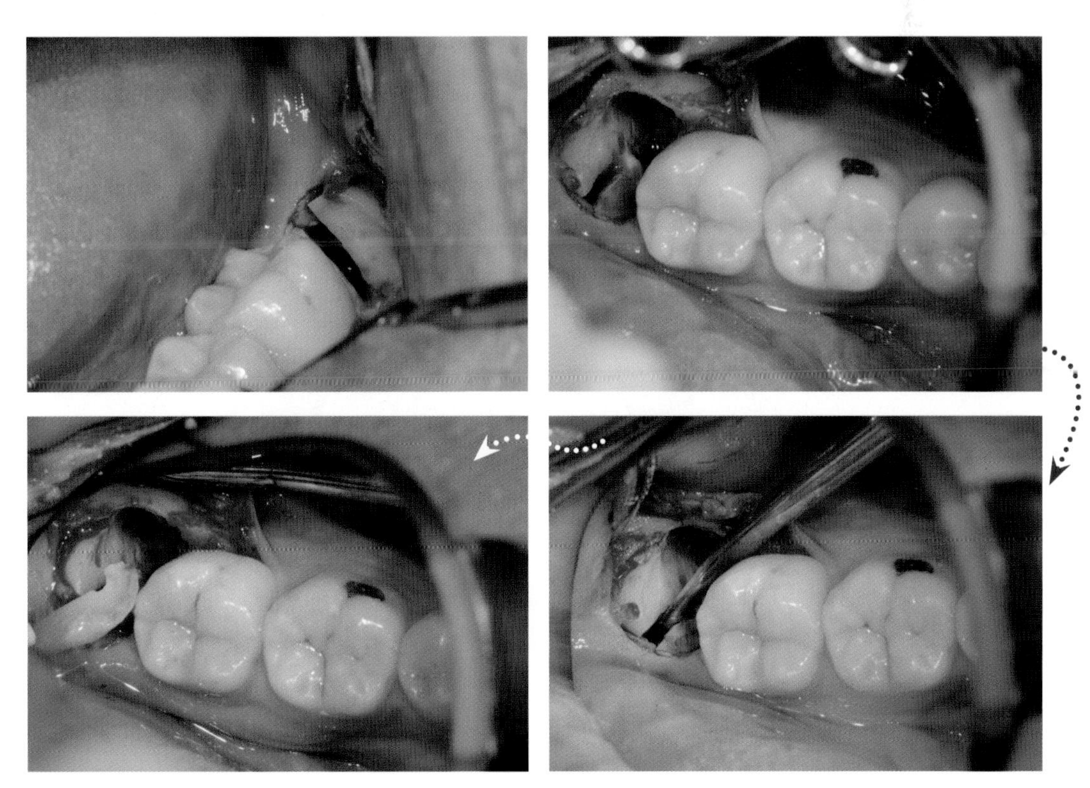

또 다른 케이스에서의 사진으로 교합면에서 보면 쉽게 이해가 갈 듯하다.

03
사선치기의 장점 ★★★

사선치기에는 많은 장점이 있다.

1) 발치가 쉬워진다.
2) 설측 피질골 파절을 줄일 수 있다.
3) 늘 말썽인 근심 설측 치관부 제거가 쉽다.
4) 미리 들어치기하는 효과가 있다.

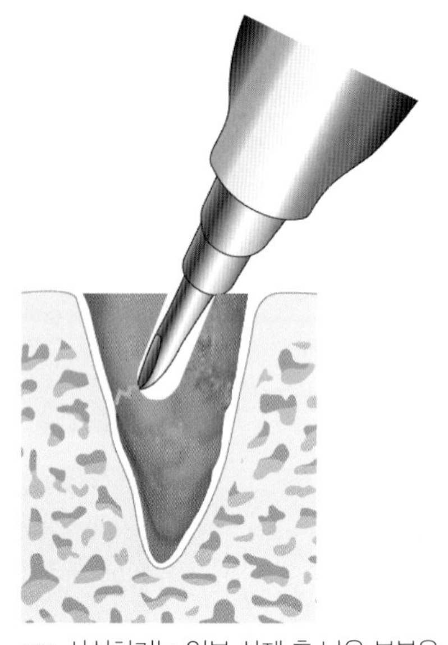

사선치기는 일부 삭제 후 남은 부분은 파절시켜서 시행한다.

사선치기의 장점 첫 번째

1) 발치가 쉬워진다.

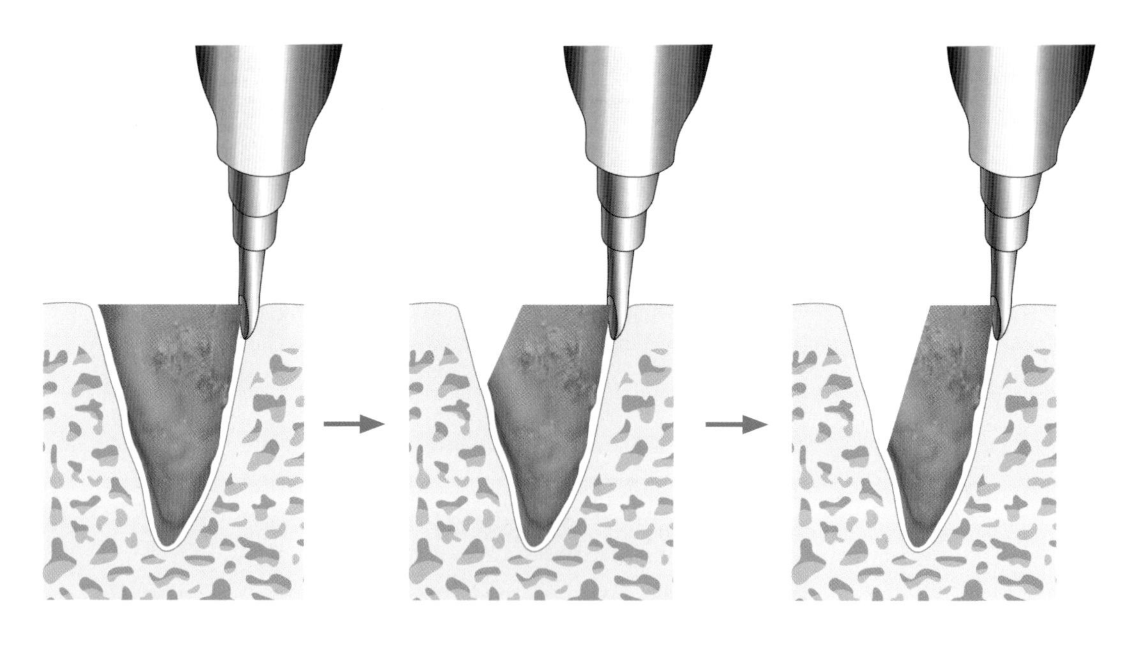

그 첫 번째로 발치가 쉬워진다. 위의 그림을 보자. 오른쪽으로 갈수록 발치가 쉬워질 거라는 생각은 누구나 할 것이다. 일반적으로 필자는 원심 협측에 엘리베이터를 대는 것을 원칙으로 한다. 그런데 이렇게 근심 설측 치관부를 먼저 제거하고 그 반대편인 원심 협측에 엘리베이터를 적용하면 발치가 훨씬 쉬워지게 되는 것이다.

■ 사선치기의 장점 두 번째

2) 설측 피질골 파절을 줄일 수 있다.

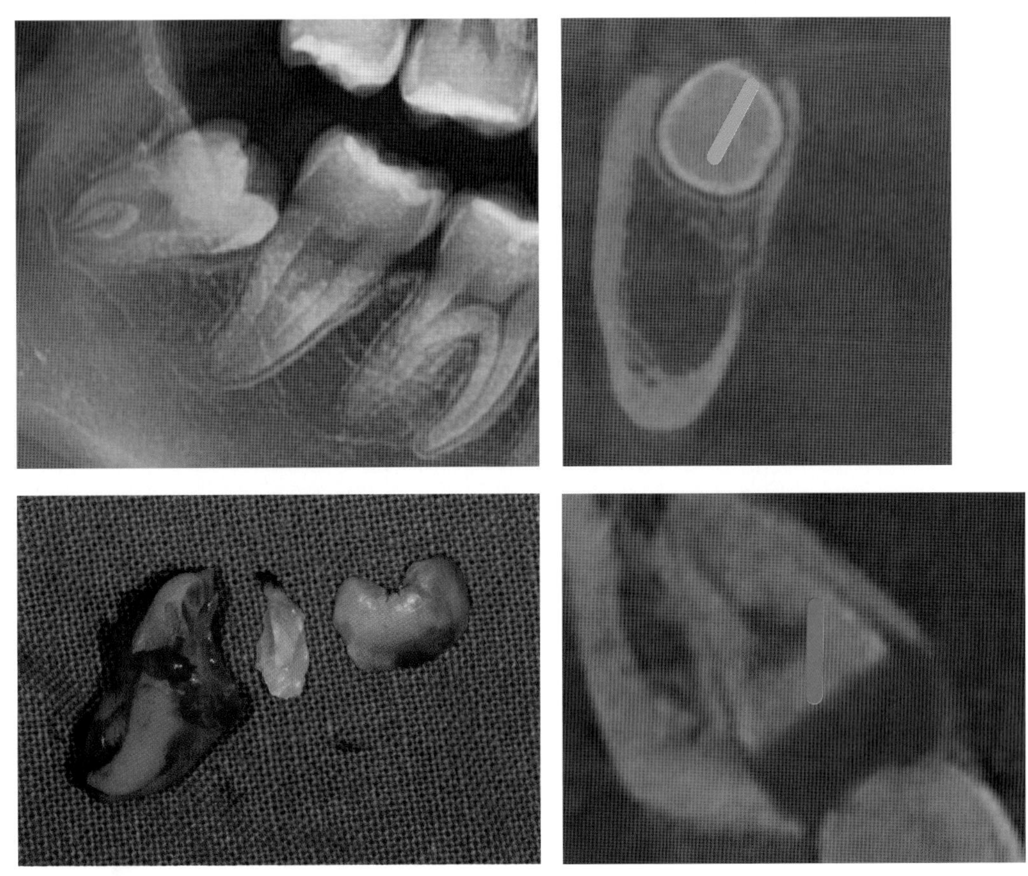

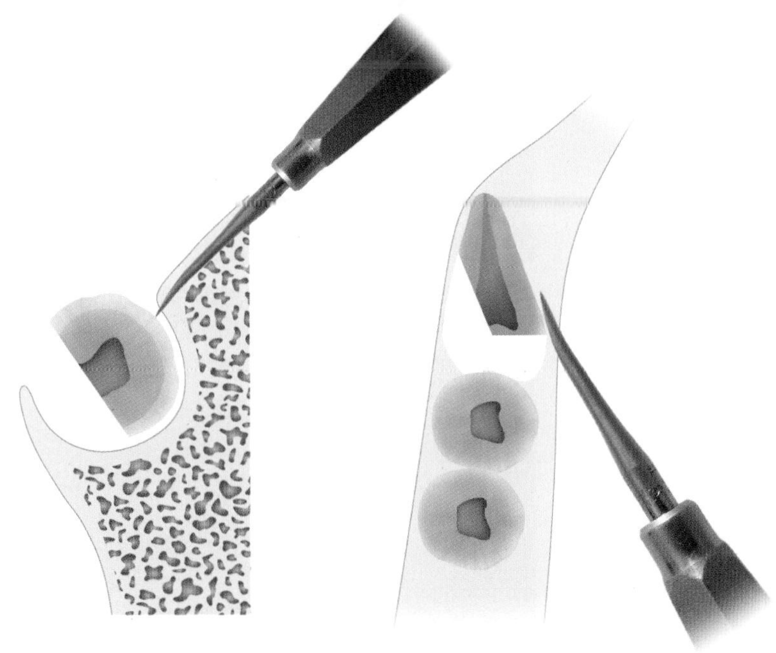

위의 케이스를 보면 사랑니가 깊게 매복되어 있는 것을 볼 수 있다. 이런 경우에 CBCT의 coronal 면을 보면 설측 피질골이 매우 얇은 것을 볼 수 있다. 이런 경우에 **사선치기**를 미리 해두면 설측 피질골이 파절되는 빈도를 매우 줄일 수 있다. 필자가 **사선치기**를 하는 경우와 안 하는 경우의 비교에서 너무나도 확연하게 경험적으로 깨달은 내용이다. 또한 **사선치기**를 해주면 협측에서 약간의 힘만으로도 발치가 되기 때문에 특히나 설측 피질골에 힘이 덜 가게 되어 파절이 적다.

깊게 위치한 사랑니나 설측 경사된 사랑니에서 매우 유리하다.

■ 사선치기의 장점 세번째

3) 늘 말썽인 근심 설측 치관부 제거가 쉽다.

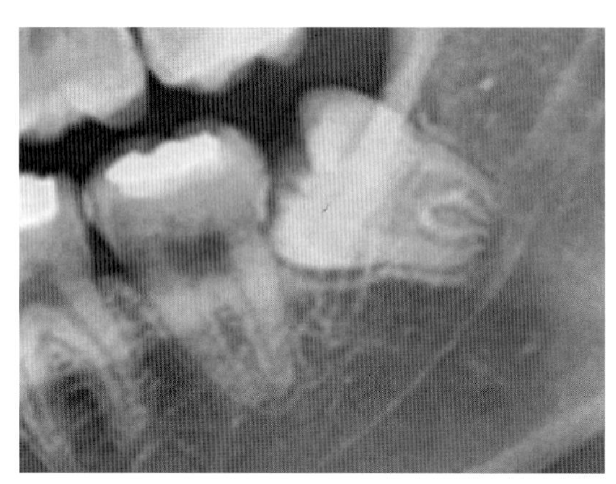

치관의 근심부를 잘라낼 때 대부분 설측은 끝까지 삭제하지 않는 경우가 많다. 그래서 설측에서 종종 7번 원심 부위에 걸리거나 잇몸의 연조직에 걸리기도 한다. **사선치기**를 해주면 이러한 말썽꾸러기 근심 설측 치관부를 확실하게 제거할 수 있어서 좋다. 아래 케이스의 **사선치기**된 단면(화살표)을 보면 근심 설측 치관부가 붙어 있는 것을 볼 수 있다.

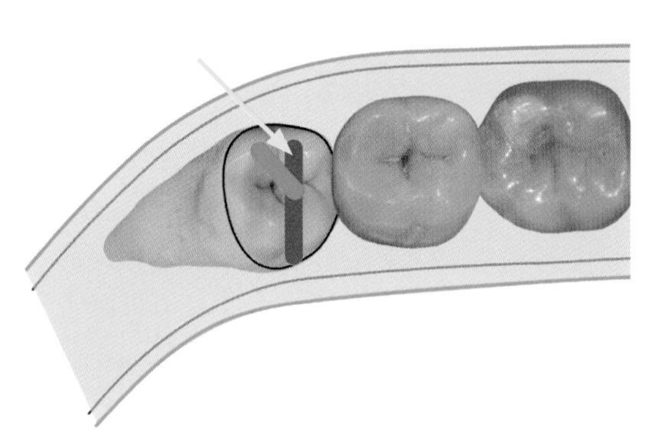

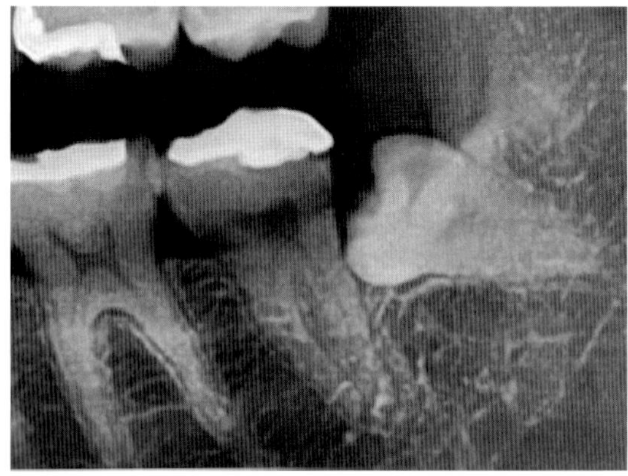

위의 그림을 보면 좀 더 이해가 쉬울 것이다. 대부분 근심 치관부를 삭제해도 위와 같은 경우가 많다. 특히 좀 깊숙하게 매복된 사랑니의 경우 그 정도가 심한 경우가 많다. 그래서 이 **사선치기**는 완전 수평 매복된 사랑니 발치 시에는 거의 모든 경우에 다 시행된다고 봐도 좋다. 노란색 화살표가 같은 부위이다.

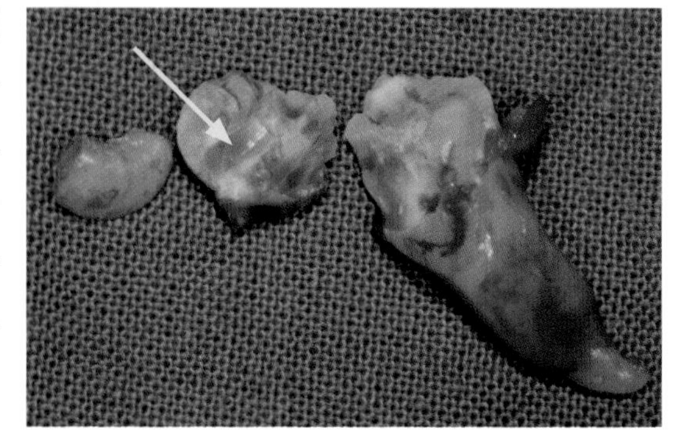

사선치기의 장점 네번째

4) 미리 들어치기하는 효과가 있다.

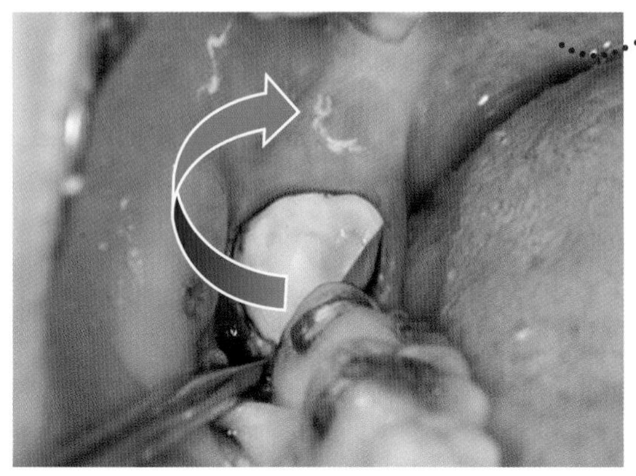

사랑니가 탈구되어 나오다가 7번 원심면에 걸리는 경우가 많다. 이런 경우에 사선치기를 미리 해 놓고 사랑니를 시계 방향으로 회전시킨다.

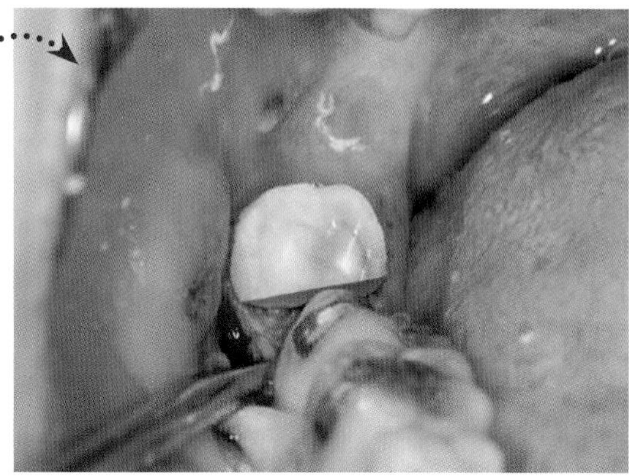

시계 방향으로 (하악 좌측이면 반시계 방향) 회전하면 들어치기한 모양과 같게 된다.

앞서 사랑니가 발치되어 나오다가 7번 원심에 걸려서 들어치기 하는 경우를 언급하였다. **사선치기**를 해두면 나오다가 걸리는 부분이 생기더라도 조금만 화살표 방향으로 회전을 시켜도 7번 원심면에 걸리지 않기 때문에 발치가 쉬워진다. 임상에서 몇 번만 훈련하면 발치가 매우 쉬워지는 것을 깨달을 수 있다.

03
사선치기 동영상 ★★

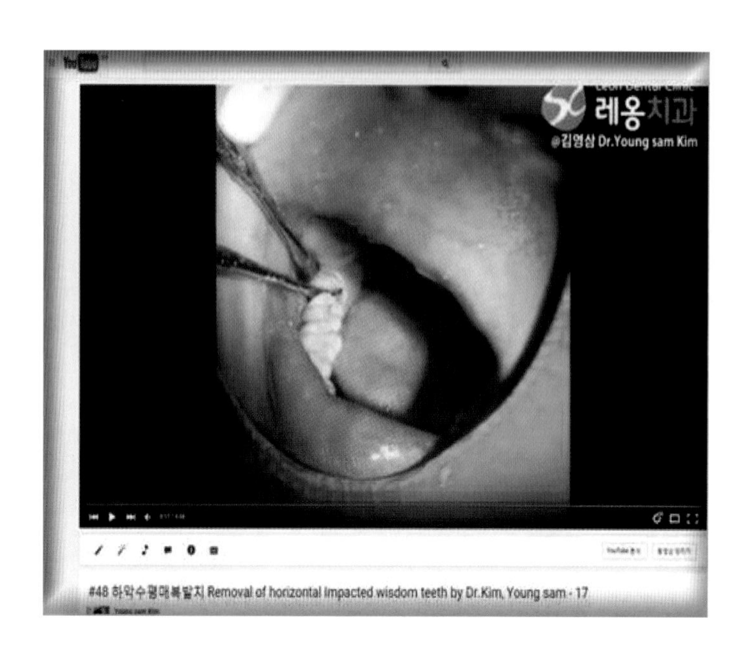

45도 수평 매복 사선치기

수평 매복치 영상 좋지 못함 – 사선치기

80도 수평 매복치 치아 삭제 후 포셉으로 발치

04
사선치기한 사랑니의 협면과 설면의 비교 ★★

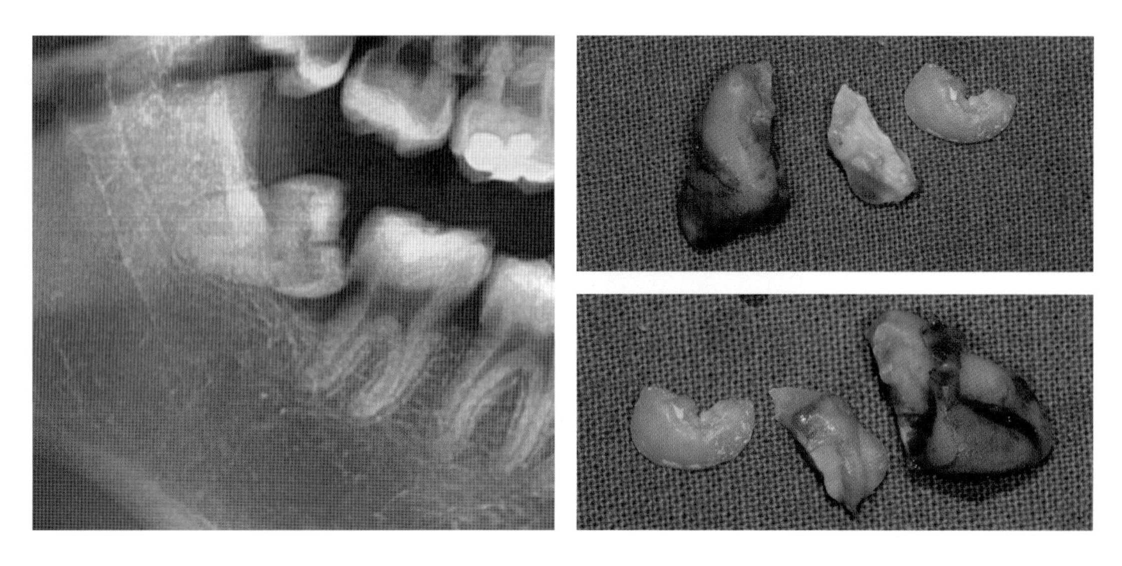

사선치기하여 발치한 사랑니이다. 협면을 봐서 잘 이해가 안 간다면 아래의 설면으로 돌려서 찍은 사진을 보면 설측 하방으로 잘린 면을 볼 수 있다. 들어치기와 각도만 다를 뿐 방식이 비슷하기 때문에 잘린 면은 **들어치기**한 밑면과 비슷한 모양이다.

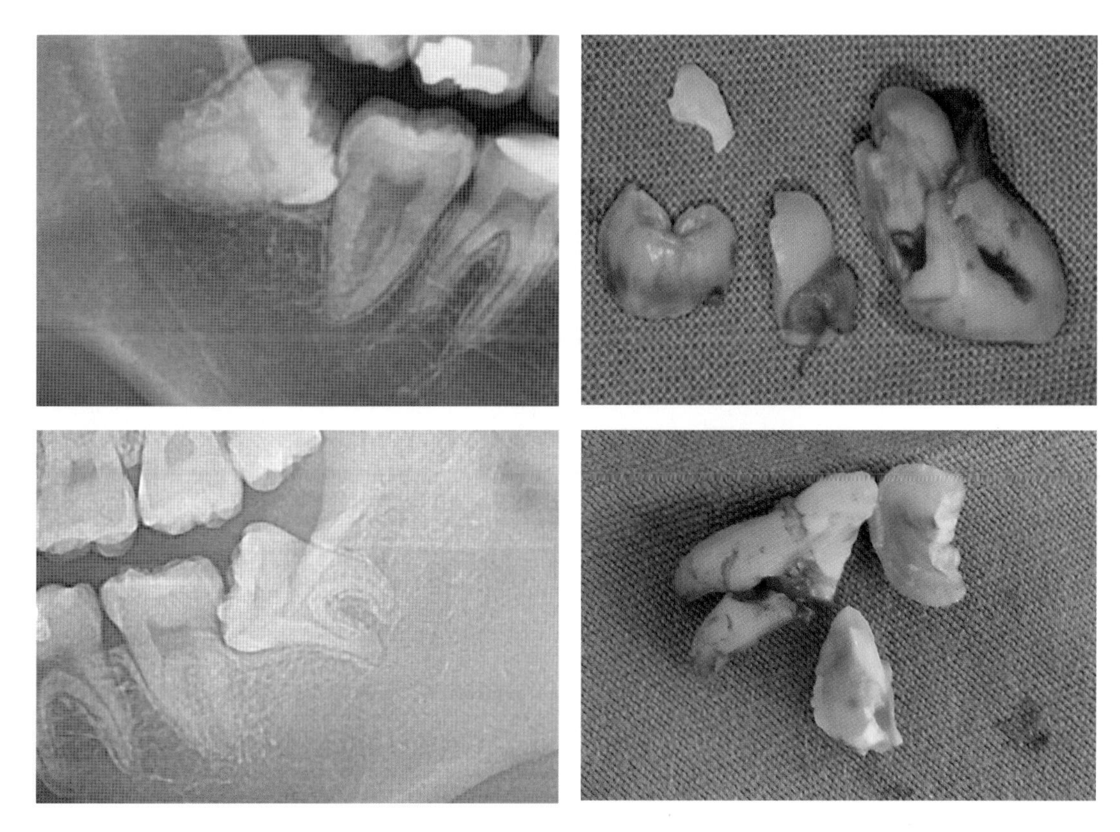

사선치기하여 발치한 사랑니의 설면에서 놓고 본 모양이다. 잘려나간 조각과 잘린 면을 볼 수 있다.

05
사선치기로 잘린 단면 다른 각도에서 보기 ★★

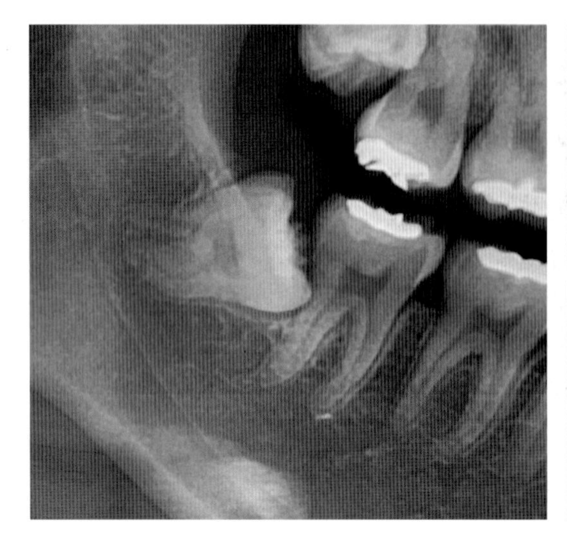

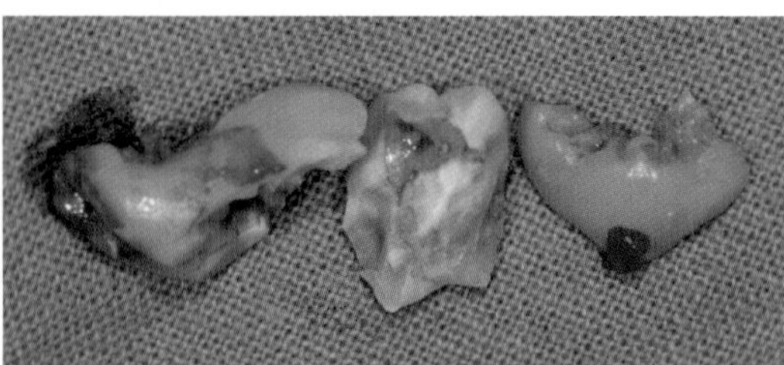

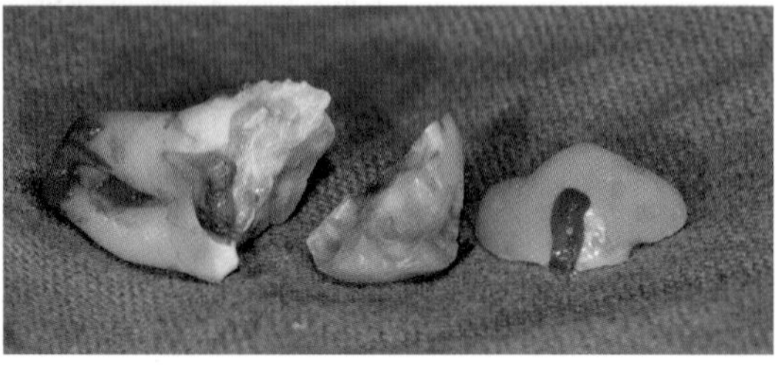

사선치기하여 발치한 사랑니를 밑면에서 관찰해보면 잘린 두 면을 볼 수 있다.

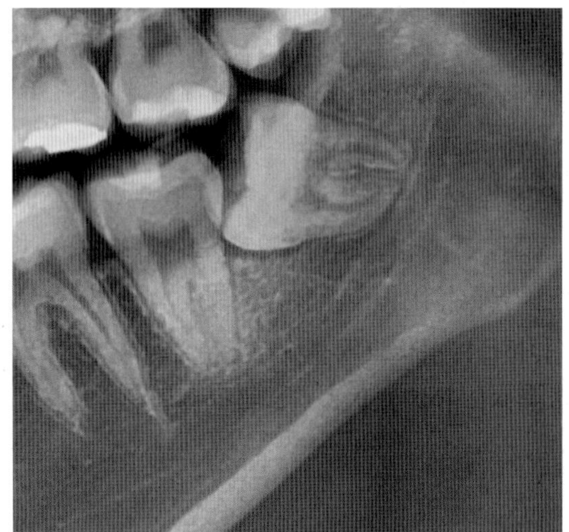

이 케이스에서도 **사선치기**를 통해서 형성된 두 면을 명확하게 볼 수 있다.

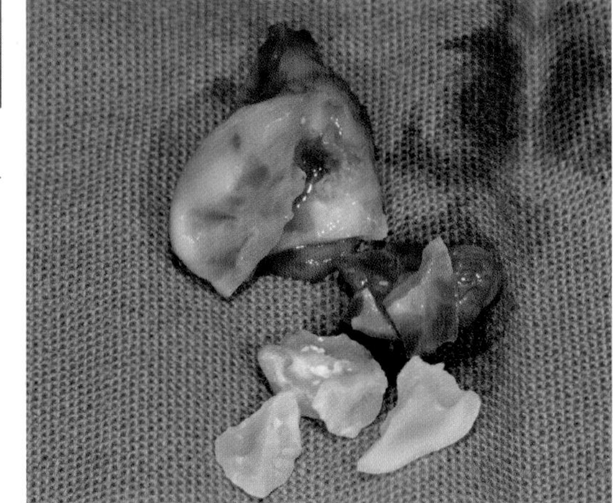

06
사선치기 케이스 1 ★

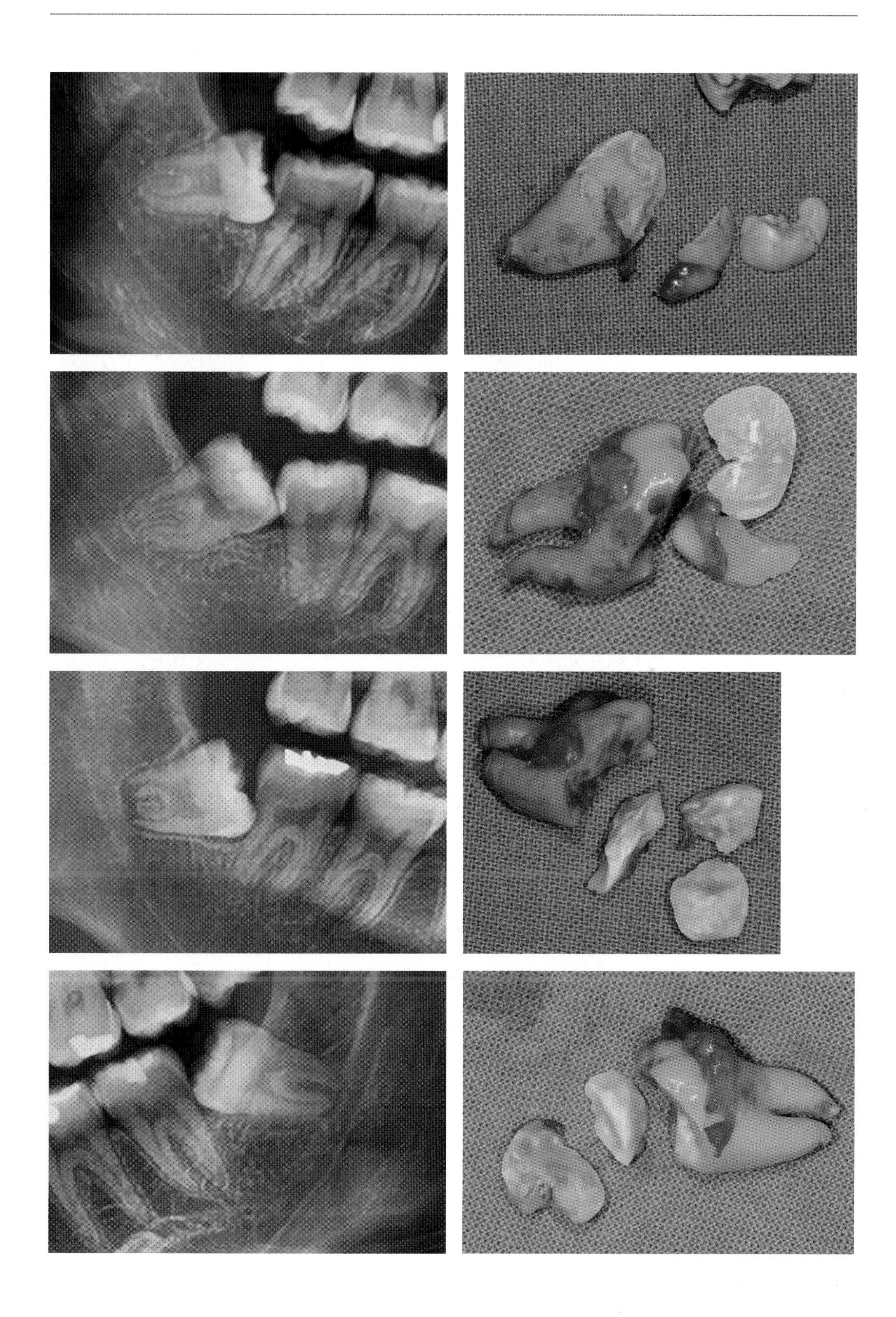

사선치기 케이스 2★

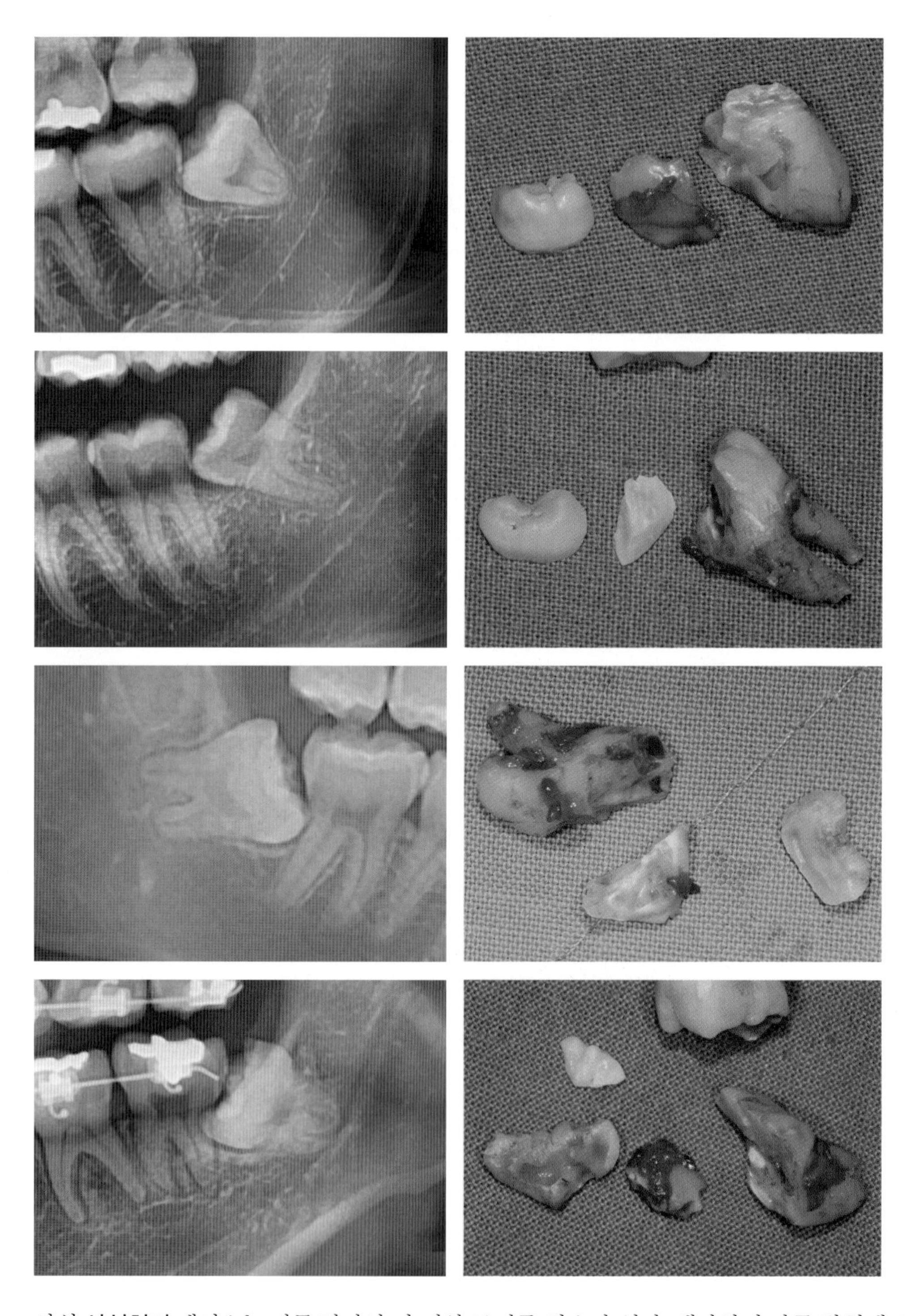

사실 **사선치기** 케이스는 너무 많아서 더 이상 보여줄 필요가 없다. 왜냐하면 다른 발치에도 대부분 **사선치기** 조각이 보이기 때문이다. 앞으로 보는 케이스에서 잘린 치아 모양만 보고도 바로 알 수 있게 될 것이다. 확실히 초보자에게 발치를 쉽고 안전하게 하는데 도움이 된다. 필자도 매너리즘에 빠진 듯이 발치가 잘 안 되거나... 바쁘다고 허겁지겁 대충 근심 치관부만 잘래낸 뒤에 발치하다가 좀 헤매는 경우에는 다시 기본으로 돌아가기로 맘 먹고... 꼭 **사선치기**를 하고 발치한다.

07
수직적으로 깊은 근심 경사 사랑니★

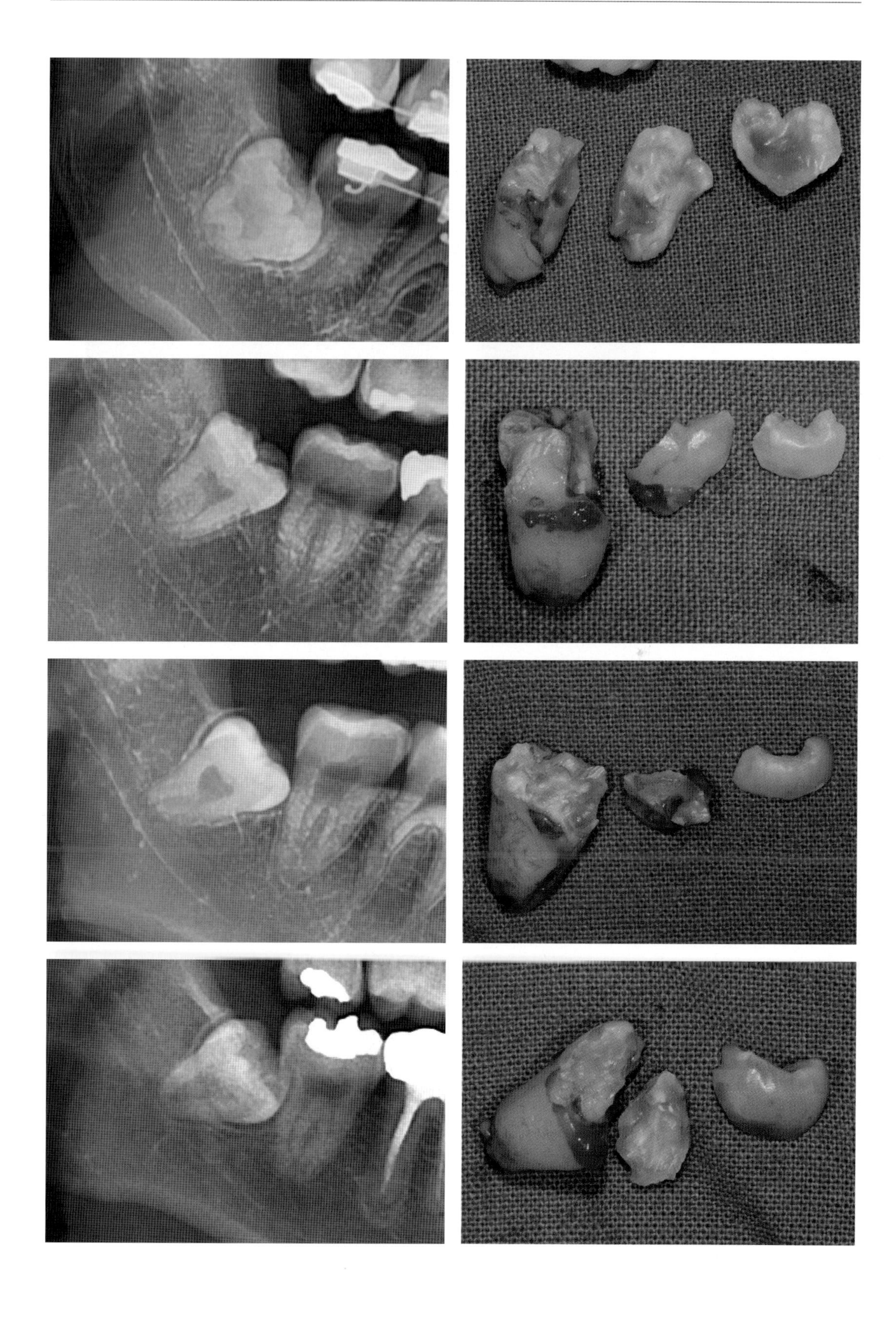

혀쪽치기 ★★

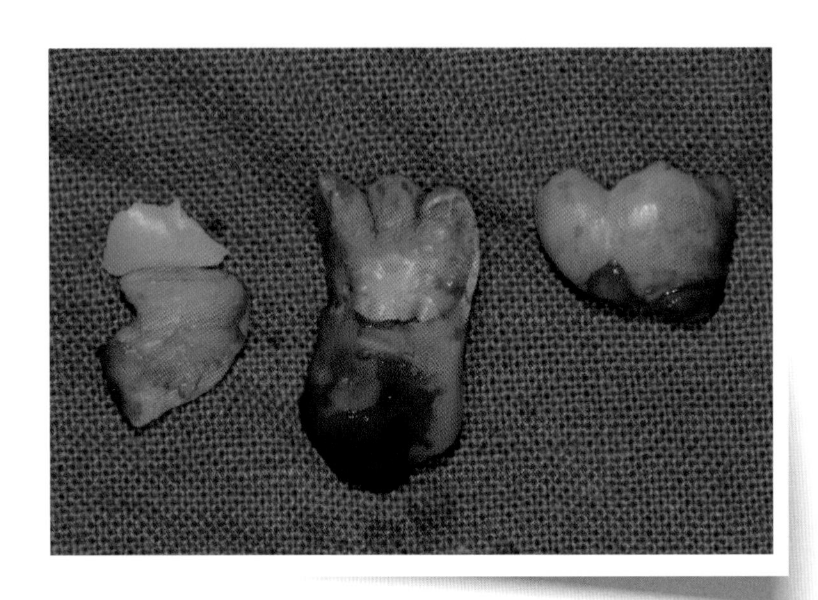

혀쪽치기는 근심 경사가 덜하거나 수직 매복된 사랑니가 깊숙이 매복되어 있는 경우에 주로 사용한다. 사랑니가 뼈 속에 깊게 매복되어 최대풍융부 상부까지 치조골이 덮고 있는 경우이다. 이런 경우에 사랑니 주변의 치조골을 삭제하여 사랑니를 노출시키는 형태로 발치를 하는 경우가 많지만, 필자는 작은 상부에서 안에 있는 사랑니를 여러 조각으로 나눠서 발치하는 습관을 갖고 있다. 그 핵심이 바로 **혀쪽치기**이다.

근심 경사가 덜하거나 수직 매복된 치아의 **사선치기**라고 봐도 좋다. 그러나 깊숙이 매복된 경우에 필자가 매우 유용하게 사용방법이라 이렇게 구분하였다.

01
수직으로 깊은 사랑니의 치아 삭제 방법★★★

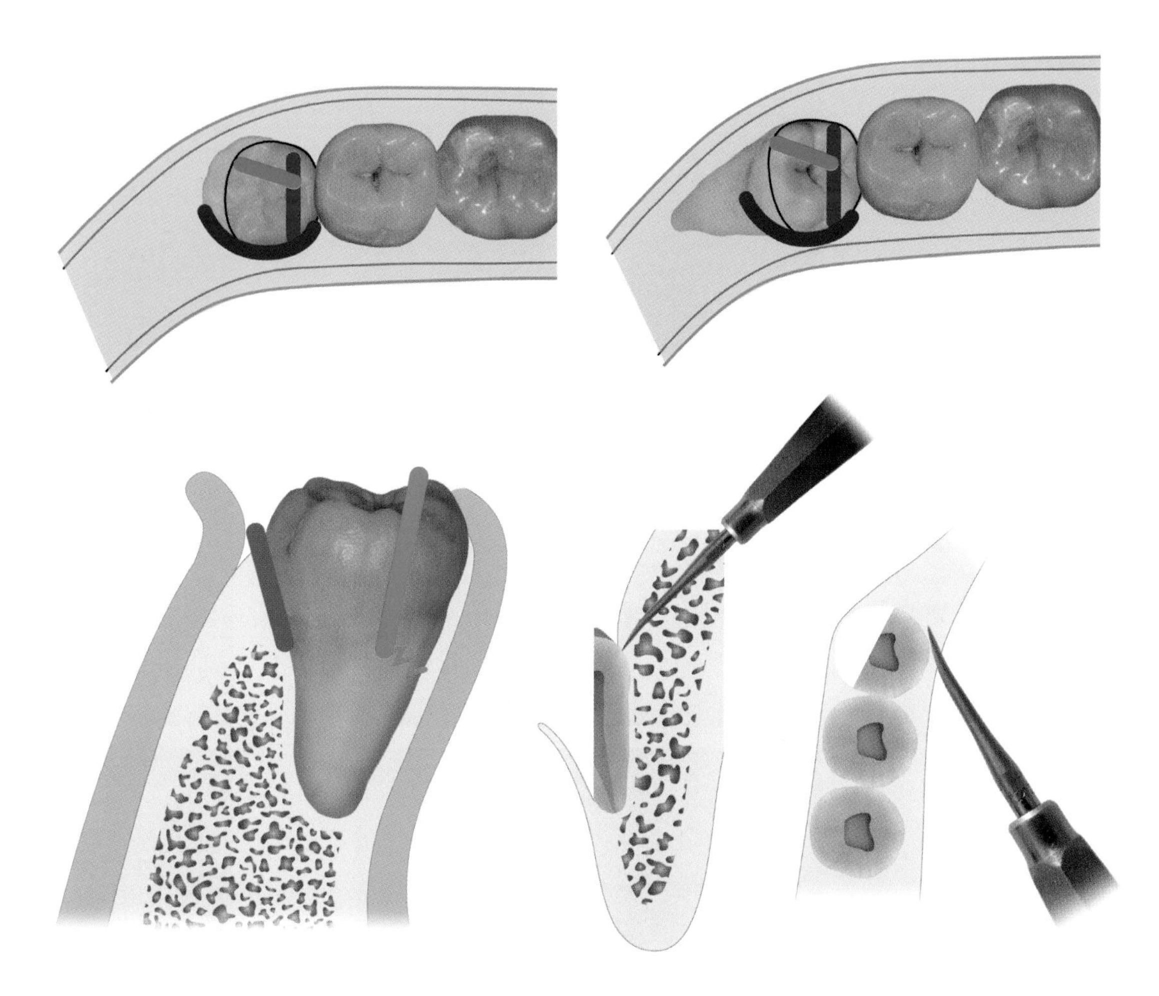

수직적으로 깊게 매복된 사랑니의 경우 완전 수평 매복이 아니라면 필자는 비슷하게 간주한다. 그래서 이러한 사랑니를 수직 매복 사랑니 chapter의 가장 뒤에 넣으려다가 근심 경사 사랑니와 같이 다루기로 하였다. 결과적으로는 위와 같이 수직이든 근심 경사든 필자는 같은 방식으로 발치를 한다.

치조골이 사랑니의 모든 면에서 최대풍융부 상방에 있기 때문에 정상적으로는 발치가 어렵다. 이런 경우에 대부분의 치과의사들은 보라색처럼 사랑니 협측과 원심쪽으로 골 삭제를 하고 발치하는 경향이 있다. 하지만, 필자는 골 삭제를 최소한으로 하기 때문에 위와 같이 치아의 근심과 설측을 잘라내고(**혀쪽치기**) 원심협측에서 엘리베이터를 이용해서 앞으로 밀어 내면서 발치하는 편이다. 혀쪽치기는 치아가 맹출한 경사도에 따라서 사선치기와 거의 같은 각도가 나오기도 한다. 이런 방법은 생각보다 매우 효율적이며, 무엇보다 출혈과 부종이 거의 없는 것이 특징이다. 또한 설측 피질골의 손상도 최소화할 수 있다.

02
수직으로 깊은 사랑니의 발치 과정★★

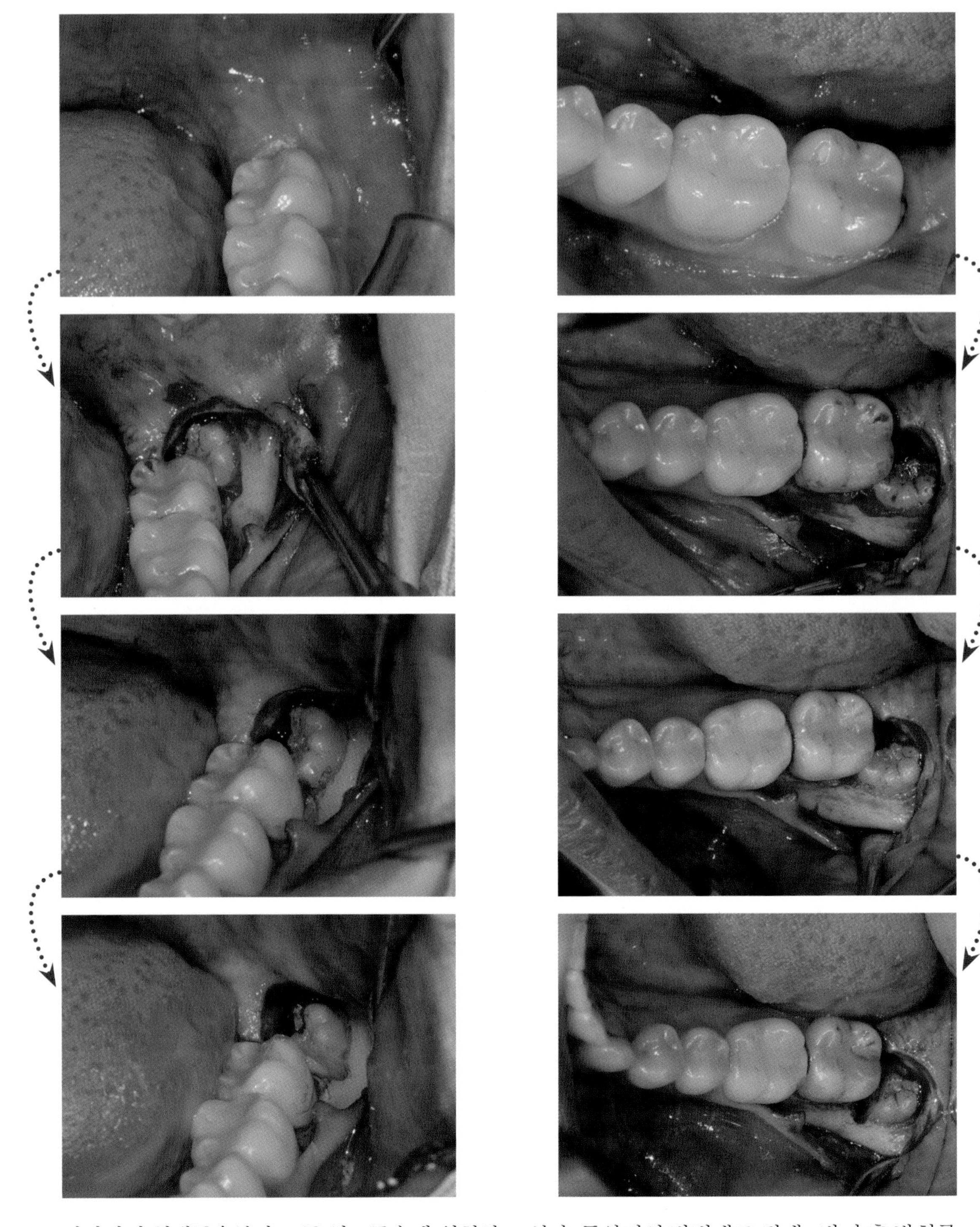

사랑니의 최대풍융부가 모두 치조골속에 위치하고 있다. 통상적인 방법대로 절개, 박리 후 발치를 진행하였다. 필자의 경우는 사랑니의 협측 외연을 따라서 치조골을 깊숙히 삭제하기보다는 **혀쪽치기**(**사선치기**와 비슷)를 통해서 안쪽의 치아 조각을 제거하고 발치를 시행한다. 수직으로 매복이 심한 경우에 **앞머리치기**에서 협측까지 약간의 골을 포함하여 충분하게 삭제해야 하는 것도 중요한 포인트이다.

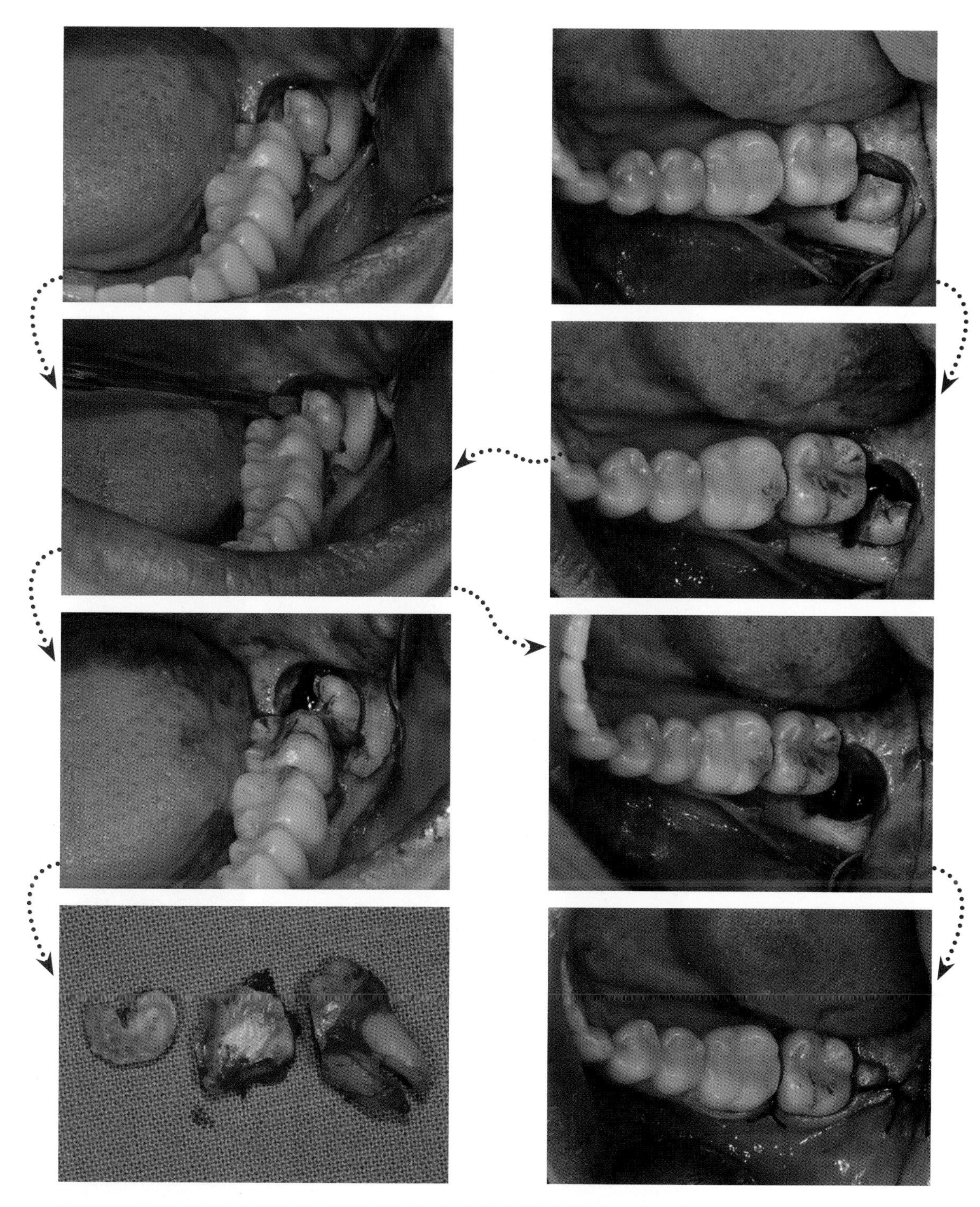

앞머리치기한 부분과 혀쪽치기한 부분을 제거하기 위해서는 엘리베이터로 삭제된 부분에 넣어서 파절시키고 서지컬 큐렛으로 들어내듯이 제거하는 방법이 일반적이다. 이렇게 협측 치조골 삭제보다는 **혀쪽치기**를 통해서 발치하면 발치도 쉽지만 후유증도 확실히 더 줄어들게 된다. 이 케이스는 사진찍기 위해서 절개 및 박리를 넓게 시행하였으며, 실제로는 이런 케이스에 이렇게 넓게 절개 및 박리를 하지는 않는다.

03
사선치기와는 약간 다른 혀쪽치기 발치 케이스 1 ★

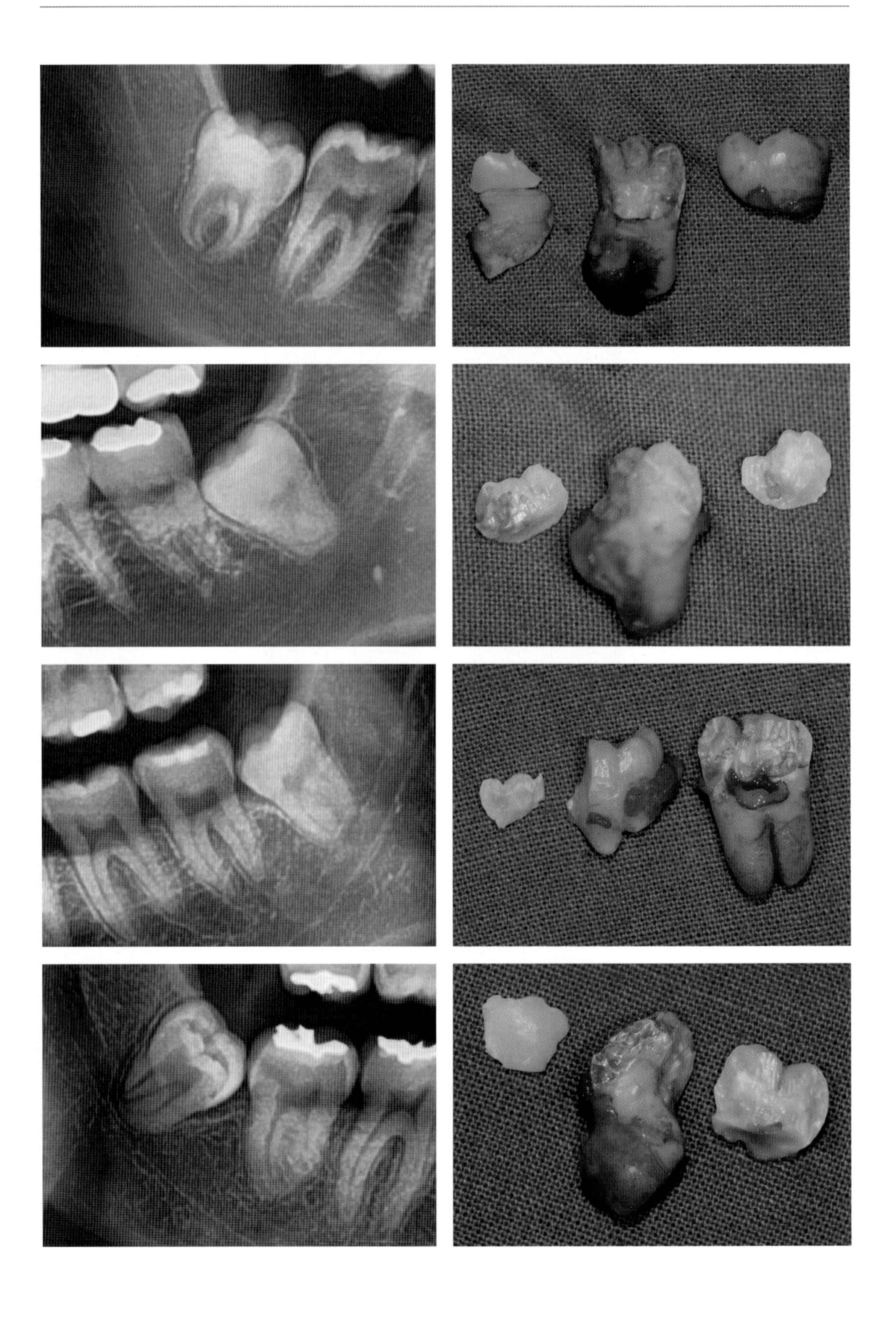

사선치기와는 약간 다른 혀쪽치기 발치 케이스 2 ★

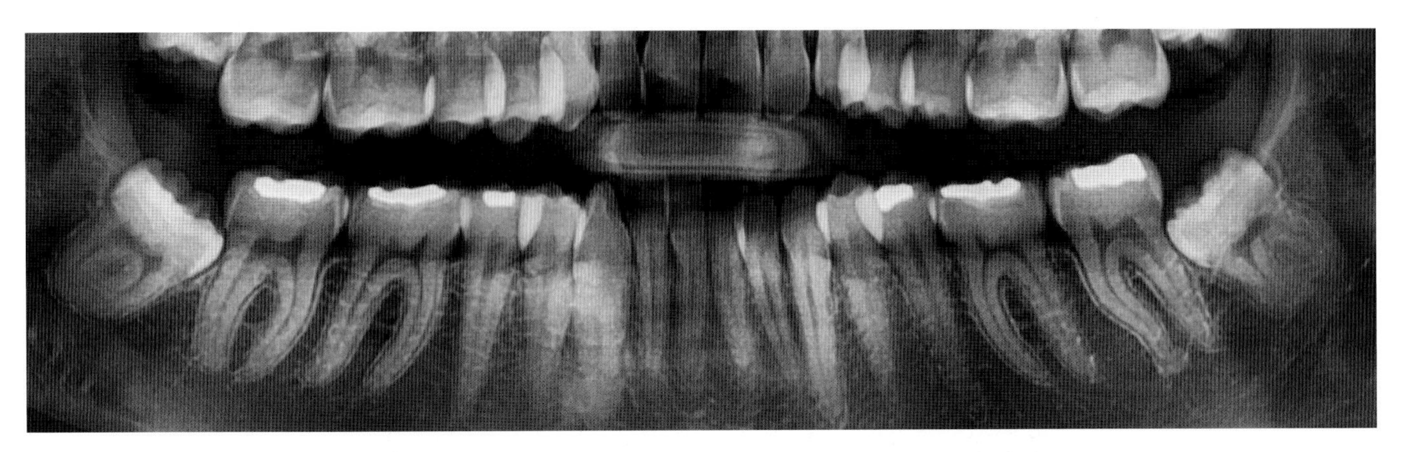

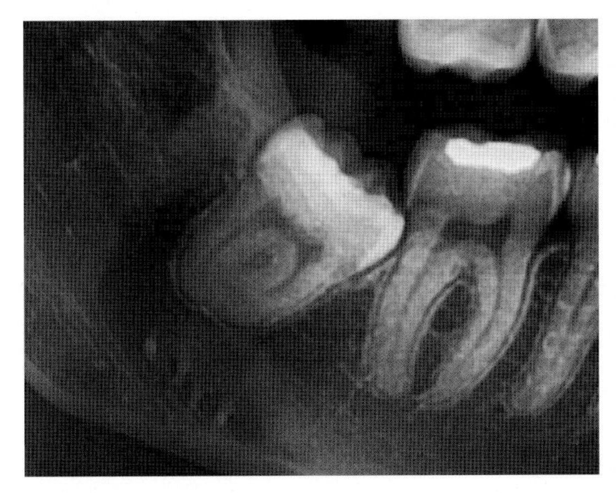

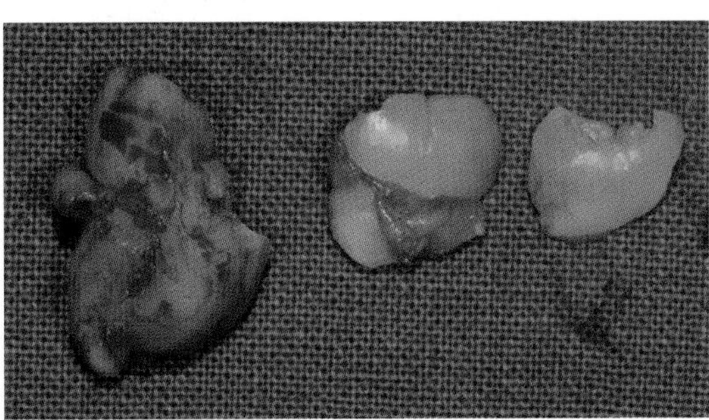

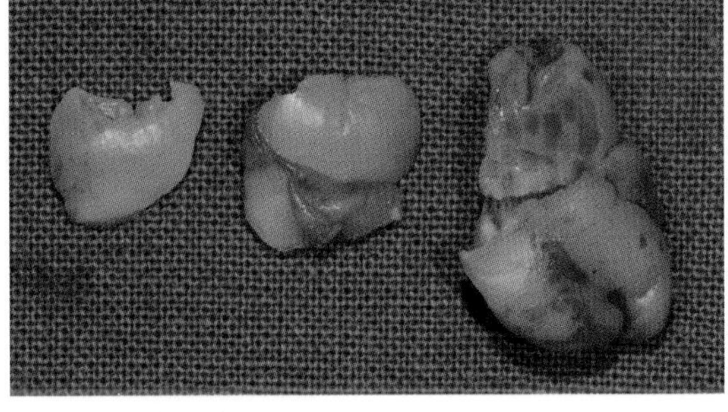

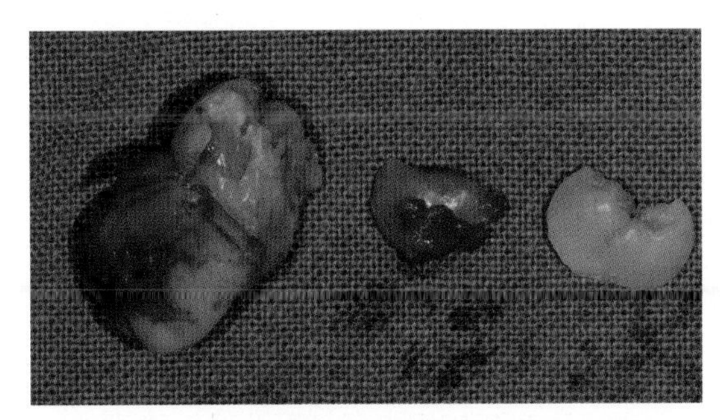

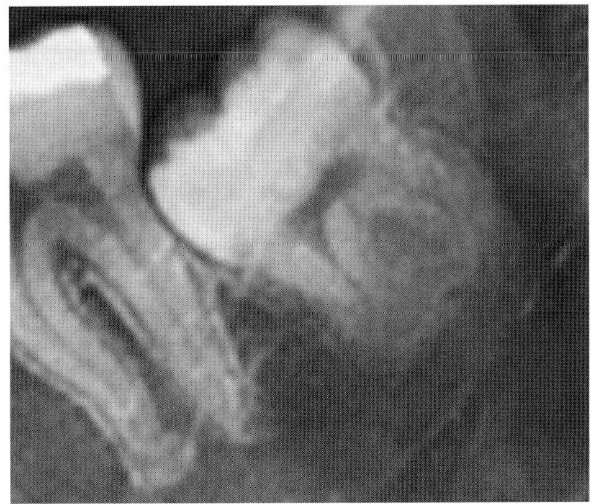

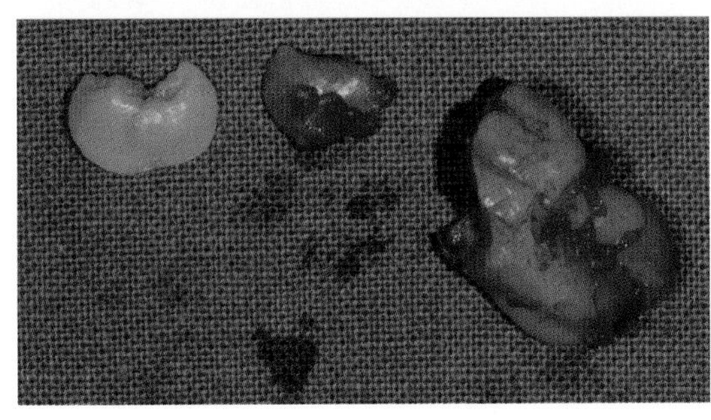

치관절제술의 한 방법으로★

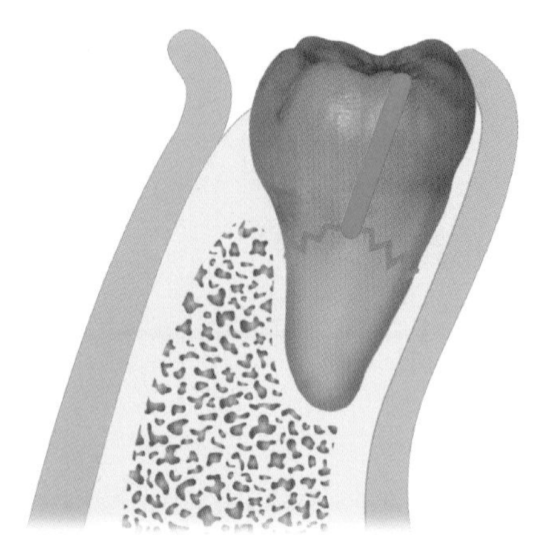

설측 조각을 삭제하는 과정에서 입이 잘 안 벌어지기 때문에 핸드피스가 설측으로 많이 기울어지면 각도가 너무 기울어져서 파절시킬 때 협측 치관부가 부러지기도 한다. 이런 경우에는 발치를 계속하기도 하지만, 필요에 따라서는 매우 드물게 코로넥토미로 종료하기도 한다. 또한 코로텍토미를 계획하고 이런 형태로 진행하기도 한다.

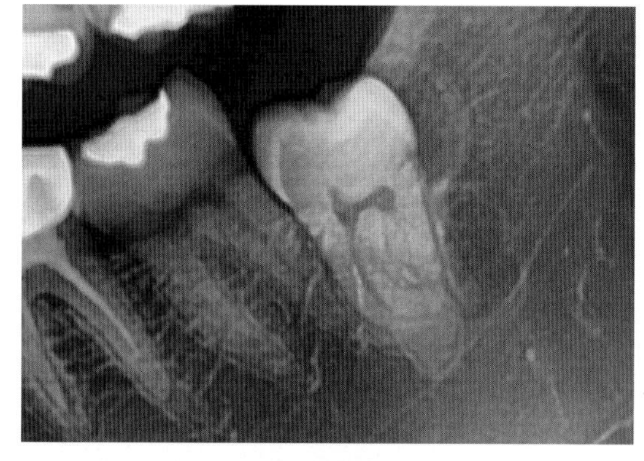

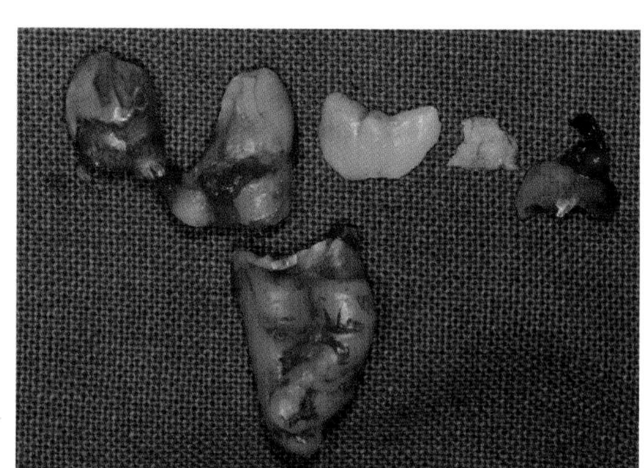

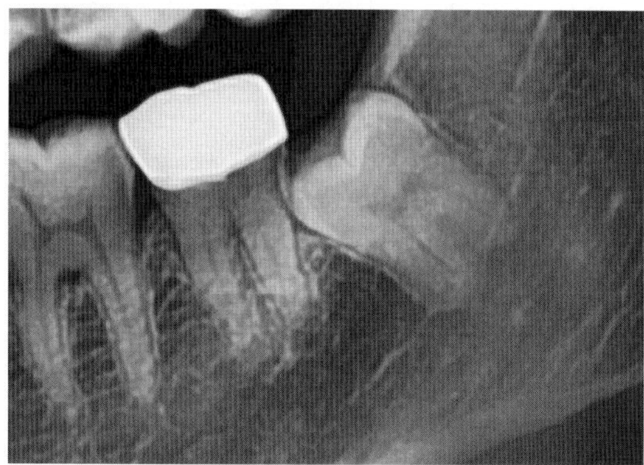

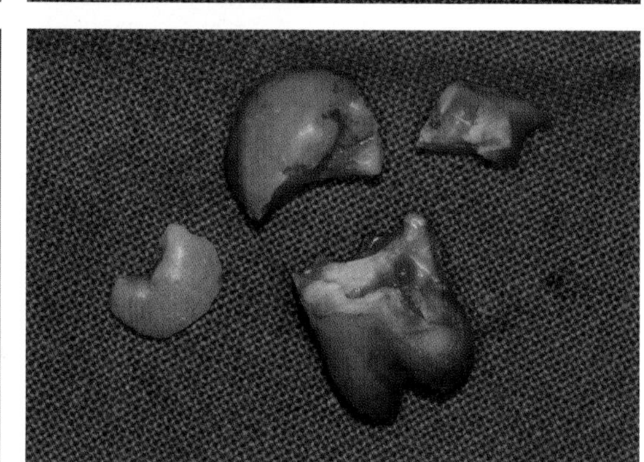

잠깐!

이 책을 두 번보라

혹시나 이 책을 다시 보게 된다면 앞부분의 방사선 파트와 치관절제술 파트에서도 위와 비슷한 방법으로 발치된 케이스들을 볼 수 있을 것이다. 그래서 이 책을 두 번보라고 하는 이유가 거기에 있다. 기본적으로 큰 흐름을 훑어보고 케이스 하나하나를 따로 봐야 한다. 그리고 직접 발치를 하면서 보면 더 많은 것을 느낄 수 있을 것이다.

★★★ 뒷목치기

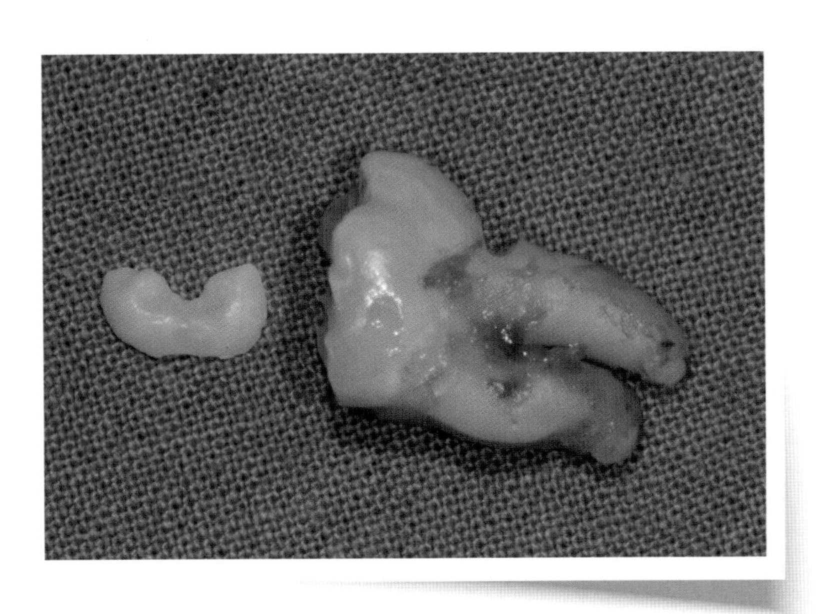

사랑니를 뽑아낼 방법이 마땅치 않은 경우에 사용하는 방법이다. 근심 경사 매복 사랑니의 근심 치관부를 제거했는데도 치아가 움직이지 않는다면 뒷목치기를 시도해보면 좋다. 물론 **사선치기**를 미리 해주기도 하고, **사선치기** 후에도 나오지 않으면 시행하기도 한다. 어쨌든 협측 골을 삭제하여 발치하는 것보다 빠르고 술후 부종이나 통증이 적다.
물론 **뒷목치기**하기 전에 엘리베이터나 포셉으로 발치가 가능하다면 굳이 시도할 필요는 없다.
어쨌든 이런 경우는 특히나 4번 버처럼 작은 버를 추천한다. 필자는 종종 버를 바꾸기 귀찮아서 치관의 근심부를 제거할 때 사용한 6번를 그대로 사용하기도 하는데, 그런 경우는 종종 깊게 형성해야 하는 경우도 많기 때문에 특히나 초보자들에게는 4번 버를 추천한다.

01
뒷목치기 ★★★

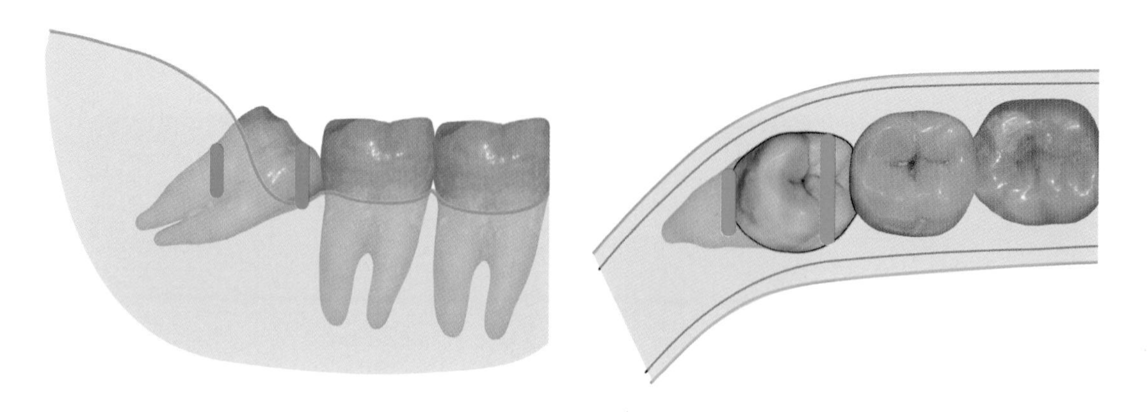

근심 경사 매복 사랑니 발치 시에 시행하는 **뒷목치기**하는 위치와 방향, 삭제 정도를 표시해놓은 그림이다. 환자 입안 상태가 언제나 똑같지 않듯이 그 방법도 다양한 형태로 나타날 수 있다.

적절한 보기일지 아닐지 모르지만, 위와 같은 경우라고 생각하면 좋을 수도 있다. 위 왼쪽 그림처럼 생긴 문이 있다면 열기가 힘들 것이다. 여기에 홈을 파서 오목하게 해놓으면 문을 열고 닫기가 쉽다. 필자는 원래 홈만들기, 노치만들기라고 불렀는데, 이 책을 쓰면서 **뒷목치기**로 용어를 통일하였다.

02
뒷목치기 과정 ★★

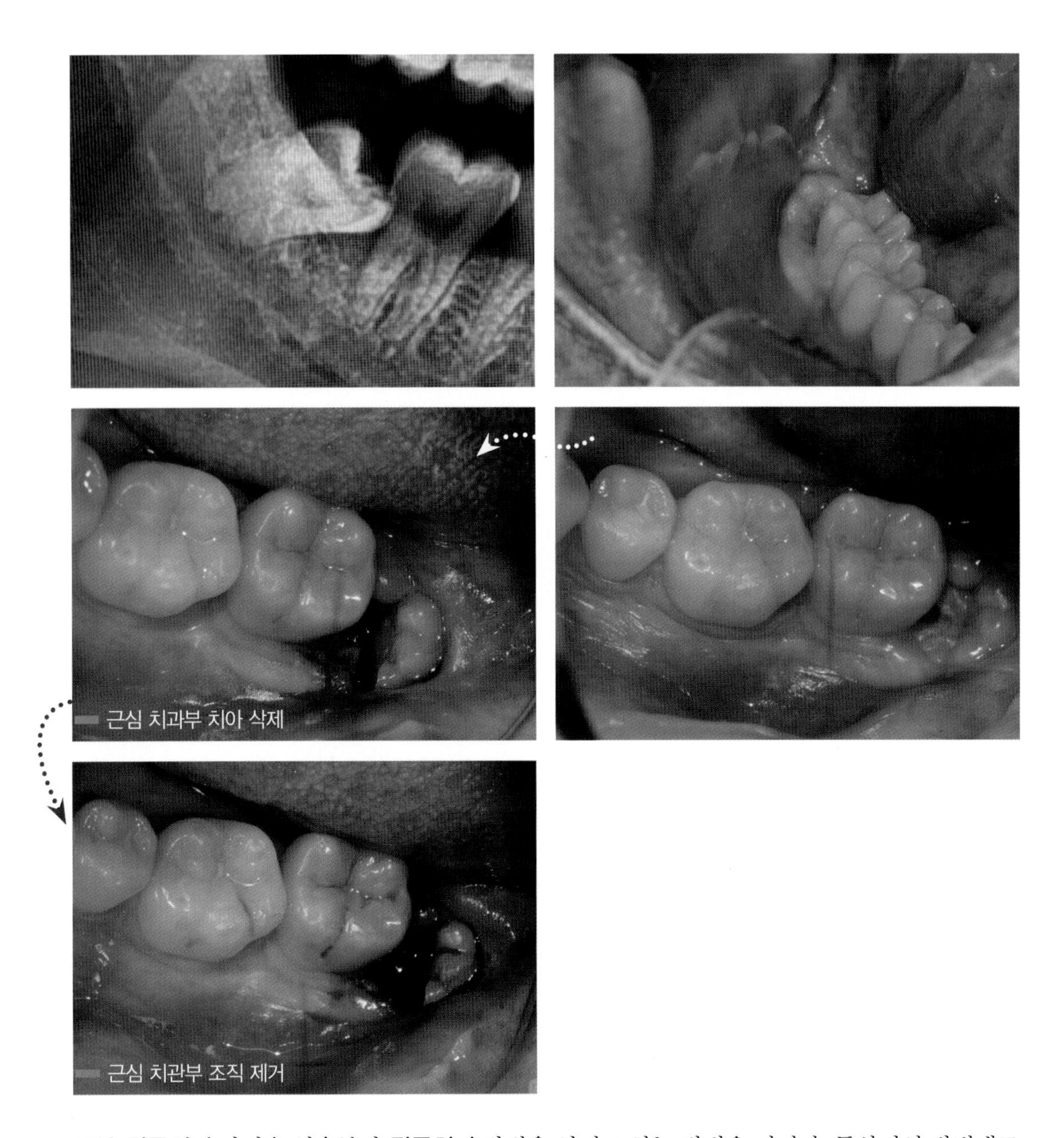

보통 **뒷목치기** 방법은 처음부터 **뒷목치기** 방법을 하려고 하는 방법은 아니다. 통상적인 방법대로 발치를 시행하지만 나오지 않는 경우에 선택적으로 사용한다. 물론 어느 정도 예상은 할 수 있다. 앞 방사선 파트에서 언급했듯이 치관부 염증이 심해서 치근이 뒤로 밀려서 치조골과 유착된 것으로 보이든지, 치관부가 거의 치조골에 둘러 싸여 있지 않고 노출된 경우 등에서 엘리베이터가 작용을 안 할 것 같을 때 주로 사용한다. 이런 경우에 필자는 포셉 사용을 많이 권장하기도 하지만, 조금만 깊숙이 매복된 경우에는 거의 포셉을 사용하기 어렵다. 최근에 이런데 사용하기 좋은 포셉 등을 본 적 있지만, 필자는 기구를 최소로 사용하는 것이 특징이라 크게 그런 포셉 등에 관심을 가져본 적은 없다. 미리 **사선치기**를 해주는 것도 좋지만, 엘리베이터가 협측에서 작용해서 움직이지 않으면 필자는 바로 **뒷목치기**를 하는 편이다. 매우 흔하게 사용하는 방법이다.

03
뒷목치기 과정 이어서

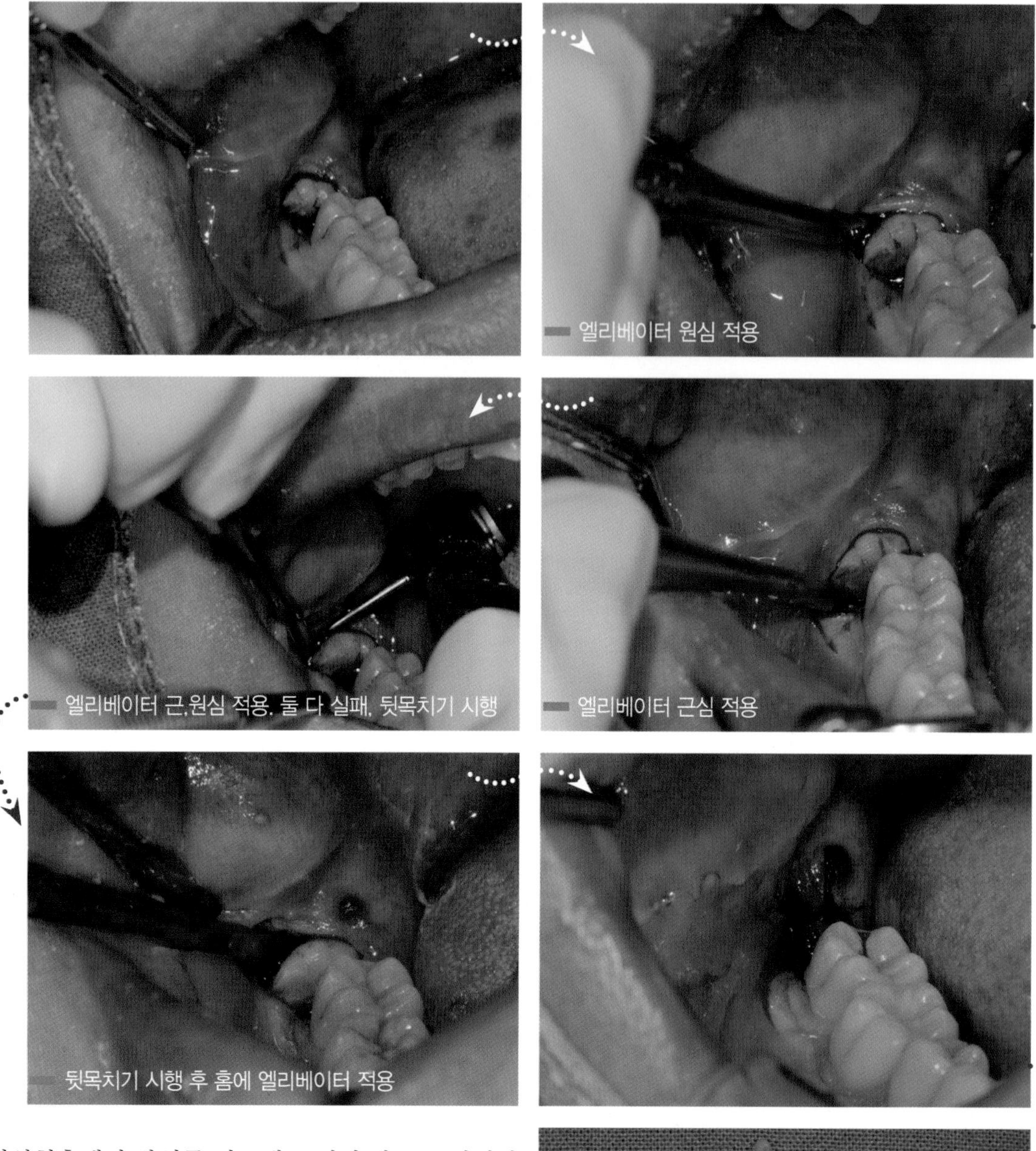

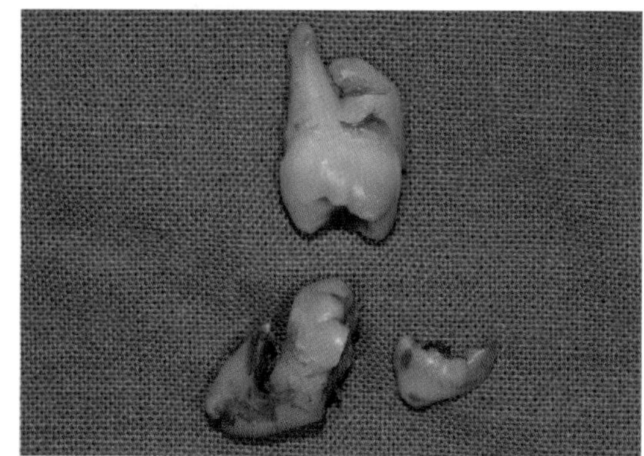

엘리베이터로 원심협측에서 발치를 시도해도 되지 않고 근심에서 시도해도 발치가 되지 않아서 뒷목치기를 실시하였다. 솔직히 3등분으로 나눠서 뽑는 장면을 찍으려고 깊게 노치를 형성하였는데 사랑니가 파절되지 않고 발치되어 버렸다. 실제로는 이보다는 적게 노치를 형성하는 편이지만, 임상에서 이렇게 사진 찍으려고 하는 경우가 아니면 3등분을 일부러 하려고 하지는 않다. 물론 덕분이 이렇게 좋은 뒷목치기 케이스가 되었다. 이렇게 노치를 형성했는데 발치되지 않고 중간 부분이 파절된다면, 그때 치근 부분을 제거하는 발치를 한다. 이 부분은 바로 이어서 다룰 것이다.

04
뒷목치기는 4번 버가 가장 유용 ★★★

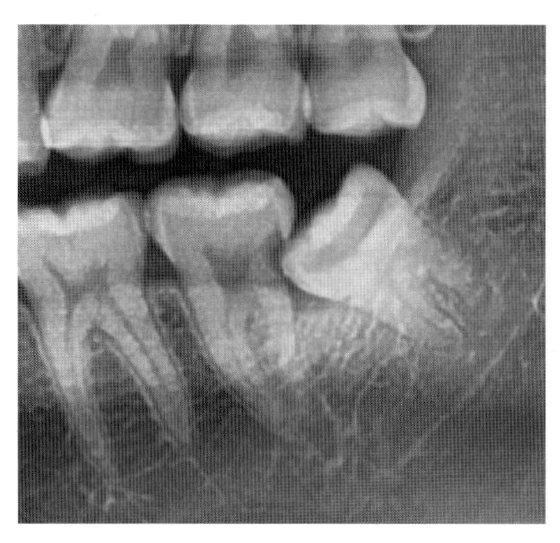

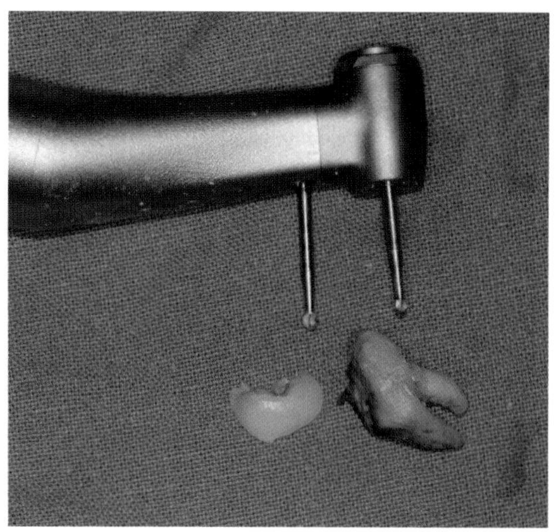

위 사진을 보면 사진이 의미하는 바를 알 것이다. 그렇다, NSK 5배속 로스피드 핸드피스로 근심 치관부는 6번 버로 삭제했고 **뒷목치기**는 4번 버로 했다는 뜻이다. 물론 이 정도 근심 경사된 경우는 솔직히 모두 4번 버로 하는 것이 일반적이다. 사진을 찾아보니 마침 사진 찍어 놓은 것이 이것 뿐이어서 이 케이스를 올려본다. 아마도 이 케이스는 치아 **머리자르기**는 6번 버로 하고 **뒷목치기**는 4번 버로 했다는 것을 기록하기 위한 것이 아니라 5배속 로스피드 콘트라앵글 핸드피스로 발치했다는 것을 기록하기 위한 사진으로 보인다. 두 종의 버는 얻어걸린 듯^^
어쨌든 일반적으로 뒷목치기도 직경 1.4 mm 4번 서지컬 라운드 버로 시행한다. 필자는 일반적으로 첫 번째 **머리자르기**를 6번 버로 하기 때문에... 요즘은 대부분 버를 바꾸기 귀찮아서 위 케이스처럼 직경 1.8 mm 6번 버로 그대로 뒷목치기를 하기도 하는데... 이렇게 하게 되면 홈을 깊게 파야 해서 아예 두 동강으로 나뉘는 등 파절되기 싶고 치아를 끄집어내는데는 적절하지 않다. 초보자라면 반드시 4번 버를 사용하기를 권한다. 또한 본인의 치과에 서지컬 서지컬 피셔 버가 있다면 사용해도 좋을 듯하다. 일반적으로 사용하는 서지컬 피셔 버는 최대직경이 1.6 mm로 쉥크와 같고 긴 형태지만 날 부분이 0.8~1.0 mm 정도이고 날이 길지 않은 피셔 버가 있다면 추천하기도 했었다. 그러나 대부분 우리나라에 보급되어 있는 피셔 버들은 날이 9 mm 이상 긴 것이 대부분이라 잇몸이 자꾸 버에 찝혀서 더 큰 문제가 발생하는 경우가 많다. 그래서 요즘은 결국 다시 4번 서지컬 라운드 버를 권한다. 그렇지 않으면 앞의 **뒷목치기** 과정에 관한 설명에 나온 케이스처럼 6번 버로 하면 깊게 파야 할 때가 많다.

05
뒷목치기 케이스 ★★

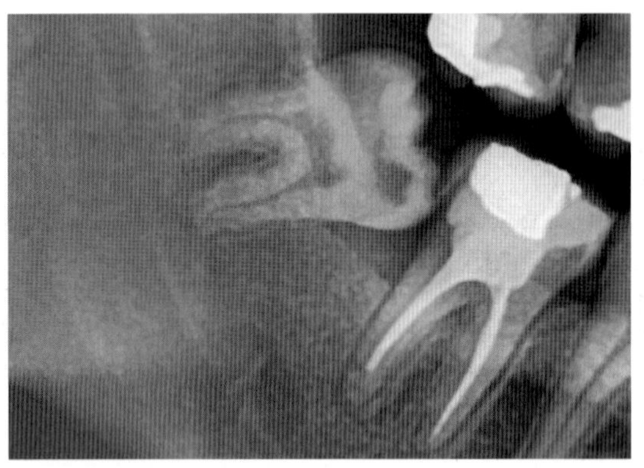

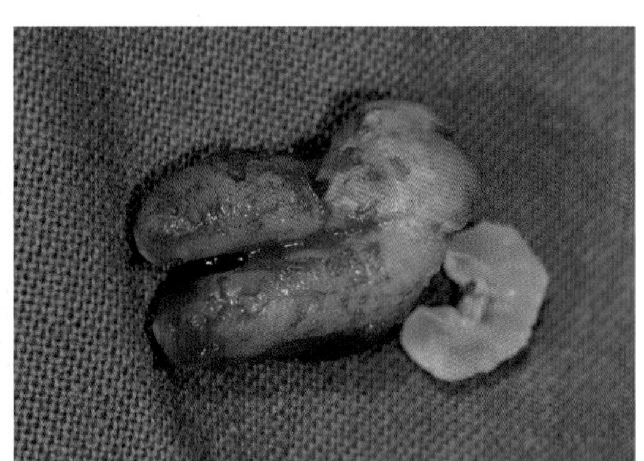

이 경우는 사랑니가 근심으로 기울어져 매복되었지만 사랑니 치관 주변에 치조골이 없어서 엘리베이터가 작용하기 어렵다. 이런 경우에 원심 치경부를 하이스피드로 삭제해주면 엘리베이터가 걸릴 수 있어서 사랑니를 앞으로 잡아 뺄 수 있다.

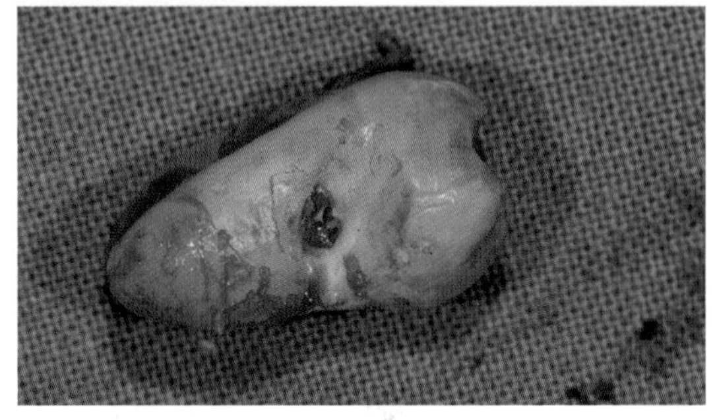

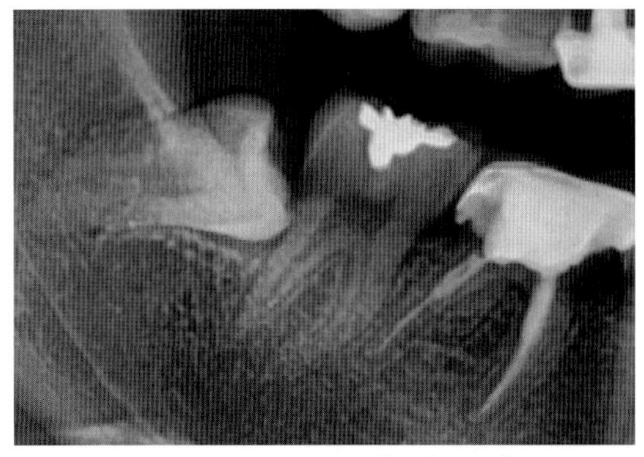

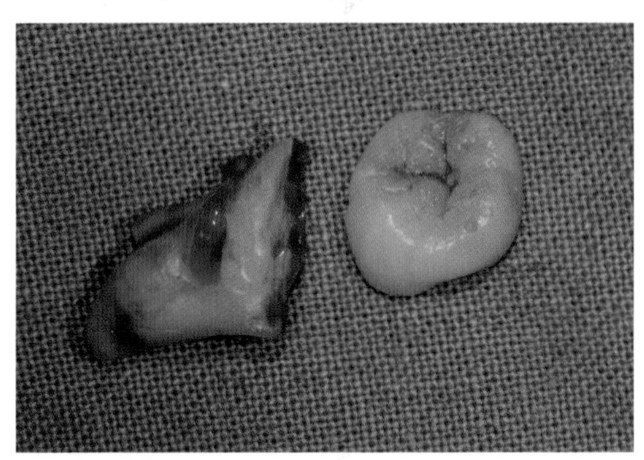

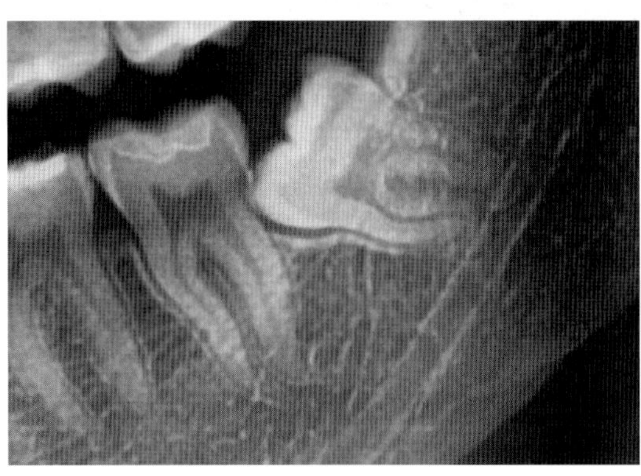

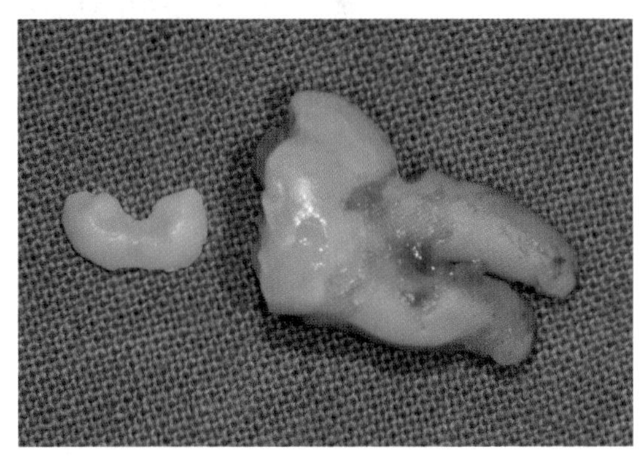

실제로 근심으로 경사진 경우의 케이스는 많지 않다. 왜냐하면 **뒷목치기** 엘리베이터나 포셉으로 하기 전에 이미 대부분 발치되기 때문이다. 그러나 45도보다 더 경사진 경우는 포셉은 작용하기 힘들기 때문에 그럴 경우에 더 자주 사용한다. 그러나 뒷목치기는 바로 이어지는 **ㄴ발치**나 **3등분 발치**를 하는데 그 기본이 된다.

뒷목치기와 ㄴ발치 ★★★

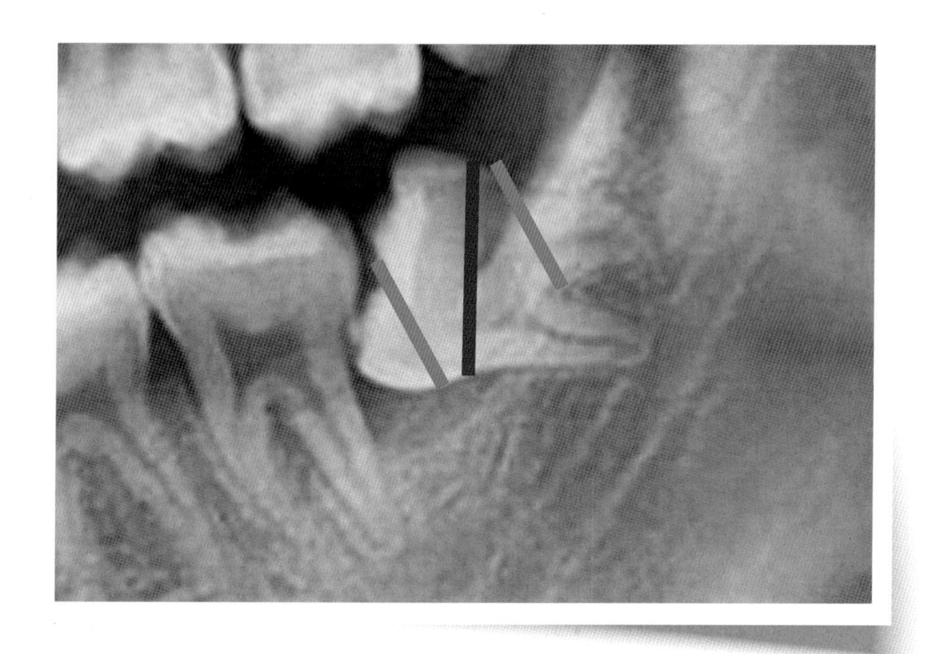

근심 삭제 후 사랑니 발치가 엘리베이터로 쉽게 나오지 않으면, **뒷목치기**를 통해서 원심 치근을 잘라버리는 것도 좋다. 사랑니를 잡고 있던 치근 둘 중 하나가 없어지다 보니 발치되는 힘도 반으로 줄어들 것이다. 또한 **뒷목치기**는 엘리베이터가 작용할 수 있는 홈(손잡이)을 만들어 주기도 한다. 특히 윗 치근이 발치 방향과 반대로 하방으로 휘어 있는 경우에 유리하다. 필자는 알파벳 대문자 L자처럼 생겼다고 해서 **ㄴ발치**라고 부른다(한글 ㄴ자처럼 생겨서 니은 발치라고 부르기도 한다).
위와 같은 경우에 저렇게 빨간선에 준해서 치아를 자르려는 치과의사들이 많다. 앞서서 이야기 했지만 참으로 바보같은 치아 삭제라고 생각된다. 앞으로는 앞머리치기, 뒷목치기 등 뚜렷한 목적을 갖고 명확한 치아 삭제를 해봐야 한다. 파란선 두 개의 삭제면을 합해도 빨간선의 삭제면보다 훨씬 적다.

01
뒷목치기 후 ㄴ발치 방법★★★

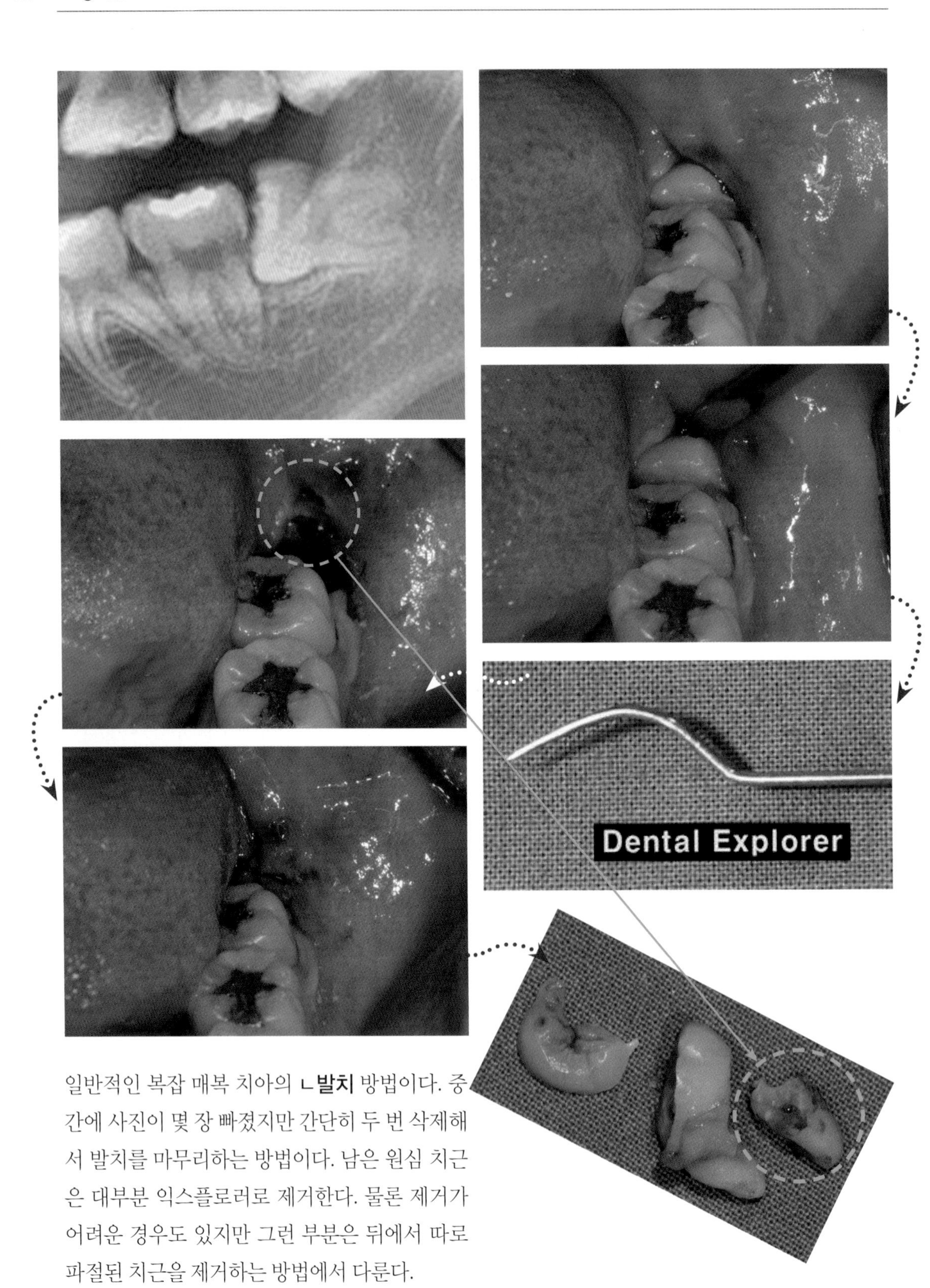

일반적인 복잡 매복 치아의 **ㄴ발치** 방법이다. 중간에 사진이 몇 장 빠졌지만 간단히 두 번 삭제해서 발치를 마무리하는 방법이다. 남은 원심 치근은 대부분 익스플로러로 제거한다. 물론 제거가 어려운 경우도 있지만 그런 부분은 뒤에서 따로 파절된 치근을 제거하는 방법에서 다룬다.

02
ㄴ발치 과정 방사선 사진으로 보기 1★★

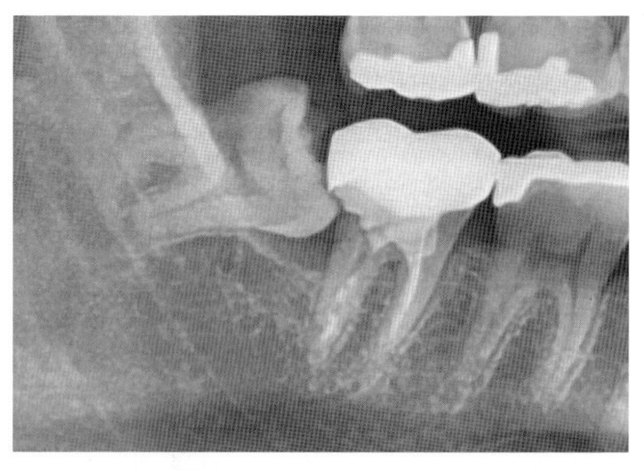
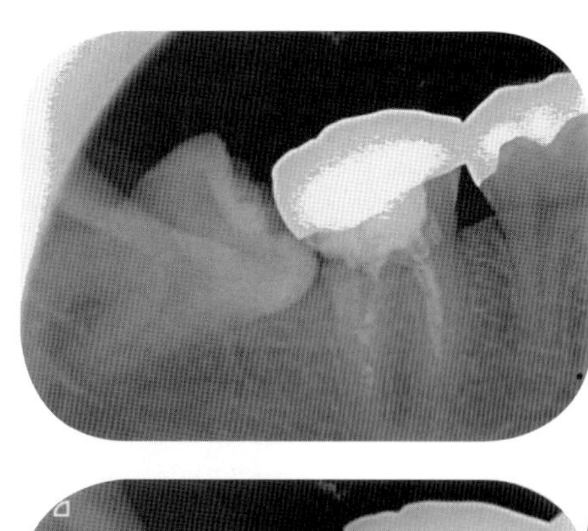
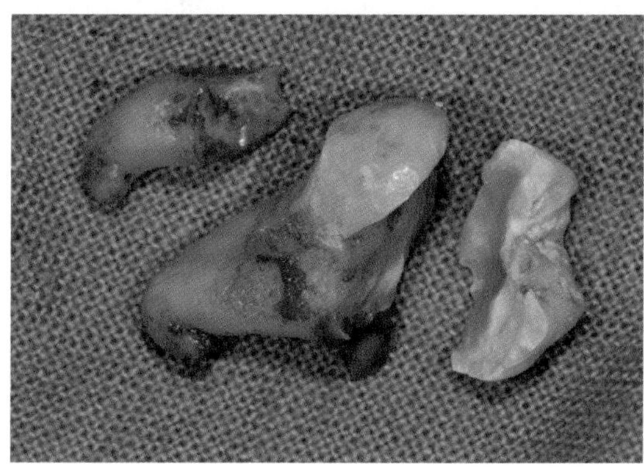
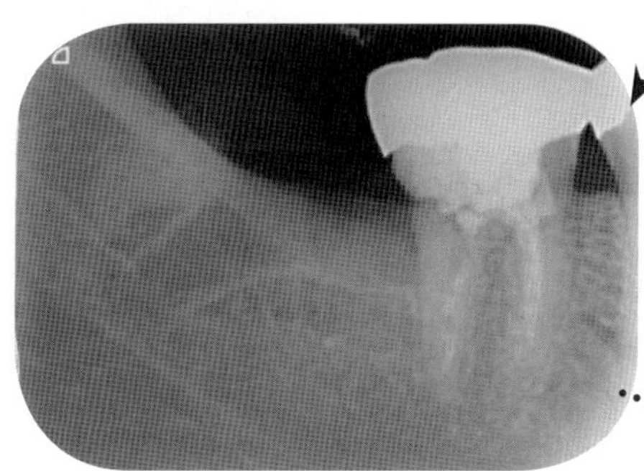
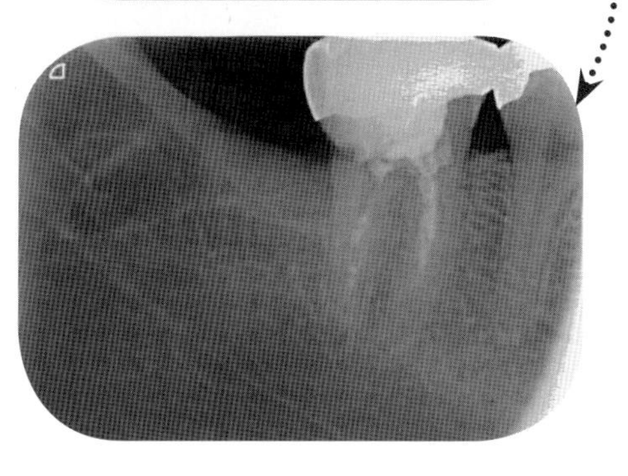

ㄴ발치 과정을 표준촬영한 것이다. 일부러 엑스레이를 찍어가면서 하지는 않지만 초보자라면 이런 습관을 들이는 것도 좋을 듯하다.

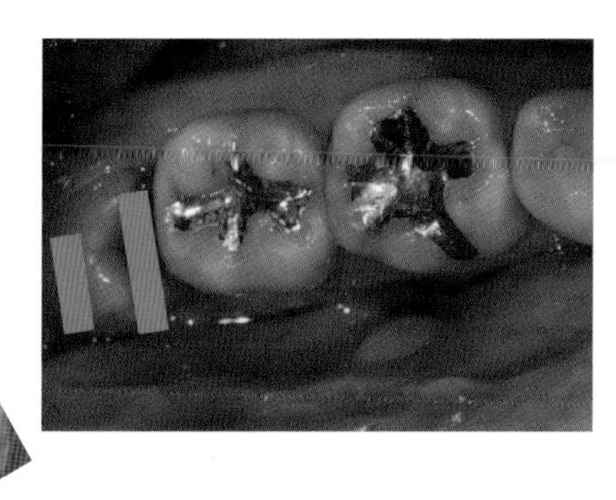
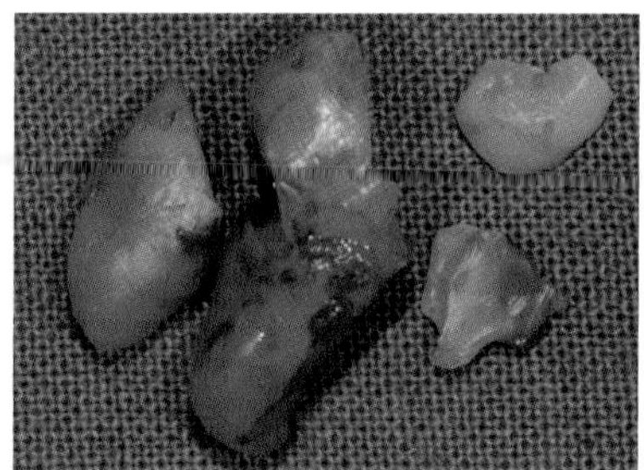

보통 이 정도 보이는 매복 사랑니는 잇몸절개 없이 바로 두 번의 치아 삭제로 바로 ㄴ발치를 완료하기도 한다.

ㄴ발치 과정 방사선 사진으로 보기 2★

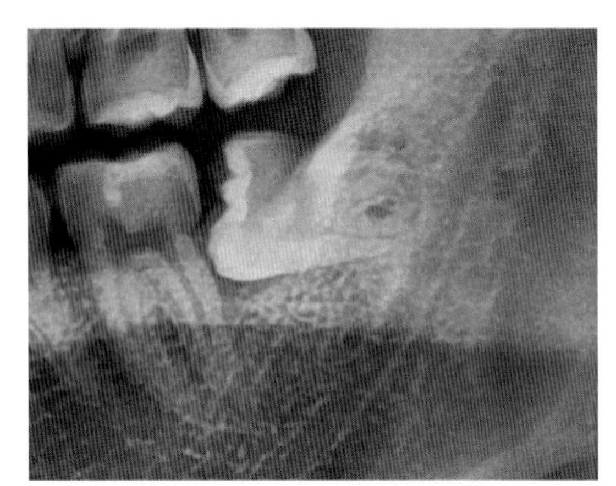

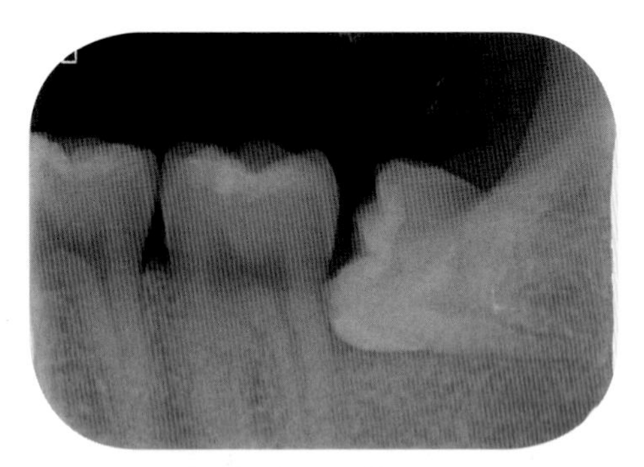

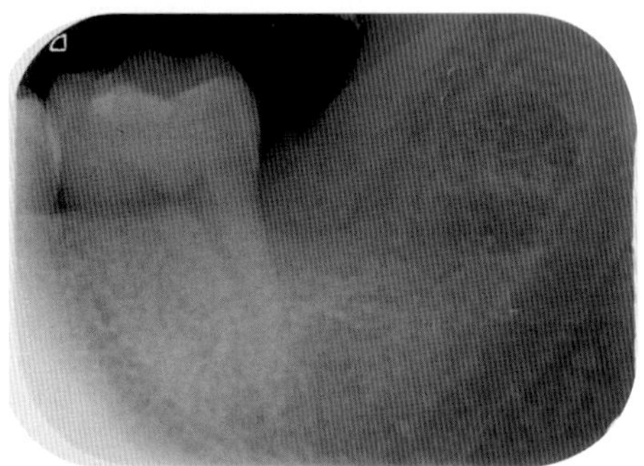

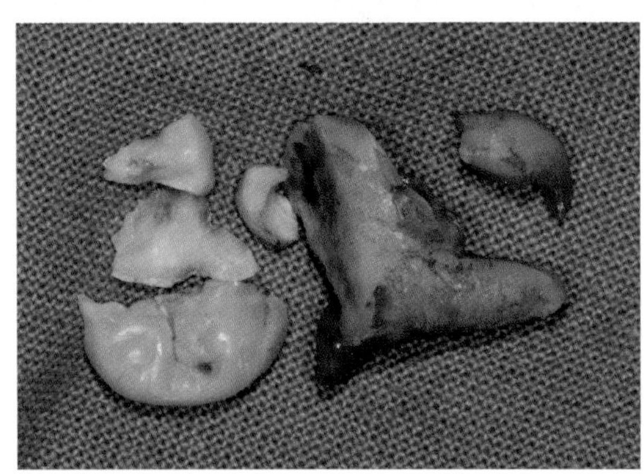

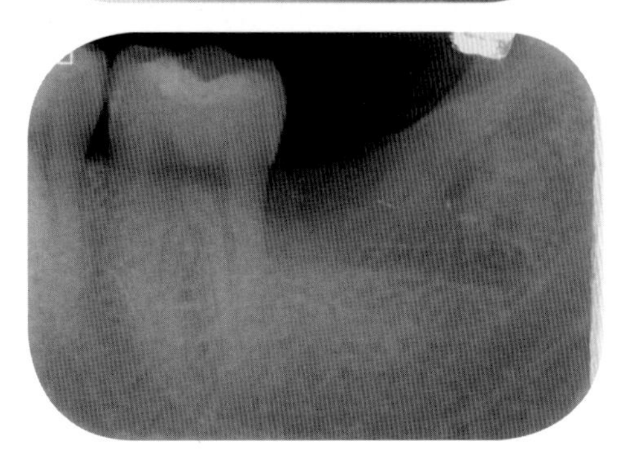

앞선 케이스와 같은 방법으로 시행한 것이다. 특히나 원심 치근이 근심으로 심하게 만곡된 경우에도 필자는 ㄴ발치 방법을 자주 사용한다. 이 환자는 아래의 사진처럼 반대편 사랑니도 같은 방식으로 발치한 것을 볼 수 있다.

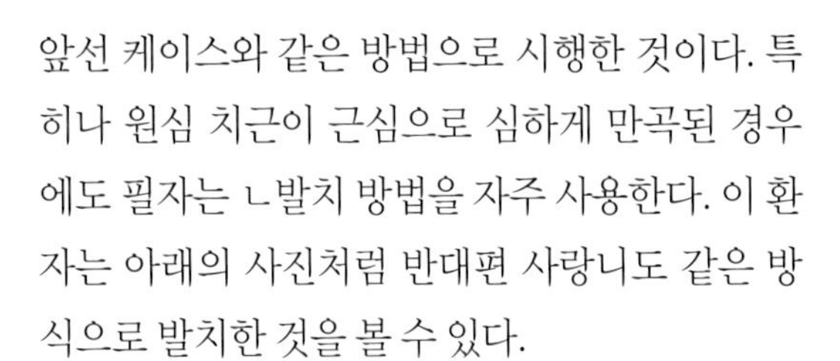

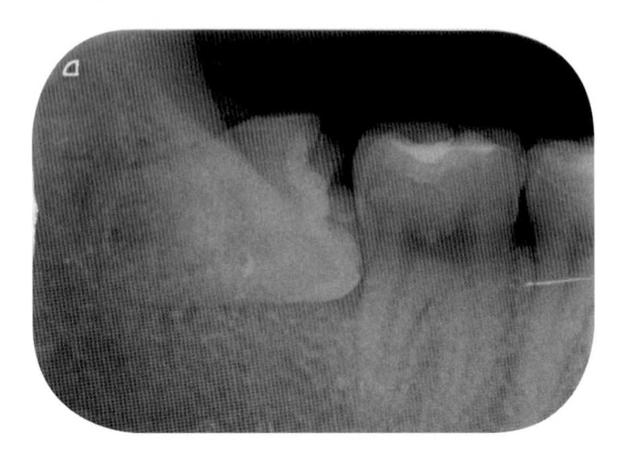

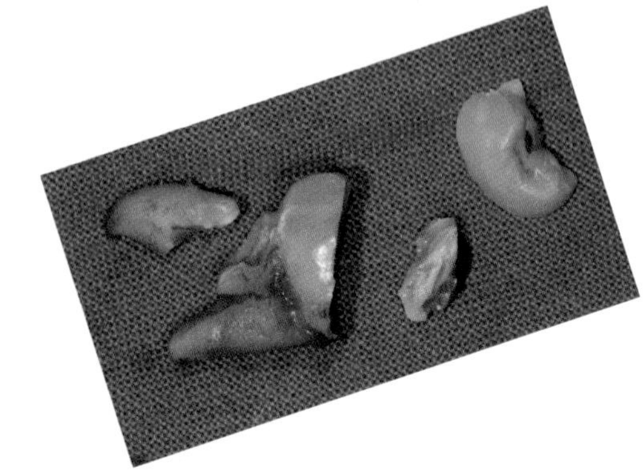

03
양쪽을 똑같이 ㄴ발치한 케이스★

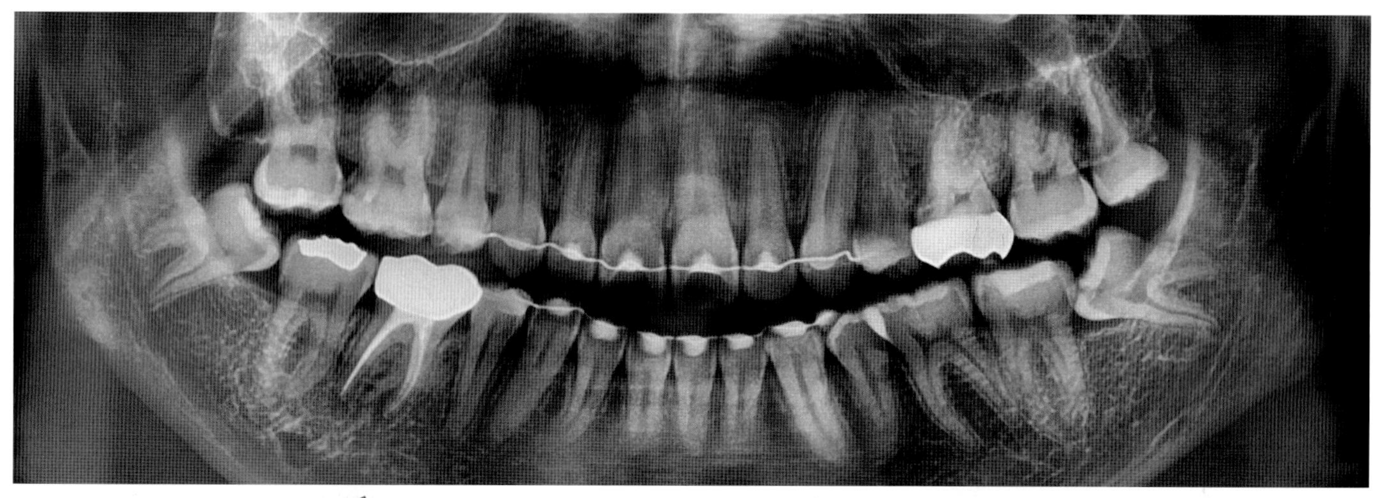

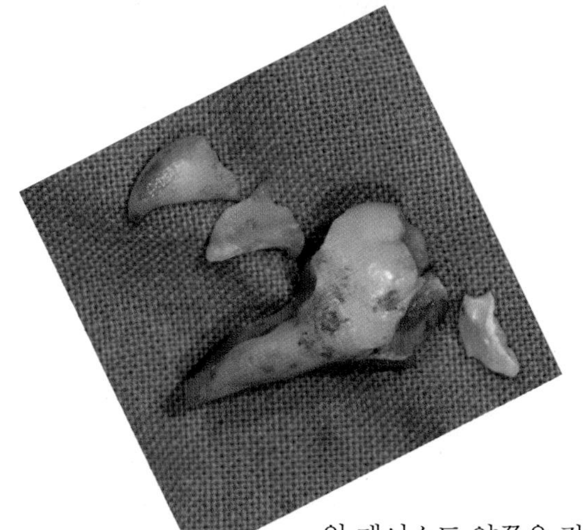

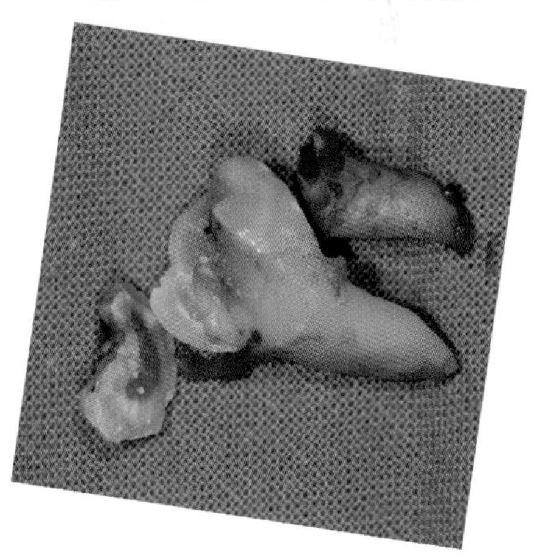

위 케이스도 양쪽은 같은 방식으로 발치한 케이스이다. 최소 절개로 치조골 삭제 없이 발치하기에 **ㄴ발치**가 유리하다. 그래서 필자는 많이 시행하는 편이다. 두 번만 간단히 자르면 되기 때문에 매우 빠르고 간단하다. 오히려 치조골 삭제를 많이 하고 치관 중심부를 길게 삭제하는 방법보다는 매우 쉽고 빠르고 안전하다.

ㄴ발치 많이 하는 경우

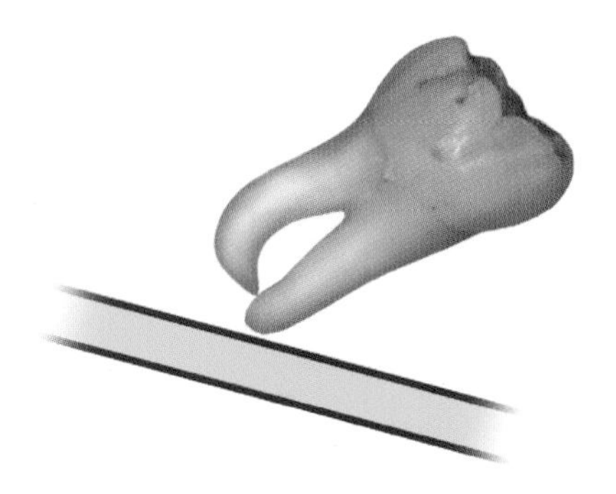

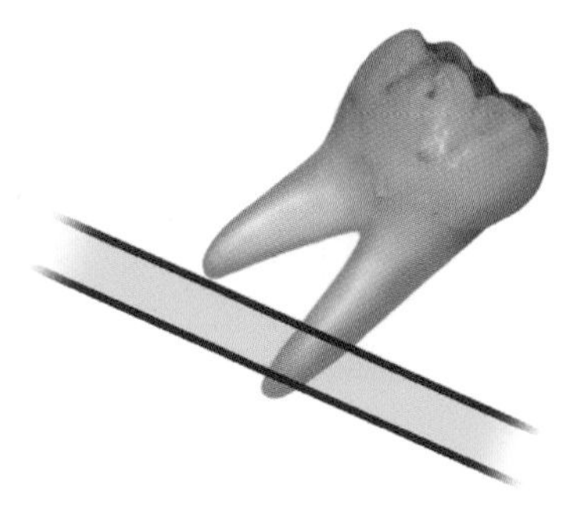

근심치근이 신경관과 겹치거나 위험하거나 원심치근이 근심만곡이 심한 경우

04
ㄴ발치 케이스 1 ★

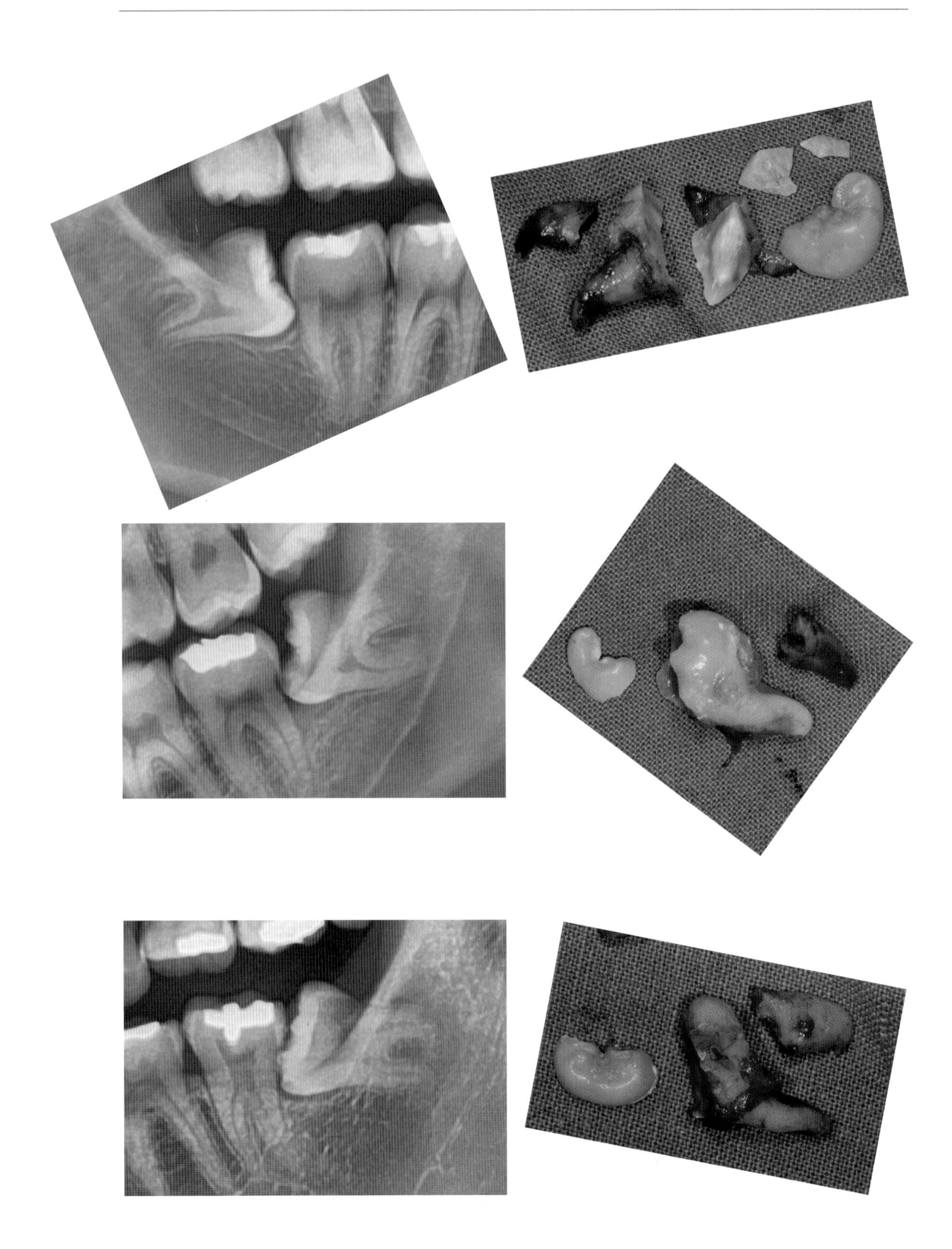

ㄴ발치 케이스 2 ★

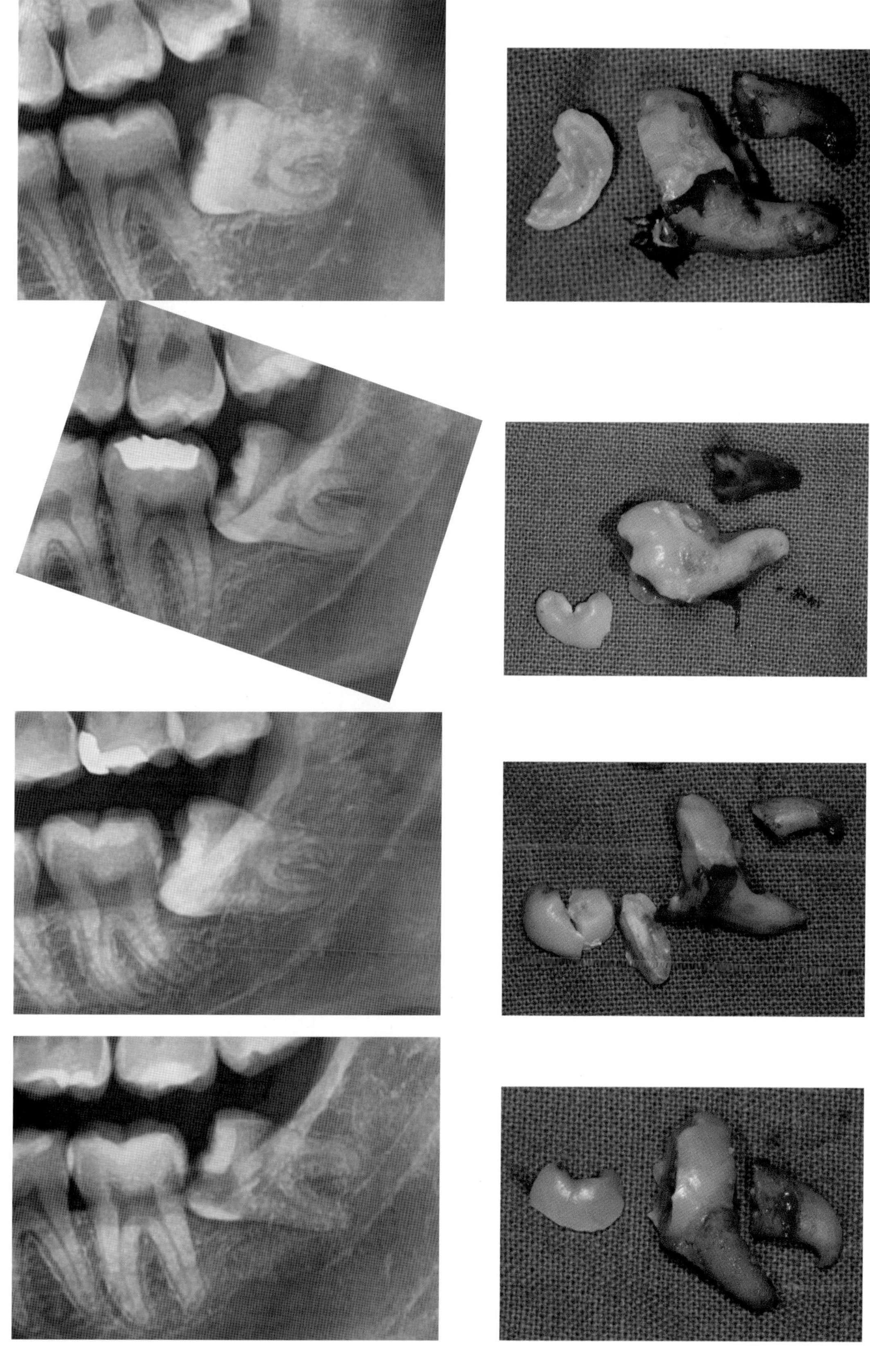

발치 후 늦은 출혈 케이스 ★★★

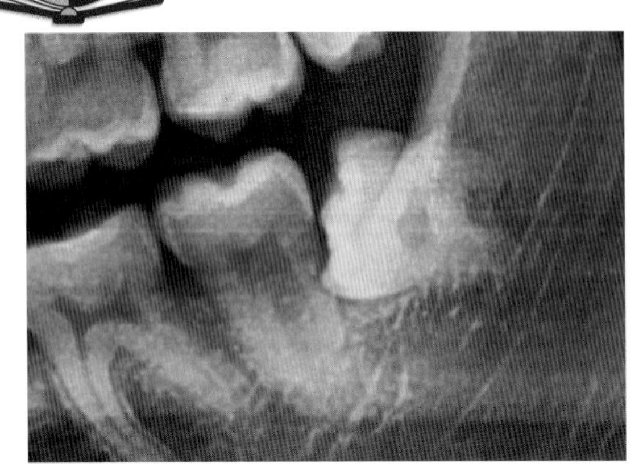

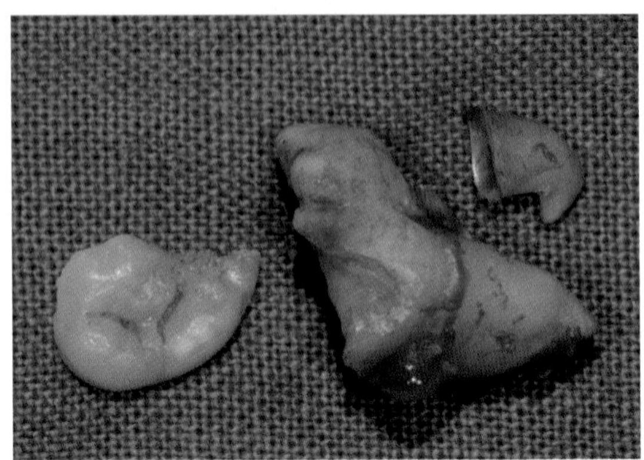

이 환자는 20대 중반의 청년으로 어머니가 치과의사인 환자이다. 어머니께서 일부러 저에게 보내주신 환자이다. 이상하게도 비슷한 부류의 환자들이 몰려오는데, 이 환자가 올 때쯤 어머니가 치과의사인 환자가 3명이 며칠 간격으로 내원했었다. 필자는 스스로 인정받고 있다는 우쭐한 마음으로 가볍게 발치를 하였다. 발치 시간은 채 3분도 걸리지 않았다. 환자의 어머니께서 CBCT 촬영을 하지 말아달라고 하셨고(이런 경우 필자는 원래 찍지 않음), 지혈제나 기타 보조적인 용품의 사용을 하지 말아 달라고 하였다. 발치 중간이나 직후에 통증이나 출혈 소견은 없었다. 그러나 다음 날 환자의 보호자인 치과 원장님으로부터 치과로 연락이 왔다. 환자가 집에 가서 밤에 갑자기 출혈이 되어서 환자의 어머니께서 본인 치과 문을 밤에 여시고, 거즈를 바이트시켰으나 계속 출혈이 되어서 응급실에 갔다고 한다. Oozing 정도가 아니라 정말 콸콸 넘쳤다고 한다. 응급실에서도 계속 그랬는데, 응급실에서 나름의 조치를 받고 좋아져서 집에 갔다고 한다. 환자의 보호자께서는 이미 다음 날 지혈이 완전히 된 상태에서 혹시 수술 과정에 특이한 소견이 있는지를 궁금해 하셔서 연락주셨다고 했지만, 내면에 원망이 조금 있는 듯하였다. 보통 필자가 한 달이면 많게는 300~400개의 사랑니를 빼는데 그중 몇 명은 출혈로 밤에 응급실을 가기도 한다. 물론 미리 고지하지만, 가끔 있다. 대부분 걱정되는 마음에서 가지만, 실제로 응급실에서 특별한 조치를 받은 환자들은 거의 없다. 치과의사이신 환자의 어머니께서 원인이 무엇이겠느냐고 여쭤보셔서 위 사진을 SNS를 통해서 보내고 설명을 드렸다.

<제 생각으로는 사랑니의 원심 치근의 치근단에 방사선 투과상(Youngsam's sign)이 보이는데, 이는 분명히 원심 치근이 설측 피질골 내부에 위치하여 발치 후에 설측 피질골이 파절 또는 천공되어 그 쪽에서 출혈이 되는 것이 아닌가 예상된다. 실제 치근도 그쪽 방향으로 많이 휘어져 있다. 협측은 절개, 박리를 하지 않았으므로 전혀 출혈의 원인이 별로 없어 보인다.> 이렇게 답변하였다. 환자 보호자는 그다지 수긍하는 듯한 느낌은 안 드는 듯하였다. 그래서 필자는 환자가 갔다는 응급실에 지인을 통해서 어젯밤의 상황을 물어보니, 답변이 참 재미있었다. 응급실에 당직자가 이제 들어온 인턴 뿐이어서 할 줄 아는 게 없었다는 것이다. 출혈은 심한 정도는 아니고 oozing 정도의 상태였고, 우선 봉합사를 풀고, 서지셀을 어떻게든 발치와 내부에 넣어보려고 하였으나 잘 안 들어가서 넣다가 말았다는 것이다. 그런데 원래도 출혈이 많지 않아서 그냥 거즈 물려줬다고 한다. 여기서 크게 교훈이 있는 건 아니지만, 술후 출혈에 대하여 충분한 지식이 있는 치과의사도 이렇게 당황할 수 있다는 것이다. 얼마든지 출혈에 대해서는 설명하고, 정말 필요하면 응급실에라도 가라고 하기 바란다. 사실 대부분의 응급실은 바쁘기도 하고, 치과의사가 상주하지 않아 특별한 조치를 취해주지 않는 경우가 많다는 것만 알아두자.

05
세미나 수강생 선생님이 물어본 케이스★

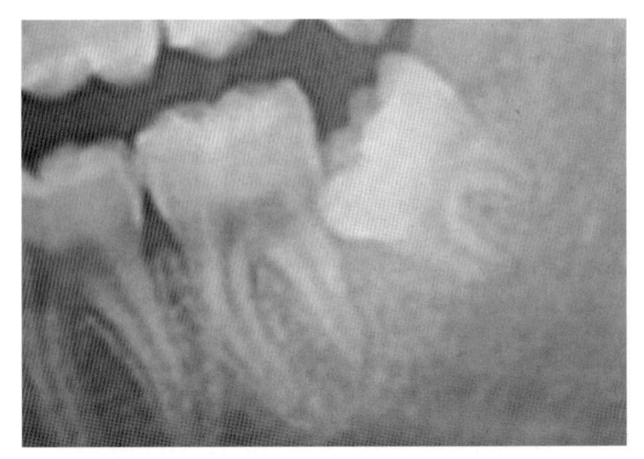
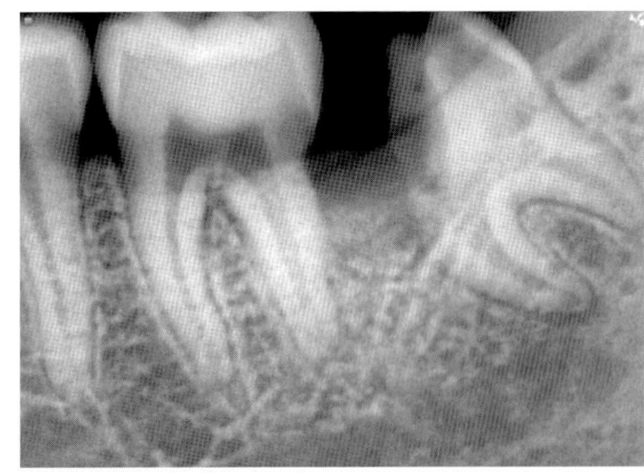

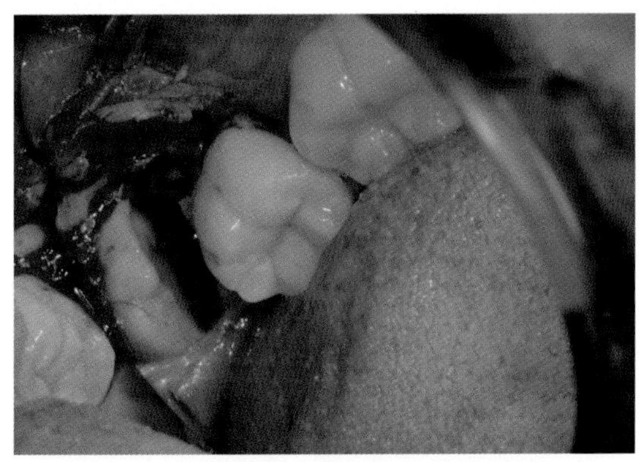

필자의 사랑니 발치 세미나를 들으면서 사랑니 발치를 배우고 있는 선생님의 케이스이다. 우리의 정보교류방에 이 상태에서 어떻게 발치하는 게 현명하겠느냐고 질문한 것이다. 물론 필자라면 근심 치관 삭제도 최대한 7번에 가깝게 했을 것이다.

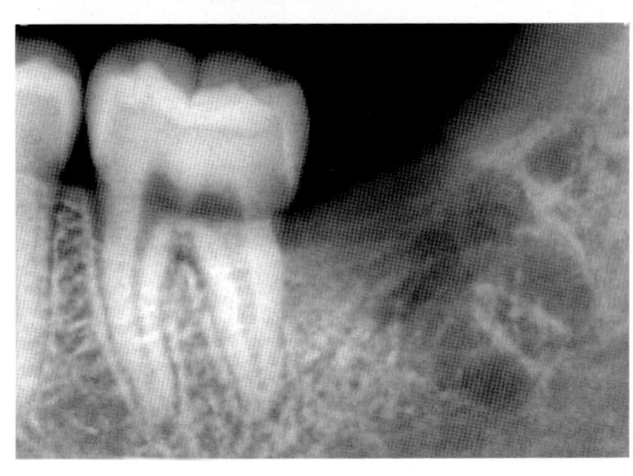
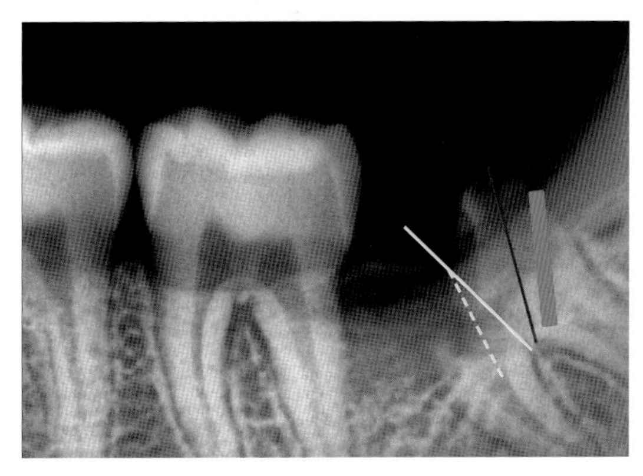

다양한 의견이 올라왔을 것이다. 근심 치관부를 제거하고 난 사진과 비교해봐도 이미 명확한 이름 없는 삭제를 좀 더 진행했음을 볼 수 있다. 절대 이러한 이름 없는 치아 삭제를 하면 안 된다. 앞서서도 이야기했지만 문고리만 뜯어버리는 격이 되는 것이다. 여기서 필자라면 근심 치관부 제거 후에 바로 발치를 시도해보고, 발치되지 않는다면 **뒷목치기**를 했을 것이다. 그래서 **ㄴ발치**로 근심 치근과 치아 몸통을 제거했을 것이다. 특히나 근심 치근이 하치조신경관과 근접한 경우에 이런 방법을 많이 쓴다. 대부분의 구강외과의사라면 두 치근 사이를 로스피드 핸드피스로 분리하여 발치하라고 했을 것이다. 물론 그게 일반적이긴 하지만, 대부분 실력이 조금 더 늘고 나면 필자처럼 하는 것이 쉽고 빠르고 안전함을 알게 된다.

06
발치하다가 부러지면? 3등분 발치 ★★★

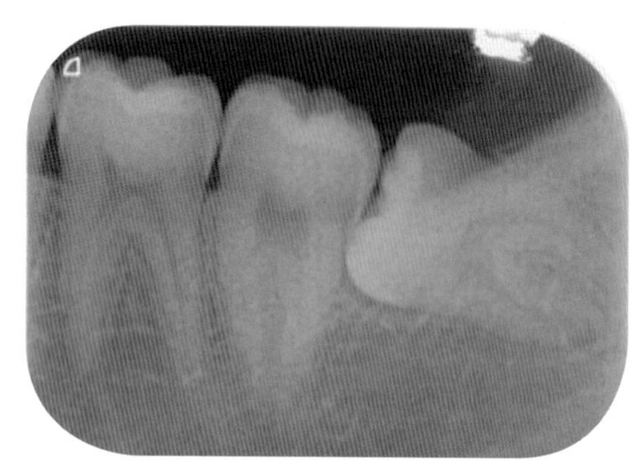

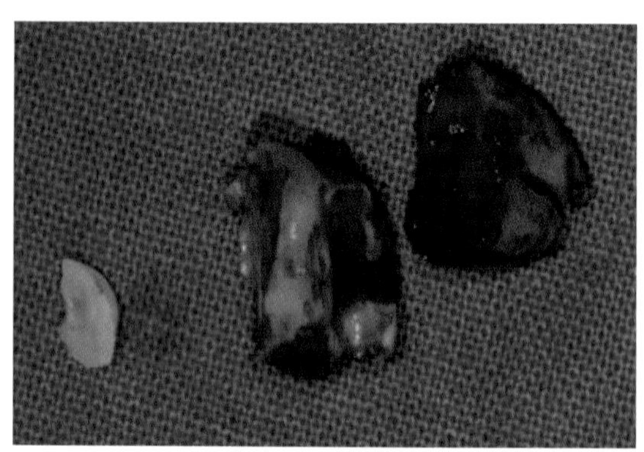

발치하다가 부러지면 단근치든 다근치든 남은 치근을 제거하는 것이 원칙이지만, 필자의 방법대로 원칙을 지켜가면서 발치를 했다면, 굳이 남은 뿌리를 제거하는데 시간과 노력을 들일 필요는 없다. 충분한 정도 이상의 치관절제술이 시행되었기 때문이다. 그러나 필자도 남은 치근은 거의 다 제거하는 편이다. 다만 남은 치근을 제거하는 방법 등은 이 장에서는 다루지 않고, 완전 수평 매복에서 좀 더 다루도록 한다.

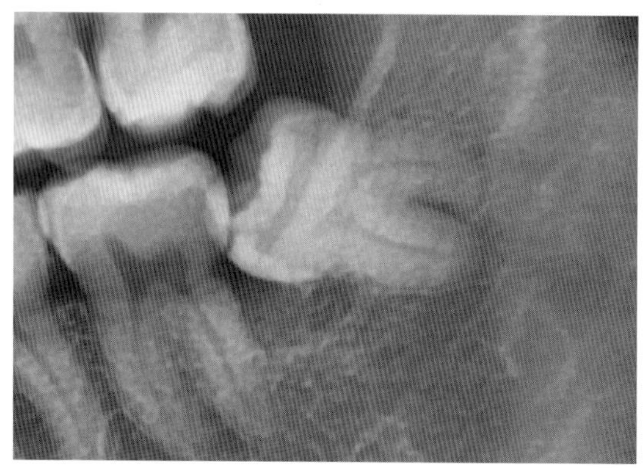

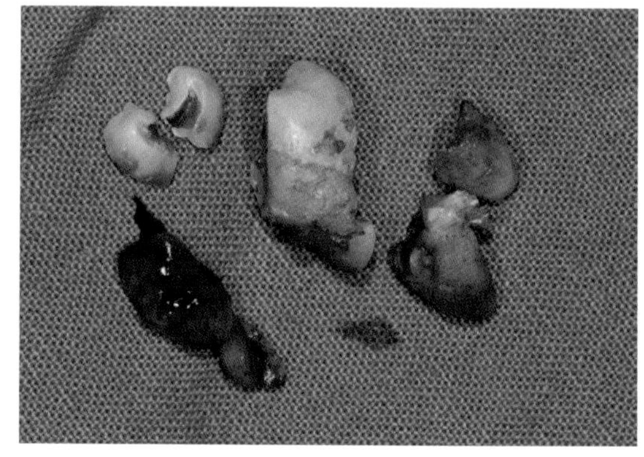

앞선 방사선 파트에서 언급하였듯이 이렇게 치관 부위에 염증이 심한 경우는 그 압력으로 치근이 치조골에 거의 유착되듯이 파묻히기 때문에 **뒷목치기**를 시행한 뒤에 치관부를 끌어 당겨도 치근이 나오지 않고 위와 같이 파절되는 경우도 많다. 그런 경우에도 마찬가지로 통상의 남은 치근 제거하는 방법으로 제거한다.

07
뒷목치기 과정 이어서 자연스러운 3등분 발치 ★★

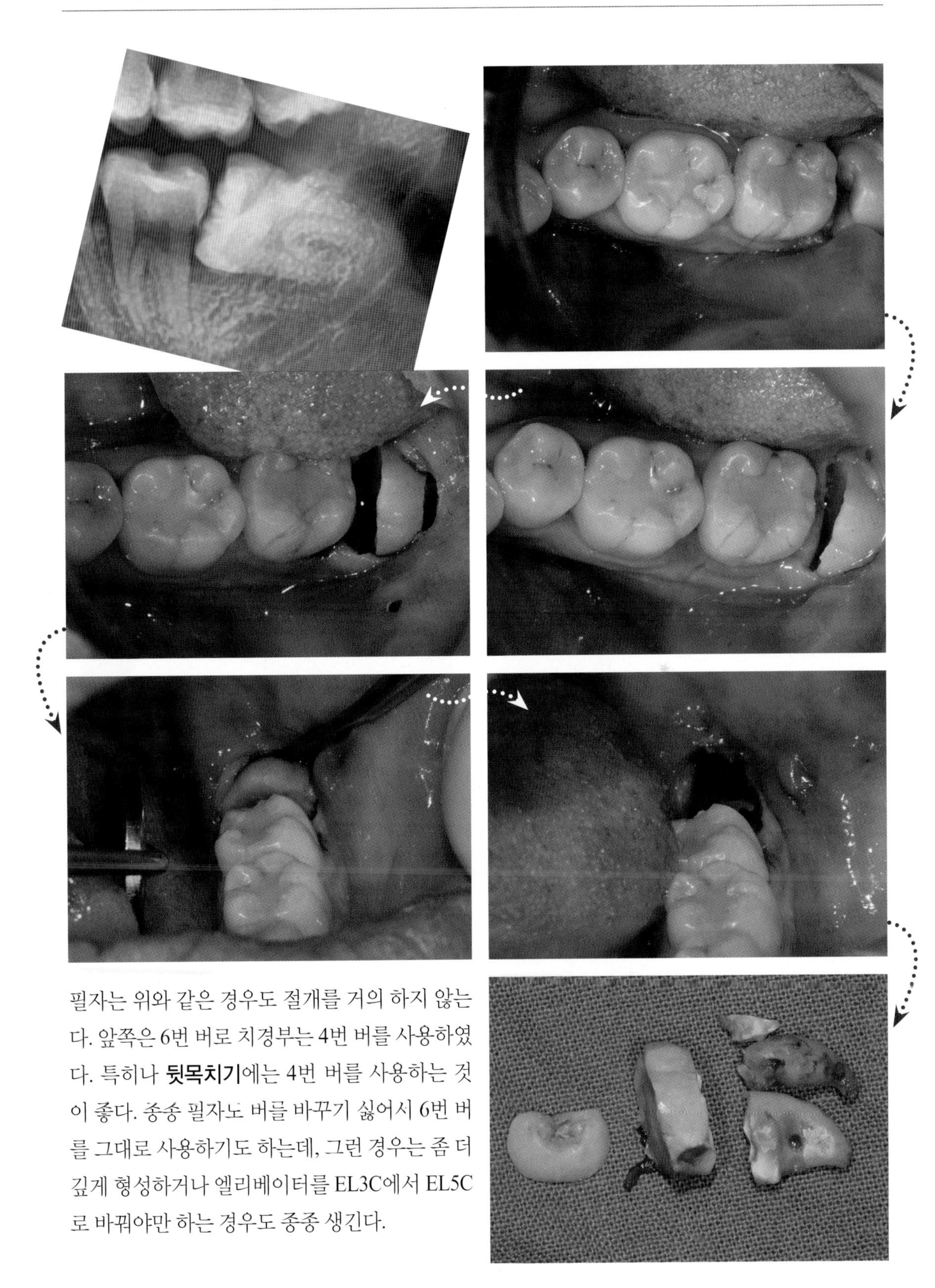

필자는 위와 같은 경우도 절개를 거의 하지 않는다. 앞쪽은 6번 버로 치경부는 4번 버를 사용하였다. 특히나 **뒷목치기**에는 4번 버를 사용하는 것이 좋다. 종종 필자도 버를 바꾸기 싫어서 6번 버를 그대로 사용하기도 하는데, 그런 경우는 좀 더 깊게 형성하거나 엘리베이터를 EL3C에서 EL5C로 바꿔야만 하는 경우도 종종 생긴다.

08
3등분 발치한 케이스★

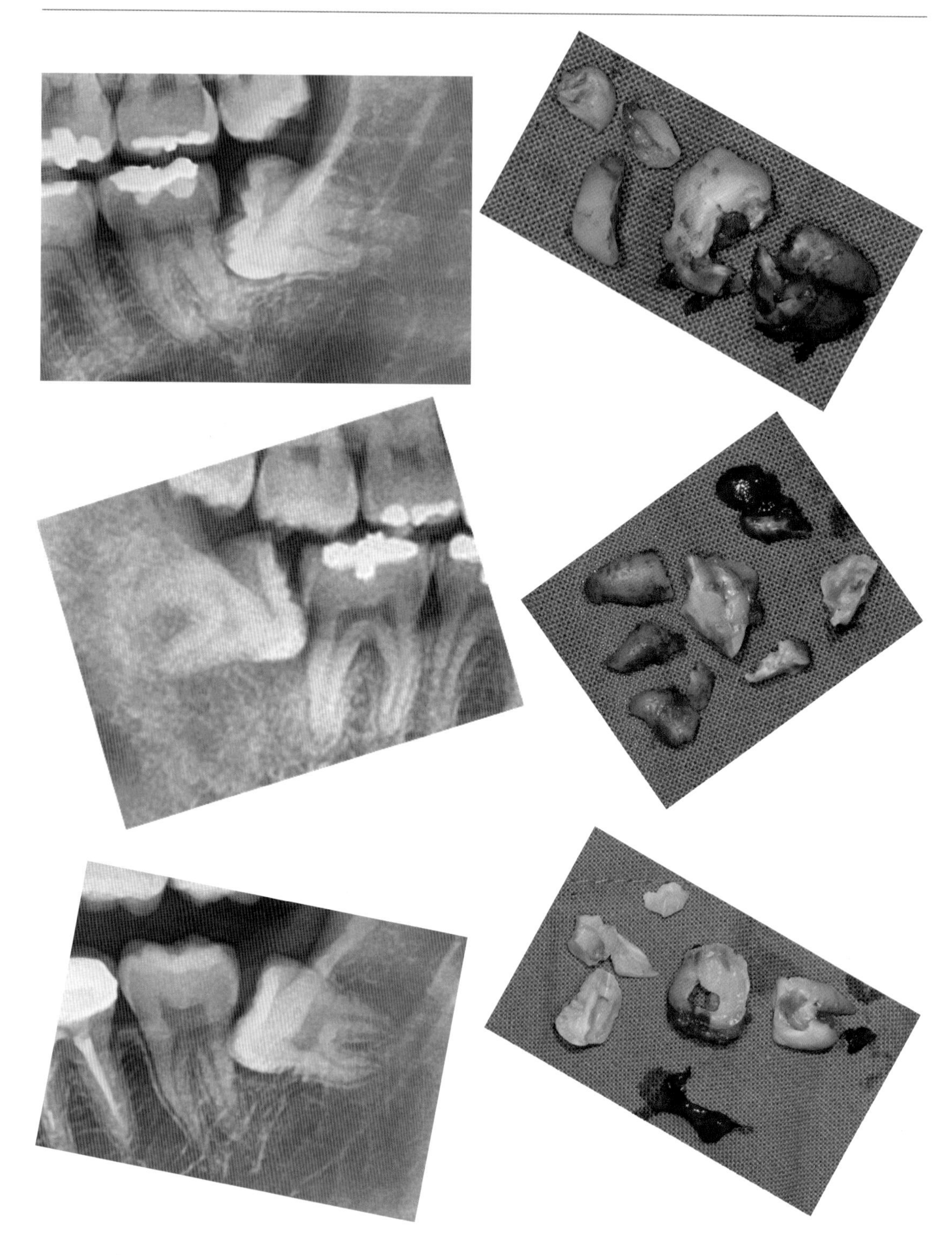

꼭 등분이 된 건 아니지만 흔하게 쓰는 말이니 3등분이라는 말을 사용하였다. 보통 남은 치근 부분을 제거하는데도 여러 가지 방법이 있지만, 그 부분은 수평 매복치에서 다루기로 하였으니 여기서는 간단히 대략적으로 눈으로만 익혀두자. 이제 사랑니 발치의 꽃, 수평 매복치로 들어가보자.

ASY
IMPLE
AFE
XTRACTION
of
wisdom
tooth

08 CHAPTER

완전 수평 매복치

완전 수평 매복치의 절개 방법 ★★

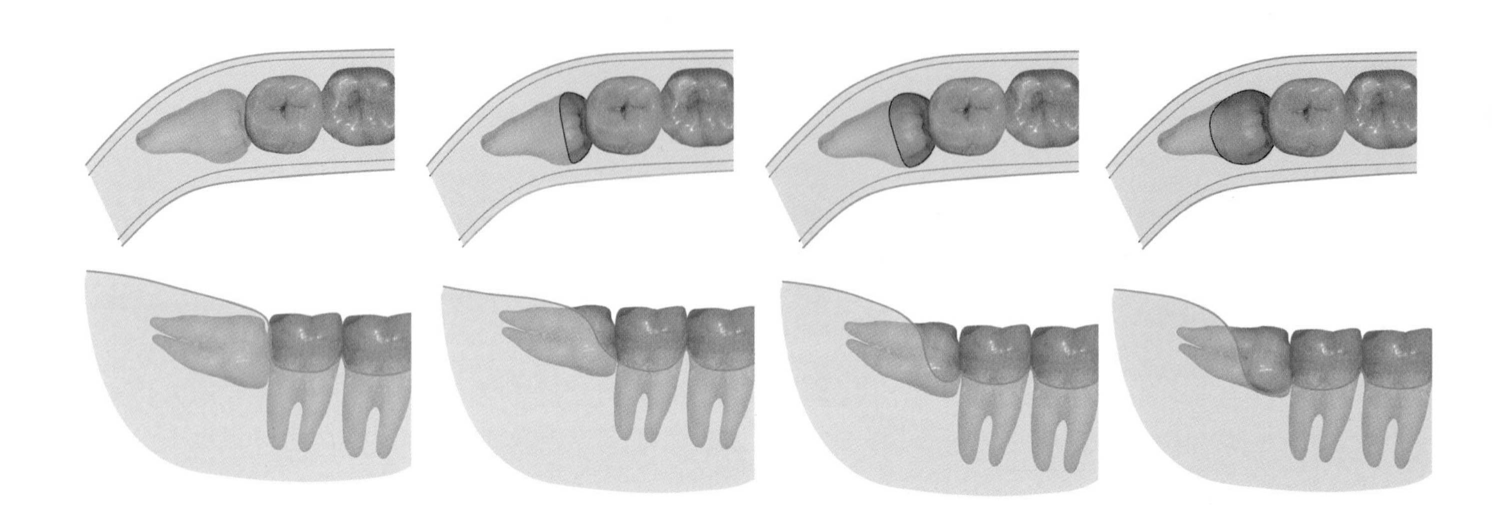

편의상 위와 같이 4단계로 구분한다면, 치관부가 거의 노출된 정도의 마지막 단계는 거의 잇몸절개 없이 발치를 시행한다. 당연히 박리나 골 삭제도 없다. 근심경사 매복치 발치와 비슷한 정도의 절개인데 아무래도 조금은 더 절개를 하는 편이다. 두 번째 단계 정도의 수평 매복도 협측에서의 시야확보를 위해서 살짝이라도 협측으로 절개를 하는 편이다.
그러나 근본적인 교합면에서 원심으로 이어지는 절개는 원래 치아가 얼마나 보이느냐와 상관없이 일정한 크기와 모양의 절개선이 있다고 생각하면 좋을 듯하다. 그 연장선 상에서 절개한다고 생각하자. 또한 필자의 경우 완전히 매복되어 전혀 보이지 않는 매복치나 약간은 보이지만 치관 크기가 매우 큰 경우는 근심으로 절개선을 연장한다.

만약 서지컬 라운드 버가 아니라 피셔 버를 쓰는 경우라면 절개를 매우 크게 해야 한다. 설측으로도 확실히 박리해줘야 하고, 근심 협측으로도 확실하게 플랩을 형성해줘야만 피셔 버에 의한 연조직 손상을 막을 수 있다.

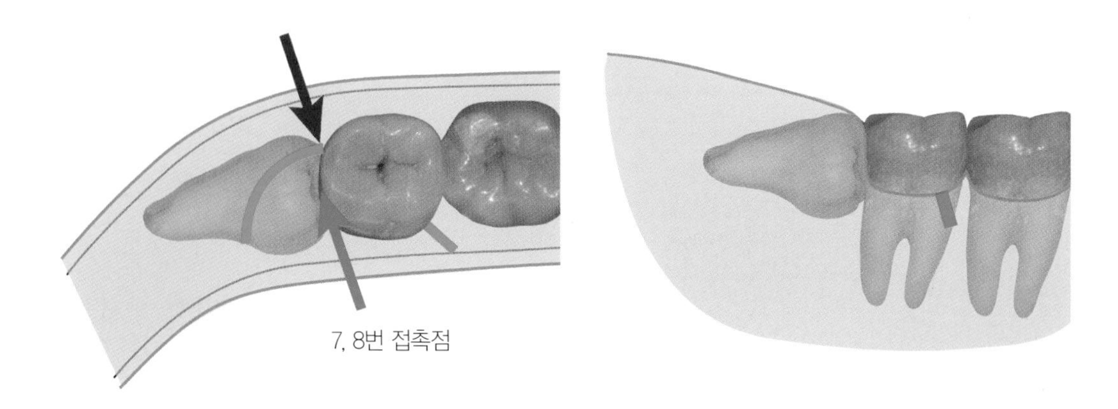

앞서 언급한 다른 절개선과 마찬가지로 절개선의 끝이 7, 8번 접촉점의 설측에 와 있어야 한다는 것은 확실하다. 시야 확보를 위해서이기도 하지만, 치관의 근심면을 버로 자르기 때문에 어차피 치관 상부의 설측 교합면쪽 잇몸은 버에 의해서 손상 받기 때문이다. 그러므로 꼭 버가 지나갈 자리까지는 잇몸을 절개해주는 것이 좋다.

수직 절개가 필요한 경우는 기본적으로 7번 근심에서 수직 절개한 후에 플랩을 형성하는 것이 원칙이지만, 정말 바쁘거나 특수한 상황에는 수직 절개 없이 6, 7번 사이 치간유두를 포함하여 플랩을 형성하기도 한다. 아주 드물게는 술자에 따라서 7번 원심쪽에 수직 절개를 두기도 한다.

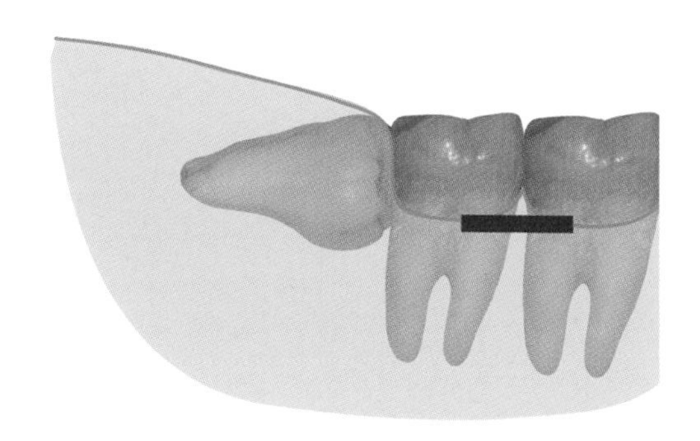

간혹 위와 같이 6, 7번 사이 치간유두 하방으로 수평적으로 절개하여 치간유두는 그대로 둔 체로 절개, 박리하는 경우도 있지만 필자는 이러한 방법은 선호하지 않는다.

사랑니 머리자르기 ★★

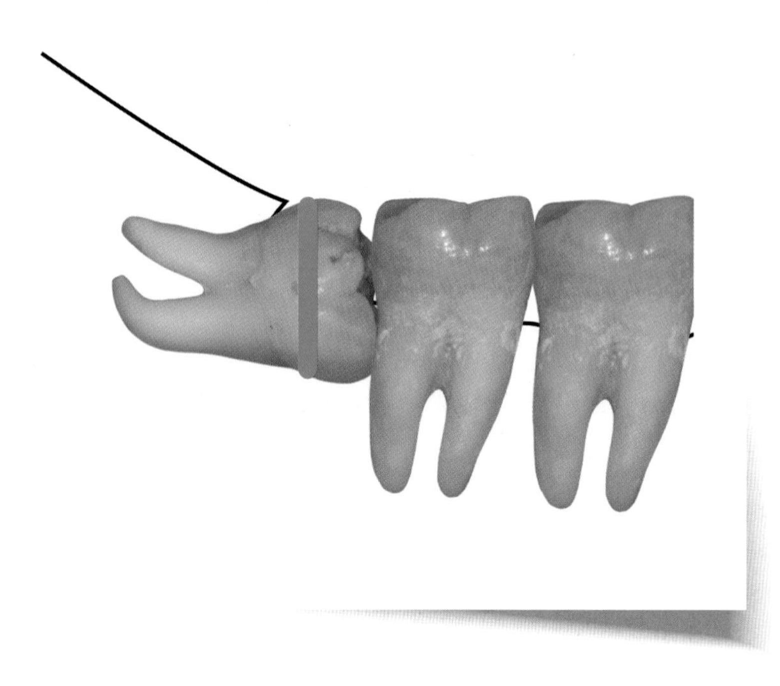

일반적으로 완전 수평 매복치의 치관 삭제도 근심경사 사랑니와 다르지 않다. 다만 수평 매복의 경우 근심 치관부를 삭제하는 방법이 몇가지 더 있을 뿐이다. 필자도 다양한 기구와 여러 가지 서지컬 버를 사용해봤지만, 이런 경우에는 하이스피드를 이용한 서지컬 라운드 버로 삭제하고 제거하는 것이 가장 유용하다고 생각된다.

01
사랑니 머리자르기 ★★

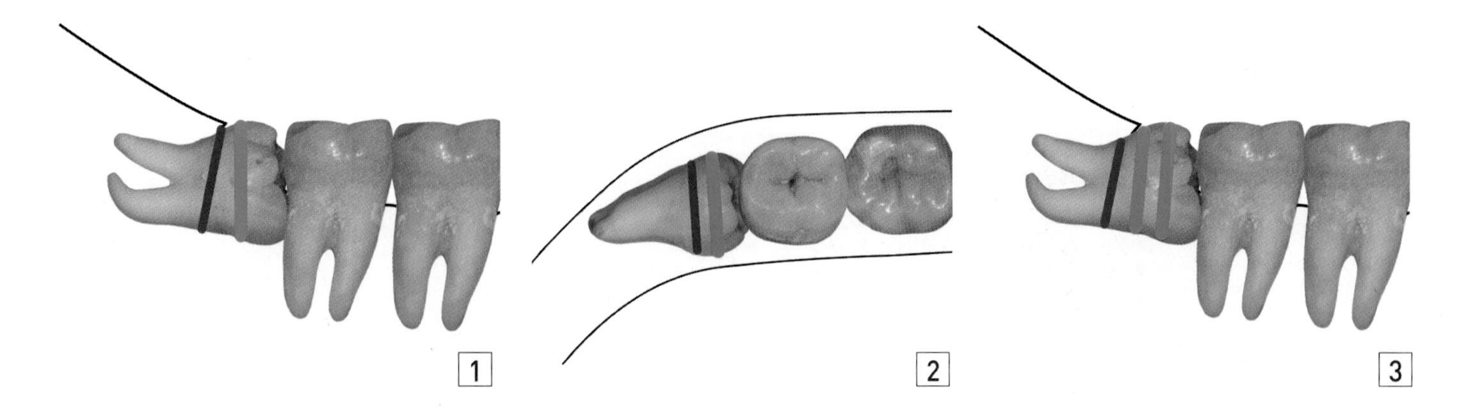

치관의 앞부분을 잘라내는 행위를 사랑니의 **머리자르기**라고 이름을 붙여봤다. 앞서서도 이야기했지만, 필자의 사랑니 발치 강의에 외국에 사는 교포 치과의사들이 많은 관심을 갖고 문의를 해주기 때문에 쉬운 우리말로 자주 쓴다. 그리고 우리도 뭔가 타성에서 벗어나서 새롭게 생각해보자는 취지도 있다.

그림 1 은 치관을 통째로 한 번에 자르는 그림을 그려본 것이다. 근심 경사 매복치에서도 언급했지만 필자는 7번 원심에 최대한 붙여서 치아를 삭제하는 편이다. 아마도 대부분의 치과의사들은 빨간 선 정도를 삭제할 것이다.

이런 삭제는 자르긴 쉽지만 잘려진 조각을 제거하기가 어렵기 때문에, 예외가 있기는 하지만 최대한 7번에 붙여서 거의 교합면 에나멜 하방을 지나가는 정도로 삭제하는 편이다.

발치가 오래 걸리는 이유는 중간에 방법을 못 찾아서 헤매기 때문이다. 치아를 한두 번 더 삭제하는 것은 의외로 예측 가능하고 시간이 오래 걸리지 않는다. 그래서 필자는 치아 삭제를 여러 번 한다.

심지어 그림 3 처럼 7번 원심면에 언더컷이 매우 큰 경우는 두 번에 나눠서 치아 삭제를 하기도 한다.

그래도 일반적으로는 7번 언더컷이 적고 협설쪽에 치조골이 별로 없는 수평 매복치에서 한 번에 통으로 자르기를 하는 편이다.

버의 크기와 모양에 따른 머리자르기 단면 보기 ★★

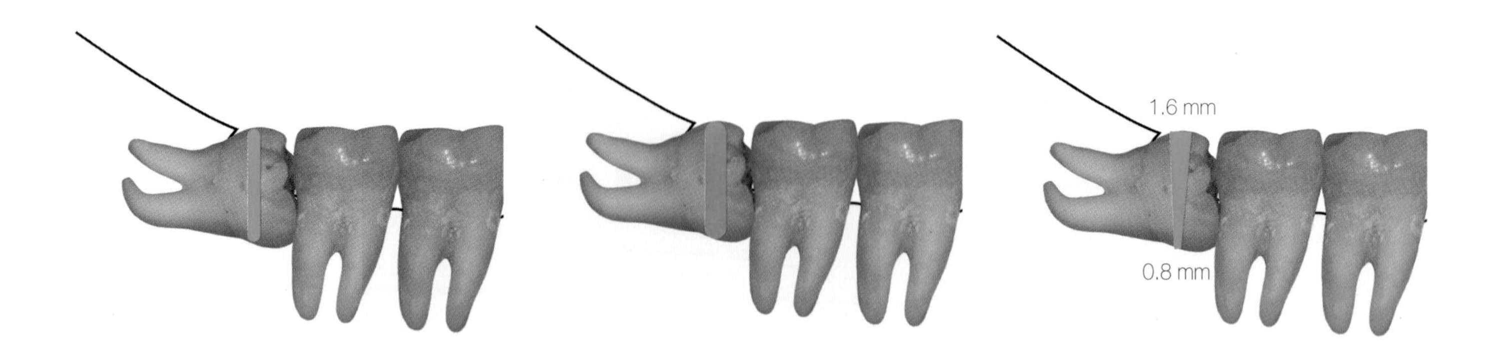

수평 매복치를 삭제하는 버의 크기와 모양에 따라서 단면을 그려본 것이다. 마지막 피셔 버에 의해서 삭제된 단면을 보면 필자가 피셔 버를 선호하지 않는 이유를 알 것이다. 피셔 버는 연조직 손상만이 아니라 삭제된 단면이 하방으로 갈수록 좁아져서(보통 상부 1.6 mm, 하부 0.8 mm) 근심 조각을 제거하기도 어렵다. 또한 초보자일수록 7번 원심면에 버가 닿기도 한다. 그에 반해서 라운드 버는 버의 크기가 일정하기 때문에 치아 상부나 하부의 삭제 단면이 같다. 그래서 종종 8번 라운드 버(직경 2.3 mm)를 사용하는 치과의사도 있는데 버가 커질수록 핸드피스에 무리가 심하게 가기 때문에 필자는 쉥크(지름 1.6 mm)보다 살짝 큰 6번 라운드 버(지름 1.8 mm)를 선호하는 것이다. 6번 버로 삭제하면 상부와 하부가 균일하게 1.8 mm씩 삭제되어 근심 치아조각을 제거하기가 쉽다.

02
머리자르기 – 한 번에 통으로 자르기 ★★

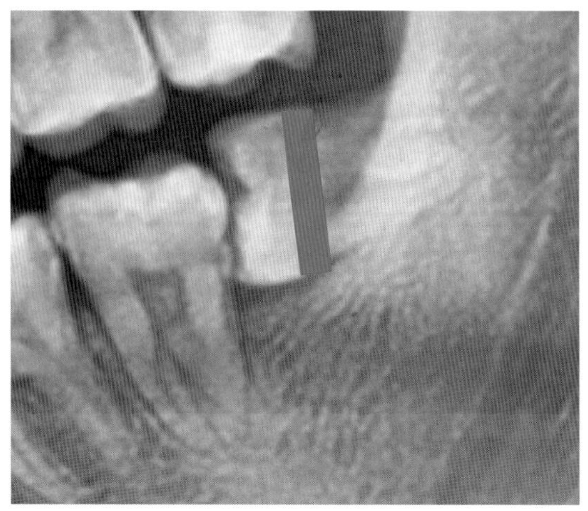

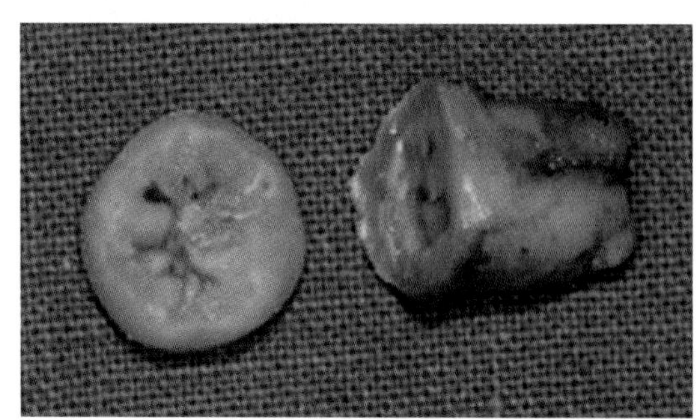

수평 매복이지만 7번 원심면에 언더컷이 적고 치조골도 치관의 최대풍융부의 하방에 있기 때문에 한 번에 잘라서 빼도 큰 문제가 되지 않는다. 하방은 신경관과 넉넉히 떨어져 있으므로 끝까지 잘라주고, 설측은 연조직에도 설신경 등 변수가 있으므로 굳이 설측 끝까지 삭제하지 않고 에나멜상에서 삭제선이 끝나도록 한다. 그래도 에나멜은 쉽게 파절되므로 잘려진 치아조각의 제거는 쉽다. 위 사진에서도 설측이 조금은 덜 잘린 듯해 보인다.

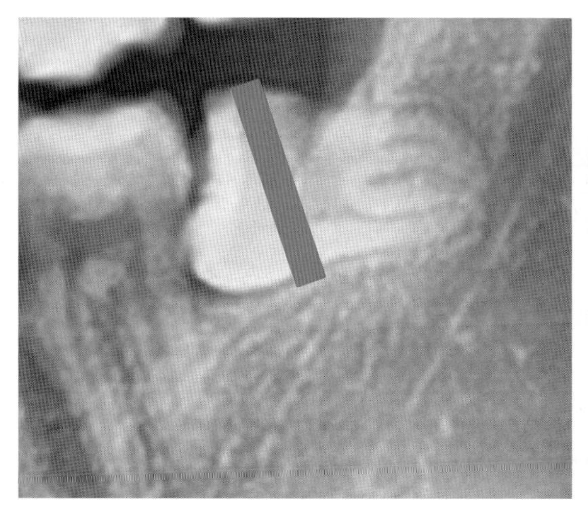

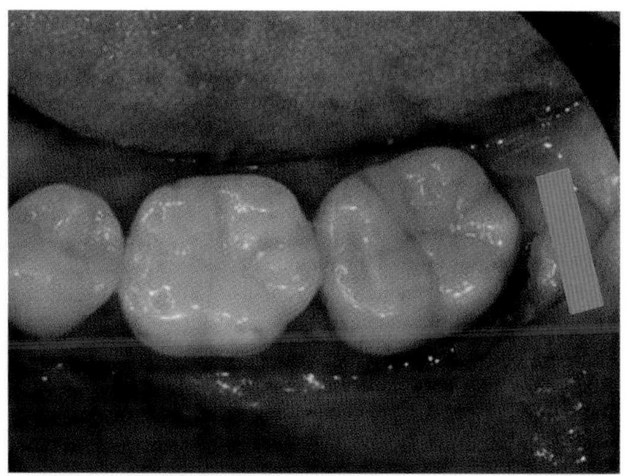

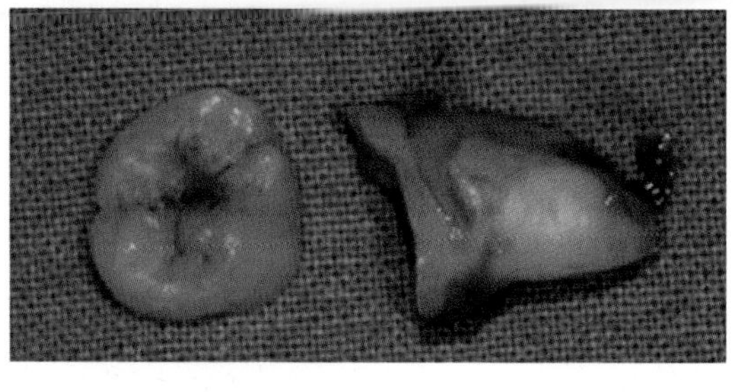

위의 경우도 마찬가지로 언더컷이 적고 치조골이 최대풍융부보다 낮게 위치하고 있다. 필자는 수평 사랑니의 높이가 높고 이 정도로 보이는 수평 매복 사랑니는 잇몸의 절개, 박리 없이 바로 치관을 위와 같이 삭제하여 발치하는 편이다. 잘려진 각도가 조금은 밑으로 갈수록 원심으로 밀리는 정도로 삭제되었지만, 치아 삭제한 6번 버의 지름이 1.8 mm 이기 때문에 어지간한 언더컷이라도 잘려진 조각은 위로 나오게 되어 있다.

03
머리자르기 – 한 번에 통으로 자르기 케이스 ★

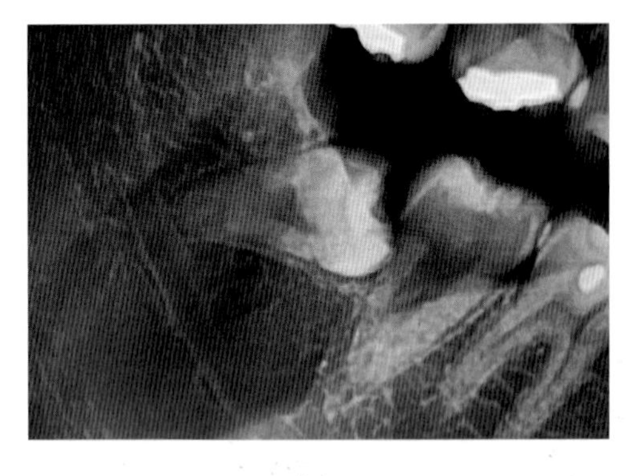

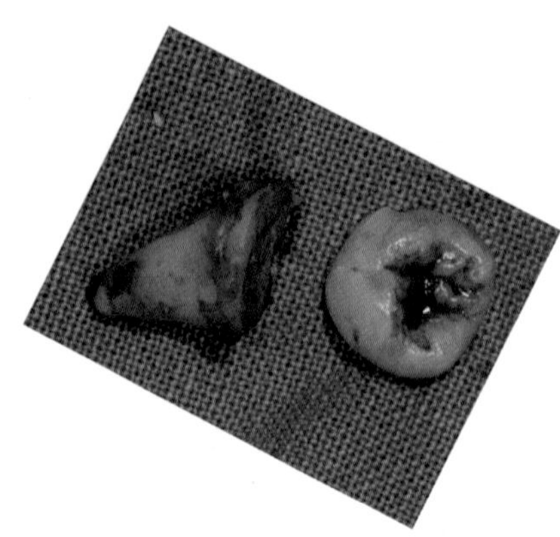

치관크기 자체가 작아서 한 번에 자른 경우

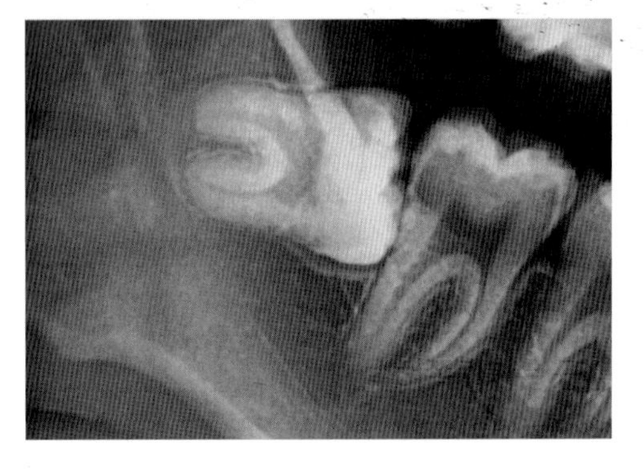

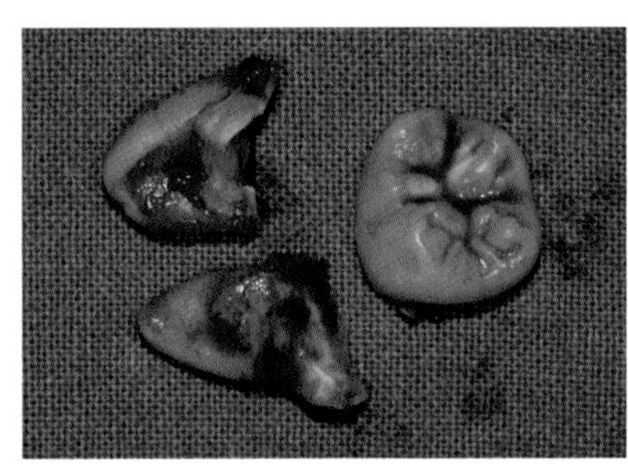

언더컷이 작아서 한 번에 자른 경우

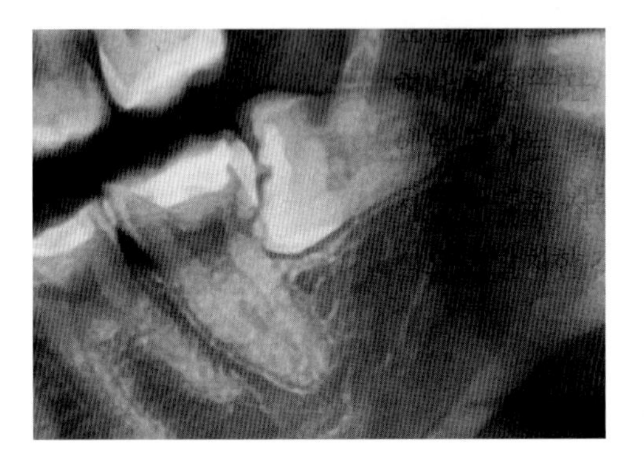

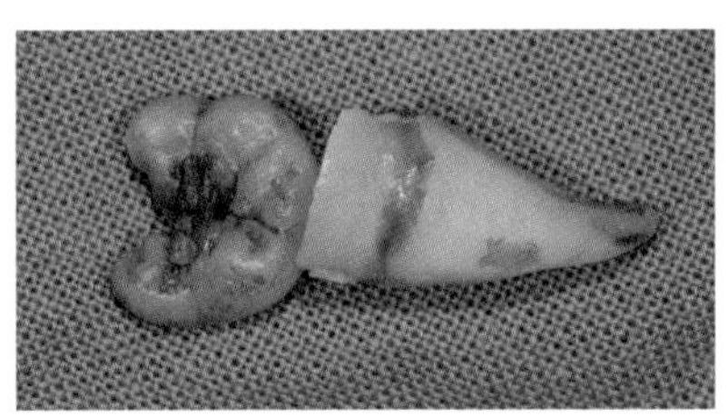

한 번에 자르더라도 최대한 7번에 붙여서 자르기 때문에 치관의 상부의 에나멜은 핸드피스의 진동에 의해서 깨져나가는 경우가 종종 있다.

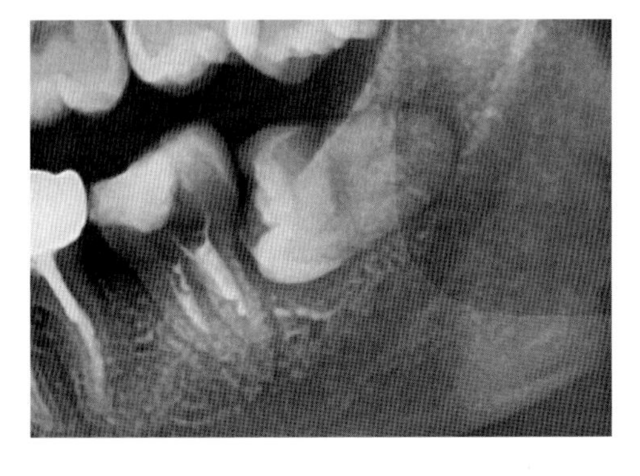

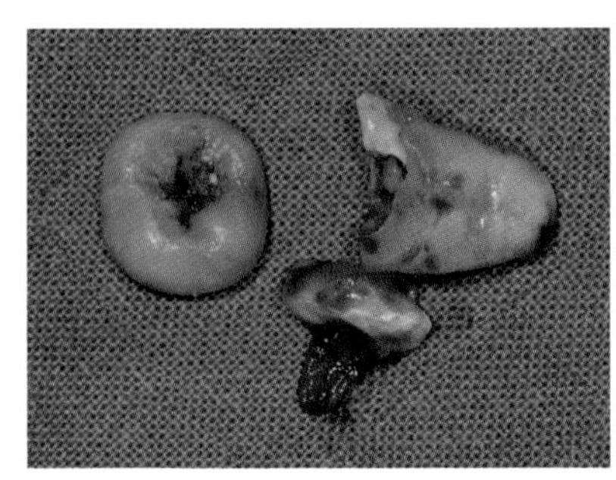

이런 경우는 방사선 파트에서 언급했듯이 치관부에 염증이 많아서 오랫동안 치관주위 연조직이 증식되어 사랑니 치관 주변에 치조골이 흡수되어 공간이 많게 된다. 이런 경우는 이렇게 치관을 한 번에 잘라서 빼는 것도 좋다. 뒤에서 언급하겠지만 교정 중인 환자의 사랑니도 비슷한 경우이다.

04
머리자르기 후에 치관을 파절시켜서 제거할 때 사용하는 기구 ★★

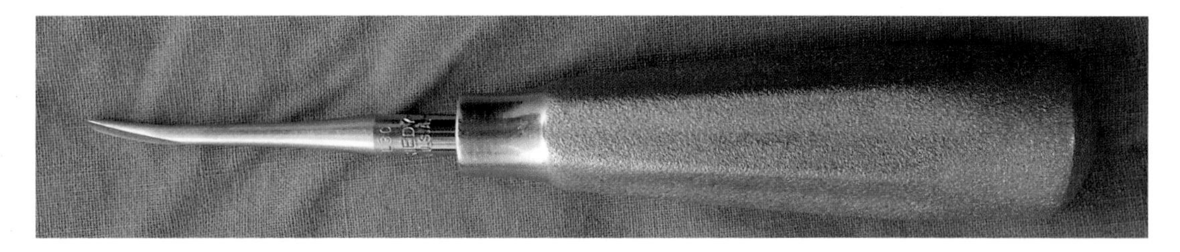

필자는 기구를 최소한으로 사용하는 것을 원칙으로 하기 때문에 일반적으로 살짝 뒤로 휘어진 EL3C를 사용한다. 어차피 치아는 인장강도가 매우 작기 때문에 작은 힘만으로도 부러지기 때문이다. 살짝 휘어진 것도 협측에서 각도가 잘 안 나올 경우에는 도움이 되기도 한다.

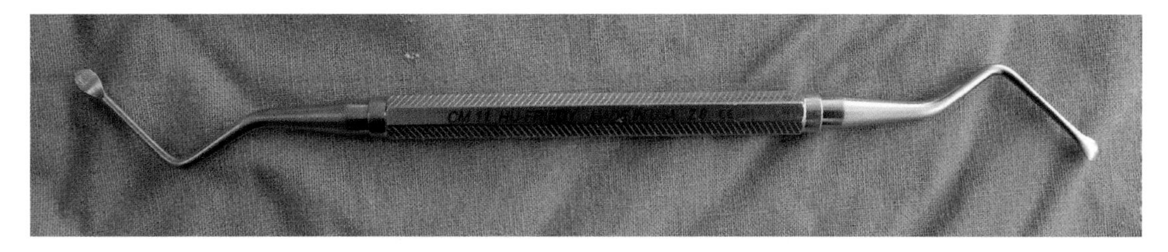

서지컬 큐렛은 치아를 세로로 자른 경우에 남은 부분을 파절시키거나, 이미 파절된 치관 조각을 끄집어낼 때 주로 치관부를 회전시켜서 제거하는데 사용한다.

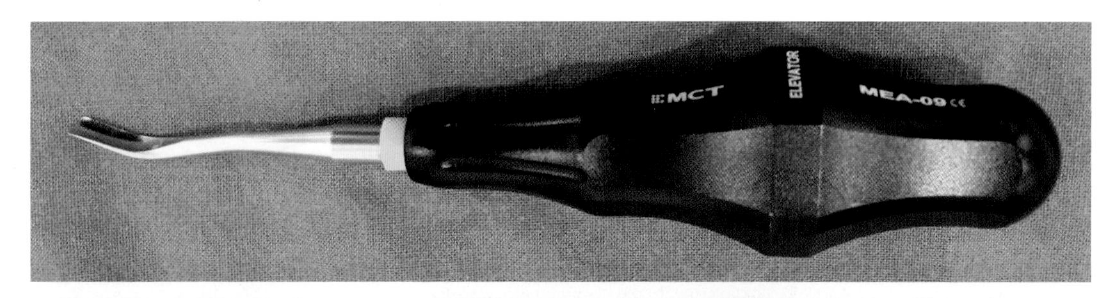

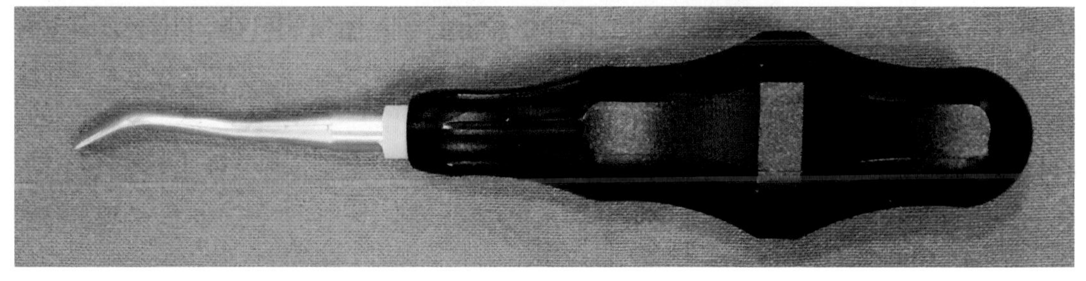

가끔 초보자들에게 이런 기구를 권하기도 한다. 굳이 이름을 붙여서 표현하자면 앞으로 꺾어진 엘리베이터라고 부르고 싶나. 일반적인 엘리베이터로 치관을 파절시키는 경우는 협측에서 엘리베이터를 앞으로 당겨서 삭제된 틈을 벌리는 방향으로 파절시키는데, 이렇게 휘어진 기구는 기구를 원심으로 밀면서 치관을 파절시킬 수 있기 때문에 삭제된 치아의 설측 하방에 잘 떨어져져서 좋다. 이 제품은 MCT(미스타큐렛 www.2875mart.co.kr) 제품이지만 대부분의 회사에서 비슷한 제품들이 나오기 때문에 비슷한 형태의 것들을 저렴한 것으로 구해서 사용해보는 것도 좋을 듯하다. **뒷목치기**와 ㄴ**발치**에도 유용할 수 있다.

05 교정 중인 환자의 사랑니 발치★

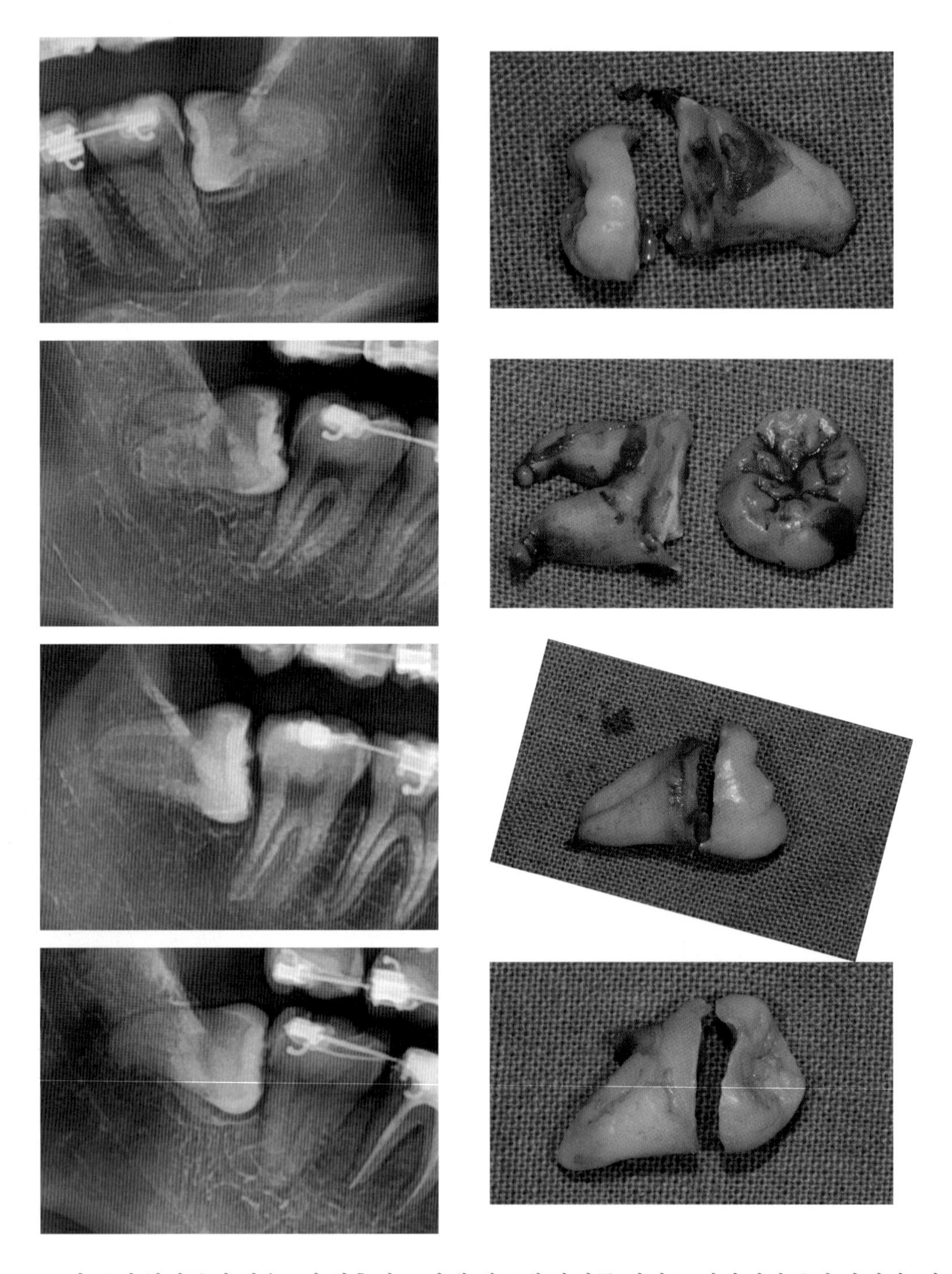

교정 중인 환자들의 경우 7번 협측의 브라켓 때문에 발치를 꺼리는 치과의사들이 많지만, 필자는 오히려 더 선호하는 편이다. 발치 교정 중인 경우는 7번 치아가 근심으로 이동하여 대부분 치관 주위에 공간이 많아서 치아를 삭제하고 그 조각을 제거하기가 매우 쉽기 때문이다. 물론 교정을 시작한 시기에 따라서 종종 달라지기도 하고, 비발치 교정이나 교정 시작 전의 경우는 큰 차이는 없다. 조각들을 보면 설측이 조금은 덜 삭제된 것을 볼 수 있다.

06 사랑니 발치에서 핸드피스 각도의 한계★

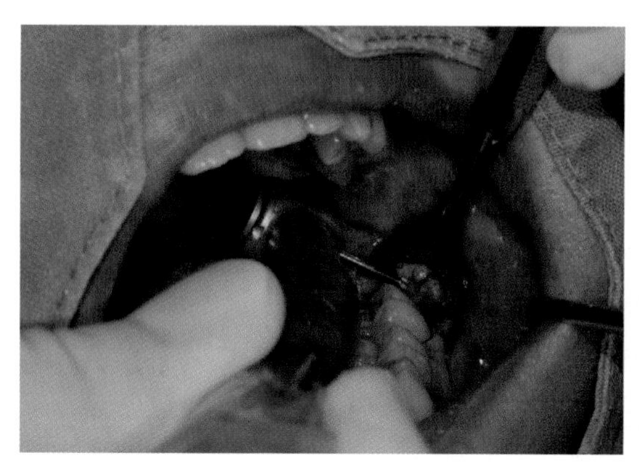

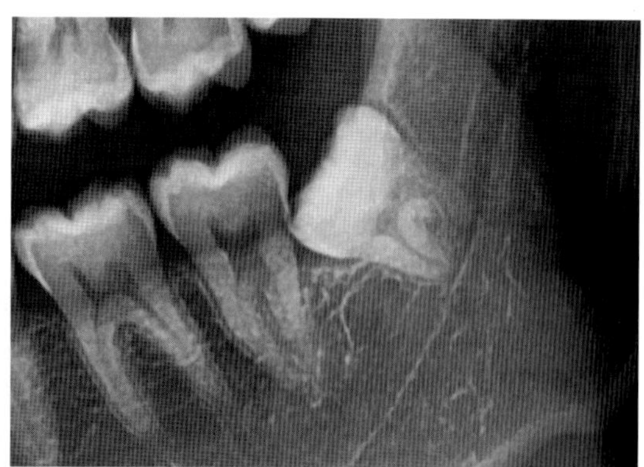

수평 매복 사랑니의 치관부를 삭제하기 위해서 핸드피스를 접근시킨 사진이다. 머릿속에서는 핸드피스가 수직으로 접근할 것 같지만, 현실에선 대합치에 걸려서 똑바로 서지 못하는 경우가 대부분이다. 입이 크거나 사랑니가 근심에 위치하여 종종 수직으로 접근할 수 있는 경우도 있지만, 일반적인 접근 방식이 이러하다 보니 이런 접근 방식에 익숙하여 치아를 삭제하는 경우가 많다. 그래서 근심 치관부를 삭제할 때 설측 하방의 삭제가 쉽지 않다. 특히나 필자가 피셔 버를 선호하지 않는 이유이기도 하다. 결국 사랑니 발치의 성패는 치관부의 설측 하방을 얼마나 안전하고 효율적으로 접근할 수 있느냐가 가장 중요한 포인트이다.

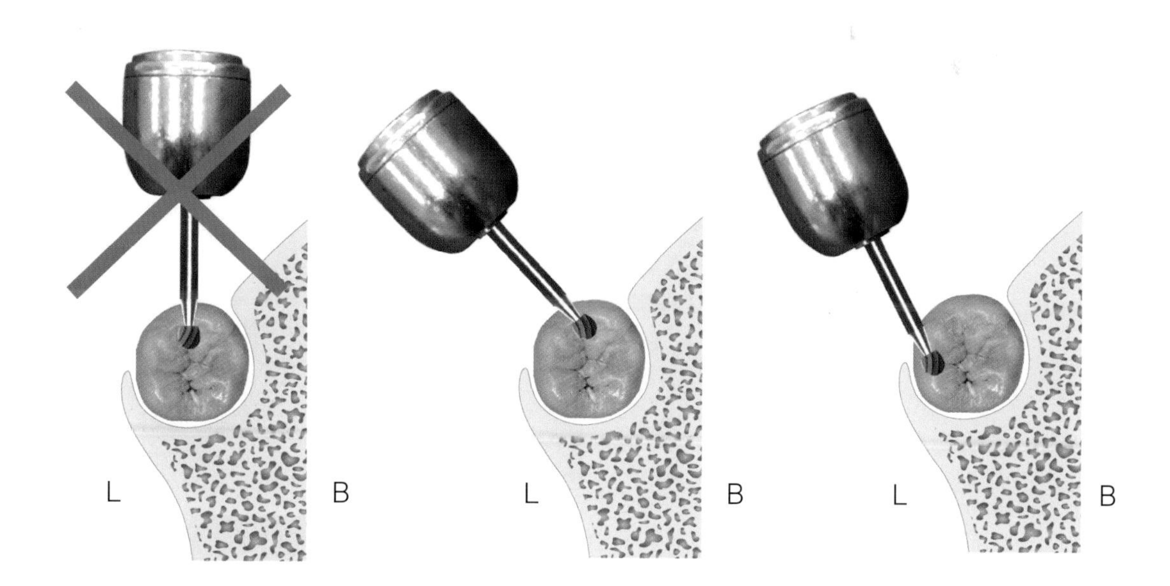

수평 매복 사랑니의 치관부를 삭제할 때 핸드피스가 이와 같이 들어가서 삭제할 것이라고 생각하는 경우가 많다.

실제 하악 수평 매복 사랑니의 발치에서는 핸드피스가 대합치에 걸려서 설측으로 경사지게 접근할 수 밖에 없다. 근단부로 갈수록 핸드피스를 좀 더 수직으로 세울 수는 있지만, 기본적인 사랑니 발치에서 핸드피스의 접근 각도는 설측 경사이다. 그래서 피셔버가 훨씬 더 위험해진다.

머리자르기 - 가로나누기 ★★★

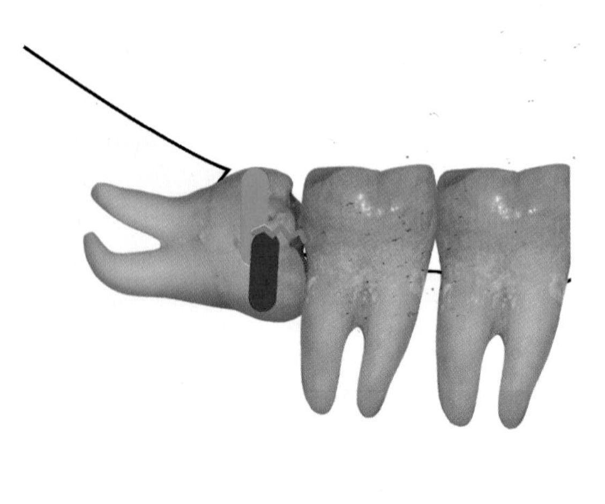

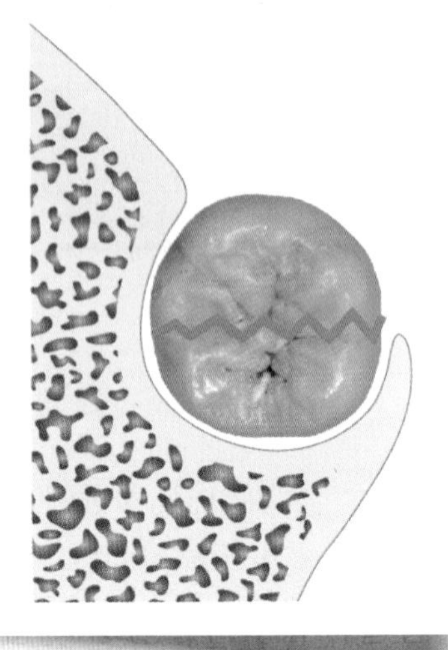

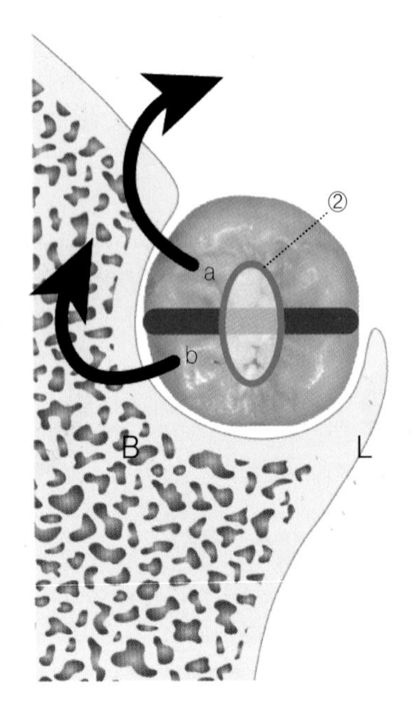

수평 매복된 사랑니의 치관의 윗 부분(원심)를 먼저 파절시켜서 제거한 다음에 아래 부분을 삭제하는 방식이다. 필자는 다음과 경우에 주로 사용한다.

- 치관이 매우 커서 치관 하방까지 버의 도달이 어려운 경우
- 여러 가지 이유로 삭제된 치관부의 시야 확보가 잘 안 되는 경우
- 치관 하부에 신경관이 매우 가까워서 정확한 치관 삭제가 요구될 때
- 충치가 심해서 치관이 어차피 한 번에 제거가 되기 어려운 경우
- 치관의 하부를 세로나누기를 해야 할 경우

위 그림에서 교합면 가운데 동그라미 ②가 일반적인 7번 원심면의 최대풍융부가 위치한 자리이고, 대부분의 사랑니의 오목한 교합면이 그 볼록한 7번 원심면을 감싸듯이 위치하고 있기 때문에 아래 남은 반절의 조각을 협측으로 또는 설측으로 회전시켜서 제거하면 언더컷에 덜 걸리면서 제거할 수 있다.

01
치아 가로나누기 과정★★★

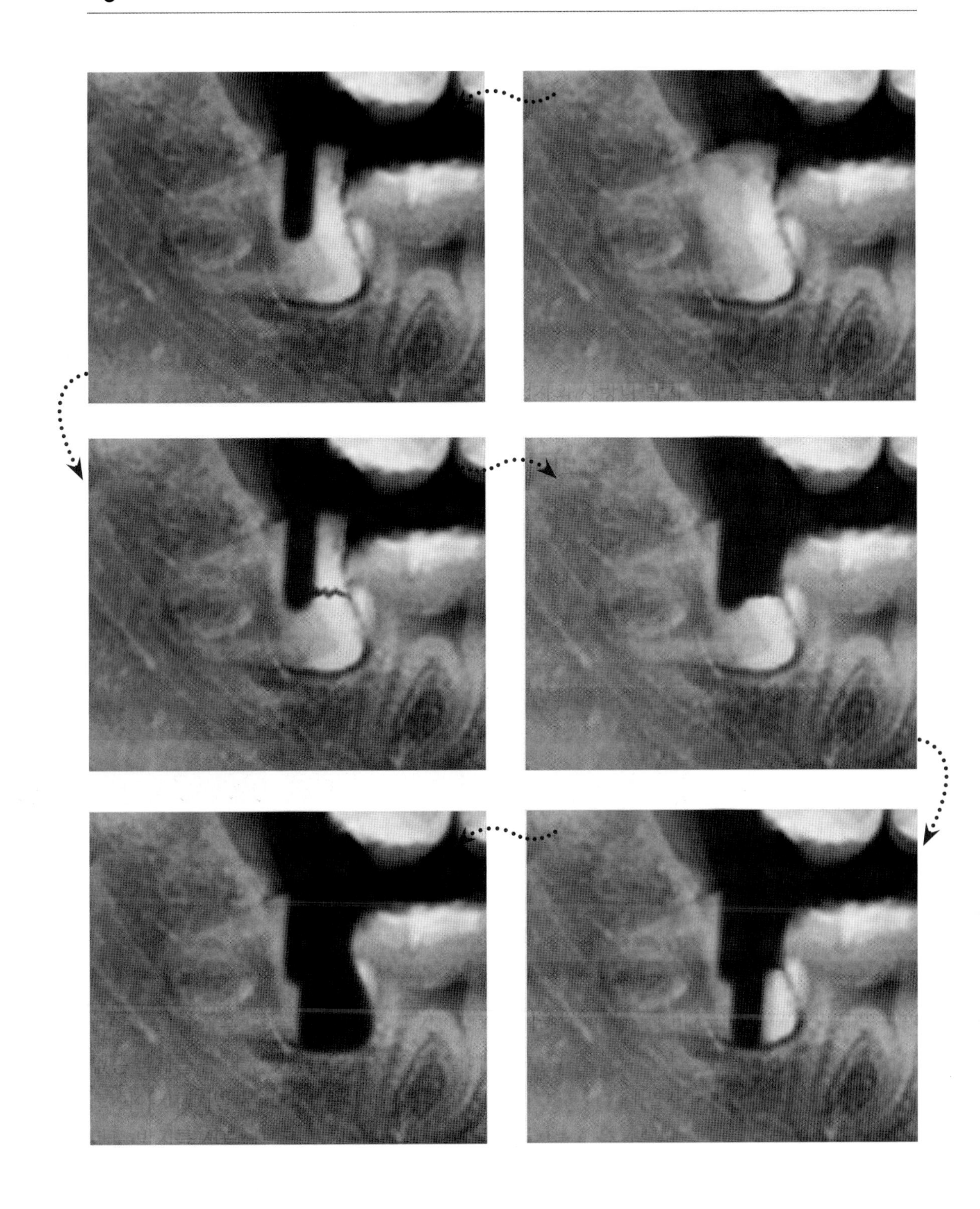

02
사랑니 머리 가로나누기 케이스 ★★

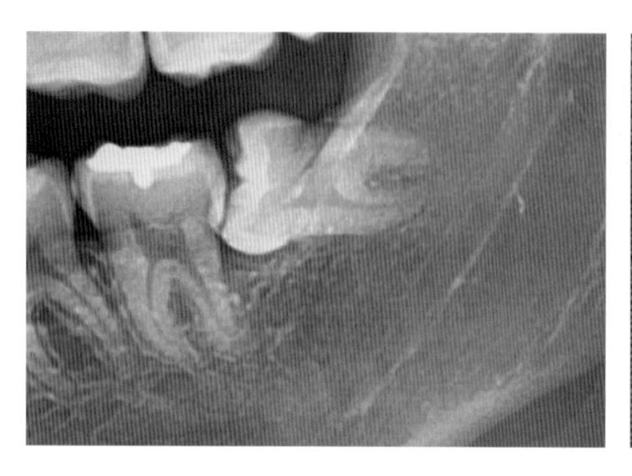
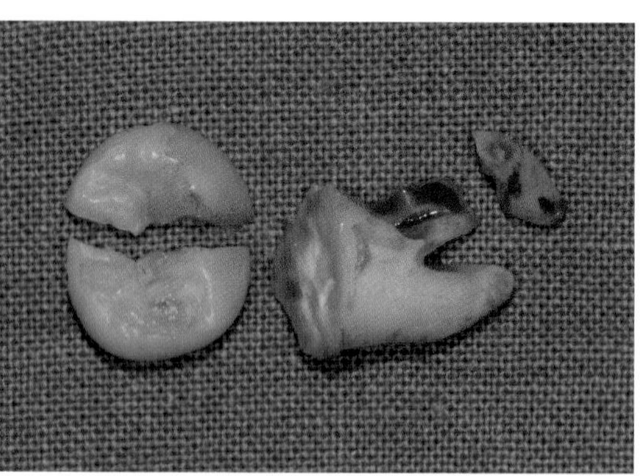

치관이 교합면보다 상방에 있어서 치관 상부를 제거하고 다시 밑에 반절을 제거한 경우로 버의 지름(1.4 mm)이 쉥크(1.8 mm)의 지름보다 작은 4번 버를 쓰는 경우는 일반적으로 위와 같이 한다.

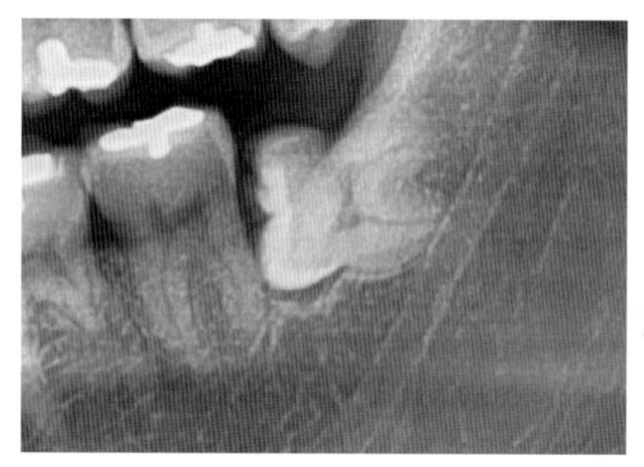
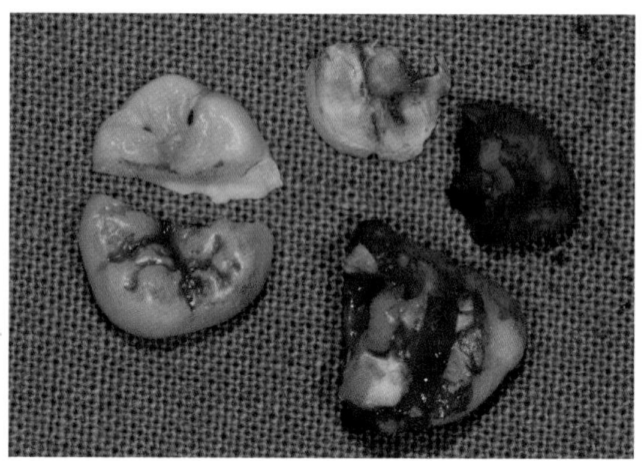

치관의 위치가 교합면보다 너무 깊어서 버가 들어가도록 하기 위해서라도 상부를 먼저 제거하고 하부를 제거한 경우로 어느 정도 잘렸는지를 중간중간 확인할 수 있어서 하든 시야 확보에도 매우 유리하다.

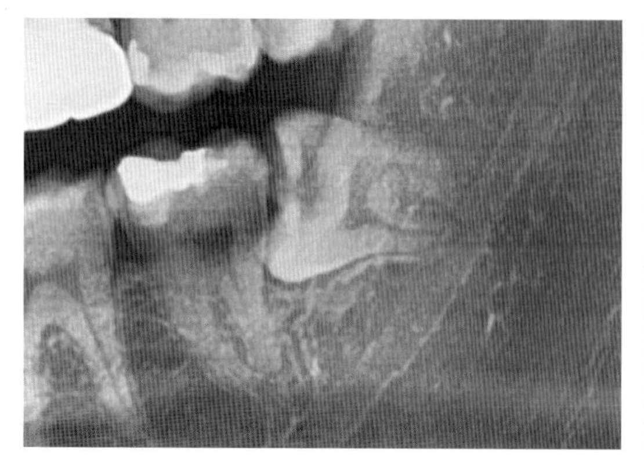
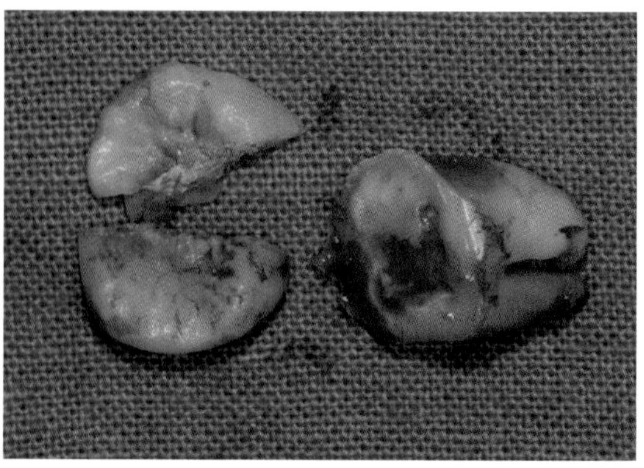

충치가 있어서 치관의 상부를 먼저 제거한 경우로 이런 경우는 윗부분을 제거하지 않고 하면 어중간하게 치관이 잘리기 때문이기도 하다. 물론 일부러 모래알처럼 여러 조각으로 잘라서 빼기도 한다.

03
머리 가로나누기(뚜껑따기)를 시행하면 시야확보에 매우 유리 ★★

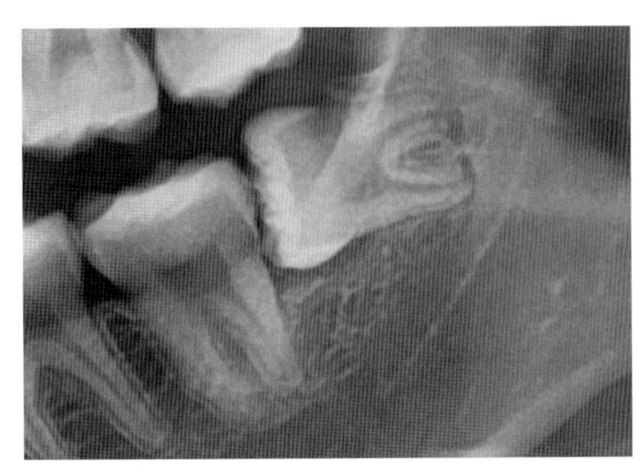
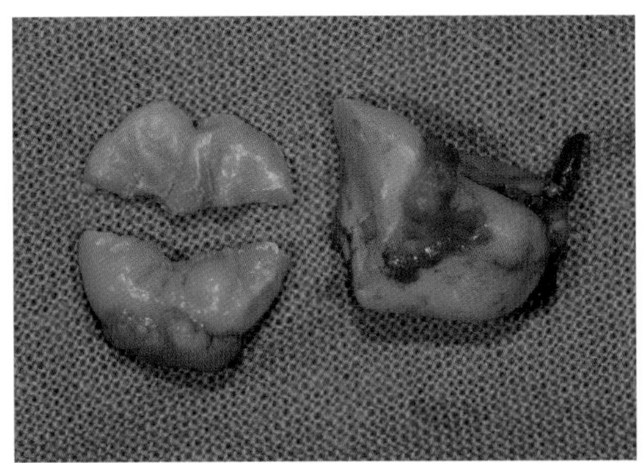

필자가 예전에는 4번 서지컬 버(버의 shank 지름보다 0.2 mm 작은 1.4 mm)를 주로 사용하였으므로 깊게 치아를 삭제하기가 어려워서 윗부분을 잘라내는 습관이 들어 있었다. 그래서 늘 치관을 여러 조각으로 제거하는 것이 익숙하다. 그러나 요즘은 늙고(?), 힘이 떨어져서 작은 사이즈 버로 정교하게 자르는 게 좀 힘들어 6번 서지컬 버(버의 shank 지름보다 0.2 mm 더 큰 1.8 mm)를 사용해서 위험하지 않으면, 되도록이면 한 번에 밑에까지 자르려고 노력하고 있다. 또한 요즘 핸드피스는 파이버 옵틱이 되어 절단된 치아면도 잘 보이기 때문에 굳이 시야 확보를 위해서 치관을 미리 잘라내지 않는다. 다만 지금도 초보원장님들을 가르칠 때는 저렇게 잘라내는 걸 권한다. 시야 확보가 매우 중요하기 때문이다.

저렇게 잘라내는 데는 키 포인트가 있다. 너무 깊게 자르면 안 된다. 그럼 치관 전체가 갈라지기 때문에 발치가 더 어렵게 되는 경우가 많다. 절대 깊게 자르지 말고 (2/3 이하) 윗부분만 삭제해서 윗조각이 아래보다 훨씬 적게 나오더라도 그렇게 삭제해서 윗 부분을 제거하는 것이 시야 확보에 유리하다. 대부분은 저렇게 잘라지기보다는 작은 에나멜 조각들로 부스러져서 석션이 돼버리는 경우가 많다. 또한 이렇게 가로로만 자르는 경우는 매우 드물고 그렇게 윗부분을 살짝 잘라낸 뒤에 세로로 잘라서 아래 조각을 반절로 나눠서 빼는 전 단계로서 많이 사용한다.

이렇게 잘린 케이스가 별로 없는 이유는 앞서 이야기했지만 대부분 윗부분의 에나멜은 깨지기 때문이고, 이렇게 가로로 이등분하는 케이스는 별로 없고 대부분 세로로 나누는 방법과 병행하기 때문이다. 이런 내용은 뒤 부분을 보면 알게 된다.

04
머리 세로나누기 (장작패기) ★★★

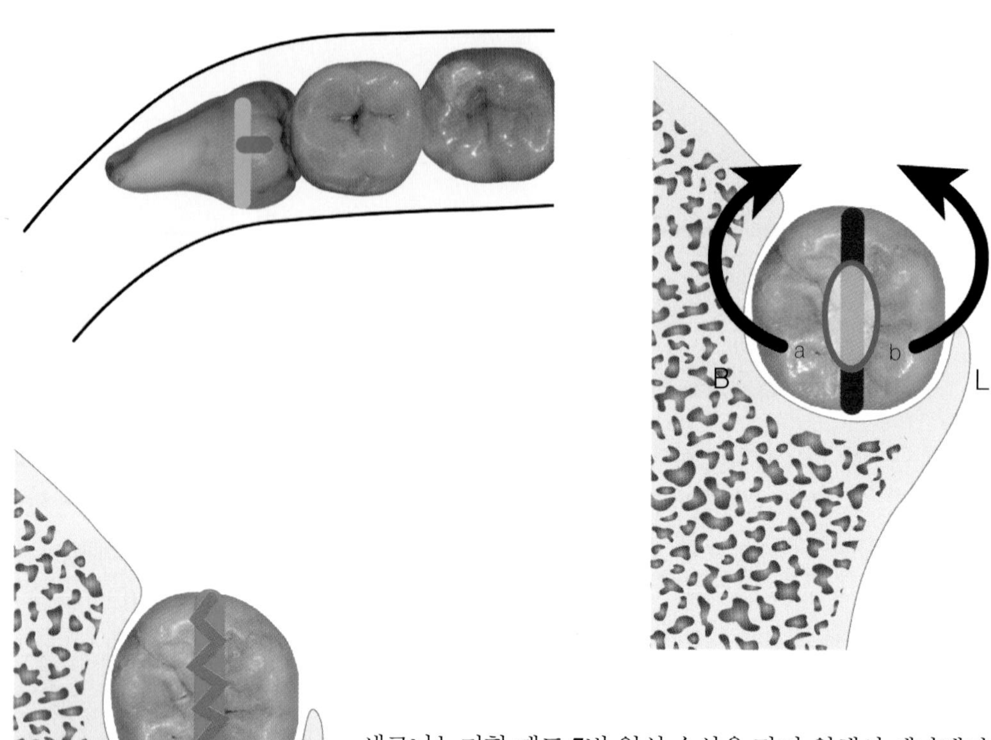

세로나누기할 때도 7번 원심 손상을 막기 위해서 에나멜까지는 삭제하지 않고 파절시켜서 제거한다. 물론 에나멜은 잘 부스러지기 때문에 중간에 많이 깨져서 석션에 흡수되기도 한다.

앞에서도 언급했듯이 7번 원심의 언더컷이 큰 경우에 주로 사용한다. 치관부를 모두 삭제했음에도 불구하고 잘려진 조각이 쉽게 제거되지 않는다면 세로로 장작패듯이 쪼개서 회전시켜 제거한다. 앞에서 본 것처럼 치관의 중심부에 있는 동그라미가 7번 원심의 최대풍융부이다. 그러니 하방에서 걸려서 못 나오는 경우가 많다. 왜냐하면 하방이나 설측이 깨끗하게 치아 삭제가 잘 안 되는 경우도 많기 때문이다. 이럴 때 세로로 자르기가 매우 유용하다. 다만 7번 원심면의 손상을 막기 위해서 세로로 자를 때는 삭제된 안쪽면에서 세로로 선을 긋듯이 밑으로 삭제한 뒤에 서지컬 큐렛을 이용하여 파절시킨다. 치관이 상아질 부분만 잘 잘려 있어도 에나멜은 쉽게 파절된다. 초보자에게는 이런 경우에 꼭 4번 버를 쓰도록 권하는 편이다.

a 조각을 먼저 제거하고, b 조각을 제건한다. b 조각이 종종 시계 방향으로 회전하여 a 조각과 같은 곳으로 나오기도 한다.

05
치아 세로나누기 치아 삭제면 보기 1★★

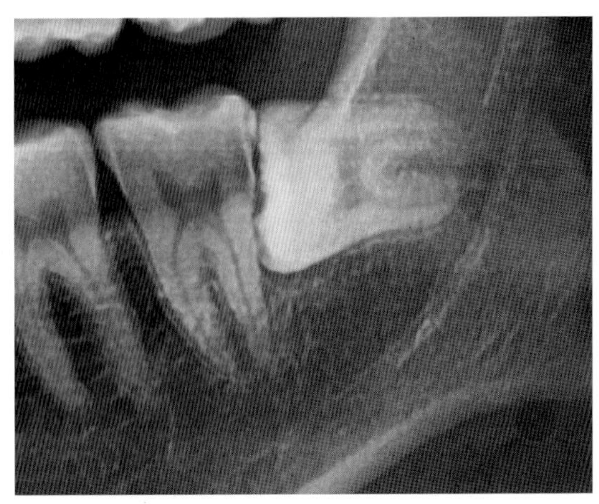

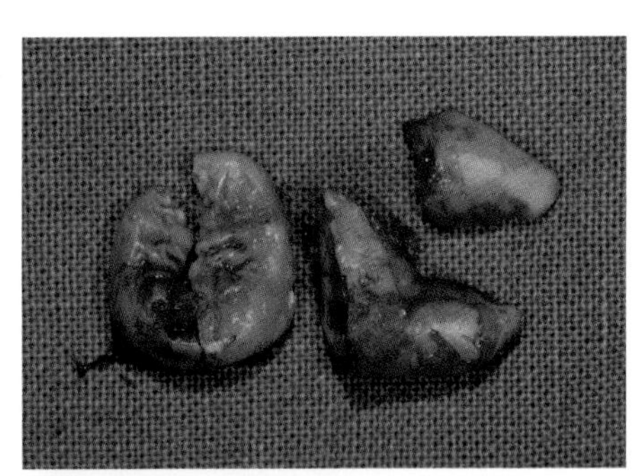

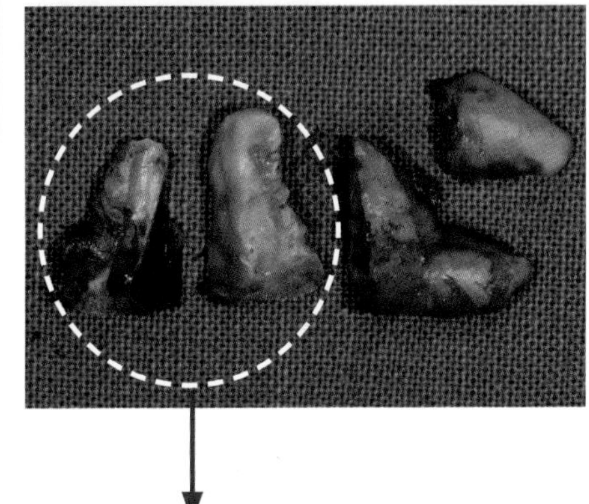

보통 평범하게 치아 **머리 세로나누기** 한 케이스이다. 치근은 **ㄴ발치**한 것으로 뒤에서 다루므로 넘어가고 여기서는 잘린 치관부만 열심히 보자.

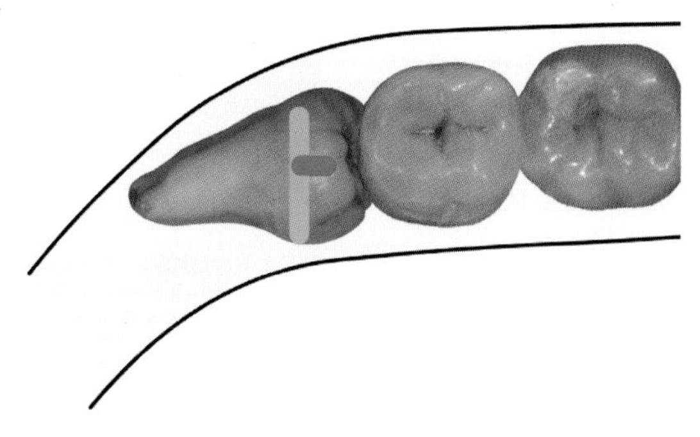

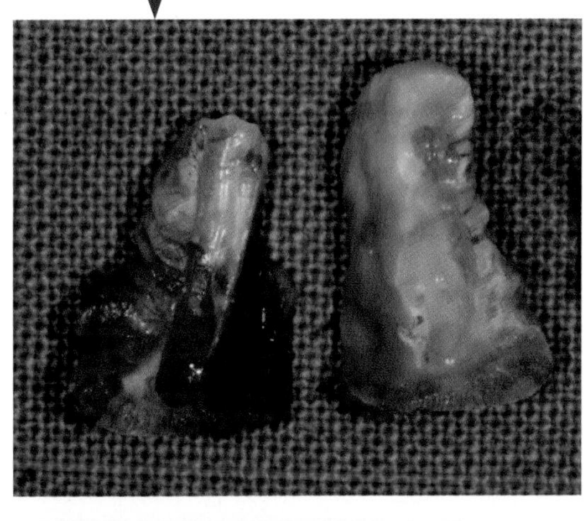

일반적으로 치아머리 부분 **세로나누기**할 때는 크게 두 번의 치아 삭제를 한다. 먼저 하늘색처럼 일반적인 치아 삭제를 시행하고, 치관부를 파절시킨 뒤에 파란색처럼 세로로 깊게 홈을 파듯이 삭제한다. 그리고 서지컬 큐렛으로 파절시켜서 제거한다. 여기서 중요한 포인트 중에 하나가 하늘색이나 파란색 모두 끝까지 삭제되지 않은 것을 볼 수 있다. 특히나 하늘색 삭제는 설측 하방부를 삭제하지 않았다. 그렇게 하고도 치관을 수직으로 나누면 이렇게 치관부를 제거할 수 있다.

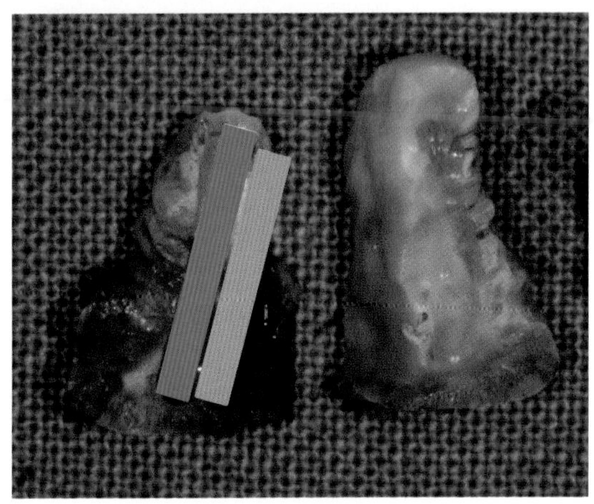

치아 세로나누기 치아 삭제면 보기 2 ★

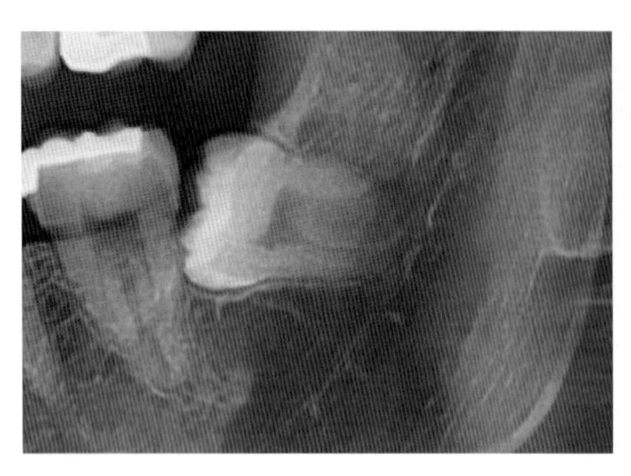

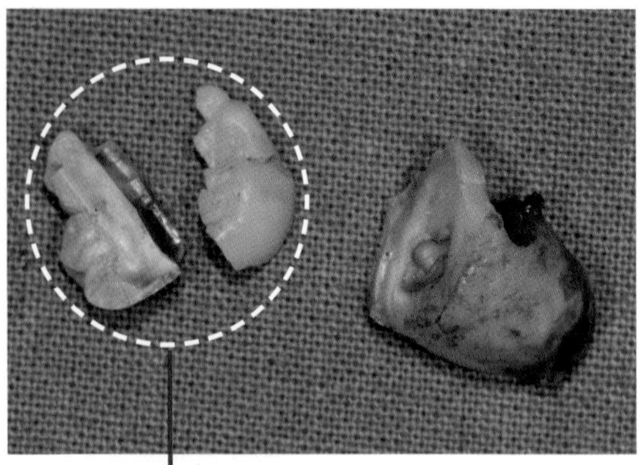

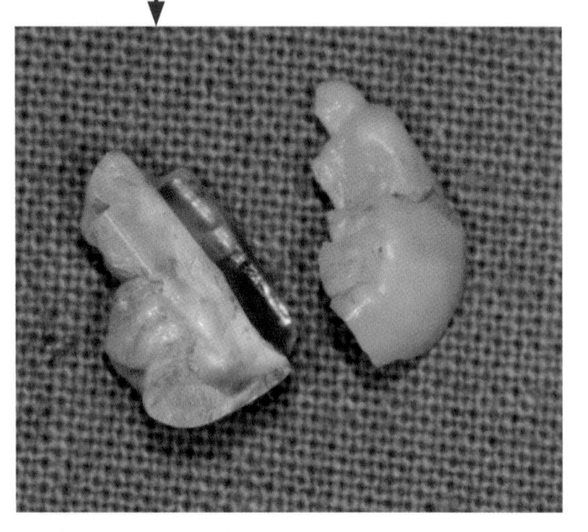

발치의 기본 컨셉은 앞서 본 케이스와 비슷하다. 오로지 단근치이냐 다근치이냐의 차이일 뿐이고, 그 차이는 이 chapter의 뒷장에서 다룰 것이다.
여기서 잘려진 설측 조각면을 봐도 앞서 본 케이스와 거의 흡사하다. 여기서 하나 또 특이한 점은 설측을 끝까지 삭제하지 않은 것이다. 보통의 경우 설측 하방만 삭제 안 하는 게 아니라 설측 자체를 삭제하지 않았다. 에나멜은 쉽게 파절되므로 굳이 삭제할 필요가 없다. 그래도 이렇게 치관을 수직으로 한 번 더 삭제해주면 7번 원심의 최대풍융부를 피해서 회전을 통해서 제거될 수 있다.
바로 이어서 나오는 **가로나누기**와 **세로나누기**를 같이 하는 경우에도 마찬가지이다. 설측과 하방은 굳이 끝까지 삭제하지 않는다. 설측은 언제나 조심해야 하고, 하방은 신경관과 멀다고 하더라도 굳이 삭제할 필요가 없기 때문이다. 케이스에 따라서 치관부 바로 밑에 신경관이 있는 경우에도 통상적인 방법으로 해도 전혀 신경관 손상 없이 발치를 완료할 수 있다.

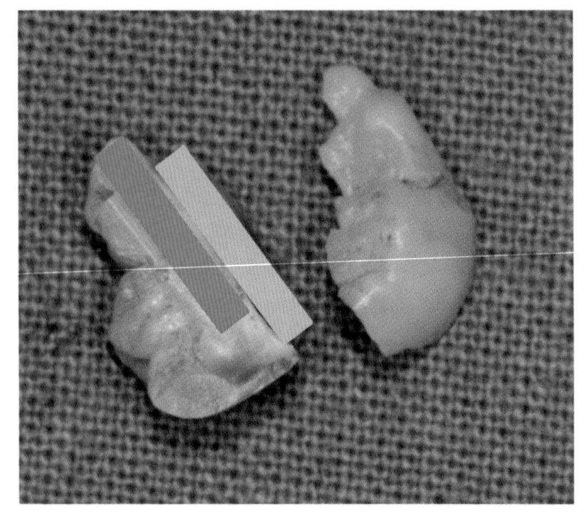

06
치아 세로나누기 케이스 ★

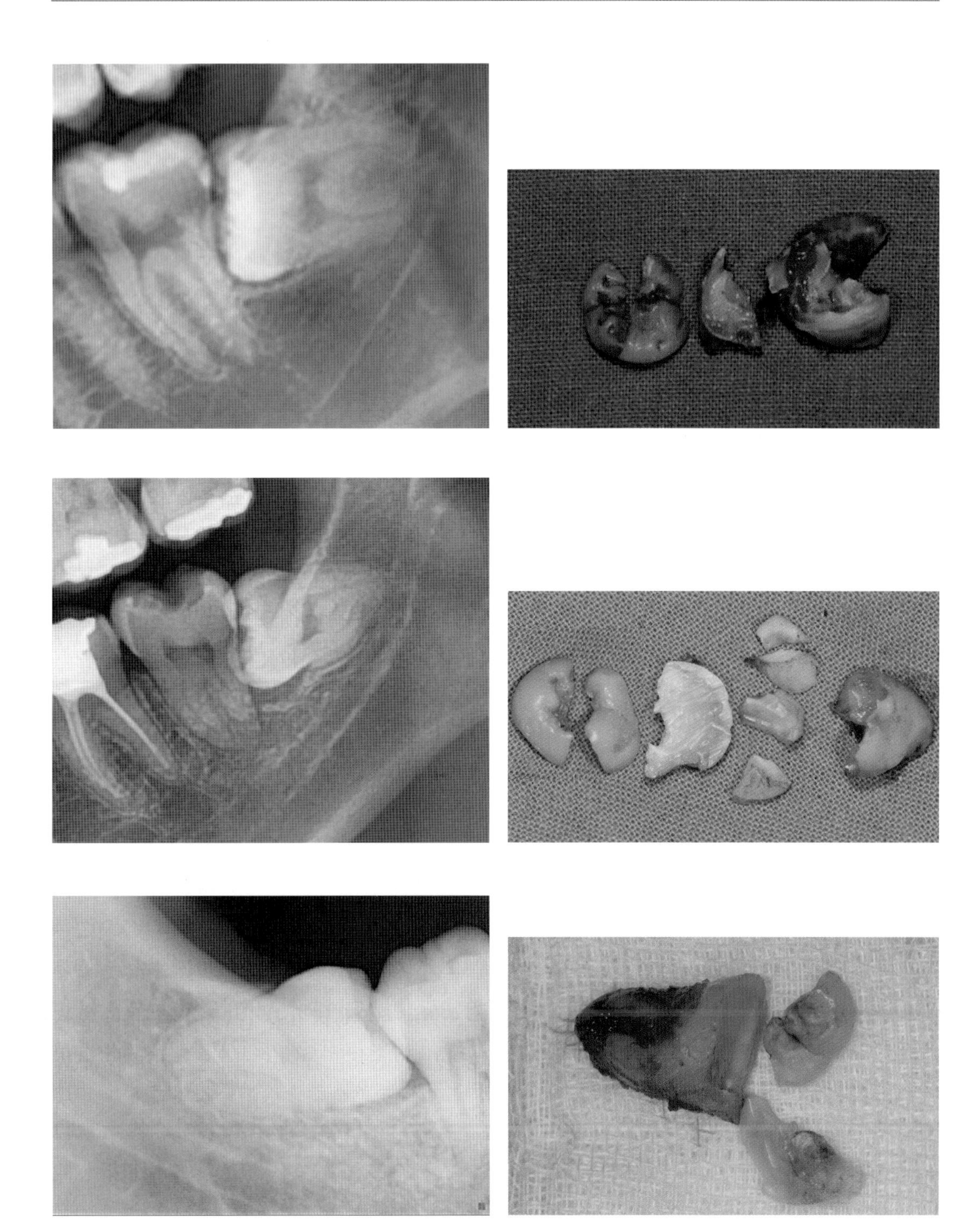

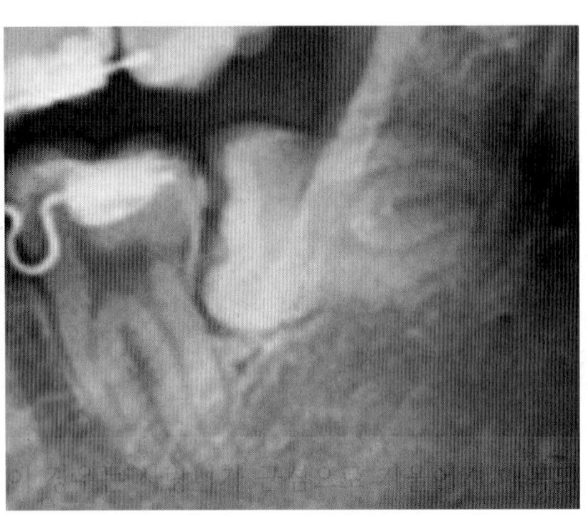

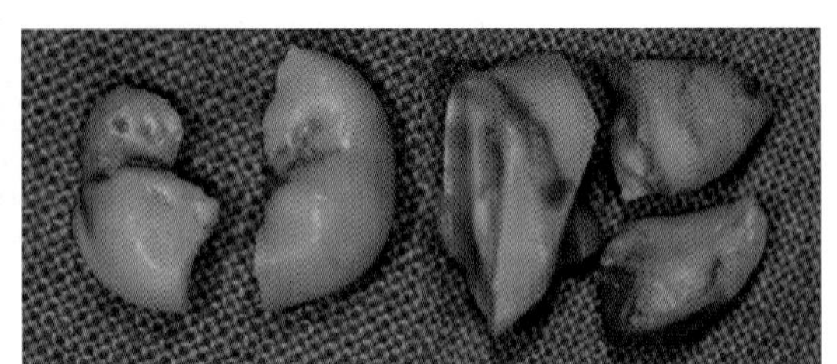

이렇게 세로로 자르는 방법은 사랑니의 근심 치관부가 7번 원심 하방의 언더컷에 걸려 있는 경우에 매우 유용하다. 세로로 자를 경우에는 7번 원심면이 손상되지 않도록 하는 것이 중요한데... 7번 원심면 가깝게 치아를 삭제할 필요가 없다는 것을 잘 알아야 한다. 에나멜은 인장강도가 매우 약하기 때문에 상아질에만 국한되게 삭제하고 부러뜨리면 잘 부러진다. 대부분 서지컬 큐렛을 넣어서 그 힘으로도 충분히 제거된다.

이러한 세로 절단도 조금 작은 4번 서지컬 버를 사용하면 좀 더 쉽게 잘라지지만, 필자는 요즘은 6번 버로 모든 작업을 하고 있다. 그러나 초보 선생님들에게는 앞에서 설명한대로 꼭 일반적인 치아 삭제에 사용하는 6번 버와 이렇게 치아를 조각내는데는 4번 버를 추천하는 편이다.

초보 선생님들은 처음에 가운데를 자르는 것이 쉽지 않다. 그래서 수평으로 치관부를 위쪽에서 조금이라도 삭제한 뒤에 세로로 자르는 경우가 많다. 이러한 과정을 좀 연장하면 다음에 설명하는 3등분 또는 4등분 치관 삭제가 된다.

머리자르기 - 가로세로나누기 ★★★

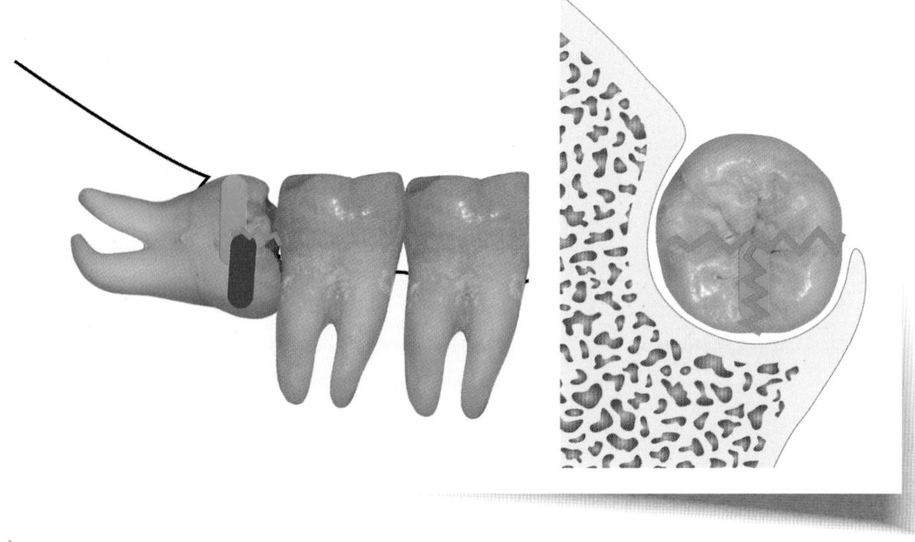

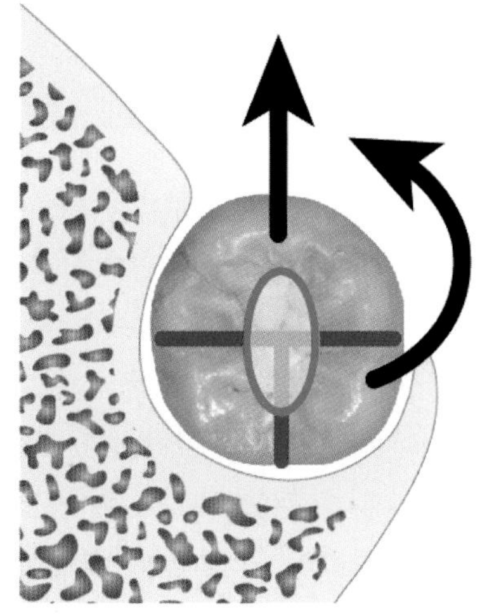

가로나누기와 **세로나누기**를 혼합한 경우로 대부분 가로 세로 따로따로 하기보다는 이와 같이 병행하는 경우가 많다. 실제로 필자가 각각 따로따로 한 케이스도 올렸지만, 실제로 따로 따로 하기가 더 힘들다. 대부분 두 방법이 연속적으로 이루어지는 편이다. 이런 방식으로 사랑니 외부 치조골 삭제를 최소화하면서 치아 내부를 삭제하고 파절시켜서 조각을 제거하면 발치가 매우 쉽고 안전해진다.

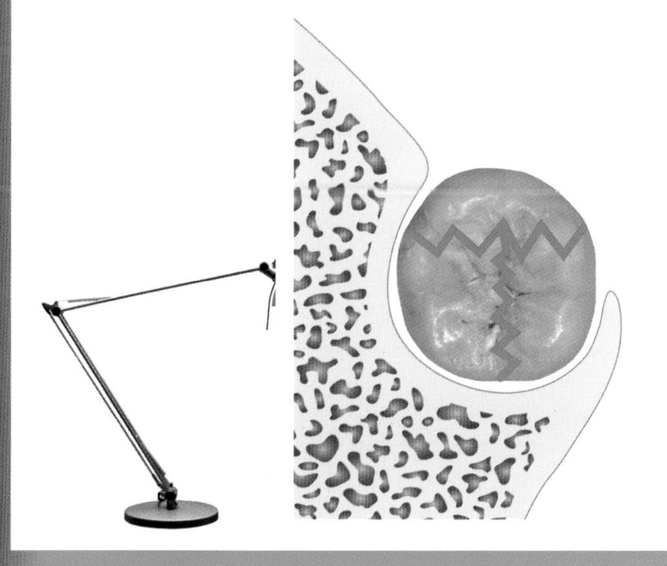

이런 방법에서 윗부분 반절을 가로로 파절시켜서 제거할 때 꼭 반절이 되게 하지는 않는다. 너무 깊게 삭제하면 치아가 잘못된 방향으로 부러질 수도 있기 때문에 시야 확보를 위해서 윗부분 1/3 이하로 파절시키는 경우가 많다. 실제로 시행해보면 이 정도만 되어도 시야 확보에 매우 유리하고 세로로 치아를 삭제할 때도 평평한 면의 상아질에서 삭제를 시작하기 때문에 매우 쉽다.

01
왜 회전이 필요한가?★★

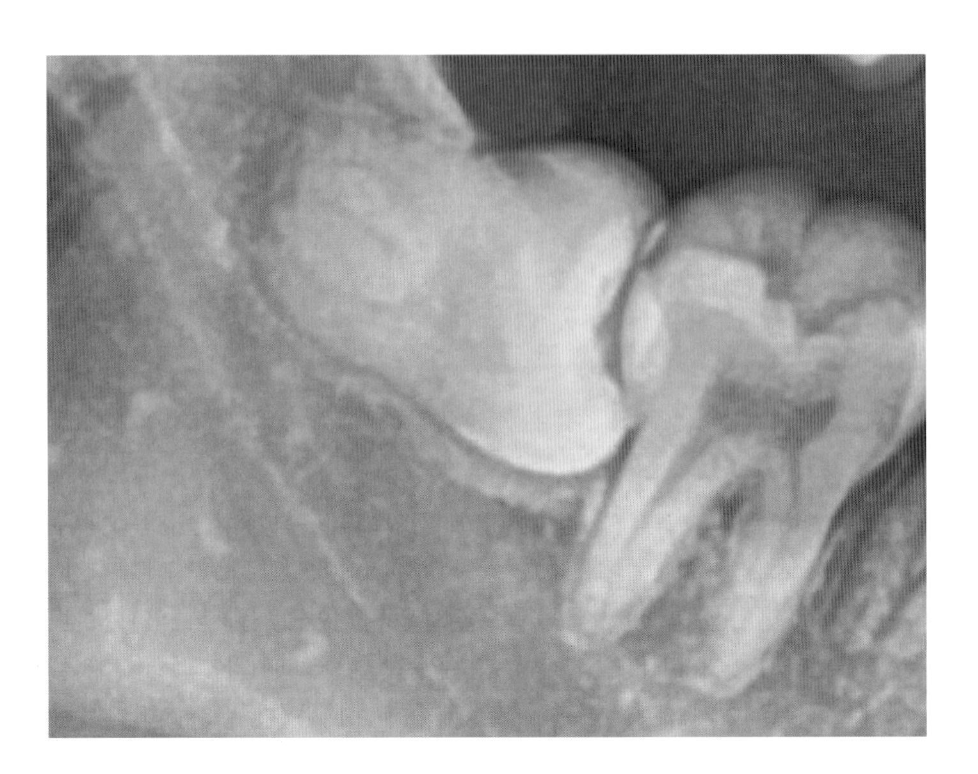

수평 사랑니 발치에서 가장 고려해야 하는 부분이 7번 원심부의 최대풍융부 하방에 사랑니가 위치하고 있다는 것이다. 대부분 7번 원심부는 볼록하고, 8번 교합면은 오목하기 때문에 언더컷이 심하게 존재한다. 물론 사랑치 치관부를 삭제할 때 하방과 설측까지 서지컬 버로 잘 커팅한다면 버가 삭제한 치관부의 여백 때문에 아마도 어려움 없이 치관부를 제거할 수 있을 것이다. 그러나 그것은 이론상으로 가능하지 임상에서 대부분의 케이스에서는 쉽지 않다. 가능하다고 해도 치관부 하방과 설측의 구조물의 손상을 막기 위해서 굳이 그렇게 하지 않는다.

그래서 하방과 설측까지 안전을 확인하면서 단계별로 삭제하는 것을 권하고 있다. 그러다 보니 필자가 발치하는 수평 매복치의 대부분은 치관부가 3,4조각으로 나뉘어져 있게 된다.

02
가로세로나누기 단면 보기 ★★★

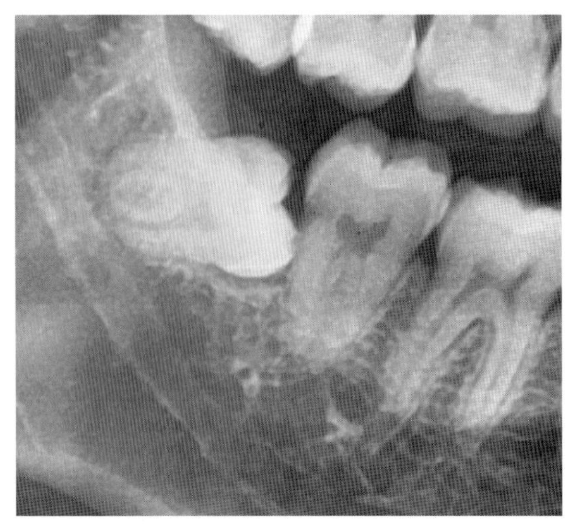

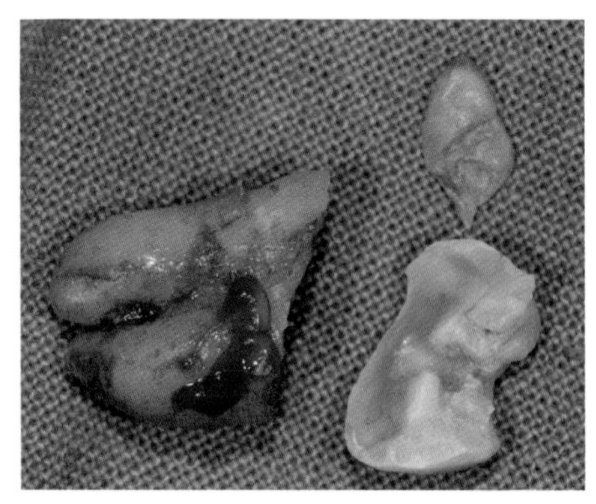

치아를 가로로 파절시켜서 상부를 작게 제거하고 좀 크게 남은 치관 하반부를 세로로 나누기 위해서 가운데를 삭제하고 서지컬 큐렛으로 파절시켜서 두 조각으로 나눠서 제거하려고 하다가 치관부가 그냥 그대로 제거된 케이스이다. 아무래도 언더컷 양이 크지 않기 때문에 서티컬 큐렛으로 파절시키기 위해서 회전시킬 때 쉽게 제거된 듯하다.

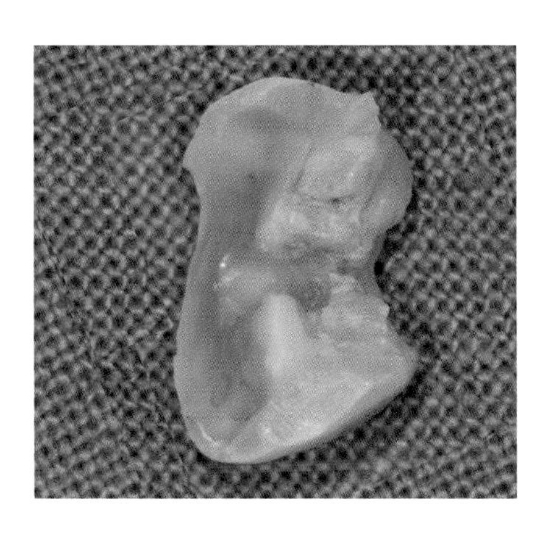

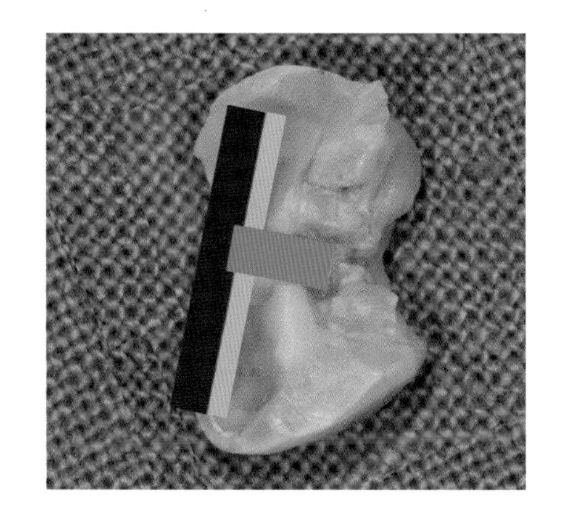

위 케이스에서 잘린 단면을 보면 세 가지 삭제면을 그대로 볼 수 있다. 위 단면에서도 앞서 본 것처럼 설측과 하반부는 삭제가 거의 안 된것을 볼수 있다. 다만 협측은 초보일수록 확실하게 잘라주는 것이 좋다. 협측은 술자의 시야에서 보면 협측 골에 의해 언더컷이 존재하므로 확실히 삭제하지 못하는 경우가 많다. 필자가 치과의사들을 지도하면서 늘 느끼는 부분인데, 어려운 부분보다 이렇게 쉬운 부분에서 놓치는 경우가 많다. 다시 한 번 말하지만 우선 협측을 확실히 잘라야 한다.

03
머리 가로세로나누기 케이스 ★

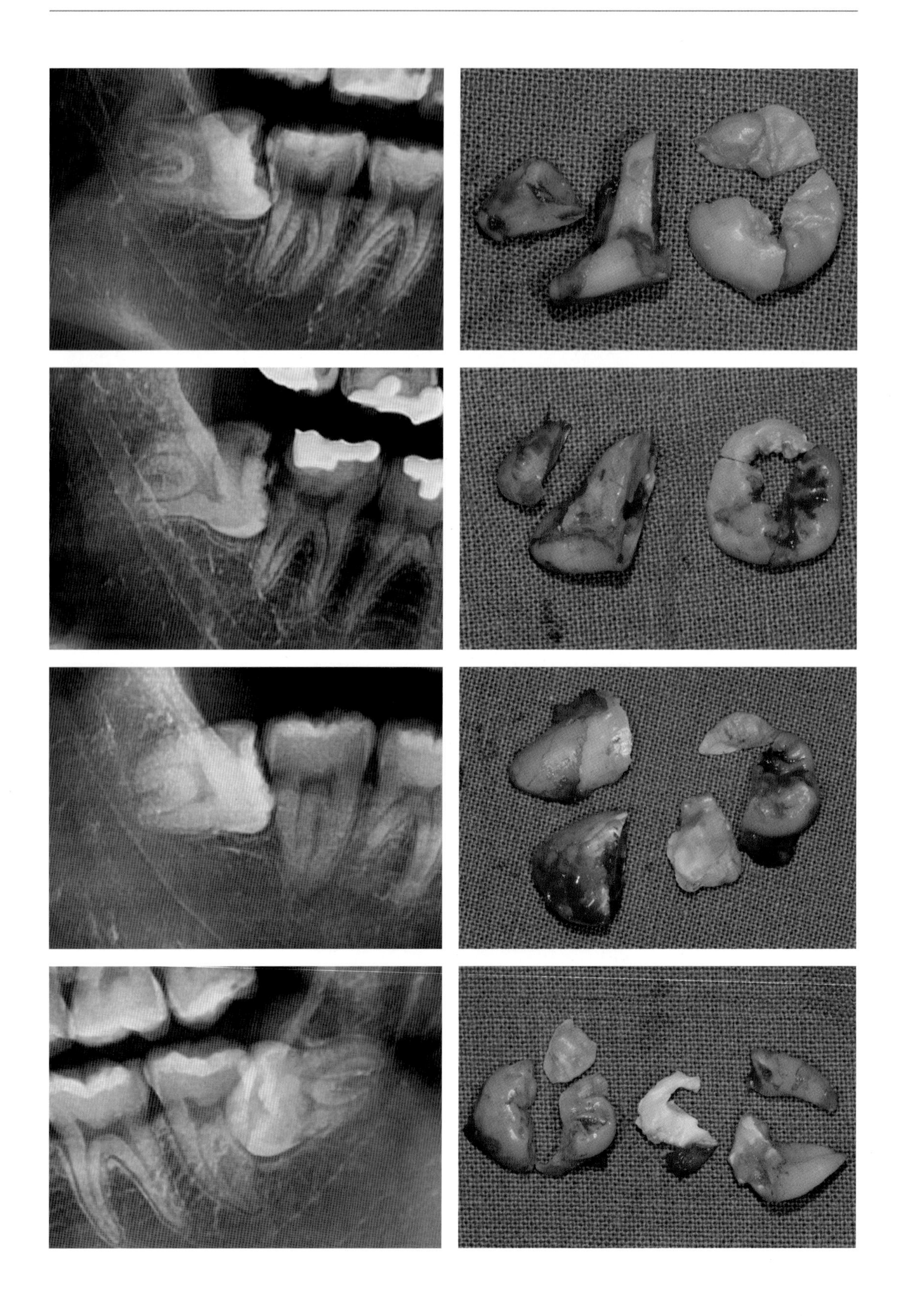

04
치아머리 여러 조각으로 나누기★★

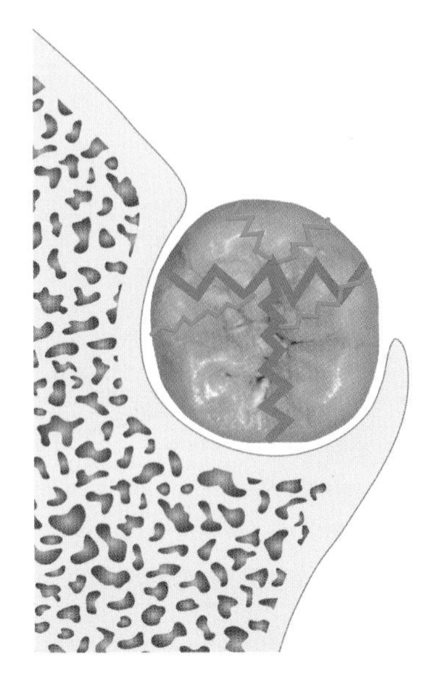

실제 임상에서 치아 삭제를 해보면 원래 예상했던 대로 치아가 파절되지는 않는다. 특히나 윗 부분의 에나멜은 매우 얇기 때문에 대부분 모레알처럼 작은 조각들로 깨져서 석션에 빨려 들어가는 경우가 많다.

이 페이지 뒤에 나오는 발치 케이스에서도 이와 비슷한 사진들을 많이 볼 수 있을 것이다. 어쩌다 이렇게 하는 게 아니라 늘 이렇게 하는 편이다. 다시 한 번 말하지만 길을 잘못 들어서 헤매는 시간이 오래 걸리지, 명확한 목적을 갖고 치아를 삭제하고 파절시키는 것은 쉽게 할 수 있다.

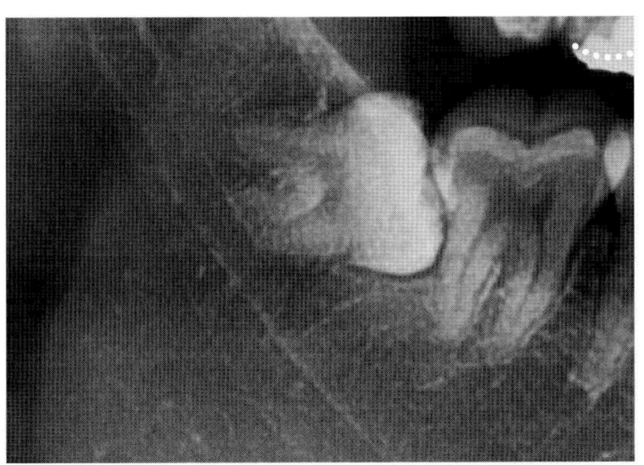

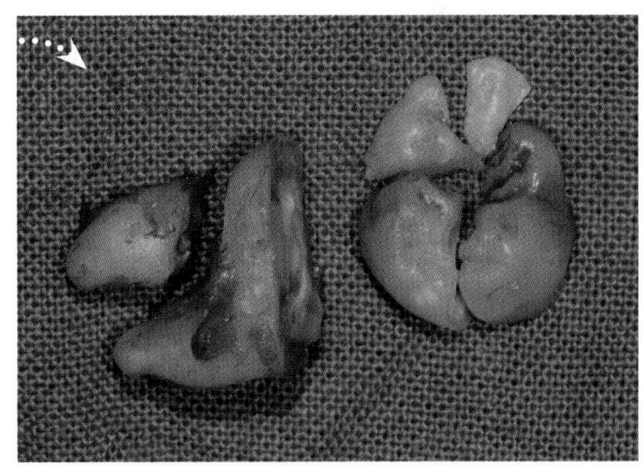

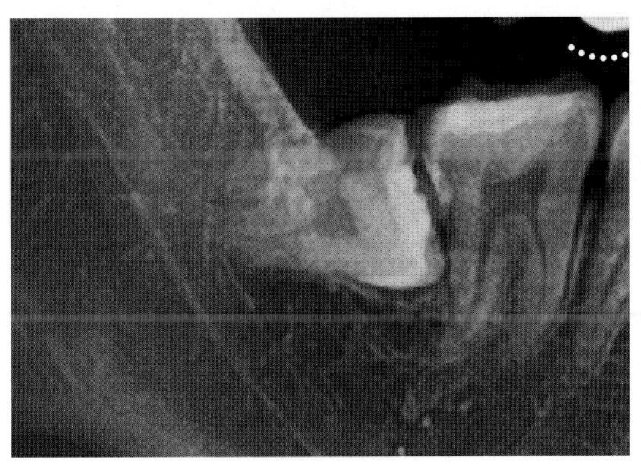

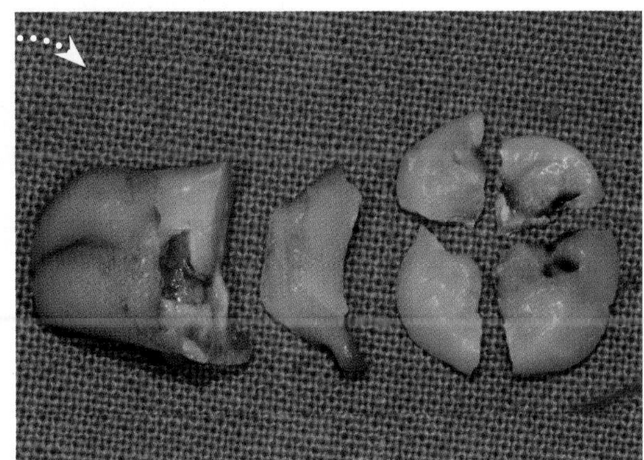

05
여러 조각으로 나누기 1 ★

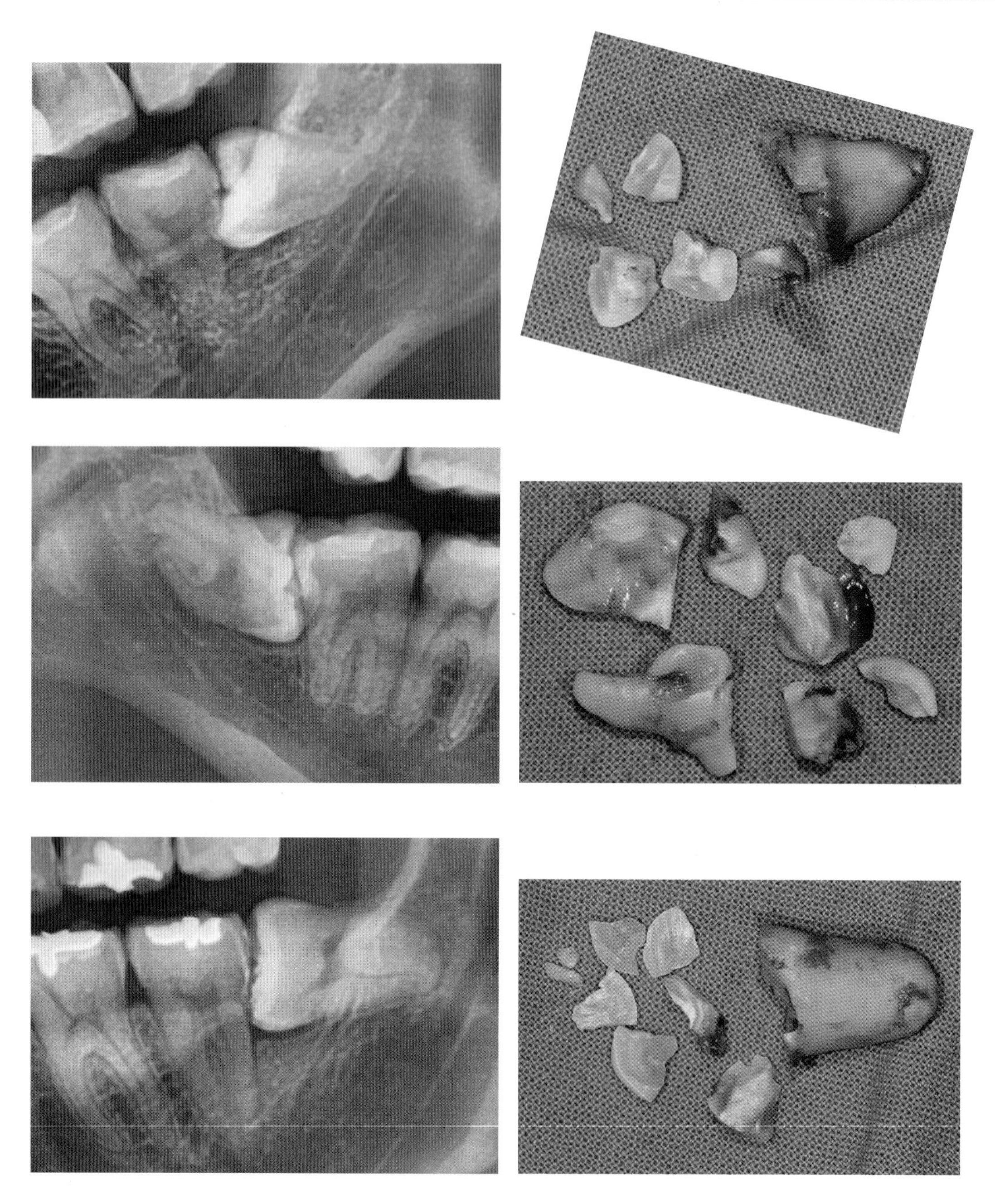

치아 여러 조각 나누기는 좋은 사진이 많지 않다. 대부분 작은 조각들은 석션에 빨려들어가기도 하고 발치 후에도 직원들이 조각을 맞추기가 힘들어서 그런지 사진을 잘 찍지 않기도 하고, 찍은 사진도 좋은 것이 별로 없다. 발치 후 진료실 상황을 생각해보면 이해가 갈 듯하다. 앞으로 이런 케이스는 계속 보게 될 것이다.

여러 조각으로 나누기 2 ★

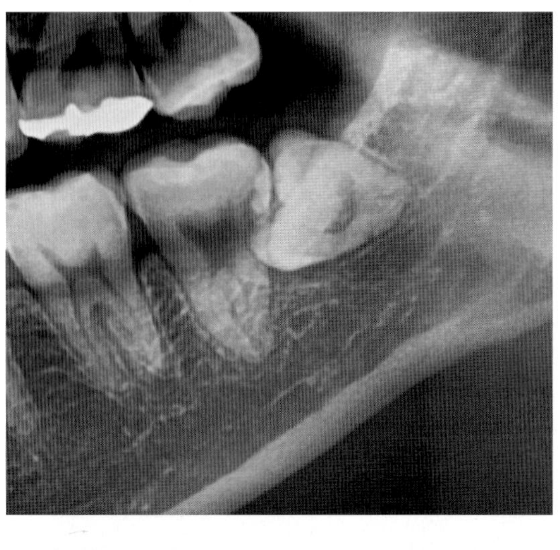

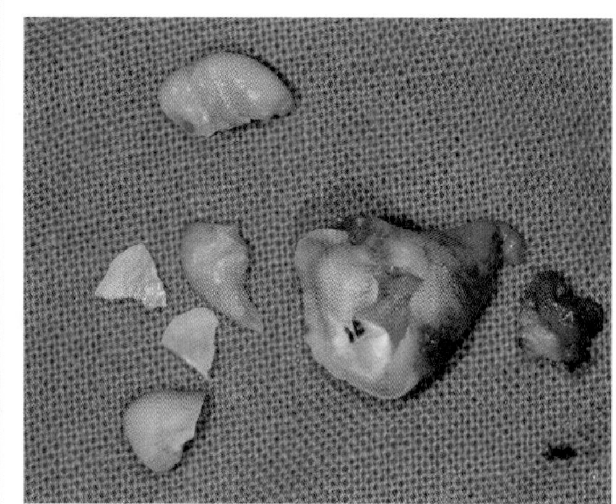

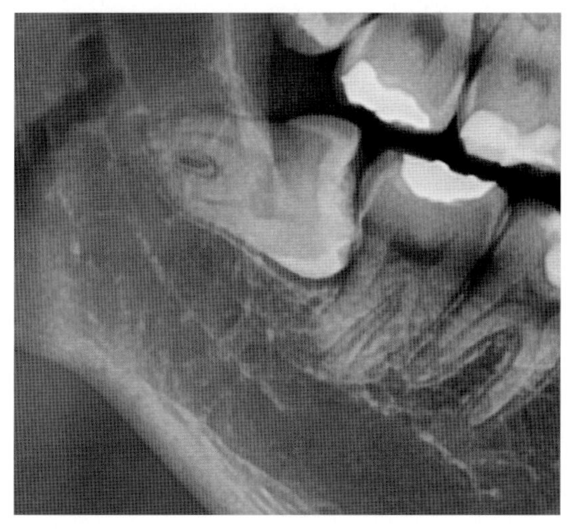

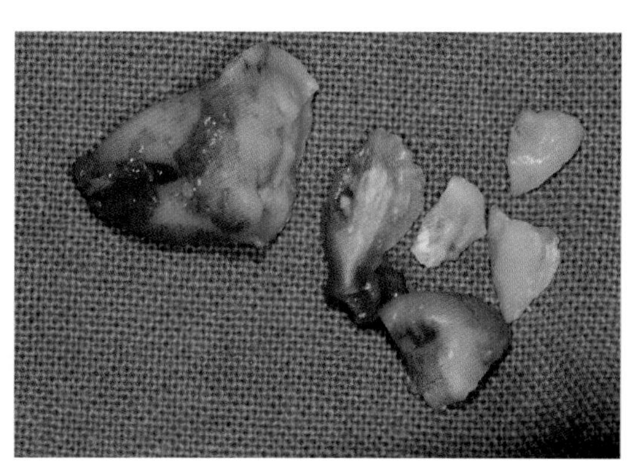

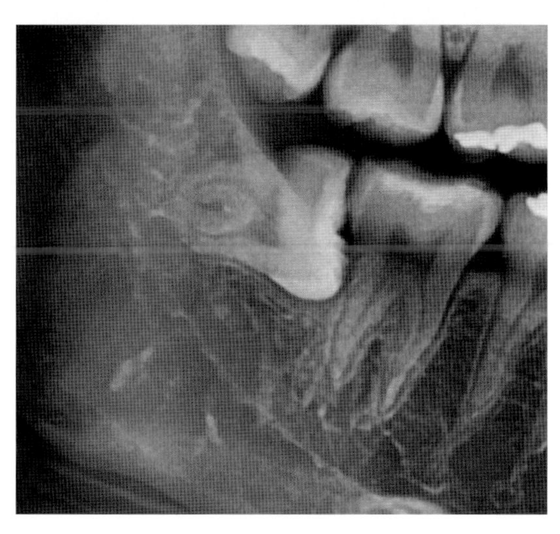

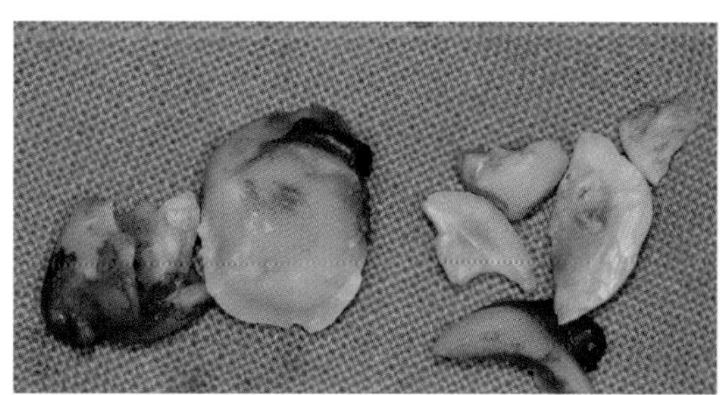

사선치기 ★★★

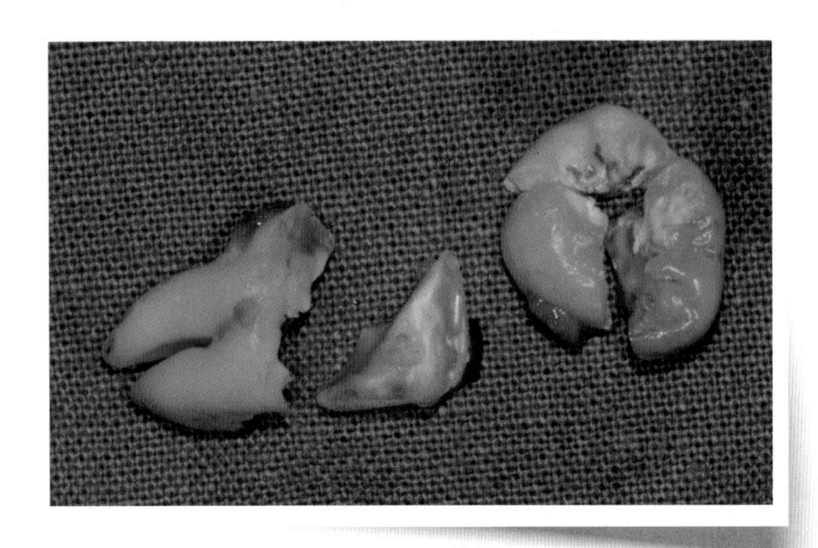

근심 경사 사랑니 발치에서 사선치기의 장점을 많이 다루었다. 다시 한 번 **사선치기**의 장점을 살펴본다.

1) 발치가 쉬워진다.
2) 설측 피질골 파절을 줄일 수 있다.
3) 늘 말썽인 근심설측 치관부 제거가 쉽다.
4) 미리 **들어치기**하는 효과가 있다.

사선치기는 너무 중요하기 때문에 다시 책을 뒤로 넘겨서 **사선치기** 장점을 읽어보자. 수평 매복에서도 비슷하지만 약간은 다른 점도 있기 때문에 한 번 살짝 또 언급해본다.

01
머리 지그재그나누기★★

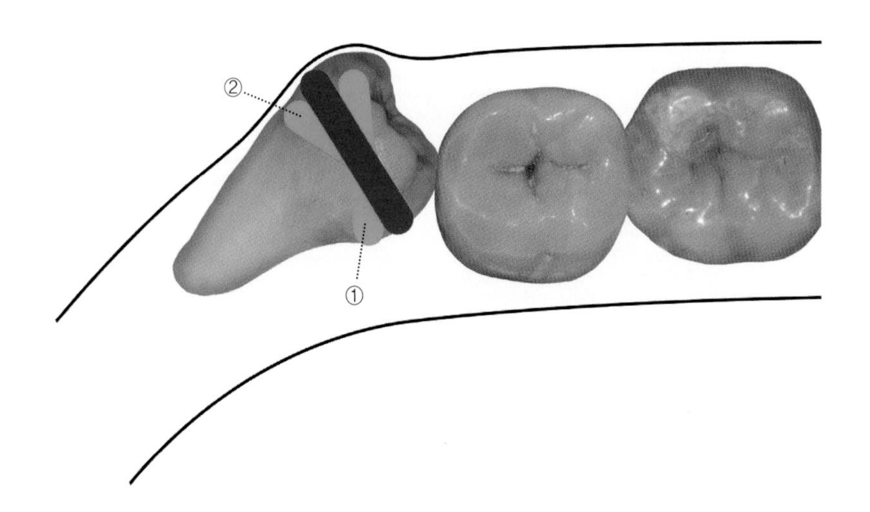

치관이 설측으로 많이 경사져서 위치한 경우는 일반적으로 빨간색으로 치아를 삭제하기보다는 ①번 처럼 오히려 7번에 평행하게 삭제하는 경우가 많다. 대부분 설측을 끝까지 삭제하기 어렵기 때문이다. 그리고 나서 ②번 설측을 다시 한 번 더 삭제해서 치관을 제거한다. 이렇게 치아를 자른 선을 그대로 설측으로 경사지지 않은 사랑니에 적용해보면 아래와 같을 것이다.

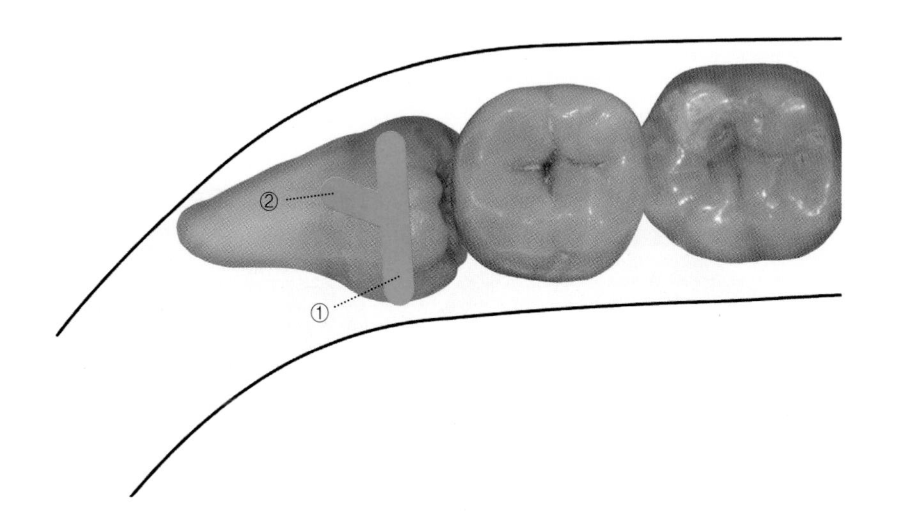

어디서 많이 본 그림이지 않나? 바로 근심 경사 사랑니 발치에서 보았던 **사선치기**의 그림과 같아지게 되는 것이다. 사선 절개는 엘리베이터 작용을 쉽게 해서 발치를 쉽게 하고, 사랑니가 탈구되어 나오다가 걸리는 부분을 미리 삭제하는 기능도 있지만, 이렇게 설측 치관이 깨끗이 제거되지 않은 경우에도 사용한다.

02
사선 절개로 근심 설측 교두를 포함한 치관부 제거★★

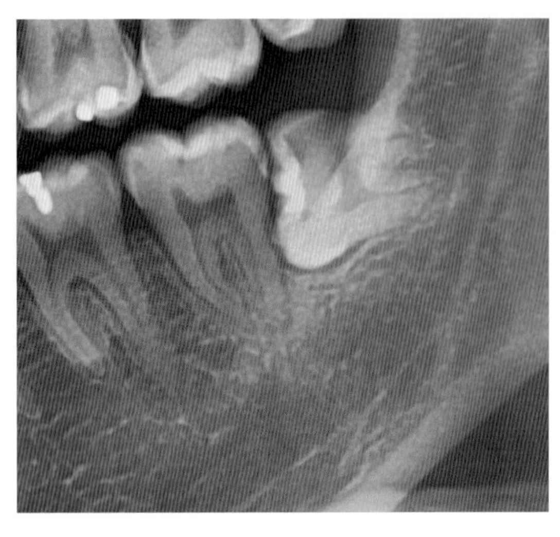

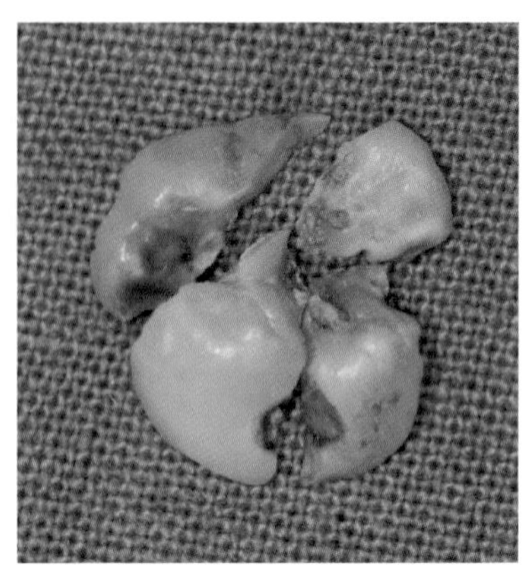

치관을 여러 조각으로 나누기로 제거하고 치관을 모아보았다. 언뜻 보면 치관이 제대로 잘린 것처럼 보이지만 실제로는 제대로 잘리지 않은 경우이다. 필자는 지금도 가끔 이런 실수들을 한다. 치관이 모두 잘 제거되었다고 생각하고 협측에 엘리베이터를 적용시키고 힘을 주는대로 치아 발치가 잘 안 되는 경우가 있다. 이런 경우에 미러를 통해서 잘린 면을 보면 설측 하방이 덜 잘린 것을 확인할 수 있다. 이런 경우에 사선 절개가 다른 장점도 있지만 무엇보다도 일차적인 치관부 제거에도 매우 유용하다.

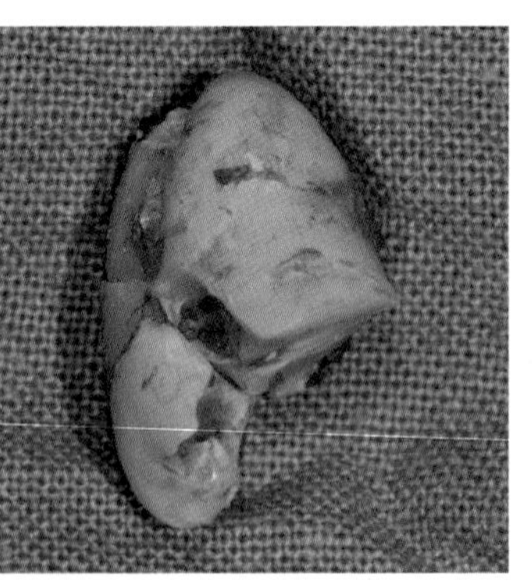

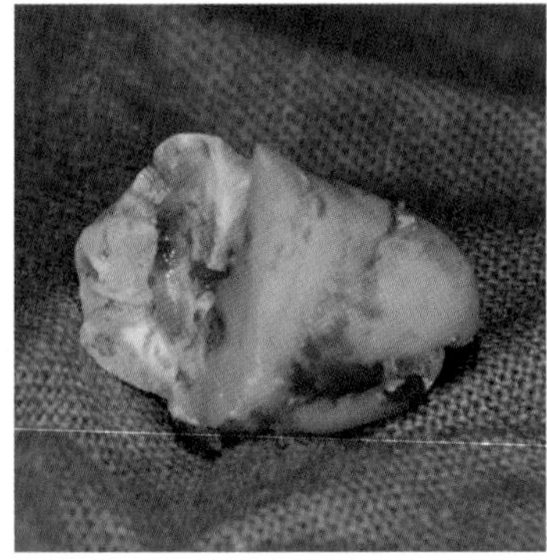

사선절개를 해서 설측 하방의 치관부를 제거하고 나서 나머지 치근 부분을 제거한 뒤에 두 개를 다시 붙여보았다. 이제 사선절개가 얼마나 유용한지를 깨달았을 거라고 생각한다. 다시 한 번 근심 경사 매복치에서 **사선치기**를 읽어보기 바란다.

03
사선치기 케이스 1 ★

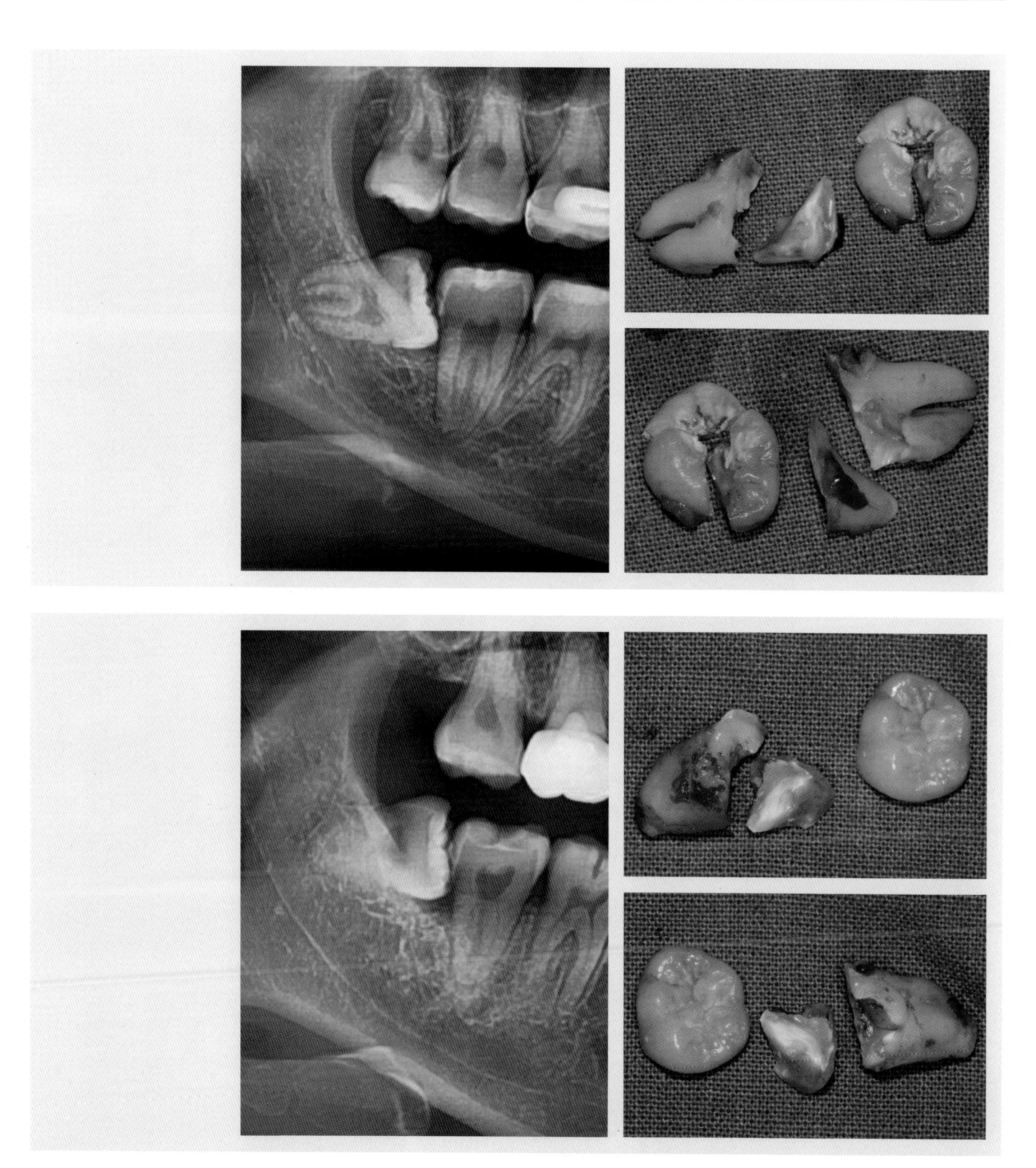

사선치기 후 발치한 사랑니들을 협측과 설측에서 각각 본 케이스들이다. 치관부가 제거된 방식도 앞서 언급한 내용들과 비교해가면서 **사선치기** 방법 등을 보도록 하자.

사선치기 케이스 2 ★

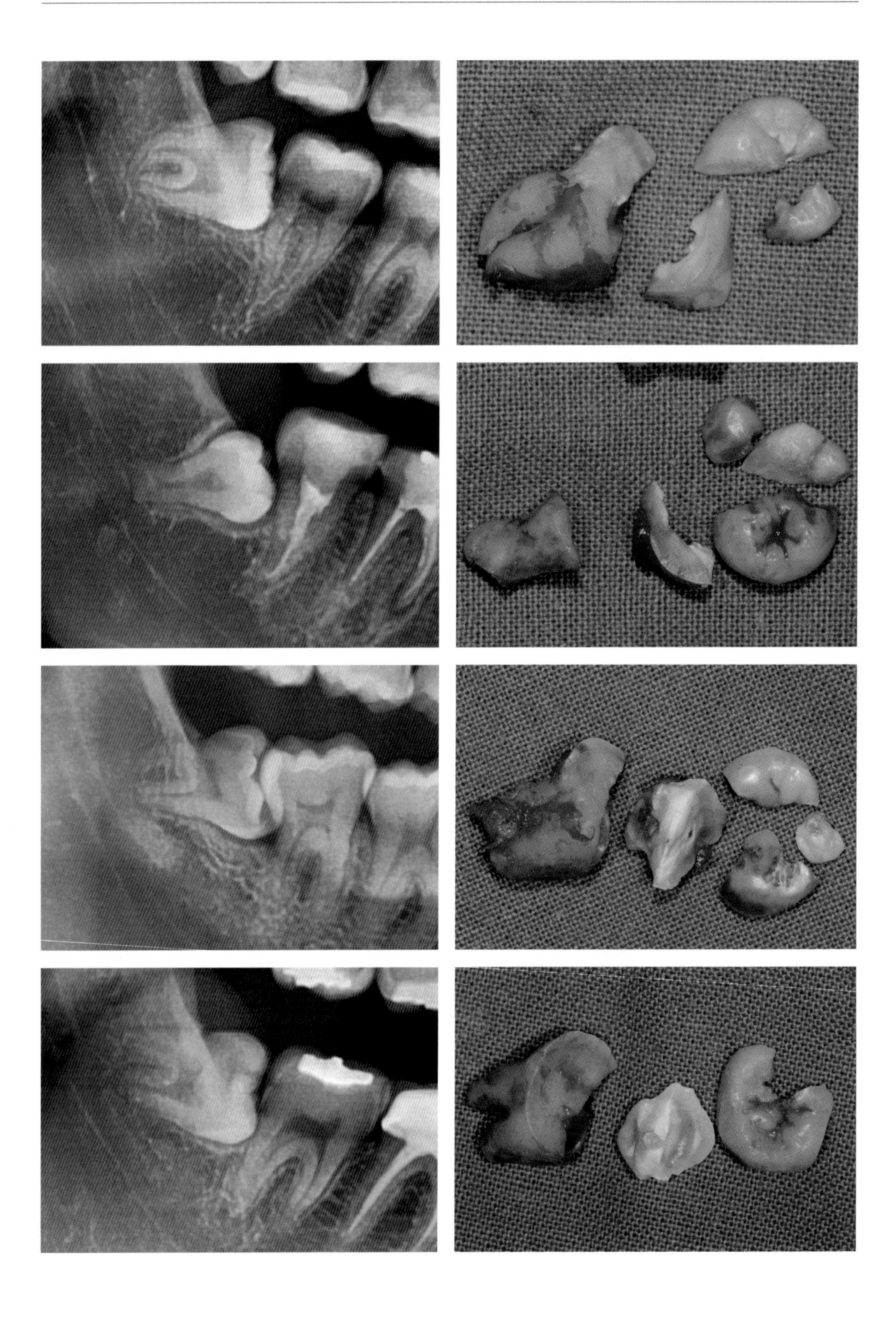

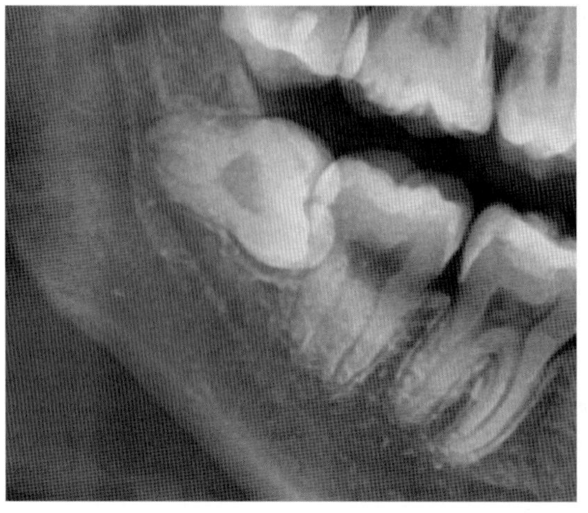

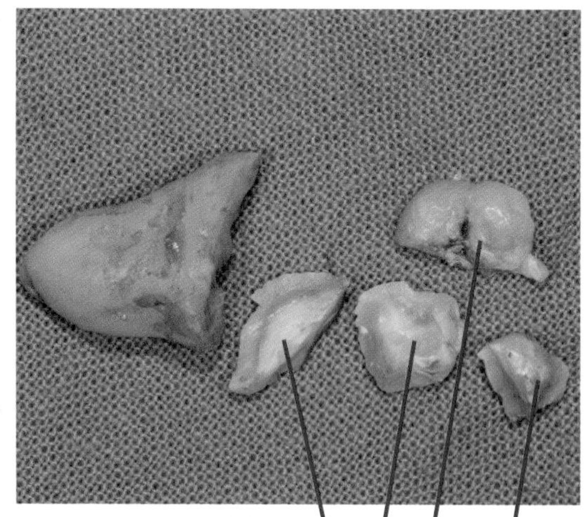

지금까지 언급한 사랑니 발치 방법으로 발치한 케이스이다. 이제 이 사진을 보면 어떤 방식으로 뺐는지를 쉽게 짐작할 수 있을 것이다.

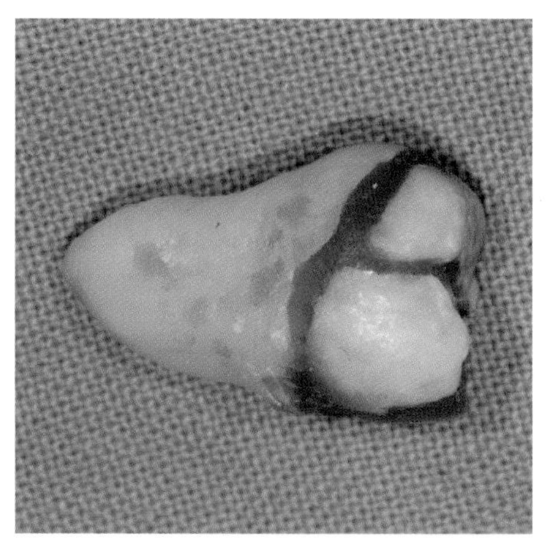

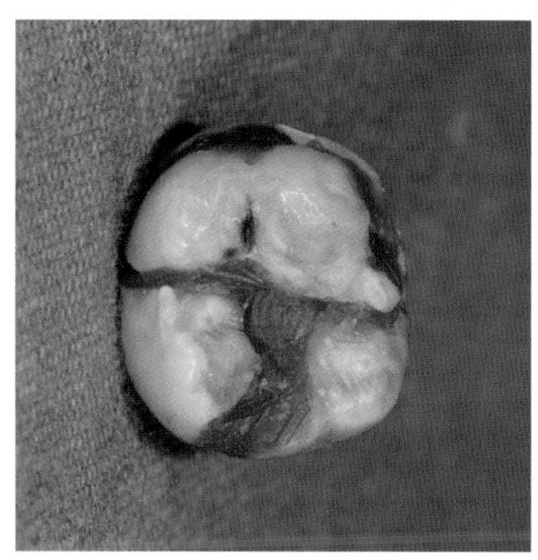

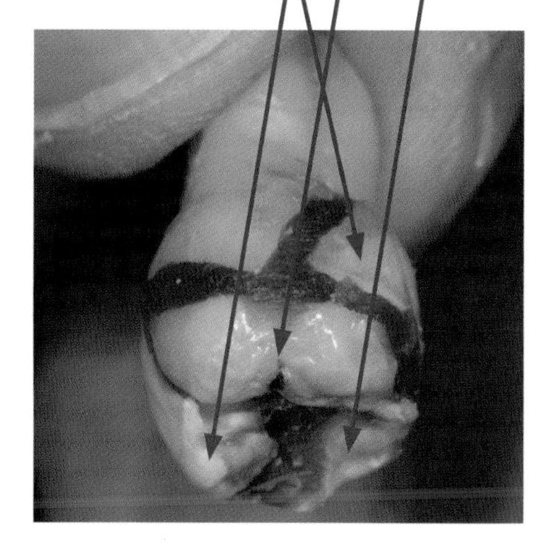

그 치아 조각들을 다시 왁스로 붙여보았다. 대략 어떠한 방식으로 발치했는지를 짐작할 수 있을 것이다.
이러한 치아 삭제를 통한 발치 방법이 어쩌다 한 번 있는 발치 방법이 아니라 모든 발치에서 비슷하게 사용되고 있다는 것을 알아야 한다.

들어치기 ★★

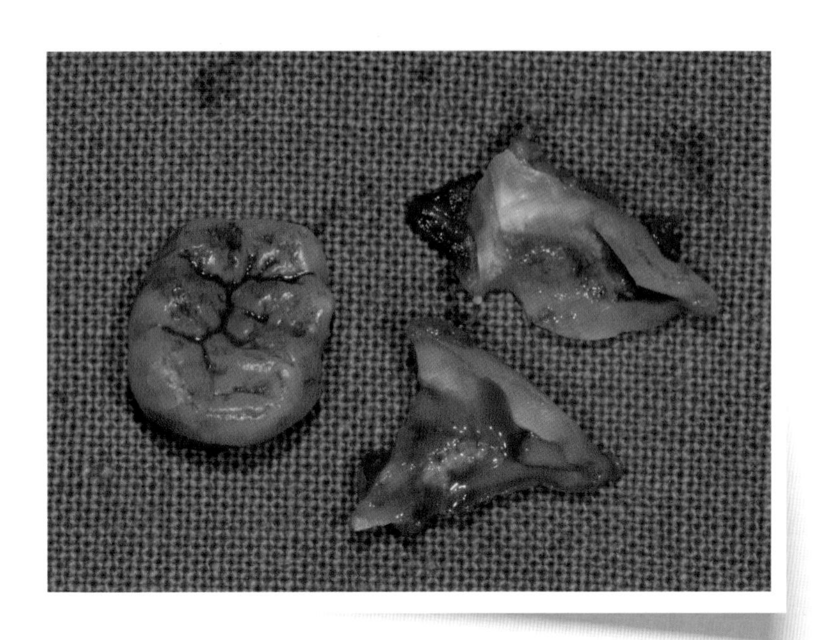

앞서 근심 경사 매복치의 발치에서 설명한 것과 동일하다. 다만 수평 매복치의 경우는 근심 경사 매복치보다 **들어치기**하는 비율이 훨씬 높다는 게 중요한 포인트일 것이다. 아무래도 필자는 치관부의 삭제(**치아머리자르기**)를 최대한 7번에 가깝게 하고 골 삭제를 거의 안 하기 때문에 이런 일이 더 자주 일어나는 듯하다. 그러나 어차피 빼버릴 치아는 많은 조각으로 나눠도 상관 없다. 대부분 발치 자체를 좀 더 쉽게 하기 위해서 **사선치기**를 미리 하지만, **사선치기**를 해도 나오다가 걸리는 부분이 있는 경우도 있다. 이런 경우에는 **들어치기**를 병행하기도 한다.

뒤에서 다루는 **뒷목치기**와 함께 나오다가 주변 골과 7번에 걸려서 안 나오는 사랑니는 발치와 내부에서 다시 한 번 자른다. 그러나 이미 탈구된 사랑니는 다 뽑은 사랑니나 마찬가지이다. 오히려 나오다가 걸릴 걸 염려하여 치근을 모두 삭제해버려서 손잡이만 잘라내버리는 우를 범하지 않도록 해야 한다.

01
들어치기 방법 ★★

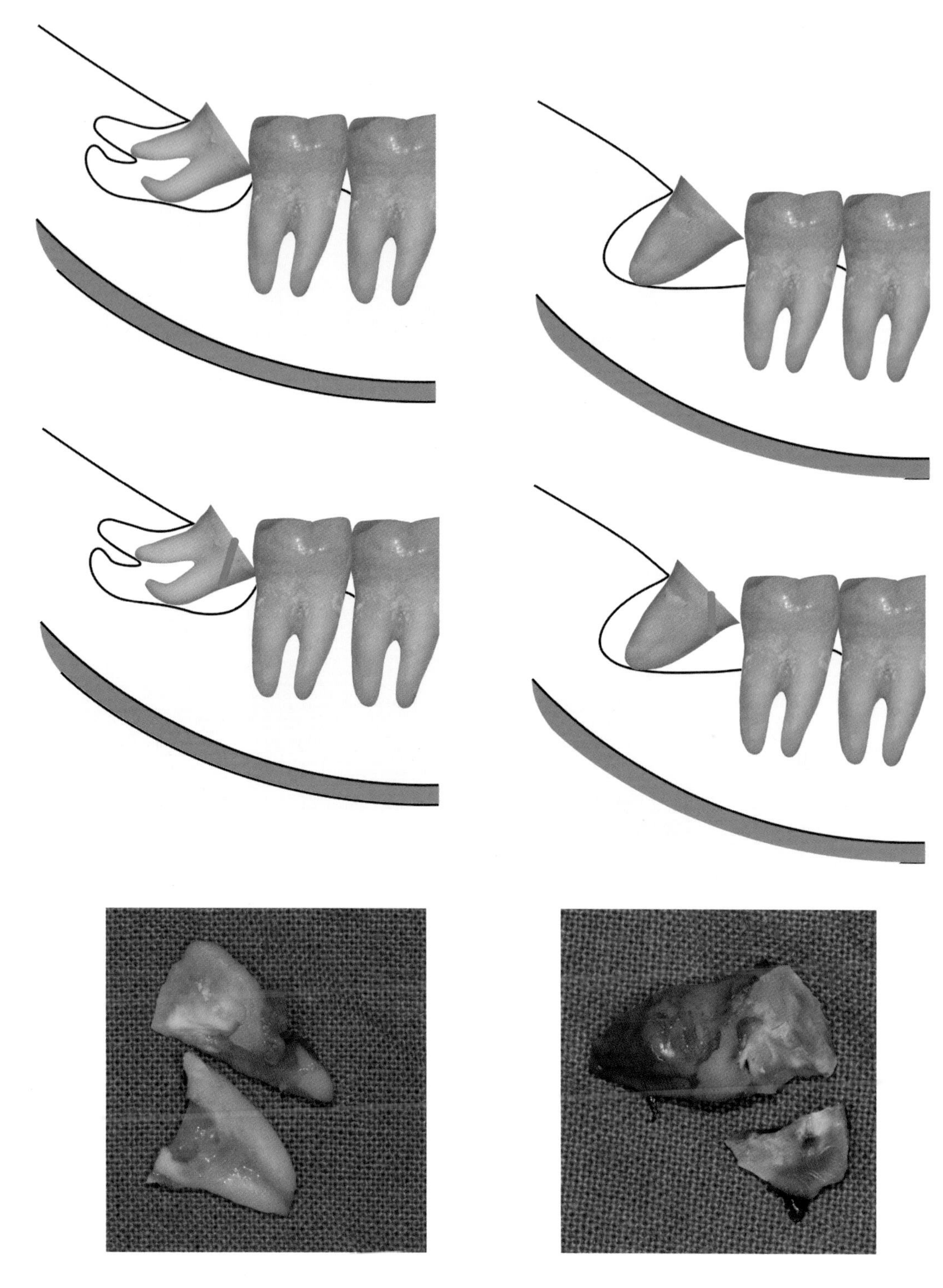

단근치나 다근치나 방법은 동일하다. 얼마나 상방으로 놓고 들어 치느냐에 따라서 잘리는 조각의 모양도 많이 다르게 나타난다. 다만 다근치의 경우는 치근을 둘로 나누면 좀 더 편하기 때문에 미리 고려해 보는 것도 좋다.

02
수평 매복치 들어치기 케이스 1 ★★

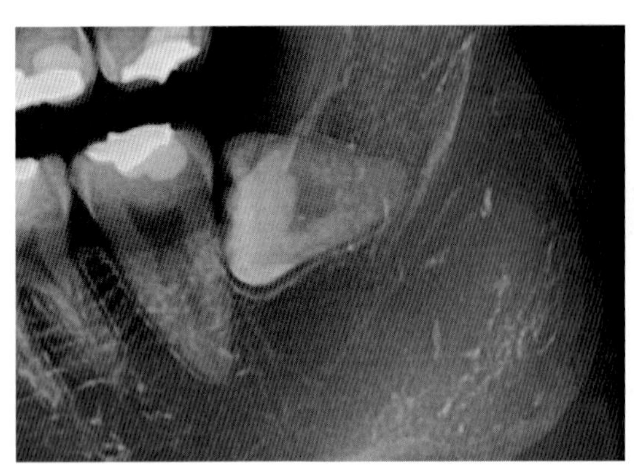
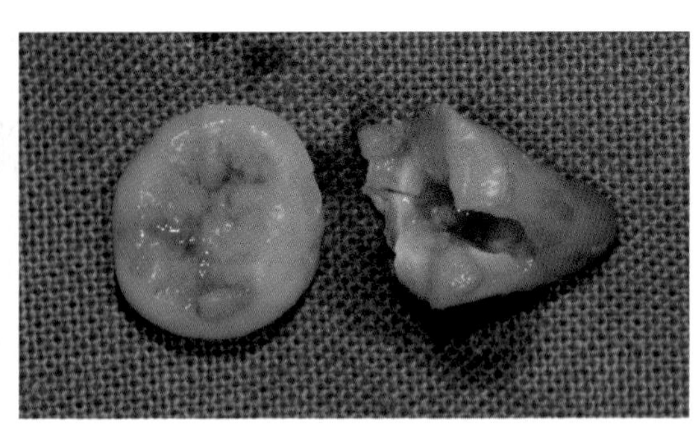

들어치기한 치근을 다시 붙여 보았다. 협측으로 어떤 각도로 얼마나 잘랐는지가 보인다. 보통 4번 버를 추천하지만, 필자는 가끔 버를 바꾸기 귀찮아서 6번 버를 그대로 쓸 때도 있는데 이런 경우에는 좀 깊게 파야 한다.

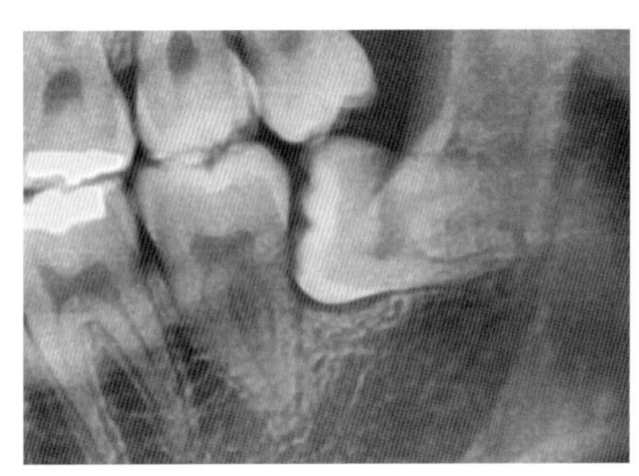
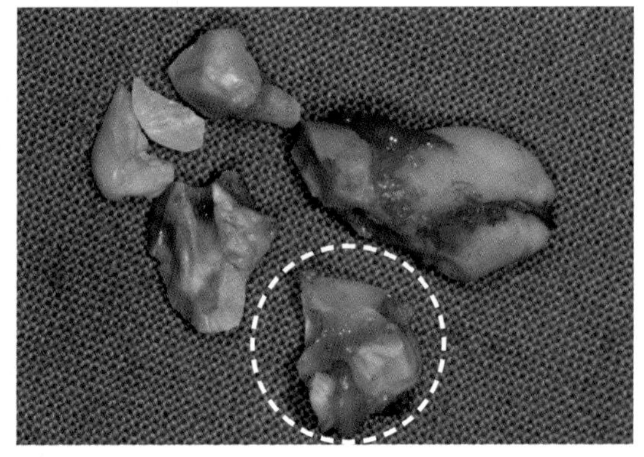

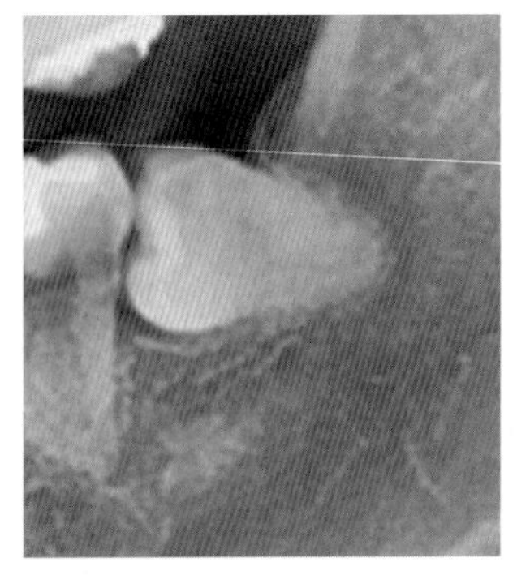
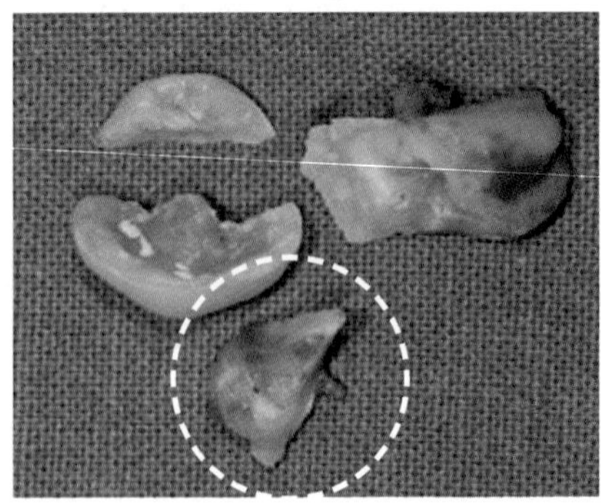
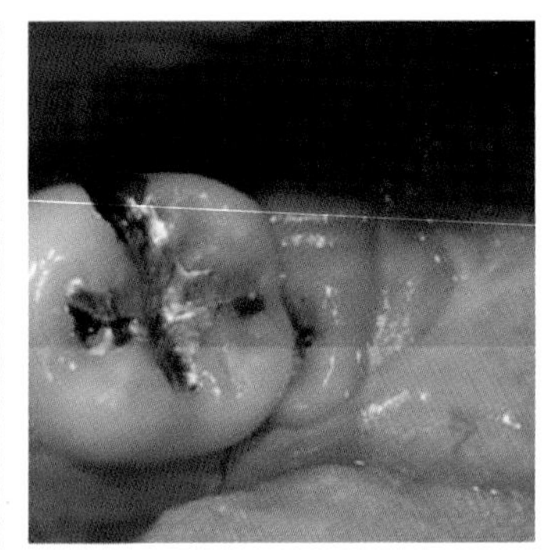

이런 경우는 잇몸 절개나 박리 없이 그대로 치아 삭제를 통해서 치아머리 부분을 잘라내고 발치하다가 걸리는 부분을 들어치기해서 발치한 것이다. **치아 머리잘라내기**는 치관 삭제과정에서 치주조직 손상을 최소로 하기 위해서 **가로자르기**로 상부를 제거하여 시야 확보를 좋게 하고 발치하였다.

수평 매복치 들어치기 케이스 2 ★

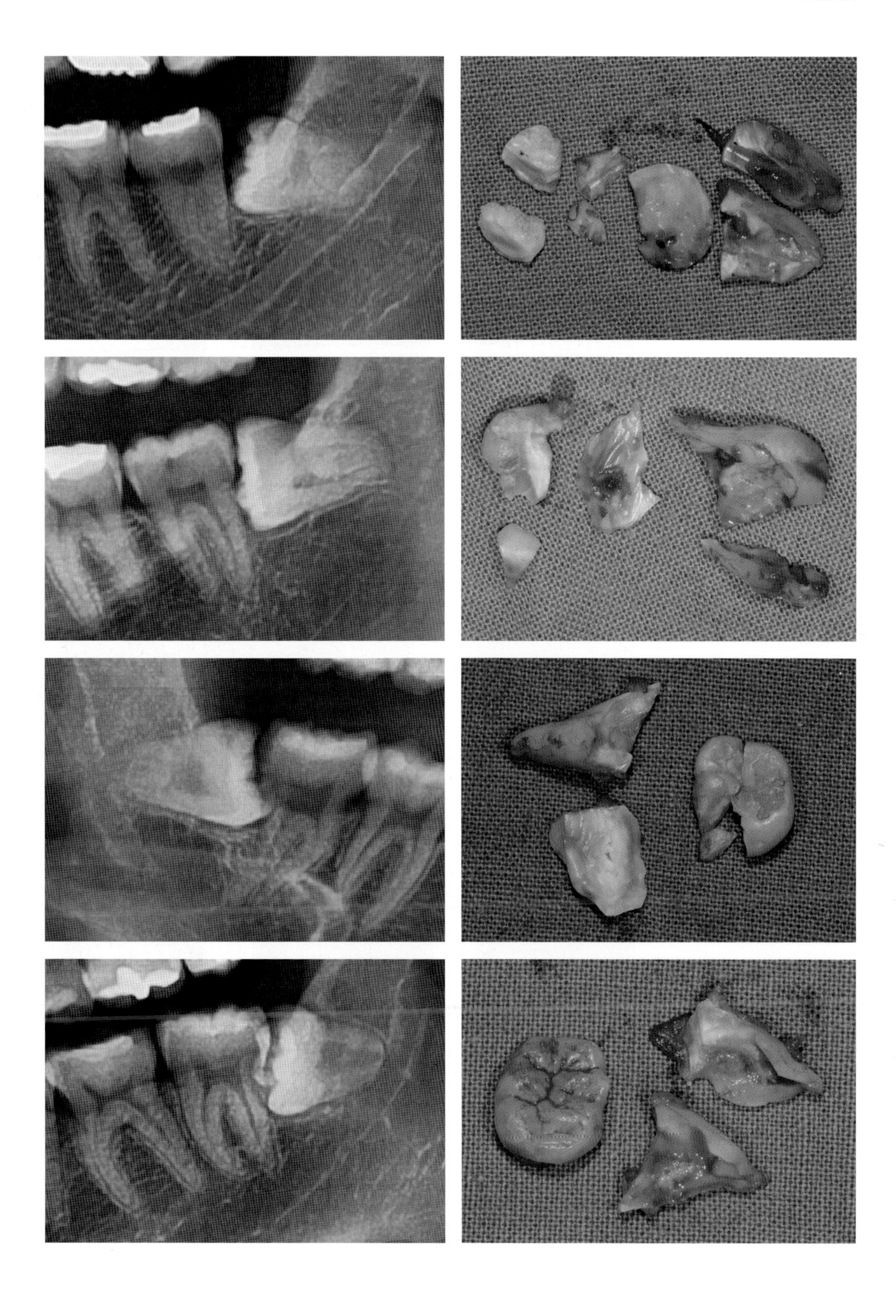

수평 매복치 들어치기 케이스 3 ★

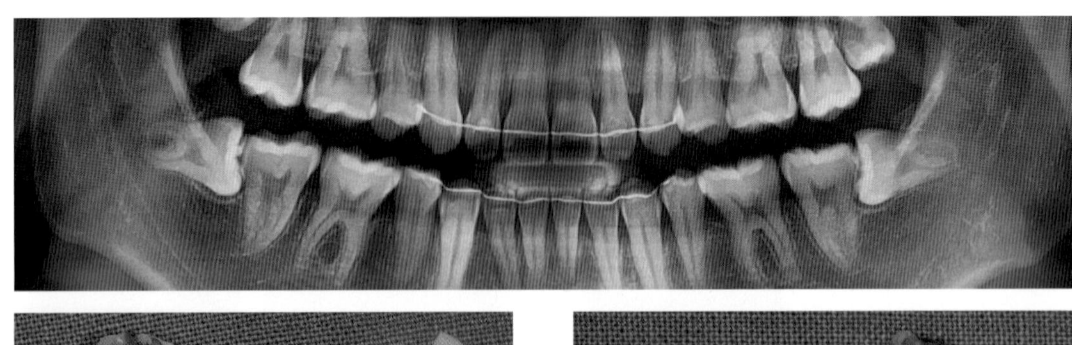

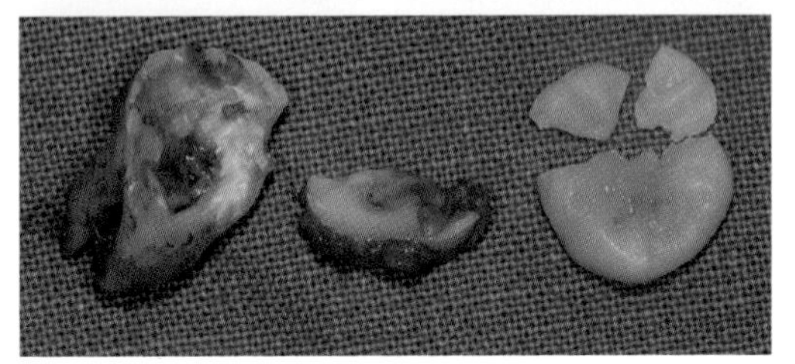

48번 치아는 **들어치기**를 한 것이고, 38번 치아는 **사선치기**로 미리 치근 부위의 설측 하방을 삭제하고 파절시켜서 제거한 후에 발치한 것이다. 약간 조각의 모양이 다른 것을 알 수 있다.

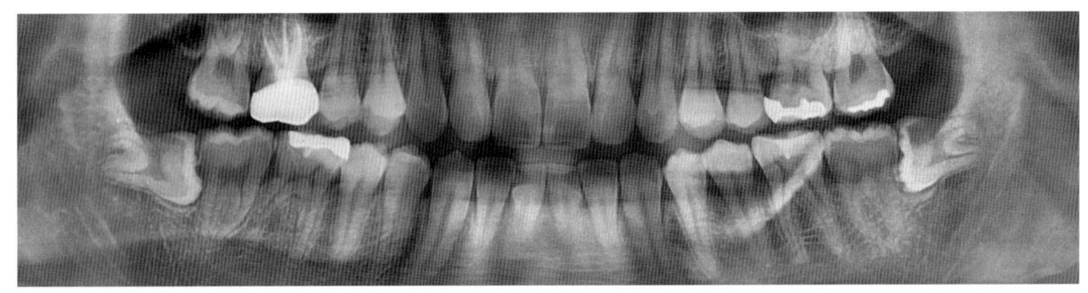

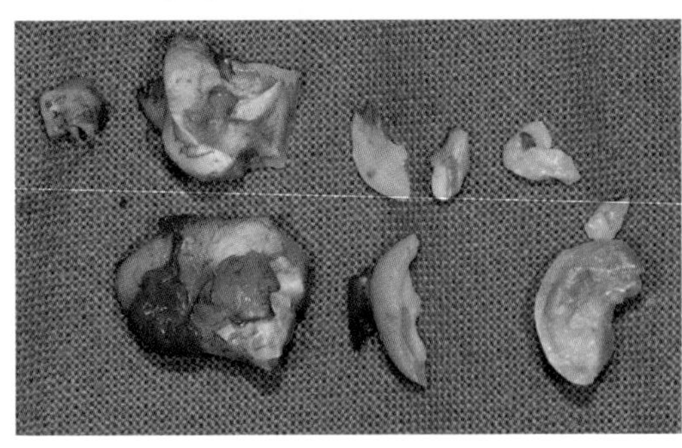

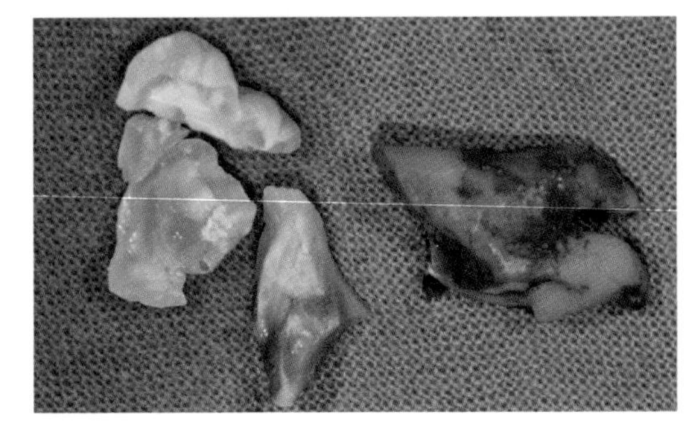

치근 부분은 위아래가 조각이 바뀌었다. 사진이 가끔 이렇게 뒤집어진 것이 발견된다. 필자가 바쁘다 보니 직원들이 알아서 사진을 찍는데 뽑은 사람 말고는 내가 뽑은 사랑니에 큰 관심은 없는 것 같다.

이 케이스도 마찬가지로 48번 치아는 **들어치기**를 한 케이스이고, 38번 치아는 미리 **사선치기**로 설측 하방 부위 조각을 제거한 후에 발치한 것이다.

뿌리(치근)나누기 ★★★

치근나누기는 다근치를 들어치기 하다 보면 자연스럽게 되는 경우가 대부분이다. 또는 치아 **머리자르기** 이후에 남은 치아를 발치하려고 할 때 잘 되지 않으면 발치를 쉽게 하기 위해서 나누기도 한다. 이 장에서는 그 두 가지를 굳이 구별하지는 않았다. 필자의 발치 시간이 매우 짧고 발치 케이스가 많아서 일일이 그런 내용을 기술하지 않기 때문에 잘려진 치아만 보고는 구별하기도 쉽지 않다. 다만 필자가 로스피드 핸드피스를 거의 안 쓰기 때문에 완전 수평 매복치에서는 하이스피드로 전방이나 측방에서 가능한 경우가 많지 않으므로 대부분은 이미 탈구된 상태에서 들어올려서 나눈 경우가 많을 것이다. 그러므로 다근치의 **들어치기** 또는 다근치 들어서 **치근나누기** 라고 생각하면 될 듯하다.

01 치근나누기★★

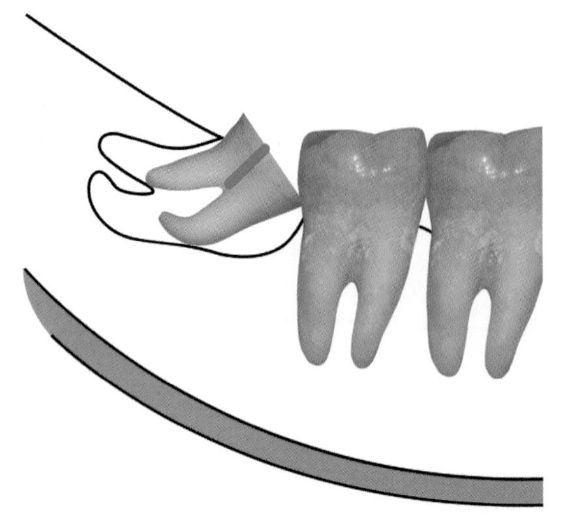

굳이 두 치근 사이를 나누려고 하는 것은 아니다. 자연스럽게 **들어치기**를 하는 것이다. 그러면 자연스럽게 두 치근이 갈라져서 따로따로 뺄 수 있다. 다만 탈구되지 않은 상태에서는 두 치근을 하이스피드 핸드피스로 나누기가 쉽지 않기 때문에 뒷장에 이어서 나오는 **뒷목치기**를 하는 편이다. 물론 그래도 잘 안 나온다면 그때는 탈구시키기 위해서 치근을 나눌 수도 있는데 그 부분도 이어서 다음 장에서 다루기로 한다.

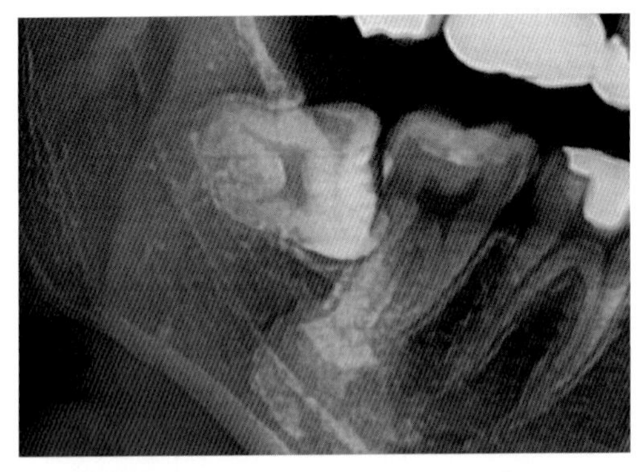

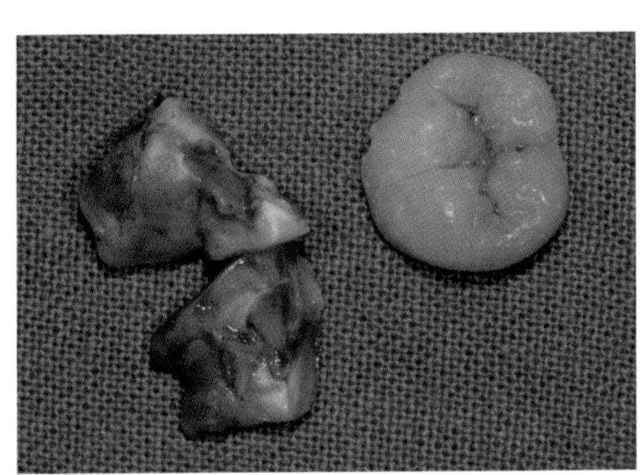

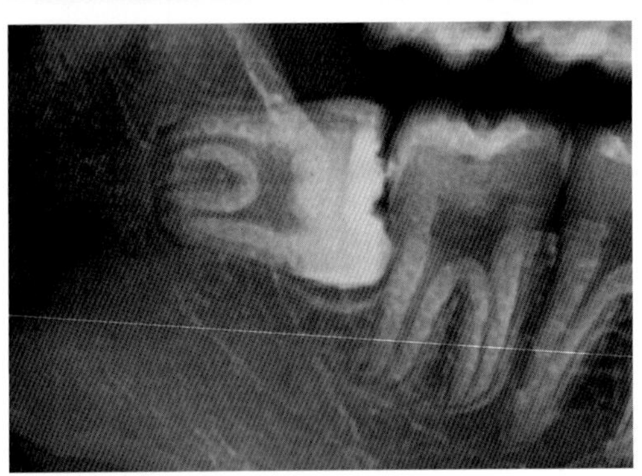

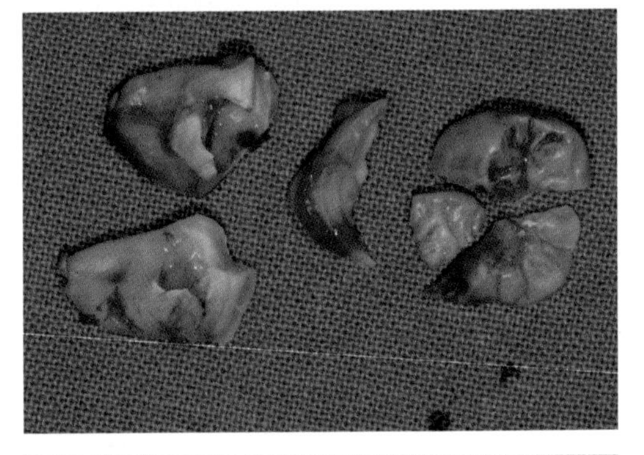

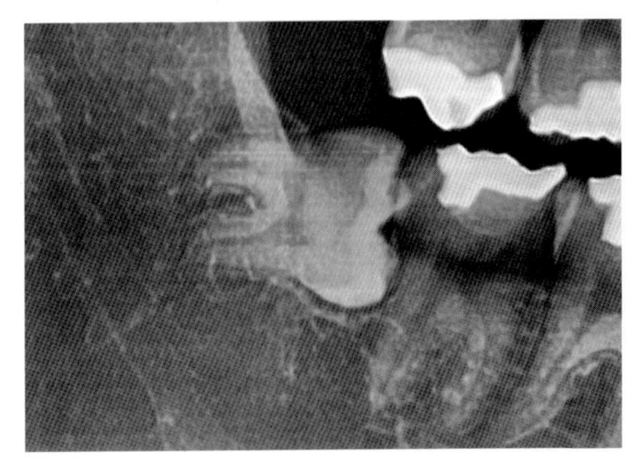

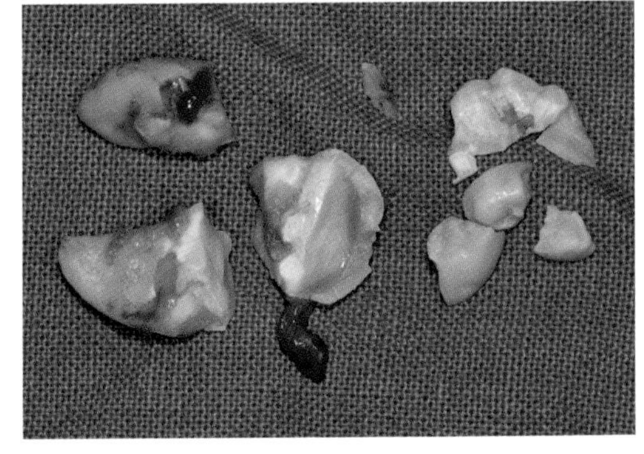

02
치근나누기 케이스 1★

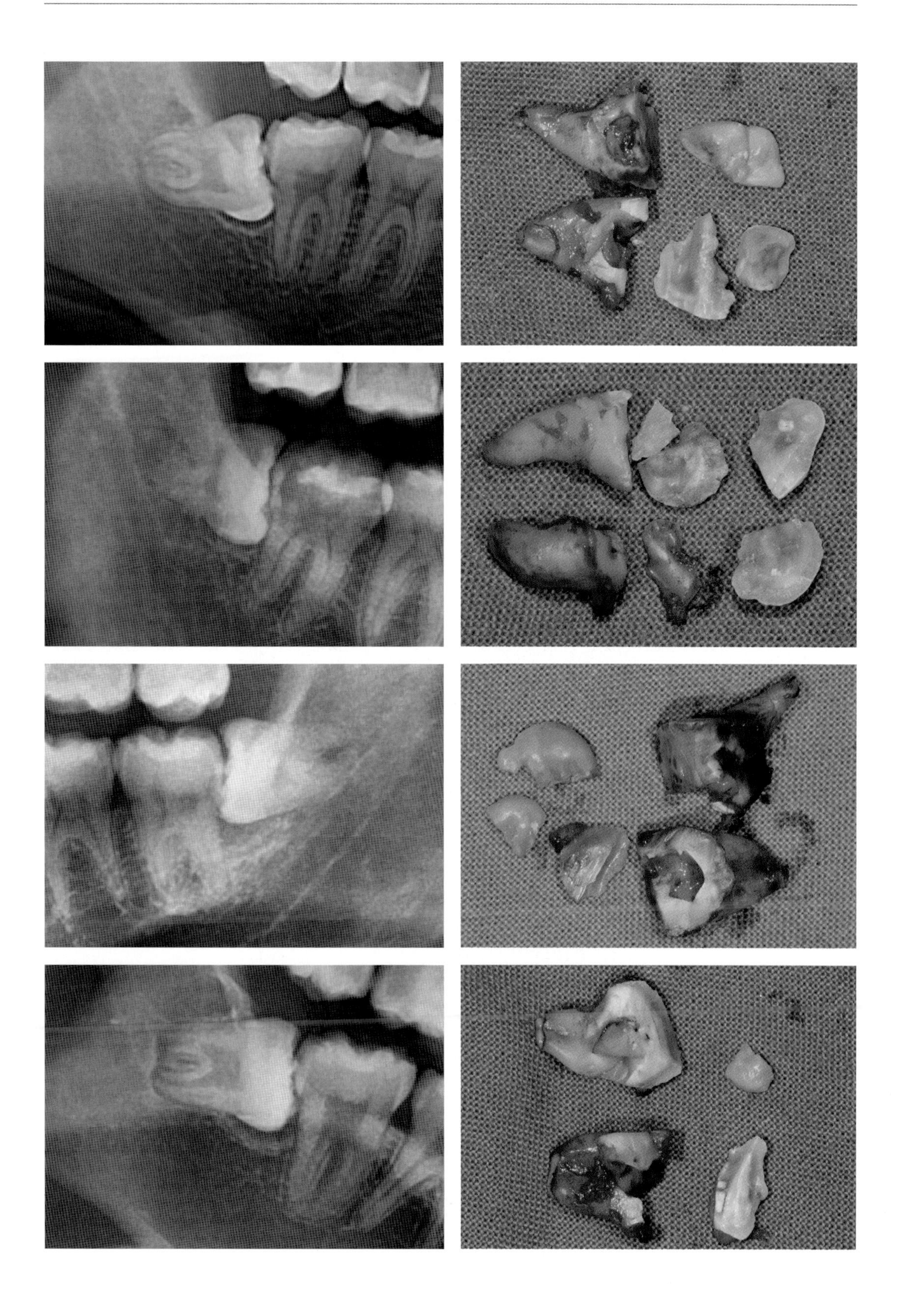

치근나누기 케이스 2 ★

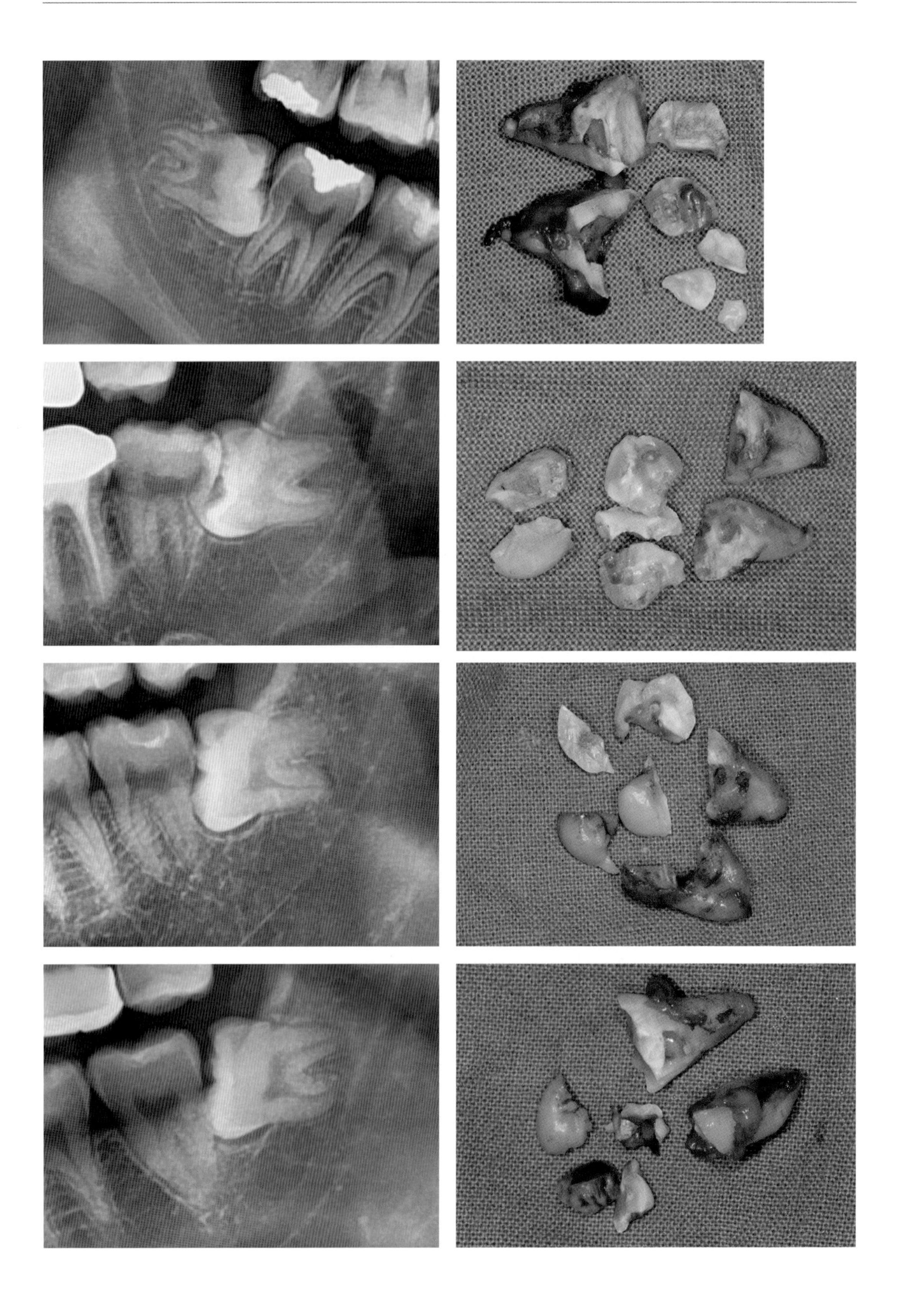

치근나누기 케이스 3 ★

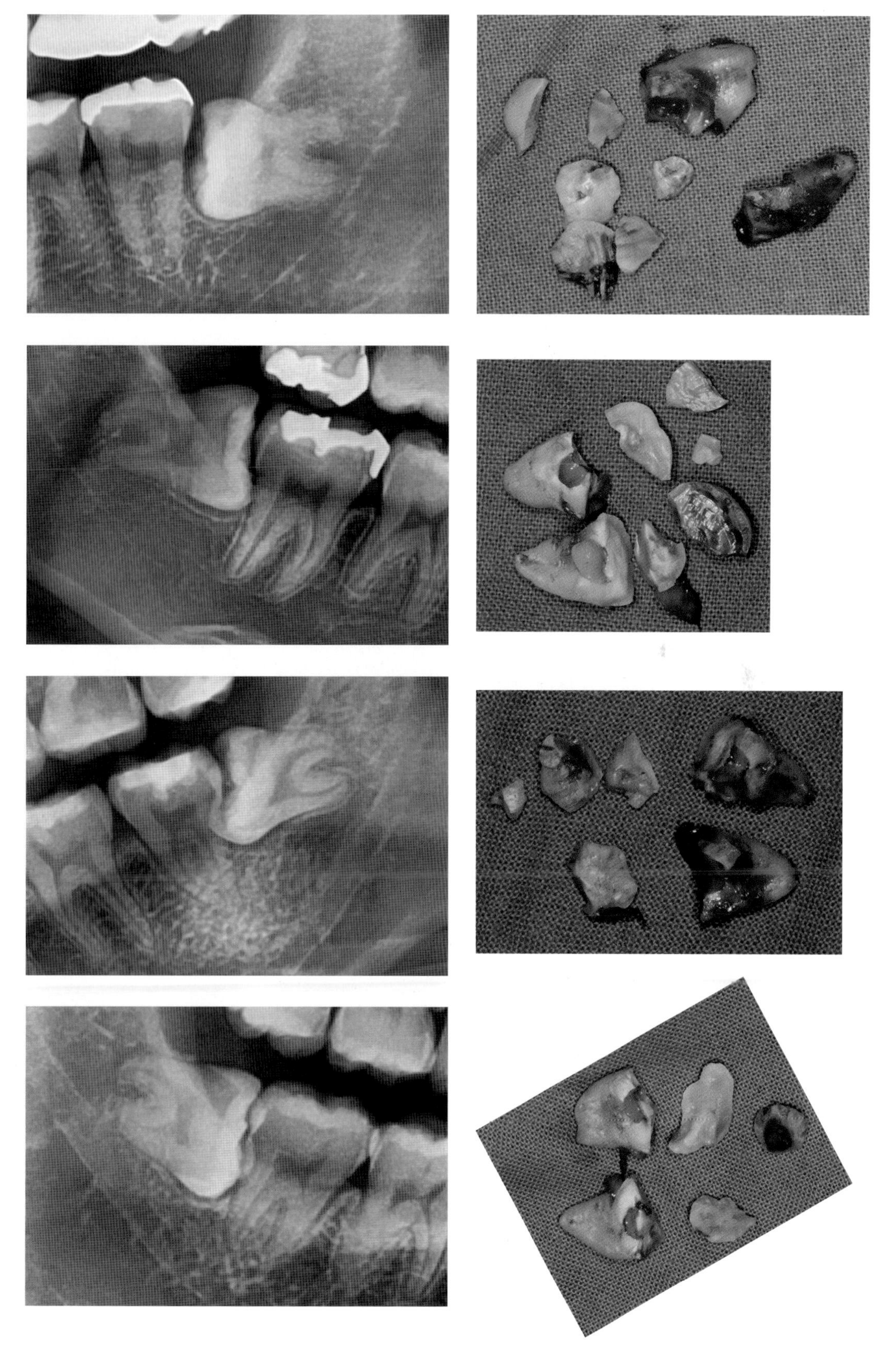

03 엘리베이터로 탈구시킨 후에 치근 나누기 ★★

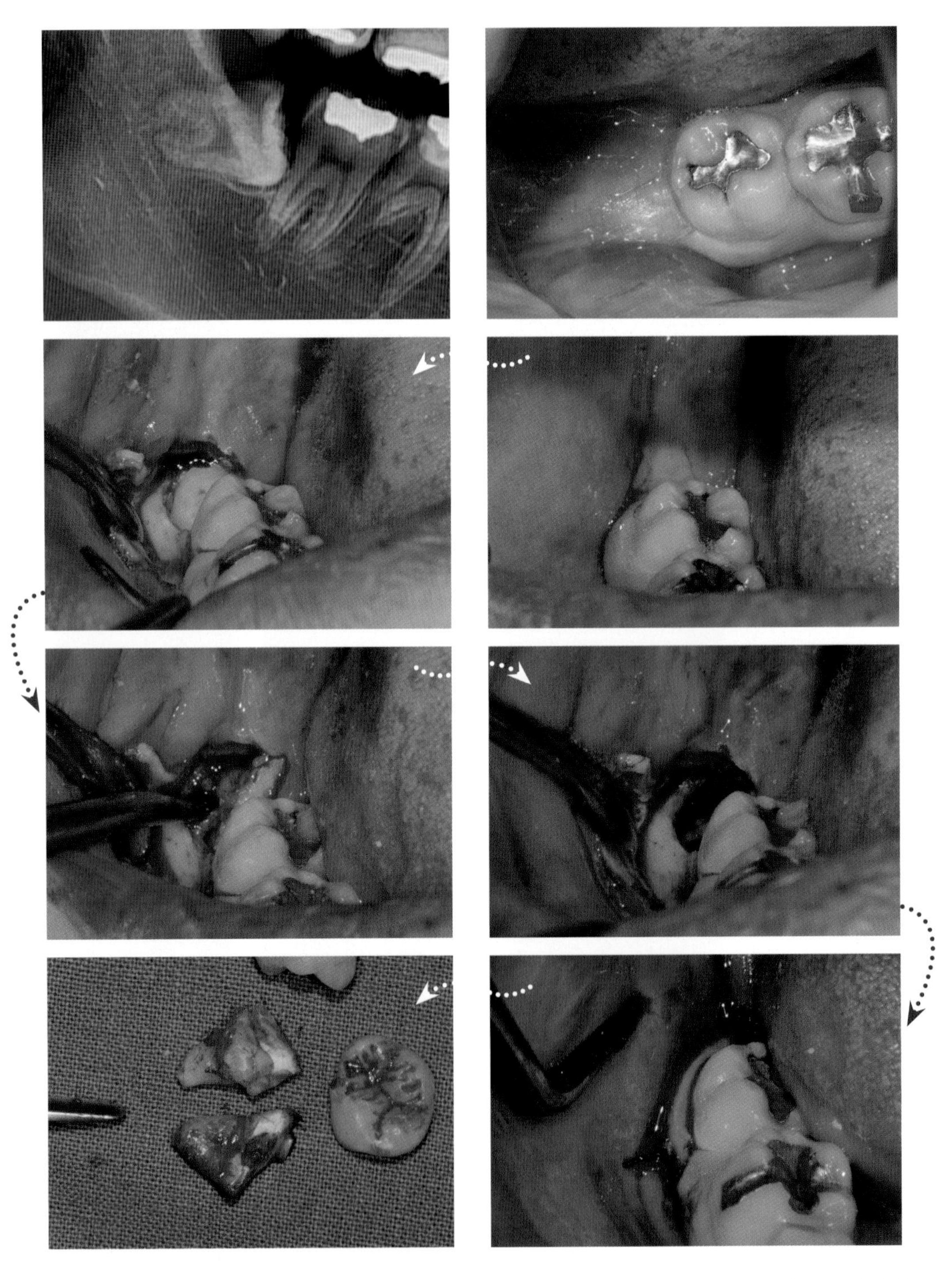

필자는 사랑니 발치를 너무 많이 해야 하다 보니 시간을 단축시켜야만 한다. 이런 다근치의 경우는 우선 근심 치관부를 삭제하여 사랑니를 탈구시키고 앞으로 끄집어내서 두 치근 사이에 엘리베이터를 집어 넣어 치근을 파절시키는 방식으로 발치하기도 한다. 탈구된 상태에서 하이스피드 핸드피스를 사용하면 발치와 내부로 증류수가 들어가고 여러 가지 찌꺼기도 들어 갈 수도 있기 때문에 쉽고 빠르고 안전한 발치를 위해 가능하면 이런 방식을 자주 사용한다.

04
치근나누기 케이스 4 ★

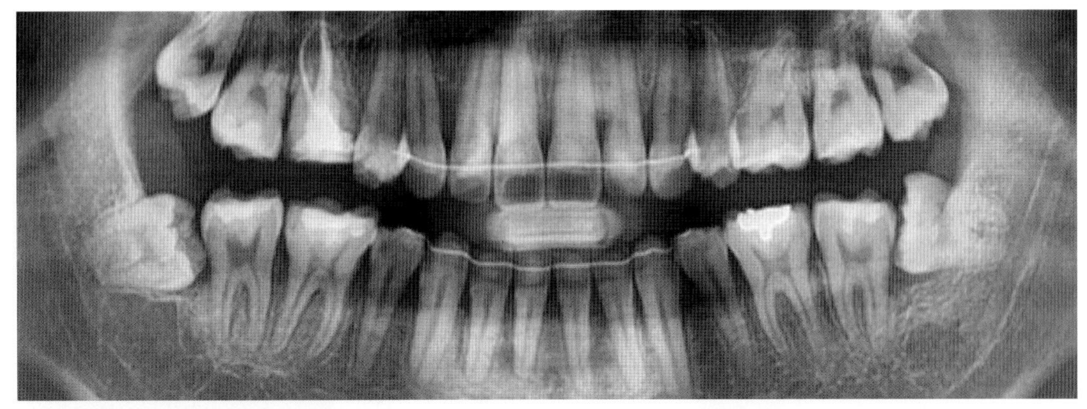

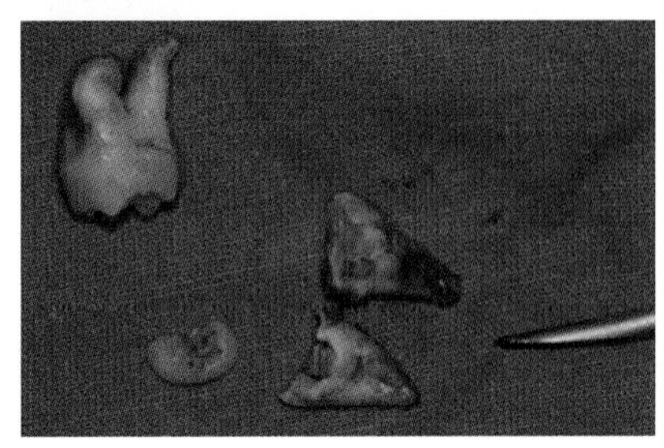

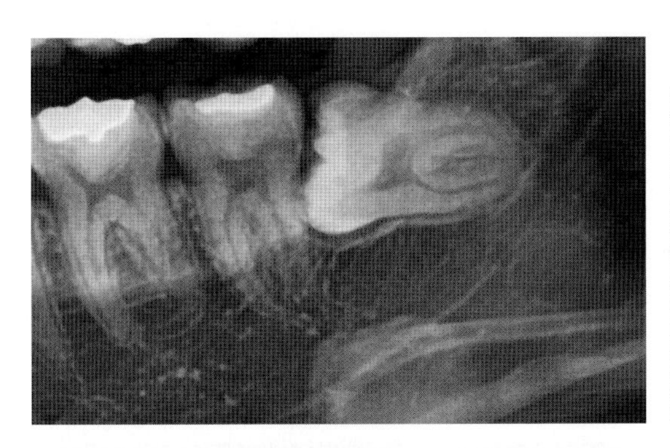

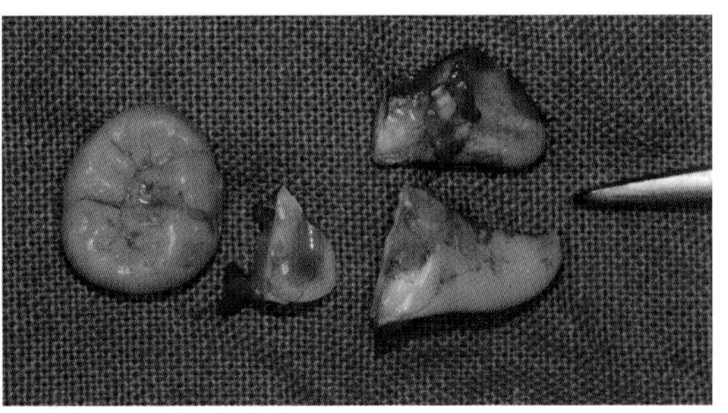

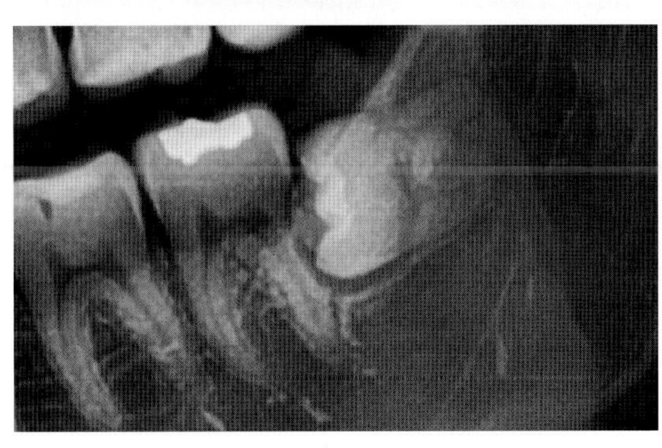

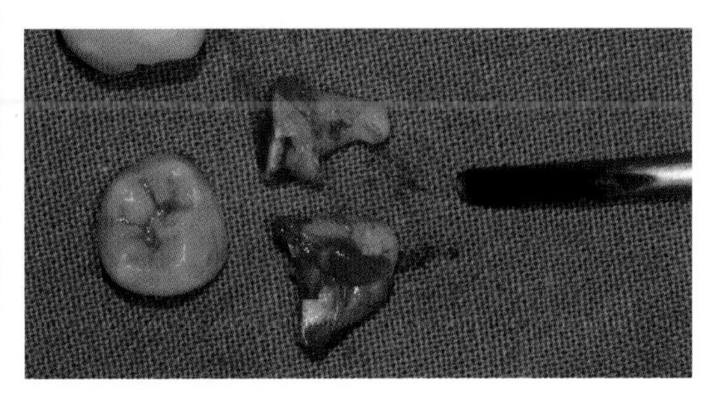

필자가 이렇게 엘리베이터를 치근 사이에 두고 찍은 경우는 두 치근을 엘리베이터로 파절시켰다는 뜻이다. 물론 다근치로 보이지만 다근치가 아닌 경우도 있다. 그럴 경우에는 통상의 방법대로 **들어치기**를 하면 된다.

1시간 동안 연속적으로 발치한 4명의 사랑니 케이스 (상악 제외)

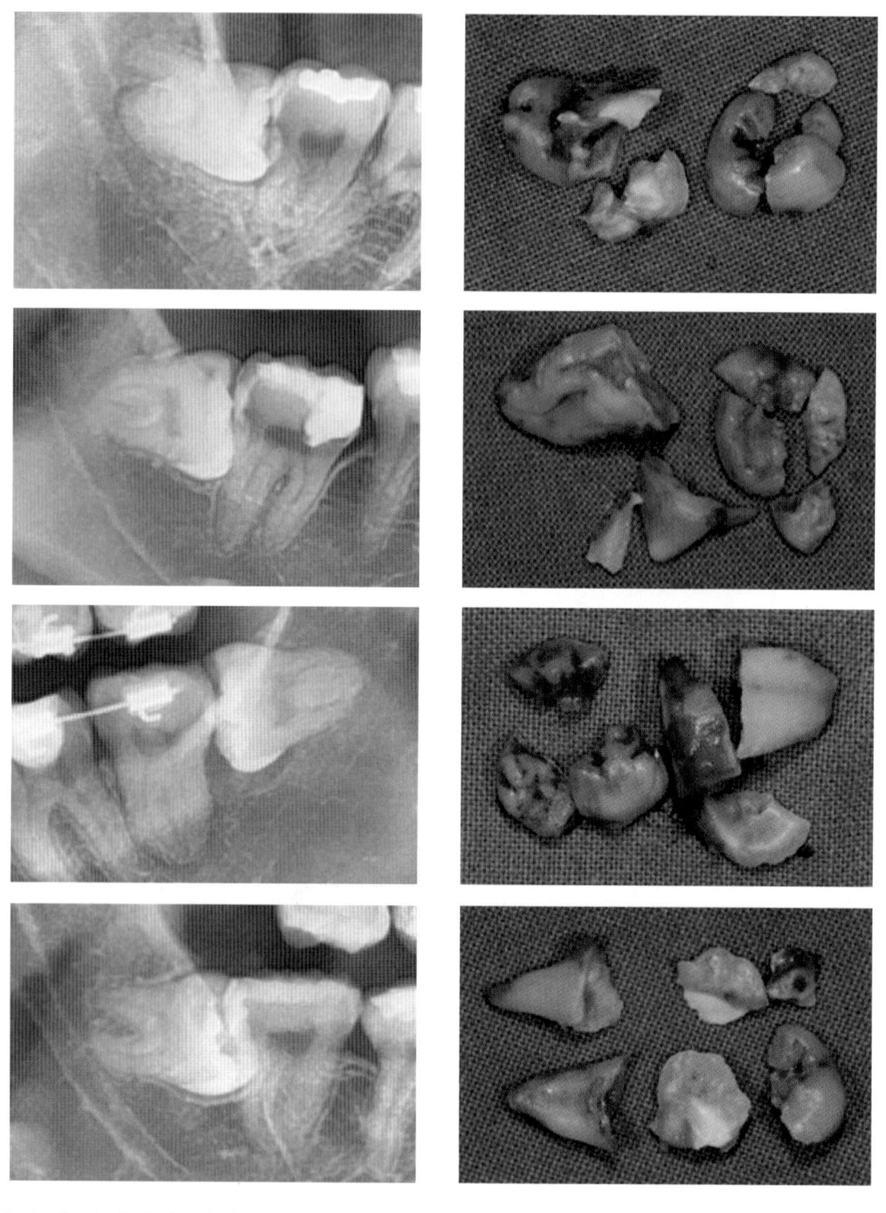

발치를 빨리했다고 해서 올린 게 아니다. 정말 짠 듯이 똑같은 형태로 발치했기에 올려 본 것이다. 이상하게도 환자들이 비슷한 케이스로 몰려오는 경우가 있다. 사랑니 발치 약속은 직원들이 보통 15분 단위로 무작위로 잡기 때문에 필자도 미리 알지는 못한다. 그런데 어떤 날은 모두 수직 매복이어서 몇 십 개를 빼도 한가한 날이 있고, 어떤 날은 모두 상악 매복인 날도 있고... 이 날은 이상하게도 모두 수평 매복이어서 좀 힘들었다. 그런데 그나마도 한 시간 동안 15분 단위로 잡힌 4명이 모두 수평이고, 마침 발치한 치아조각들을 보니 대부분 비슷해서 올려본다. 2015년 사랑니 발치 세미나 전날인 토요일 오후였고, 다음 날 세미나에서 이 4개의 케이스를 보여줬었기 때문에 기억이 난다. 독자 여러분들에게 실제로 제가 이 책에 쓴 내용이... 책에만 있는 케이스가 아니라 늘 언제나 하는 것이라는 것을 보여주기 위한 것이다.

뒷목치기 ★★

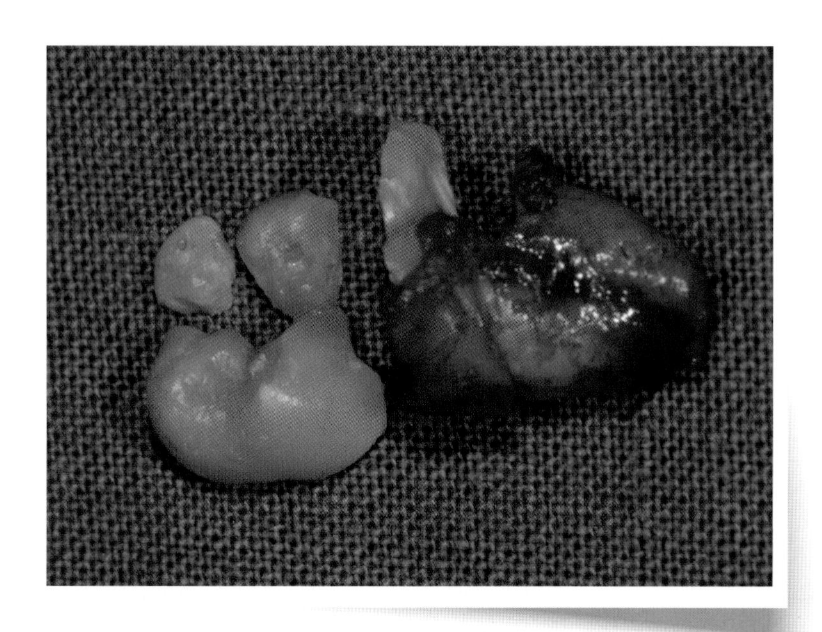

수평 매복된 치아의 앞쪽 치관부를 제거하고 나면 바로 엘리베이터로 발치를 시도한다. 우선 탈구가 됐는데 나오지 않는다면 **들어치기**를 시도해 볼 수도 있다. 그러나 우선 엘리베이터로 탈구 자체가 되지 않는다면 필자의 경우는 전혀 망설임 없이 **뒷목치기**를 한다. 대부분은 치주인대강이 좁아서 치조골 삭제 없이는 엘리베이터가 잘 안 들어가는 경우이다. 필자는 이런 경우에 위와 같이 **뒷목치기**를 하고 그 부분에 엘리베이터를 걸어서 끄집어내는 형태로 발치한다.

01
뒷목치기 ★★★

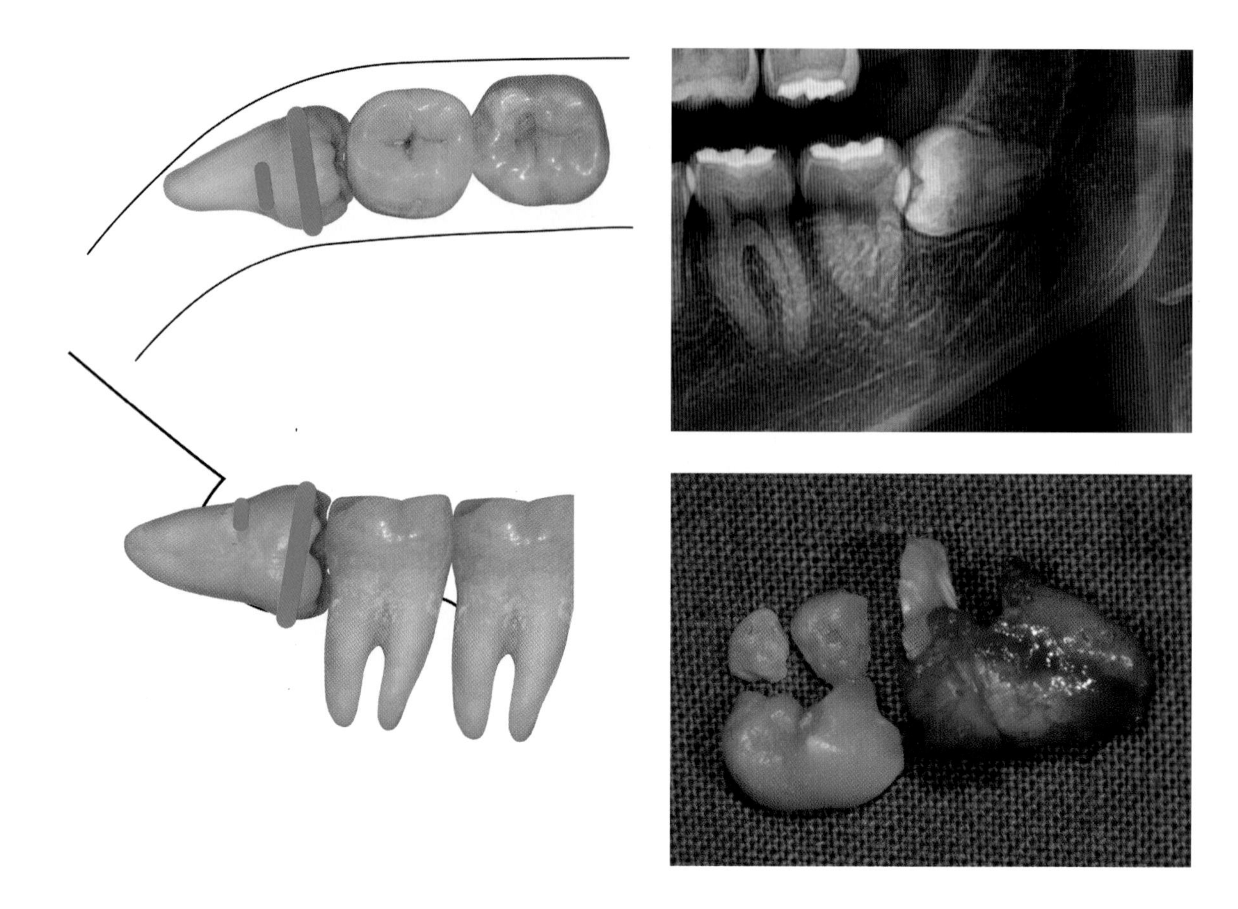

일반적으로 첫 번째 **머리자르기**를 6번 버로 하기 때문에 버를 바꾸기 귀찮아서 위 케이스처럼 직경 1.8 mm 6번 버로 그대로 **뒷목치기**를 한 케이스이다. 이렇게 하게 되면 홈을 깊게 파야 하고 잘못 파면 앞쪽 조각만 부러지기도 하고 엘리베이터가 잘 안 걸려서 발치가 쉽지 않은 경우도 많다. 초보자라면 반드시 4번 버를 사용하기를 권한다. 일반적으로 특히나 치관부 염증이 많아서 치아 전체가 뒤로 밀리면서 치주인대강이 좁아지고 치근이 치조골과 거의 유착된 케이스에서 매우 유용하다.

02
방사선 부분에서 봤던 케이스 ★★

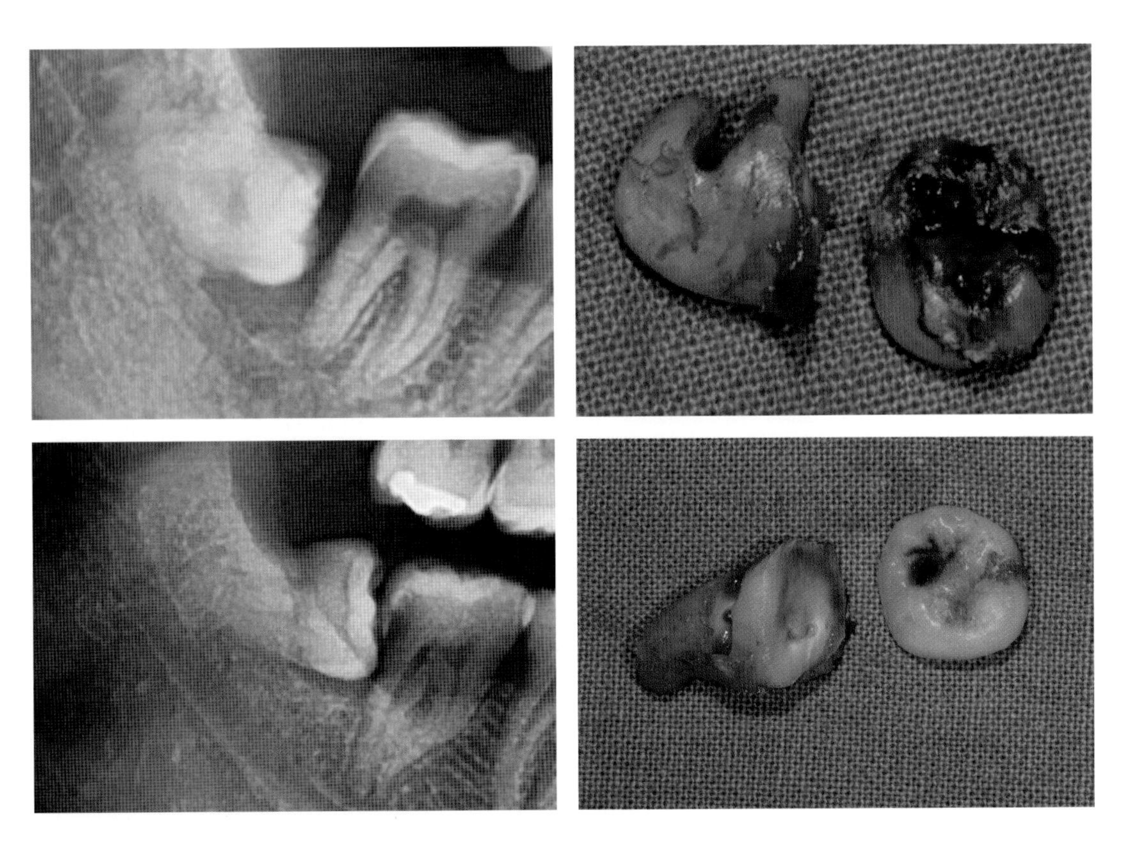

치관부 연조직의 염증에 의한 압력으로 치근이 뒤로 밀리면서 치주인대강이 매우 좁아져서 거의 유착된 경우이다. 치주인대강이 좁아서 골 삭제 없이는 엘리베이터가 비집고 들어갈 틈이 없어서 뒷목치기를 통해서 앞으로 끄집어낸 경우이다.

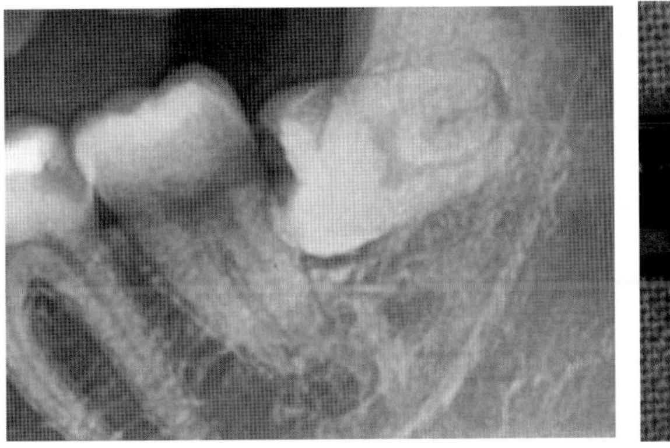

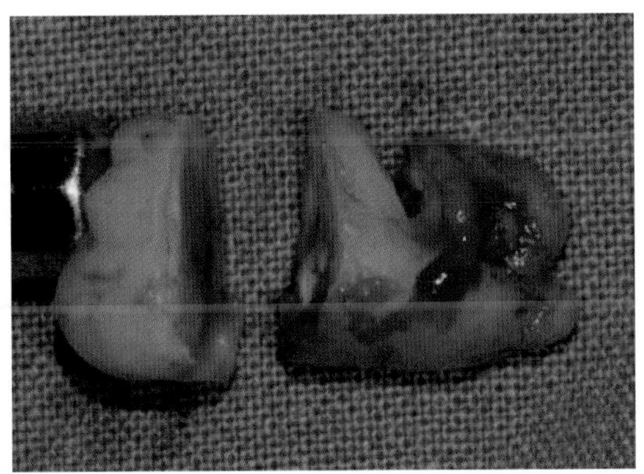

근심 치관부에 염증이 많았던 케이스이다. 여기서 **머리자르기**로 잘린 치관부 하방에 아주 얇게 에나멜만 남아 있는 것을 볼 수 있다. 치관 주위 염증이 심한 경우에는 이렇게 에나멜이 덜 잘렸어도 7번과 공간이 여유 있어서 제거되기 쉽다. 그러나 치근 부분은 치조골에 콕 박혀 있어서 쉽게 안 나오는 경우가 종종 있다. 그래서 위 케이스도 **뒷목치기**를 시행하여 발치하였다.

03
뒷목치기 케이스 ★

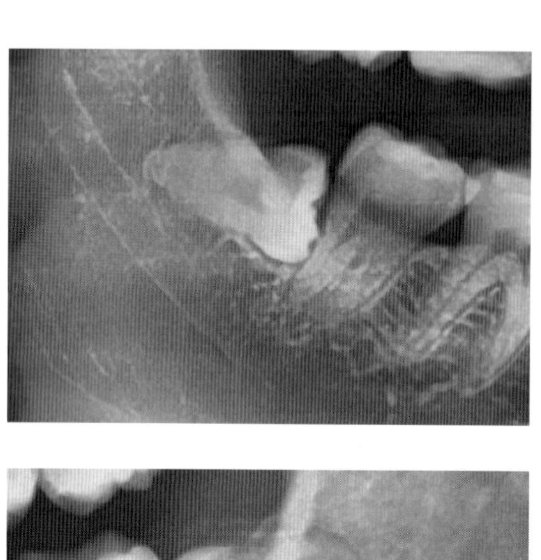

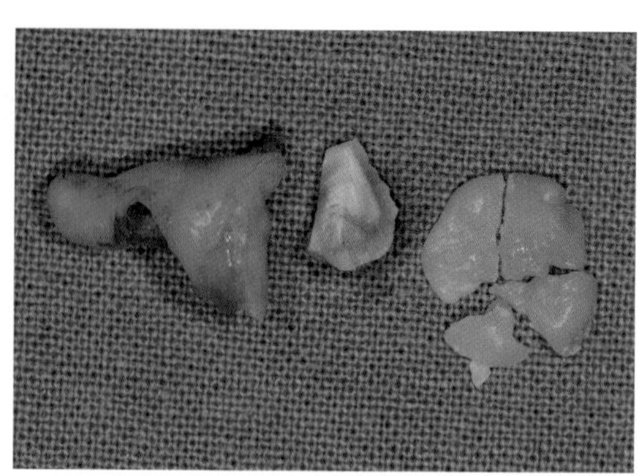

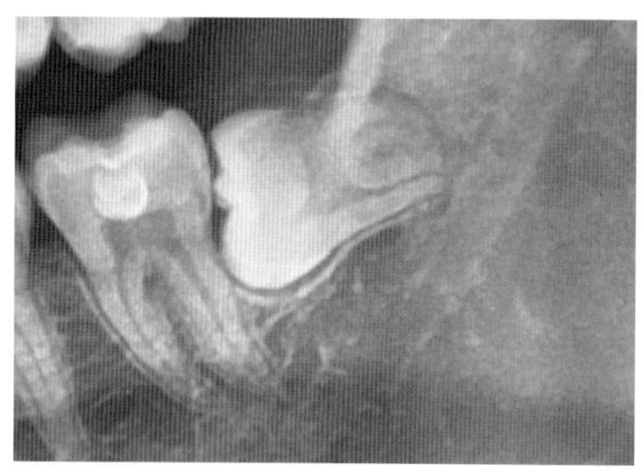

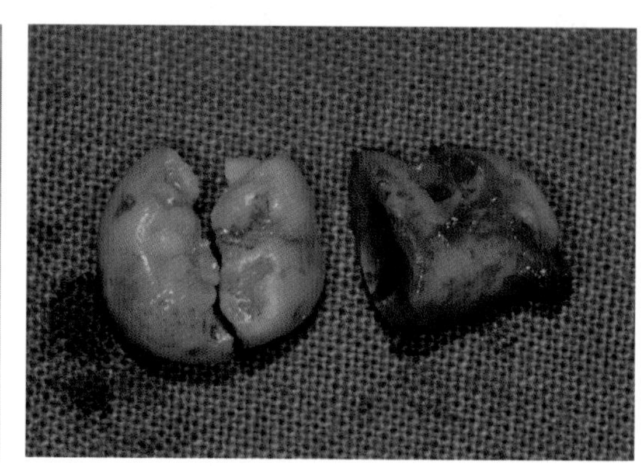

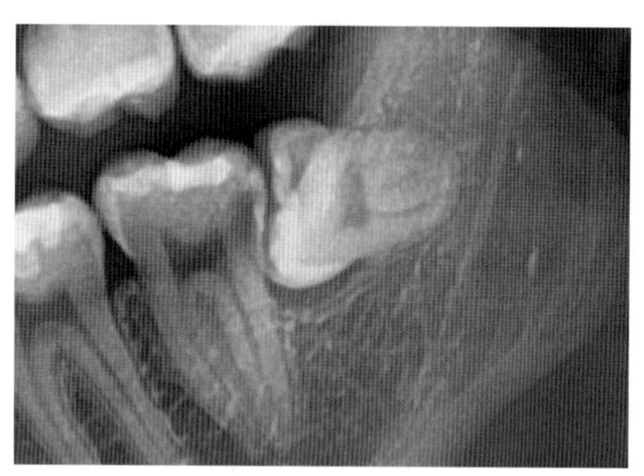

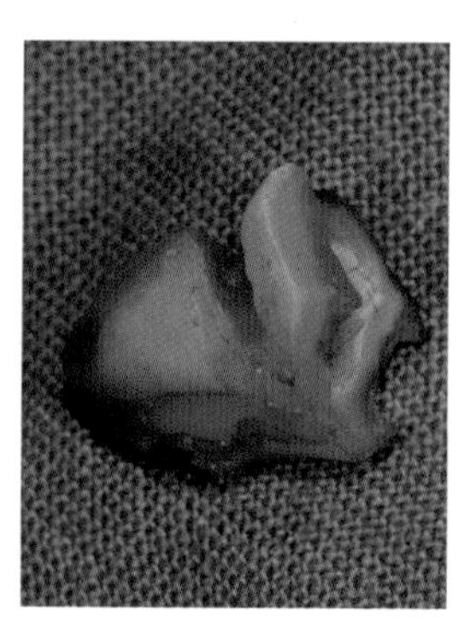

교합면에서 본 모습

뒷목치기로 발치한 케이스이다. 치아는 설면을 보기 위하여 방향을 반대로 하였다. 우측 사진에 보이는 면은 설면이다. 상방에서 보면 **뒷목치기** 한 자리가 보이지만 설측으로 하면 거의 모이지 않는다. 실제 **뒷목치기** 하기 위한 치아 삭제도 주로 협측과 상방을 위주로 한다. 설측은 어지간하면 잘 건드리지 않는다.

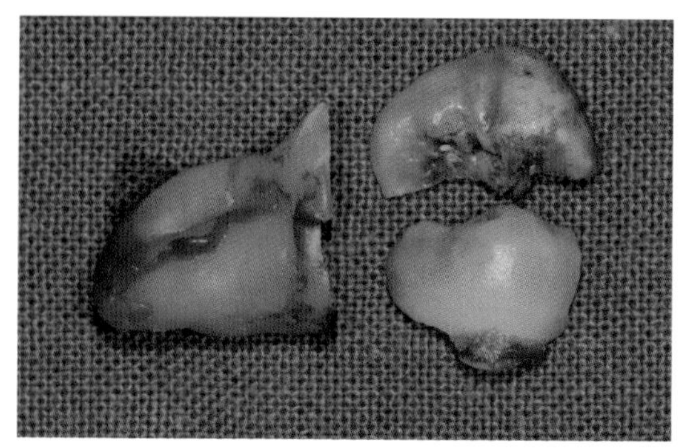

설측에서 본 모습

04
나란히 연속 3개의 48번 사랑니를 뒷목치기로 발치★

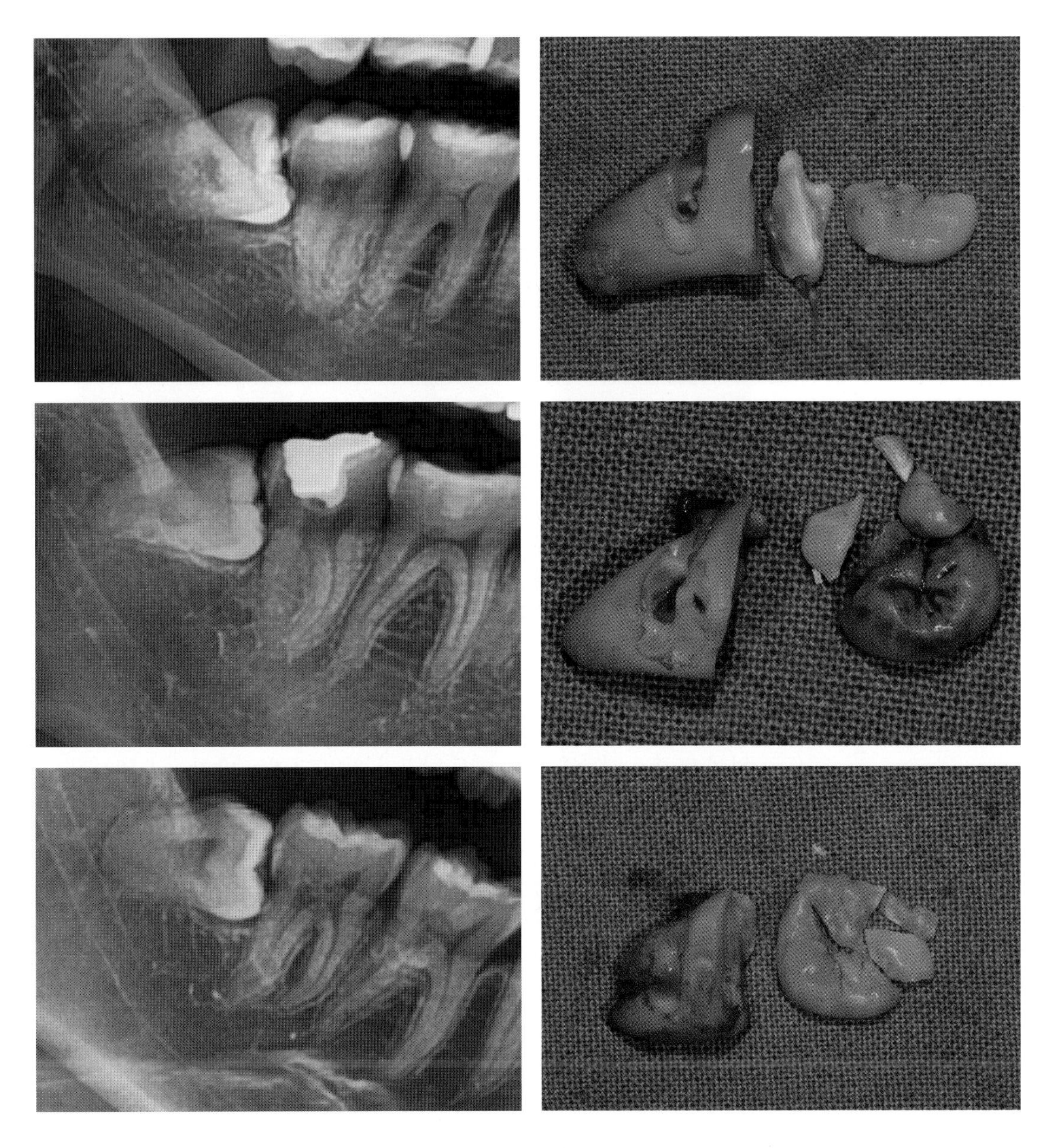

며칠 전에 나란히 3명의 환자를 48번 사랑니를 **뒷목치기**로 발치하여 그 케이스를 올려본다. 앞서 언급했듯이 필자는 발치를 공식처럼 일관된 방식으로 진행한다. **머리자르기**를 통해서 치관의 앞부분을 제거하고 엘리베이터로 협측에 적용하여 발치를 시행한다. 그러나 그게 여의치 않을 경우에는 협측 골을 삭제하기 보다는 이와 같이 **뒷목치기**를 일차적으로 시행한다. 이 책에 나와 있는 방법들이 책에만 있는 케이스가 아니라, 필자가 매일매일 시행하고 있는 방법이다.

뒷목치기와 ㄴ발치 ★★★

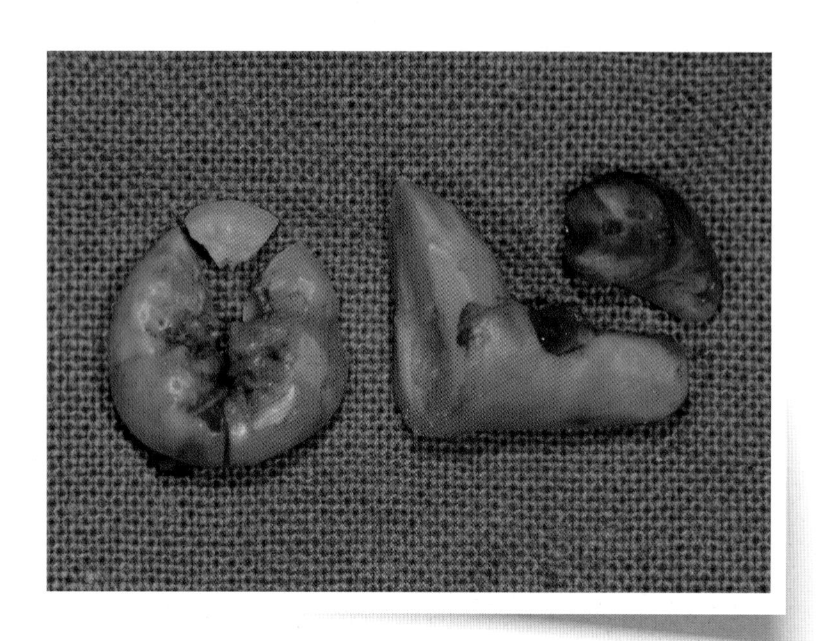

일반적으로 **머리자르기**를 시행하여 근심쪽의 치관부를 제거하고 나서 엘리베이터를 협측에 적용하여 발치를 시도한다. 그래서 탈구가 되면 그대로 발치를 시행하고, 나오다가 걸리면 들어치기를 시행한다. 그러나 엘리베이터로 협측를 공략해서 발치가 되지 않으면 대부분은 협측의 치조골을 삭제하여 엘리베이터가 좀 더 잘 작용하도록 하는 경우가 일반적이다. 그러나 이런 경우에 필자는 협측 골 삭제보다는 **뒷목치기**를 시행하여 발치를 시도한다.

뒷목치기를 통해서 치근 부분을 탈구시킬 때 두 치근이 함께 발치되면 그냥 **뒷목치기**로 발치한 것이고, 치근이 나뉘어진 상태에서 근심 치근만 파절되어서 발치된다면 **ㄴ발치**가 되는 것이다. 물론 처음부터 **ㄴ발치**를 시도하는 경우도 많다. 일반적으로는 수평 매복치의 **머리자르기**는 6번 버를 많이 사용하고 **뒷목치기**는 4번 버를 많이 사용하는데, 요즘은 버 바꾸기가 귀찮아서 지름이 큰 6번 버를 많이 사용하다 보니 **뒷목치기**를 좀 깊게 하기도 해서 위 사진에서 하방 치근 부위에도 버 자국이 남아 있다.

01
뒷목치기와 ㄴ발치 ★★

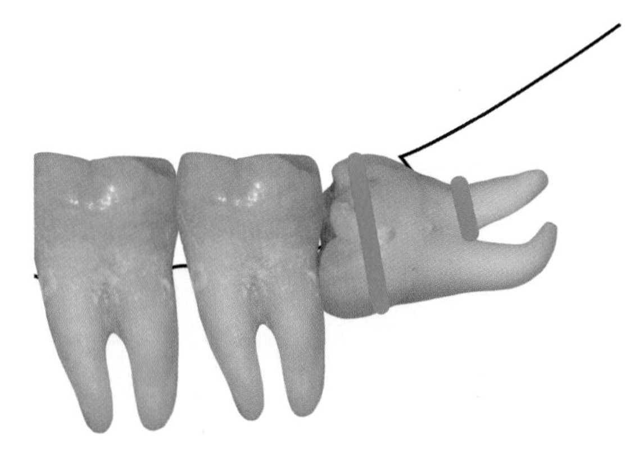

앞장에서 언급한 근심으로 경사진 사랑니의 발치에서 시행하는 **ㄴ발치**와 같은 원리이지만, 다근치에서 발치가 더 쉽지 않기 때문에 단근치에서보다 더 많이 시행한다. 이런 경우에 왼쪽의 그림처럼 **뒷목치기**를 시행하는데 그러면 자연스럽게 **ㄴ발치**가 된다.

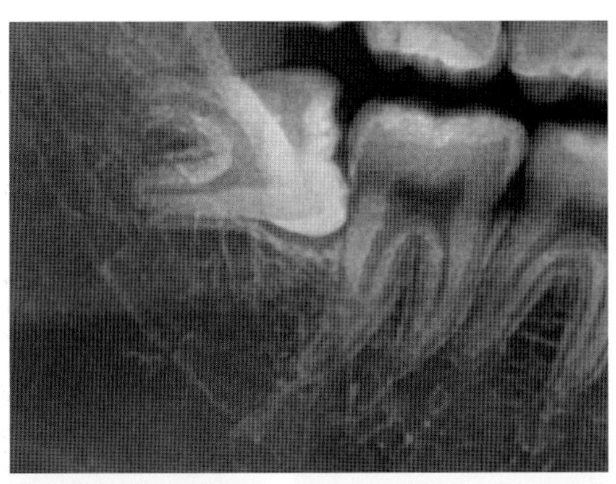

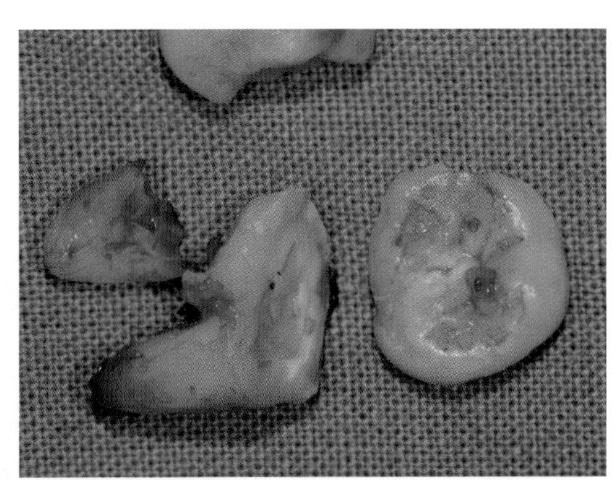

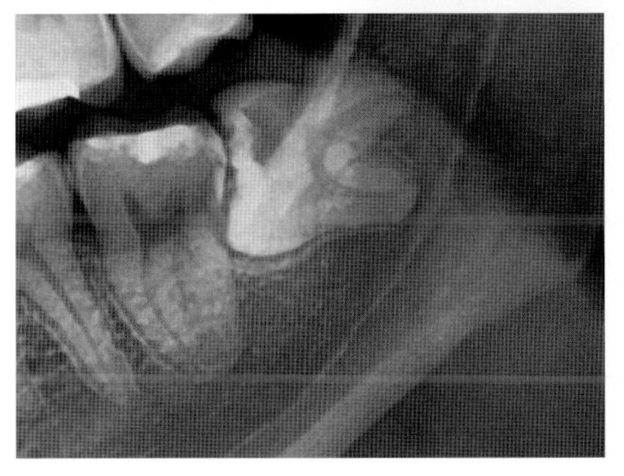

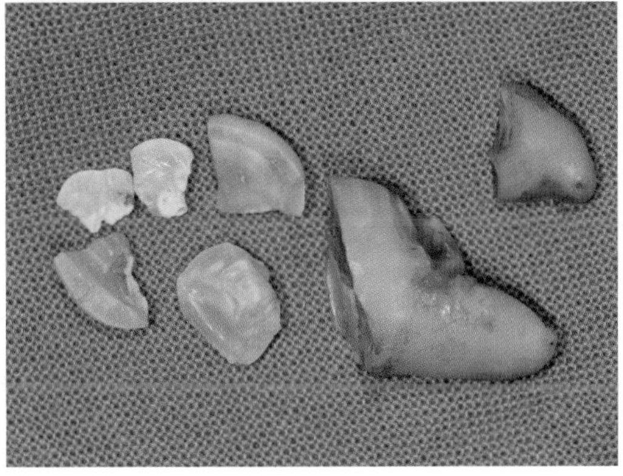

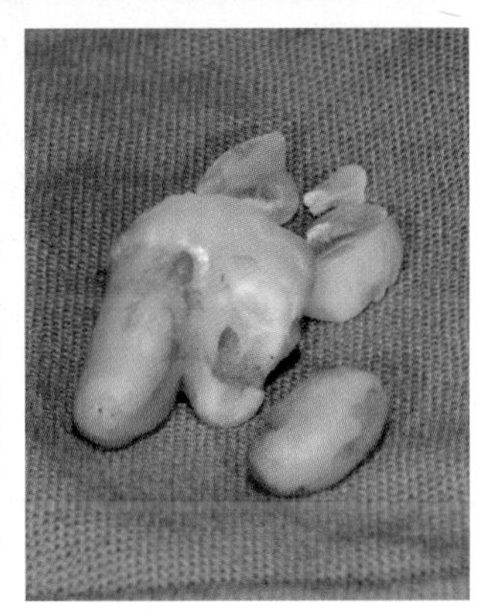

사랑니의 근원심 폭경이 크고 치근이 쩍벌남처럼 벌어져 있어서 발치가 쉽지 않은 케이스이다. 이런 경우에 두 치근을 나누어서 하나씩 빼게 되면 발치가 쉽다.

02
뒷목치기를 통한 ㄴ발치 과정★★

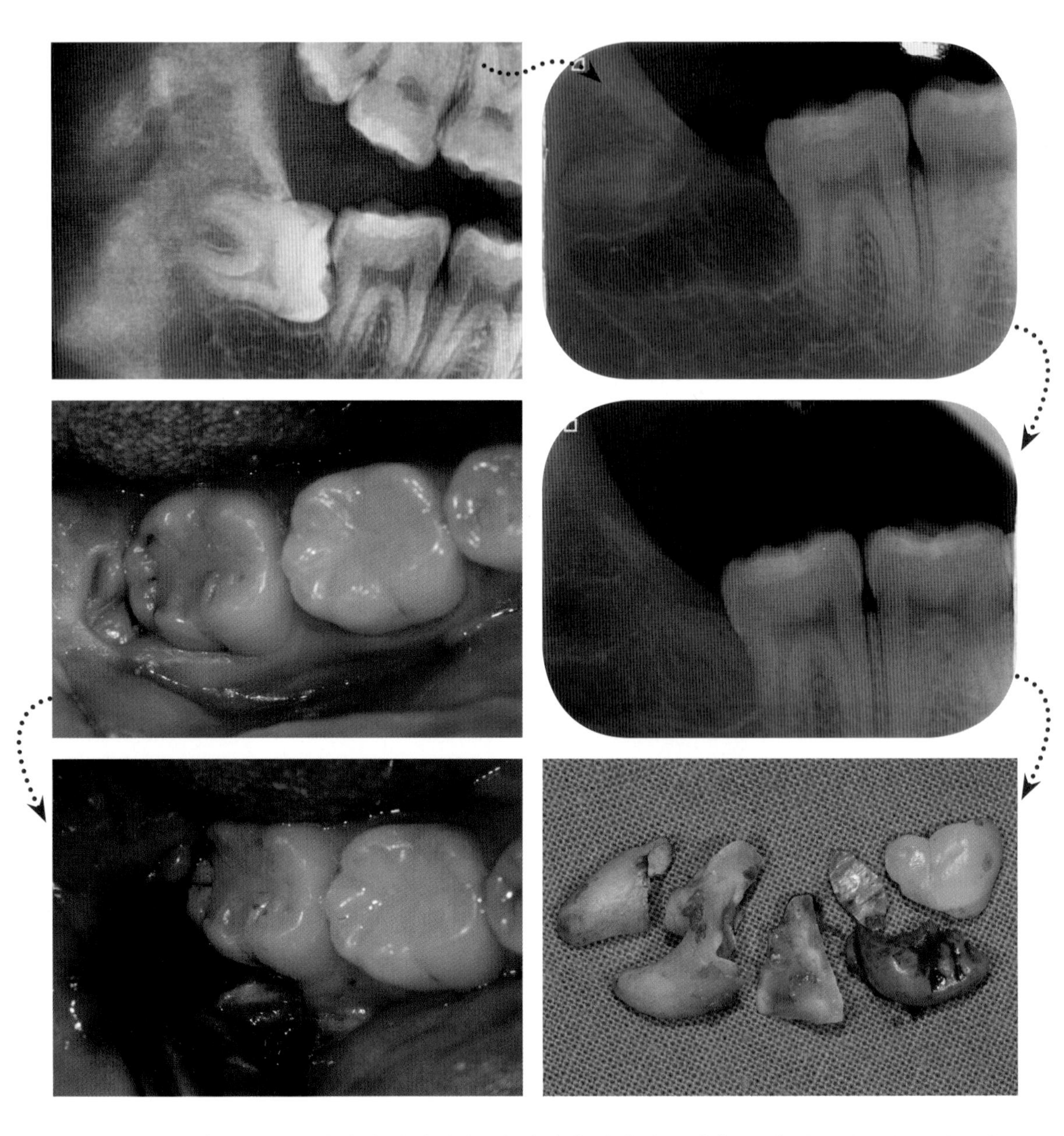

뒷목치기를 통한 **ㄴ발치**를 시행한 과정이다. 위 발치한 치아의 모양을 보면 **머리자르기**는 **세로나누기**를 시행하였고, 사선치기 후에 발치를 시행한 것을 알 수 있다. **사선치기**를 시행했어도 발치가 쉽지 않아서 **뒷목치기**를 시행하여 **ㄴ발치**를 시행한 케이스이다. 이런 경우에 치근의 중간 부분과 하방의 근심 치근이 분리되어 온전한 L자 모양이 잘 안 나오고 3등분 발치처럼 보이는 경우도 많다. 그러나 이러나 저러나 발치 자체에는 큰 문제는 없다. 그런 경우에도 대부분 아래 치근부터 제거하는 것이 필자의 원칙이다. 지금까지 수많은 발치를 시행하였지만, 치근단 부분에 작은 치근 팁만 남은 정도가 아니라 **ㄴ발치** 이후에 원심 치근을 거의 제거하지 못하고 그대로 둔 경우는 다섯손가락 안에 들어갈 만큼 적고 대부분 익스플로러를 이용하여 제거한다. 필요에 따라서 뒤에 나오는 뿌리에서 **뒷목치기**나 **뿌리나누기**를 시행해서라도 대부분 제거 가능하다. 그러나 위 사진에서 보듯이 그냥 그대로 둔다고 해도 크게 문제되지 않을 듯하다.

03
뒷목치기를 통한 ㄴ발치 케이스 ★★

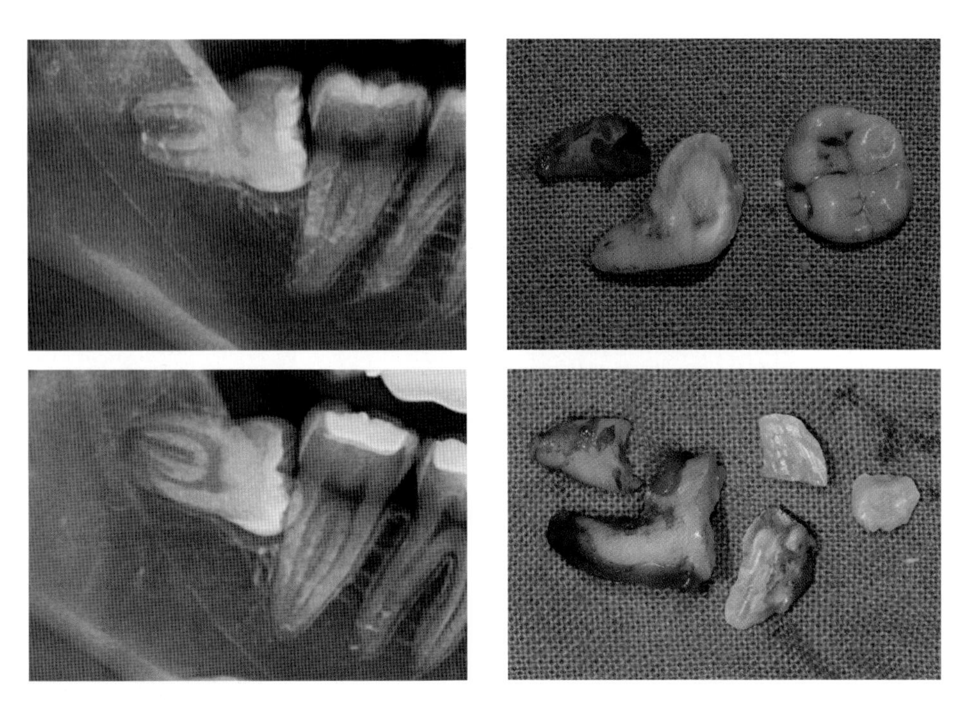

가장 일반적인 **뒷목치기**를 통한 **ㄴ발치** 케이스이다. 그러나 종종 사진에서 보이는 바와 달리 다근치처럼 보이지만 단근치인 경우도 많다. 그런 경우는 종종 3등분 발치가 되기도 하기 때문에 그러한 점도 고려해둬야 한다.

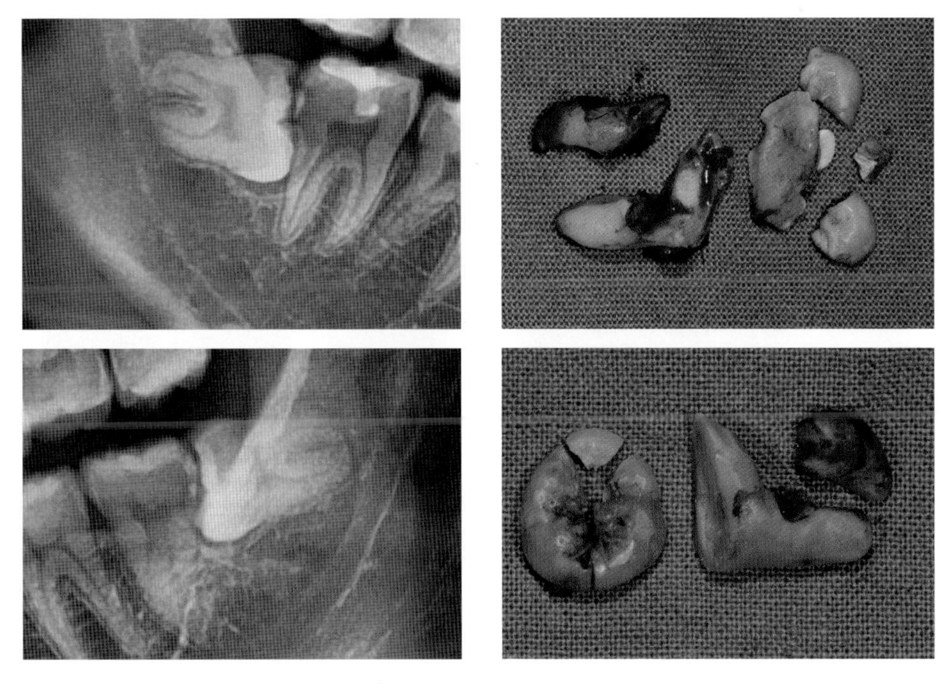

대부분 **뒷목치기**는 4번 버를 사용하지만, 버 바꾸는게 귀찮아서 지름이 큰 6번 버를 그대로 사용하기도 하는데, 이런 경우에는 좀 깊게 삭제해야만 좁은 엘리베이터가 작용을 할 수 있다. 그 덕에 자연스럽게 **ㄴ발치**가 쉽게 된다.

04
사선치기를 같이 한 케이스 ★★

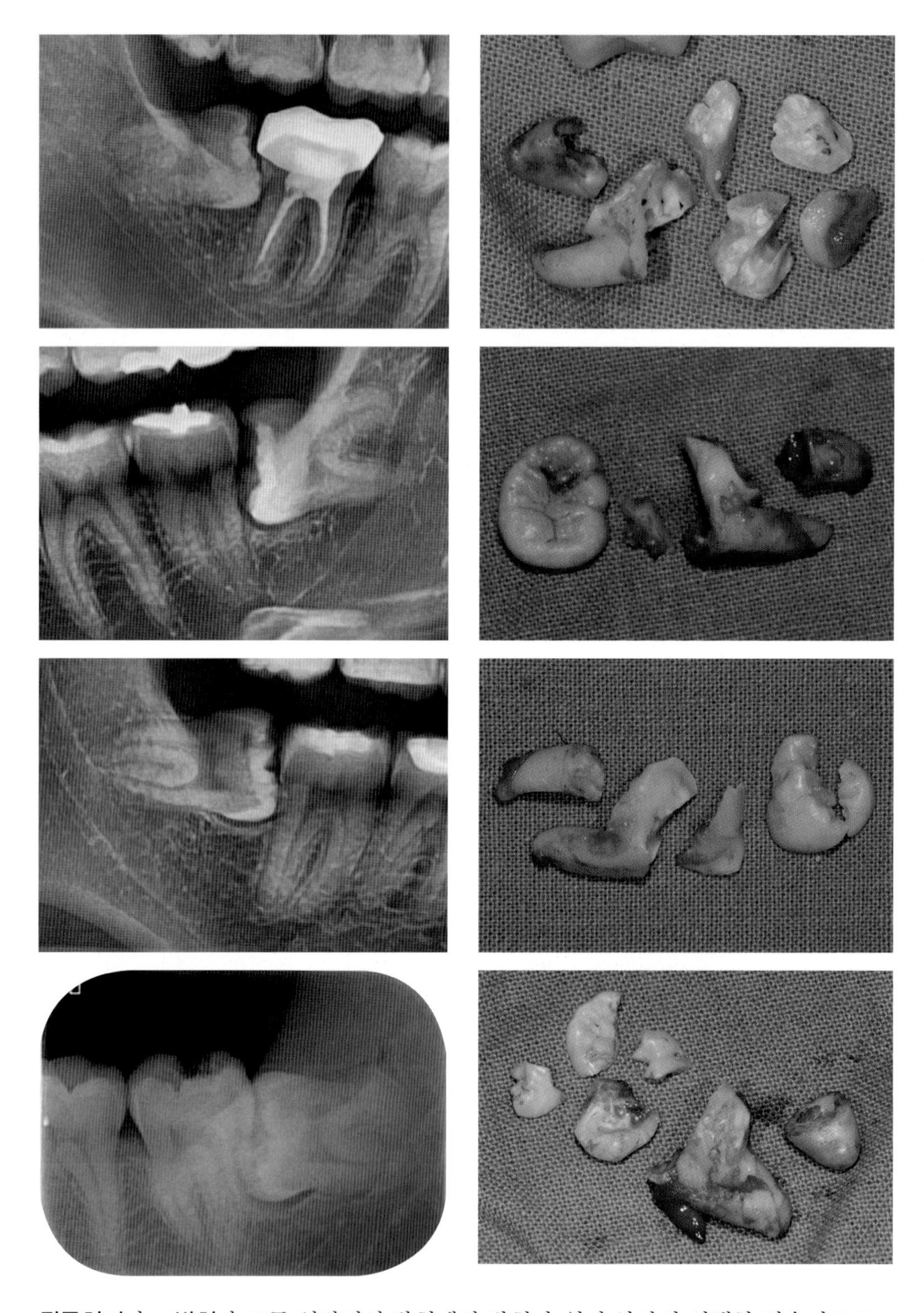

뒷목치기나 **ㄴ발치**나 모두 일반적인 발치에서 발치가 쉽지 않아서 시행한 경우이므로, 이런 경우에는 협측에서 일반적으로 엘리베이터를 이용하여 발치를 시도하기 전에 여러 가지 장점이 있는 **사선치기**를 해놓고 발치를 시도했을 가능성이 많다. 그래서 위와 같은 조각들이 많이 발견된다.

05
양쪽 모두 ㄴ발치를 시행한 경우 ★

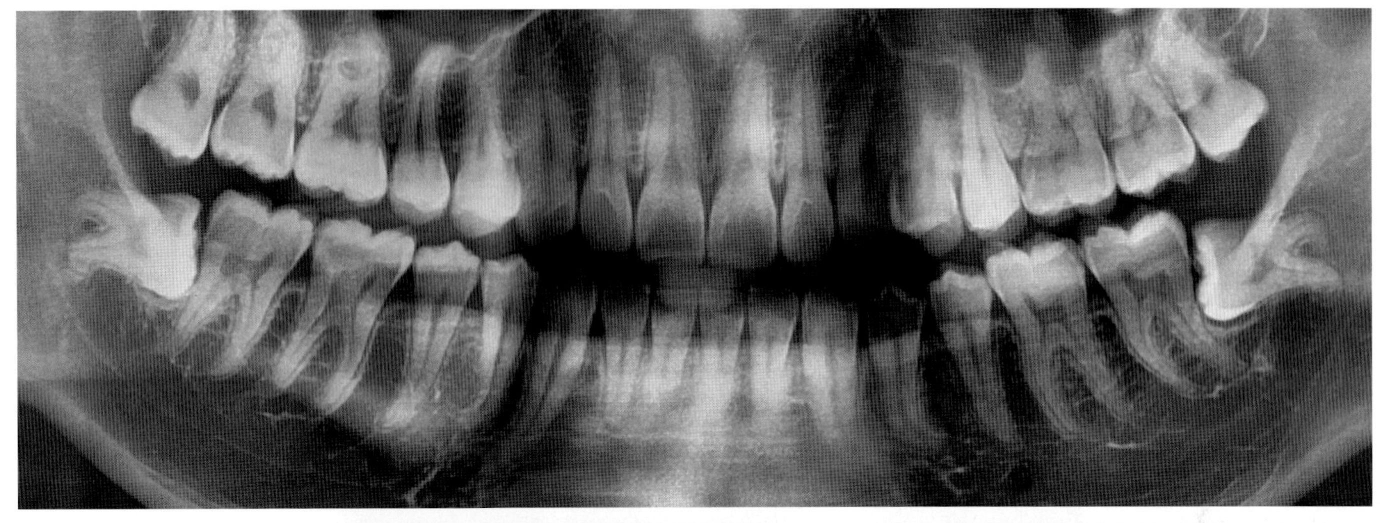

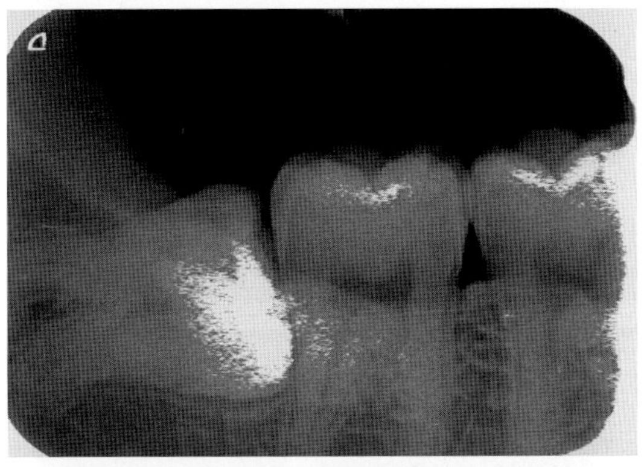

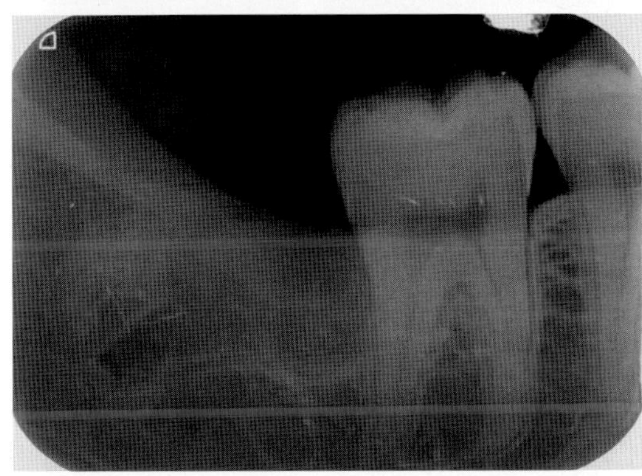

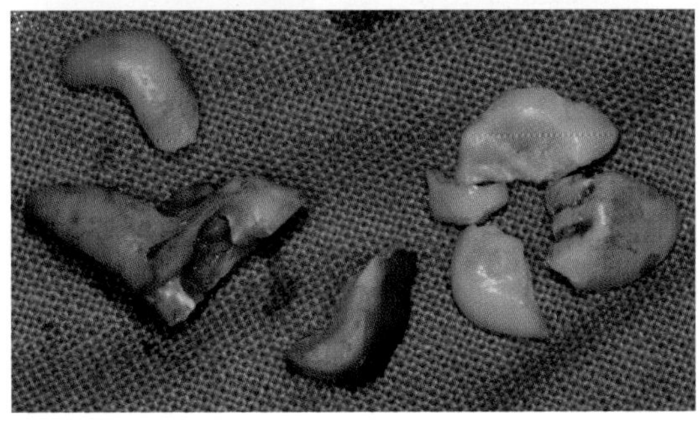

양쪽 모두 **ㄴ발치**를 시행한 경우이다. 사랑니의 치관부를 제거하고도 치근단에서의 치근의 방향이 아래로 향하고 있어서 발치되는 방향과는 반대이다. 필자는 이런 경우에 특히 **ㄴ발치**를 선호하는데, 특히 원심 치근의 치근단에서의 치근의 방향이 아래를 향할 경우에는 근심 치근을 발치하고 난 뒤에는 치근의 휘어진 방향에 대로 아래로 꺾이면서 원심 치근이 발치되기 때문에 치근을 남기지 않고 발치를 할 수 있게 되기 때문이다. 이런 경우 근심 치근은 반듯하여 제대로 발치가 된다. 또는 원심 치근처럼 아래로 휘어서 신경관과 접해 있는 경우도 있으므로 그런 경우에는 치근이 파절되면 제거하는 것이 원칙이긴 하지만, 제거하려고 많은 노력을 하지 않으려고 하는 편이다.

06
ㄴ발치 적응증 - 원심 치근이 쩍 벌어지고 아래로 휘어진 경우 1★

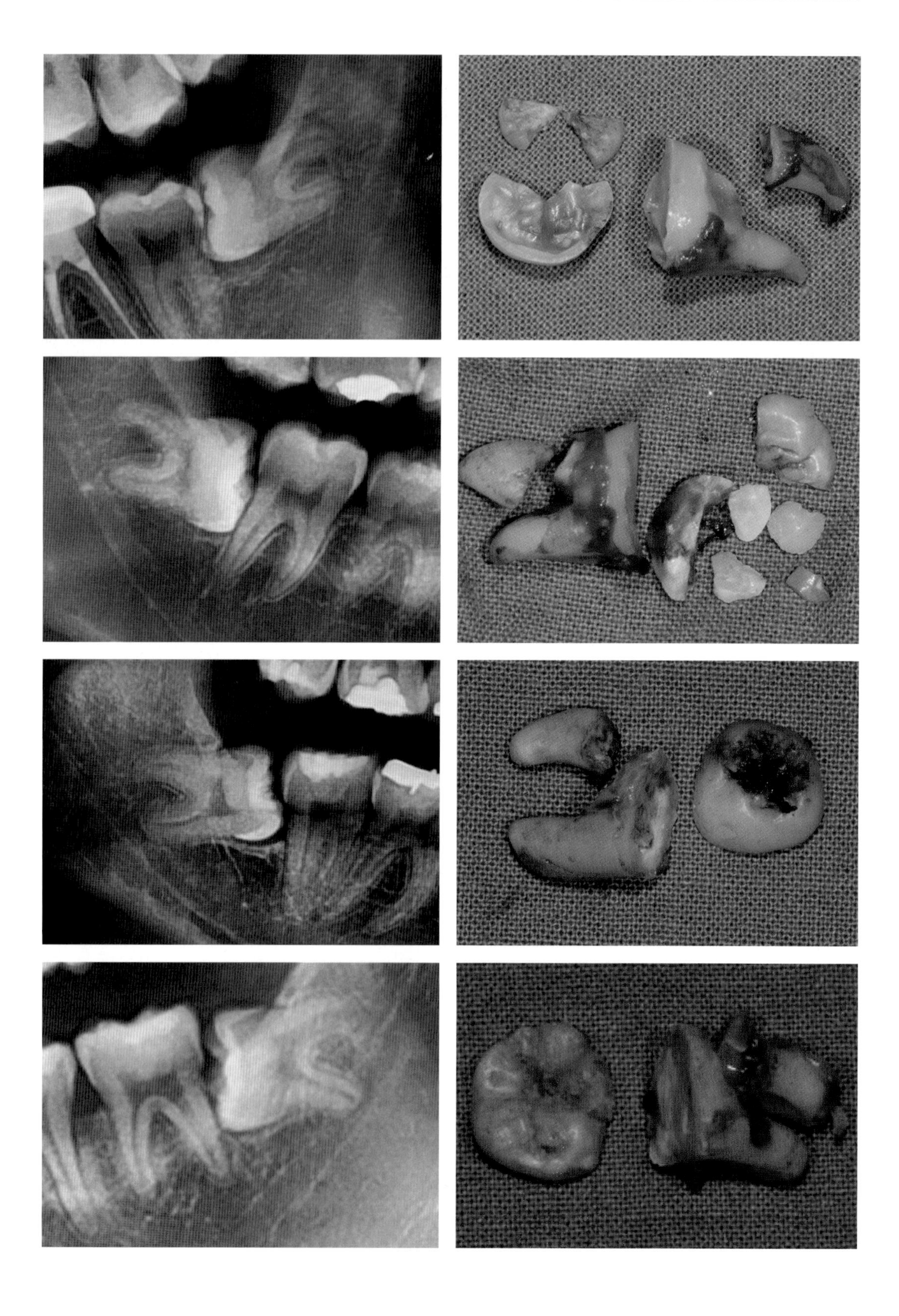

ㄴ발치 적응증 – 원심 치근이 쩍 벌어지고 아래로 휘어진 경우 2★

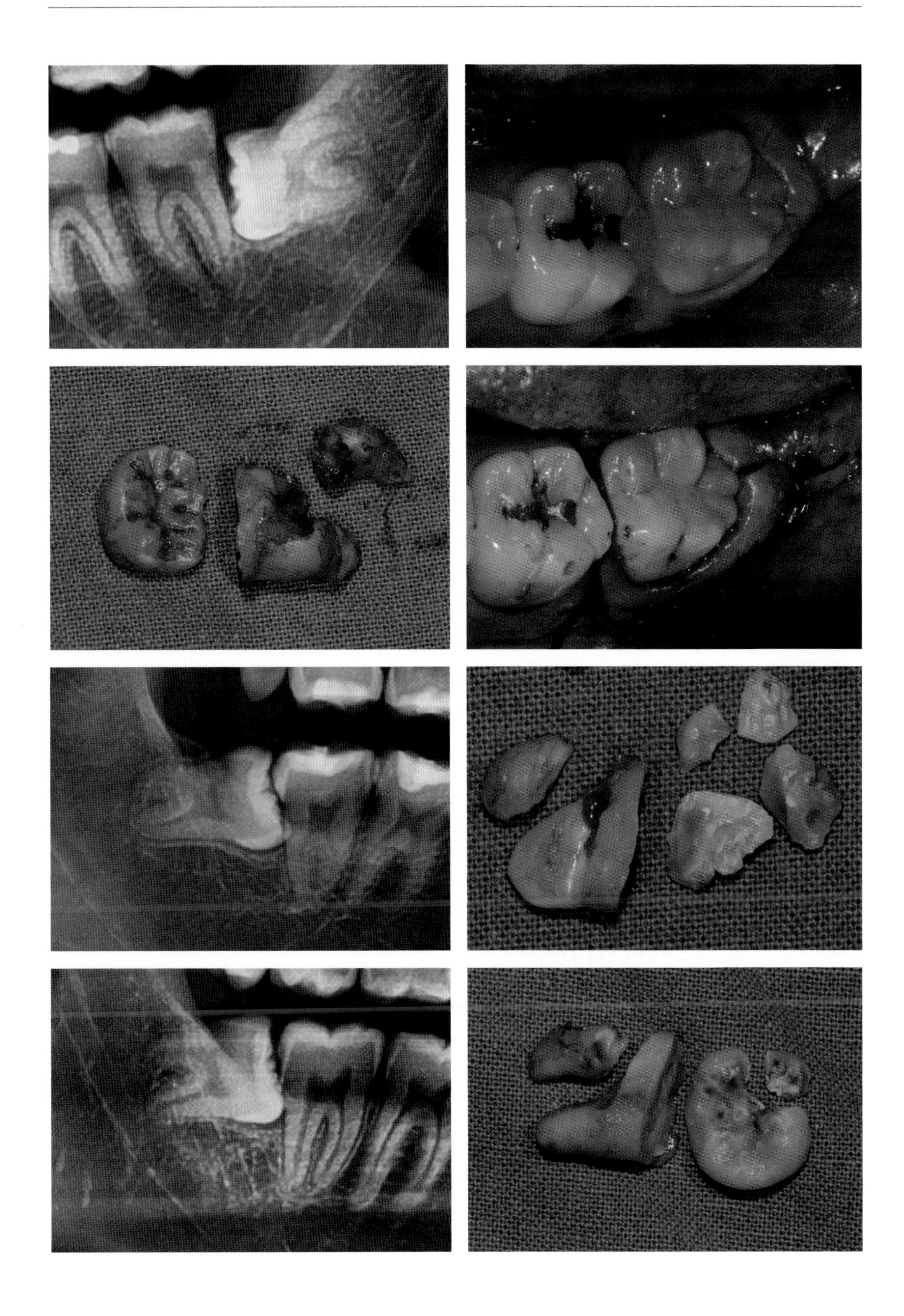

ㄴ발치 적응증 - 원심 치근이 쩍 벌어지고 아래로 휘어진 경우 3★

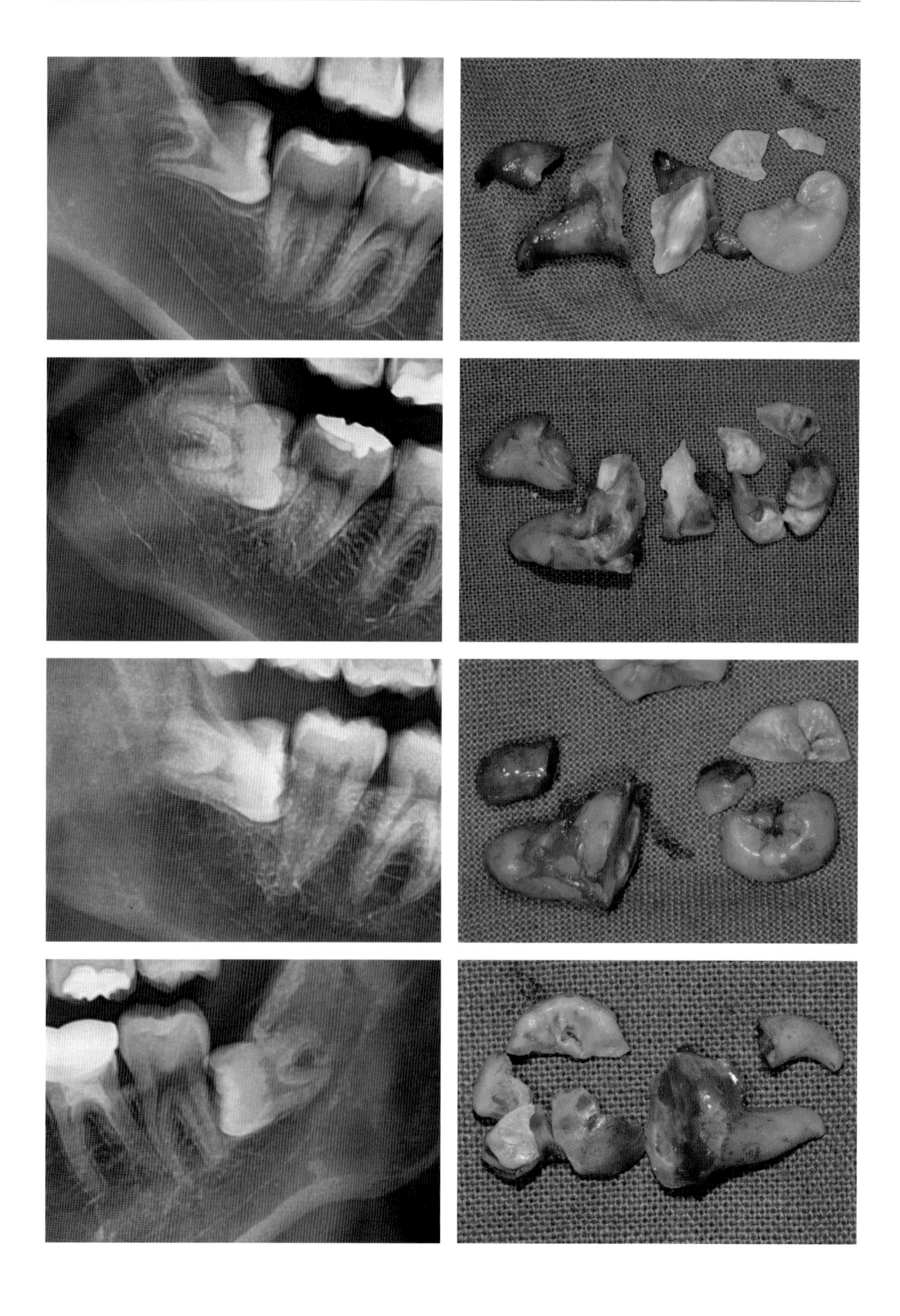

07
뒷목치기와 ㄴ발치하다가 양쪽 모두 실패한 경우 ★

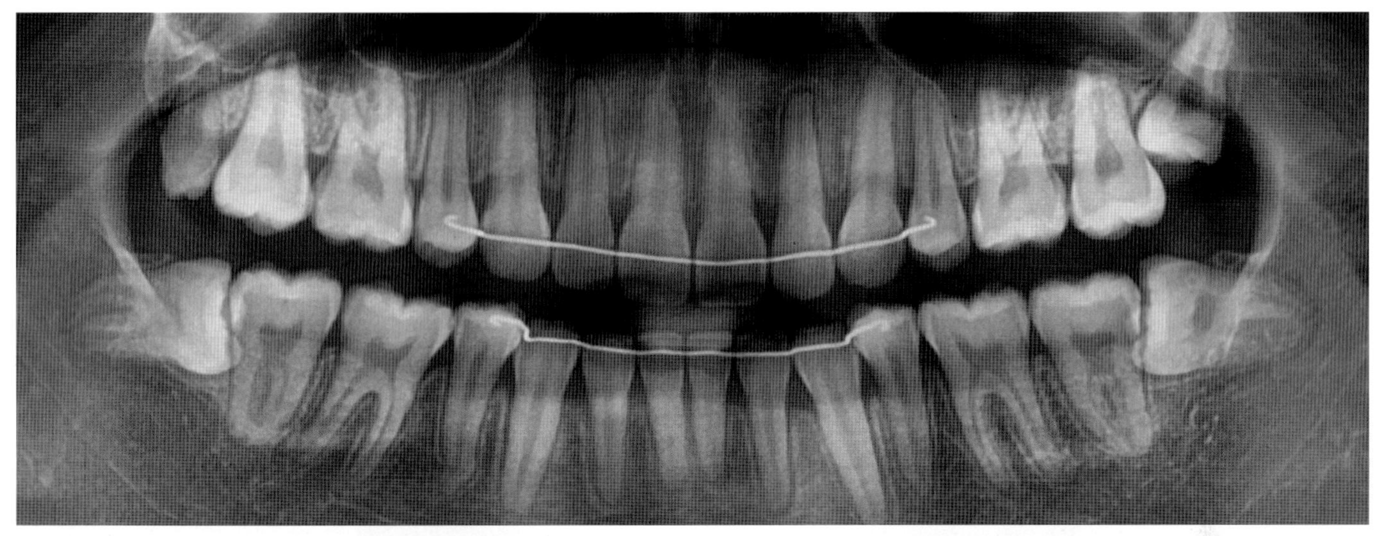

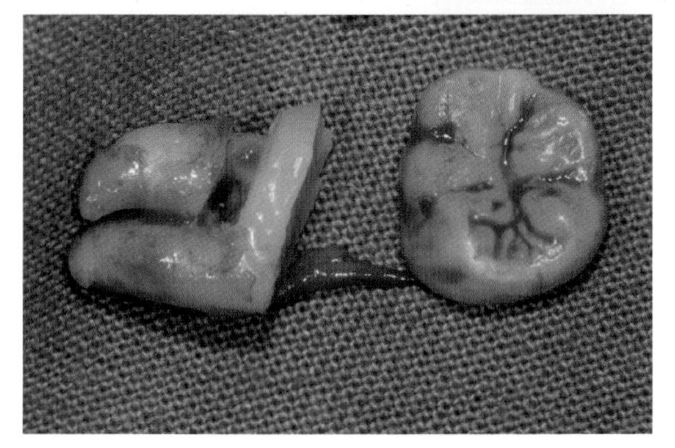

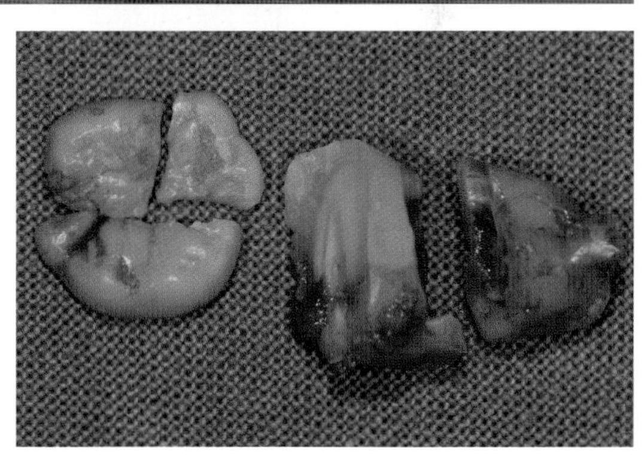

양쪽 하악 사랑니 모두에서 **ㄴ발치**를 시행하였지만 둘다 실패하였다. 48번의 경우는 파절되지 않고도 오히려 쉽게 발치가 되어서 발치는 성공했지만, 웃자고 하는 말로 **ㄴ발치**는 실패하였다. #38의 경우는 **뒷목치기**를 통해서 치근부를 제거하려고 하였지만, 치근 자체가 통째로 파절되었다. 이런 경우 남은 치근은 통상의 방법대로 제거하는데, 필자는 이런 경우를 **3등분 발치**나 **3조각으로 나눠서 발치하기**라고 부른다. 뭐라고 부르든 이렇게 치근단부만 남은 경우는 여기서 발치를 중지해도 성공한 의도적 치관절제술이 될 수 있다. 이제 다음 장에서 자연스럽게 **3조각으로 나눠서 발치하기**에 대하여 알아보자.

3조각으로 나눠 발치하기

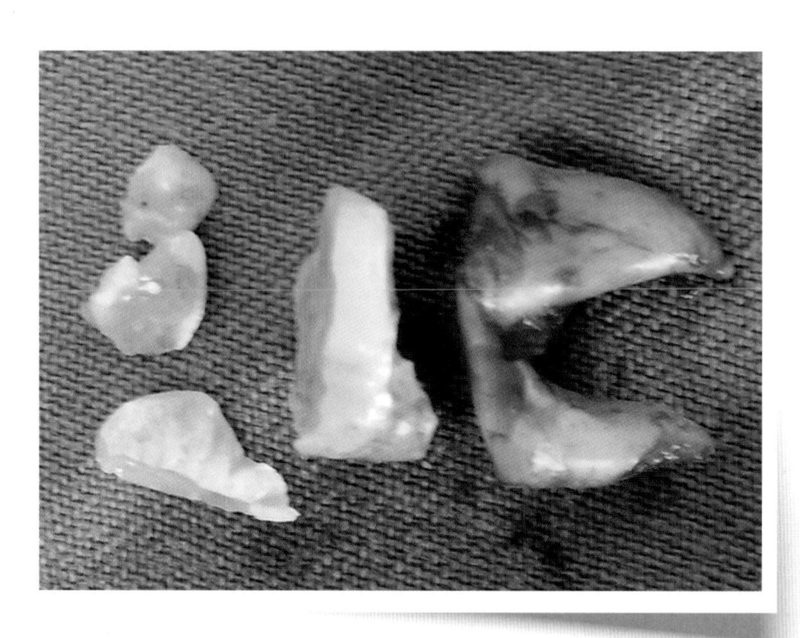

사진은 흐리지만 오래 전부터 강의하던 사진이라 정 들어서 올려본다.

앞서 뒷목치기와 3등분 발치에 대해서 간단하게 언급하였다. 말그대로 굳이 3등분 발치를 의도해서 하는 경우도 있지만, 대부분은 뒷목치기나 ㄴ발치를 시도하다가 치아의 가운데 부분(치경부)이 파절된 경우이다. 통상의 방법대로 남은 치근을 제거한다. 그러나 이미 충분히 치근 아래의 골 내에서 치근이 파절되었기 때문에 그대로 두어도 성공한 의도적 치관절제술이 될 수 있다. 굳이 별도의 이름을 붙일 필요도 없지만, 생각보다 빈번하게 이렇게 되기 때문에 이렇게 되는 것이 절대 실패한 발치가 아니라는 뜻에서 별도의 이름을 붙여 보았다.

01
3조각으로 나눠 발치하기 ★★

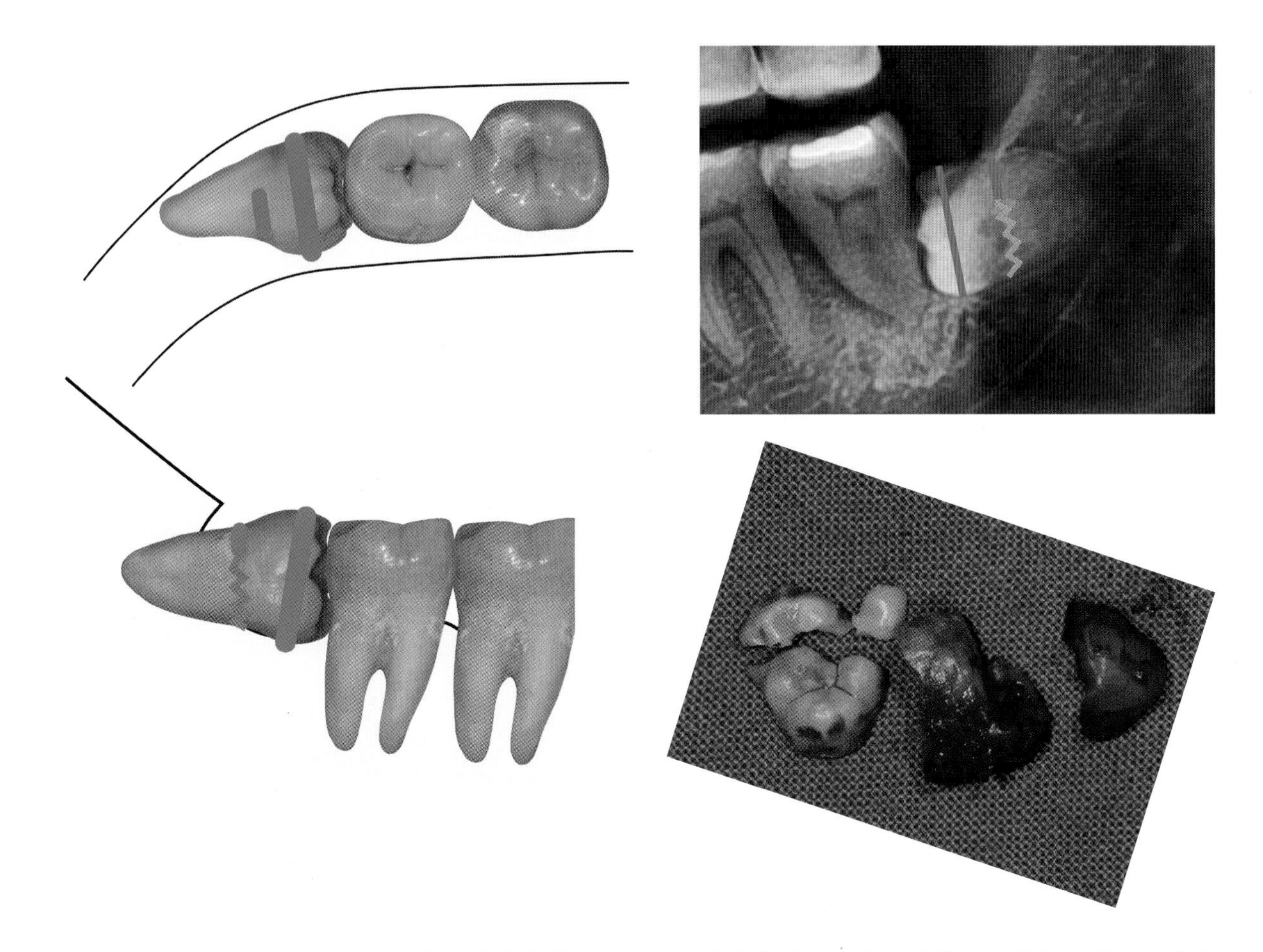

근심의 앞쪽 1/3의 치관부를 제거할 때는 **머리자르기**에서 언급한대로 아래까지 제대로 치관을 삭제해야 하지만, 중간 1/3(치경부)을 제거하기 위해서는 **뒷목치기**에서 다뤘듯이 1/3~1/2 정도로만 노치를 만들 듯이 삭제하면 된다. 그래서 대부분 발치된 조각을 보면 윗 부분만 삭제되고 아랫 부분은 파절된 것을 볼 수 있다. 남은 치근을 제거하는 방법에 대해서는 뒤에서 다시 다루게 되므로 여기서는 그냥 넘어간다.

01
3조각으로 나눠서 발치 1 ★★

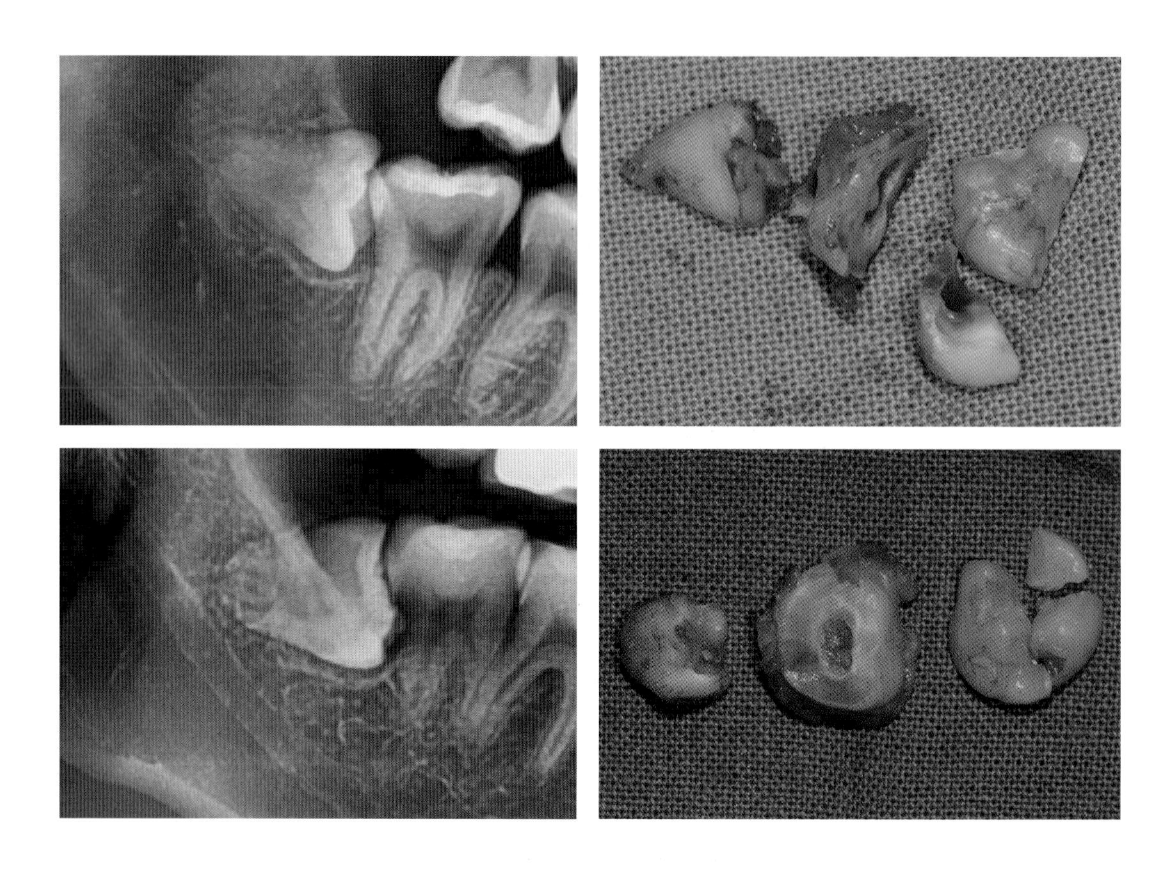

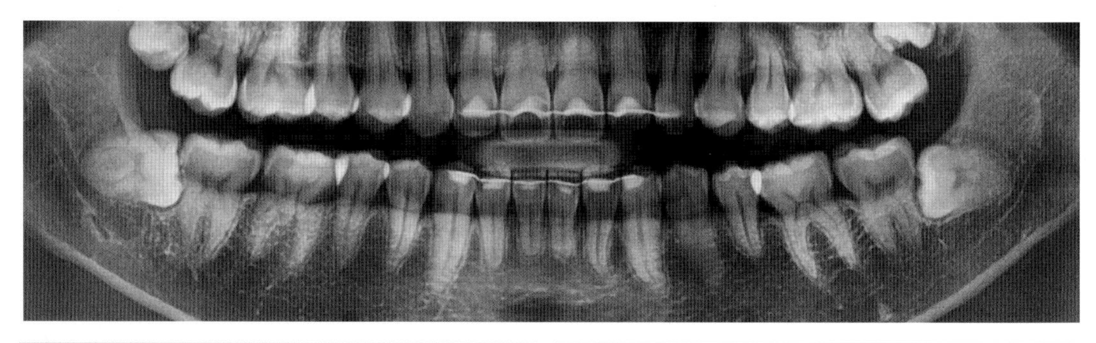

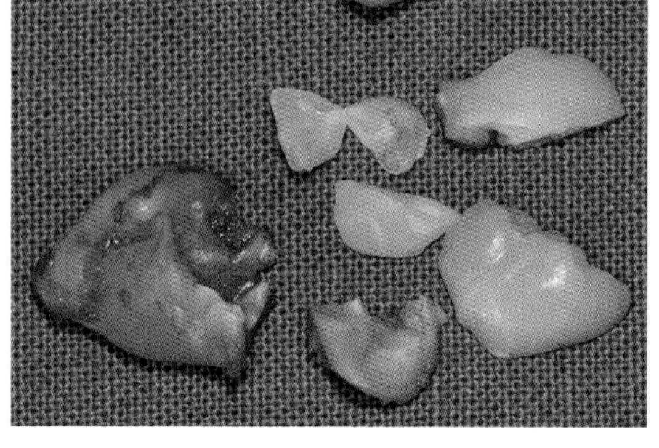

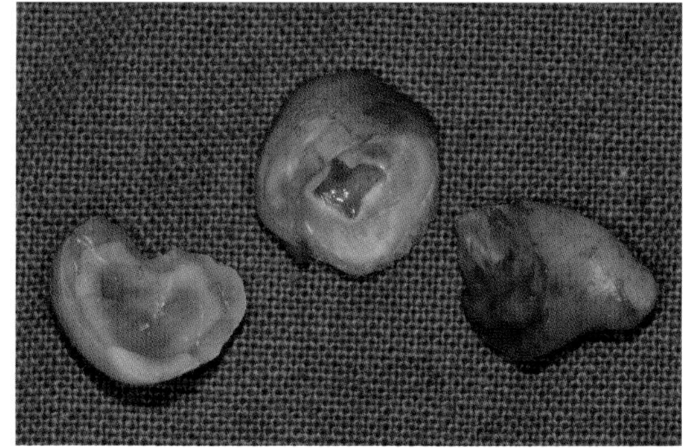

3조각으로 나눠서 발치 2 ★

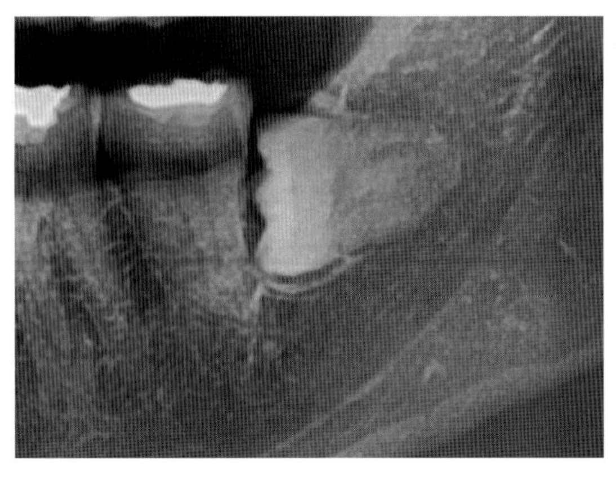

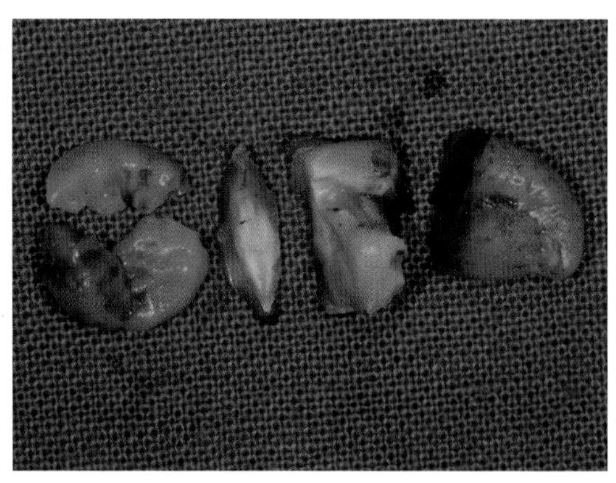

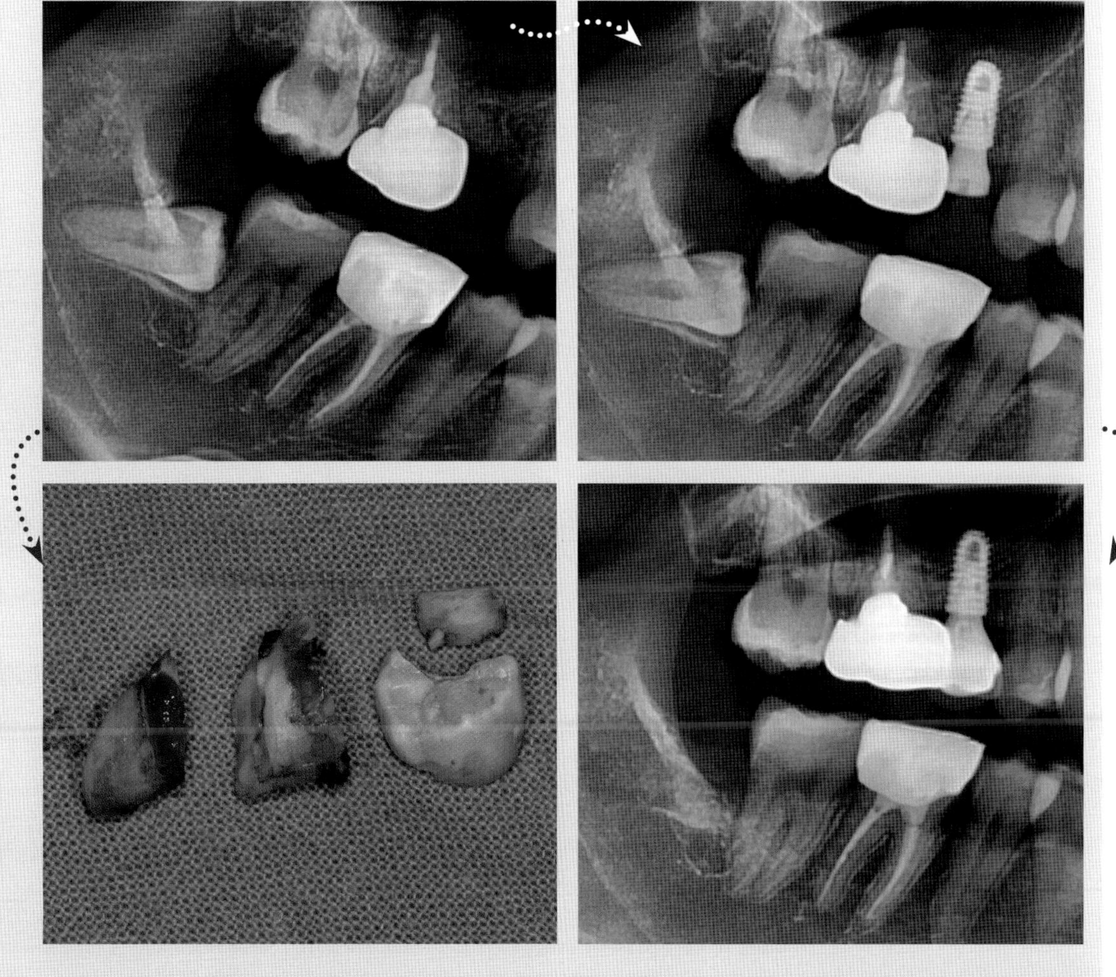

사랑니를 빼러 왔다가 임플란트도 같이 하기로 해서 임플란트를 먼저 식립하고 파노라마를 촬영한 이후에 사랑니를 발치하였다. 사랑니 많이 빼다 보면 이런 어부지리도 있다는 뜻에서 올려본다. 사진상에 임플란트가 뒤로 심어진 것처럼 보이지만 실제로는 거의 중앙에 가깝다.

02
다근치처럼 보이는 단근치 ★★

제목에서 언급했듯이 다근치로 보이는 단근치들이다. 실제로 **3등분 발치**는 이런 경우에 많이 된다. 왜냐하면 발치에서 난이도가 가장 높은 사랑니가 바로 이런 케이스들이기 때문이다.

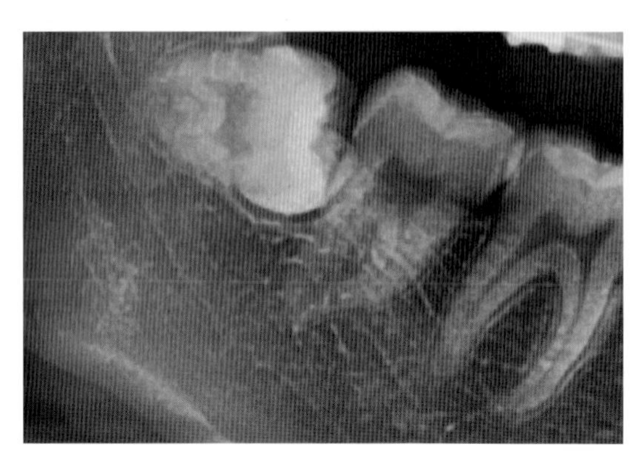

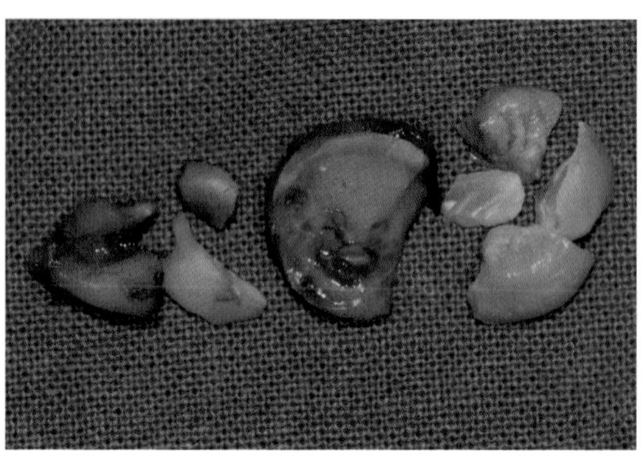

발치에서 가장 난이도가 높은 경우가 바로 이런 오리발처럼 생긴 치근이다. 두 치근 사이에 오리발의 물갈퀴처럼 이렇게 연결된 경우의 사랑니 발치가 가장 어렵다. 굳이 사랑니 발치 자체는 언제나 매우 쉽다고 생각하고 살기 때문에 종종 오래 걸리는 경우에 뽑아보면 대부분 위와 같은 경우가 많다.

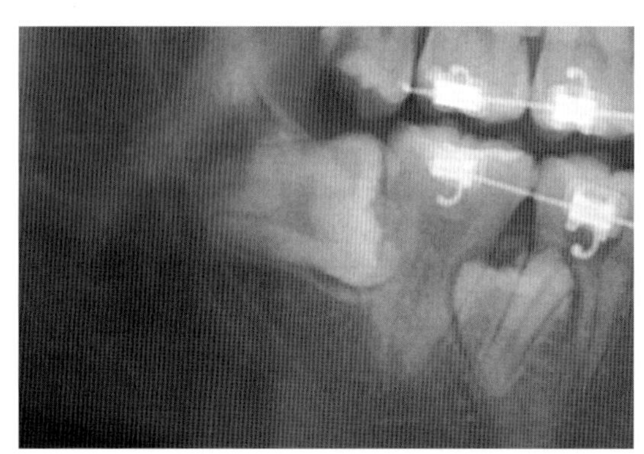

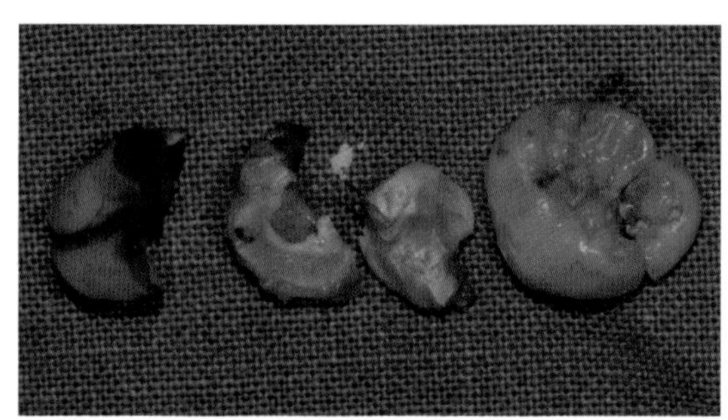

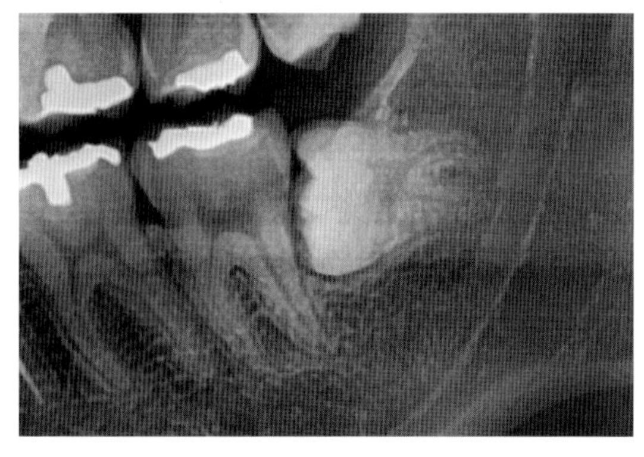

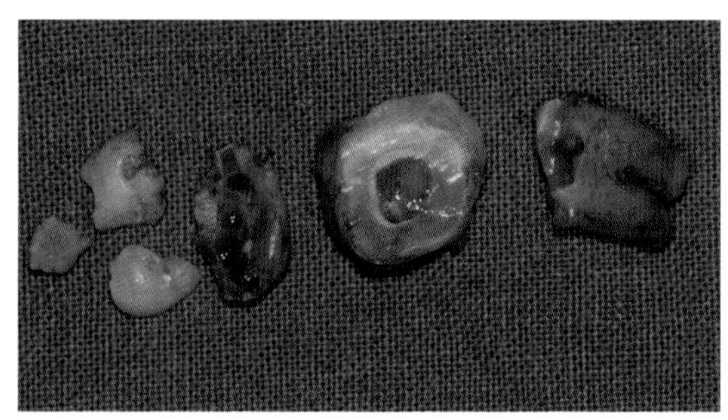

발치에서 오리발만큼이나 난이도를 높이는 케이스이다. 마침 위 케이스들은 그리 심한 정도는 아니지만, 굳이 모양을 설명하자면 두 치근의 모양이 뚱뚱한 사람의 엉덩이처럼 생긴 경우이다. 이런 경우도 오리발만큼이나 난이도를 증가시키는 원인이 된다. 남은 치근의 1/3을 제거할 때도 잘 안 나오고 버티는 경우들이 바로 이런 경우이다.

03
치관부 염증이 심하여 치근이 유착된 경우 ★

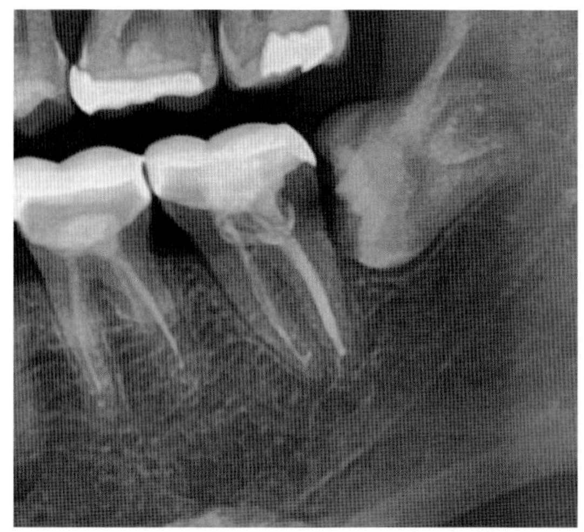

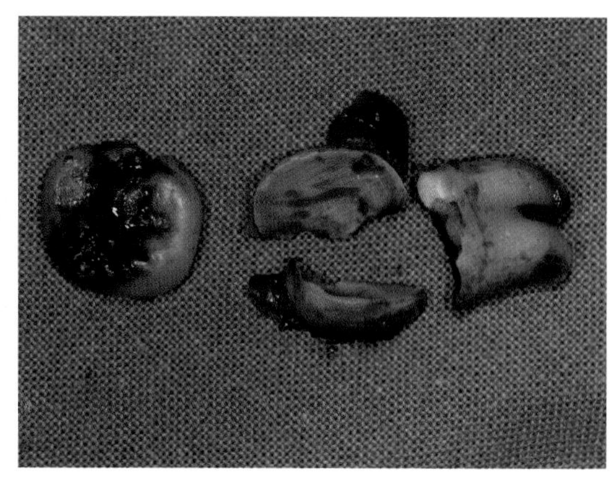

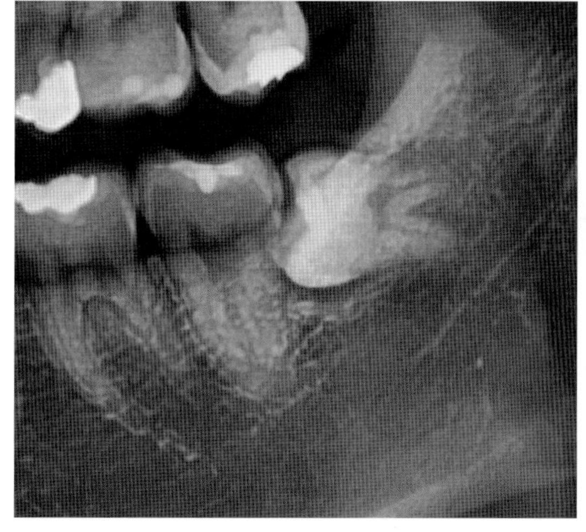

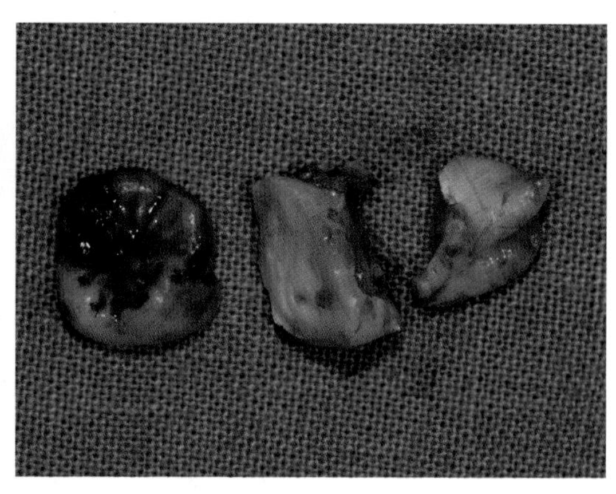

사랑니 치근의 모양으로만 보자면 굳이 발치가 어려울 만한 이유가 없는 사랑니이다. 그러나 발치된 치관에 치석이 많이 보이는 것만 봐도 치관부를 감싸고 있던 연조직에 얼마나 염증이 심했는지를 알 수 있다. 이런 경우에 근심부 연조직의 염증으로 사랑니가 뒤로 밀리게 되어 치근과 거의 유착되듯이 되어 발치가 쉽지 않은 경우가 많다. 이런 경우 치주인대강의 폭이 좁아서 엘리베이터기 잘 안 들어가기 때문에 **뒷목치기**를 시행하는데 그나마도 부러지면 이렇게 3등분 발치를 하게 된다.

04
다근치의 3조각으로 나누기 ★

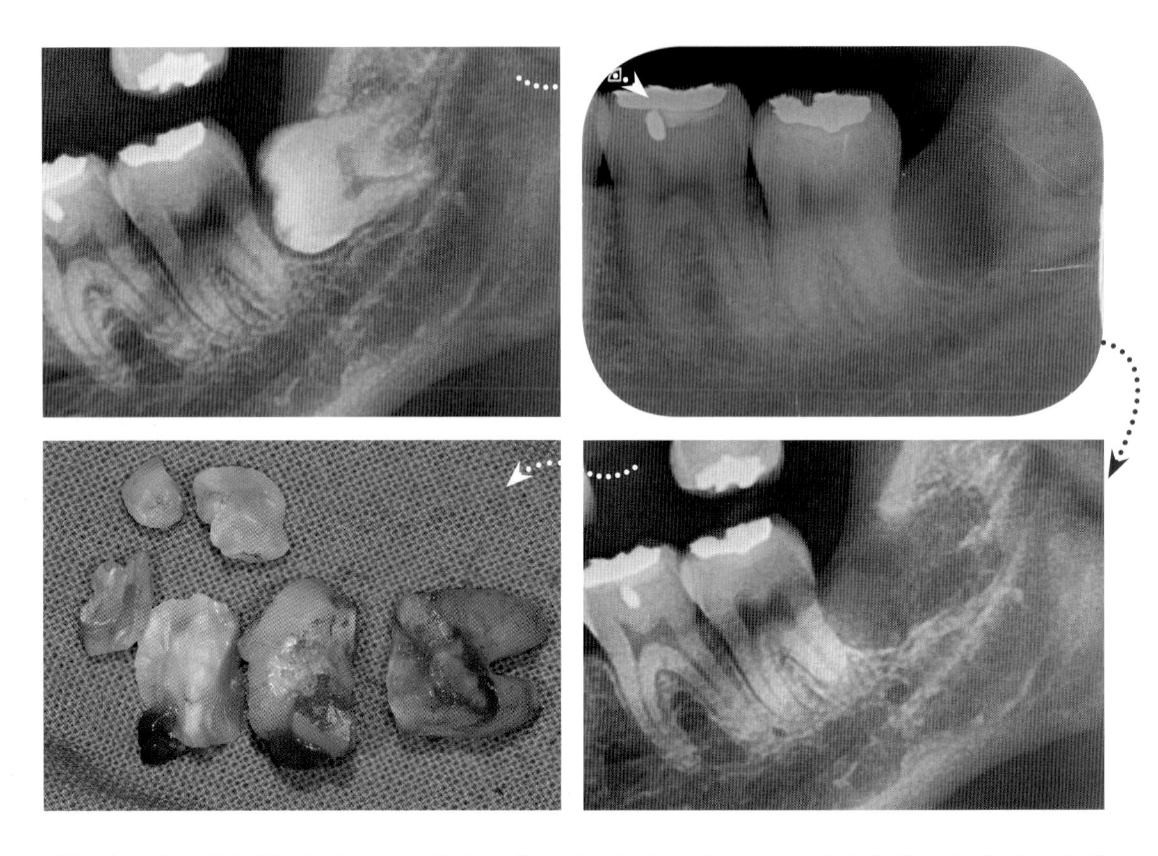

뒷목치기 후 **ㄴ발치**를 시행하려고 하였으나 중간 1/3이 파절되었다. 치근의 분지부가 치근단에 가까울수록 이런 경우가 발생하는데 남은 치근만 쉽게 제거된다면 크게 다를 바는 없다.

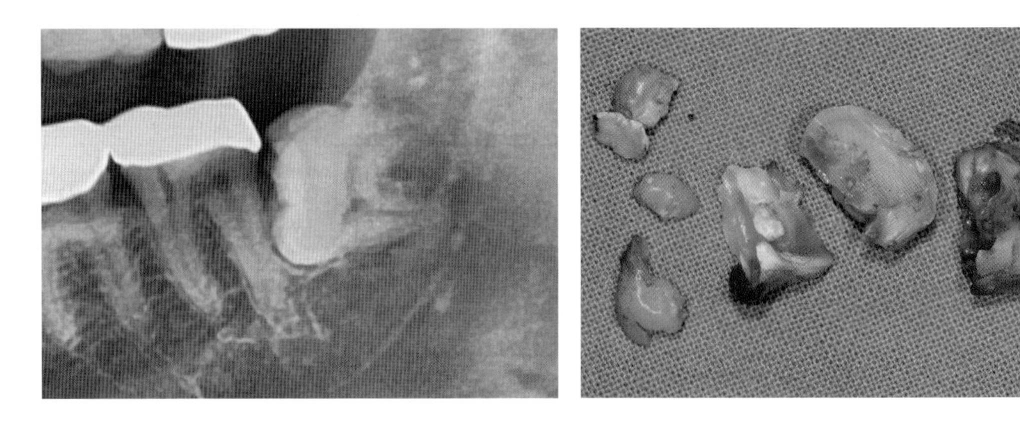

이런 경우에 필자는 근심 1/3을 제거할 때 7번에 매우 가깝게 제거를 하다 보니, 중간 1/3도 조금은 근심에 치우치게 되어 이렇게 파절되는 경우가 종종 있다. 위에서 언급했듯이 치근 분지부도 치근단에가 가깝기 때문에 그렇게 되기도 하는데, 남은 치근 1/3만 제거가 쉽게 된다면 통상의 발치와 다를 바가 없다. 그러나 이 남은 1/3이 다근치일 경우에는 종종 남은 치근의 제거가 쉽지 않을 수도 있다.

뒷목치고 뿌리에서 뿌리나누기

3번째 조각에서 뿌리 나누기

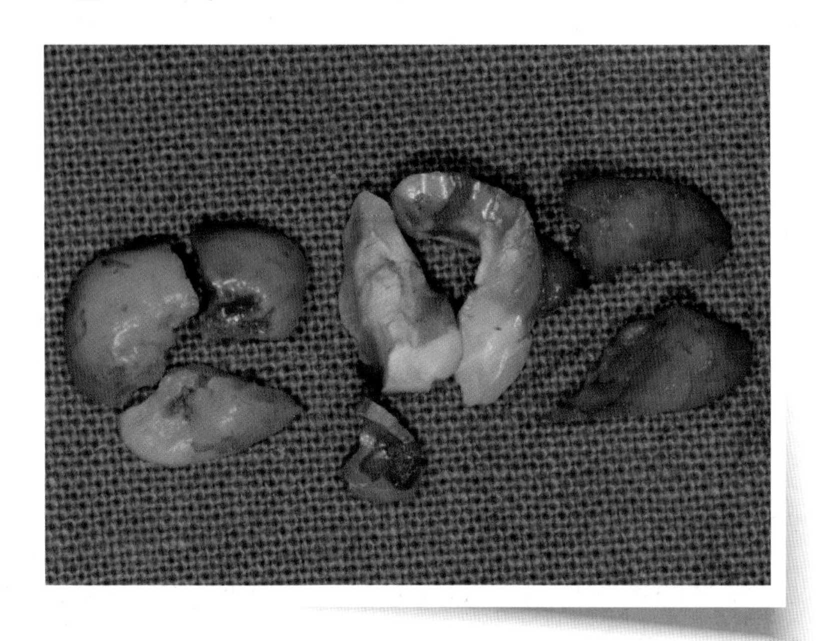

다른 치과의사들의 발치에서 이렇게 수평 매복치에서 치근을 나눠서 발치하는 경우는 매우 일반적이다. 그러나 필자는 이 책의 끝 부분에서야 언급할까? 필자가 로스피드 핸드피스를 거의 쓰지 않기 때문이다. 그렇다면 이렇게 다근치에서 뿌리를 나누는 경우에는 스트레이트 로스피드 핸드피스를 쓰는 것으로 착각하기 쉽지만, 필자는 이 단계에서도 로스피드를 쓰지는 않는다. 하이스피드로 최대한 각을 만들어서 두 치근 사이를 나누도록 시도하고 엘리베이터로 치근 사이를 파절시키면서 발치를 한다. 앞서 언급했듯이 필자는 2014년까지는 로스피드 핸드피스를 거의 한 번도 사용한 적이 없다. 물론 각도 상에서 치근 삭제의 어려움도 있고, 때로는 오히려 하이스피드 핸드피스로 위에서 접근하다 보니 상부의 치조골 손상이 더 심한 경우도 있을 수도 있다. 그래서 요즘은 가끔은 로스피드 스트레이트 핸드피스를 사용하기도 한다. 그러나 필자는 매우 짧은 시간에 발치를 해야 하기 때문에 기구를 새로 준비하는 동안 성질이 급해서 하이스피드로 빼버리는 경우가 많다.

01
다근치의 3조각으로 나누기 ★★

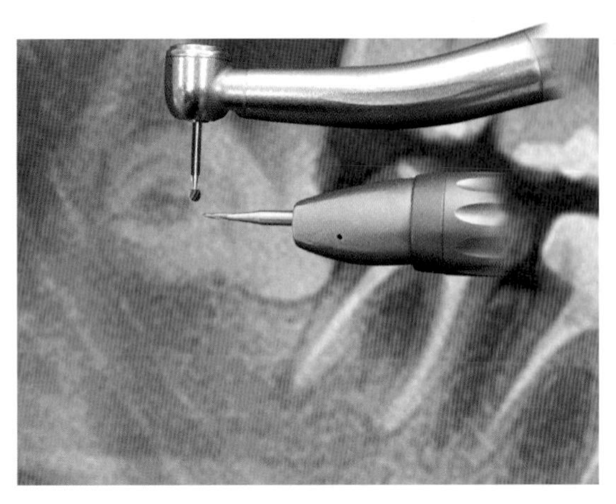

두 치근의 사이를 나누는데 일반적으로는 로스피드 스트레이트 핸드피스를 사용하지만 필자의 경우는 어지간하면 하이스피드 핸드피스를 이용한다.

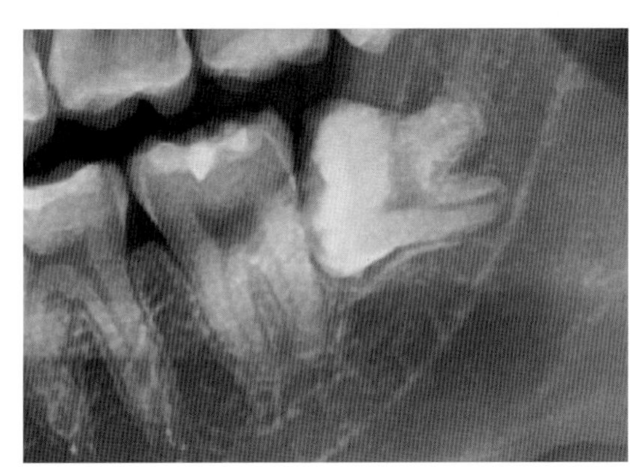

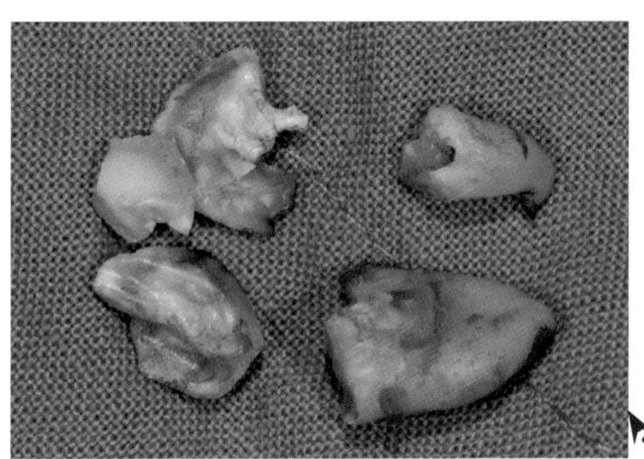

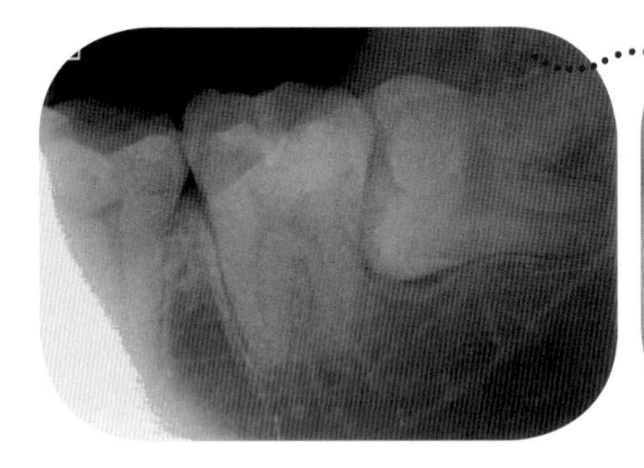

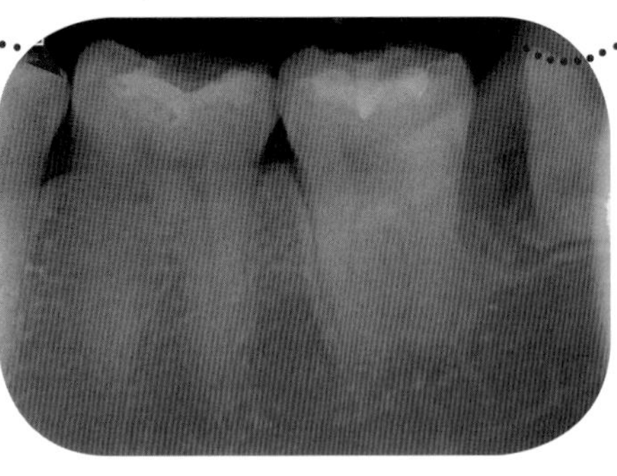

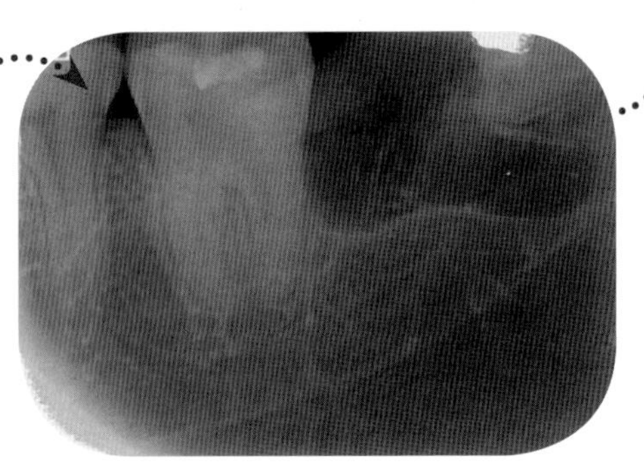

하이스피드를 이용하여 두 치근 사이를 나누게 되면 아무래도 상방에서 접근하기 때문에 윗 치근이 많이 삭제되어 아래 치근보다 짧게 보이는 경우가 많다. 보통은 아래 치근의 빼는 것이 관건이기 때문에 아래 치근은 최대한 잡아서 뺄 손잡이를 많이 남겨야 하기 때문에 삭제를 최소화한다.

02
주로 아래 치근을 먼저 빼는 편★

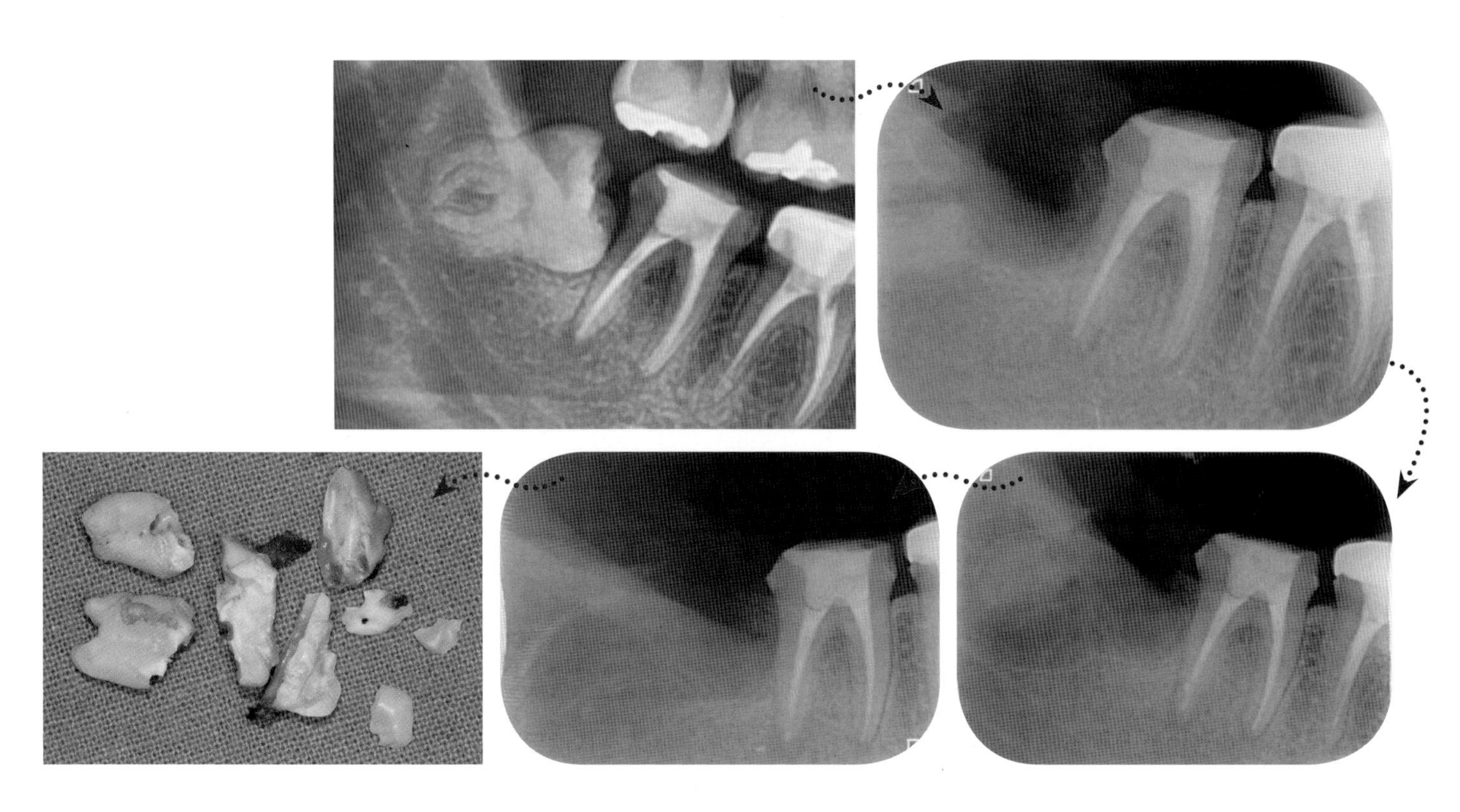

휘어지고 벌어져서 발치가 쉽지 않은 케이스이다. 이런 경우는 대부분 **ㄴ발치**를 시도하다가 이렇게 된 경우가 많다.

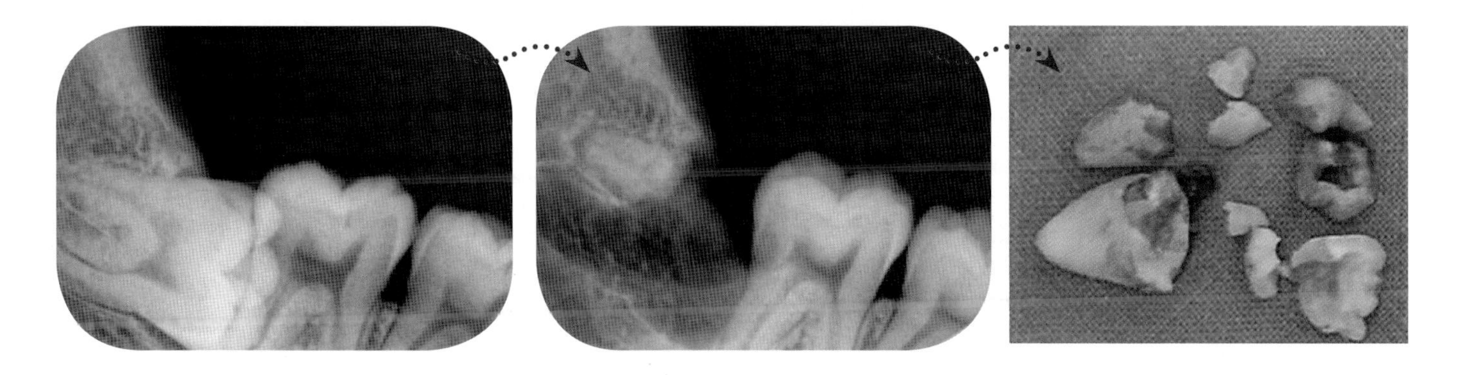

사진이 매우 흐리지만 필자의 오래된 케이스 사진이라 실어본다. 하이스피드의 상방에서의 접근 때문에 두 아래 치근이 많이 삭제되어 짧은 것을 볼 수 있다.

03
아래 치근부터 제거하는 것이 원칙(오로지 필자의 스타일) ★★

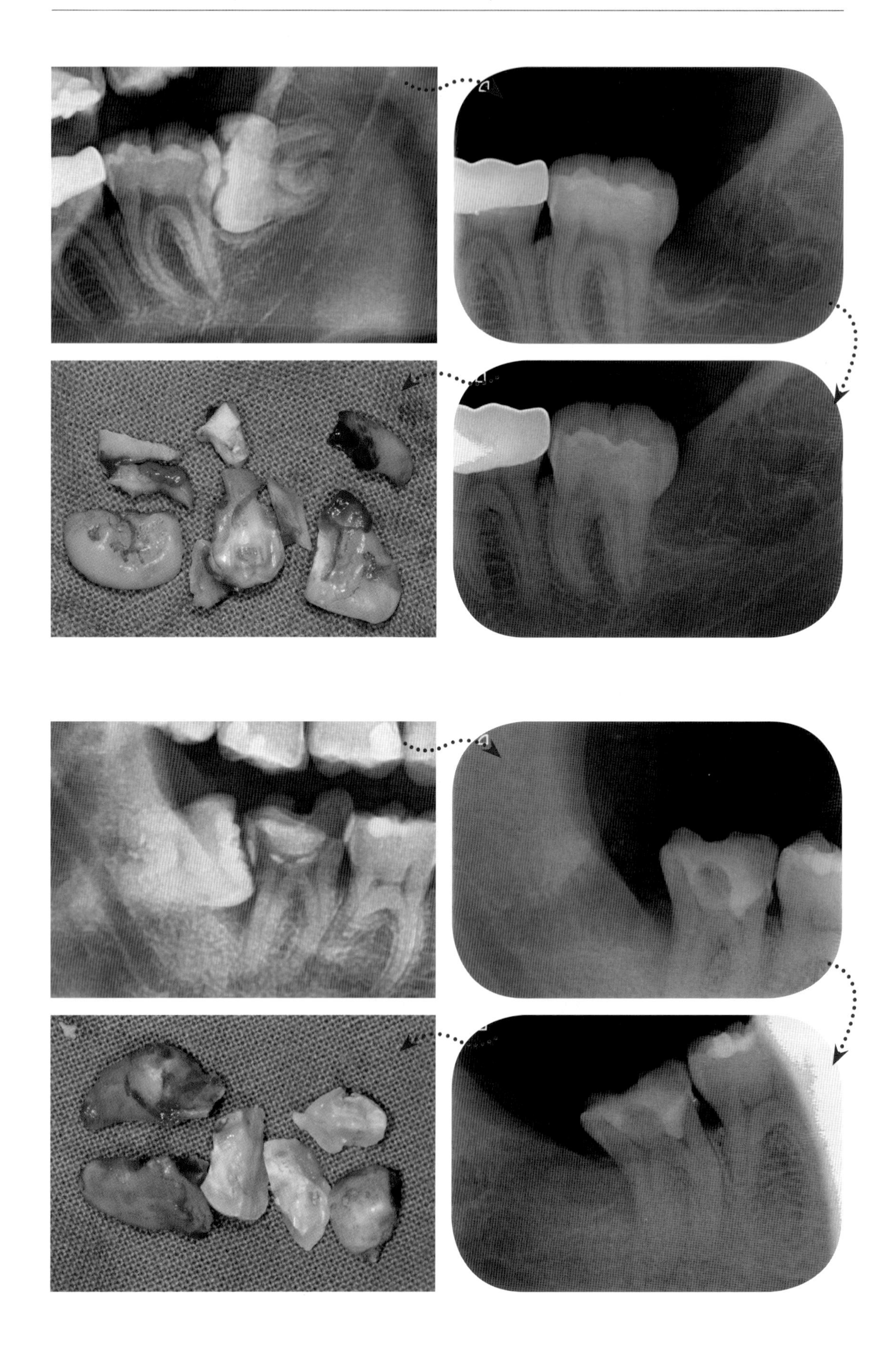

04
뿌리에서 뿌리나누기 케이스 1★

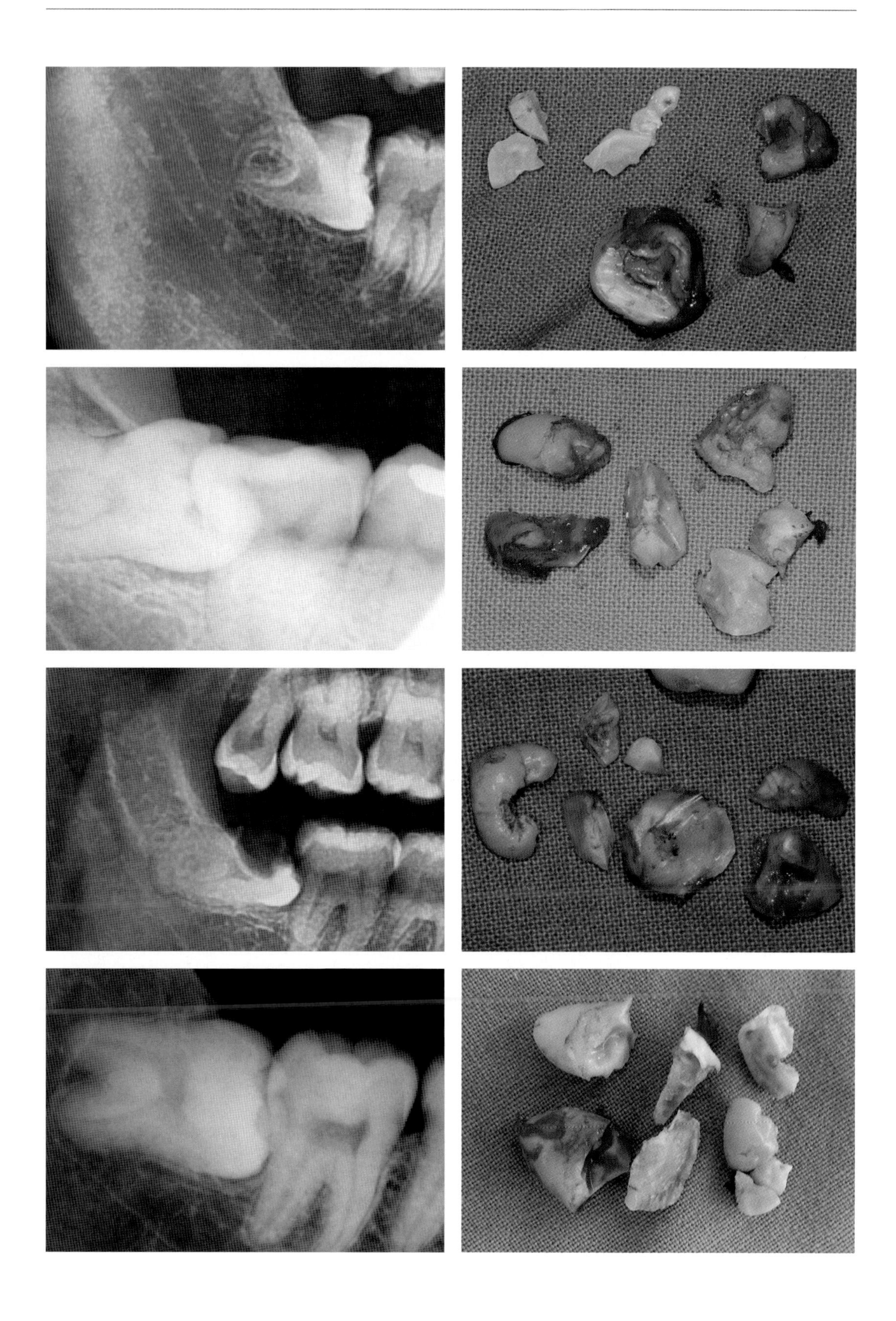

뿌리에서 뿌리나누기 케이스 2 ★

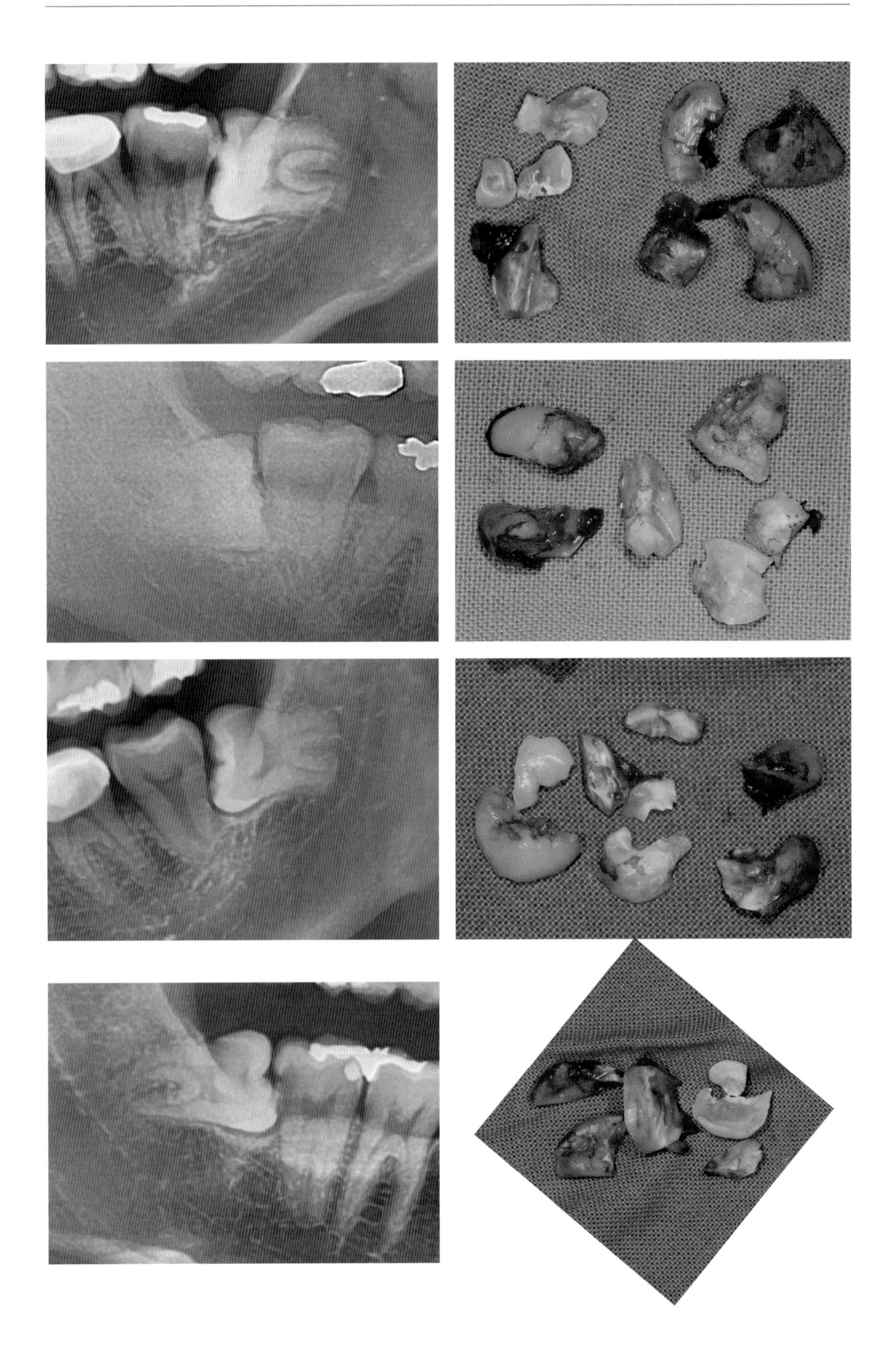

뿌리에서 뿌리나누기 케이스 3★

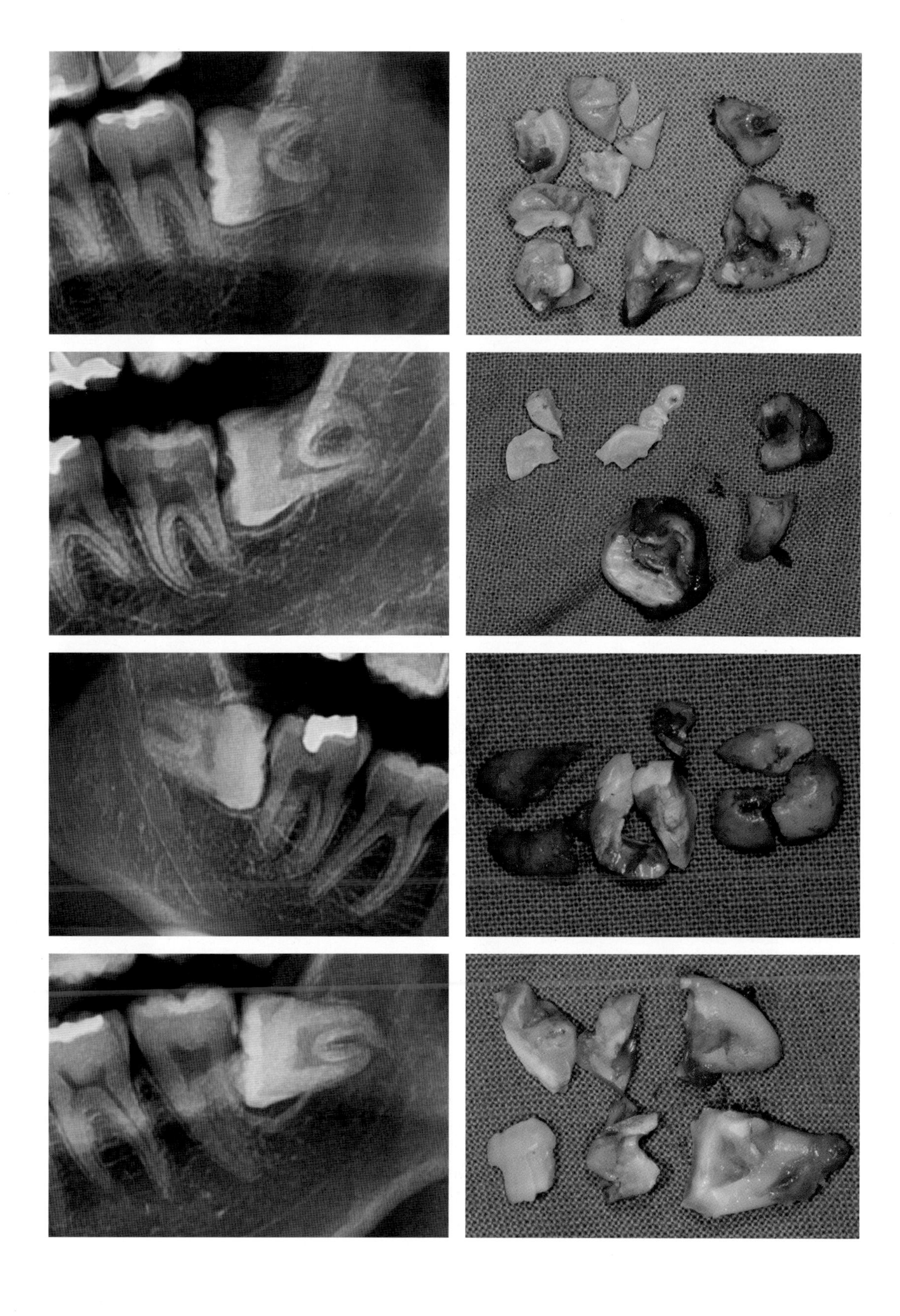

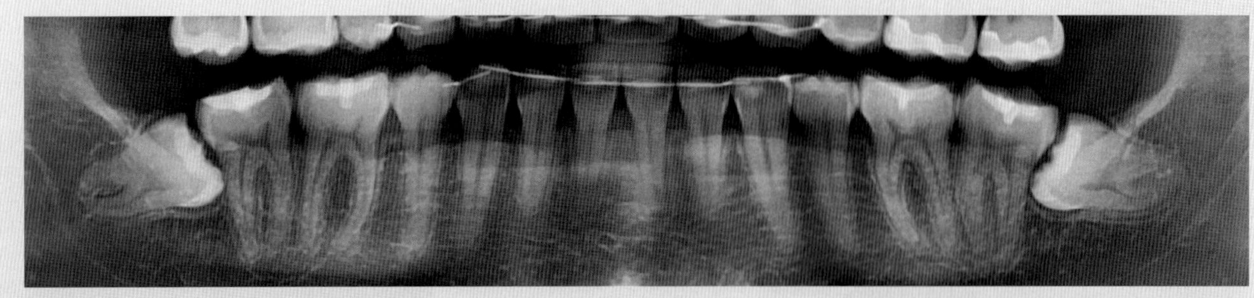

전형적인 **뿌리나누기** 케이스이다.

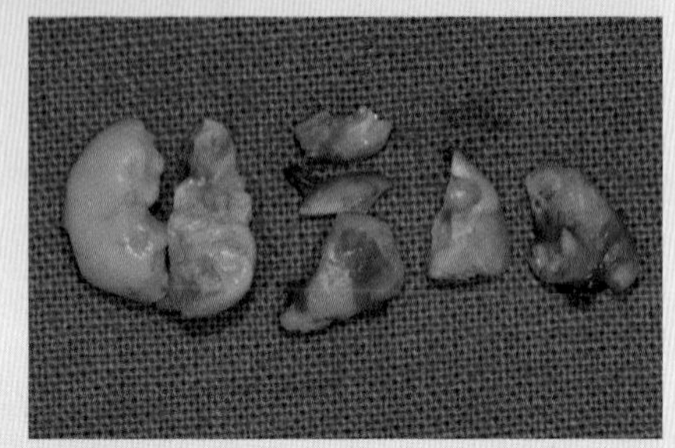

남은 치근 1/3의 제거가 쉽게 되지 않고 노치를 만들어 놓은 부분이 파절되어서 4등분으로 발치된 것을 볼 수 있다.

뿌리에서 뿌리나누기 케이스 4 – 남은 치근 제거가 어려운 경우(오리발과 엉덩이)

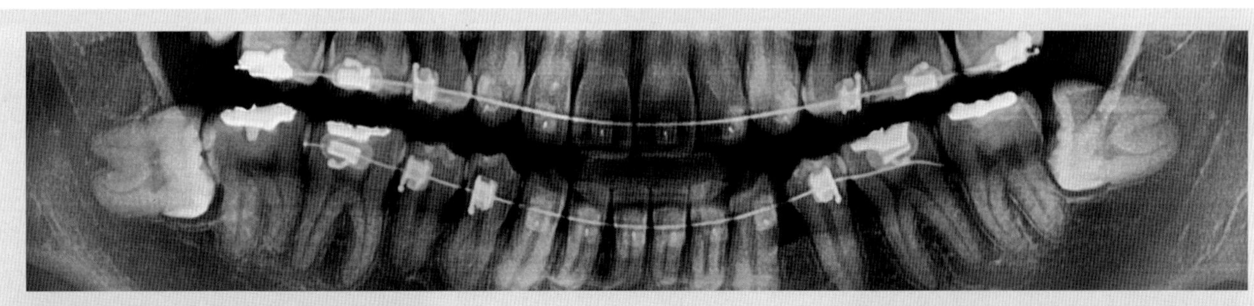

일반적인 **치근나눠서 발치하기** 방식이다. 우리 직원들이 얼마나 정신이 없었는지 치관부 조각들이 제멋대로다. ㅠ ㅠ. 어쨌든 아래 치근을 보면 하이스피드로 위쪽에서 살짝 노치를 만들어 놓은 것을 볼 수 있다. 치근단 1/3의 제거도 치근 전체를 제거할 때와 마찬가지로 **뒷목치기**처럼 위쪽에서 하이스피드 핸드피스로 홈을 파서 잡아 빼는 방식으로 제거한다. 역시 근심 치근이 오리발 모양이다.

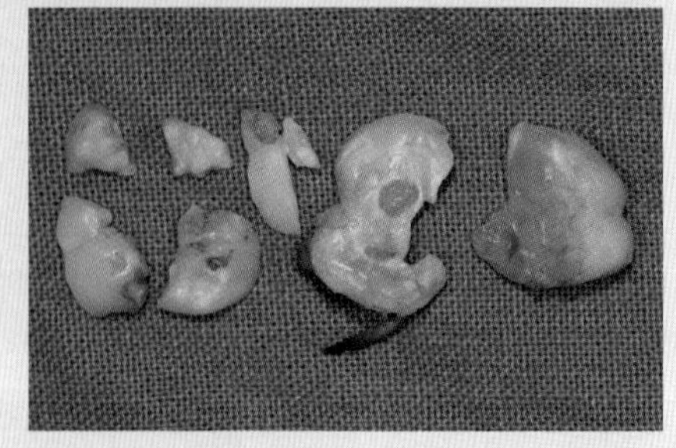

이 케이스에서는 치근을 근단부에서 나누지 않았다. 나누지 않았는지 못했는지는 정확히 알 수는 없지만 발치된 치근의 모양이 뚱뚱한 사람의 엉덩이 모양으로 붙어 있는 것을 보면 발치가 쉽지 않았음을 알 수 있다.

뿌리에서 뿌리나누기 케이스 5 – 치근이 3개인 경우 ★★

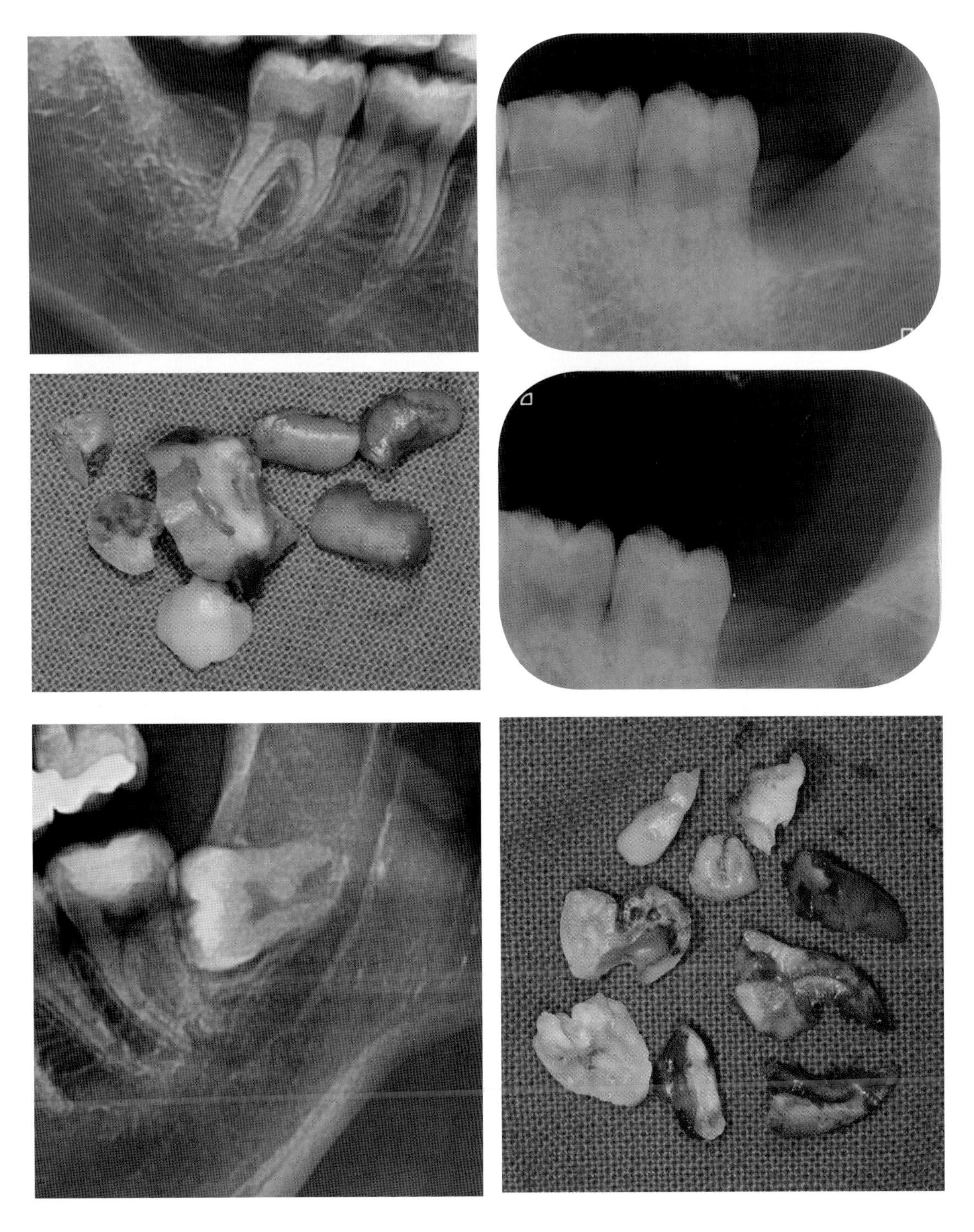

하악에서 치근이 세 개인 경우는 발치가 쉽지 않다. 대부분은 근심 설측 치근이 아주 얇고 작게 있는 경우가 대부분이라 발치 시에 그 존재도 모른 체 다른 치근과 같이 발치되거나 파절되어 남아 있는 경우가 많다. 그렇지만 위와 같이 거의 비슷한 크기로 있는 경우도 있는 경우에는 발치가 매우 쉽지 않다. 근심 치근의 경우 아래 케이스처럼 땅콩(오리발)처럼 연결되어 있기도 해서 난이도가 높아질 수 있다.

뿌리에서 뒷목치기

뿌리에서 위에서 홈파기

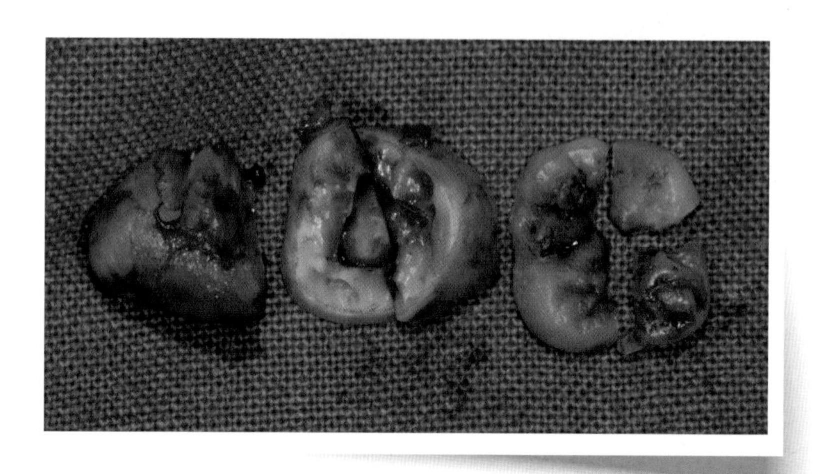

일반적인 수평 매복치에서의 **뒷목치기**의 방식과 같다. 다만 치근쪽으로 갈수록 남은 치질이 적게 되므로, 홈을 파는데 서지컬 버를 작은 것을 사용하는 것이 좋다. 사랑니 자체의 위치가 낮게 위치한 경우는 하이스피드 핸드피스의 접근이 쉽지 않다. 다만 사랑니 치근부의 높이가 높을 경우에만 효과적이다.

01
뿌리에서 뒷목치기 ★★

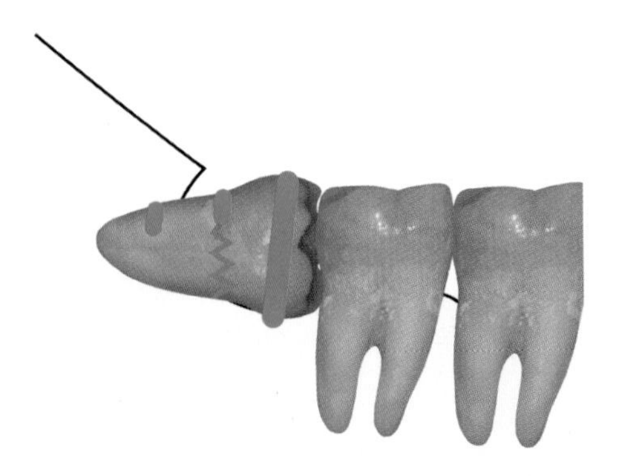

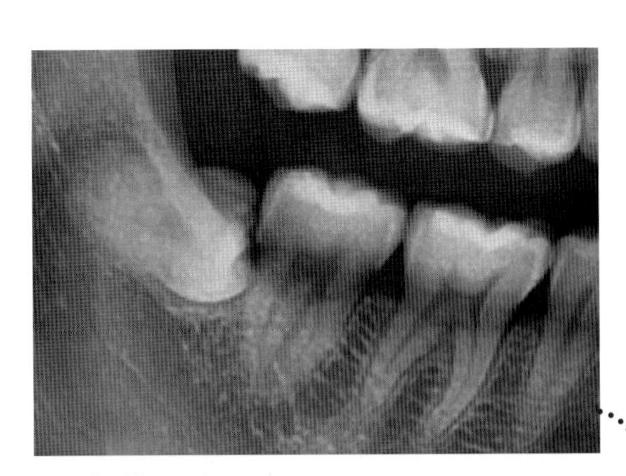

일반적으로 수직적으로 세 번 자른다고 생각하면 되지만, 첫 번째 근심부의 머리자르기만 끝까지 시행할 뿐 그 이후로는 살짝만 삭제하고 파절시키는 방식이다.

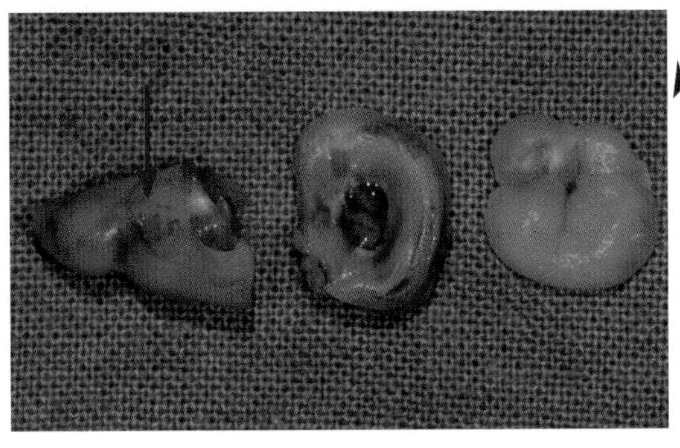

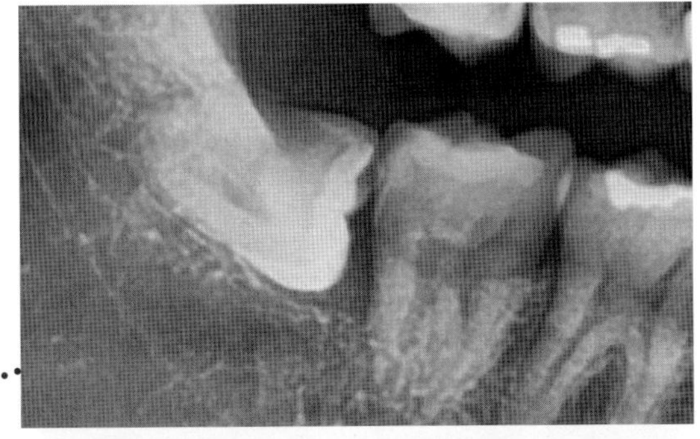

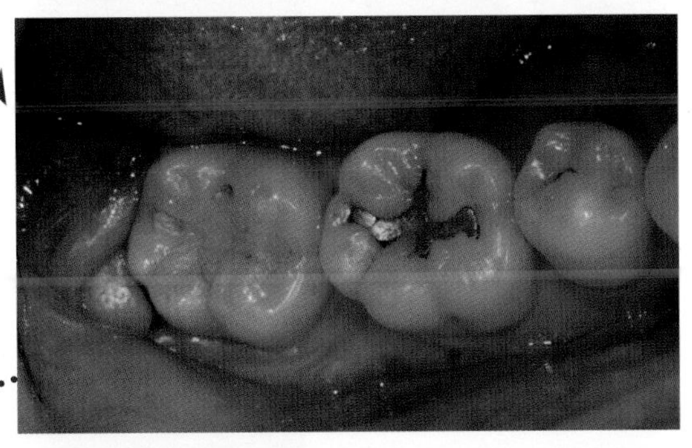

이런 케이스를 발치할 때 치관을 어느 부분에서 자를까 고민을 한다. 통상적으로 치경부를 잘라서 빼려고 하다가 앞부분을 잘라도 충분히 나올 것 같아서 조금더 앞쪽을 잘랐다. 앞에서도 설명했지만, 이런 케이스는 뒤쪽으로 치아가 밀려 들어가서 치주인대강이 매우 좁아진 상태로 엘리베이터가 들어가기가 어려운 경우가 많다. 그래서 뒷목치기를 통해서 윗부분에 홈을 만들고 끄집어 내리려고 했지만, 아니나 다를까 치조골 내에 콕 박혀 있어서 부러지면서 나오지 않았다. 그래서 이미 3등분이 된 상태에서 남은 치근에 다시 뒷목치기를 해서 끄집어냈다.
물론 이런 경우에 로스피드를 사용 할 수도 있지만, 기구를 바꾸기 귀찮아서 이와 같이 발치하였다. 또한 이 케이스는 사랑니가 좀 높게 위치하고 있어서 가능한 케이스였다.

02
다근치 뿌리에서 뒷목치기 ★★

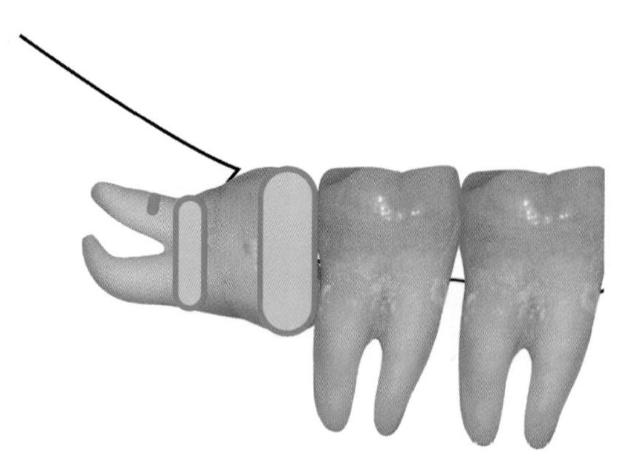

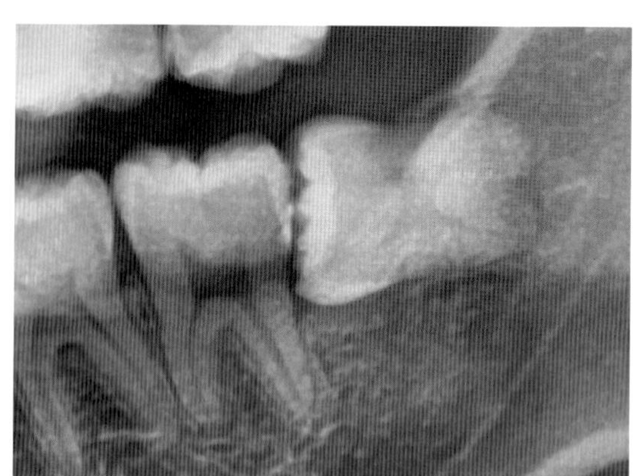

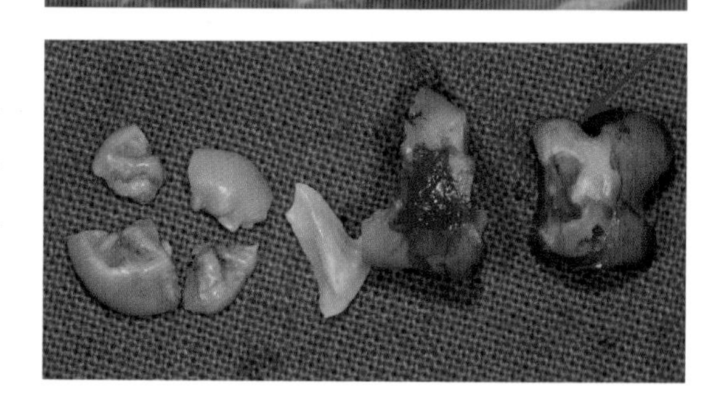

다근치의 경우도 뿌리에서 **뒷목치기**는 크게 다르지 않다. 물론 이름을 이미 치경부를 벗어나서 치근부분이기 때문에 <뿌리 상방에 홈만들기> 이런 식으로 이름을 정하면 좋겠지만, 결국 방식은 **뒷목치기**와도 같기 때문에 이름을 그냥 같게 **뿌리에서 뒷목치기**라고 하였다. 다만 이렇게 원심 치근의 수직적인 높이가 높은 경우에만 가능하다.

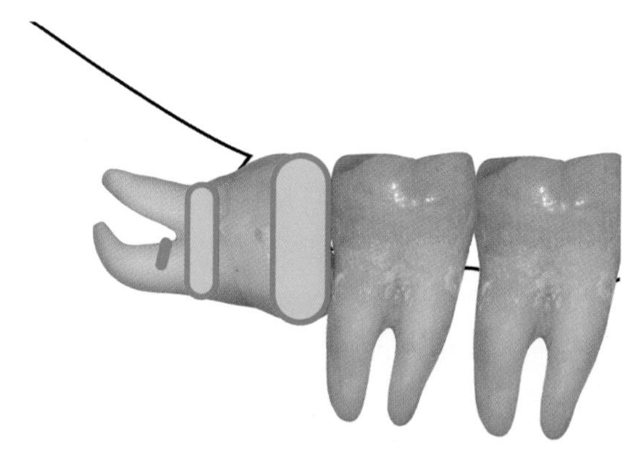

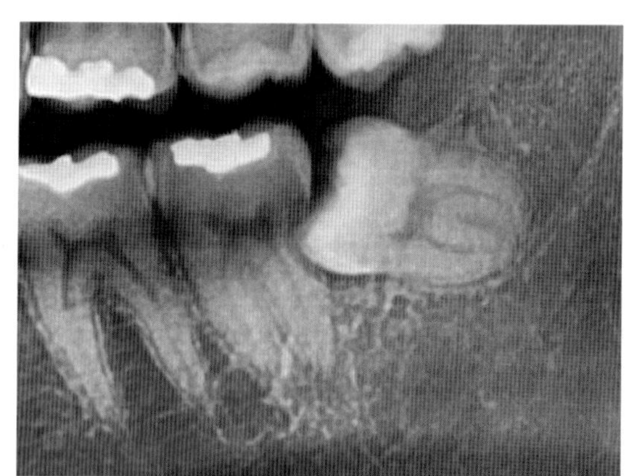

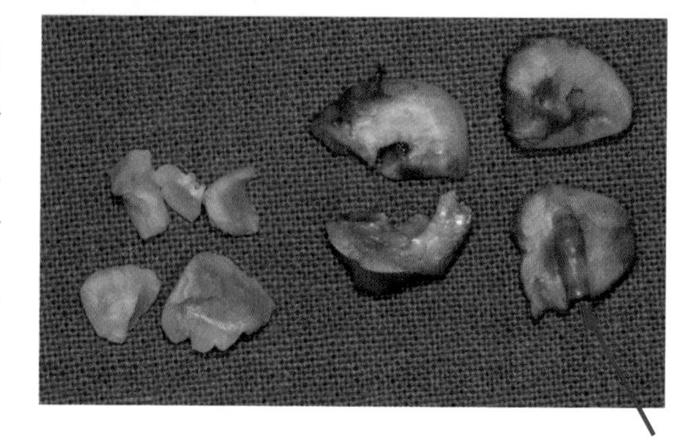

다근치에서 하방의 근심 치근의 제거가 쉽지 않을 때 사용하는 방법이다. 특히나 근심 치근의 하방에 신경관이 위치하고 있는 경우는 측면이나 하방을 건드리면 좋지 않기 때문에 근심 치근의 상방에 가로로 홈을 만들어 그 곳을 손잡이로 사용하여 끄집어 내는 것이다. 앞서 본 뿌리나누기의 대부분의 케이스에 사용되었다고 봐도 된다. 필자는 두 치근을 나눌 때 상방에서 접근하는 하이스피드 핸드피스를 쓰기 때문에 상방의 원심 치근의 앞쪽을 갈아버리고 그대로 하방의 근심 치근과의 사이를 삭제하여 두 치근을 나누기도 하면서 홈을 파는 것을 한 번에 시행한다.

03
뿌리에서 뒷목치기 케이스 1★

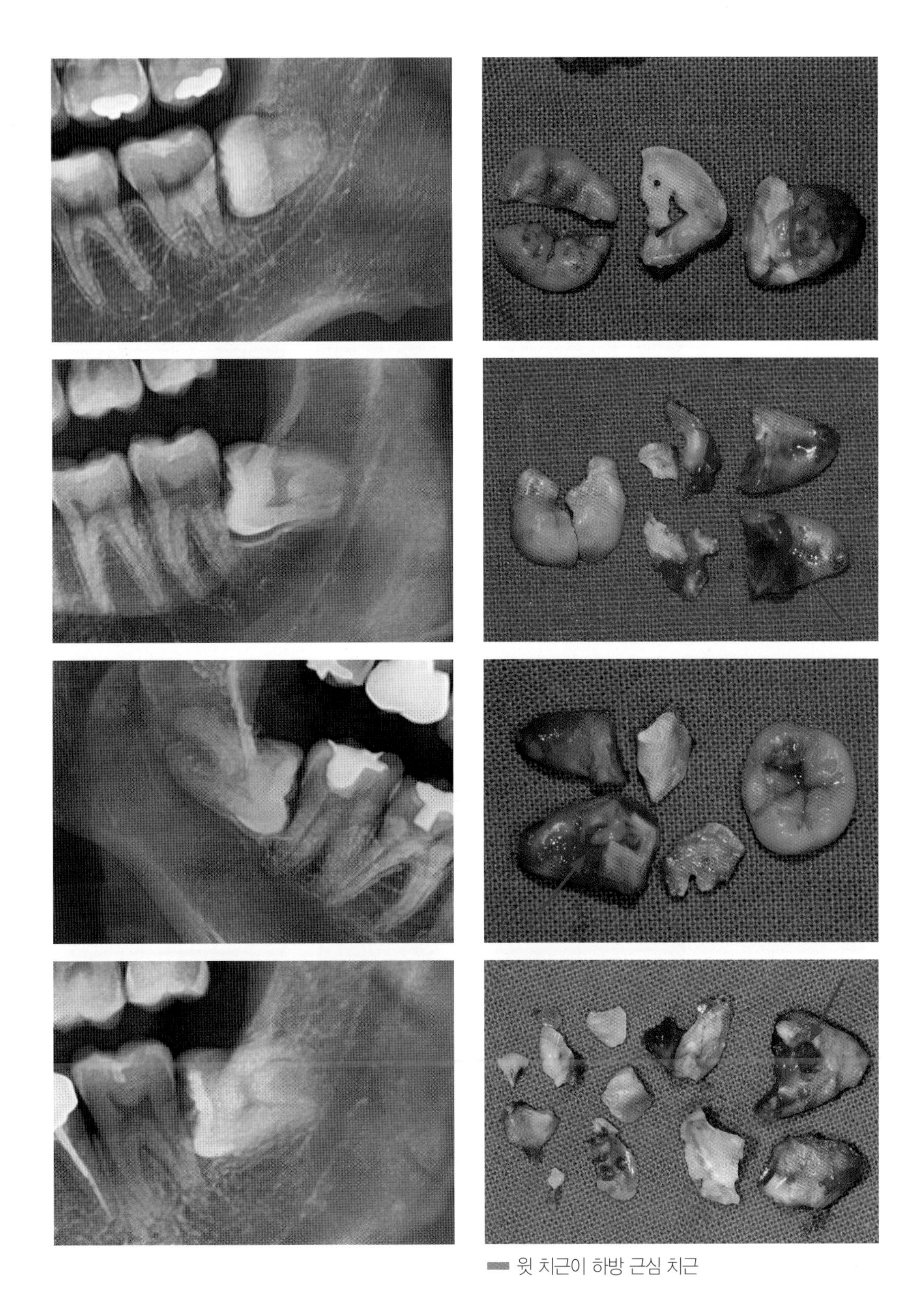

■ 윗 치근이 하방 근심 치근

홈이 파인 정도의 차이는 있지만 필자는 치근을 제거할 때 상방에 홈을 만들고 그 홈을 통해서 앞으로 끄집어 내는 방식으로 발치를 시행한다.

뿌리에서 뒷목치기 케이스 2★

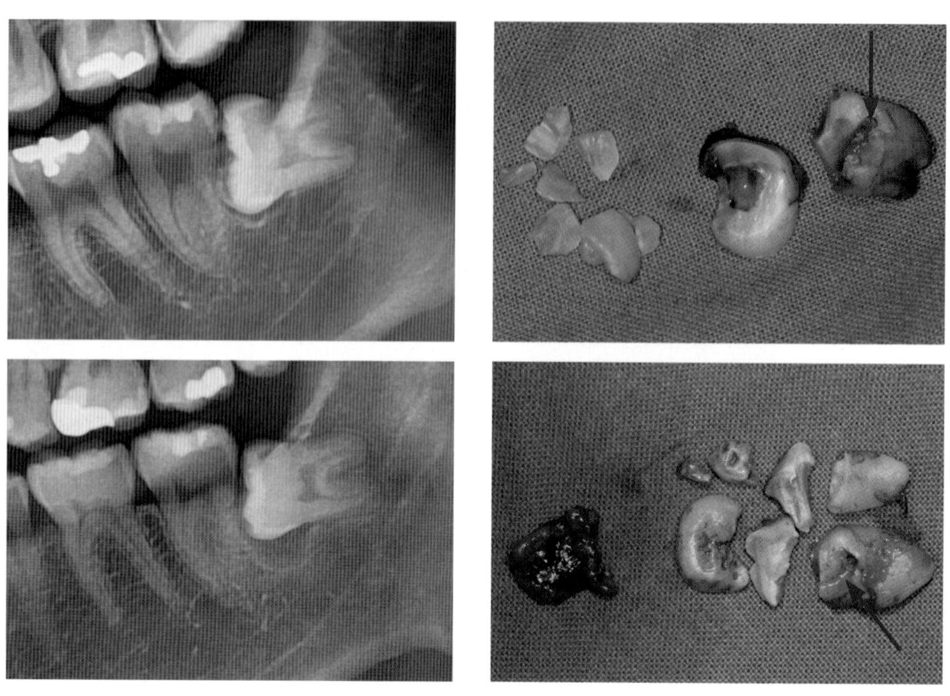

때로는 핸드피스의 접근 각도가 나오지 않아서 수평으로 홈을 파는 것이 불가능하여 사선으로 홈을 파거나 세로로 홈을 파기도 한다. 어쨌든 근심 협측에서 엘리베이터를 적용하기 때문에 치근을 끄집어낼 때 미끄러지지 않고 걸려주기만 하면 치근을 앞으로 끄집어낼 수 있다.

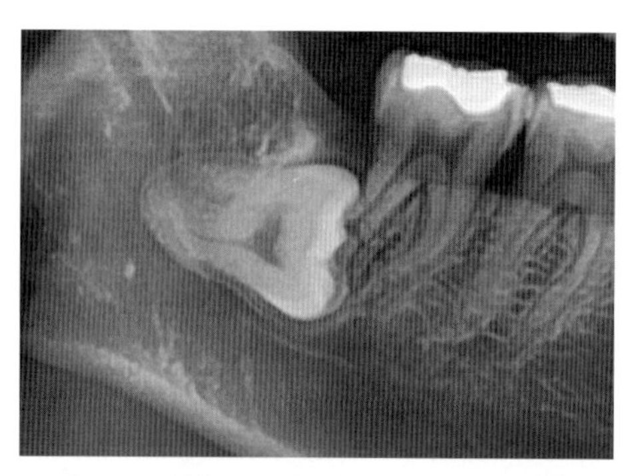

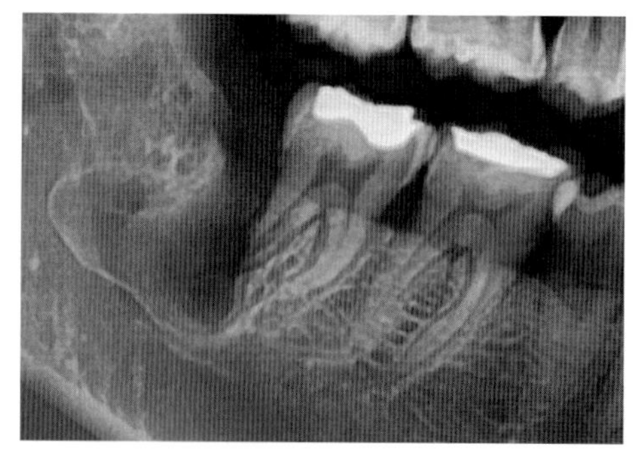

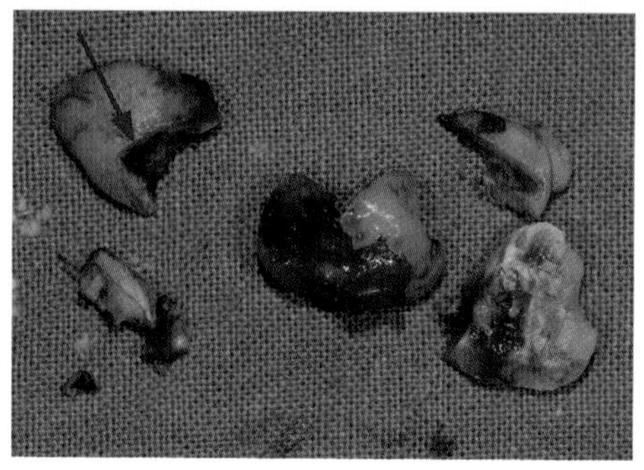

치근이 신경관과 설측에서 접해 있다. 다크 밴드도 명확한 것을 봐서 매우 근접하였다고 봐야 할 것이다. 그렇기 때문에 설측 또는 하방으로의 접근을 하지 않고 협측 상방에서 접근하여 홈을 만들어서 발치한 경우이다.

이 책은 누구나 할 수 있는 발치를 지향하고 있기 때문에 난이도 높은 전문가를 위한 발치 케이스들은 대부분 제외하였지만, 의외로 이 경우는 교정 목적이나 다른 목적이 아니라 치관 주위 염증으로 내원한 케이스이기 때문에 올려본다.

뿌리에서 뒷목치기 케이스 3★

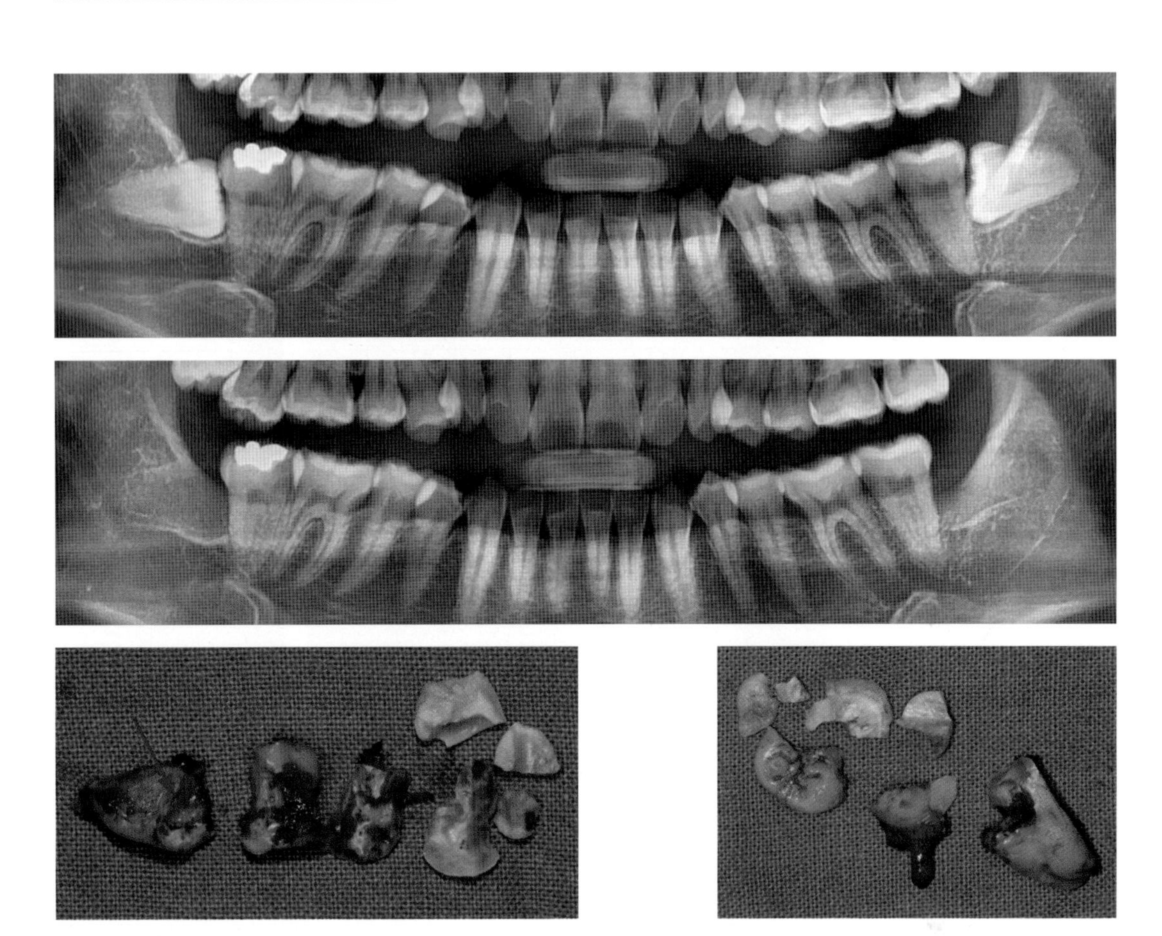

다각도에서 홈을 판 것을 볼 수 있다.

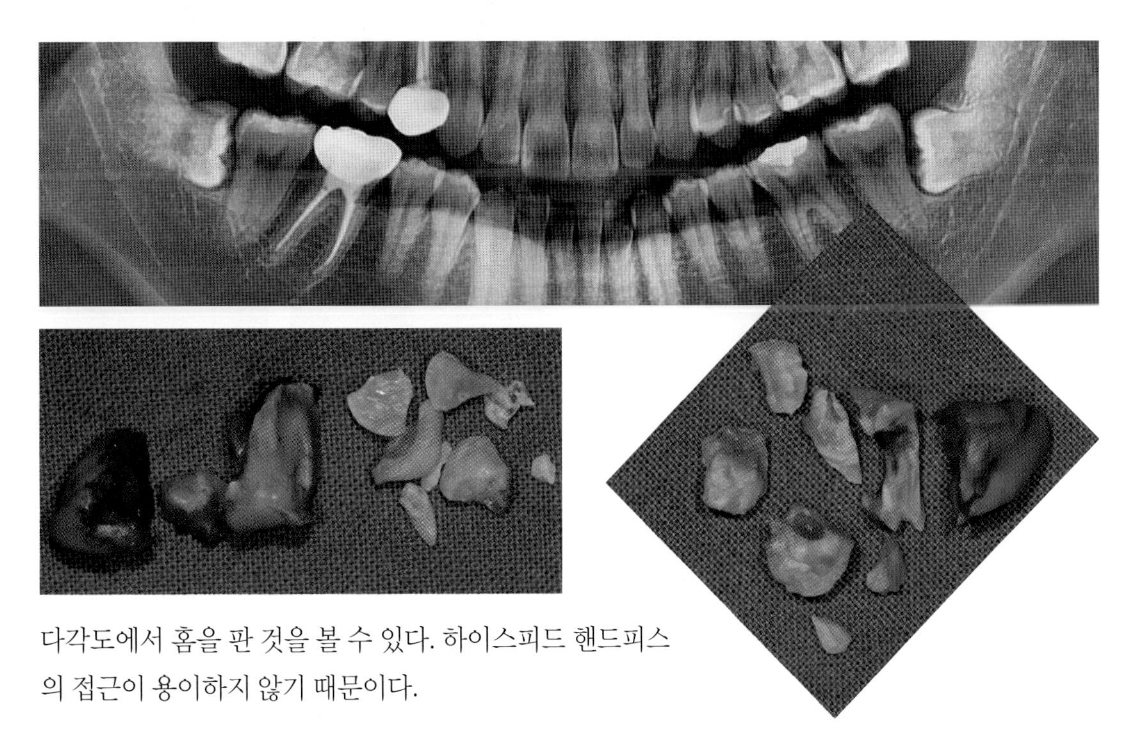

다각도에서 홈을 판 것을 볼 수 있다. 하이스피드 핸드피스의 접근이 용이하지 않기 때문이다.

뿌리에서 뒷목치기 케이스 4★

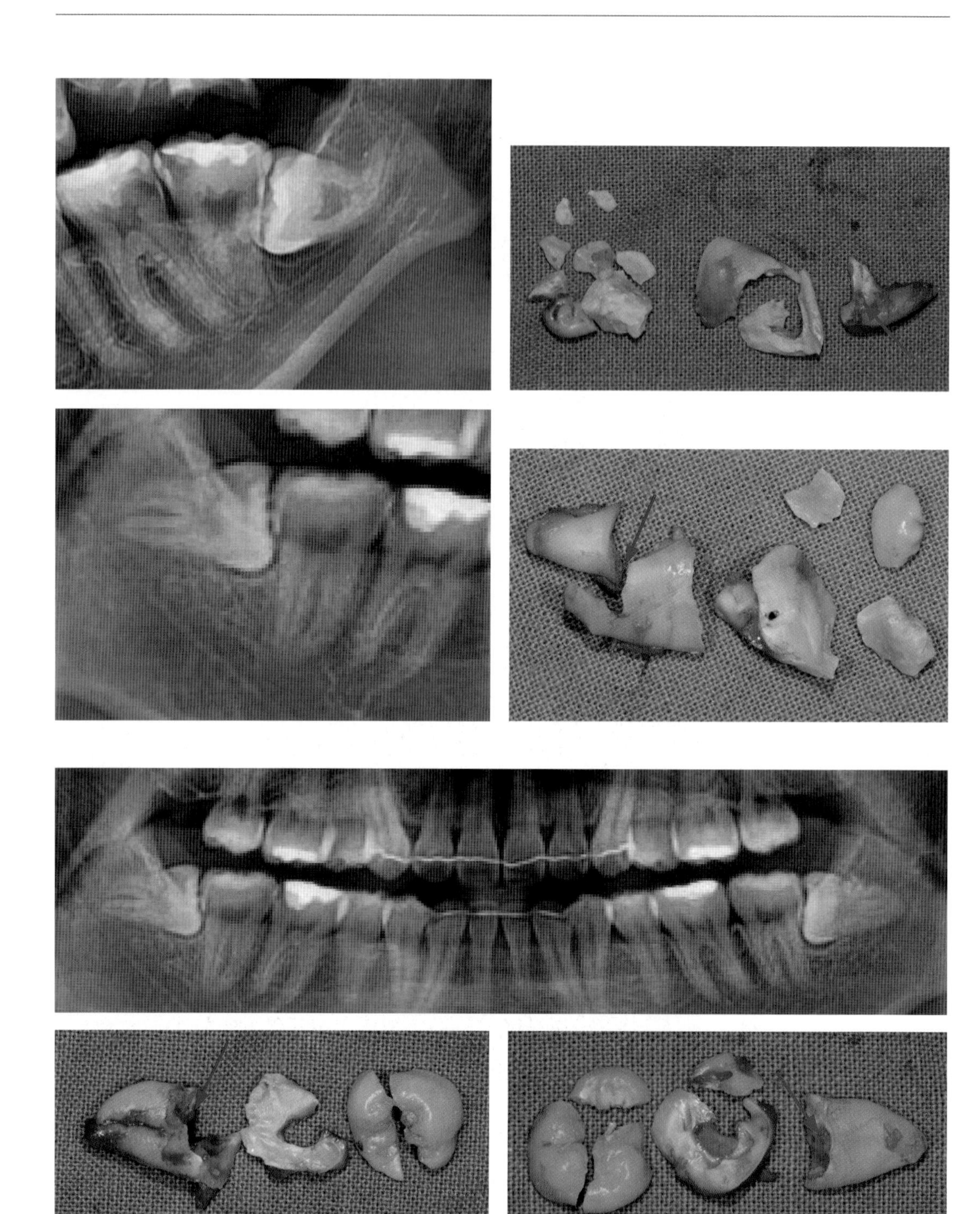

뿌리에서 **뒷목치기**를 하였다고 해서 무조건 발치가 되는 것은 아니다. 계속 파절되면서 치근의 외면이 아니라 치근의 중심부 쪽에 홈을 만들어서 제거하기도 하는데, 하이스피드 핸드피스로는 확실히 한계에 봉착할 때가 있다. 물론 필자의 경우는 로스피드 핸드피스를 쓰는 경우가 500 케이스에 하나도 안 되는 정도지만 그래도 로스피드 스트레이트 핸드피스를 사용하여 내부에 홈을 파서 제거하는 것이 일반적이므로 한 번 다뤄보자.

뿌리 사이에 홈 만들기 (1자 드라이버 발치) ★★★

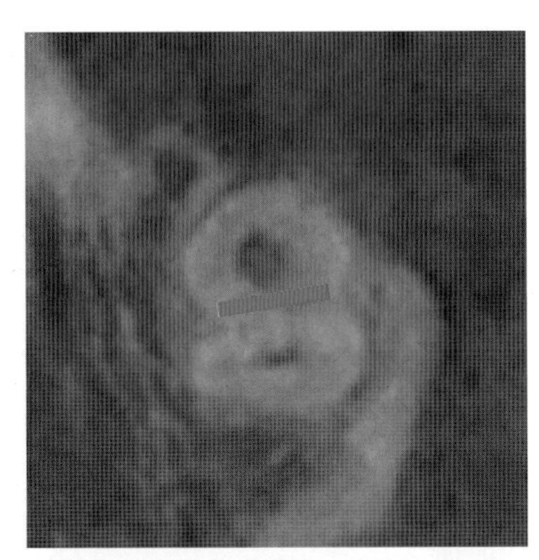

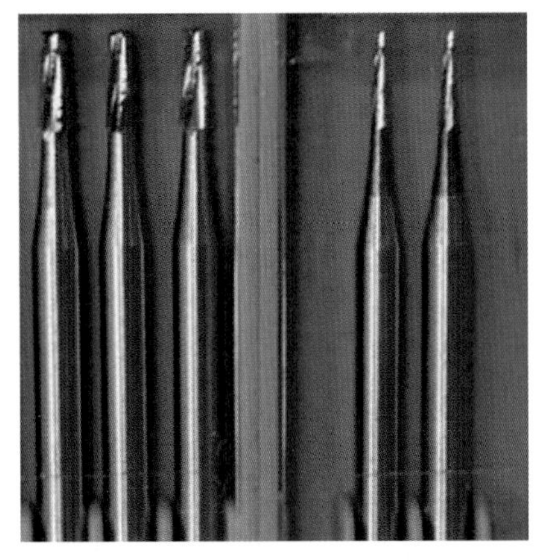

일반적인 로스피드를 사용하여 발치할 때 사용하는 016 피셔 버와 협측골 삭제와 치근에 홈을 만들 때 사용하는 010 버의 크기 비교

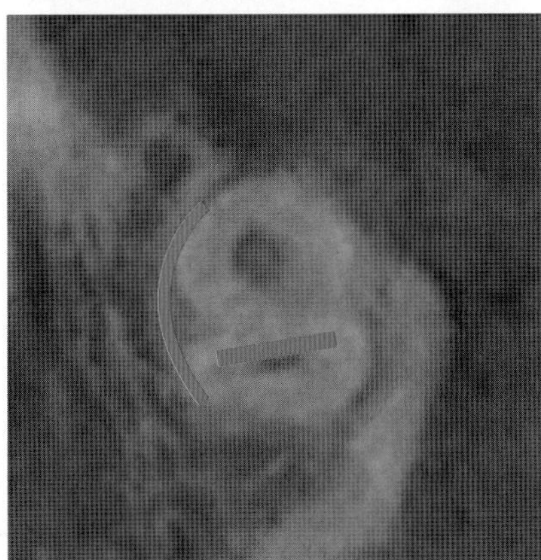

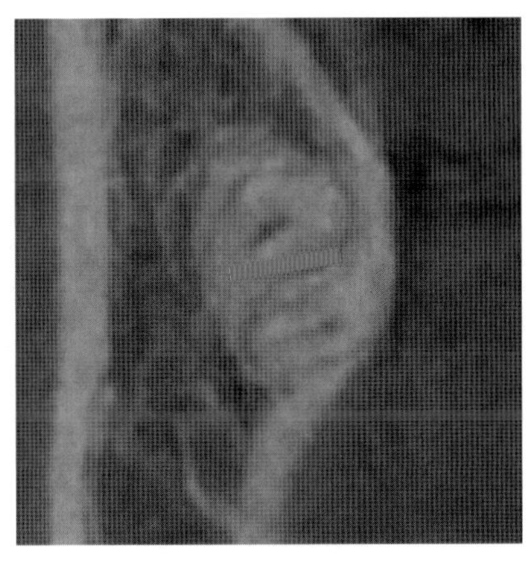

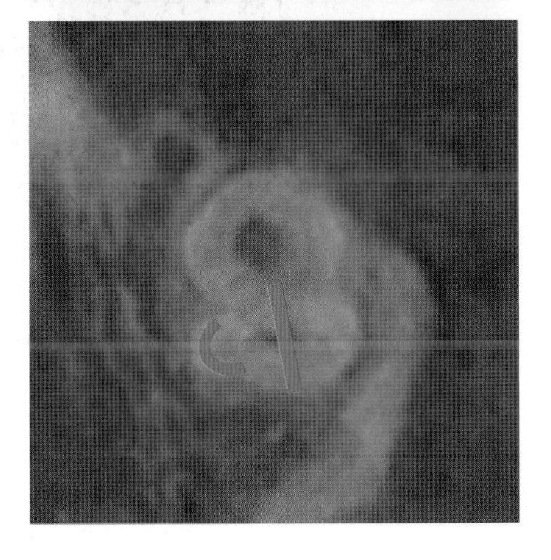

각각의 치근의 모양이나 부위에 따라서 로스피드 핸드피스를 이용해서 협측 골을 삭제하거나 홈을 파는 것을 나타난 그림이다.

일반적으로 피셔 버를 사용하는 경우는 010 정도의 버를 사용하거나 4번 라운드 버를 사용한다. 보통 서지컬용은 비싸기 때문에 필자는 저렴한 일반 피셔 버를 사용한다. 위와 같이 굳이 삭제량이 많지 않은 곳에 주로 사용하기 때문이다. 또한 수술용으로 쉥크가 긴 로스피드용 버는 국내에 수입이 되지 않기 때문에 대부분 접근이 용이하지 않은 경우에는 버를 살짝 끄집어내서 사용한다.

04
뿌리 사이에 홈 만들기 (1자 드라이버 발치) ★★

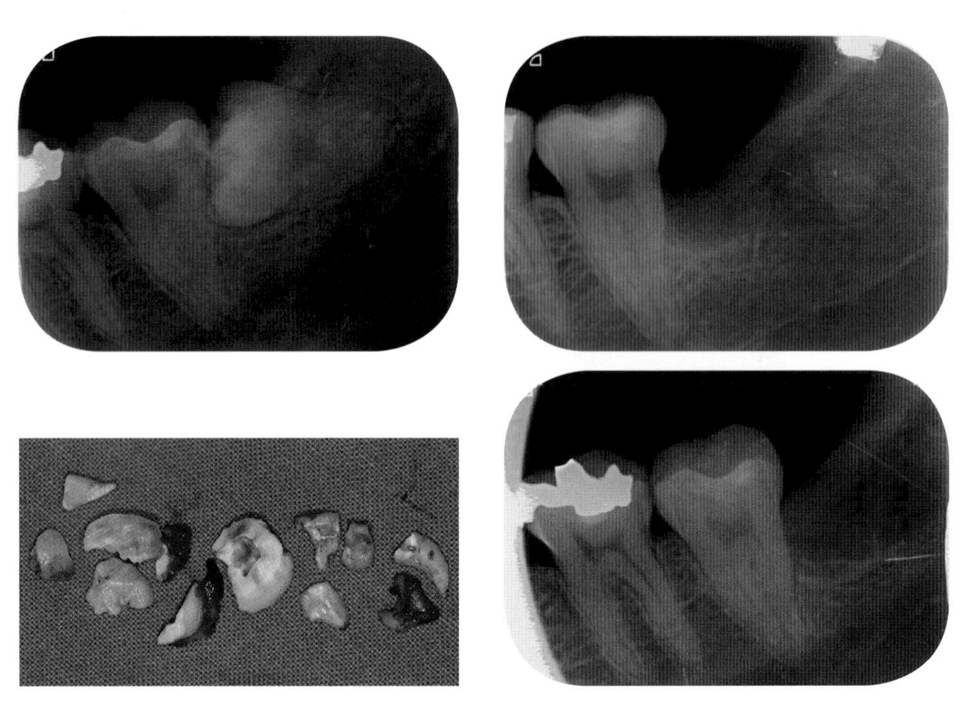

치근의 위치가 깊어서 하이스피드 핸드피스로 접근이 쉽지 않아서 로스피드 핸드피스를 이용하여 두 치근 사이에 홈을 파서 제거한 경우로 거의 대부분은 하이스피드를 이용하였고, 마지막에만 로스피드를 이용하였다.

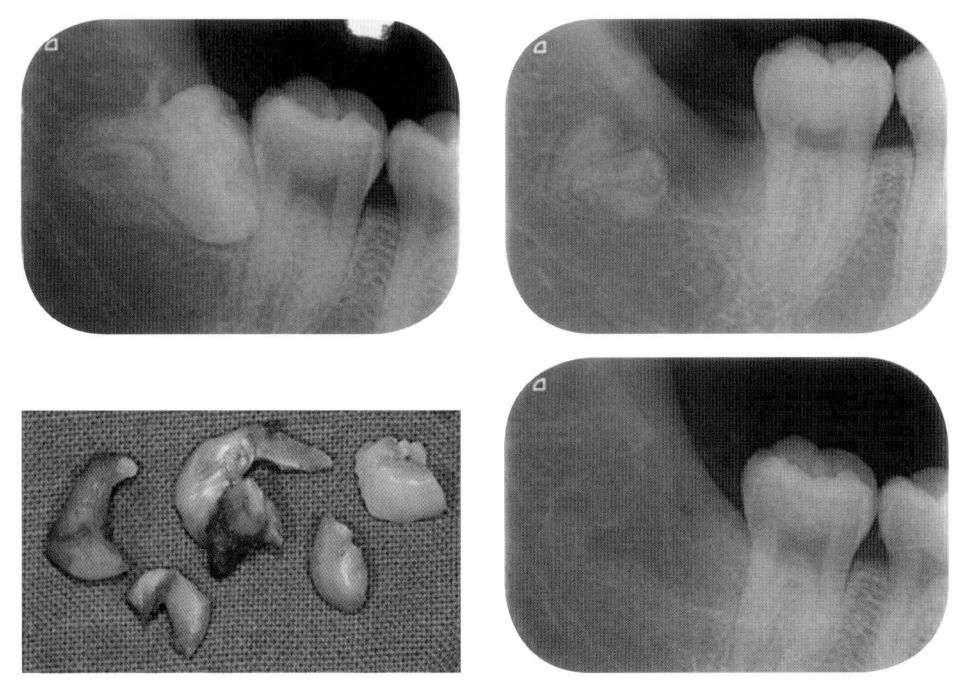

로스피드 핸드피스를 거의 사용하지 않기 때문에 사진이 거의 없는데, 발치한 치아 배열의 임상사진이 아쉽다.

케이스 보기★

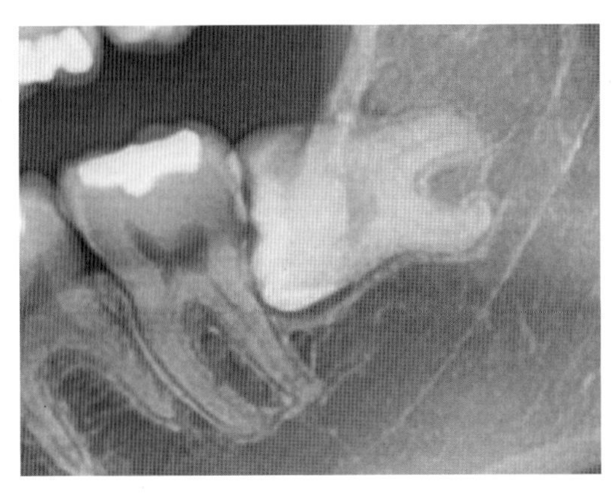
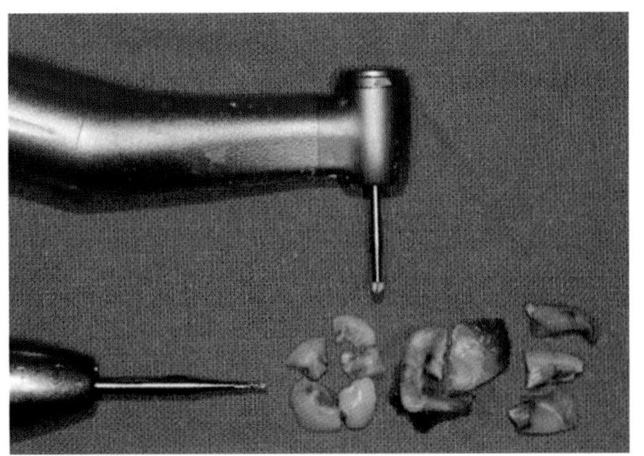

20대 후반의 일본인 여자 환자로 평범한 사랑니로 예상되어 발치를 진행하였지만 치근 만곡이 심하여 뒷목치기 이후에도 치아가 탈구되지 않고 파절되었다. 치근이 2개이긴 하지만 근심치근(하방)이 넓은 땅콩 모양의 치근이어서 로스피드 핸드피스를 이용하여 치근을 근원심으로 나누고 근심 치근에 수직으로 1자 드라이버 형 홈을 파서 분리해서 제거하였다.

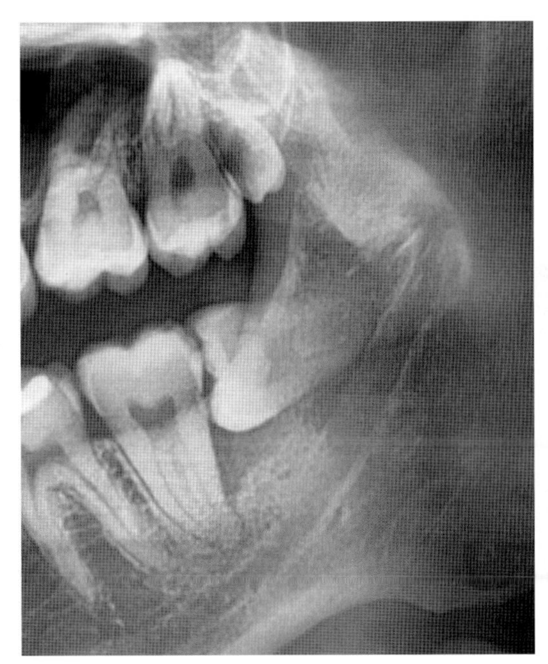
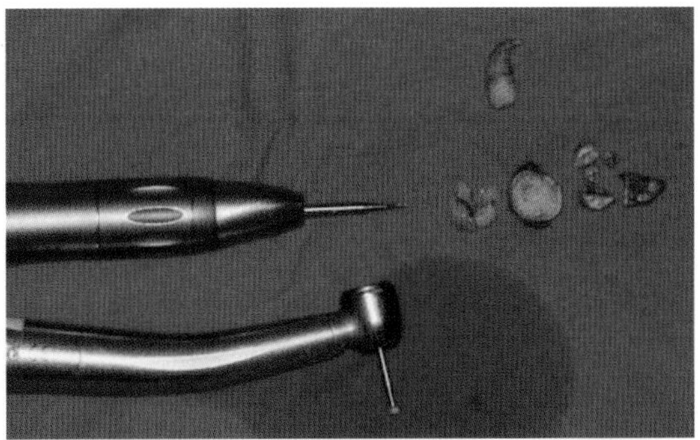
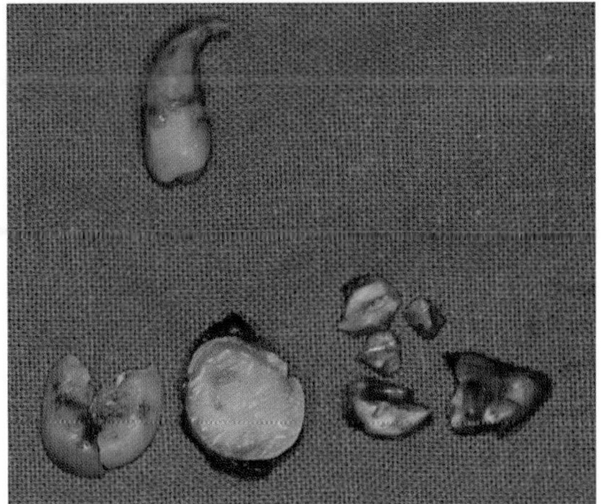

남자 환자로 평범해 보이는 사랑니지만 방사선 파트에서 언급했듯이 치관부 염증으로 치근이 치조골 내로 Intrusion되어 유착된 듯하다. 상방에 약간의 Youngsam's sign이 보이기도 하는 듯하다. 뒷목치기 이후에도 치근이 발치되지 않아서 1자 드라이버 형 홈을 여러 개 형성하였지만 번번이 치아가 파절될 뿐 발치가 되지는 않았다. 여러 번 시행 한 끝에 발치되었다. 뒤이어 나오는 하이스피드와 로스피드를 번갈아 가면서 하는 막치기 스타일의 발치이다.

이런 건 시간이 남아도 굳이 뺄 필요 없지만... ★

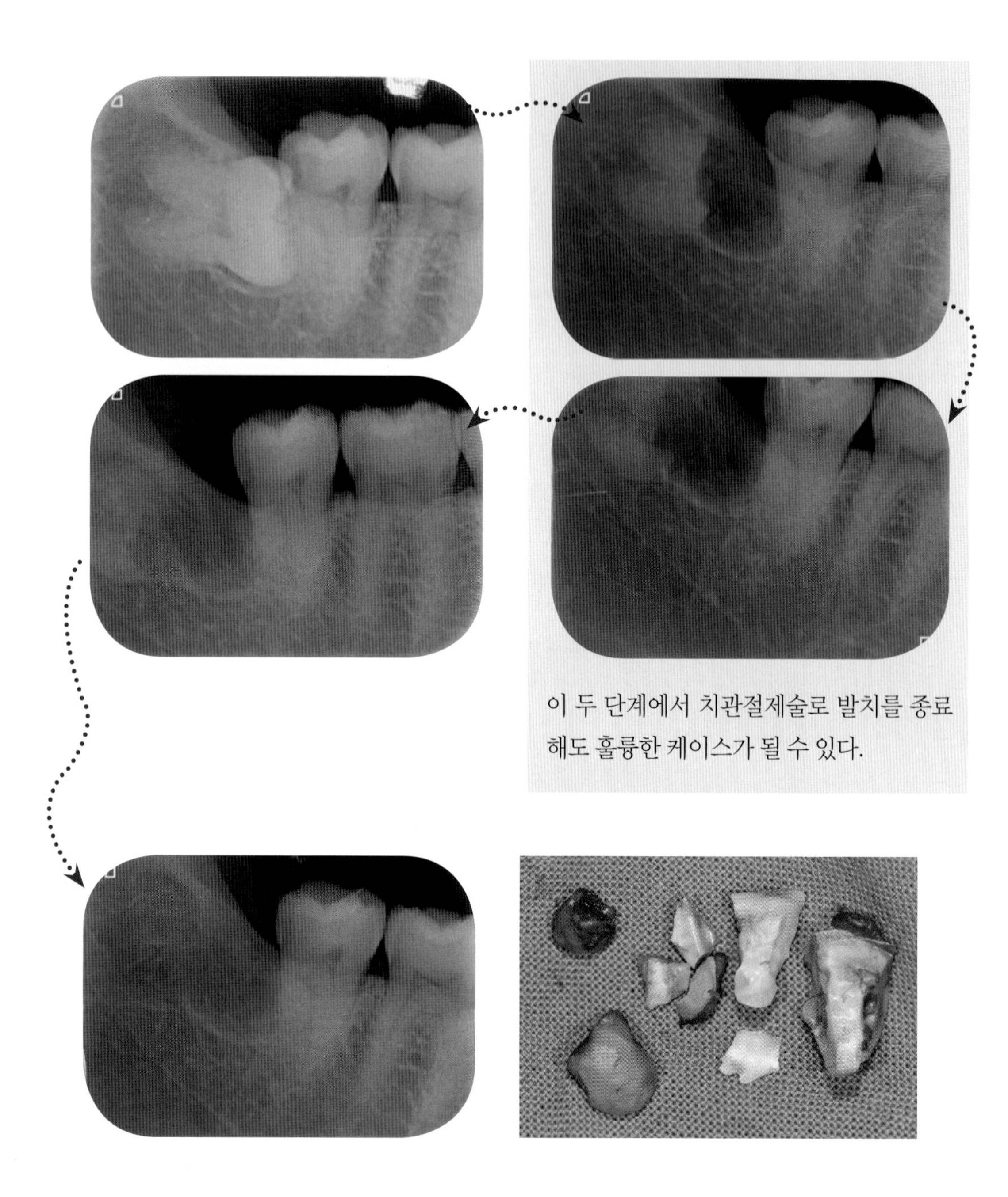

이 두 단계에서 치관절제술로 발치를 종료해도 훌륭한 케이스가 될 수 있다.

05 막치기 ★

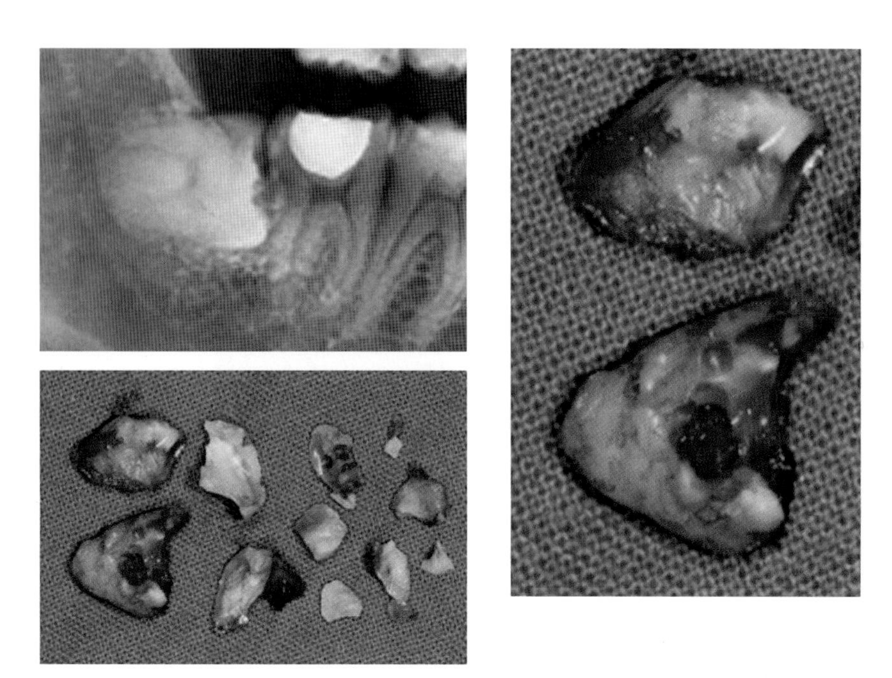

그냥 이름을 **막치기**라고 해봤다. 치근의 모양을 봐서는 확실히 발치가 쉽지 않음을 알 수 있다. 두 치근을 나누고 그 나눈 조각을 제거하기 위해서 각각 하이스피드를 이용해서 각각 홈을 파서 제거한 것을 볼 수 있다.

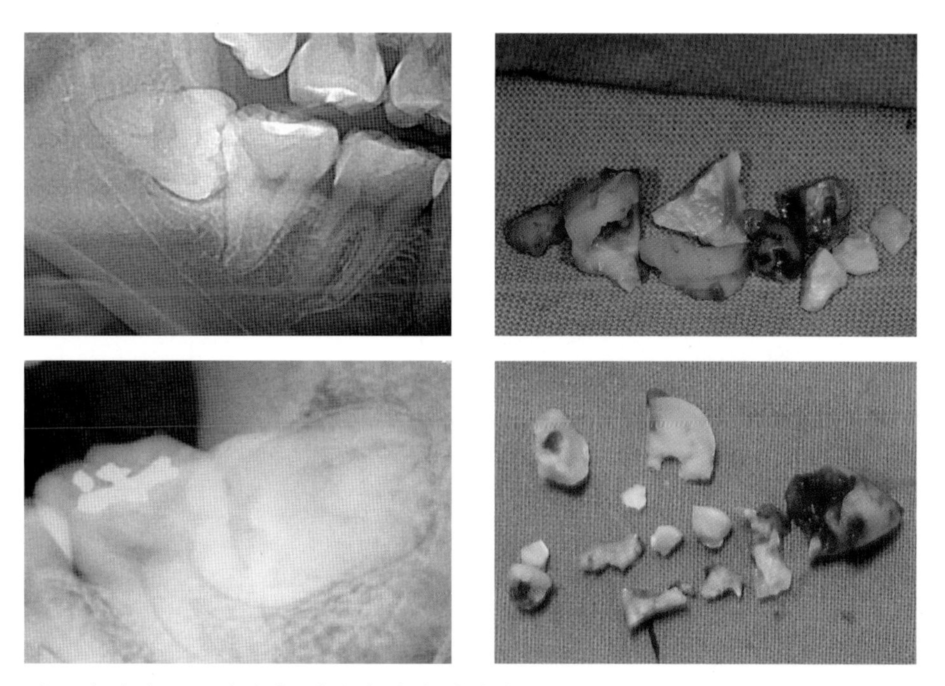

최근의 사진들은 아니다. 필자가 발치 실력이 요즘도 늘고 있는지 이렇게 심한 조각으로 발치하는 경우는 점점 더 줄어들고 있다. 물론 의도적 치관절제술로의 접근이나 치근을 남겨놓는 비율이 높아졌다고 볼 수도 있다. 젊을 때의 객기로 무조건 치근을 남기면 안 된다는 강박관념에서는 벗어난 듯하다.

06
회전한 사랑니의 발치 ★★

협면이 원심 방향으로 회전한 수직 사랑니 발치

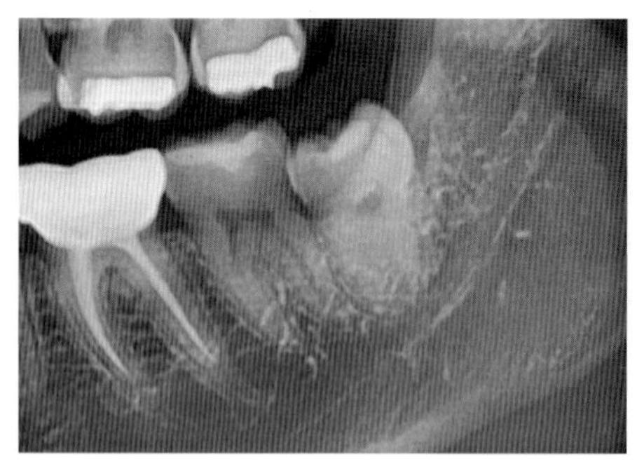

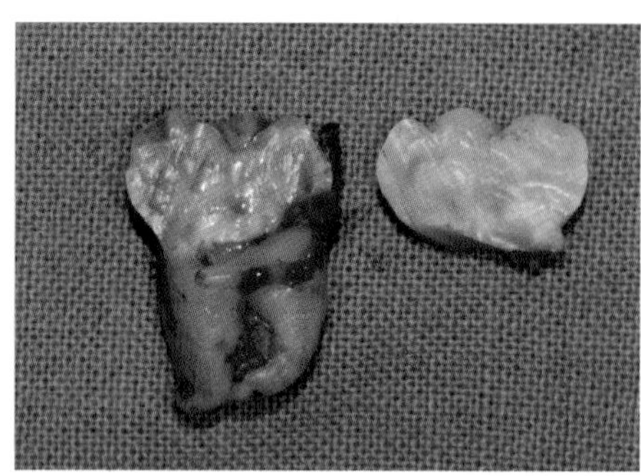

수직 매복된 사랑니이지만 90도 회전하여 협측면이 원심면 쪽에 위치하고 있다. 치아 회전을 무시하고 통상의 방법대로 원심 쪽에 위치한 치아 반절을 **뒷머리치기** 형식으로 삭제하고 파절시켜서 발치한 케이스이다. 이런 경우에 중요한 특징은 원심 치아가 파절되어도 생각보다 남은 치아의 제거가 쉽지 않다는 것이다. 이러한 회전한 치아의 협측에서 엘리베이터를 적용시키는 것은 치아 자체의 해부학적으로 근심 치근 방향에서 엘리베이터를 쓰는 것이므로 발치가 쉽지 않다. 또한 오른손잡이 권투선수가 왼손잡이 권투선수를 만난 것처럼 익숙하지 않기 때문에 당황하거나 명확한 방법을 못 찾기 때문이기도 할 것이다.

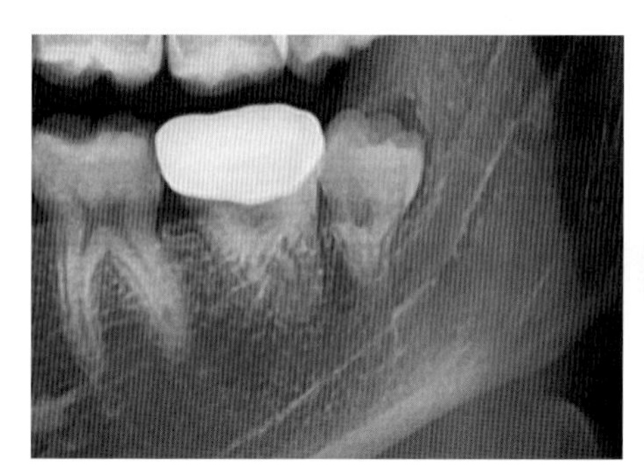

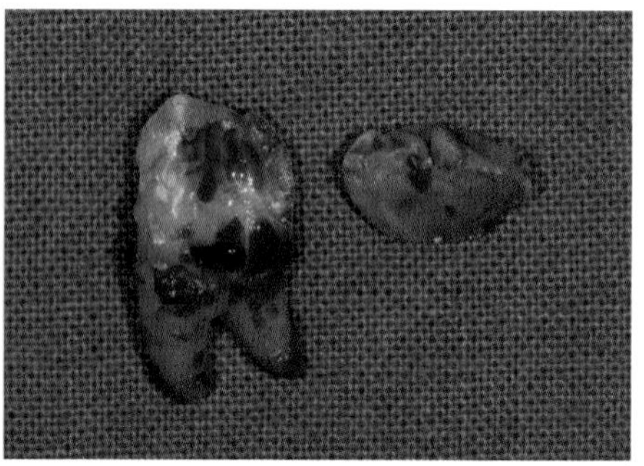

일반적인 수직매복치로 단근라고 생각하여 간단하게 발치될 것이라고 생각하고 절개하였으나, 사랑니가 협측이 원심 방향으로 90도 회전해 있어서 발치가 쉽지 않았다. 앞선 케이스와 마찬가지로 일반적인 수직 매복 사랑니로 간주하여 **뒷머리치기**를 시행하고 발치하였다. 역시나 쉽지 않은 발치였다.

협면이 근심 방향으로 회전한 수직 사랑니 발치

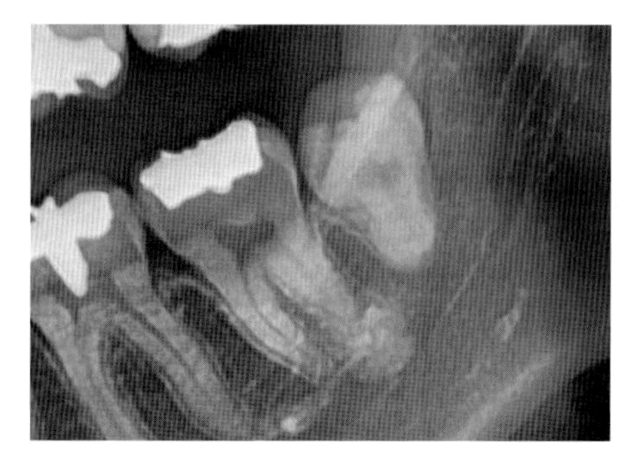

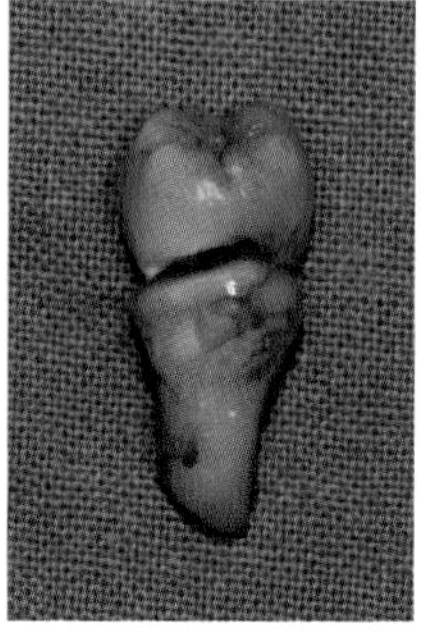

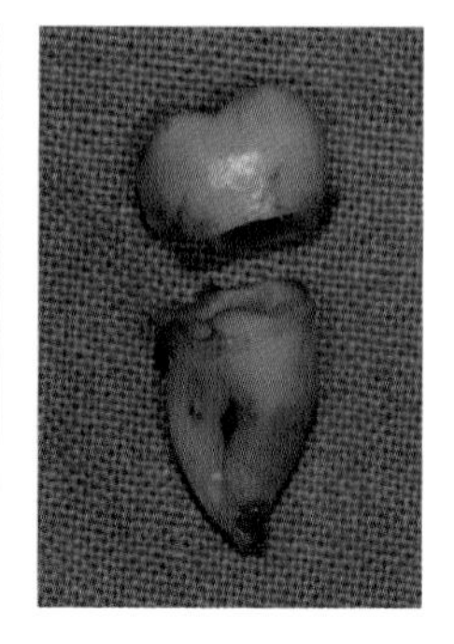

설측 경사되고 수직 매복된 사랑니가 90도 회전하여 협측면이 근심면에 위치하고 있다. 이런 경우도 일반적이지 않기 때문에 발치는 쉽지 않다. 약간의 설측 경사를 동반하고 있어서 45도 핸드피스로 목치기를 시행하여 치관부를 먼저 제거하고 치근 부분을 나중에 제거하는 방식으로 발치하였다.

07
회전한 수평 매복치의 발치 1 ★★

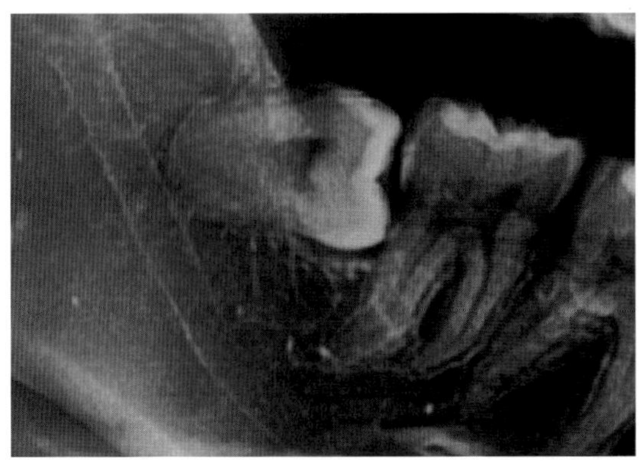
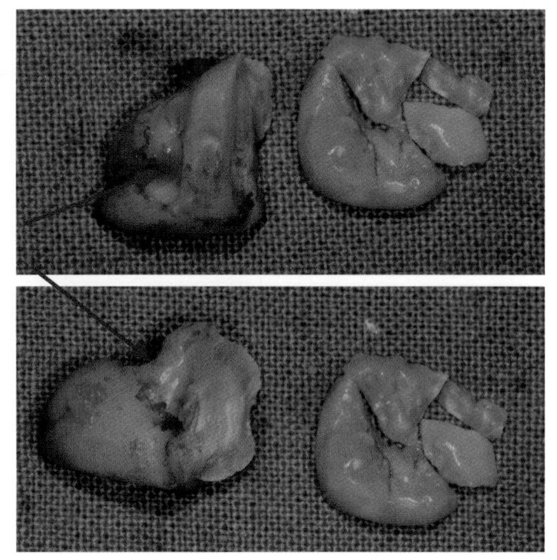

협면이 교합면에 위치하도록 90도 회전한 수평 매복치의 발치사진이다. 다른 사랑니와 마찬가지로 발치를 진행하지만, 역시나 익숙하지 않음을 느낄 수 있다. **머리자르기**도 일반적이지 않고, 남은 치은들 제거하기도 쉽지 않았다. 결국 **뒷목치기**를 시행하여 치아에 홈을 만들고 끄집어 내듯이 발치하였다. 협면과 근심면에서 각각 치아 삭제면을 볼 수 있다. 일반적인 엘리베이터의 적용이외에도 다양한 방법으로의 접근이 필요하다. 필자는 종종 이런 경우에 치은을 위에서 가운데를 삭제하여 근원심으로 나누고 각각 발치하기도 한다.

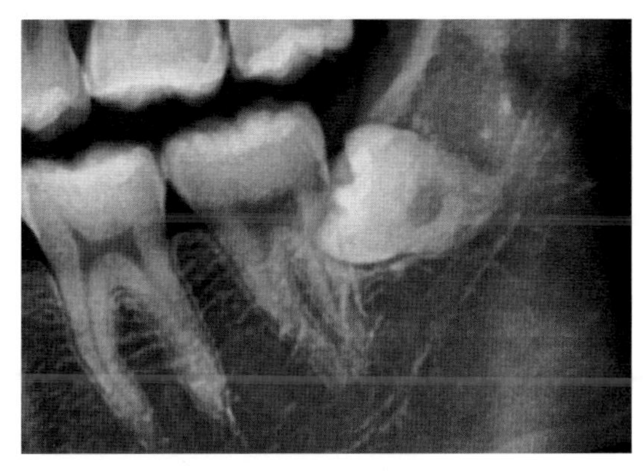
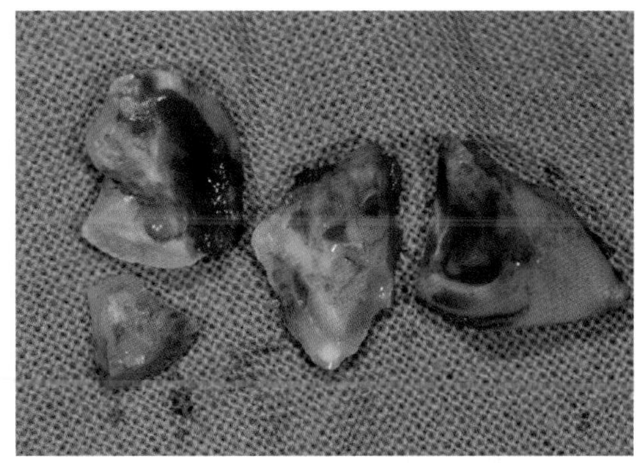

수평 매복된 사랑니의 치근이 단근치로 보인다. 그러나 치관을 제거하면서 90도 가깝게 회전한 것을 알 수 있었다. 대부분 익숙하지 않기 때문에 일반적인 경우보다 치관부의 제거가 쉽지 않았다. 제거된 치근에서 명확히 치근이 두 개인 것을 알 수 있었다. 다만 사진촬영이 좀 아쉽다. 대부분 엑스레이와 비슷하게 놓고 사진 찍으라고 교육을 하다 보니 이렇게 촬영된 듯하다. 옆으로 눕혀서 치근이 두 개인 것도 같이 사진 찍어 놓았다면 훨씬 더 좋았을 듯하다. 어쨌든 필자의 경험으로는 회전한 사랑니는 치관 제거와 치근 제거 모두 일반적인 경우보다 쉽지 않다. 물론 쉽게 발치되는 경우가 대부분이지만, 발치가 어려울 수도 있을 확률이 훨씬 더 높다 정도로 유념해둬야 한다.

회전한 수평 매복치의 발치 2★★

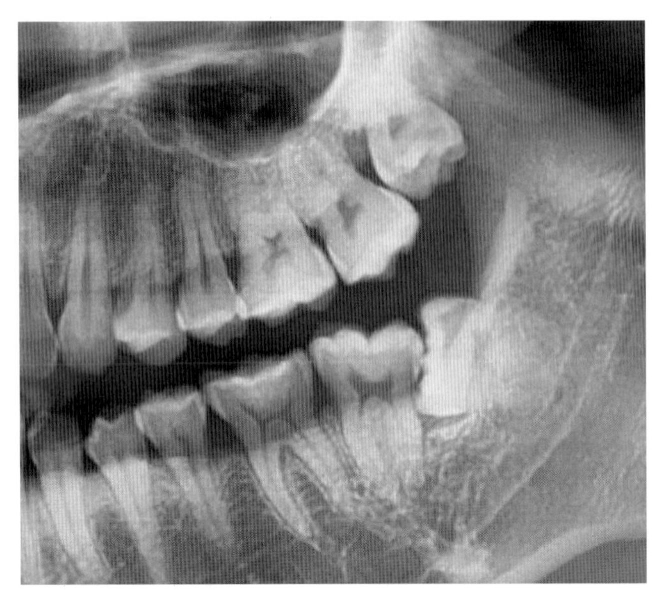

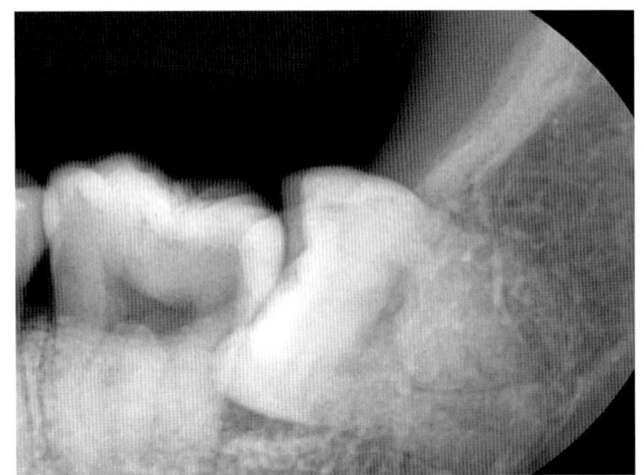

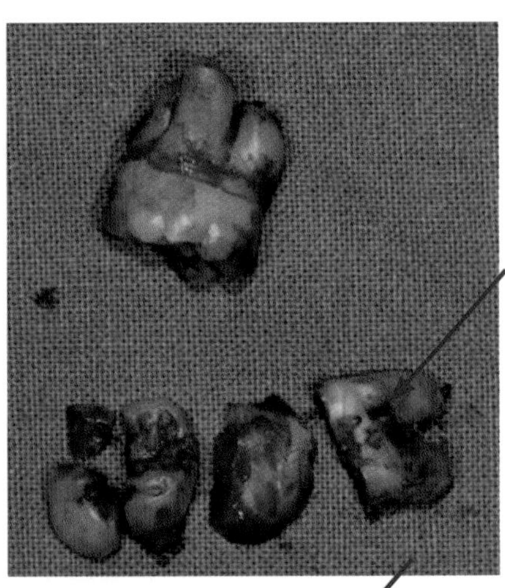

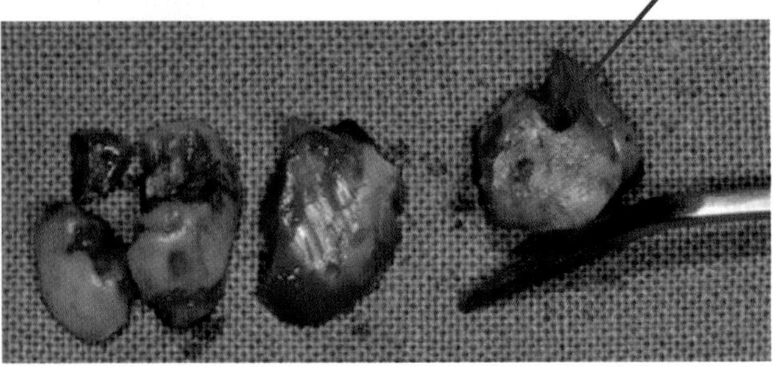

30세 남자 환자로 하악 우측 48번 사랑니와 다르게 38번 사랑니가 90도 회전하여있음을 볼 수 있다. 방사선의 조사각이 설측 하방임을 감안하면 거의 협면을 교합면에서 볼 수 있다. 마찬가지로 치관의 제거 후에도 발치가 쉽지 않아서 **뒷목치기**를 시행하였고 **뒷목치기** 후에 치아의 중간부분이 파절되어 **뒷뿌리치기**까지 시행하였다. 화살표처럼 홈이 파인 부분을 보면 교합면에서 두 치근이 보였음을 알 수 있다.

08
설측으로 경사된 사랑니 발치 ★★

설측 경사진 사랑니의 발치에 앞서 5-2장 마지막의 45도 5배속 로스피드 핸드피스를 이용한 발치 케이스(p. 303 참조)를 다시 보고 오길 바란다.
협측 경사된 사랑니는 약간 또는 필요한 양만큼의 골삭제를 동반할 뿐 일반적인 발치와 크게 다르지 않다. 그러나 설측 경사된 사랑니는 설측으로의 기구 접근이 쉽지 않기 때문에 주의해야 한다. 종종 스트레이트 로스피드 핸드피스를 이용하기도 하지만, 요즘은 45도 핸드피스를 이용하여 **목치기**를 시행한 뒤에 남은 치근을 제거하는 방식으로 하고 있다.

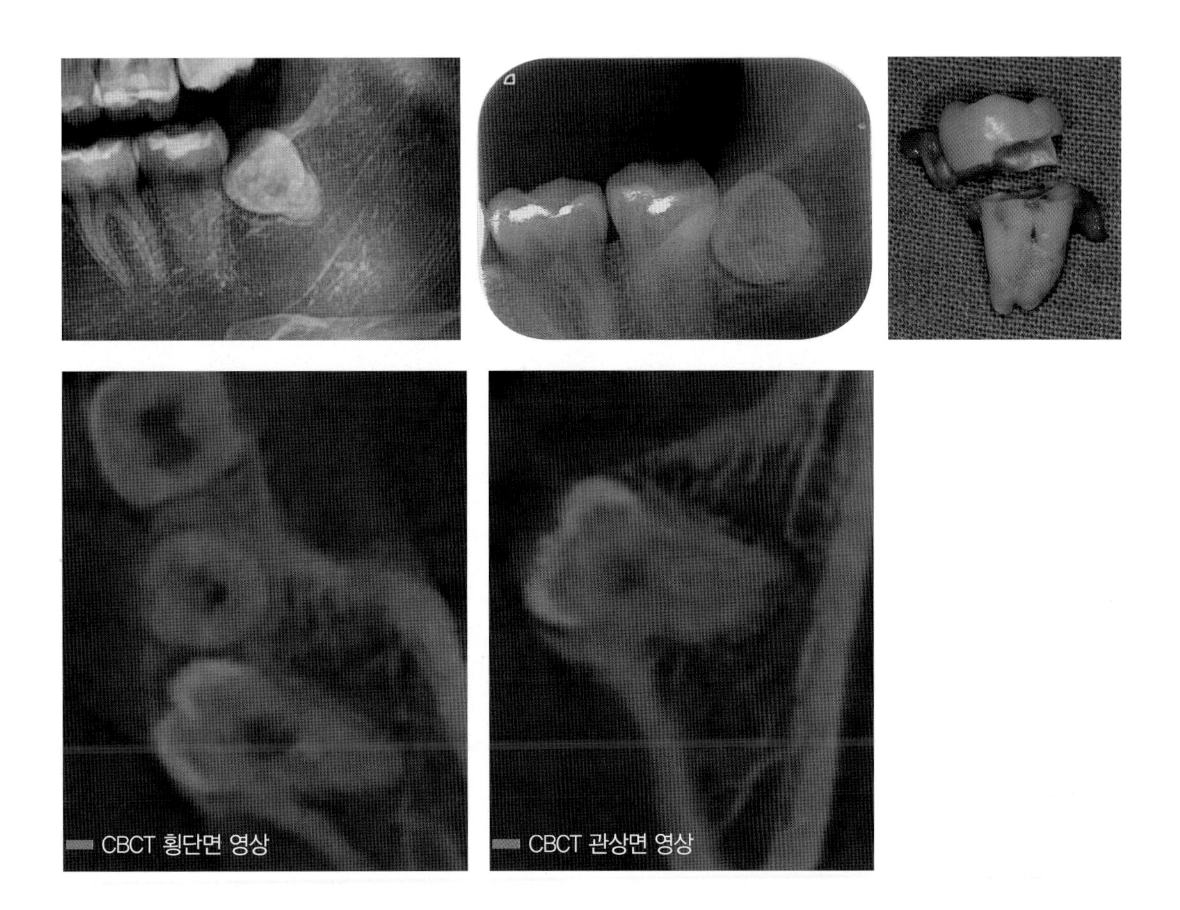

파노라마 영상과 CBCT 영상으로 보았을 때 설측 경사가 심하고 협면이 원심쪽으로 회전되어 있다. 이런 경우 그대로 발치를 시행하면 사랑니가 설측으로 발치되기 때문에 설측의 구조물을 손상시킬 수 있다. 설측은 언제나 조심해야 한다. 필자는 이런 경우에 45도 핸드피스로 근심 협측에서 **목치기**를 시행하여 치관부를 교합면쪽으로 제거하고 남은 치근을 제거하는 방식으로 발치를 시행한다.
설측 경사에 회전한 사랑니는 난이도가 4배쯤 증가한 것으로 생각해도 좋다. 파노라마상으로 비슷하게 보여도 협측으로 경사진 사랑니는 약간의 협측 골 삭제만으로도 대부분 쉽고 안전하게 발치할 수 있다.

09
심한 설측 경사된 사랑니 발치 ★★

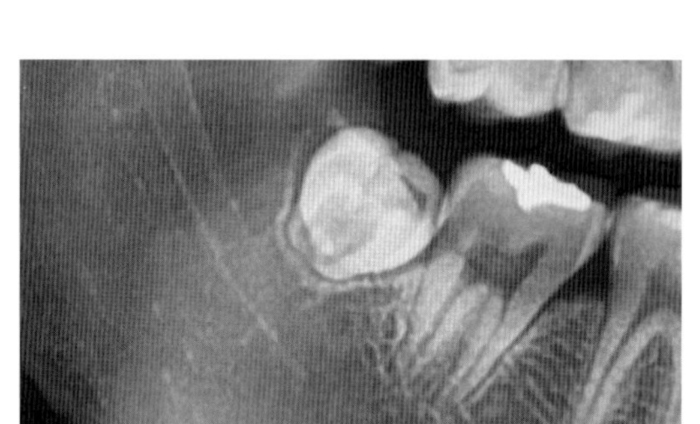

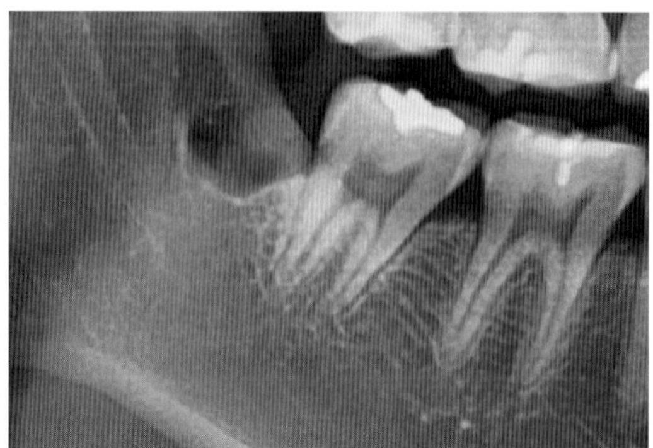

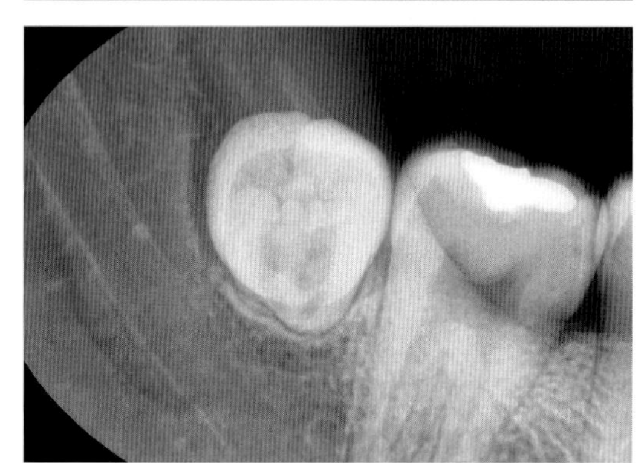

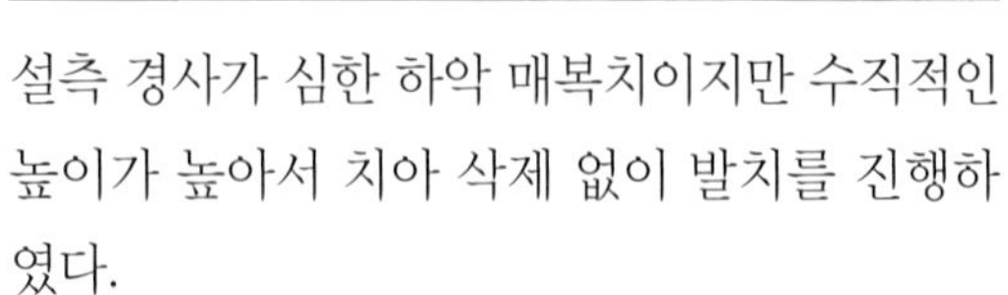

설측 경사가 심한 하악 매복치이지만 수직적인 높이가 높아서 치아 삭제 없이 발치를 진행하였다.

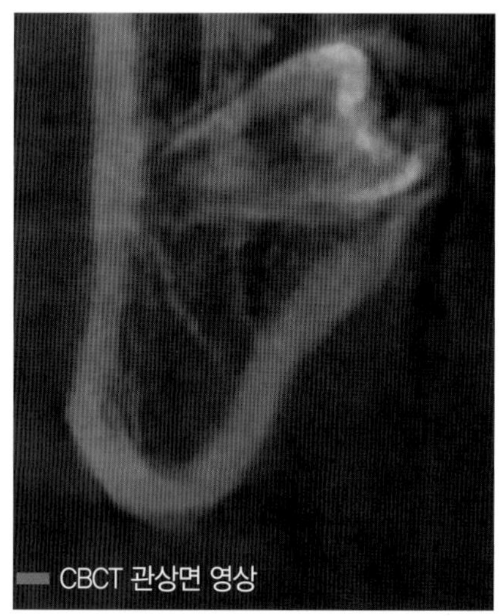

CBCT 관상면 영상

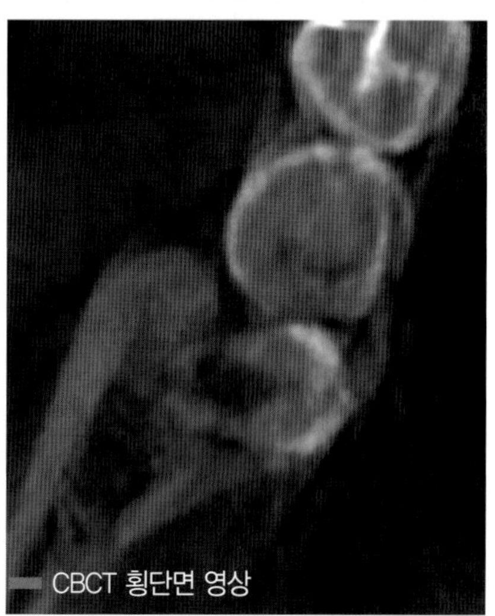

CBCT 횡단면 영상

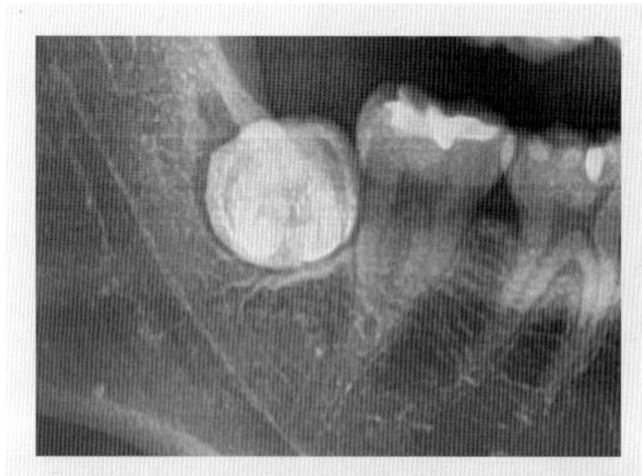

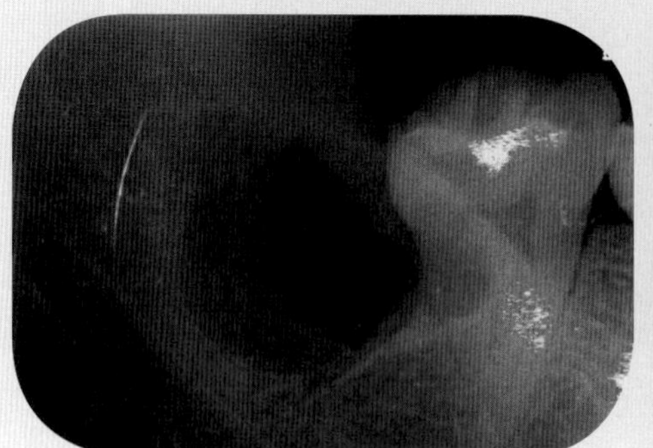

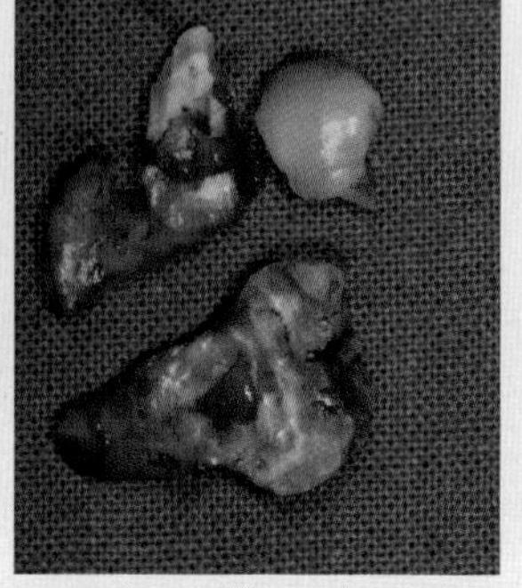

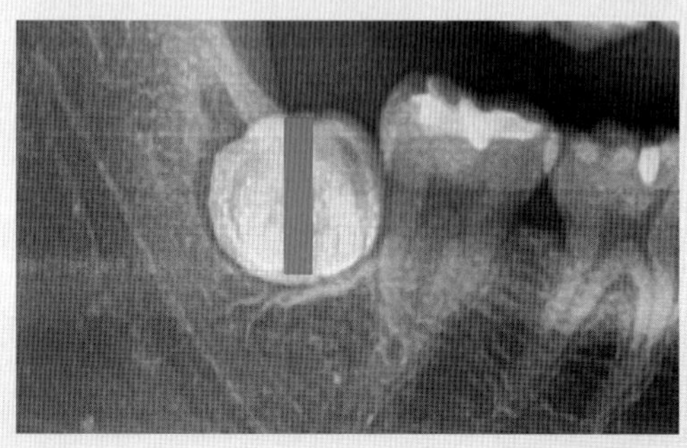

타 치과에서 의뢰받은 너무 심하게 설측 경사진 사랑니 케이스이다. 어떻게 발치를 진행할까 고민하다가 치아를 수평으로 나누고 치관부의 한쪽만 살짝 삭제하여 진행하였다. 이런 경우에 사랑니를 머리와 치근으로 나눌지 이렇게 반 절로 나눌지를 고민하는데 매복된 주변 골의 상태 등을 고려해서 진행하면 될 듯하다. 어쨌든 익숙하지 않아서 발치 시간이 좀 더 걸릴 수 있음은 감안해야 한다.

10
미성숙 사랑니의 발치 ★★

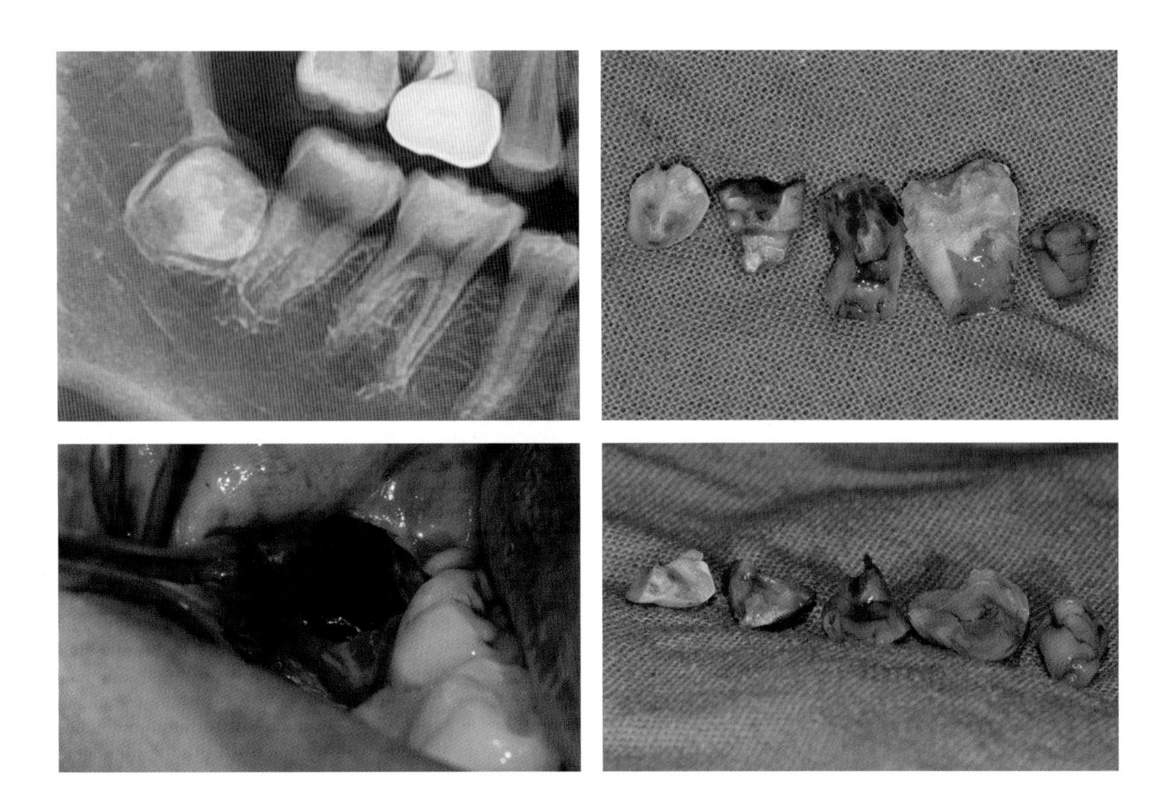

20세 여성 환자로 교정치료를 위하여 사랑니 발치를 원하였다. 사랑니 치근의 성숙 정도는 개인차가 매우 큰 듯하다. 20대 중반까지도 미성숙한 치근을 가지고 있는 환자들을 볼 수 있는가 하면, 10대 중후반에도 거의 성숙한 치근을 가진 사랑니를 많이 보게 된다. 이러한 사랑니를 빼는 가장 중요한 점은 치조골 삭제를 많이 하기 보다는 치관 삭제를 많이 하여 여러 조각으로 나눠서 제거하는 것이다. 필자의 일반적인 발치 방법대로 **앞머리치기, 혀쪽치기, 들어치기**까지 시행하였다.

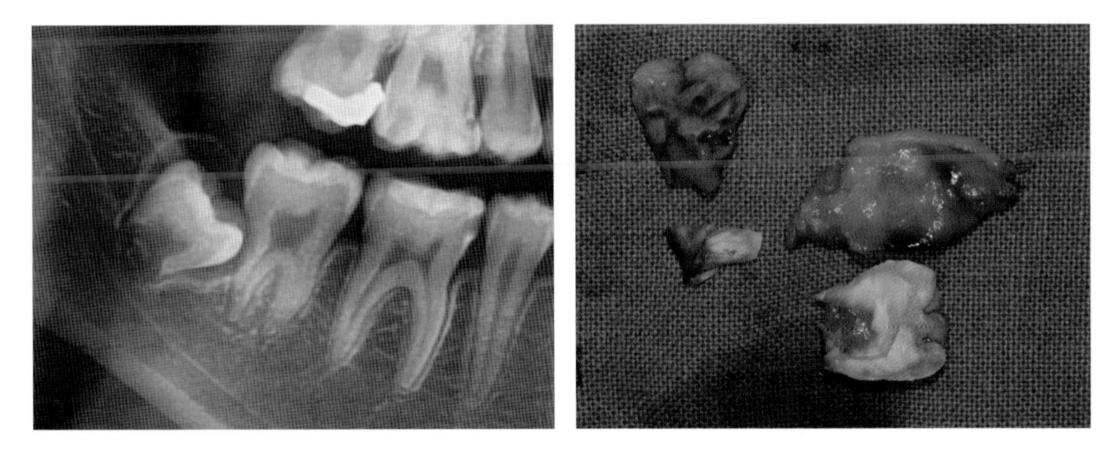

17세 여성 환자로 스트레이트 로스피드를 이용하여 치관을 이등분하여 발치한 케이스이다. 스트레이트 로스피드의 접근을 위하여 협측골의 삭제는 있었지만 원심쪽 치조골은 거의 손상시키지 않았다.

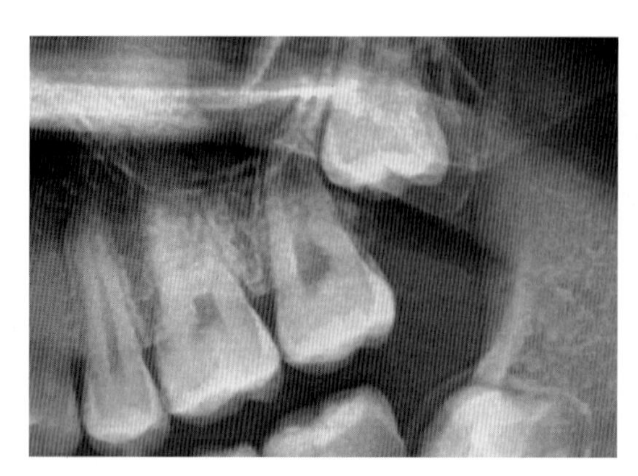

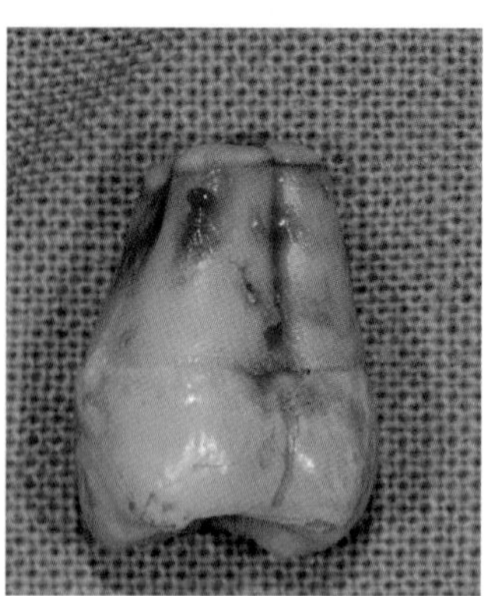

상악 미성숙 사랑니의 경우의 경우는 교정치료를 위한 경우가 아니면 미리 찾아서 발치하지는 않는다. 그러나 위와 같이 교정치료를 위해서 발치해달라고 하면 통상적인 발치와 같이 진행하며 치근이 미성숙단계이기 때문에 치관 상부의 치조골만 없애주면 발치는 대부분 수월하다. 특별히 차이점은 없지만, 치근의 제거는 매우 쉽다는 점에서 굳이 피할 필요는 없을 듯하다. 절개 및 박리만 제대로 되면 약간의 엘리베이션 동작만으로도 발치가 될 수 있다.

ASY
IMPLE
AFE
XTRACTION
of
wisdom
tooth

09
CHAPTER

상악 사랑니의 발치

포셉 발치 ★★

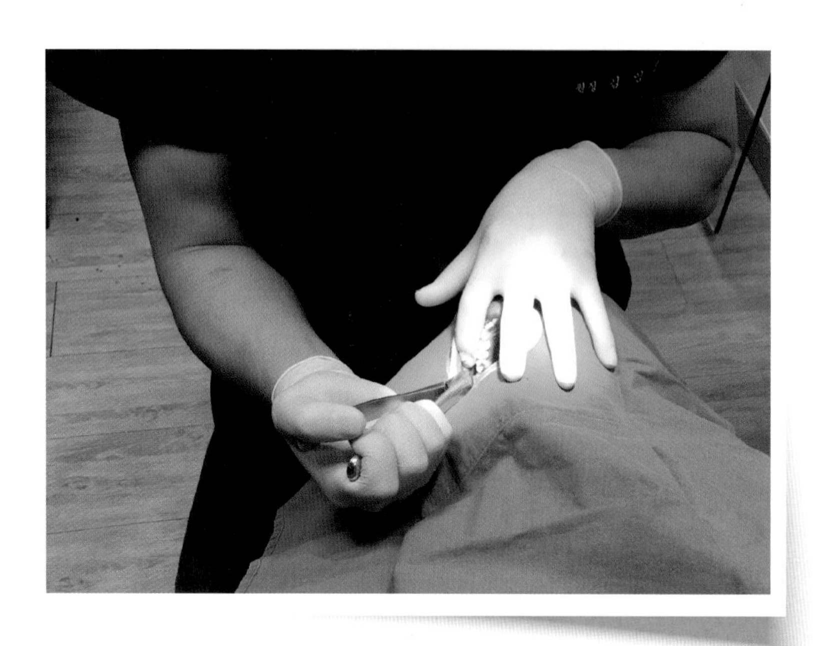

상악 사랑니 발치에서 가장 중요한 점은 일차적으로 고려할 발치기구가 포셉이라는 것이다. 일부 치과의사들 중에 포셉으로 발치하는 것을 초보스럽다고 생각하는 경우가 종종 있다. 그런 생각이야말로 초보적인 생각이다. 포셉을 잘 사용하면 정말 안전하고 빠르게 발치가 가능하다. 필자처럼 심플한 도구만을 사용해서 발치하는 사람도 언제나 있는 엘리베이터를 두고 별도로 상악 포셉을 꼭 준비하도록 한다. 새로운 기구를 준비하는데, 시간이 더 걸리지만, 포셉을 굳이 별도로 사용하는 이유는 그것이 가장 안전하고 더 빠르기 때문이다. 엘리베이터는 포셉으로 발치가 불가능할 때 사용하는 것이라고 알고 있어야 한다. 아직도 상악에서 엘리베이터 발치를 기본으로 하는 치과의사가 있다면, 좀 더 적극적인 발치를 위해서는 포셉 사용에 익숙해지기 바란다. 아직도 엘리베이터가 포셉보다 편하다면, 아직은 당신은 발치에 있어서는 초보자이다.

01
필자가 사용하는 포셉 (Hu-Friedy 10S)과 잡는 자세 1 ★★★

필자가 사용하는 포셉이다. 필자는 상악 사랑니 발치를 거의 이 포셉에 의존한다. 자신의 손에 익은 기구를 사용하는 것이 가장 안전하다고 생각하기 때문이다. 여러분이 목숨 건 자동차 경주에 출전한다면 처음 타 보는 자동차를 운전할 것인가? 사람들마다 다를 수는 있겠지만, 필자는 좋은 유니버셜한 자동차를 골라서 열심히 연습하여 그 자동차로 출전할 것 같다. 모든 치료가 나에게는 일상일지 모르지만, 환자에게는 운명이라고 생각하고 최선을 다하자. 나에게도 슬픈 한 가지를 만들지 않는 방법이기도 하다. 필자는 이 포셉으로 셀 수 없을 만큼 많은 사랑니를 뽑아봤기 때문에 사랑니의 위치 크기 모양 등에 따른 이 포셉의 장단점을 너무 잘 알고 있다.

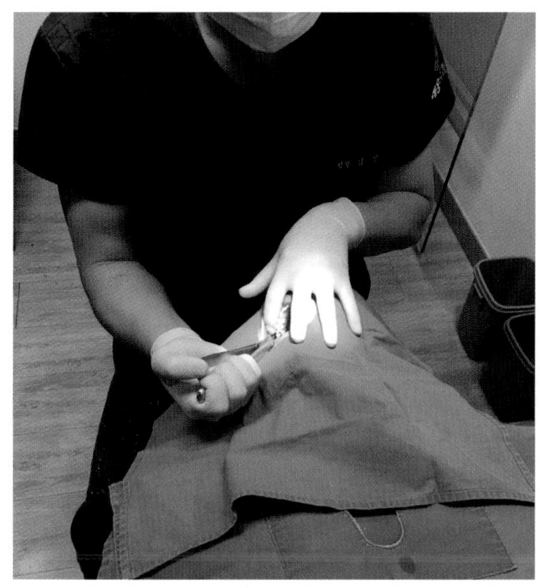

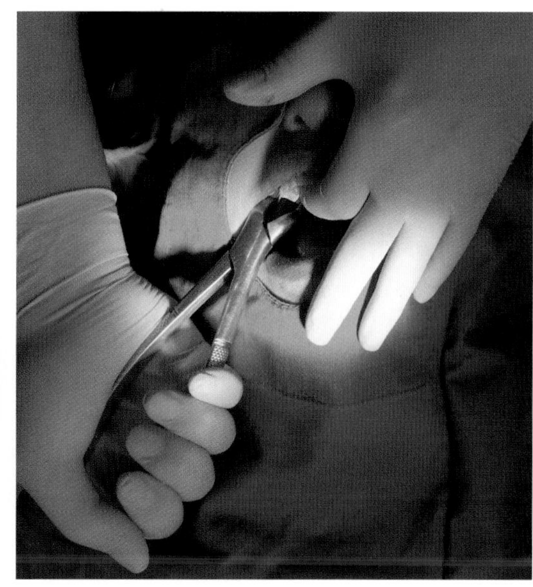

18번 발치를 위한 자세이다. 필자는 척추가 안 좋아서 어지간한 자세는 9시 방향에서 대부분 이루어진다. 그러나 18번이 튼튼하게 자리잡은 경우에는 강한 힘을 내기 위해서 12시 방향에서 발치를 시행한다. 치아가 잘 보이는 9시 방향에서 포셉으로 사랑니를 명확하게 잡은 뒤에 힘을 쓰기 위해서 12시 방향으로 이동하기도 한다.

필자의 경우 고질적인 척추질환 때문에 대부분의 발치를 환자의 9시 방향에서 한다. 그러나 18번 사랑니가 간단히 발치되지 않을 경우에는 환자의 뒤쪽으로 가서 포셉을 잡는다. 확실히 좀 더 강한 힘을 안정적으로 쓸 수 있다. 어쨌든 어떠한 위치에서 상악 포셉을 잡더라도 손바닥이 하늘을 보게 검지손가락이 포셉의 끝 쪽에 위치하게 잡는다.

Dr. 김대용 Comment.

반대로 생각하면 이 책에 나오는 발치 자세나 방법 등이 척추에 부담이 덜 가는 방법일 수도 있겠군요.

필자가 사용하는 포셉 (Hu-Friedy 10S)과 잡는 자세 2 ★★★

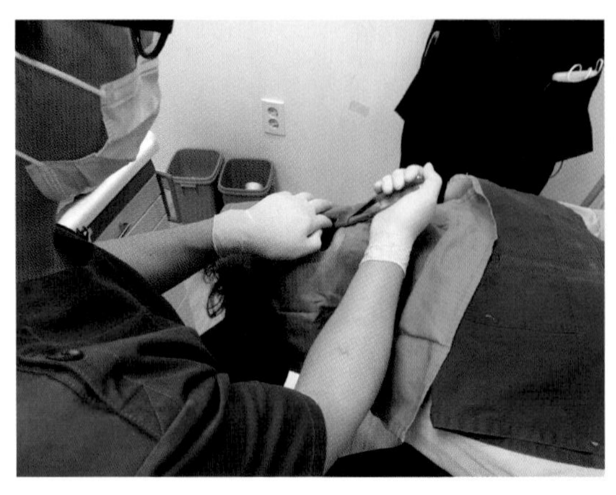

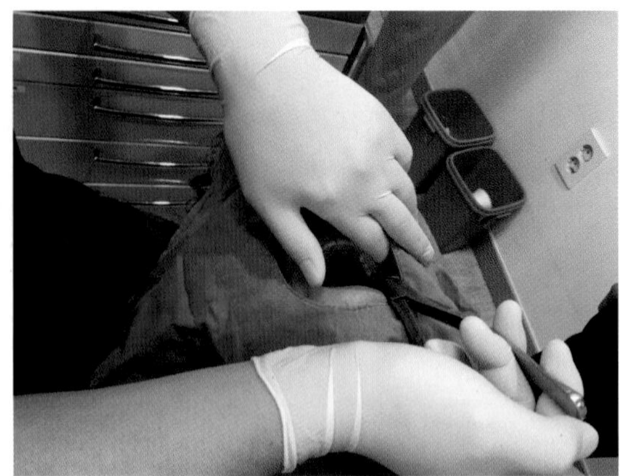

28번 발치를 위해서는 오른손잡이인 필자는 다른 발치 때와 마찬가지로 9시 방향에 위치해서 손목을 바깥으로 밀듯이 발치를 시행한다. 포셉으로 발치할 경우에 왼손 검지손가락으로 사랑니 앞 치아를 꼭 누르거나 움직임을 감지하기 위해서 위에 얹어 놓고 하기도 한다. 그러나 필자는 시야 확보가 더 중요하기 때문에 오히려 왼손으로 미러를 잡고 리트렉션하고 있는 경우가 더 많다. 또는 왼손 검지손가락을 발치하는 곳의 협측에 넣어서 리트렉션하기도 한다.

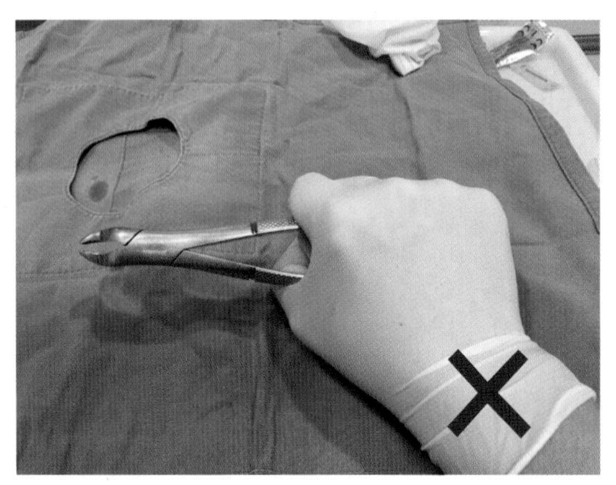

포셉 움직임 동영상

포셉을 벌리고 잡는 동작을 짧게 동영상으로 올려보았다. 물론 누구나 다 이렇게 하고 있겠지만, 종종 너무나도 터무니 없이 사용하는 사람들이 있어서 참고 삼아 촬영하였다.

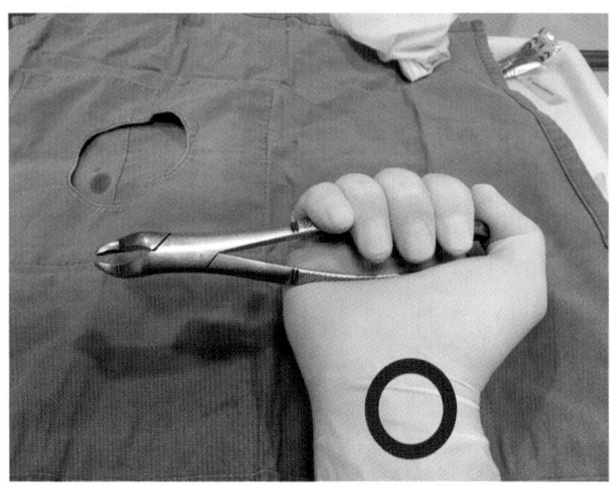

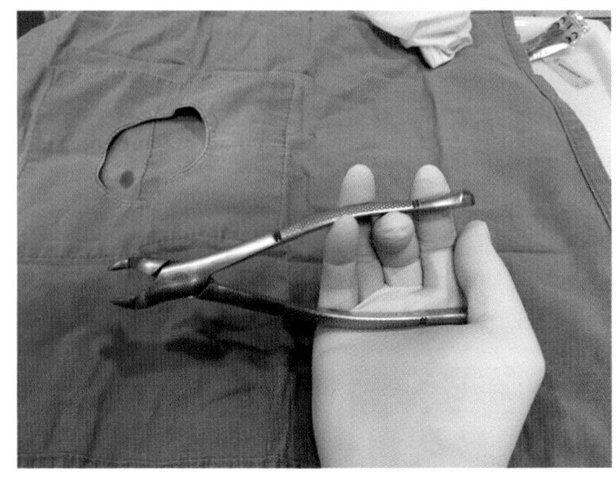

손바닥이 하늘을 보도록 해서 잡아야 하며, 좌우 상하 모두 마찬가지이다. 손가락을 이용한다.

02
포셉은 꽉 잡아야 한다. 내가 사용하는 전체 힘의 60% 이상 ★★

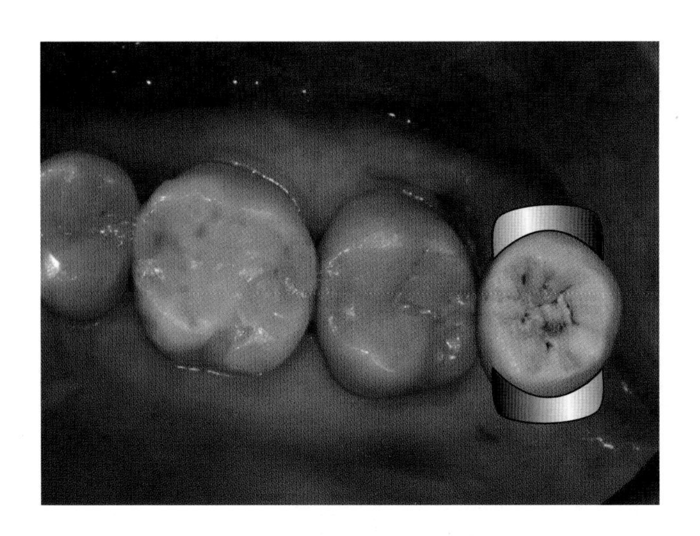

포셉으로 치아를 잡을 때는 매우 꽉 잡아야 한다. 포셉으로 발치할 때 쓰는 힘이 100%라고 한다면 60% 이상을 사랑니를 꽉 잡는데 써야 한다. 그래야 발치 도중에 포셉이 그림과 같이 미끄러지지 않는다. 우선 포셉으로 사랑니를 잡으면 꽉 잡아서 살짝 움직여봐야 한다. 그래서 포셉이 적절한 위치를 잘 잡았는지 확인해야 한다. 필자가 포셉으로 발치할 때 포셉을 잡고 살짝 움직이는 것은 럭세이션을 하는 것이 아니라, 포셉이 미끄러지지 않도록 꽉 잡혔는지를 확인하는 과정이다. 포셉이 미끄러지면 엄청나게 단단한 금속이 치아를 직접 압박하기 때문에 치아들이 손상될 수 있다. 반드시 명심하자. 포셉은 꽉 잡아야 하고, 절대 포셉에 힘을 주기 전에 정확히 잡혔는지를 확인해야 한다. 포셉으로 사랑니를 정확히 잡지 않거나, 그보다 더 강한 힘으로 사랑니를 발치하는데 힘을 쓰게 되면 포셉이 미끄러지게 되고, 주변 치아나 대합치를 손상시킬 수 있게 된다.

다시 한 번 이 책의 초반부에 필자가 했던 말을 다시 한다.

사랑니 안 뽑는 치과의사들이 신경손상 때문에 안 뽑는 게 아니다. 대부분 인접치들이 시리다고 하기 때문에 그 스트레스 때문에 발치를 안 하는 것이다. 모두 이런 중요한 원칙을 지키지 않기 때문이다.

03
무엇보다 인접치 손상에 주의★★

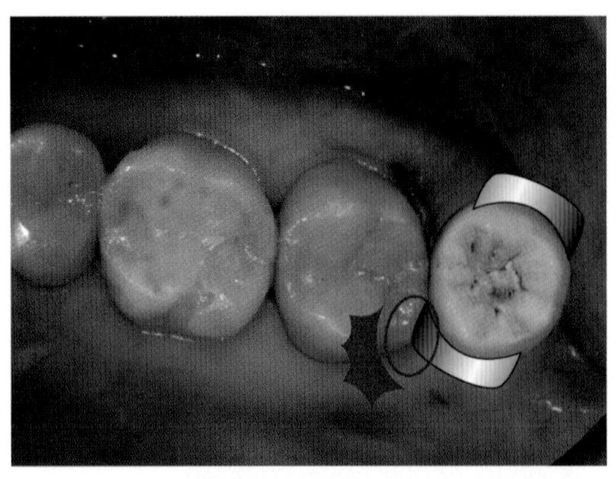

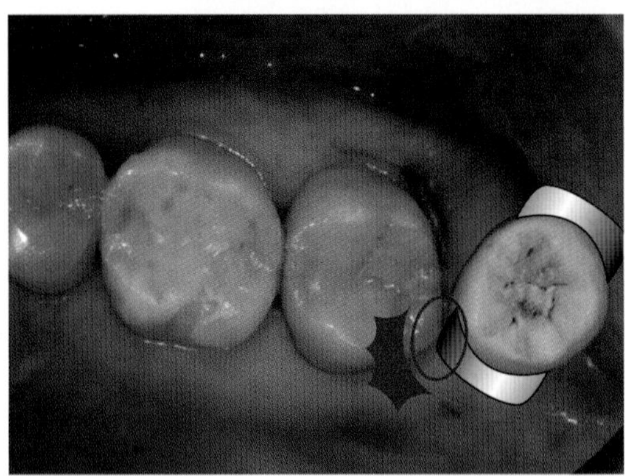

포셉으로 사랑니를 잡고 흔드는 과정에서 미끄러지지 않더라도 포셉으로 사랑니를 잡고 움직이다 보면, 사랑니가 움직이면서 포셉이 7번 치아의 치관을 건드리기도 한다. 사랑니의 크기가 작거나 회전이나 경사가 심한 사랑니의 경우 약간의 움직임만으로도 포셉에 의한 인접치의 손상을 야기할 수 있다.

늘 명심하자. 나를 기쁘게 하는 99가지보다 나를 슬프게 하는 1가지를 안 만드는 것이 발치의 기본이라는 것을…

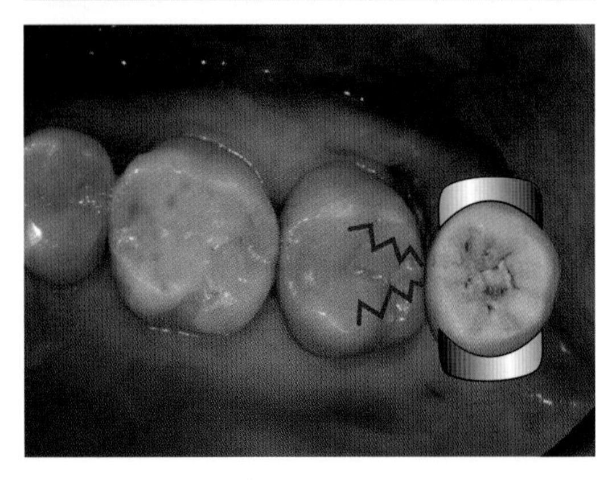

또한 포셉이 직접적으로 인접치를 손상시키지 않더라도 사랑니 자체가 인접치를 마찰·압박하여 상호 크랙이 갈 수 있다. 이 부분도 매우 중요하다. 그래서 포셉을 잡고 무작정 럭세이션한다고 흔들면 안 된다. 인접치에 힘이 가해지지 않도록 움직이는 방향도 대부분 원심 방향이어야 한다.

그래서 가장 중요한 것 중에 하나가 포셉으로 치아를 발치할 때 포셉이 움직이는 방향이다.

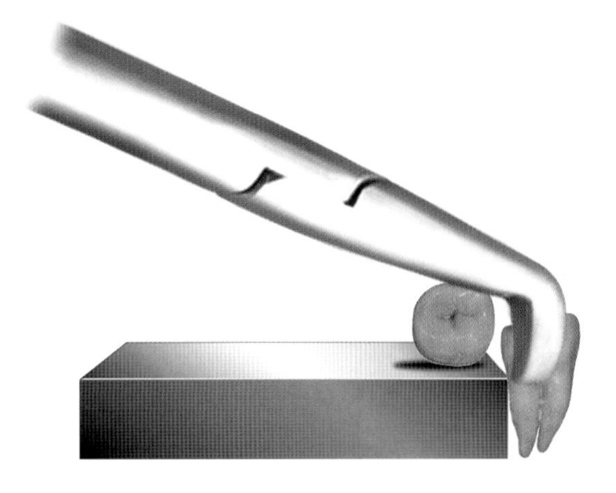

그림을 보자. 포셉으로 치아를 잡고 다른 치아를 누르면 어떻게 될까? 아마도 눌리는 치아는 깨질 것이다. 그런데 실제로 사랑니를 잡고 포셉을 움직이다 보면 대부분 더 가까운 비크 날이 인접치에 적용되기 때문에 저 그림에서보다 몇 배는 더 강한 힘으로 인접치를 손상시킬 것이다.

04
포셉을 움직이는 방향 ★★

앞서 발치기구 chapter에서 본 사랑니 발치를 못을 빼는 것에 비교한 그림이다. 사랑니 발치를 위한 포셉의 방법은 당기는 것이 아니라 꺾는 것이다. 생각보다 이 동작을 익숙하게 교육하는데도 시간이 좀 걸렸다. 대부분 당기려는 습관을 쉽게 못 버린다.

비유를 하자면 사랑니는 못을 빼는 것보다 자석을 철판에서 떼는 것과 같다. 주변에 자석 칠판이 있다면 거기서 자석을 떼 보자. 대부분 당겨서 떼지 않고 한쪽을 들어서 뗄 것이다. 발치는 나무에서 못을 빼는 것처럼 쭉 계속 잡아당기는게 아니라. 순간적인 힘에 의해서 떨어지듯이 발치한다. 다시 말해서 지속적인 힘보다는 떨어질 때 순간의 힘이 더 중요하다.

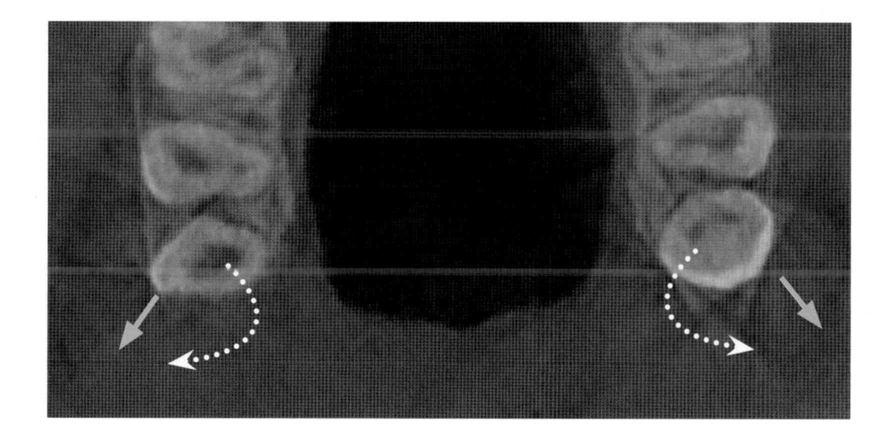

상악 사랑니 발치는 일반적으로 구개면이 바깥으로 회전하는 동작으로 화살표 방향으로 꺾는다. 회전하면서 꺾는다는 표현이 가장 적절할 듯하다. 물론 포셉으로 적절하게 럭세이션을 해볼 수는 있지만, 그렇게 럭세이션을 해야 할 만큼 튼튼하게 잘 박힌 상악 사랑니는 많지 않다.

05
실제 포셉의 작용 방향 ★★★

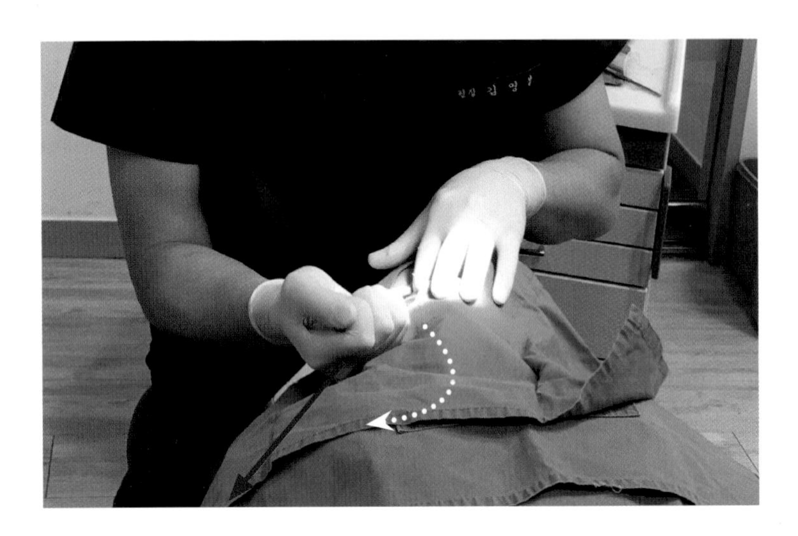

포셉은 바깥쪽으로 꺾듯이 움직인다. 아마도 다음에 바로 나올 동영상을 보시면 확실히 익숙해질 것이다. 골프처럼 동영상을 잘 보고 그 느낌을 연습을 통해서 자기 것으로 만들어야 한다.

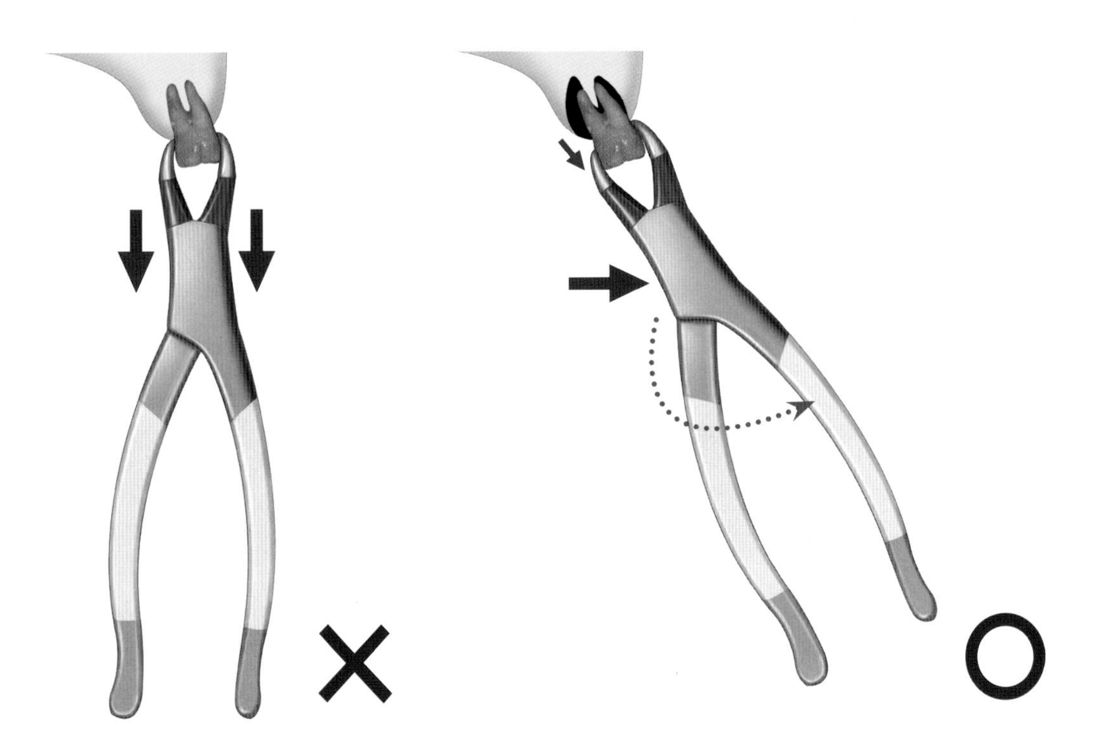

앞서 본 장도리 그림을 치아로 바꿔본 것이다. 포셉은 당기는 것이 아니다. 당기다 보면 반드시 대합치나 주변 조직을 손상시키고, 발치도 잘 되지 않는다. 오른쪽 그림과 같이 옆으로 꺾어야 한다. 절대 치조골 손상되지 않으니 걱정 없이 꺾길 바란다.

상악 사랑니에서는 구개측 치근이 가장 크고 길다. 그리고 치근이 파절되면 제거하기도 힘들다. 그러므로 구개 치근을 뽑는다는 마음으로 구개 치근 모양대로 협측으로 꺾어야 한다.

06
상악 사랑니가 협구개측으로 위치한 경우 7번 원심 주의 !!!★★

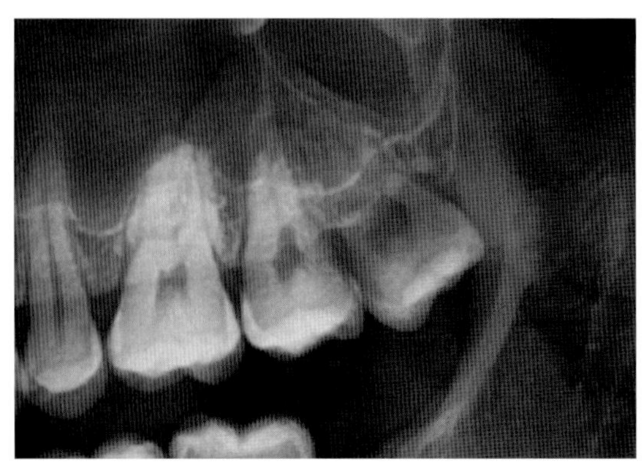

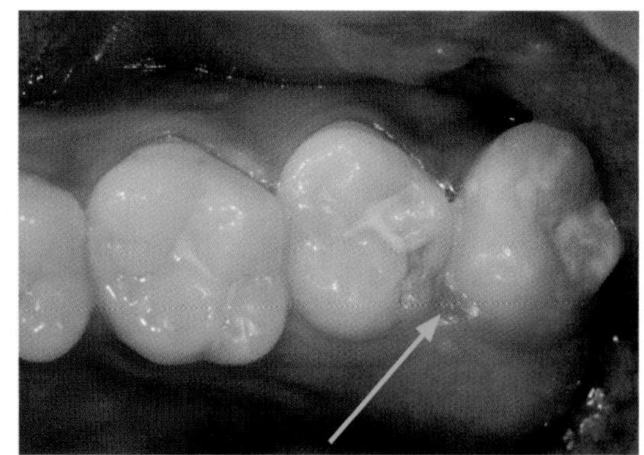

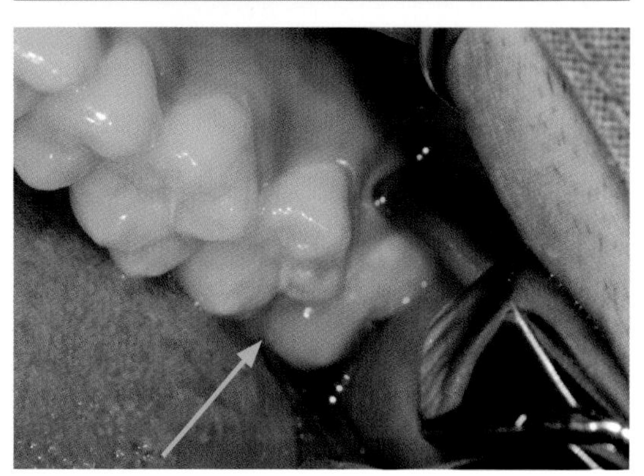

이렇게 회전한 경우에는 포셉으로 잡는 힘만으로도 7번 원심 구개측에 손상을 줄 수 있으므로 주의해야 한다. 협측으로 경사진 경우는 8번 근심 협측에 엘리베이터를 넣어서 발치하는 것도 좋은 방법이지만, 상악에서 제대로 맹출한 사랑니의 경우는 포셉 발치를 우선으로 시행하는 것을 원칙으로 하자.
발치하다 보면 엘리베이터와 포셉 모두를 사용해야 하는 경우도 있다. 어느 하나가 정답인 것만은 아니지만, 먼저 포셉으로 잡히는지 잡아보는 것이 첫 번째이다.

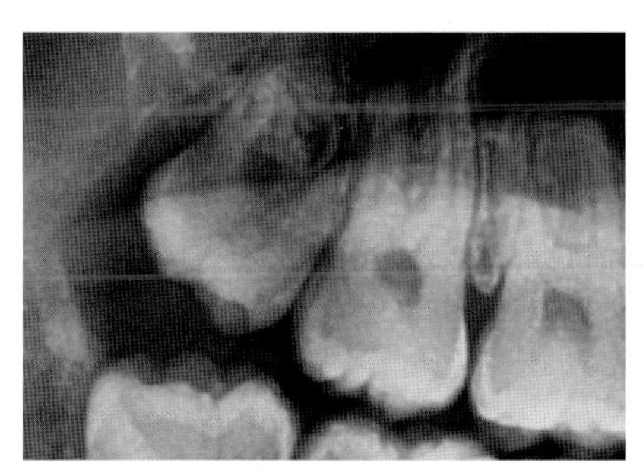

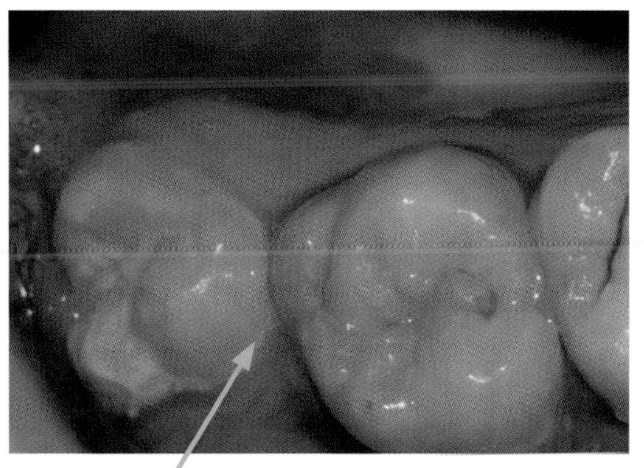

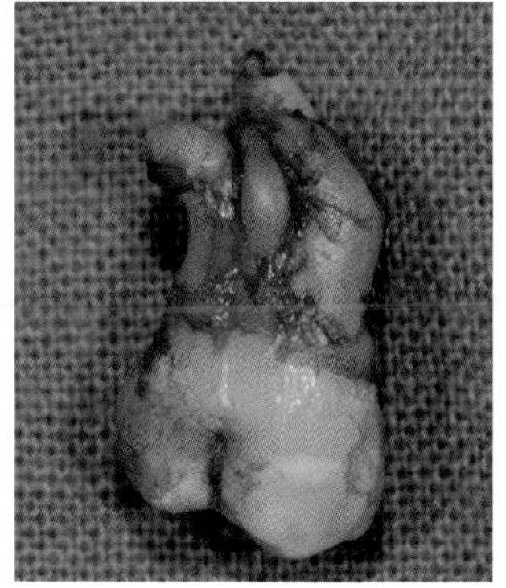

위와 같이 구개측에 위치한 경우도 마찬가지다. 이런 경우에는 7번 원심 협측 치관부 손상을 염려해야 한다. 더구나 이런 경우는 엘리베이터가 올바르게 작용할 만한 위치도 적절하지 않다. 포셉으로 사랑니를 잡을 때 매우 주의해야 한다.

07 사랑니가 심하게 로테이션된 경우도 주의 ★

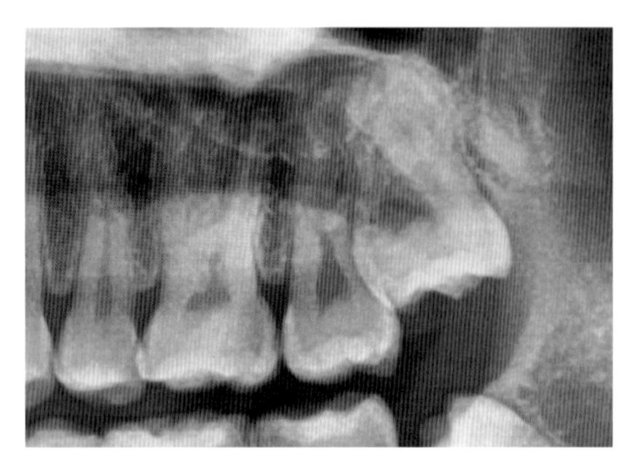

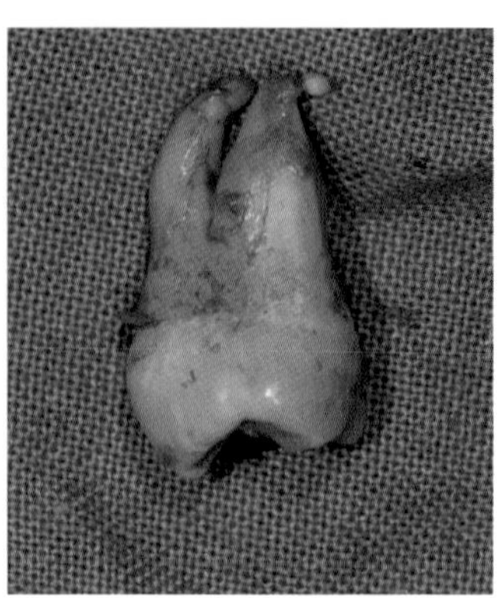

이렇게 회전하여 위치한 사랑니의 경우는 포셉으로 잡기 전에 해부학적인 면을 고려하여서 인접치나 주변조직에 손상을 주지 않도록 고려해야 하며, 포셉의 발치 방향 등도 고려해야 한다.

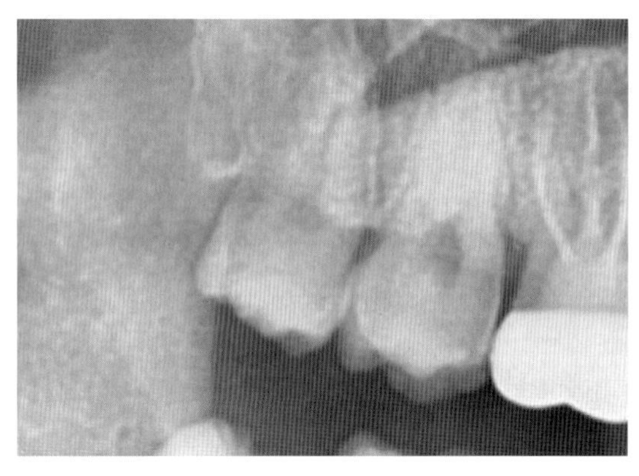

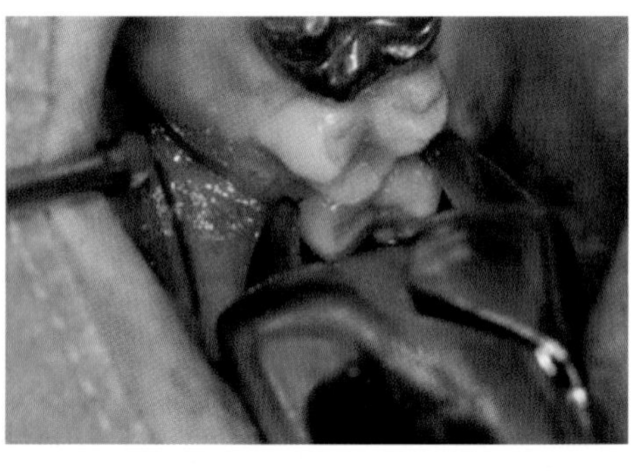

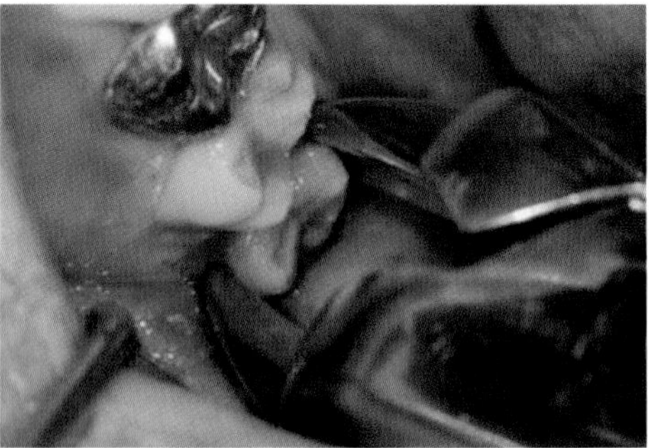

굳이 사랑니가 협측으로 위치한 경우가 아니라도 대부분 7번 원심 구개측을 주의해야 한다. 옆의 사진을 보면 포셉으로 사랑니를 잡았을 때 구개측이 훨씬 더 포셉과 인접치의 공간이 부족한 것을 볼 수 있다. 사랑니를 꽉 잡을 때는 반드시 포셉의 비크 하나라도 인접치에 닿는지를 꼭 체크해야 한다. 발치를 많이 하다 보면 느낌적으로 알 수 있다. 그러나 초보들의 경우 포셉으로 사랑니를 잡는 힘만으로도 인접치가 손상될 수 있다.

08
포셉으로 잡히는 치경부의 단면으로 보면... ★

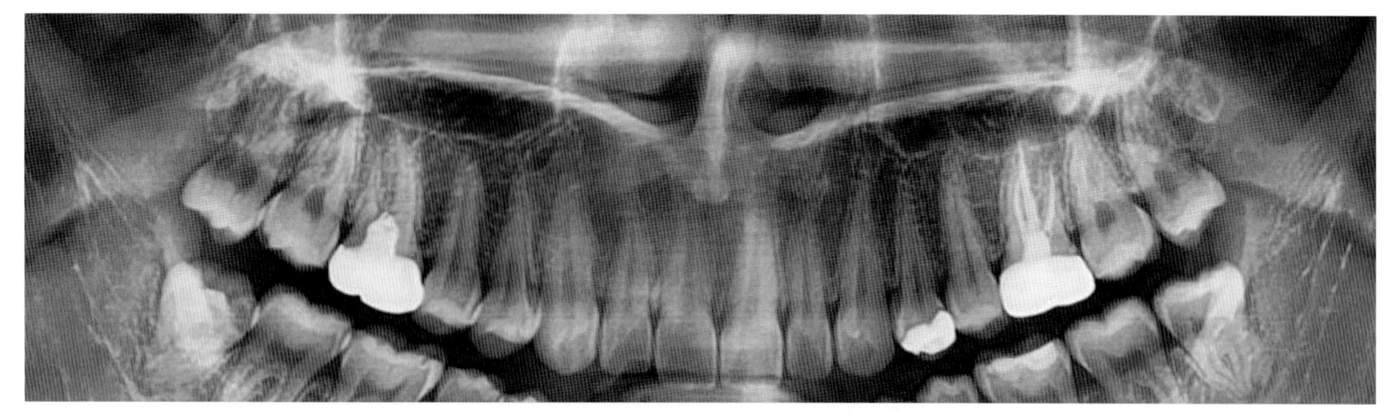

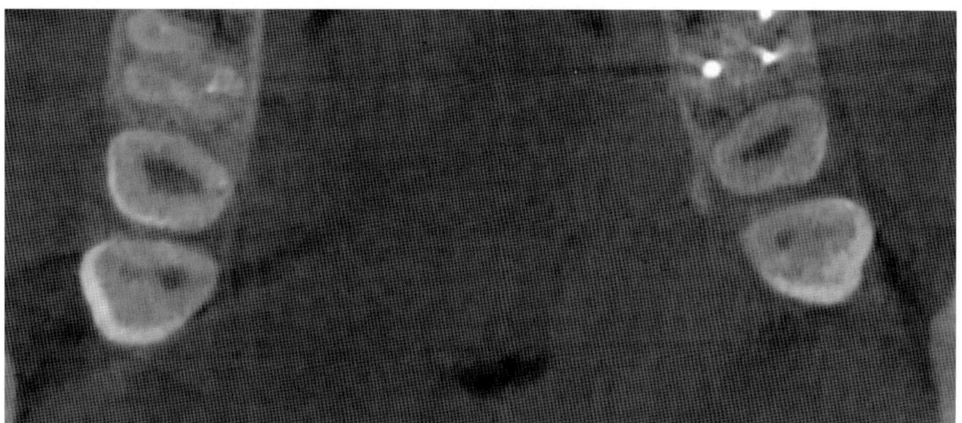

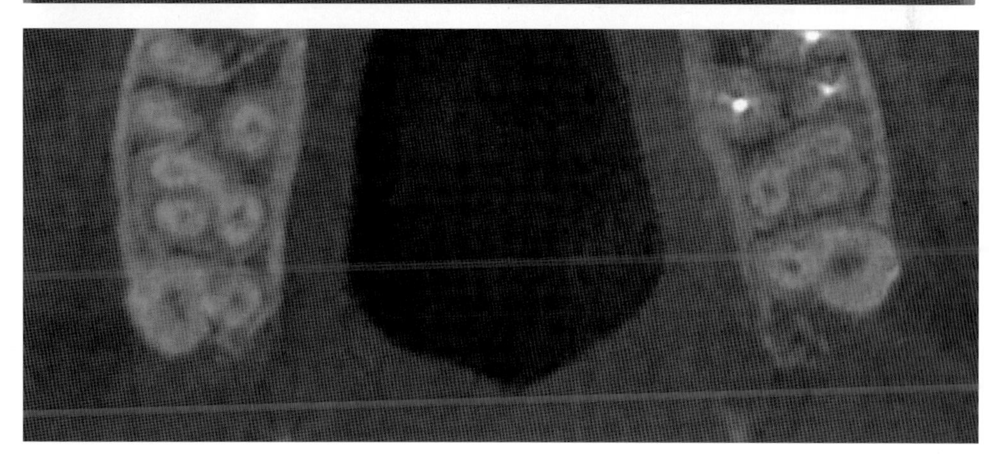

포셉으로 강하게 잡는 상악 사랑니 치경부의 단면을 보자. 구개측 치근이 대부분 하나이기 때문에 치경부로 갈수록 구개측은 많이 좁아져 있다. 이는 비크가 양쪽에서 치아를 잡지 못하게 되는 이유가 되기도 하고, 비크가 미끄러지거나 움직이면서 7번 원심 구개측 치관부나 치경부를 손상시키는 이유가 될 수도 있다. 늘 명심하자. 그래서 포셉을 늘 원심으로 회전시키듯이 발치해야 하는 이유가 되기도 한다.

08
포셉 발치가 훨씬 더 유용한 경우 ★★★

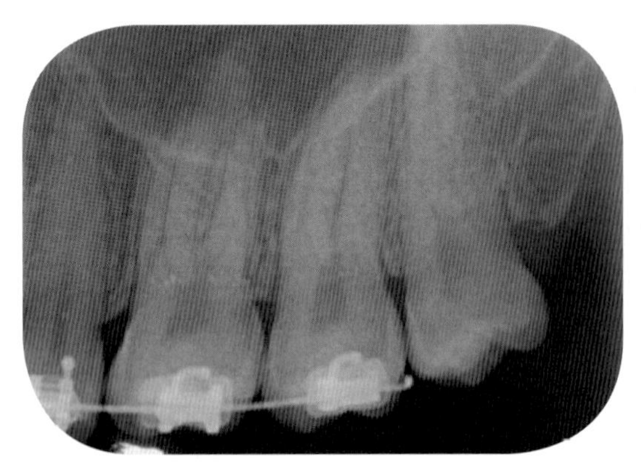
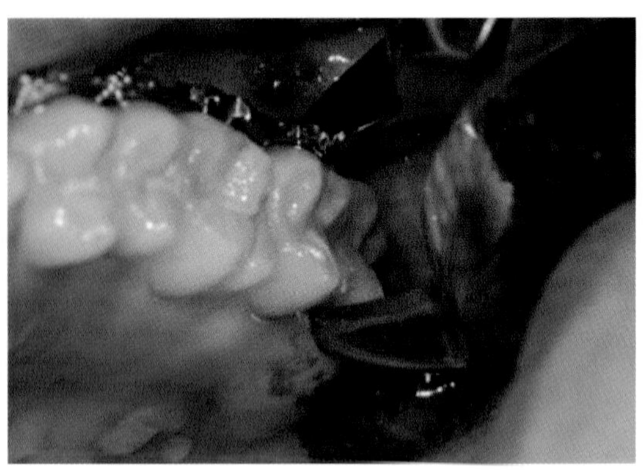

교정 중인 경우는 7번이 럭세이션되어 있는 경우가 많아서, 특히 7번 원심면에 엘리베이터를 넣는 것이 좋지 않다. 7번이 와이어로 묶여 있다고 안심하지 말고, 7번에는 전혀 힘이 작용하지 않도록 포셉으로 발치하여야 한다.

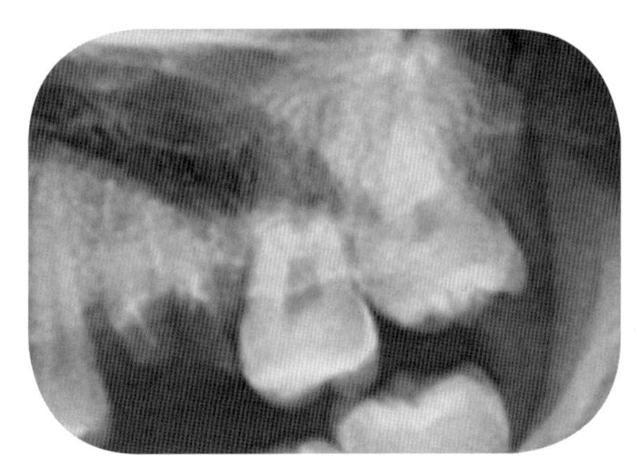
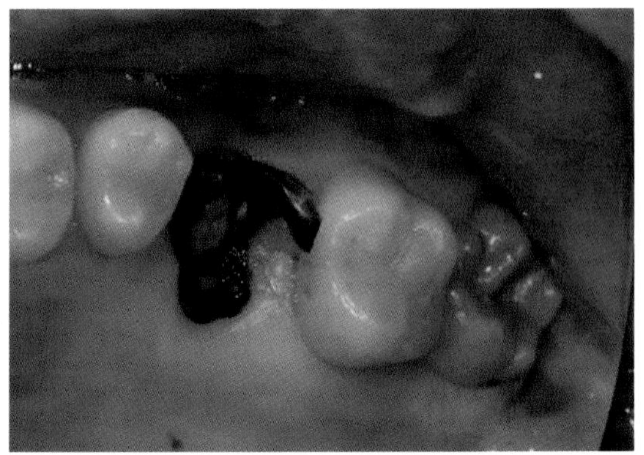

이런 경우에 엘리베이터로 7, 8번 사이에 넣어서 발치하는 사람이 있다고 치자. 과연 8번이 발치될까? 그냥 눈으로 봐도 8번이 7번보다 크고 단단한 것이 느껴진다. 물론 7번이 훨씬 크고 단단한 경우도 마찬가지이다. 두 치아 사이를 벌리면 한 치아만 움직이는게 아닌 것은 확실하기 때문이다. 이런 경우에도 포셉을 사용하면 발치가 매우 빠르고 안전하다. 종종 얼마나 개념이 없는 치과의사들이 많은지 모른다. 하악의 경우에도 이와 같은 경우에 7번 원심에 엘리베이터를 적용시키는 치과의사도 있다. 오히려 8번은 원심면에 단단한 하악지로 막혀 있고, 7번은 6번이 우식으로 치관을 상실하여 뻥 뚫려 있는 상태인데도 말이다.

09
인접치 손상을 최소화하기 위해서 나온 새로운 포셉★

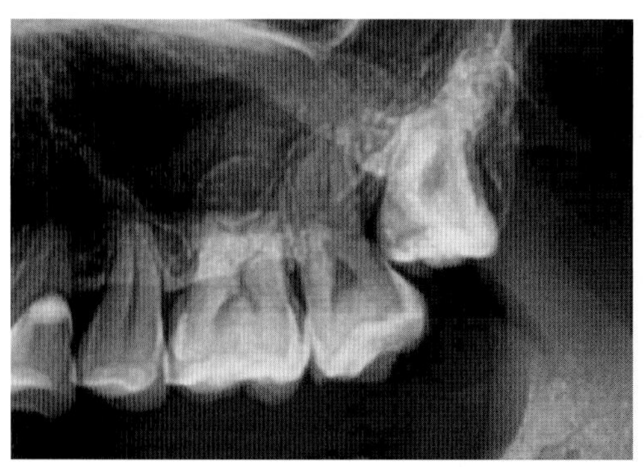
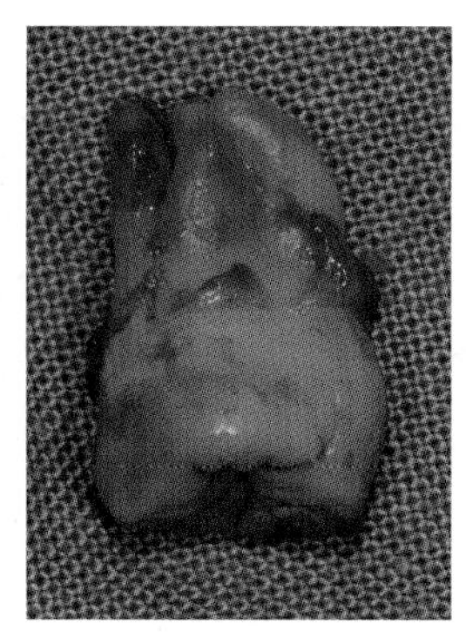
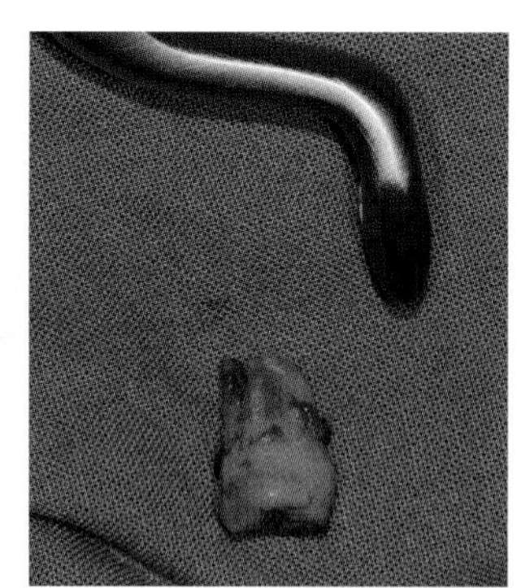

앞서 기구 소개하는 chapter에서 언급하였듯이 Hu-Friedy에서 비크가 작은 포셉이 새롭게 출시되었다. 필자는 상하악 1세트씩 보유하고 있는데 나름 유용하다. 일반 사랑니 발치할 때는 약간 약한 듯한 느낌이 들어서 꺼려졌는데, 위와 같이 좁고 깊은 경우에 매우 유용하다. 물론 엘리베이터를 사용할 수도 있지만, 엘리베이터가 용이하지 않을 때 보조적으로 사용할 수도 있다. 일반적인 10S 포셉은 너무 비크가 커서 안쪽 깊숙하게 있는 사랑니는 잡을 수 없다. 이런 경우에 이런 포셉을 강추하고, 꼭 치과에 위아래 한 세트 정도 씩은 구비하고 있자. 다시 한 번 말하지만, 치과의사는 적절한 도구가 없으면 일반인과 다를 바가 없다.

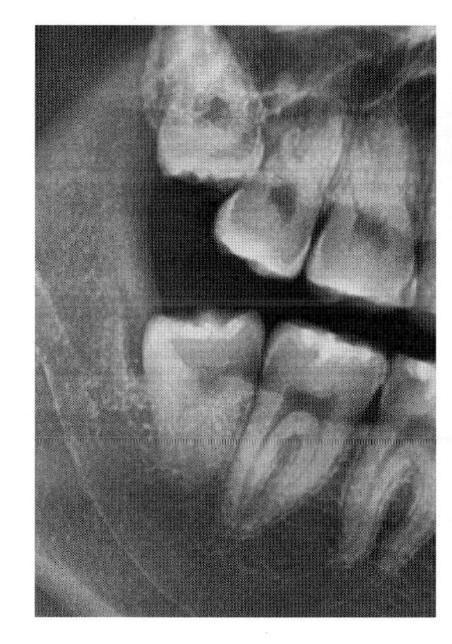
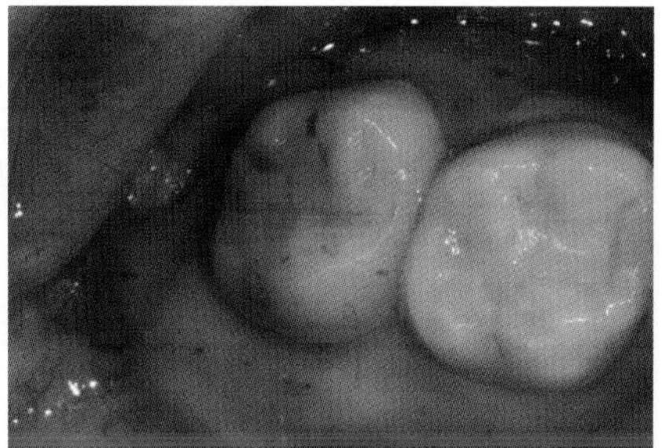
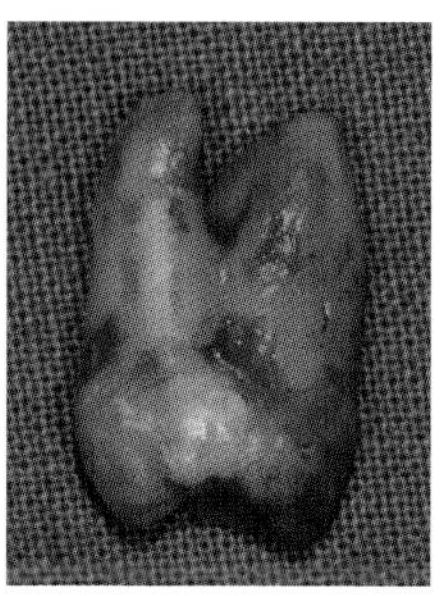
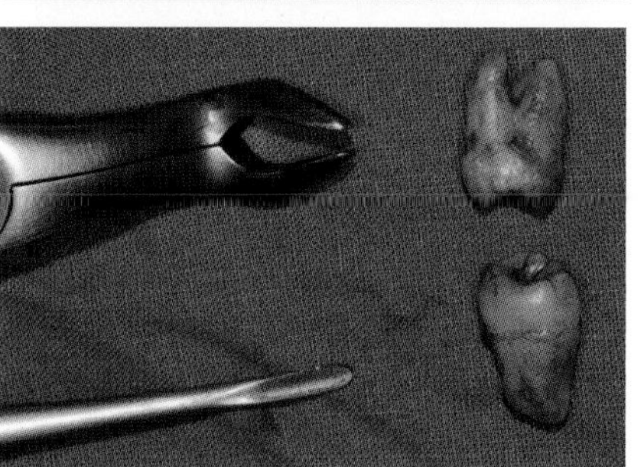

위와 같은 경우에도 포셉을 사용하여 발치하였다. 혹시라도 인접치를 손상시킨 건 아닐까 하고 염려하는 사람도 있겠지만, 필자의 포셉이 움직이는 방향을 고려한다면 괜한 염려일 것이다. 위의 두 케이스 모두 포셉이 상악 사랑니 옆에 위치하고 있다는 것은 무엇을 의미하는지를 알고 있을 것이다. 어떠한 이유에서인지 엘리베이터를 사용하다가 발치가 잘 안 되서 포셉으로 바꾼 것이다.

10
왜소치에도 좋다 ★

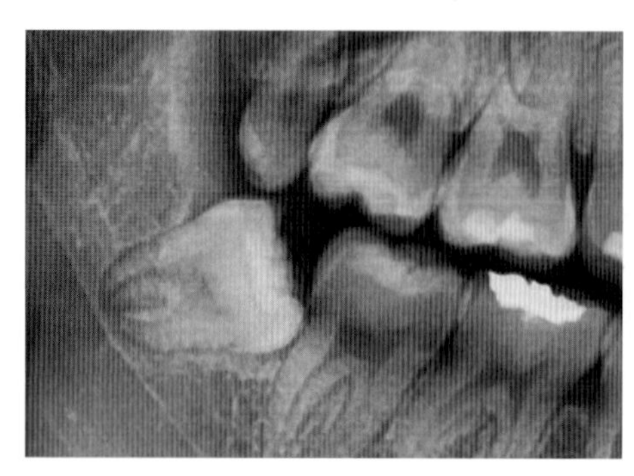
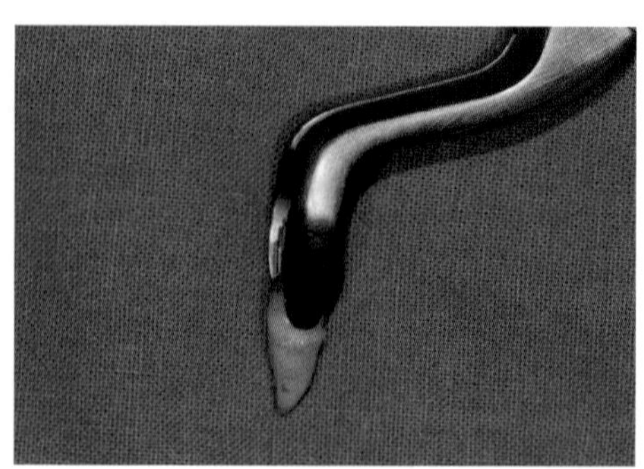

이런 왜소치의 경우에는 근심 협측 치조골에 엘리베이터를 적용시킬 수도 없고 대부분 7, 8번 사이에 집어넣어서 뒤로 밀어서 발치하는 경우가 많다. 물론 사랑니가 작고 힘이 약하기 때문에 대부분 쉽게 발치가 되지만, 늘 강조하지만 7번 원심면에는 엘리베이터를 넣는 습관을 들이는 것은 좋지 않다. 이런 경우에 비크가 작은 상악 소구치 포셉을 사용하는 경우도 있는데, 상악 소구치 포셉은 각도가 적절하지 않아서 7번이 손상될 수도 있다. 차라리 이런 작은 포셉이 없다면 하악 소구치 포셉을 사용해보는 것이 더 좋을 수 있다. 다만 대합치가 손상되지 않도록 각별히 주의해야 한다. 늘 포셉을 옆으로 비틀어서 발치해야 한다.

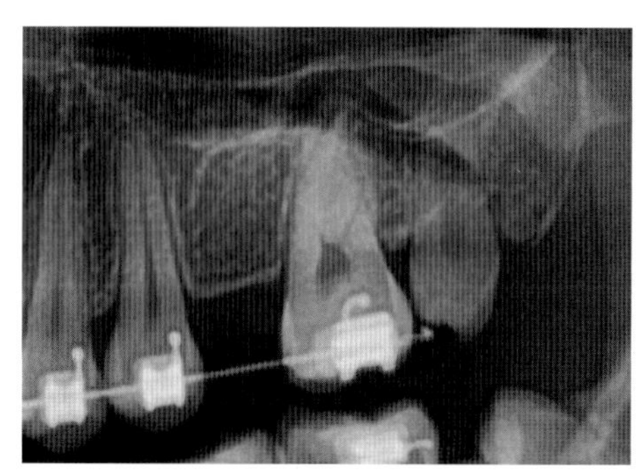
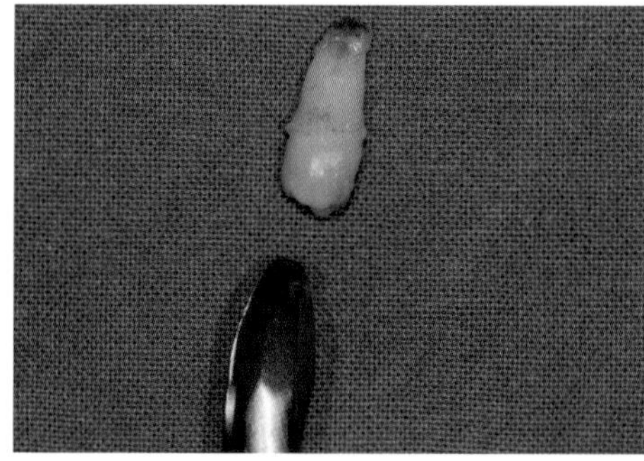

작은 사랑니이지만 7번 치아 앞의 6번 치아가 없다. 더구나 교정 중이라 7번 치아도 럭세이션되어 있을 수 있기 때문에 절대 7, 8번 사이에 엘리베이터를 넣지 말아야 한다. 이런 경우에는 이런 비크가 작은 포셉이 좋다. 최대한 7번을 건드리지 않는 것이 좋다.

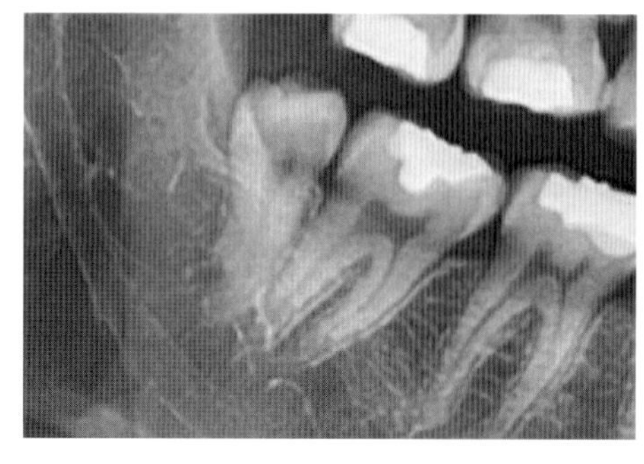
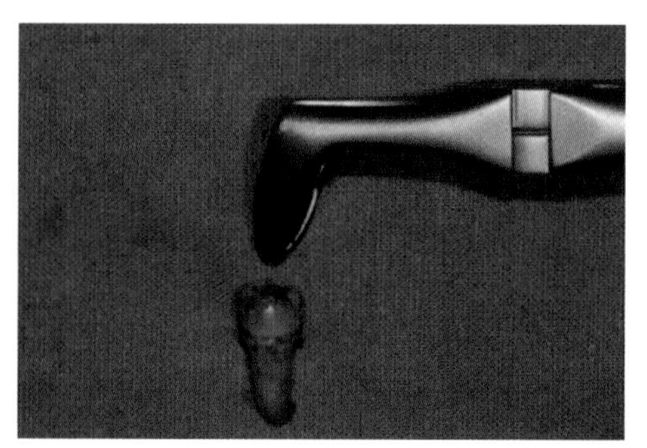

하악 왜소치에도 하악 새 포셉을 사용하면 좋다. 엘리베이터가 걸리지 않아서 바로 작은 포셉을 이용하여 발치하였다.

12 포셉으로 상악 사랑니 발치의 동영상 ★★★

포셉 발치 시의 주의할 점 동영상

협측으로 경사진 사랑니 발치 시 주의할 것

상악 사랑니 포셉 발치 모음

포셉으로 간단히 꺾어서 발치

포셉으로 조심히 꺾어서 발치

포셉 발치 후에 잔존 치근 익스플러로 제거하는 영상

엘리베이터로 럭세이션 후에 포셉으로 발치

한쪽은 포셉 발치 한쪽은 엘리베이터 발치

엘리베이터 발치 ★★

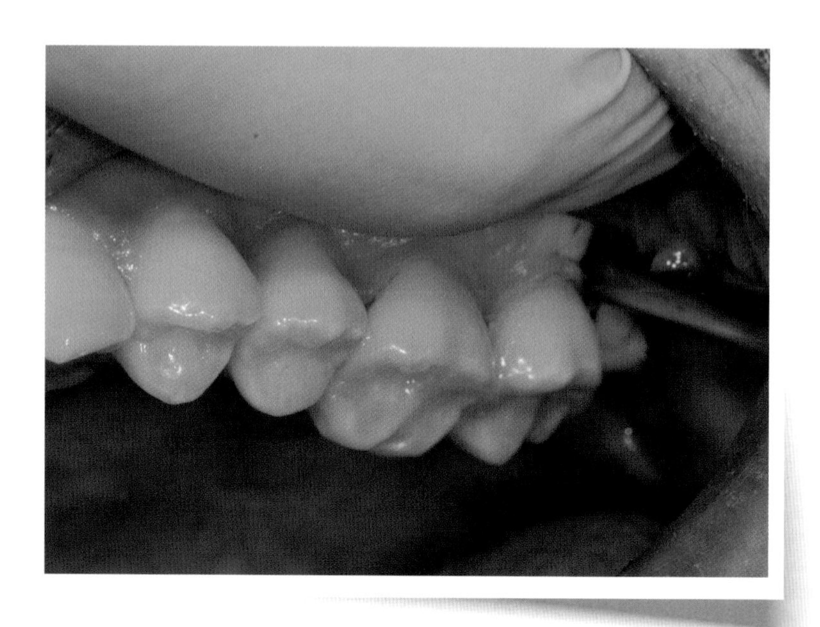

상악 사랑니는 포셉으로 잡히면 포셉으로 발치하는 것을 원칙으로 하고 있다. 그러나 포셉으로 잡히지 않을 만큼 매복되어 있다면 이런 경우에는 엘리베이터를 사용한다. 상악 사랑니가 잇몸 속에 매복되어 있다는 뜻은 치관 주변에도 치조골이 있어서 엘리베이터가 잘 걸리는 지렛대 역할을 하기 때문이다. 오히려 포셉으로 발치 가능한 제대로 맹출한 사랑니의 경우에는 엘리베이터가 걸릴 만한 주변 골이 좋지 않다. 그렇기 때문에 7번 원심면과 8번 근심면 사이로 엘리베이터를 집어 넣게 되는데, 반드시 버려야 할 습관이다. 상악에서 엘리베이터를 잘 쓰면 완전 매복된 사랑니도 쉽게 발치할 수 있다. 그런 단계에 다다르기 전에 반드시 단순매복된 상악 사랑니부터 뽑는 습관을 들여야 한다. 또는 작은 단근치를 가진 사랑니부터 연습해보는 것도 좋다.

01
필자가 사용하는 엘리베이터 (Hu-Friedy EL3C) ★★

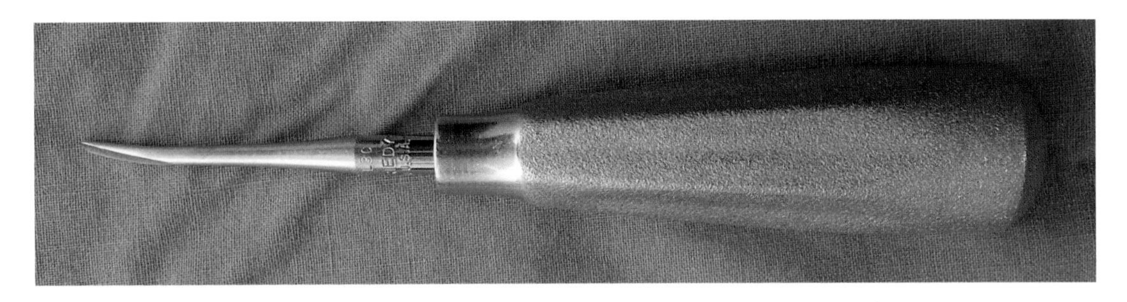

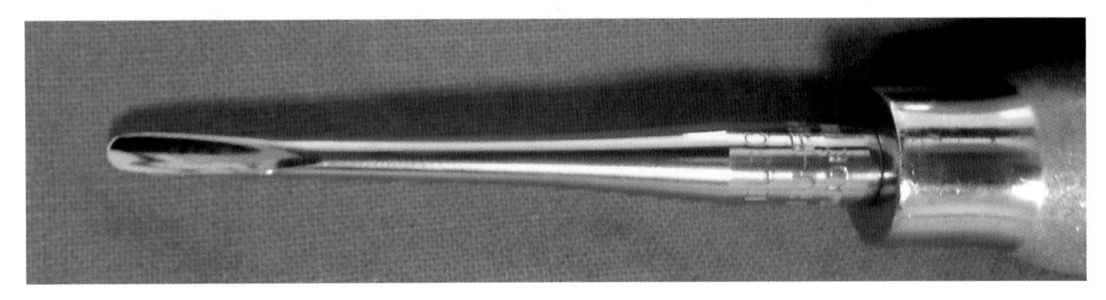

가늘고 살짝 휘어져 있어서 협측에서 치아와 치조골 사이로 들어가기 쉽다. 더 이상 설명이 필요 없다. 필자는 이 엘리베이터가 없다면 발치 초보나 다름없다고 생각한다. 지금까지 필자가 수많은 사랑니 발치 강의나 세미나를 진행하였지만, 이 엘리베이터를 사용해본 분들은 모두 대만족하고 필자에게 감사를 표했다.

다만 이 엘리베이터는 날카롭고 예리하기 때문에 초보자가 무턱대고 사용하는 것을 조심해야 한다. 기본적으로 협측 치조골을 깊게 파서 사용하는 4S같은 엘리베이터에 익숙한 분들에게는 조금은 불편할 수 있다. 그래서 초보자들에게는 5 mm로 폭이 좀 넓은 EL5C를 함께 쓰도록 권유하기도 한다. 이미 발치를 많이 해본 치과의사라도 이 엘리베이터 만큼은 반드시 새로 사기를 권한다.

하악에서 협측 골 삭제 없이 어지간한 발치를 모두 이끌어 낼 수 있고, curved되어 상악에서도 사용이 비교적 용이하다.

Dr. 임종환 Comment.

만약 엘리베이터로 #18번 치아를 발치 시 #17에 전혀 트라우마를 안 준다고 생각하는 사람에게 묻고 싶다. #17, #18 VS #17 Missing, #18 어떤 것이 발치가 더 쉽게 생각되나?

02
엘리베이터의 기본적인 사용방법 ★★★

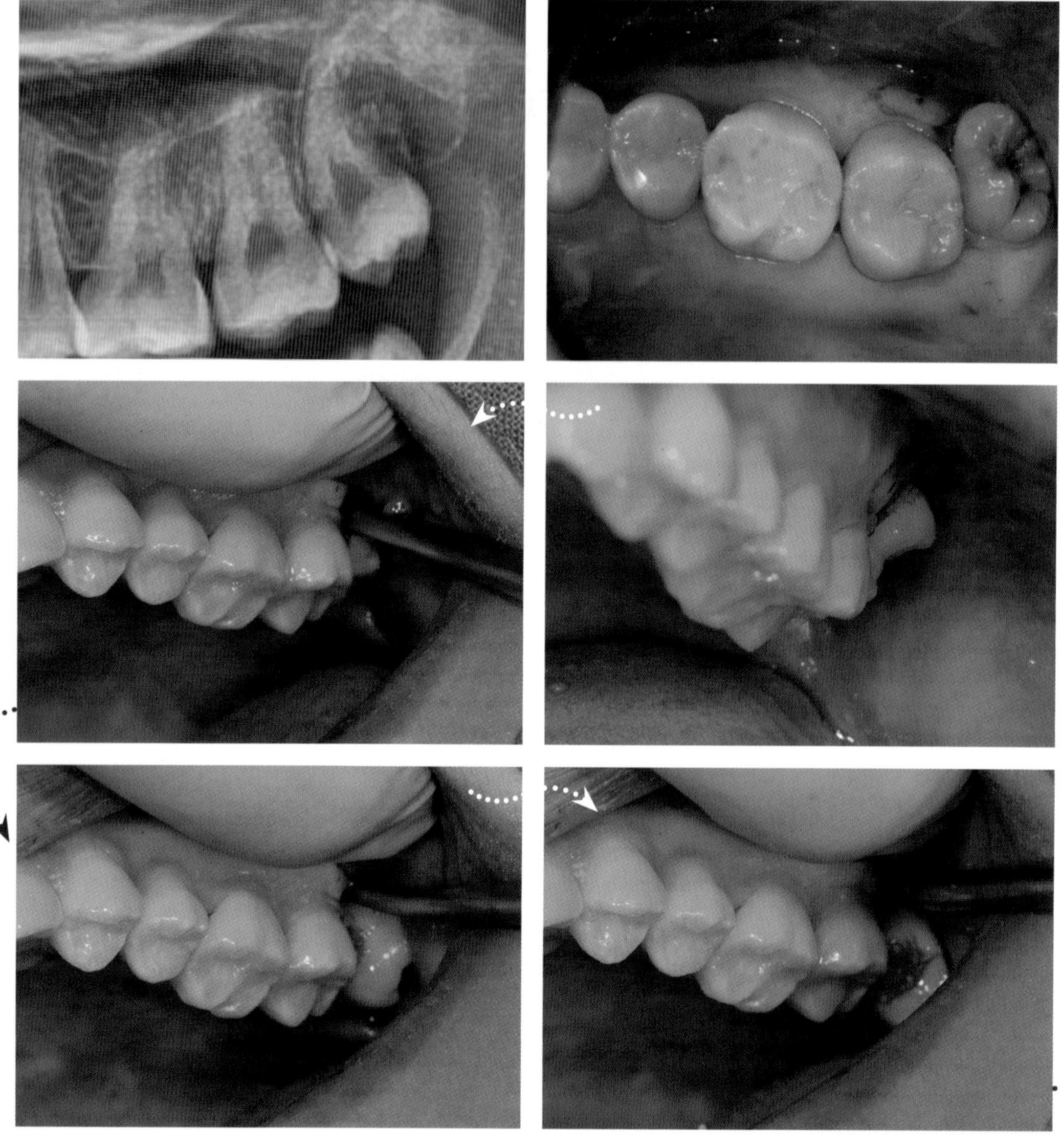

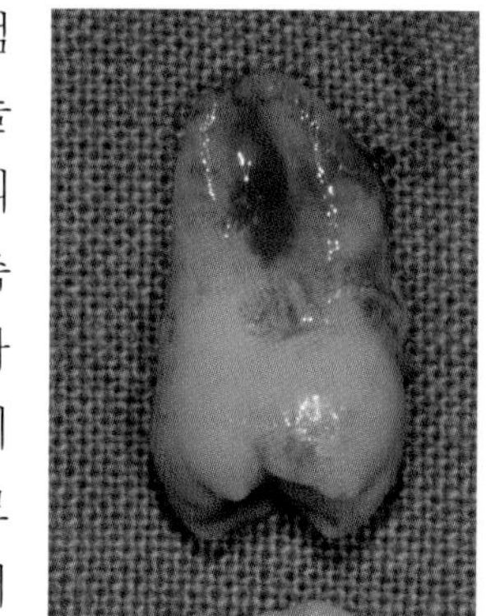

기본적으로 상악에서 엘리베이터를 이용하여 발치할 때는 위 사진처럼 사랑니의 근심 협측 치조골 부위에서 사랑니를 엘리베이션해야 한다. 늘 엘리베이터를 사용할 때는 7번 원심 협측 치근이 손상되지 않도록 주의해야 한다. 아마도 상악 7번을 발치해본 치과의사라면 누구나 원심 협측 치근이 얼마나 가늘고 약한지를 본 적이 있을 것이다. 그러다 보니 똑바로 맹출하여 포셉으로 잡을 수 있는 상악 사랑니는 어지간하면 엘리베이터를 사용하지 않는다. 정상 맹출한 사랑니는 이미 치조골과 치주인대 모두 튼튼해서 엘리베이터로 발치하면 주변조직에 무리가 갈 수 있다. 오히려 깊숙이 매복된 사랑니에서 엘리베이터가 중요한 역할을 한다. 늘 포셉이 우선 고려대상이지만, 엘리베이터와 보조적으로 사용해야 한다.

03
엘리베이터로 7번에 넣는다? ★★★

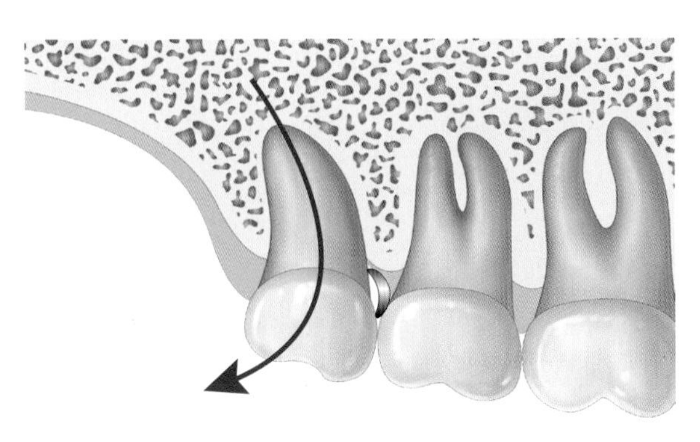
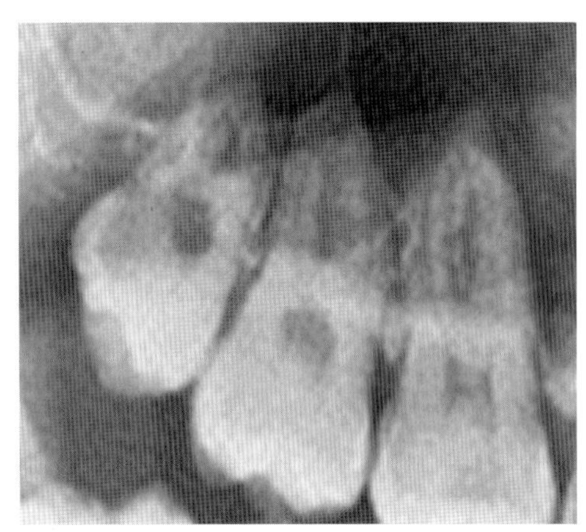

어떤 책에 상악에서의 엘리베이터 사용방법이라고 나와 있는 것을 따라서 그려본 그림이다. 정말 위험천만하다고 할 수 있다. 물론 하악에서도 7, 8번 사이에서 엘리베이터를 사용하는 사람들에 비하면 조금 덜 위험하지만 말이다. 필자도 초보일 때는 이런 발치 스타일을 좋아했었다. 7번 원심면과 8번 사이에 엘리베이터를 넣어서 벌리듯이 밀면 쉽게 사랑니가 나오니까 말이다. 그러나 그건 모든 경우에 통용되는 경우가 아니다. 정말 아무 문제 없이 엘리베이터로 발치될 만한 상악 사랑니는 50% 미만일 것이다. 저 그림에서 보면 7번과 8번 사이에 충분한 치조골이 있지만, 실제 임상에서는 오른쪽 방사선 사진과 같이 거의 7, 8번이 붙어 있는 경우가 대부분이다. 8번이 맹출할 공간이 부족하기 때문이다. 그러기 때문에 엘리베이터를 사용할 때는 매우 조심해서 7번 손상을 막아야 한다.

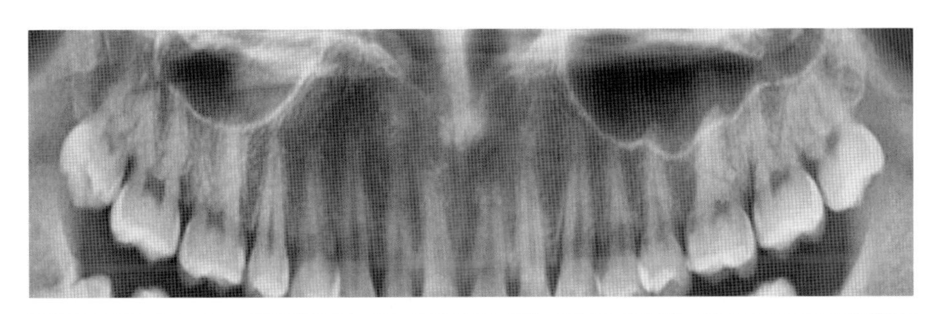
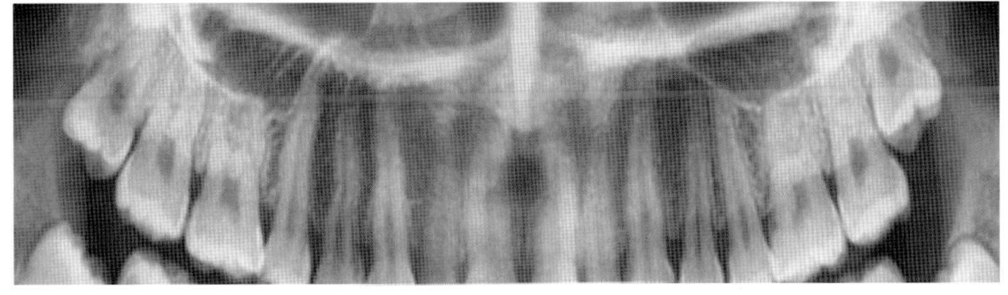

위의 두 가지 경우를 보자. 필자가 고르고 고른 것이 아니라 그냥 아무 상악 사랑니 파노라마나 그냥 올려본 것이다. 실제로 7, 8번 사이에는 치조골이 매우 약하게 있는 경우가 대부분이다. 그리고 두 치아 사이에 엘리베이터를 적용시키면 처음 시작과 달리 대부분 치근쪽으로 더 깊숙이 들어가게 되므로 7번 치아의 근심 협측 치근 손상의 위험성이 더 높다.

04
두 치아 사이에 엘리베이터를 작용시키면★★

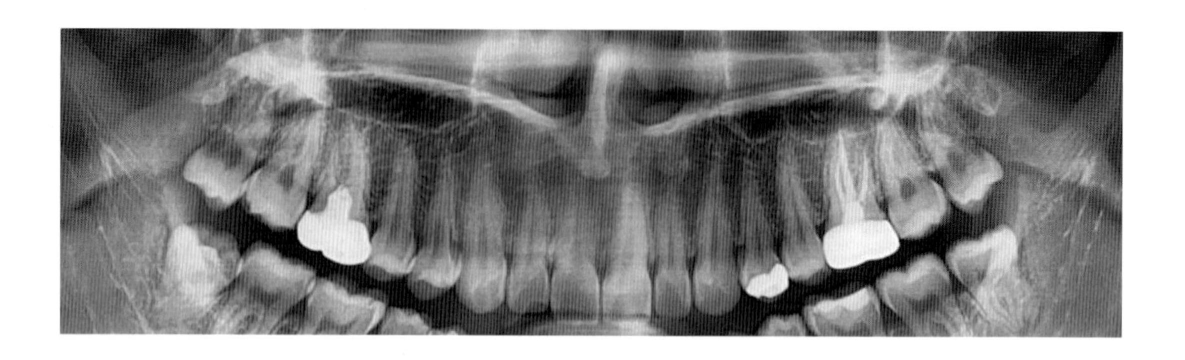

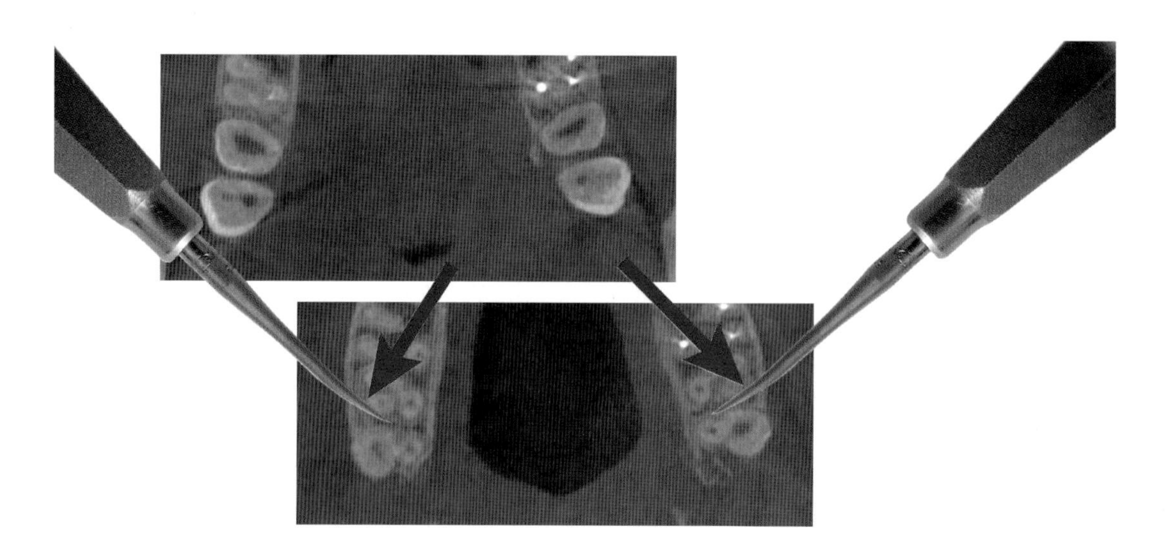

앞서 봤던 CT 단면이다. 지극히 평범하고 정상적인 상악 사랑니이다. 오히려 많이 정출되어 있어서 치관부가 매우 밑에 위치하고 이다. 그런데도 불구하고 CT 단면을 보면 대부분 사랑니의 치관이 7번 원심 협측 치근과 매우 가까운 것을 볼 수 있다. 가장 아래 그림은 두 치아 사이에 엘리베이터를 작용시키는 그림을 그려본 것이다. 오히려 7번 원심 협측 치근이 가장 큰 힘을 받아야 하는 지렛대의 작용점 역할을 하고 있는 것을 볼 수 있다. 대부분의 경우는 이보다 더 가깝다.

05
이런 사랑니를 엘리베이터로? ★★

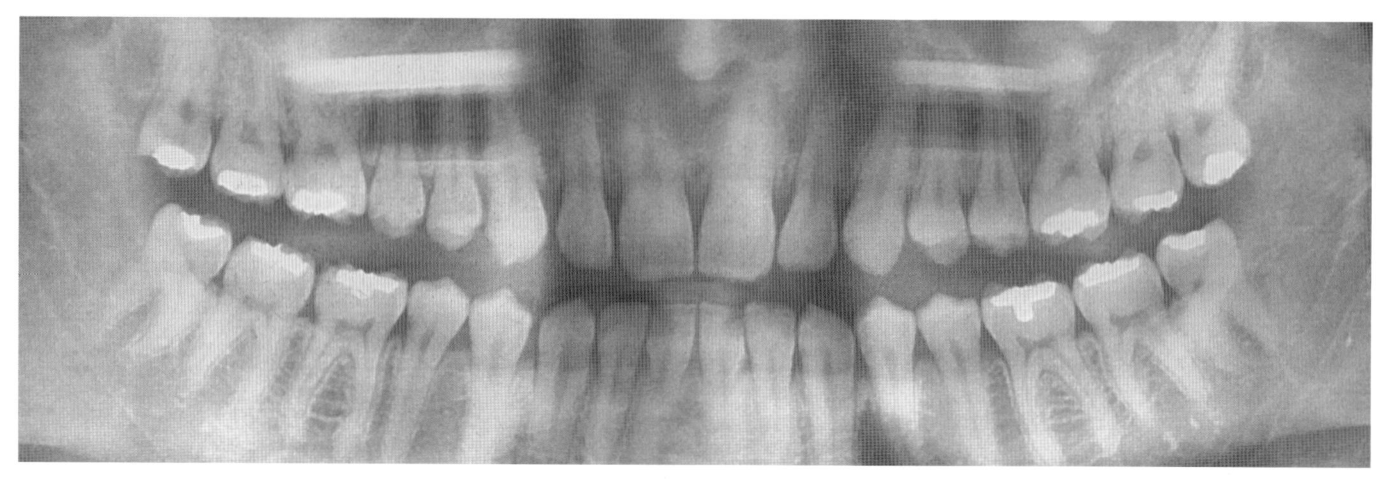

이와 같은 경우를 엘리베이터를 적용시킨다고 사랑니가 발치될 수 있을까? 사랑니가 발치되기 이전에 두 치아가 파절되거나 크랙이 갈 것이다. 엘리베이터는 주변 조직을 손상시키지 않을 정도의 약한 힘으로 발치가 가능할 경우에만 사용해야 한다. 이런 경우는 포셉으로 발치해도 쉽지 않을 것이다.

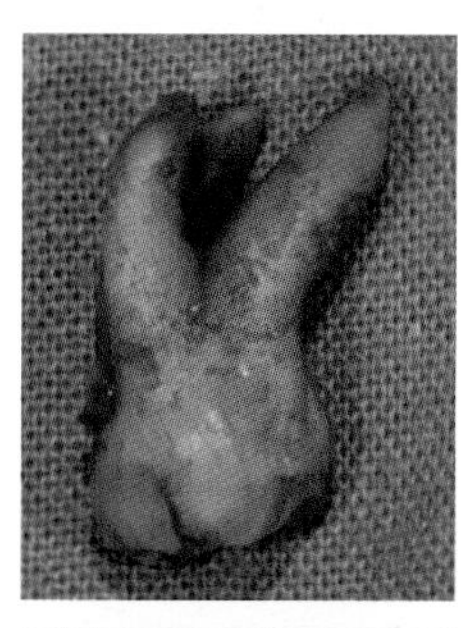

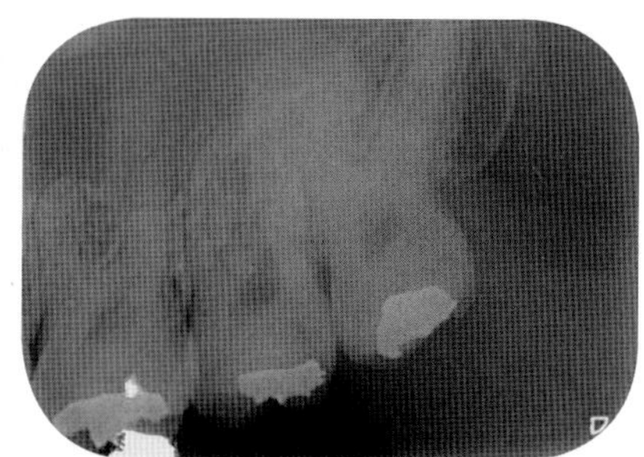

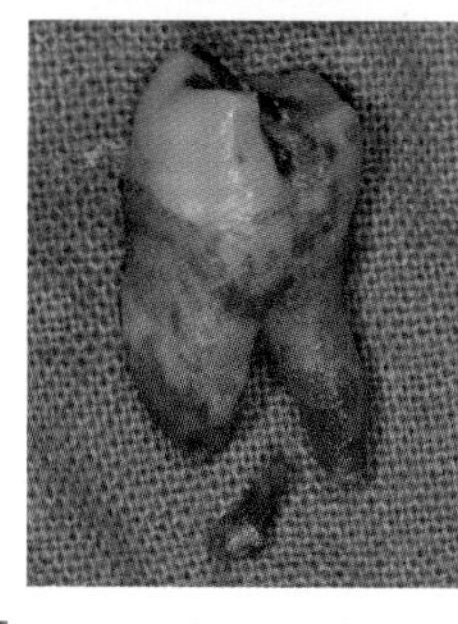

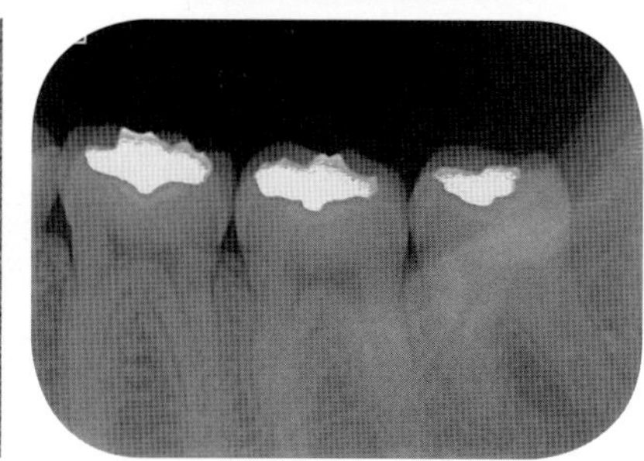

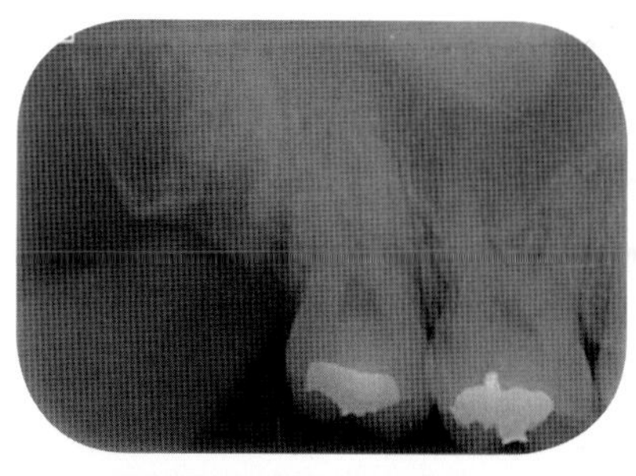

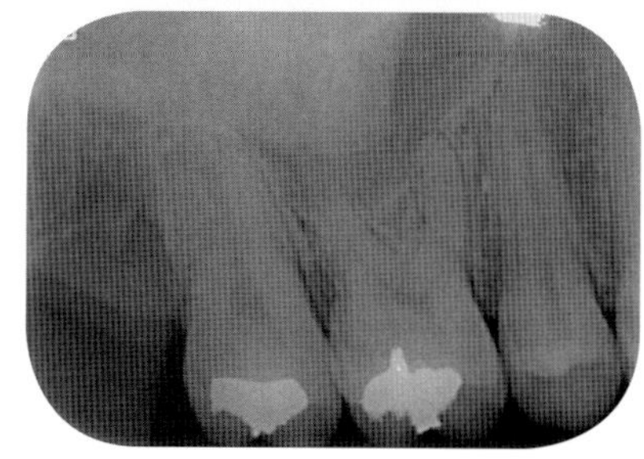

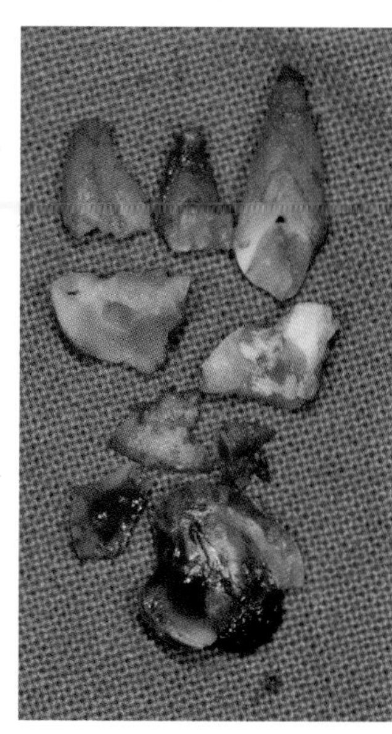

18번을 보자. 이 경우는 포셉으로도 발치가 되지 않아서 치관을 잘라내고 치근을 분리해서 발치한 케이스이다. 이런 사랑니를 발지하는데 엘리베이터를 사용한다면 7번도 같이 뽑을 각오를해야 한다. 늘 명심해야 한다. 사랑니 안 뽑는 치과의사들은 대부분 인접치의 시린 증상 때문에 발치를 안 한다는 것을...

06
엘리베이터로만 간단히 발치 가능한 단순 상악 사랑니 ★

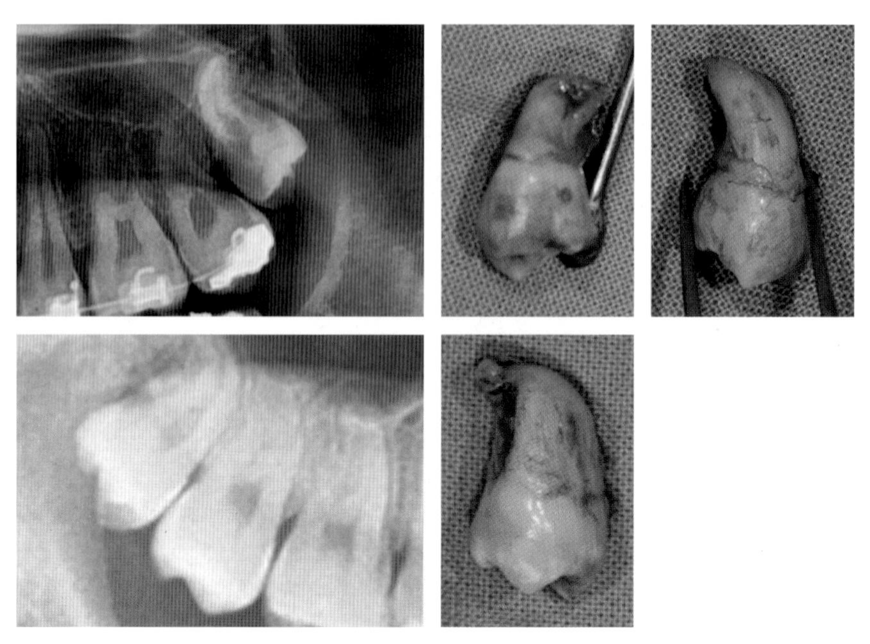

보통 치아 분리를 하지 않는 경우에는 포토 자체를 찍지 않고 굳이 찍어도 그냥 방사선 사진과 임상 사진으로 치아를 보는 것 이외의 다른 의미는 없기 때문에 케이스를 많이 올리지는 않으려 한다. 교합평면에서 조금만 아래로 들어가서 포셉이 안 잡힐 거 같으면 엘리베이터로 처음부터 발치를 시도하지만, 경우에 따라서 엘리베이터와 포셉을 병행하기도 한다.

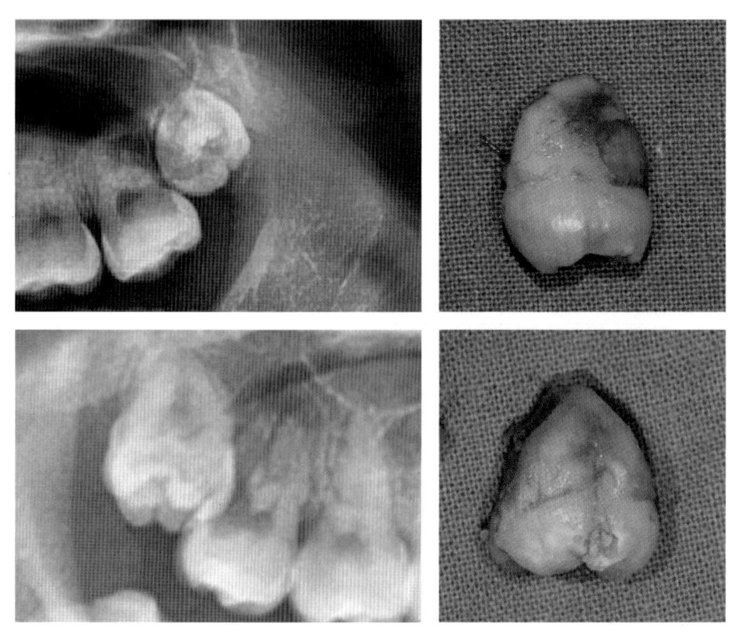

일반적으로 매복 정도가 심해 보여도 협측으로 경사진 사랑니의 경우는 매우 발치가 쉽다. 대부분 7번 원심에 12번 메스로 살짝 절개만 하지만, 사랑니가 바깥으로 나오면 잇몸을 찢을 가능성이 많기 때문에 필요에 따라서는 수직 절개 후 플랩을 형성해야 하며, 때에 따라서는 매우 드물게 골 삭제와 치아 분리 등을 시도하기도 한다.

상악 완전 매복 사랑니 발치

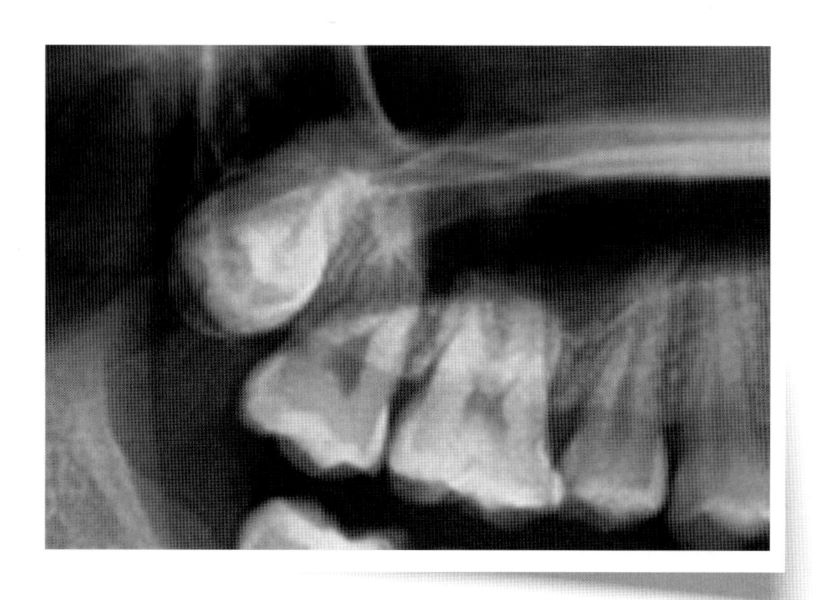

잇몸에 적당히 묻힌 사랑니의 경우는 일반적으로 절개 없이 발치하거나 12번 메스로 사랑니가 나오는 방향으로 살짝만 절개한 후 발치한다. 그러나 사랑니가 전혀 보이지 않는 경우에는 처음부터 절개를 시행하고 발치를 해야 한다. 상악의 경우는 구개측에 구개골이라는 단단한 골조직이 있기 때문에 협측으로 틀어져서 맹출하는 경우가 많고, 매복된 경우도 협측인 경우가 많다. 그래서 대부분의 절개는 협측에 시행하고 근심 협측에서 엘리베이터를 작용하여 발치한다. 매복된 사랑니의 경우도 대부분은 원심 협측으로 밀리면서 발치가 되기 때문에 힘의 방향과 절개선 모두 이것을 염두에 두어야 한다. 아직은 발치에 자신감이 부족한 치과의사라면 구개측에 위치한 상악 사랑니는 발치를 시도하지 않기를 바란다. 그러나 상악 완전 매복 사랑니의 매력에 빠지면 쉽게 헤어나오기 어렵다. 필자처럼 발치를 많이 한 사람마저 아직도 상악 완전 매복치를 발치할 때는 약간의 호기심과 두려움이 있다. 필자는 척추가 좋지 않아서 고개가 잘 숙여지지 않기 때문에 언제나 직접 보지 못하고 감으로만 발치해야 하기 때문일 수도 있지만, 그래도 엘리베이터에 딱 걸려들어서 사랑니가 나올 때 그 쾌감을 잊을 수 없어서 아직도 많이 발치하고 있다.

01
상악 완전 매복 사랑니의 절개 ★★★

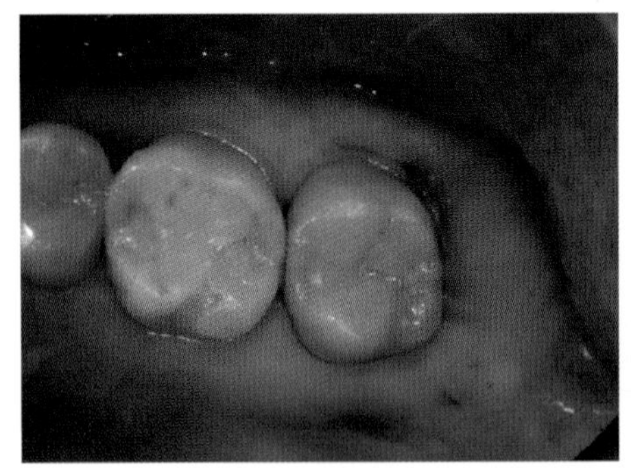

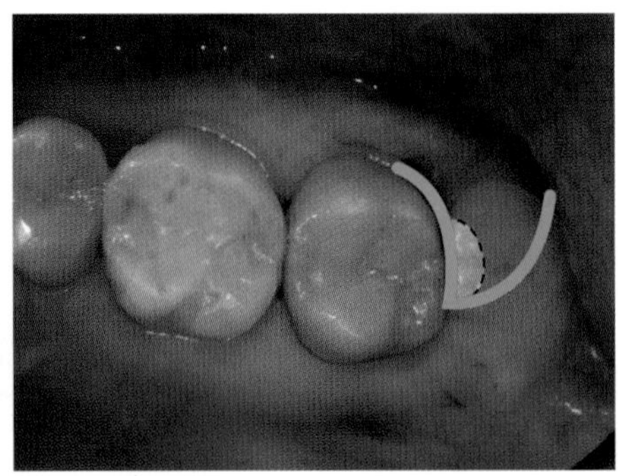

잇몸 속에 사랑니가 매복되어 있는 경우에 절개를 해야 하는데 사랑니가 살짝이라도 보이는지 안 보이는지는 매우 중요하다. 바쁠 때는 절개를 시행하지 않고 하기도 하지만, 상악 매복 사랑니 위의 잇몸은 약해서 매우 쉽게 찢어지는 경향이 있기 때문에 꼭 원하는 방향으로 절개를 해주는 것이 좋다.

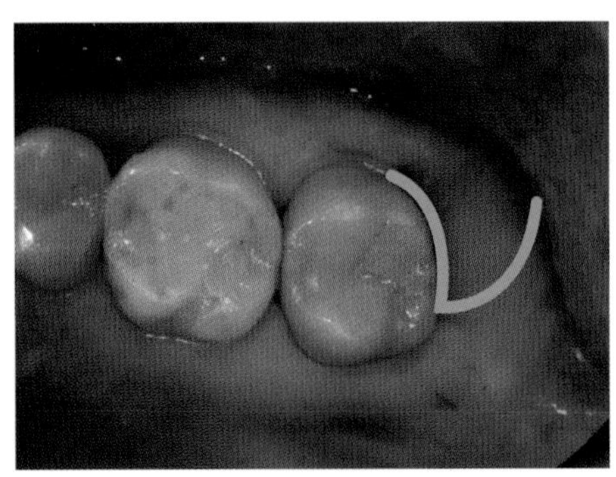

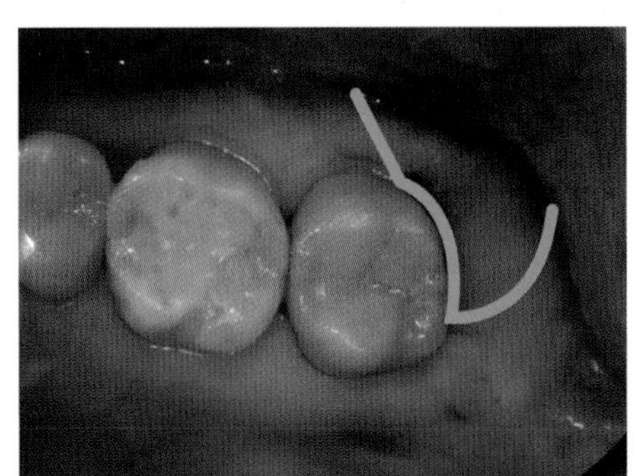

일반적인 완전 매복 사랑니의 절개 방식이다. 필자는 원래 최소 절개를 원칙으로 하기 때문에 위와 같이 원심면에 한 획만 살짝 긋는 정도로 한다. 다만 사랑니가 협측에 위치하거나 치관이 매우 큰 경우 등에서는 과감하게 협측에 수직 절개를 해주는 것이 좋다. 그렇지 않으면 이 부분이 찢어지는 경우가 매우 흔하다.

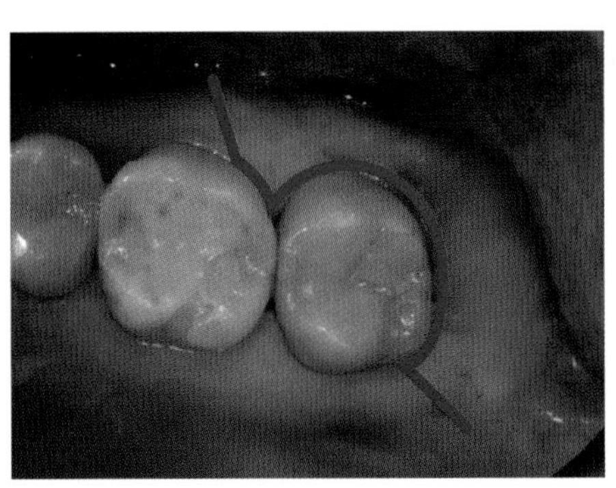

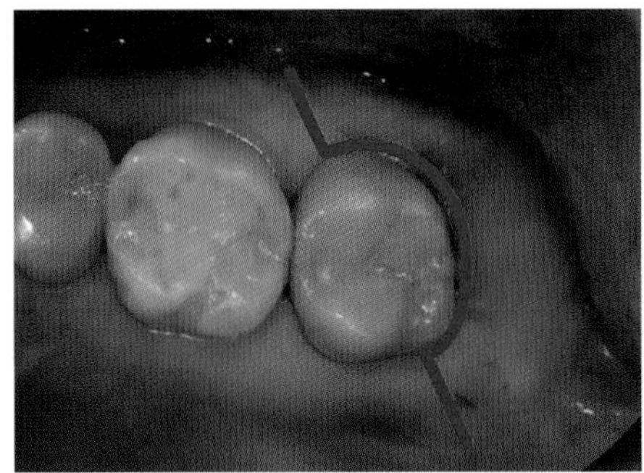

사랑니가 설측으로 많이 위치하고 있는 경우나 치관이 매우 큰 경우에는 절개선이 설측으로 조금 더 이동해야 한다. 또한 잇몸이 매우 두꺼운 환자들도 조금은 더 절개해야 한다. 가끔은 구개측으로도 이와 같은 절개가 필요하다. 종종 구개측을 절개하지 않고 발치하다 보면, 지금 그림에 나온 위치가 딱 저만큼 찢어지는 경우가 있다. 찢어지는 것보다는 찢는 게 낫다는 것을 명심하자.

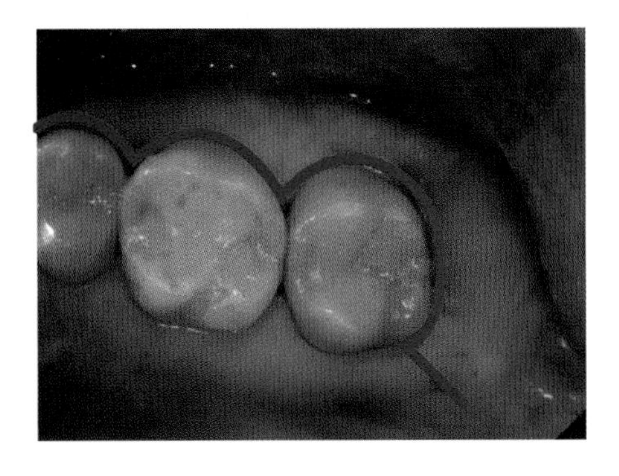

필자는 선호하지 않지만 수직 절개 대신 근심으로 절개선을 연장하여 박리하는 경우도 종종 보게 된다. 임플란트 때문에 오히려 수직 절개하는 방식에 많은 사람들이 더 익숙해진 듯하다. 구개측은 절개를 하지는 않지만 골과 잇몸을 미리 분리시켜 놓으면 발치에 큰 도움이 된다. 바쁠 때는 발치용 EL3C 엘리베이터를 사랑니나 골과 잇몸 사이에 집어넣어 분리시키기도 한다. 그러나 일반적으로 서지컬 큐렛이나 페리오스티얼 엘리베이터로 제2형 지렛대 원리로 잇몸을 박리해야 한다.

02
상악 완전 매복 사랑니의 발치 1 ★★

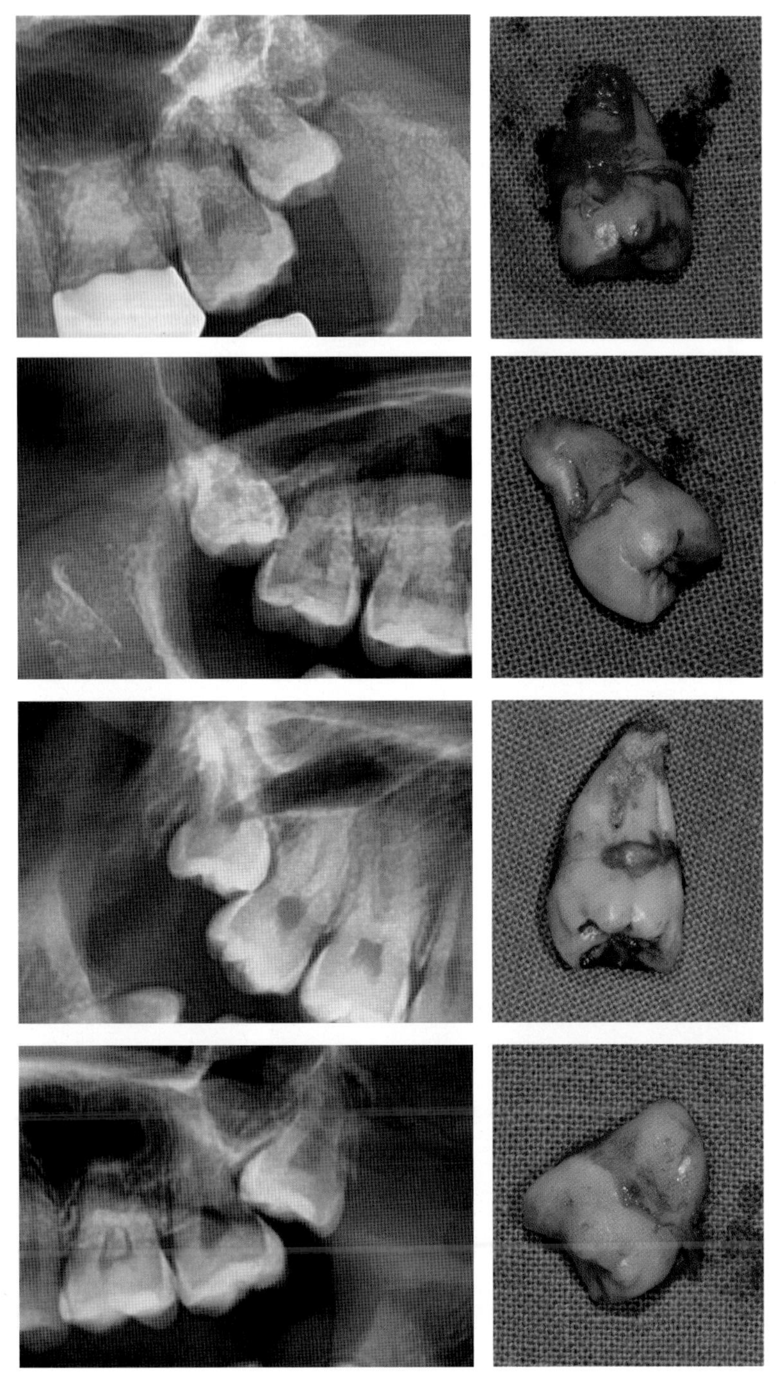

일반적인 단순 매복 정도의 사랑니를 엘리베이터로 발치하는 것과 크게 다르지 않다. 사랑니가 나오면서 원심 협측 치조골을 깨면서 나온다고 표현하는 것이 맞을 듯하다. 대부분 크게 저항 없이 작은 힘으로도 발치가 가능하다. 그러나 간혹 저항이 클 때가 있는데, 가장 중요한 포인트는 절대 과한 힘을 써서는 안 된다는 것이다. 사랑니와 치조골 사이에 너무 강한 힘으로 엘리베이터를 넣어도 안 되고, 넣은 뒤에도 너무 큰 힘을 쓰지 않는 것이 좋다. 저항이 크다면 오히려 잇몸 박리를 좀 더 시행하는 것이 첫 번째 선택이다.

상악 완전 매복 사랑니의 발치 2 ★

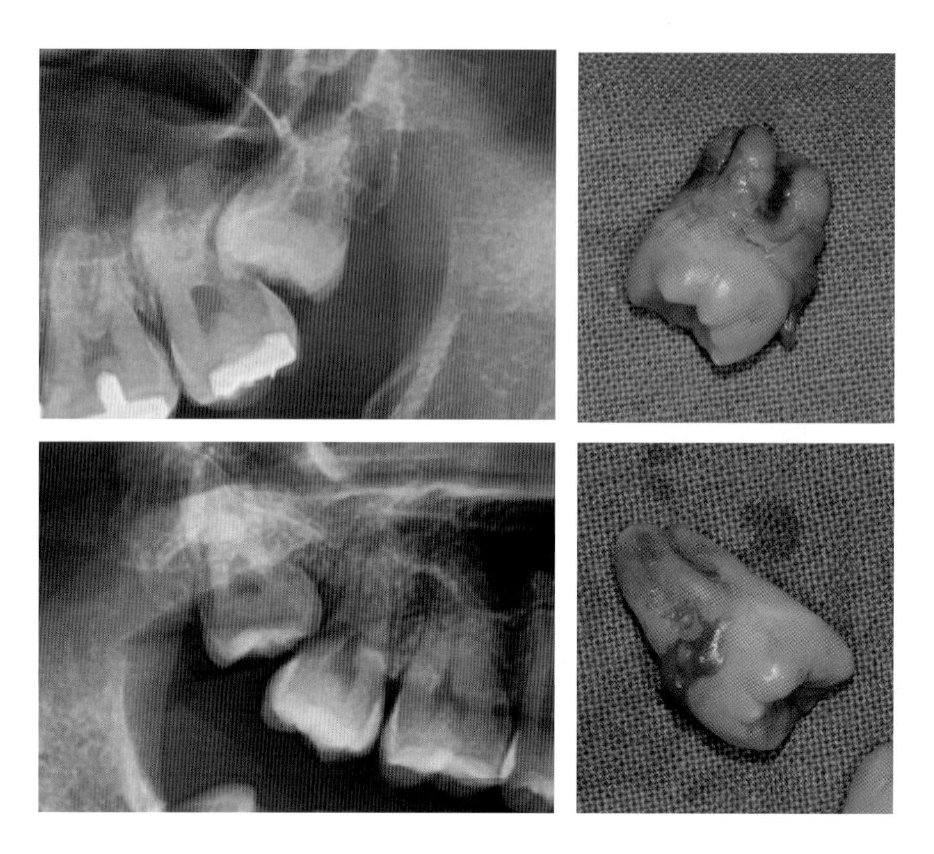

사실 이런 사랑니 발치 케이스는 너무 많아서 굳이 케이스를 올릴 필요도 없다. 치아 분리를 실시하지 않은 케이스이다 보니, 찍어놓은 사진이 거의 없어서 요며칠 발치한 케이스 몇 개 올려본 것이다.

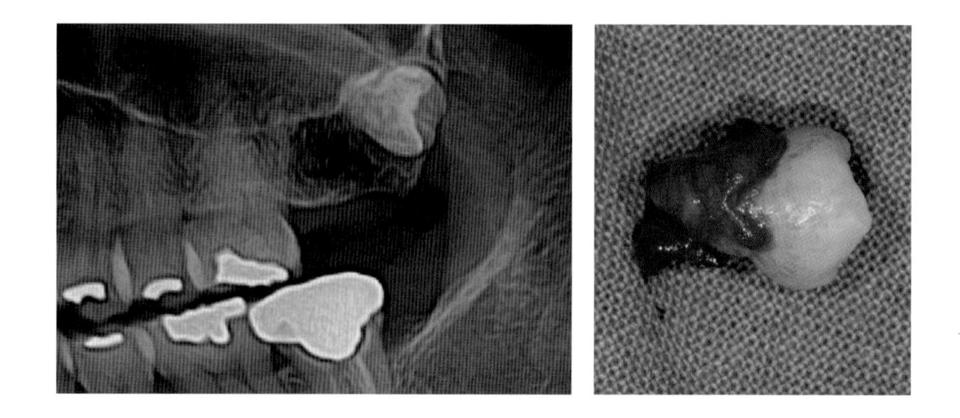

악명높은 모치과에서 #27 임플란트를 시술하기 위해서 28번 치아를 뽑고 오라고 하였다고 해서 내원한 환자이다. 환자가 원해도 나는 임플란트 안 할 테니까 꼭 다른 데가서 임플란트를 하라고 권하였다. 물론 결과는 모른다. 마침 사랑니가 협측에 위치하여 잇몸을 절개하고 엘리베이터만을 이용하여 사랑니 주변 골을 살짝 걷어내고 발치하였다.

상악 완전 매복 사랑니의 발치 3 ★★

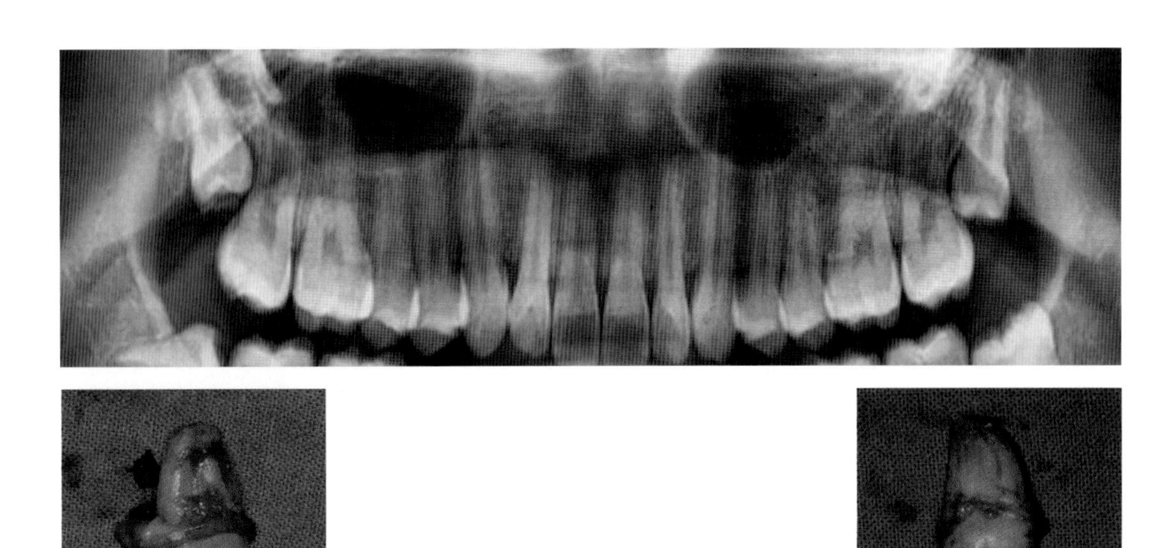

비발치교정을 위하여 상악 사랑니 발치를 의뢰 받았다. 미리 말하면 가장 필자가 좋아하는 발치 가운데 하나이다. 미성숙한 사랑니는 치근이 거의 힘이 없기 때문에 잇몸 절개 후 살짝 엘리베이터만 힘을 줘도 발치할 수 있다. 근심 협측에서 엘리베이터를 잘 적용시켜야 하며, 어떠한 경우에도 엘리베이터가 7번에 닿아서는 안 되고, 사랑니가 탈구되면서 7번이 움직이는지도 확인해가면서 발치해야 한다. 그러나 그런 일은 거의 없긴 하다.

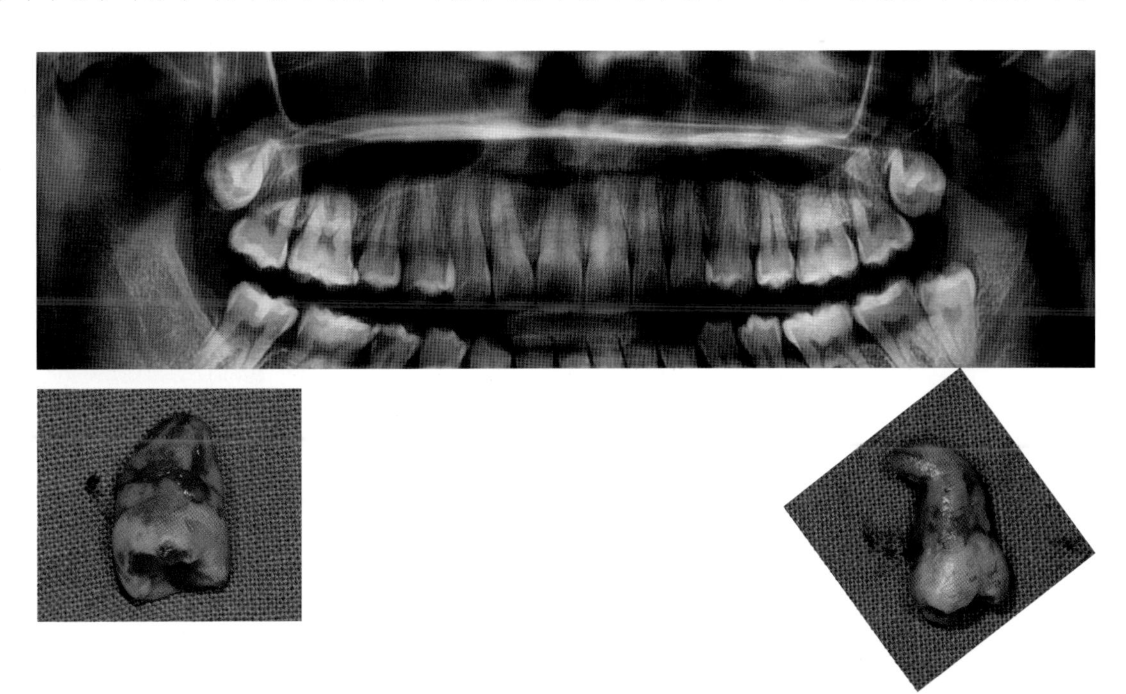

이 정도 사랑니도 골 삭제 없이 발치가 가능하다. #28번 사랑니는 협측을 향하고 있으므로 #27번 원심절개와 약간의 수직 절개를 동반하면 쉬운 발치가 될 수 있다. #18번 사랑니의 경우는 교합면과 원심면에 치조골이 어느 정도 형성되어 있지만, 매우 얇은 정도이고 기능을 하고 있지 않은 사랑니 주변의 치조골은 매우 약하기 때문에 쉽게 파절되면서 사랑니가 나올 수 있다. 물론 약간의 협측 잇몸을 박리해야 할 수 있다.

며칠 전 나란히 세 명의 사랑니 발치가 상악 완전 매복으로...★

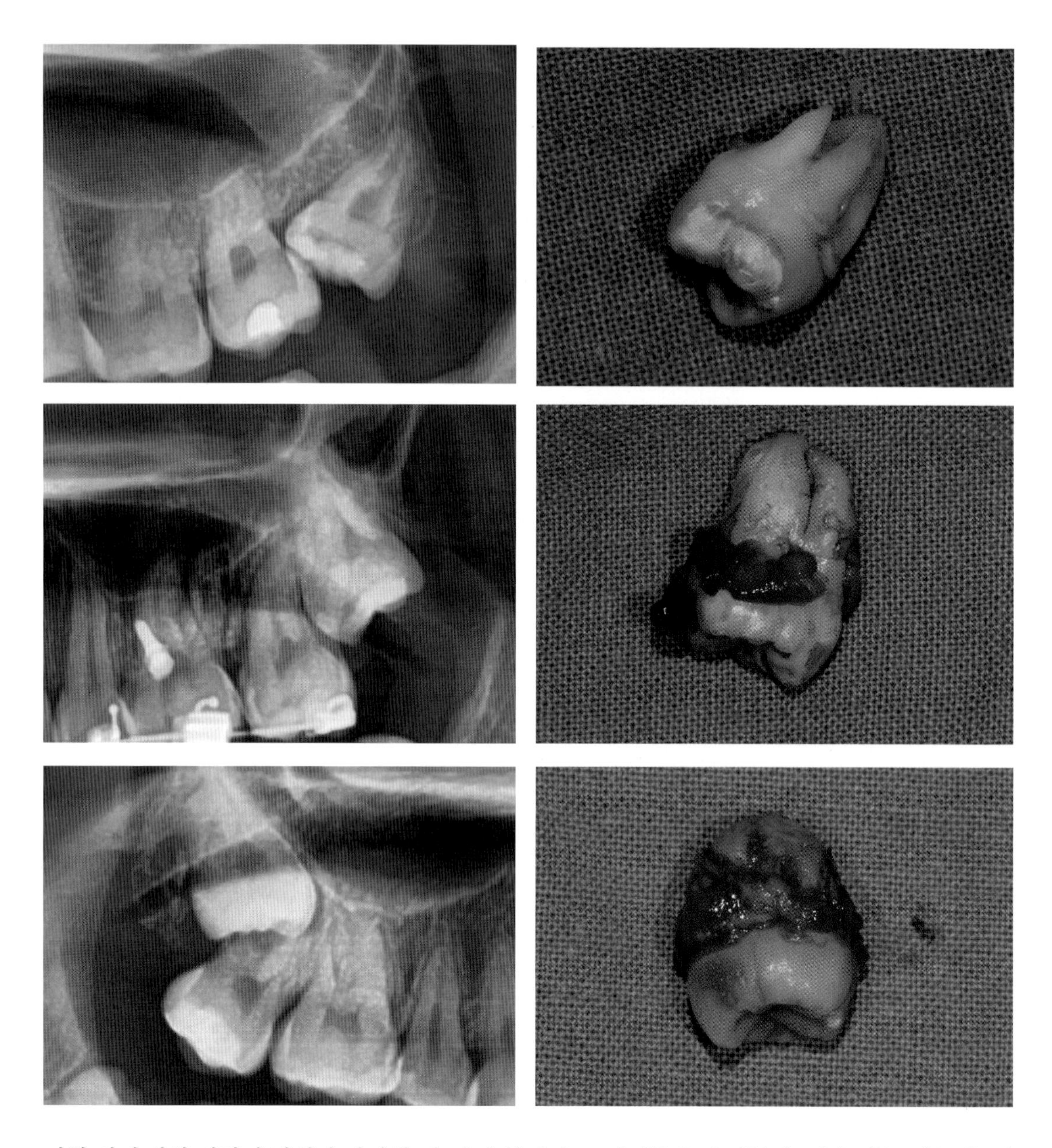

며칠 전에 상악 사랑니 발치가 나란히 세 명이 있어서 그 사진들을 올려본다. 없을 때는 없는데, 있을 때는 같은 날 나란히 맞춘 것처럼 내원하기도 하는데, 모두 쉽게 발치가 되어서 오히려 여유 있는 발치를 하였다. 상악 완전 매복 사랑니 발치의 경우는 처음에 익숙하지 않아서 잘 안 하게 되지만, 한 번 그 맛(?)을 알면 너무 쉽고 괜찮은 발치이다. 사실 하악 완전 매복치의 경우는 치아를 삭제도 해야 하고 몇 가지 번거로운 과정도 있지만, 상악 사랑니의 경우는 대부분 어지간히 심한 매복 사랑니라도 대부분 엘리베이터로 쉽게 나오기 때문에 매우 선호하는 발치가 된다. 다만 가끔 애먹이는 경우가 몇 개씩 있을 뿐이다. 특히나 구개측으로 경사진 사랑니라면 가끔 애먹이는 경우도 있지만, 협측에 위치한 완전 매복 사랑니는 결국 협측은 접근도 쉽고 골 삭제도 쉽기 때문에 생각보다 쉽다.

필자가 가끔 사용하는 조금 다른 엘리베이터★★

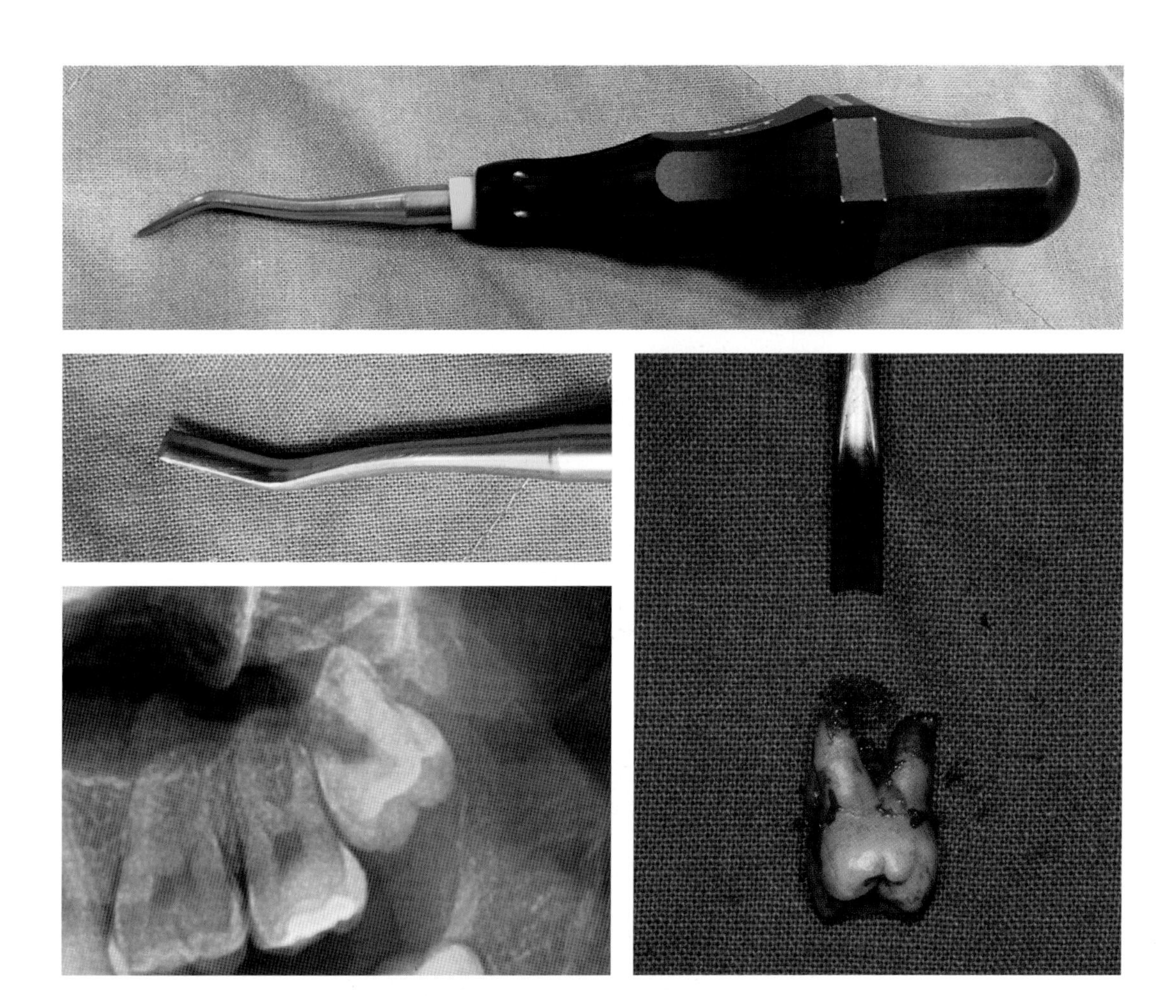

필자가 그나마 가끔 사용하는 다른 엘리베이터다. 포셉으로 사랑니가 잘 안 잡히고 엘리베이터는 각도가 잘 안 나올 때 사용하는 것이다. 이런 특이한 엘리베이터는 저렴한 엘리베이터로 구매한다. 이유는 간단하다. 어차피 잘 안 쓰는 것이기 때문에 내구성은 별로 중요하지 않다. 차라리 다양한 종류를 구매해 놓는 것이 어쩌다 한 번 다양한 접근이 요구될 때 도움이 되기 때문이다. 너무 저렴해서 휘어지거나 부러지면 바로 버린다. ^^ 필자가 사랑니 옆에 저렇게 놓고 찍은 것이 무슨 뜻인지 알 것이다.

필자는 이 제품을 미스터큐렛에서 자체적으로 운영하는 쇼핑몰 www.2875mart.co.kr 에서 구매하는데 저렴하고 다양한 형태의 엘리베이터 등을 볼 수 있다. 필자는 굳이 힘을 많이 받지 않아도 되거나 성능에 큰 지장이 없는 기구(메스 홀더, 페리오스티얼 엘레베이터, 다양한 형태의 엘리베이터나 포셉 등)은 여기서 구매한다.

03
치관부 충치가 심한 상악 사랑니의 발치에도 유용 ★★

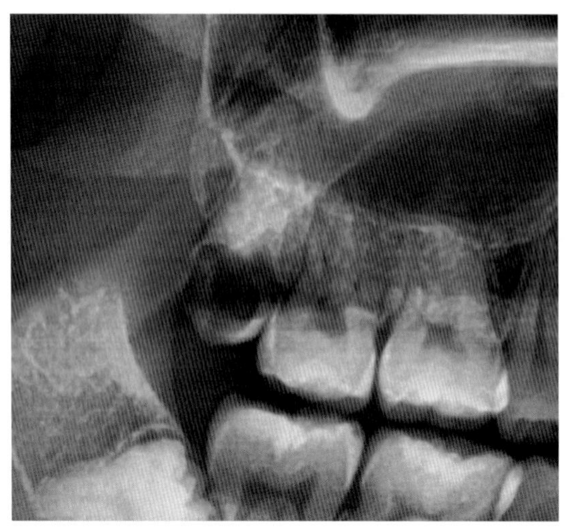
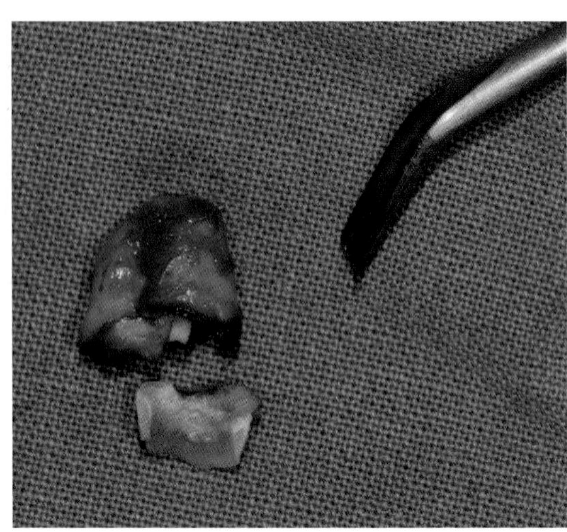

31세 남성 환자로 치관이 너무 충치가 심해서 포셉으로 잡을 수도 없고, 근심 협측 치조골에 엘리베이터의 받침점도 잘 걸리지 않아서 회전 각도가 큰 엘리베이터를 이용해서 발치한 경우이다.

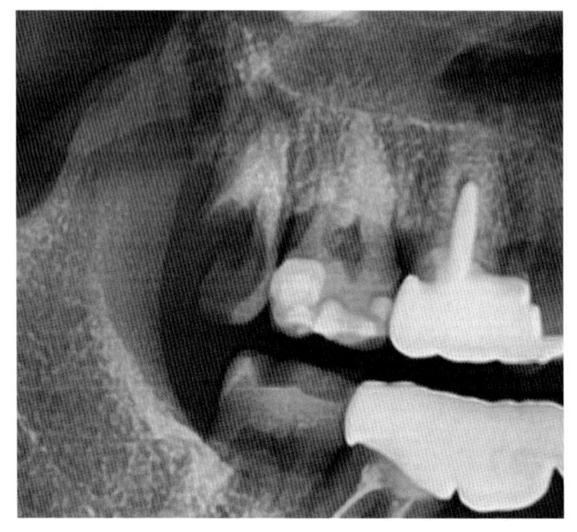
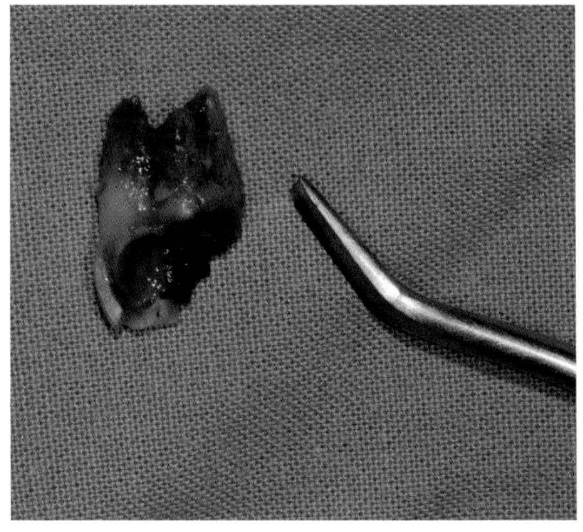

35세 남성 환자로 치관이 너무 충치가 심해서 포셉으로 잡을 수도 없고 엘리베이터로도 치관이 쉽게 파절될 듯하여 Curved된 엘리베이터를 이용하여 깊숙이 치근쪽에서 협측으로 밀어서 발치하였다. 달걀껍질처럼 얇은 충치가 심한 치관부 에나멜이 전혀 손상없이 발치되었다는 것은 엘리베이터에 의해서 치관부에 전혀 힘이 가해지지 않았다고 볼 수 있다.

Dr. 이재욱 Comment.

일반적인 엘리베이터가 잘 걸리지 않는 이런 경우에 손잡이가 굵은 루트피커를 사용하는 것도 추천한다. 경희대와 서울대 서치컬 발치세트에는 처음부터 포함되어 있다.

04
골 삭제가 동반된 상악 사랑니 발치 경우 ★★

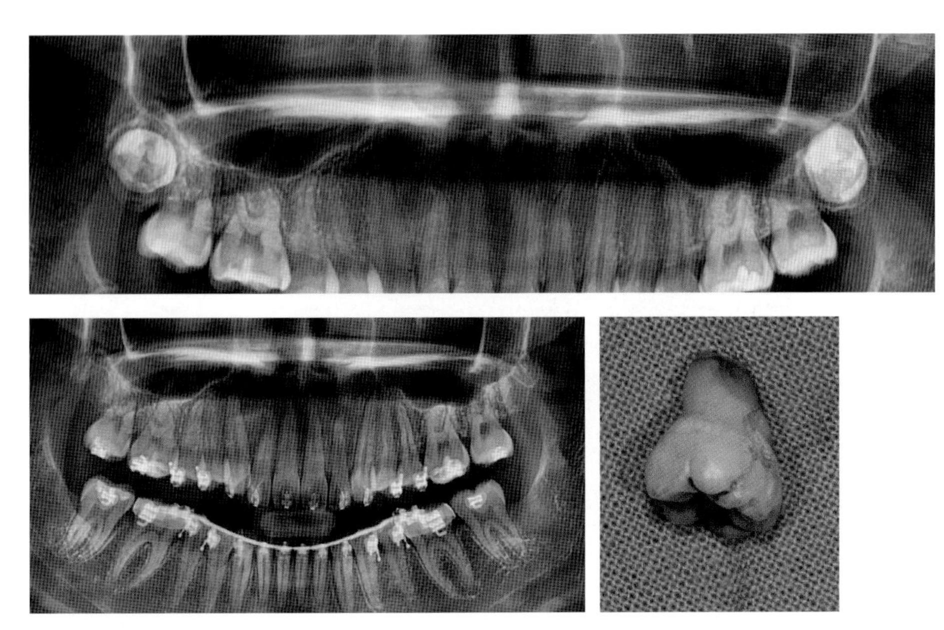

협측에서 골 삭제를 동반하여 발치한 케이스 사진은 18번이고, 28번은 치아 사진이 없다. 대부분 잘라서 뺀 사랑니들만 사진을 찍다 보니 직원들이 버렸나 보다. ㅠㅠ

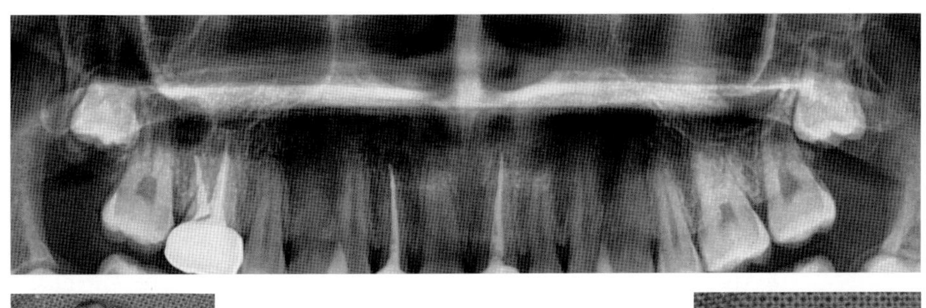

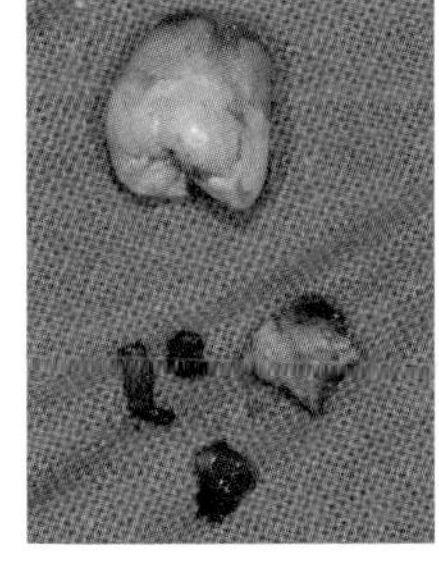

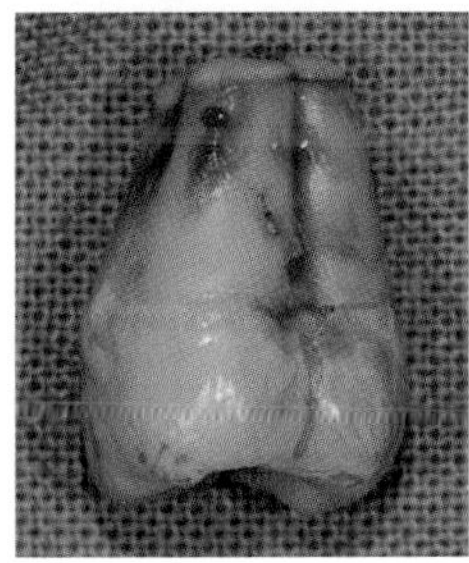

필자는 협측이나 사랑니 상부의 치조골 삭제를 위해서는 주로 본론저를 사용한다. 필자도 약간의 못된 생각이자 습관일 수 있지만, 로스피드를 사용해서 발치하면 왠지 하수같다는 생각이 들어서 일까... 그래서인지 필자는 주로 상악에서도 하이스피드 핸드피스를 사용해서 발치를 했었다. 플랩을 거의 열지 않는 필자 스타일 때문일 수도 있지만, 그래도 emphisema가 염려되는 건 사실이다. 그래서 요즘은 늙어서 그런지 거의 쓰지 않는다.
이제는 그런 생각들을 버리고 좋은 기구들이라면 다양하게 많이 사용해볼 생각이다. 앞으로는 치즐도 써볼까 생각 중이다.

상악 분리 발치

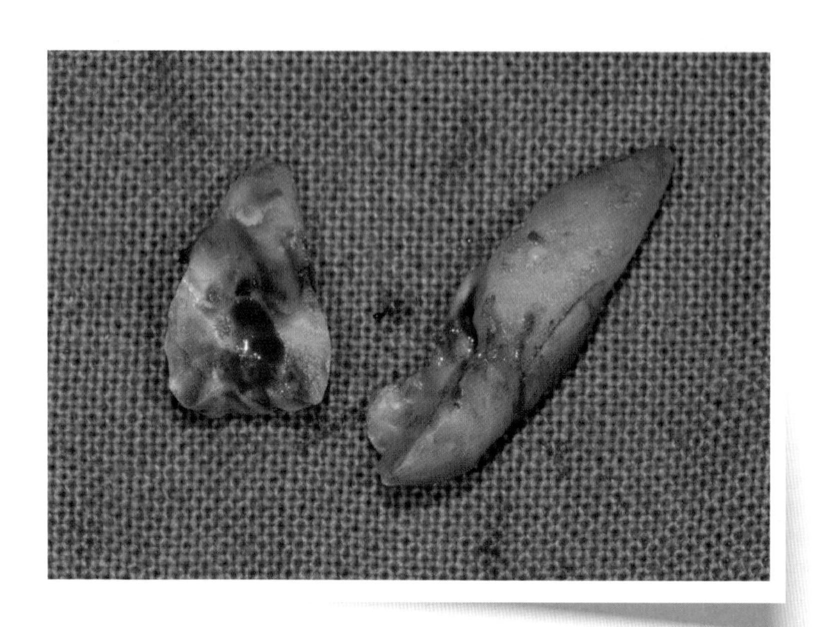

상악 사랑니를 분리 발치하는 경우는 매우 드물다. 대부분의 경우는 원심과 협측의 치조골을 제거하면 발치가 가능하기 때문이다. 그러나 치아를 삭제해서 발치하는 것이 조금더 고수라는 착각에 있던 필자의 경우는 한참 동안을 치아를 삭제해서 발치했었다. 그런데 필자가 척추가 안 좋아지면서 오래 걸리는 발치를 되도록 자제하고, 특히 상악의 경우는 경추의 경직으로 직접 눈으로 보는게 불편하고 오랫동안 그런 자세를 유지하는 것이 좋지 않아서 대부분 치조골을 삭제하거나 들어내고 발치하는 스타일로 하고 있다. 그나마도 요즘은 치조골 삭제도 핸드피스보다는 본론저나 치즐이나 심지어 엘리베이터로 틈을 벌려서 제거하고 있다. 특히 상악 사랑니 발치가 술자에 따른 방법이 너무나도 다양한 듯하다. 그러나 일반적인 엘리베이터로 사랑니를 들어올려서 발치하려고 하는 경우에 7번이 들썩거리는 듯한 느낌이 든다면 사랑니의 치관을 분리해보는 것이 좋다. 여기 나오는 케이스들은 모두 오래 전 케이스로 필자가 이런 치관을 삭제해서 발치하는 것을 좋아하던 때의 케이스이다. 그저 참고용이다. 특히나 하이스피드를 사용하여 상악 사랑니의 치관을 삭제한 경우 등은 절대 따라 하지 않았으면 한다.

01
로스피드 스트레이트 핸드피스를 이용한 발치 ★★

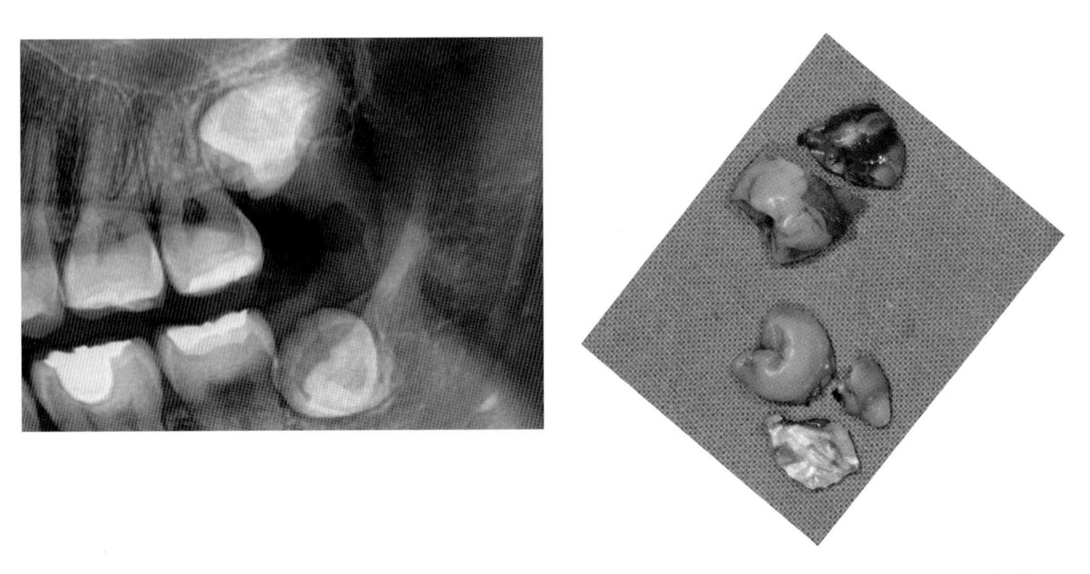

하악 사랑니가 원심 경사가 심한 경우에는 로스피드 핸드피스를 이용하여 근심 협측에서 치관부를 삭제하여 발치하는 경우도 종종 있다. 이런 경우는 상악 사랑니 발치에도 로스피드 핸드피스를 이용할 생각으로 한 가지 기구만 준비하여 양쪽 모두 로스피드 핸드피스를 이용하여 발치하였다.

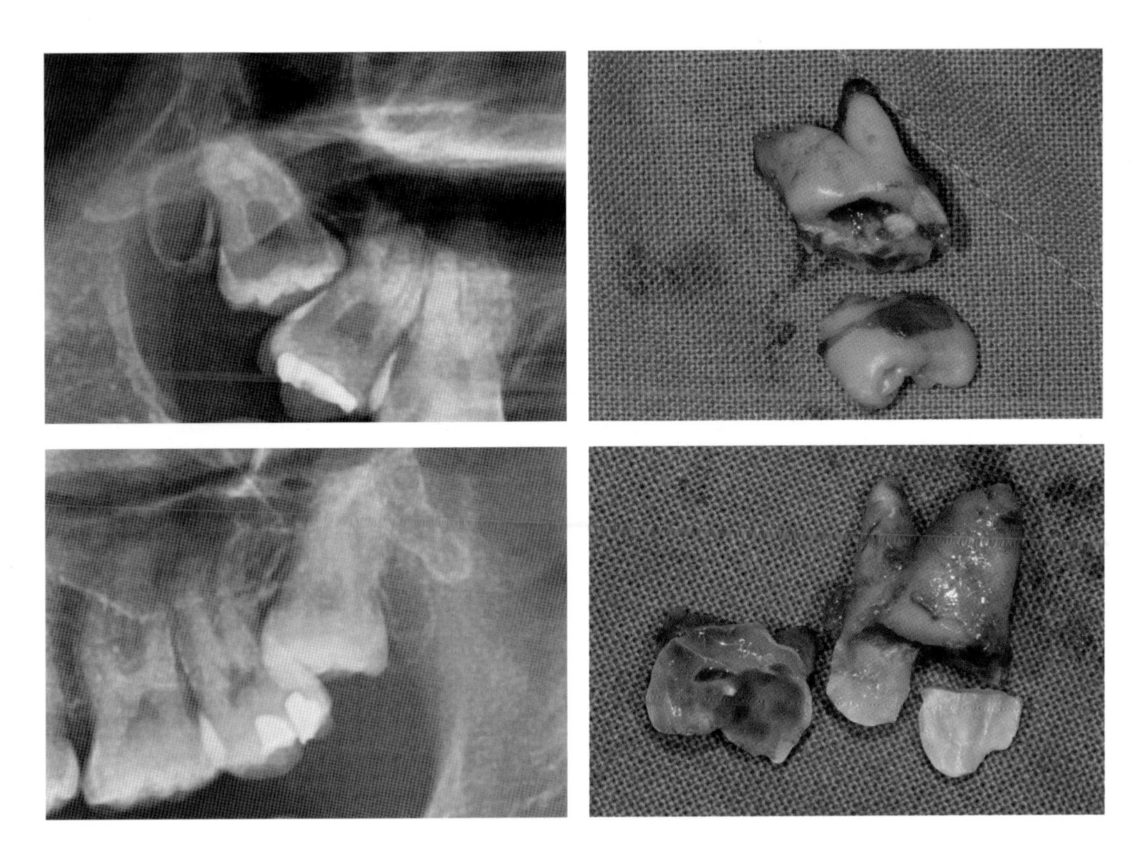

로스피드를 이용한 경우에는 하이스피드처럼 수직으로 치관이 잘리는게 아니라 측면에서 잘리게 되므로 위와 같은 단면이 나오는 경우가 대부분이다.

02
상악 사랑니 교합면쪽 치조골을 제거하고 발치한 경우 ★

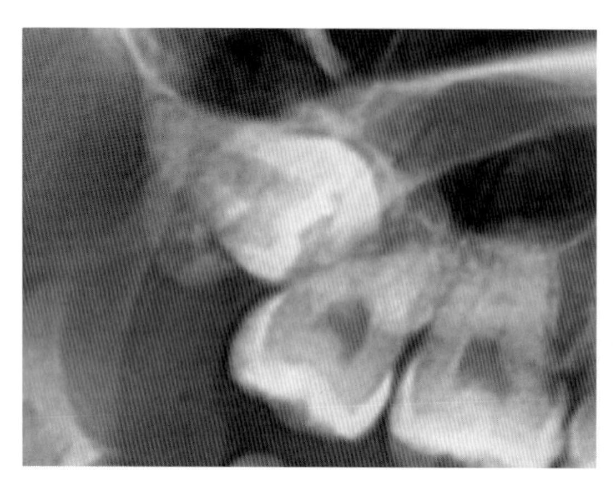

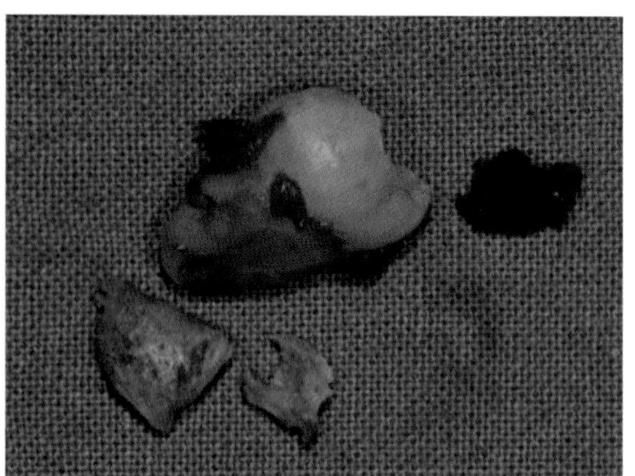

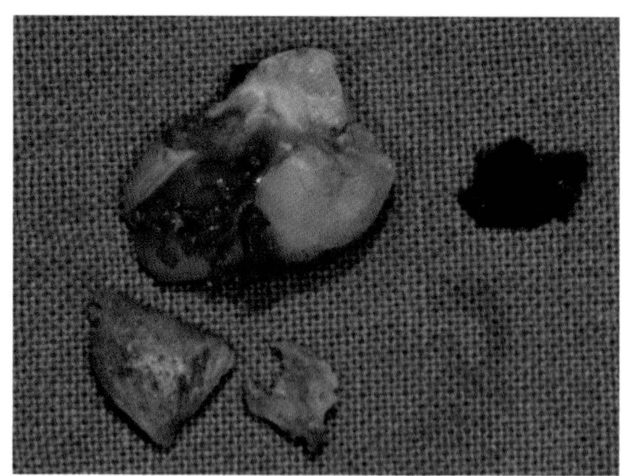

굳이 발치할 필요 없다고 하였지만, 환자가 조만간 미국에 가야 한다고 그 전에 무조건 뽑고 싶다고 하여 발치하였다. 이와 같은 사랑니도 협측에 위치하면 그나마도 발치가 쉽지만 이 케이스는 구개측으로 치관이 향하고 있다. 특히나 척추가 좋지 않아서 직접 보고 진료하기 힘든 필자에게는 절대 힘든 케이스이다. 그러나 35분간의 사투 끝에 발치하였다. 최근 발치한 약 500개 케이스 중에 가장 오래 걸린 사랑니인 듯하다. 그러나 아쉬운 점은 협측과 상방의 치조골을 제거하고 사랑니를 들어 올릴 것인가 사랑니를 반절 자를 것인가를 고민하다가 이도 저도 아닌 어설픈 발치가 되었다. 물론 핸드피스가 전혀 접근 가능하지 않아서 였다. 또한 상방의 상악동 하연의 골이 너무 얇아서 조금만 강한 힘을 주어도 상악동으로 밀려들어 갈까 봐 큰 힘을 쓰지 못하고, 치아에 홈을 파서 거기에 엘리베이터를 걸어서 끄집어 낸 케이스이다. 상악 완전 매복 사랑니 발치는 하악보다 대부분 훨씬 쉽지만, 절대 서두르지 말고 살살 달래가면서 발치해야 한다.

03
상악 사랑니의 하이스피드 핸드피스를 이용한 발치 ★

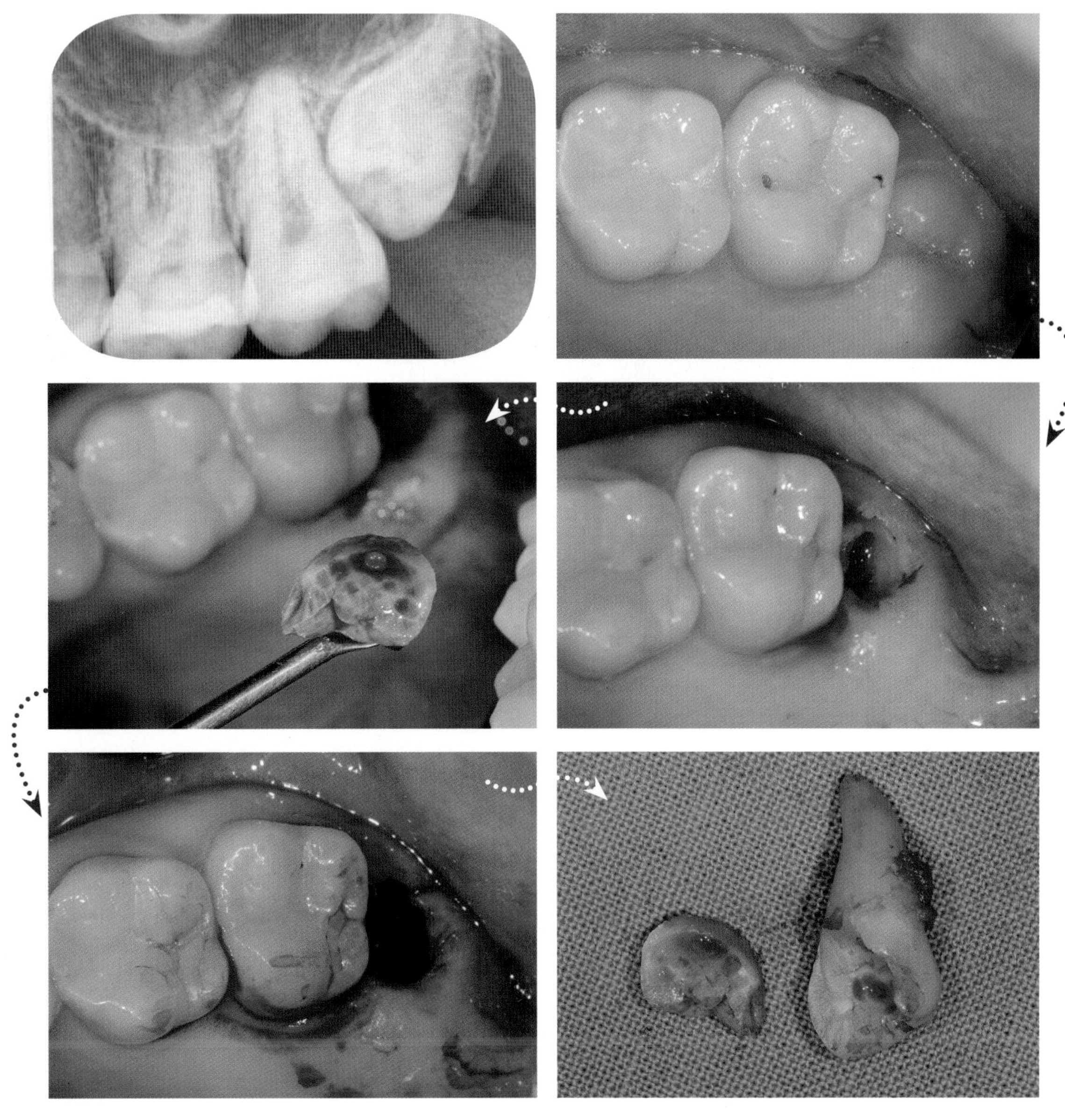

상악 근심 경사 매복사랑니를 하악 매복치와 같은 방식으로 발치한 케이스이다. 실제로 상악은 하악과 달리 원심 치조골이 약하기 때문에 원심으로 빌어서 발치를 하면 되는 경우가 많다. 그러나 필자는 하이스피드 핸드피스가 가장 잘 다루는 기구이다 보니, 플랩을 형성하고 봉합하기도 귀찮아서 하이스피드를 이용하여 상악 사랑니도 발치하였다. 또한 대부분의 상악 사랑니는 아래 사랑니를 뽑고 난 뒤에 상악 발치를 하기 때문에 하악에 사용한 핸드피스로 바로 근심 치관을 자르고 발치하였다. 그러나 최근에는 거의 하지 않으며 다양한 다른 도구들을 사용해보려고 노력 중이다. 절대 초보자에게 권하지 않는다. 굳이 이런 발치를 상악에서도 시도하려고 한다면 앞에서 언급한 5배속 콘트라앵글 로스피드 핸드피스를 사용해보는 것도 좋을 듯하다. 앞서서도 이야기했지만, 플랩리스 수술은 플랩을 너무 많이 해봐서 안 해도 알만한 사람이 하는 것이지, 플랩을 할 줄 모르는 사람이 하는 방식이 아니다.

04
주로 하악 매복치 발치 후에 이어서 같은 하이스피드 사용 ★

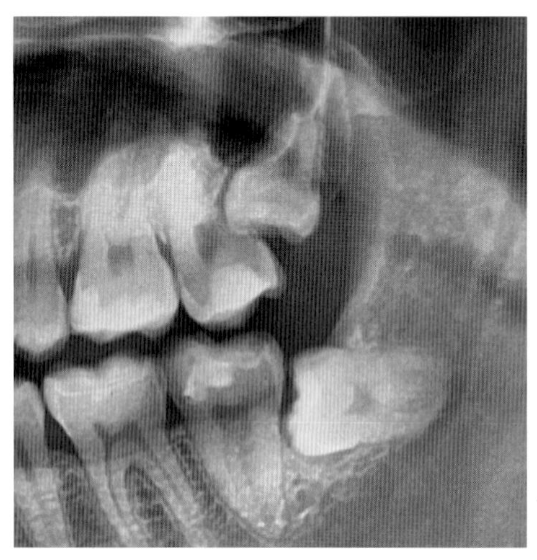
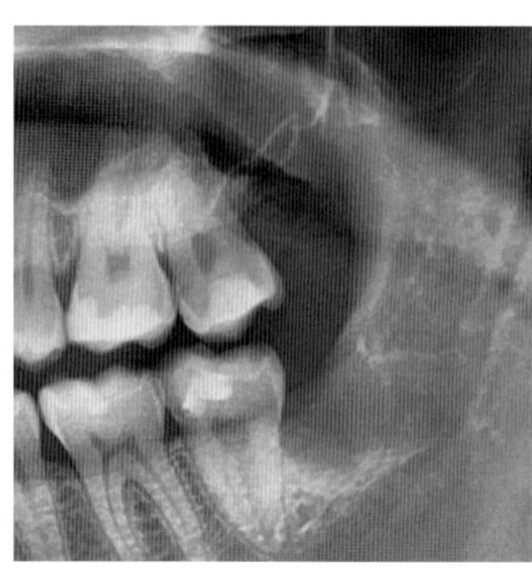

하악 수평 매복치를 발치 후에 그대로 상악 근심 치관부를 잘라내고 발치한 케이스이다. 대부분 상악만 단독으로 발치하는 경우에 일부러 하이스피드 핸드피스를 꺼내지는 않는다. 앞서도 언급하였지만, 필자는 매우 바빠서 이런 식으로 시간을 낭비할 만큼 한가하지 않다.

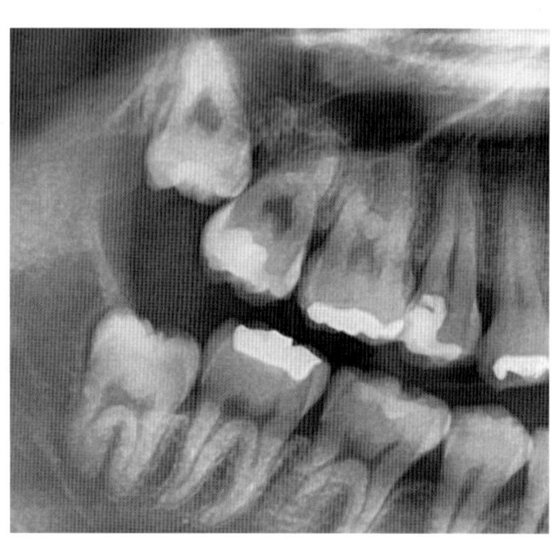
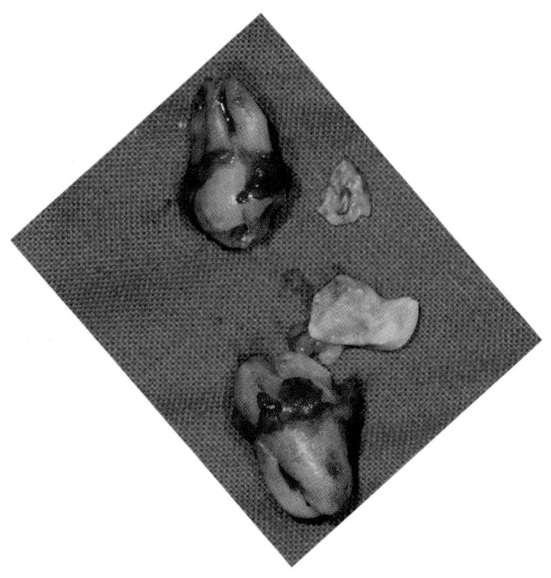

하악 수직 매복치를 원심면을 삭제하여 발치한 뒤에 상악 사랑니의 근심 치관부를 삭제하고 발치한 케이스이다. 하악은 사진의 방향이 좀 잘못되어 있다. 사실 우리 치과 직원들이 사진만 제대로 영혼 있게 찍었더라면 사진은 차고도 넘쳤을 것이다. 그런데 직접 발치한 치과의사가 아니면 어떤 스타일로 치아를 삭제하여 발치하였는지를 알기 어렵다.

05
하악 발치 스타일과 거의 유사★

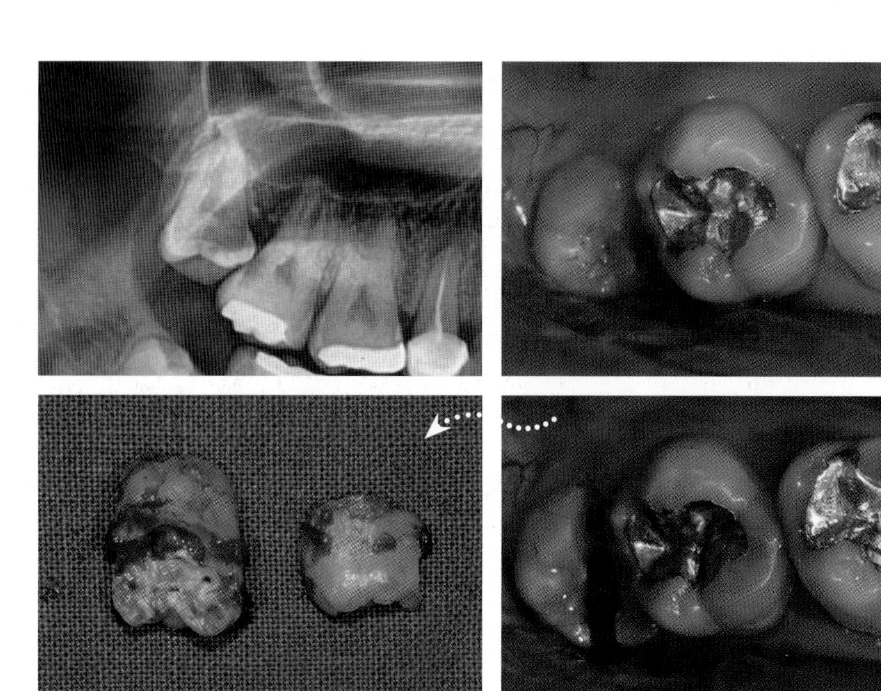

그냥도 뺄 수 있겠지만, 하이스피드를 이용한 발치만이 발치의 정석이라고 믿고 살던 시절의 케이스이다. 포셉이 옆에 보인다는 뜻은 하이스피드로 근심 조각을 제거한 뒤에 남은 조각을 포셉으로 제거했다는 뜻일 것이다.

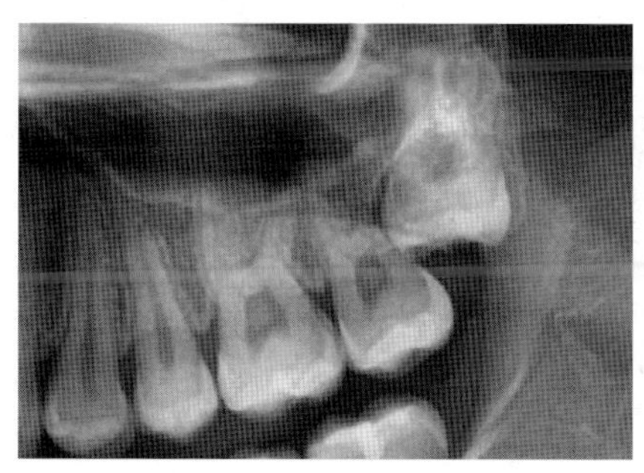

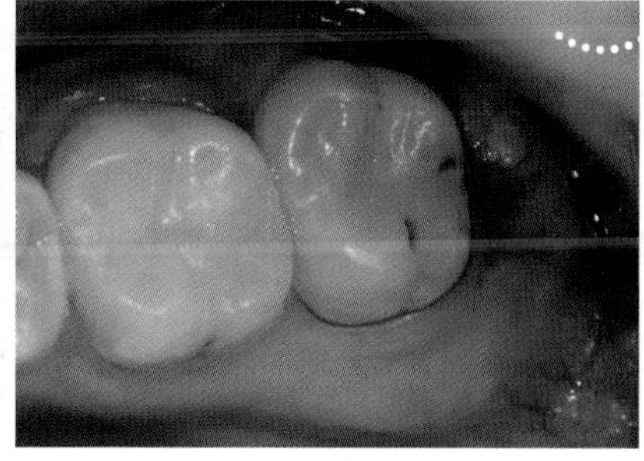

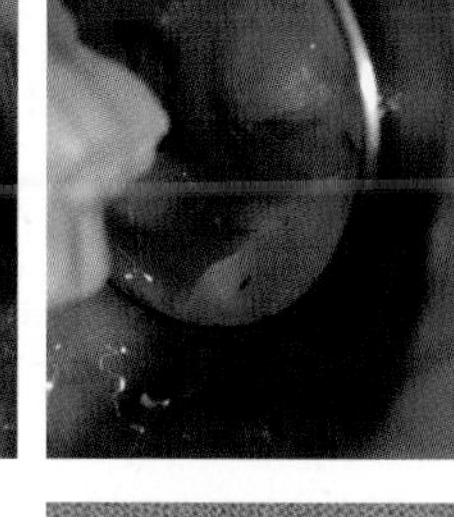

근심 치관을 삭제하는 경우에도 반드시 미러로 잘린 면을 확인히면서 하는 것이 좋다. 사실 이정도 사랑니는 대부분 엘리베이터만으로도 쉽게 발치가 가능하다.

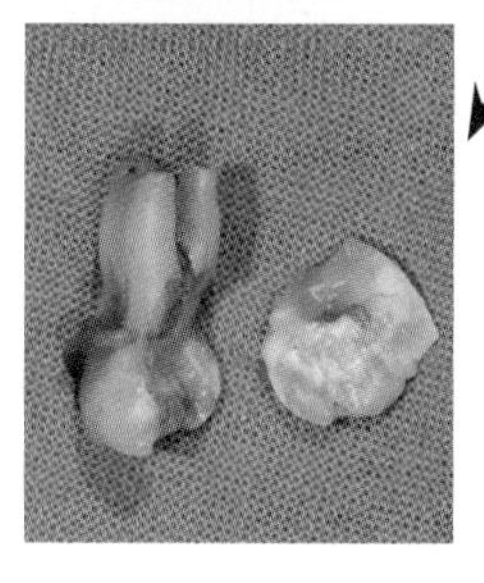

06
상악 근심 경사 사랑니 하이스피드를 이용한 발치 ★

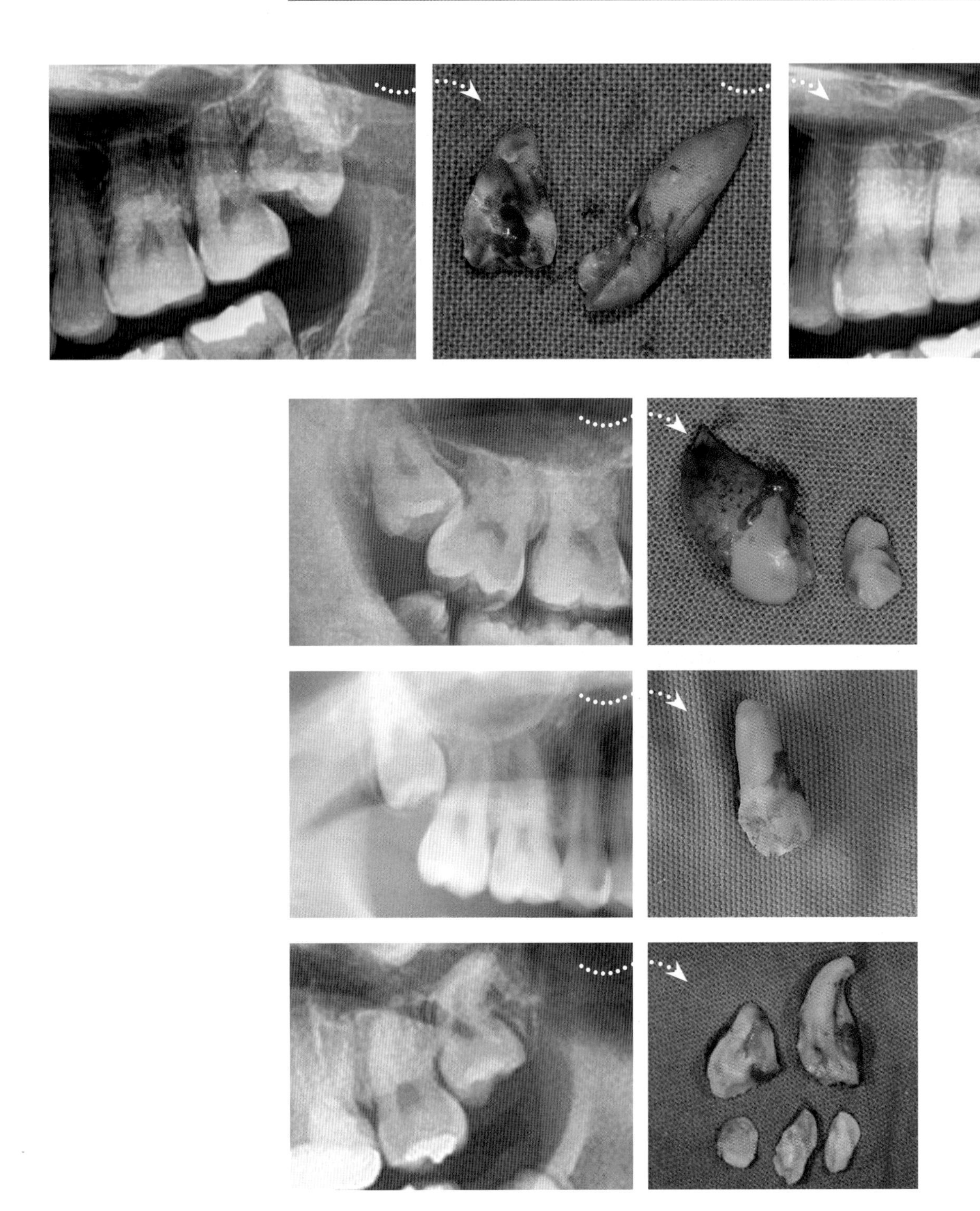

요즘은 거의 하지 않지만, 일본처럼 로스피드 콘트라앵글을 발치에 종종 사용하는 문화가 좀 생긴다면 적절하게 잘 사용할 수도 있을 듯하다.

07
명백하게 7번 원심면에 걸린 경우 ★

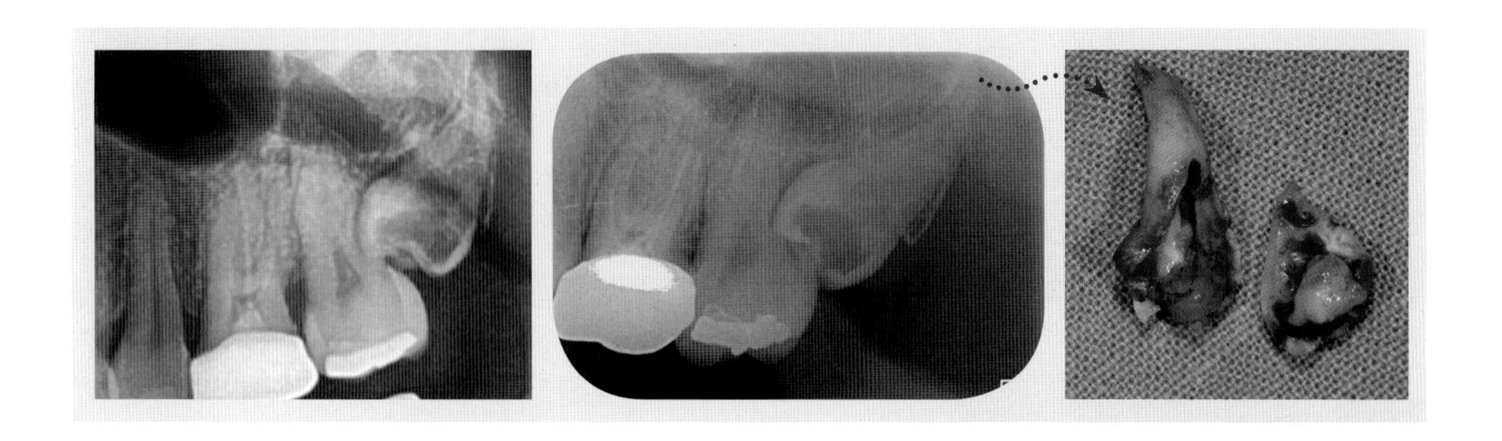

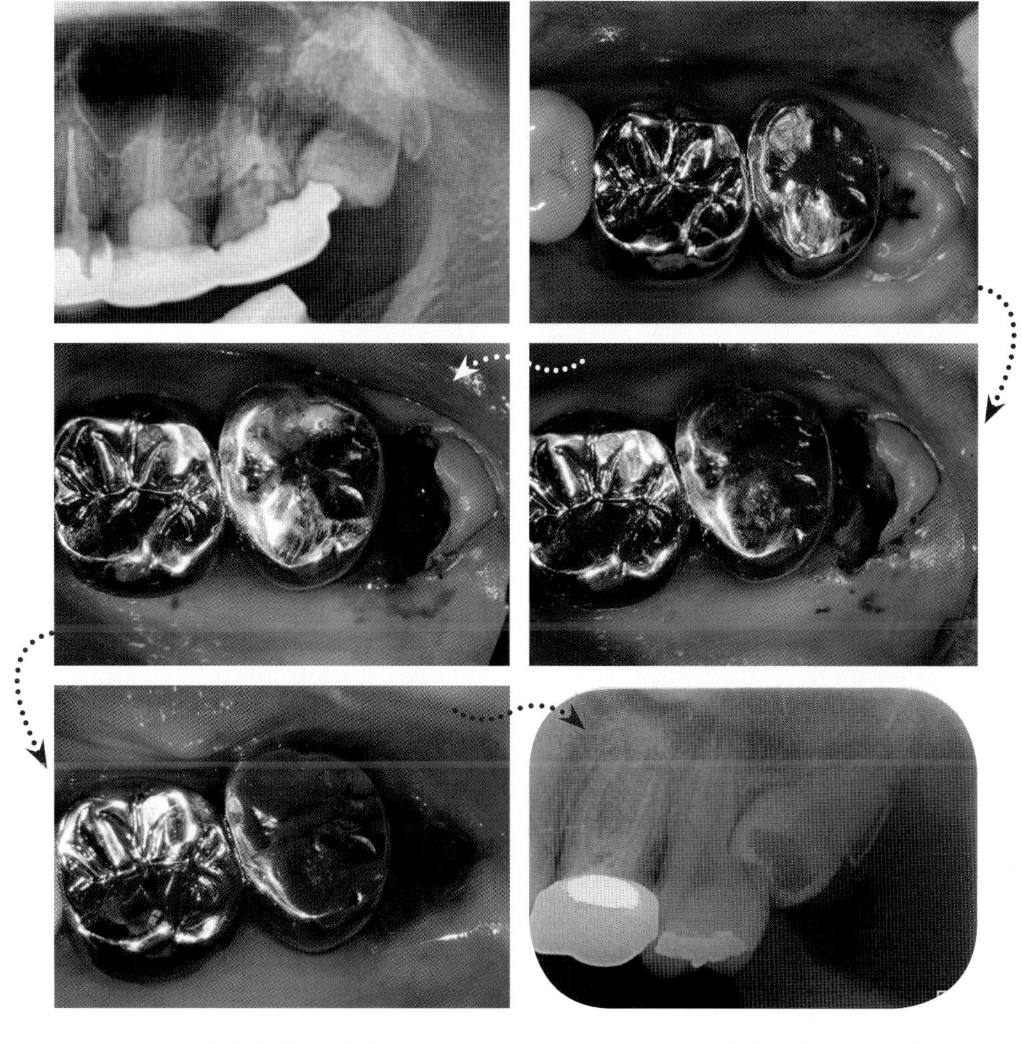

이 케이스는 치관절제술 케이스에서 언급하였던 것으로 7번 원심면에 잘못된 충전물이 있어서 엘리베이터로 발치 시에 손상이 우려되어 근심면을 삭제하여 발치를 하였다.

08
어느 날 출장 발치 ^^★

필자가 며칠 전 한 지역에서 강의를 한 적이 있다. 그 강의를 들으시는 분 중에 필자의 세미나에 관심이 많고 필자의 치과에 견학을 온 적도 있으셔서 발치에 대해 궁금한 점이 있으시면 종종 연락주시는 원장님이 계셨다. 임플란트나 보철 등 일반진료 뿐만 아니라 발치도 잘 하시는 듯 하였다. 그런데 상악 매복치 발치에 대한 막연한 두려움이 있으셨다. 그래서 필자가 어차피 그 지역에 강의가는 날이 있으니 한두 시간 일찍 가서 같이 발치하고, 같이 강의장에 가기로 하였다. 발치를 잘하시는 원장님들도 의외로 상악 매복치에는 두려움이 있는 듯하였다.

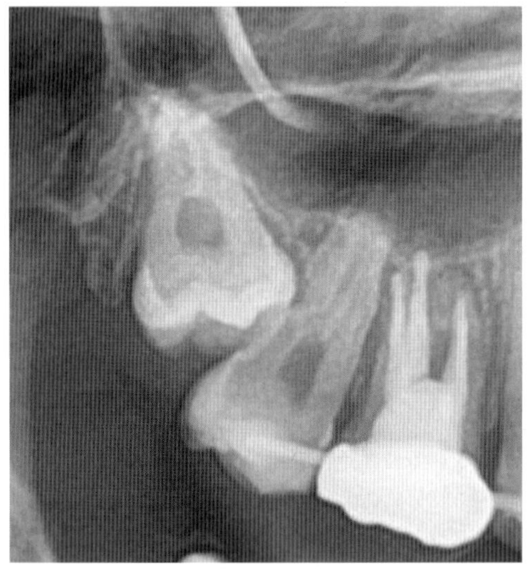

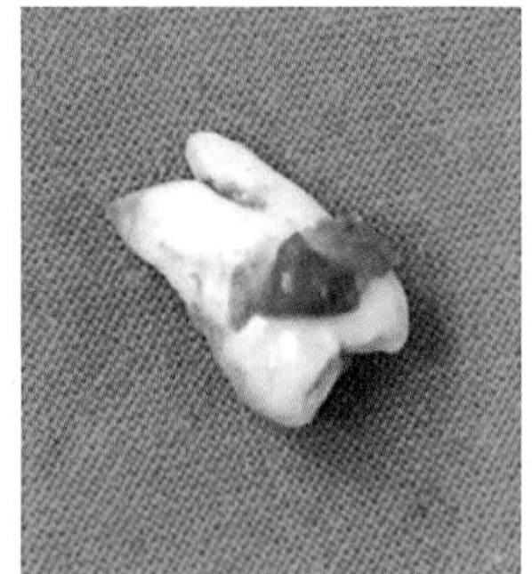

그 치과의 직원이었다. 아마도 다른 치아의 치료를 위해서라도 뽑는 것이 좋을 듯하였다. 원장님께서 보시는 중에 필자가 발치하였다. 의외로 매복된 정도는 심하지 않지만 언더컷 양이 크고 사랑니 원심 부위에 골이 많아 보인다. 만약 이 사랑니가 협측에 위치하고 있다면 사실 훨씬 더 쉬운 발치가 될 수 있다. 그런데 역시나 구개측에 위치하고 있었다. 물론 그래서 필자에게 부탁한 것인 듯하였다. 구개측에 위치하고 있어서 몇 분 걸리긴 하였지만 조심스럽게 무리하지 않고 천천히 근심 협측에서 엘리베이션하여 발치하였다. 이런 경우 절대 무리하지 말고, 살살 달래서 발치한다고 표현한다.

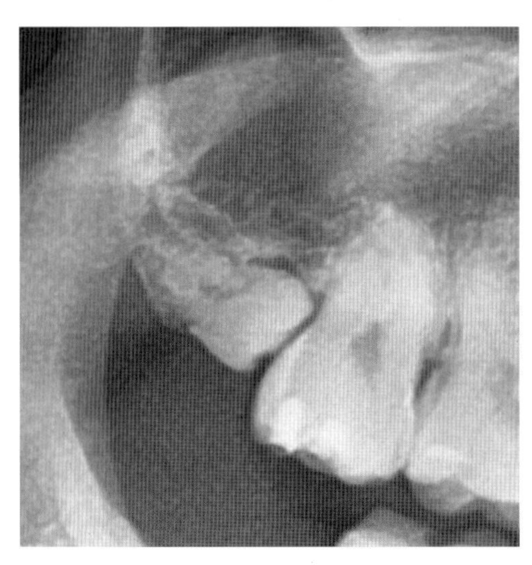

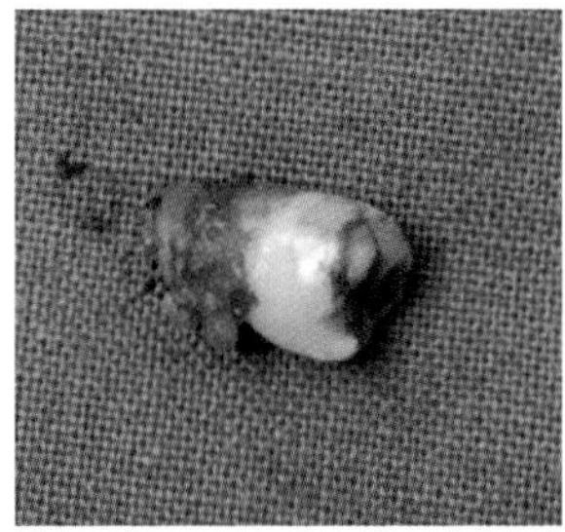

이 케이스는 일반 환자였다. 발치한 사랑니의 치관을 보면 의외로 치석도 있고 염증이 좀 있었을 듯하다. 언더컷 양이나 상방의 치조골은 많지 않으나 구개측에 위치하고 있었다. 파노라마 상에서는 상악동 하연에 치조골이 있는 듯이 보이지만, CT 상에는 상악동 하연이 1 mm 얇은 상태였다. 치근단쪽에서만 상악동 하연이 얇은 것이 아니라 전반적으로 모두 얇은 상악동 하연에 붙어 있었다. 남의 치과에까지 가서 문제를 만들면 안 되기 때문에 상악동 하연이 깨지거나 사랑니가 밀려들어가지 않도록 조심스럽게 발치하였다. 마찬가지로 근심 협측에서 절대 서두르지 않으면서 살살 발치하였다.

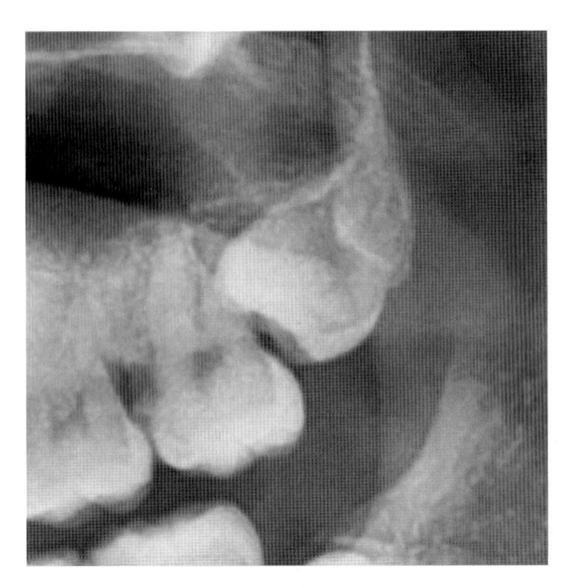
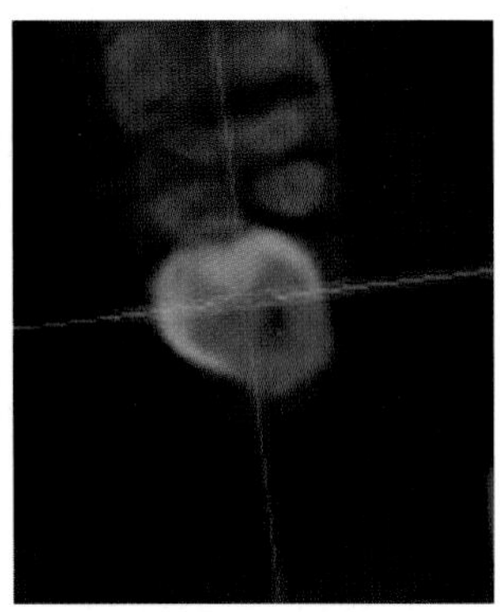

마지막 환자는 위 두 케이스를 보셨기 때문인지... 아니면 필자가 스탠바이하고 있기 때문인지... 원장님께서 직접 용기를 내서 뽑으셨다. 솔직히 저 상태에서 치관이 협측에 위치하면 발치가 쉽지만, 캡쳐해서 보내주신 CT 사진을 보면 구개측에 위치한 것을 볼 수 있다. 필자는 원장실에서 맘 조리면서 스탠바이하고 있었고 좀 있다가 잘 뽑으셨다는 이야기를 들었다. 그런데 하이스피드로 하악 발치하듯이 치관을 삭제하고 분리 발치였다고 하셨다. 허걱... ㅠㅠ 앞으로는 상악에서는 하이스피드 핸드피스 쓰시는 걸 조심하시는 게 좋겠다고 말씀드리고 굳이 스트레이트 로스피드 핸드피스가 익숙하지 않으시면 5배속 콘트라앵글 로스피드나 예전에 유행한 적 있는 1:1 이지만 하이스피드 버를 꽂을 수 있는 로스피드 콘트라앵글 핸드피스가 있으시면 그거라도 사용하시라고 부탁드렸다. 그리고는 퇴근하여 맛있는 국수를 한 그릇 얻어 먹고 강의장으로 이동하였다. 필자가 개원 초에는 이런 발치와 임플란트를 많이 하러 외부 치과에 다녔었는데 임플란트 가격이 *값되면서... 오랜만에 그때 기분을 다시 느껴보았다.

상악 제4대구치의 발치

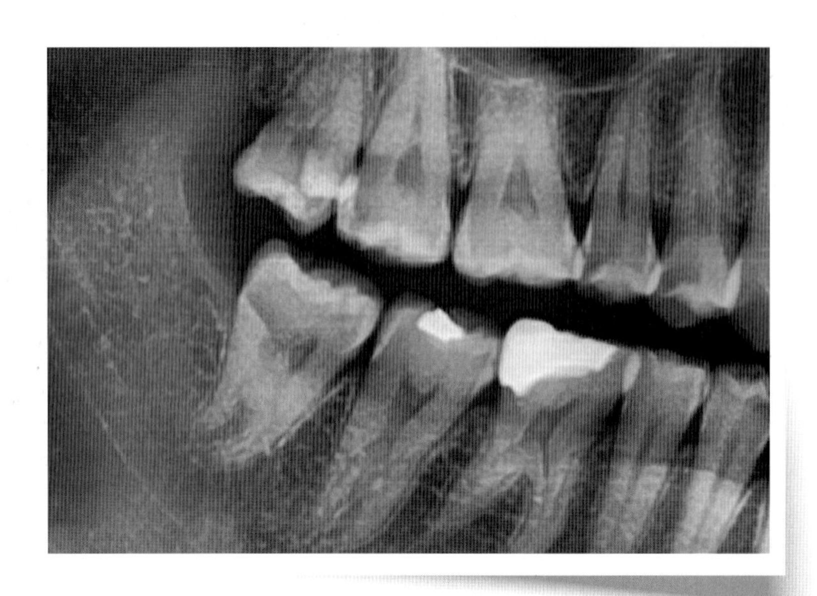

어느 부위에나 과잉치가 있을 수 있듯이 사랑니 주변에도 과잉치가 존재할 수 있다. 사랑니 발치를 많이 해본 사람이라면 누구나 상악 사랑니는 형태나 크기, 변이가 심하고 과잉치도 많이 발생한다는 것을 알 수 있을 것이다. 그러다 보니 특히 상악 사랑니 주변에는 교두만한 크기의 과잉치가 많이 존재한다. 굳이 이러한 과잉치에 치식을 부여할 필요가 있을까 고민해보지만, 편의상 제4대구치아라고 해보자. 건강보험청구를 할 경우에도 치식이 존재하지 않아서 인접한 사랑니의 치식을 입력하고 부가적인 설명으로 청구하는 경우가 많다. 크게 난이도가 있는 발치는 아니지만, 다른 데서 크게 다루지 않는 부분이므로 이 책에서나마 간단하게 다뤄본다.

01
제4대구치란? ★

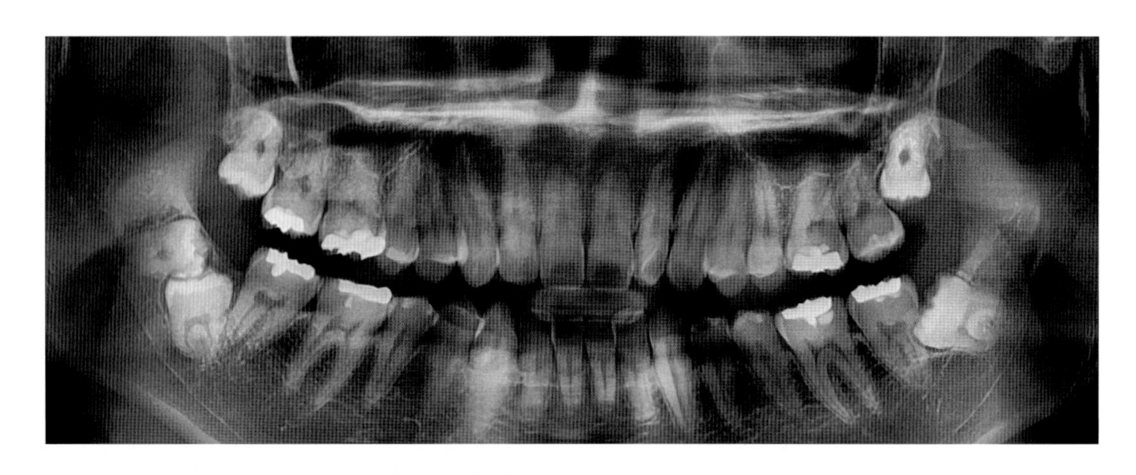

어느 부위에나 과잉치가 있을 수 있듯이 사랑니 주변에도 과잉치가 존재할 수 있다. 굳이 이러한 과잉치에 치식을 부여할 필요가 있을까 고민해보지만, 편의상 제4대구치 또는 9번 치아라고 하였다. 대부분 상악에 존재하나 위와 같이 하악에 존재하는 경우도 있다. 필자는 사랑니 발치를 많이 해서 그런지 생각보다 자주 보게 된다.

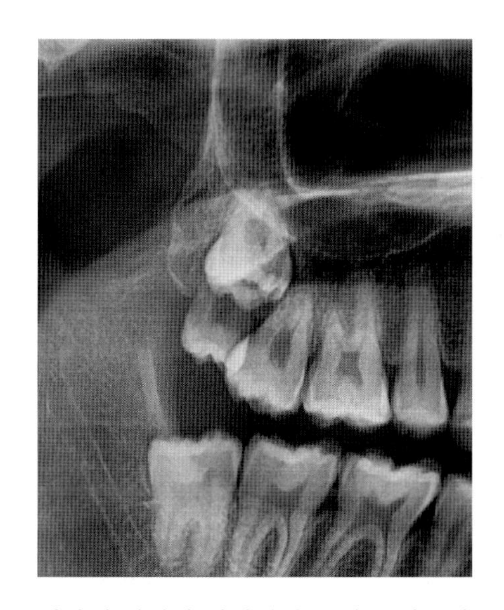

필자의 경험상 직접적인 통계를 내보지는 않았지만, 상악 제4대구치가 하악보다 몇 배 이상 많다고 생각한다. 일반 사랑니의 경우도 상악에서 훨씬 기형적인 사랑니가 많이 발생하는 것과도 연관이 있을 듯하다.

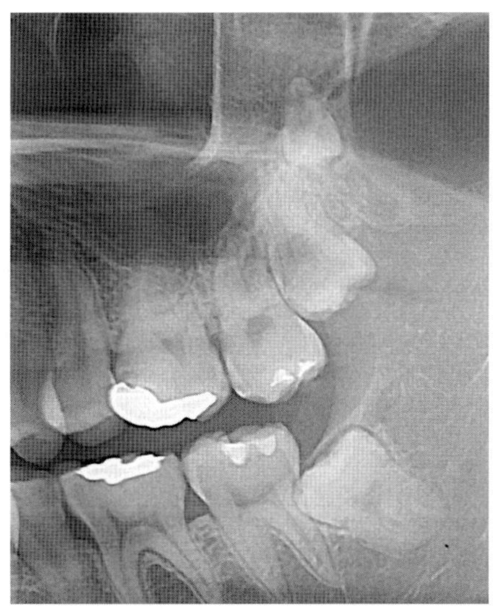

대부분의 제4대구치는 제3대구치 치배에서 갈라져 나왔다고 보기 때문에 대부분 매우 작은 좁쌀만한 경우가 많다. 필자 치과의 직원들이 대부분 치아 삭제한 경우만 사진을 찍어놓다 보니 사진이 거의 없어서 그렇지 생각보다 흔하다. 대부분은 협측 또는 원심면에 딱 붙어 있어서 특히 협측에 위치한 경우는 방사선에 안 나오는 경우가 많다.

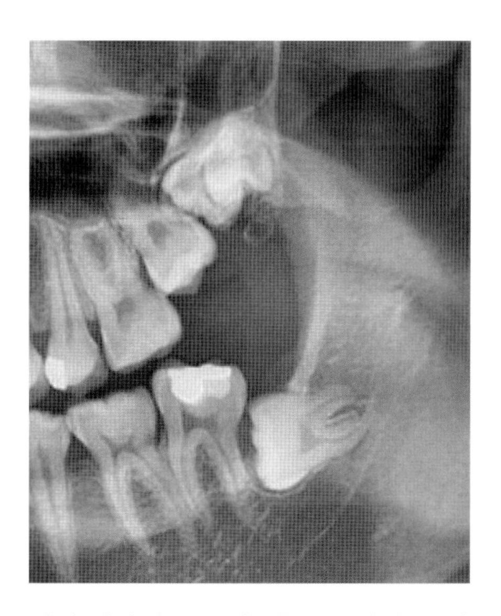

이런 사랑니를 굳이 제4대구치라고 할 수 있을지는 모르지만, 사진상에 명확히 치관이 두 개인 것이 나오기 때문에 올려본다. 상악 사랑니의 경우는 교두가 별도로 크게 하나 더 존재하거나 위와 같이 치관부가 두 개인 경우도 흔하다. 종종 발치가 어려운 경우가 있으며, 모두 기형치가 많이 발생하는 이유와 같다고 생각된다.

02
상악 제4대구치 발치 케이스 1 ★

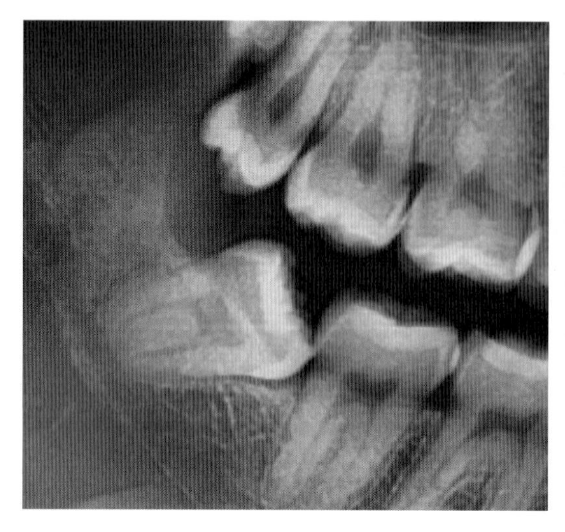
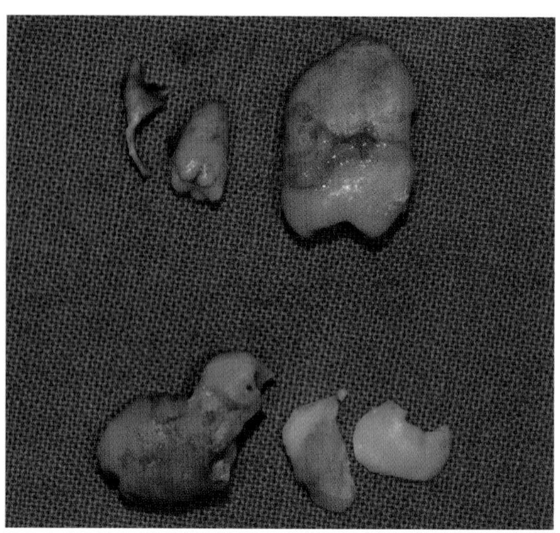

26세 여성 환자로 상악에서 제4대구치는 흔하게 볼 수 있다. 대부분 좁쌀만하게 생긴 경우가 많아서 사랑니인 제3대구치 발치와 함께 진행한다. 대부분 엘리베이터로 발치 가능하다.

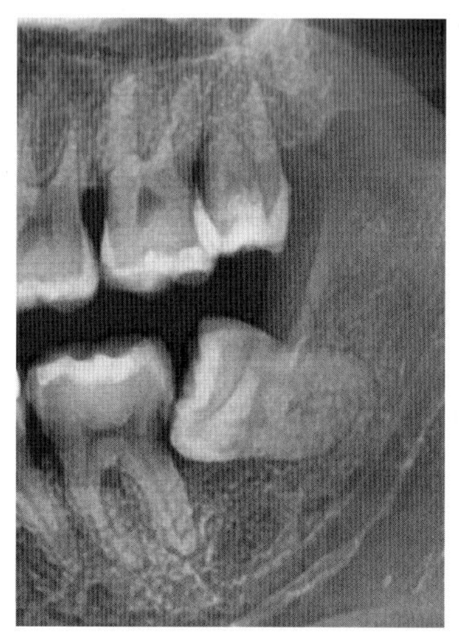
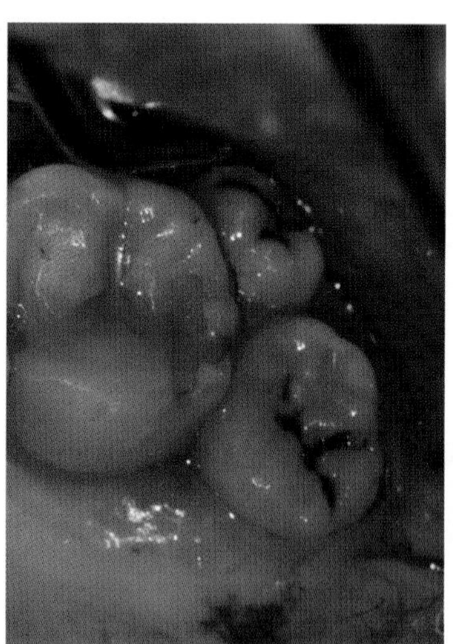
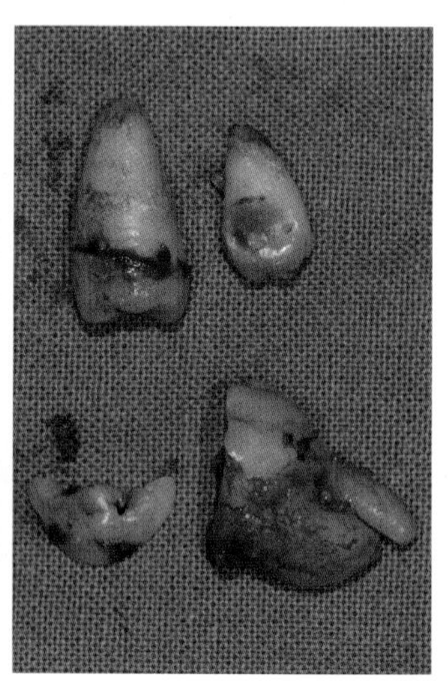

41세 남성 환자로 하악 사랑니 발치와 동시에 발치를 시행하였다. 위와 같이 사랑니의 원심이나 협측에 아주 작은 형태로 있는 경우가 대부분이다. 이 케이스는 협측에 위치한 과잉치를 엘리베이터로 발치 후에 구개측에 위치한 사랑니를 작은 포셉으로 발치하였다.

상악 제4대구치 발치 케이스 2 ★

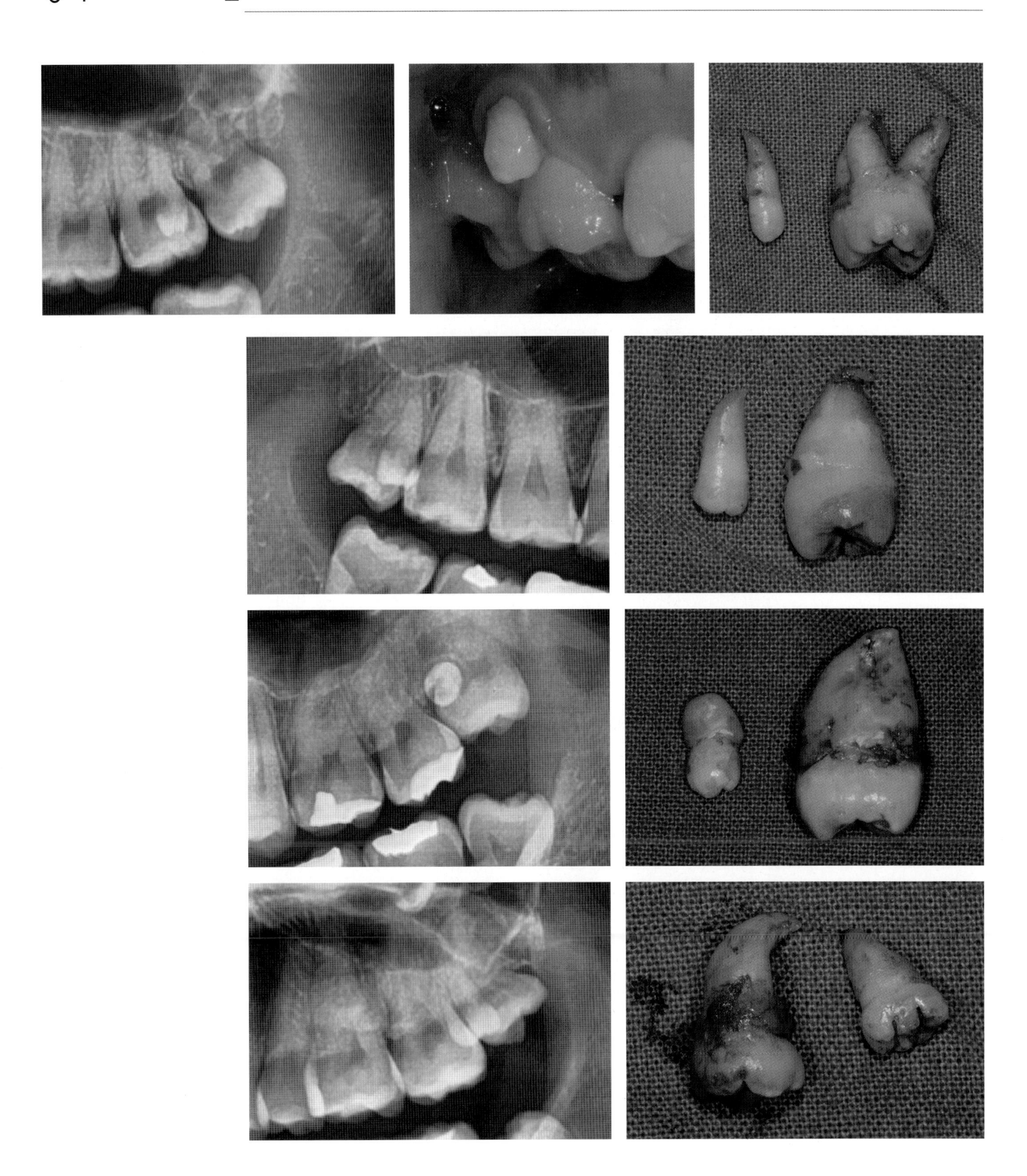

03
제4대구치를 발치하지 않고 그대로 둔 케이스 ★

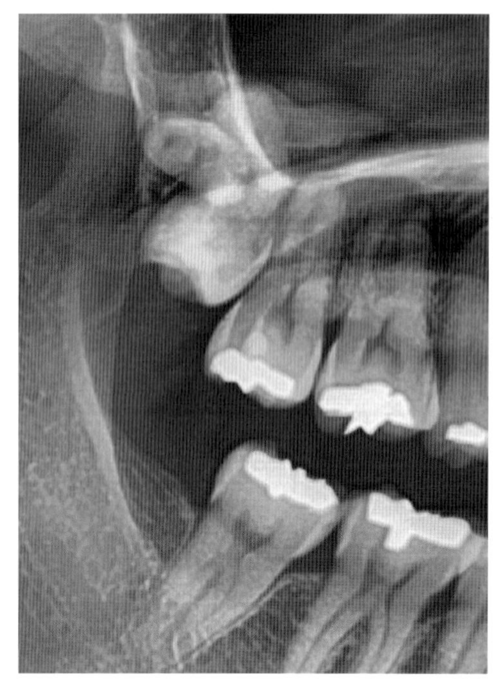
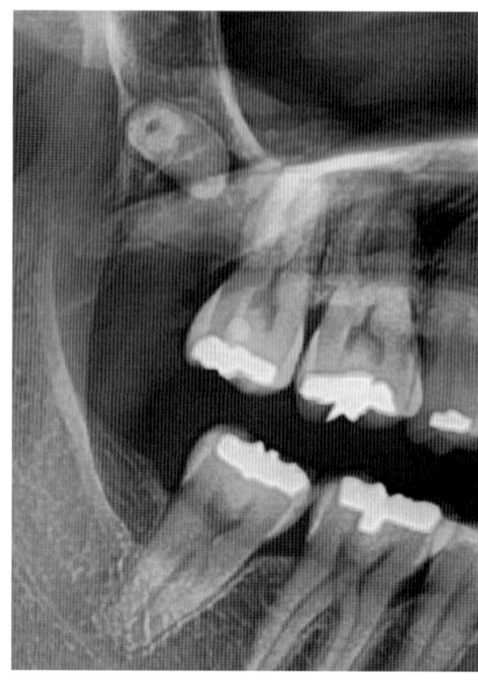
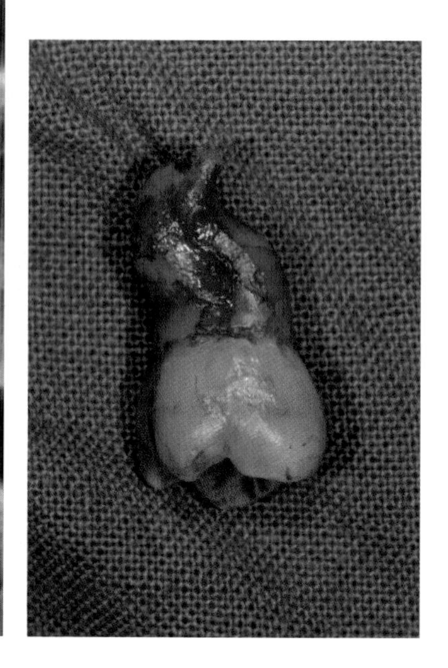

31세 여성 환자로 오른쪽 위의 사랑니 발치를 주소로 내원하였다. 파노라마 촬영 결과 19번 과잉치가 발견되었으나, 환자분이 굳이 문제되지 않으면 빼지 않기를 원하여 발치하지 않았다. 물론 필자도 당일 너무 바쁘고 사랑니가 구개측 상악동 하연에 위치하여 굳이 뽑으려고 하지는 않았다.

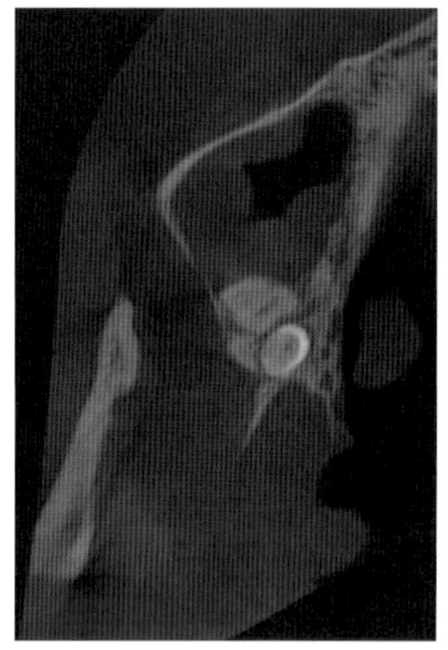
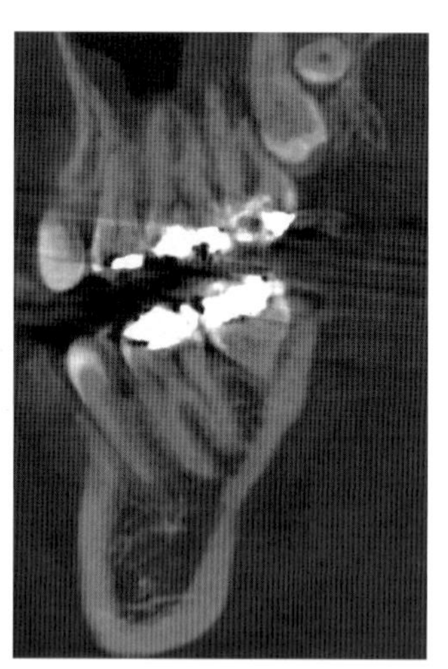
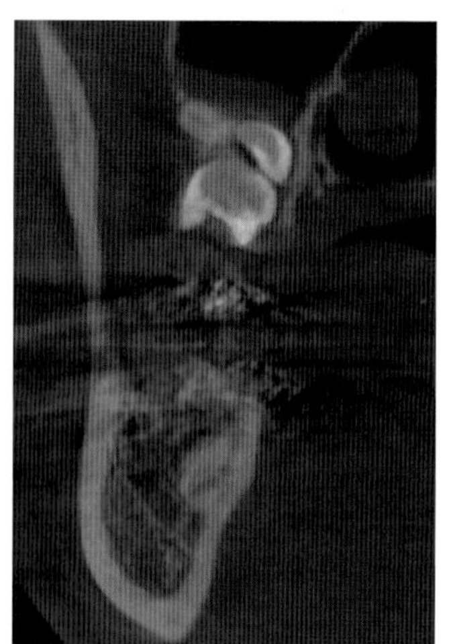
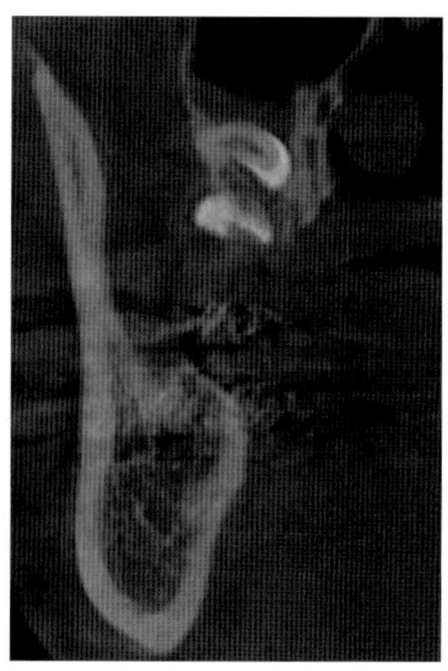

CBCT 영상을 보면 상악동 하연에 붙어서 수평으로 매복되어 있고, 치관이 구개측을 향하고 있어서 사실 발치해달라고 해도 망설였을지 모른다.

04
제5대구치 ★

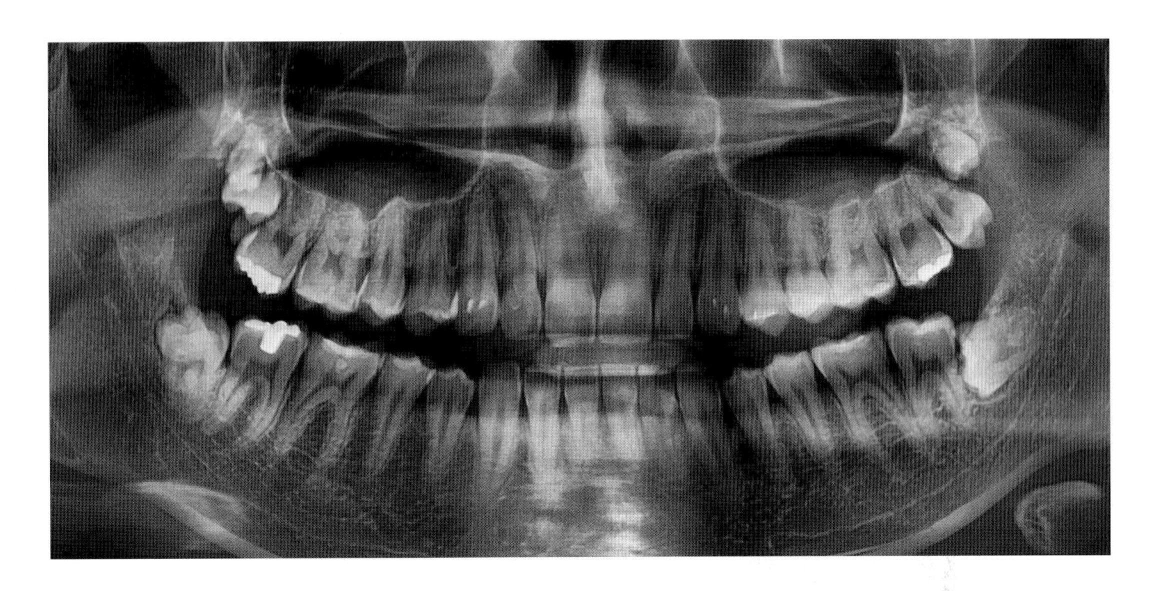

23세 남자 환자로 사랑니가 모두 합해서 7개가 있다. 오른쪽 위에 제3, 4, 5대구치 3개, 왼쪽 위에 3, 4대구치 2개가 있다. 우선 오른쪽 발치를 원하여 하악 #48 발치 후 상악 #18, 19, 20 치아(치식을 어떻게 해야 모르겠지만)를 발치하였다. 필자처럼 사랑니 발치를 많이 하는 사람도 이런 제5대구치는 매우 드문 케이스이다.

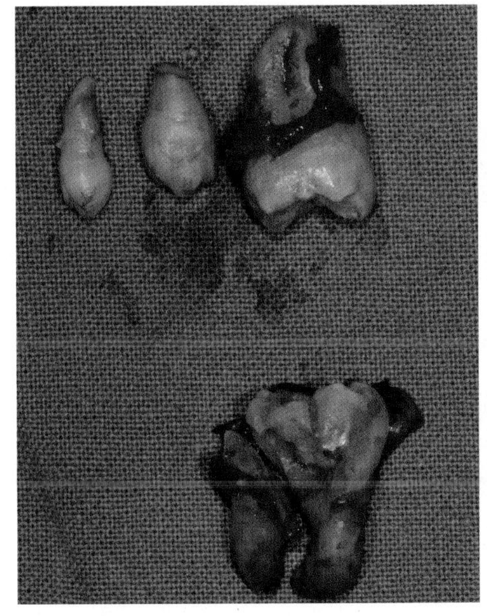

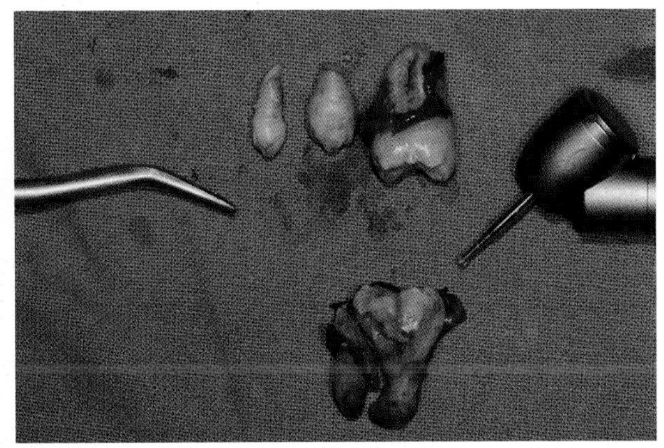

상악 우측 사랑니는 Hu-Friedy EL3C로 발치를 시도하다가 각도가 여의치 않아서 미스타큐렛의 뒤로 꺾어진 엘리베이터로 바꿔서 발치하였다. 하악은 심한 설측 경사로 협측에서 엘리베이터가 걸리지 않아 45도 핸드피스로 협측에 홈을 파서 제거하였다. 이런 경우에도 협측골을 깊게 파는 것보다 치아에 홈을 파는 것이 여러가지로 발치에 유리하다. 종종 목치기처럼 치관이 수평으로 파절되기도 하는데, 이 또한 설측 경사된 치관의 제거가 쉽게 되고, 남은 치근을 별개로 제거하기도 쉽다.

상악 대구치의 형태 이상 ★

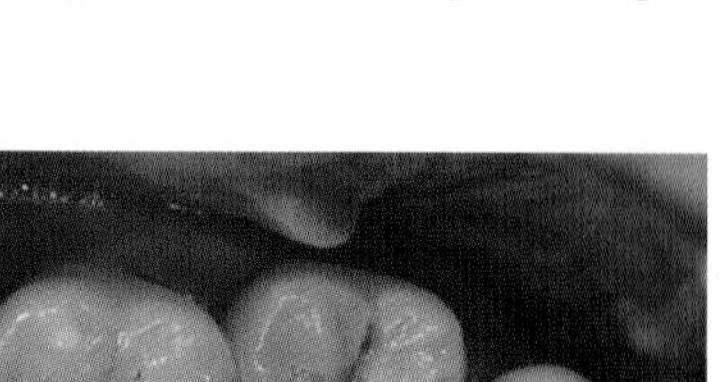

이 사진은 명확하게 별개의 사랑니로 보인다. 상악 대구치에서 이런 크기나 형태 변이는 매우 심하며, 별개의 치아인지 인접한 대구치에 붙어 있는 교두인지 구분이 모호한 경우가 종종 있다.

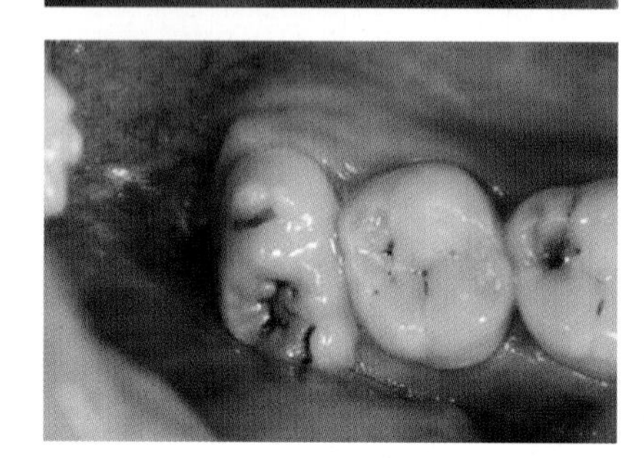

상악 대구치에서는 위와 같은 교두가 더 형성되어 있는 것을 볼 수 있다. 옆 케이스는 명확하게 별개의 치아처럼 보이고, 위 케이스는 명확하게 교두로 보이지만 교두인지 과잉치아인지 구분하기가 모호한 경우도 종종 있다.

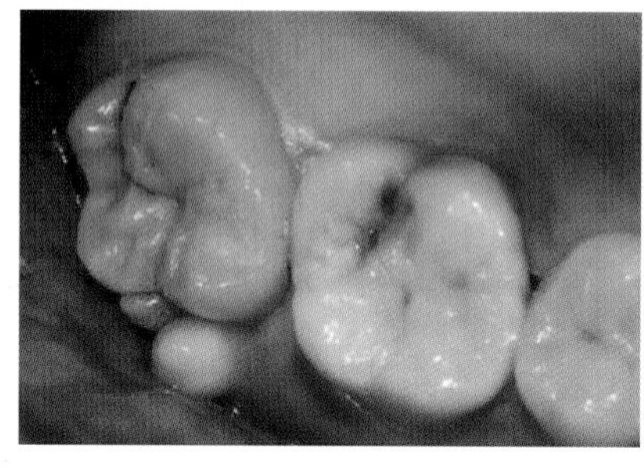
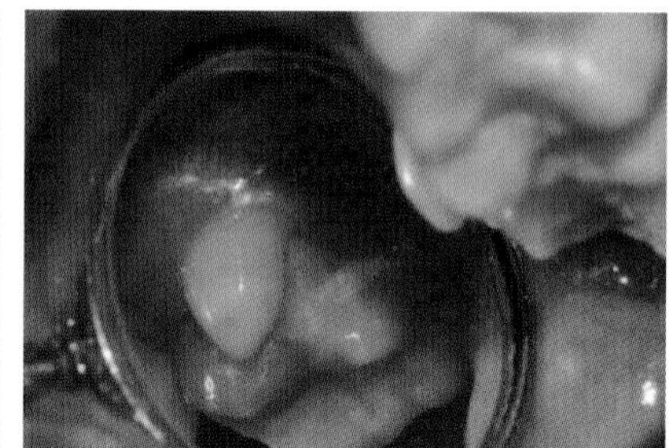

방사선 사진을 찾을 수가 없어서 예전 강의자료 PPT에서 임상사진만 가져온 것이다. 필자는 과잉치라고 생각하여 발치하려고 마취까지 하였으나 발치를 진행하면서 치아와 붙어 있는 교두라는 것을 알게 되었다. 그나마도 발치 전에 알게 되어 천만다행인 케이스이다.

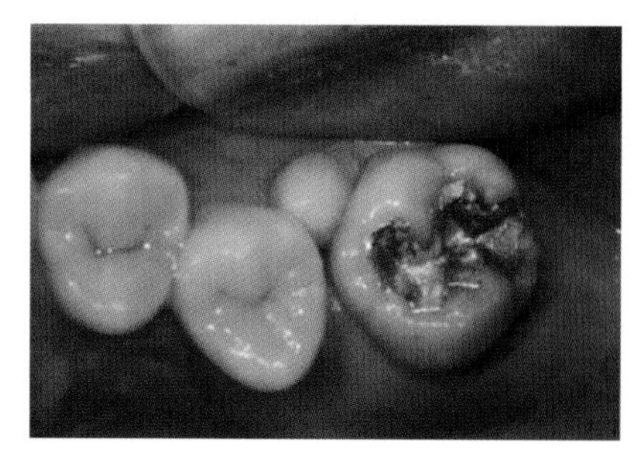
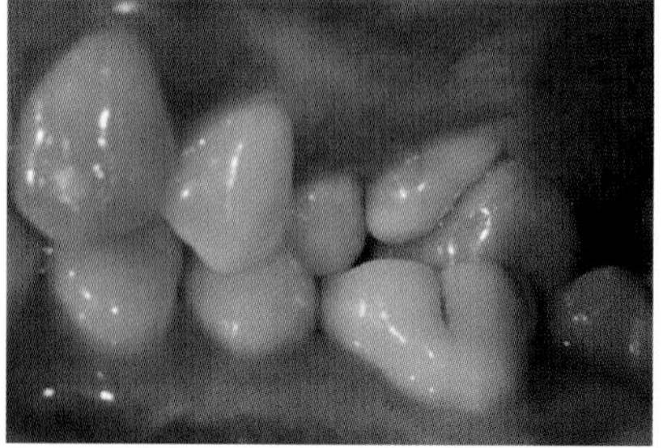

방사선사진이나 임상사진만으로는 명확하게 과잉치아인지를 판정하기는 어려운 케이스이다. 이런 경우는 치실을 넣어 보기도 하고, 다양한 방법으로 교두인지 과잉치인지를 구분해내야 한다. 이 경우도 교두로 판명되었다.

발치 시간은 얼마나 걸릴까? 

사랑니 하나를 뽑는 시간은 평균 얼마나 걸릴까? 요즘 인터넷이나 SNS에 보면 <5분 사랑니 발치>라는 광고들을 종종 보게 된다. 심지어 서로 경쟁이나 하듯이 <3분 발치>라는 광고도 본 적 있다. 아마도 환자나 다른 치과의사들이나 거짓말이라고 생각하는 사람들도 많이 있을 것이다. 그러나 필자는 충분히 사실일 수 있다고 믿는다.

필자는 살아오면서 사랑니 발치 시간을 여러 번 계산해보았다. 그러나 그러는 과정이 결코 발치에 도움이 안 되고, 환자에게 윤리적으로 옳지 않기 때문에 자주 시행하지는 않았다. 그러나 남들은 자신들의 발치 시간을 어떻게 계산했을까 하는 호기심에 필자 스스로를 체크해 보기 위해서 직접 해봤다. 이 책을 마무리하는 시점인 2017년 여름에 필자는 다시 한 번 사랑니 발치 시간(마취 봉합시간 제외) 측정을 해보았다. 여러분도 한 번쯤은 직접해보기를 권한다. 그러나 여기에는 원칙이 있다. 발치 시간을 측정해 보려거든 필자와 같은 방식으로 해보기 바란다. 아마도 하다보면 결국 필자가 느꼈던 비슷한 고민들을 하게 될 것이기 때문에 필자의 스타일대로 해보는 것이 좋을 듯하다.

가장 최근 시간 측정 결과는 환자 75명 (남 30, 여 45), (상악 44, 하악 75) 을 10일 정도 연속으로 발치한 환자를 전수조사하였다. 평균 발치 시간 109초 (표준편차 136초 최소~최대값 : 10초~690초, 95% 신뢰수준에서는 85초~134초)였다. 상악은 평균 27초 (표준편차 103초), 하악은 평균 157초 (표준편차 137초)였다. 좀 쉽게 표현하면 필자의 119개의 사랑니의 평균 발치시간은 1분 49초로 가장 오래 걸린 것이 11분 30초이고, 상악은 평균 27초, 하악은 평균 2분 37초라는 뜻이다. 표준편차가 큰 이유는 아무래도 사랑니마다 시간 차이가 매우 크기 때문이다. 그래서 95% 신뢰수준에서 말한다면... 다시 말해 전체 사랑니 중에 97.5%는 2분 14초안에 뽑는다는 뜻이 될 수 있다.

통계를 돌려본 내용을 논문 쓰듯이 있어 보이게 좀 더 정리하면..

상악 제3대구치의 평균발치시간은 27.27±102.55초이며, 하악 제3대구치의 평균발치시간은 157.33±129.99초로, 하악 제3대구치의 평균발치시간이 유의하게 높았다($p<.01$). 하악 제3대구치의 평균발치시간은 남성이 208.17±149.19초, 여성이 123.44±103.98초로 남성의 평균발치시간이 유의하게 높았다($p<.01$). 상악 제3대구치 평균발치시간은 남성이 10.28±1.18초, 여성이 39.04±133.18초로 여성이 높았으나, 통계적으로 유의하지는 않았다($P=.367$). 좌우측 제3대구치 평균발치시간 차이에서는 성별에 유의한 차이가 없었다($p=.804$). (통계입력 분석 : 전북대학교 치과대학 예방치과학교실 홍진실, 신윤아)

아마도 대부분의 치과의사들은 거짓말이라고 생각할 것이다. 그러나 사랑니를 좀 뽑아본 치과의사들이라면 자기는 이보다 더 좋은 결과를 낼 수 있을 것이라고 생각할 것이다. 정말 사랑니 발치는 필자 말고도 이렇게 빨리 뽑는 치과의사들이 엄청 많다. 아니 필자보다 더 빨리 잘 뽑는 사람도 훨씬 많을 것이다. 그러나 필자는 지금도 한동안 일반진료가 많아서 사랑니를 적게 뽑으면 감이 좀 떨어지고, 사랑니 발치가 몰려서 좀 많이 뽑다 보면 더 잘 뽑아지기도 한다. 지금은 필자가 사랑니 발치 책도 준비하고 있다 보니 절정의 감각에서 나온 결과물인 듯하다. 그러나 분명 우리나라에 필자보다 더 빨리 잘 뽑는 사람이 많이 있을 것이다. 그런 분들이 필자처럼 나서는 것을 좋아하지 않을 뿐... 이 책을 읽는 독자분들 중에서도 머지 않아 필자보다 더 빨리 발치하는 사람이 생길 것이라고 확신한다.

Dr. 김영삼의 사랑니 발치 시간 측정 방법

마취 및 봉합 시간은 제외한다.

마취는 천천히 할수록 환자가 덜 아프고, 봉합시간까지 고려하게 되면, 봉합을 안 하고 발치를 마무리해버리는 경향이 두드러지기 때문이다. 결코 환자에게 윤리적으로 올바르다고 할 수 없다.

100 케이스 정도 충분히 통계적으로 유의한 케이스가 필요하다.

그렇지 않으면 환자를 고르게 된다. 100 케이스 정도는 시간 측정기간 중에 쉬운 케이스 위주로 골라서 하기는 좀 어려운 숫자이다. 다만 어떠한 사랑니 발치도 거부하지는 않는다.

케이스를 선별하지 않는다.

아무리 통계적으로 숫자가 많아진다고 해도 발치 시간을 측정하는 기간에 어려운 발치를 기피하게 되는 경향이 있다. 물론 그래서 표본을 크게 하지만 그래도 환자를 본인이 선택하여 발치하지는 말아야 한다. 필자는 오로지 직원들이 약속을 관리한다.

시작한 날과 마지막 날에도 발치한 환자는 모두 포함해야 한다.

필자도 시작 날 초반에 오래 걸린 게 있으면 빼고 싶기도 하고, 마지막 날 끝날 때 쯤에는 오래 걸릴 거 같은 건 안 뽑고 싶어지는 게 사람의 간사한 마음이 든다. 시작 날을 조절하거나 마지막 날을 조절하는 정도까지는 어찌 못하겠지만, 시작하는 날과 끝나는 날은 모두 포함하거나 모두 빼야 한다.

최소 시간은 10초로 한다.

최소 시간은 10초로 한다.솔직히 10초도 안 걸리는 발치가 반 정도 되는 경우도 있을 것이다. 그러나 최소 시간을 10초로 해놓지 않으면, 발치 기구를 매우 빠른 동작으로 입 안에 집어넣고 서둘러 발치를 하게 된다. 이는 발치 시간 측정 이벤트가 혹시라도 나를 슬프게 하는 1%를 만드는 계기가 될 수도 있기 때문에 충분히 기구가 들어가서 작용할만한 시간적인 여유를 주는 것이다. 예전 발치시간 측정에서는 최소를 5초로 하였었다. 그러나 필자가 나이 들어서 더 모험을 싫어하게 되다 보니, 충분히 10초로 하였다.

사랑니가 치조골에서 탈구되면 발치로 간주한다.

발치 시간을 측정하는 경우에 주변 치과의사들을 보면 원심면에 잇몸이 살짝 붙어있거나, 혀나 목구멍 등에 위치하고 있는 경우 등에서 시간을 단축시키기 위해서 너무 빨리 입 밖으로 제거하기 위해서 어시스트에게 빨리 석션해서 꺼내라고 다그치거나, 무리하게 핀셋 등으로 빨리 집어내려는 등의 행위를 하게 된다. 몇 초 걸리지 않는 시간이지만 사람을 초조하고 서두르게 만들기 때문에 이 시간은 제외한다.

예리한 새 기구나 숙련된 직원을 찾지 않는다.

솔직히 잘하는 직원이 어시스트 하면 진료가 빠르다. 또한 새 기구(특히 버)들을 사용하면 발치가 빠르다. 그러나 이렇게 고집하면, 결국 사랑니 발치 시간측정 이벤트가 치과의 원만한 운영에 방해가 되기 때문이다. 실제로 가장 최근에 실시한 사랑니 발치 시간측정 이벤트 기간 내에는 졸업한지 4달된 신입직원이 대부분의 경우를 어시스트하였다.

발치 도중 다른 기구가 필요해서 가지러 간 경우는 시간에서 제외한다.

그렇지 않으면, 빨리 가져오라고 직원들 더 닥달하게 된다. 이 또한 치과에 마이너스 영향을 주기 때문이다.

발치 도중에 체어나 핸드피스에 문제가 생긴 경우는 시간에서 제외한다.

물론 매우 드물기는 하지만, 종종 핸드피스가 안 돌아가기도 하고, 체어가 발치 도중에 작동을 안 하기도 한다. 발치 도중에 라이트가 고장나기도 하고, 석션이 고장나는 경우도 있다. 이러한 시간은 서로를 탓하지 않게 하기 위해서 시간에서 제외한다. 물론 앞서 말했듯이 매우 드물고, 최근의 시간측정에서는 핸드피스가 고장한 경우가 한두 번 정도 있었다.

발치 도중에 추가로 마취를 시행하는 시간은 발치 시간에 포함한다.

마취가 풀리거나 통증을 호소하여 추가로 마취를 시행하는 경우는 발치 시간에 포함된다. 결국 마취도 실력이기 때문에 이는 매우 중요한 시간의 요소이다.

EASY
SIMPLE
SAFE
EXTRACTION
of
wisdom
tooth

10
CHAPTER

사랑니 발치와 관련된 몇가지 문제들

GANGNAM STYLE

01
서지컬 라운드 버의 파절 ★★★

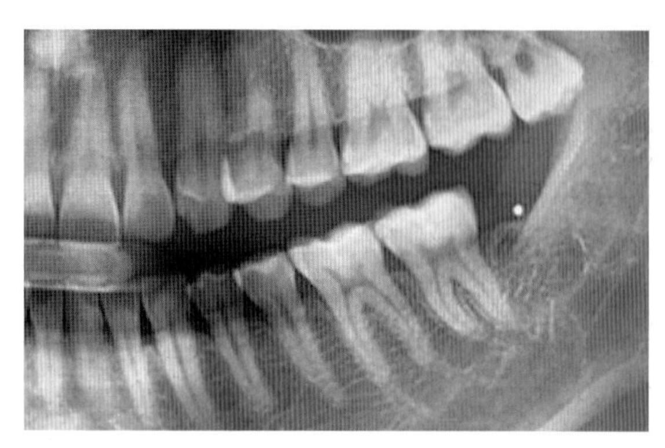
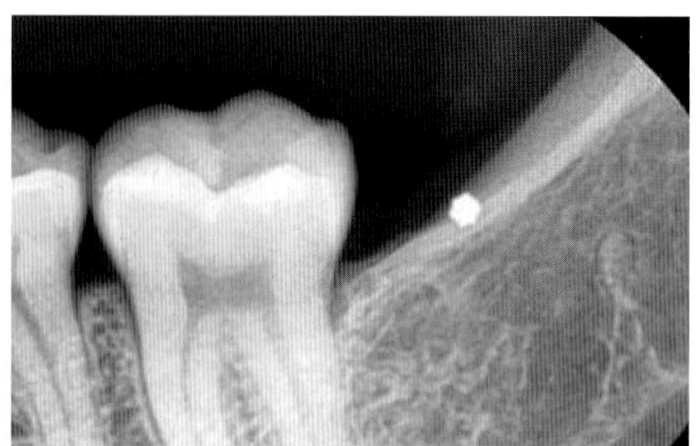

하이스피드 라운드 버가 파절된 경우이다. 필자에게 상악 사랑니를 빼러 왔는데 파노라마 상에서 위와 같이 발견이 되었다. 발치한 지는 1년 정도 되었다고 하였다. 라운드 버는 제거하였으나, 석션에 빨려 들어가서 제거 후 사진은 없다.

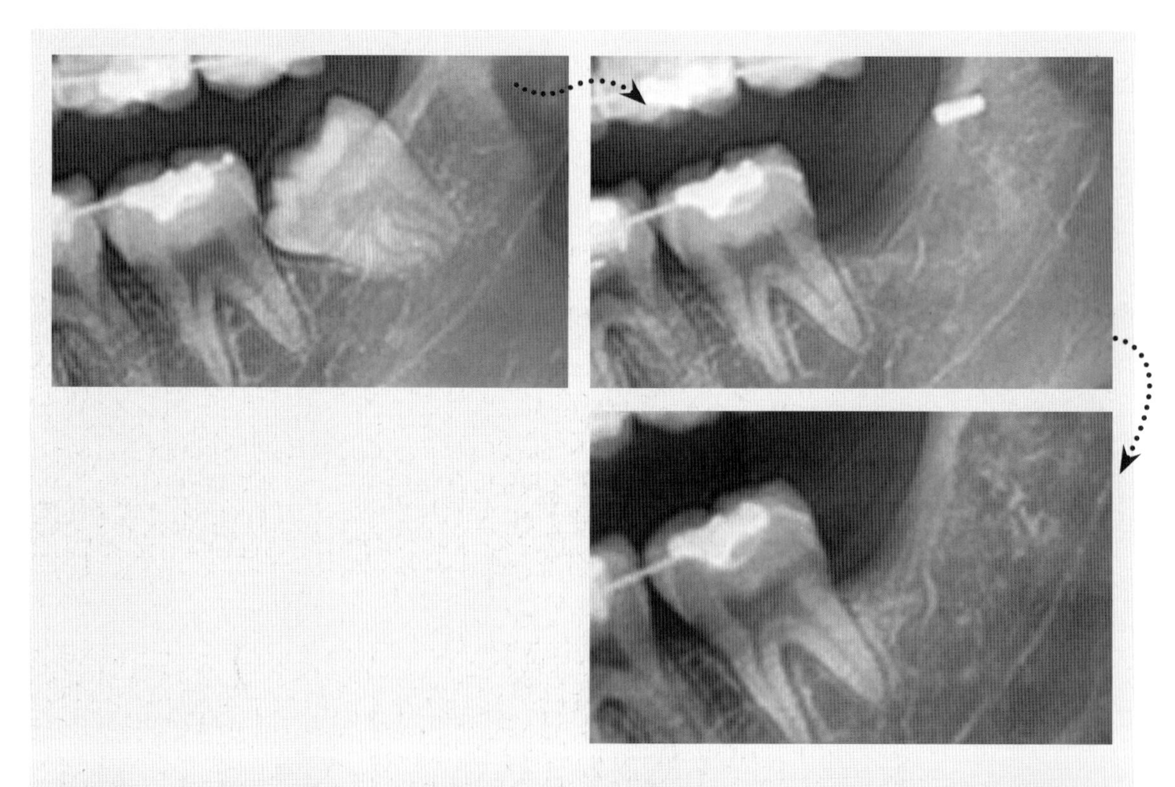

로스피드 스트레이트 핸드피스 서지컬 피셔 버가 부러진 모습이다. 필자 치과에서 함께 일하는 선생님의 케이스로 교정과에서 발치를 의뢰하여서 발치를 시행하였다. 발치 한달 후 교정과에서 정기적인 치료과정에서의 파노라마 방사선 사진을 찍으면서 파절된 피셔 버를 발견하여 본원에 다시 내원하였다. 발치를하신 선생님이 직접 제거하였으며, 마찬가지로 석션되어 파절편 사진은 없다. 아쉬운 점은 왜 저런 사랑니를 발치할 때 피셔 버가 박힌 곳까지 삭제했어야 했나 하는 것이다. 필자라면 골막 박리 없이 근심 조각만 살짝 삭제하여 발치했을 듯하다.

02
하이스피드 피셔 버의 파절 ★★★

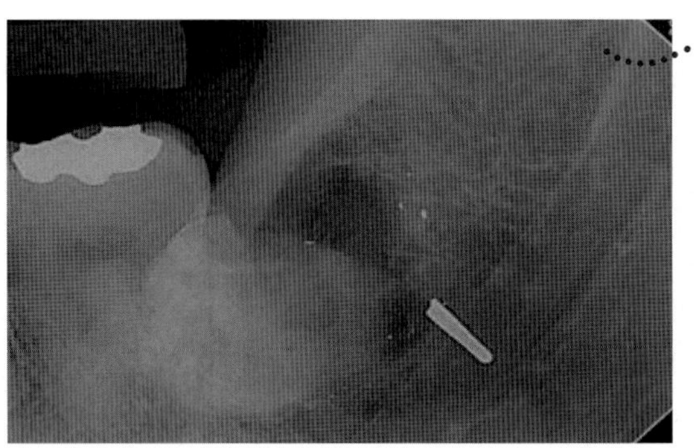
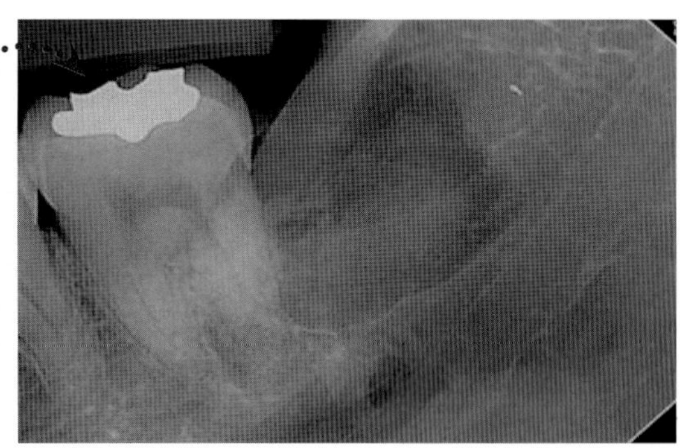

서지컬 피셔 버는 정말 잘 부러진다. 특히나 28 mm 롱 서지컬 버(보통 버는 21 mm, 롱쉥크 서지컬 버는 25 mm)는 너무 많이 부러진다. 얼마 전에 견학갔다 왔던 부산치대병원에서도 28 mm 롱 서지컬 피셔 버를 사용하는데 너무 잘 부러지기 때문에 모두 한 번 사용하고 버린다고 한다. 위 케이스는 대학병원에서 수련하는 후배가 보내준 케이스이다. 후배는 공립인 부산대병원과 달리 사립대병원에서 수련을 받아서 그런지 버를 잘 안 사줘서 버가 너무 무뎌졌다고 한다. 그래서 많은 힘을 줘서 치아를 삭제하기 때문에 더 많이 부러지는 것 같다고 한다. 피셔 버가 부러지는 케이스는 너무 흔하기 때문에 조심해야 한다. 다만 부러진 조각이 커서 제거하기도 편하다. 서지컬 라운드 버는 부러지면 대부분 제거하는 과정에서 석션에 빨려 들어가기 때문에 사진을 찍어야만 알 수 있다.

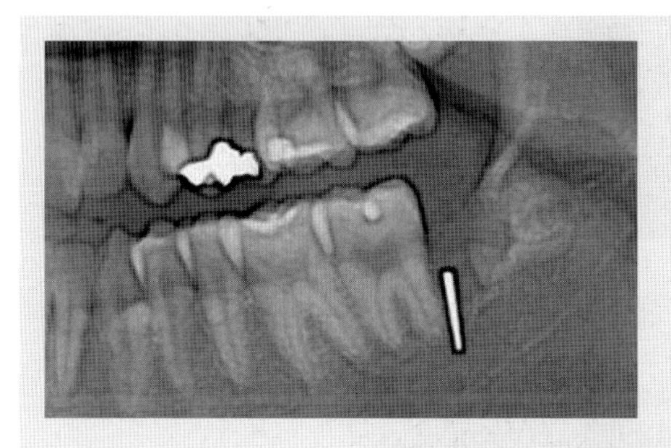

모 대학병원 구강외과에 버가 부러져서 의뢰되어 온 환자의 케이스이다. 후배가 교수님께서 제거하고 발치한 케이스라고 전해주었다. 의외로 피셔 버는 부러져도 크게 부러지기 때문에 제거 후 방사선 사진이 없는 경우가 많다. 눈으로 제거된 버 조각을 바로 확인할 수 있기 때문이다. 그러나 서지컬 라운드 버의 경우는 거의 부러지지 않지만, 제거 후 방사선 사진을 찍어야만 한다. 실제로 제거한 조각도 대부분 석션되어 버리고 눈으로 확인하기 어렵기 때문이다.

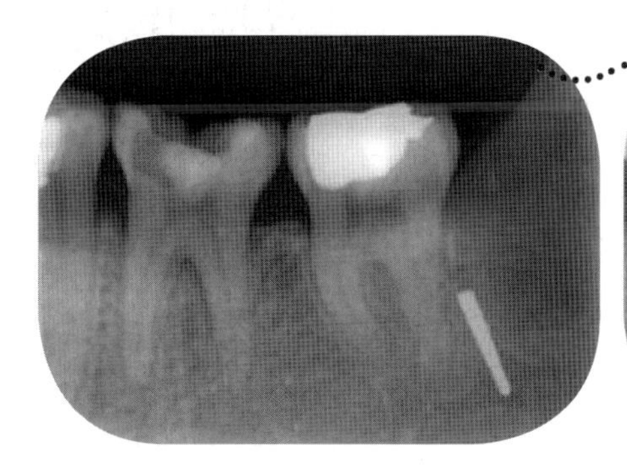
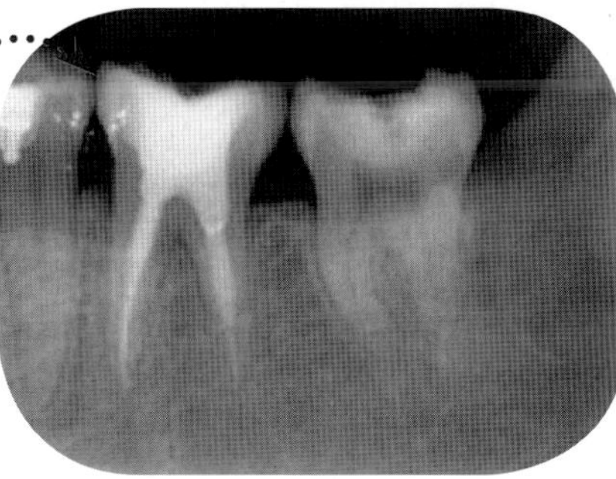
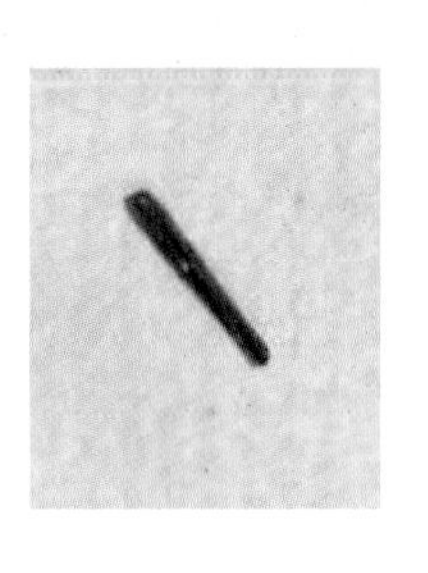

페이스북 친구인 치과의사분이 페이스북에 올린 케이스이다. 서지컬 피셔 버의 파절 사진이다. 발치 스타일이 필자와 많이 달라서 그런지 왜 저기에서 서지컬 버가 부러졌는지 이해가 안 가긴 하다. 어쨌든 서지컬 피셔 버는 길어서 석션에 안 빨려 들어가고 잘 제거된 듯하다.

03
서지컬 라운드 버의 파절(최근 케이스) 1★★

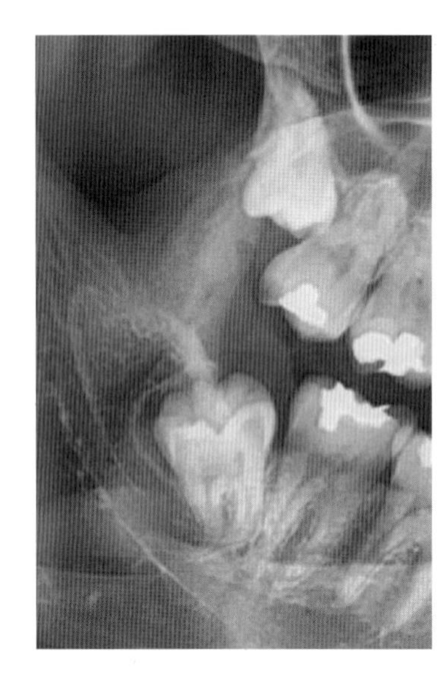

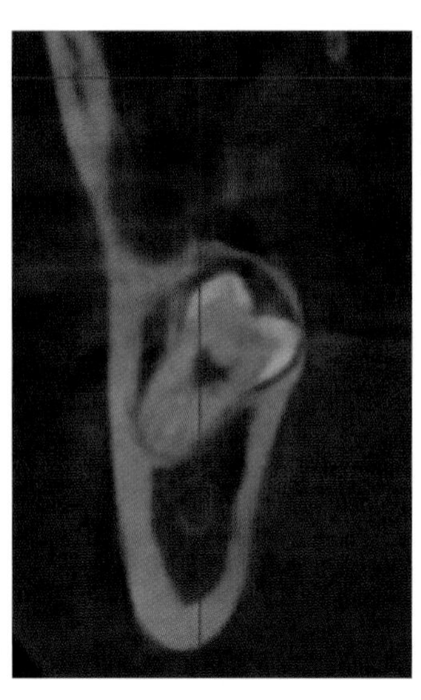

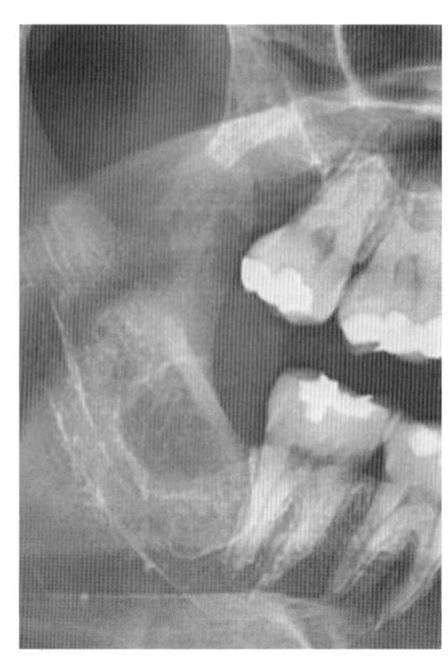

28세 여성 환자로 #48번 원심 설측으로 경사되어 있다.

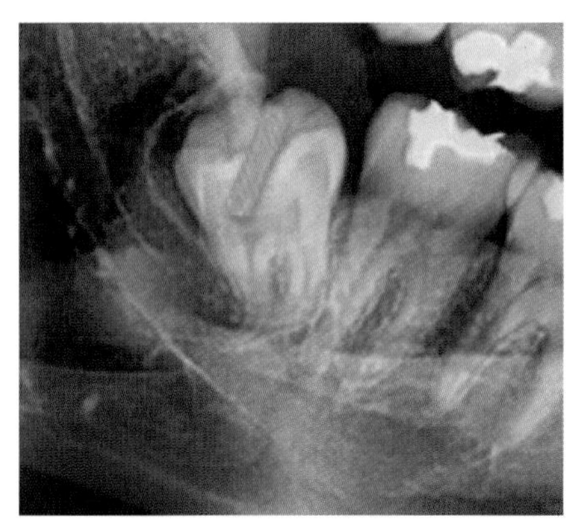

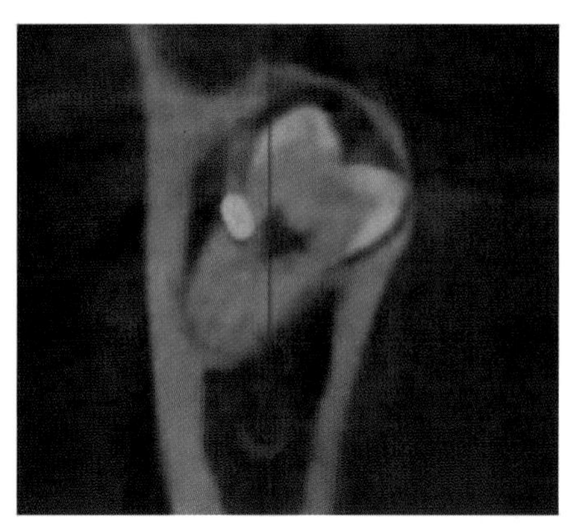

통상적인 뒷머리치기를 이용하여 원심 치관부를 제거하였다. 협측에 엘리베이터를 적용시켰으나 설측 경사되어 엘리베이터가 잘 걸리지 않아서 발치가 용이하지 않았다. 그래서 사랑니의 협측에 홈을 만들어서 엘리베이터가 걸릴 수 있게 하였다. 이러한 경우에는 지름이 작은 4번 라운드 버를 사용하는 것이 좋다.

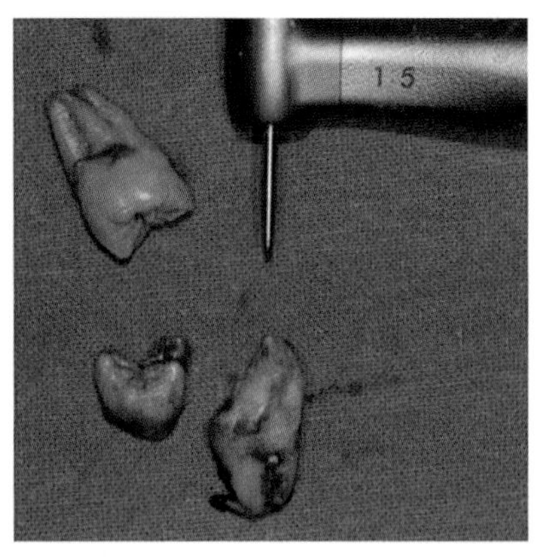

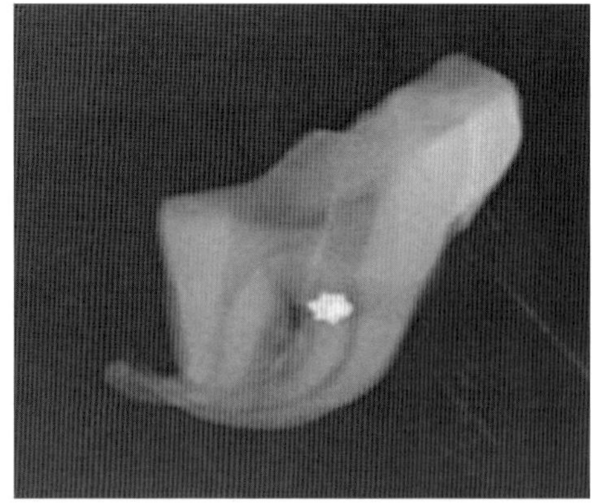

발치 후에 사용한 기구를 놓고 사진을 찍는 과정에서 직원이 버가 부러진 것 같다고 하였다. 필자는 사랑니 협측에 검은 부분이 버에 의해서 탄 것이라고 생각하였다. 5배속 로스피드는 물이 하이스피드처럼 스프레이식으로 나오지는 않기 때문에 깊게 홈을 파면 검게 타는 경우가 많다. 필자는 협측을 잘 관찰하지 않은 듯 하였다. 이렇게 라운드 버가 파절된 것이 관찰된다면 대부분 석션되는 경우가 많기 때문에 발치 후에 파노라마 촬영 또는 심지어 위와 같이 발치된 치아를 방사선 사진 찍어보는 것도 좋다. 라운드 버는 버가 부러지는 경우가 매우 드물지만, 아마도 로스피드 핸드피스이다보니 약간의 진동과 너무나도 강한 토크로 인해서 부러진 것이 아닌가 생각해본다.

서지컬 라운드 버의 파절(최근 케이스) 2 ★

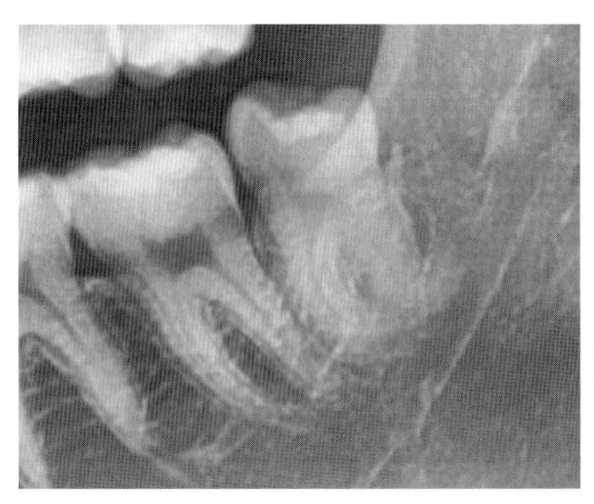

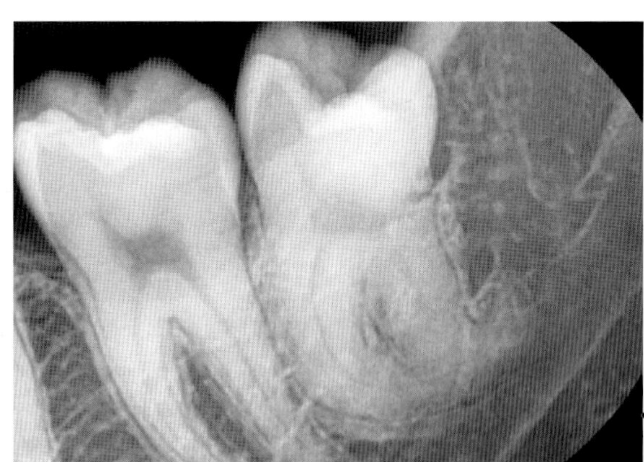

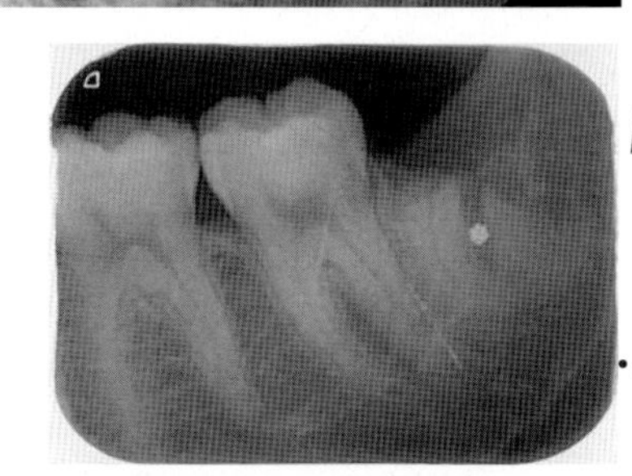

이 책을 쓰는 날 기준으로 며칠 전 케이스로 26세 남성 환자로 기다리더라도 당일 발치를 원한다고 하여서 야간진료를 위한 저녁시간 직전에 발치를 시작하였다. 치근이 많이 휘어져 있어서 상황이 여의치 않으면 치관절제술을 시행할 수 있다고 사전 고지하고 발치를 시작하였다.

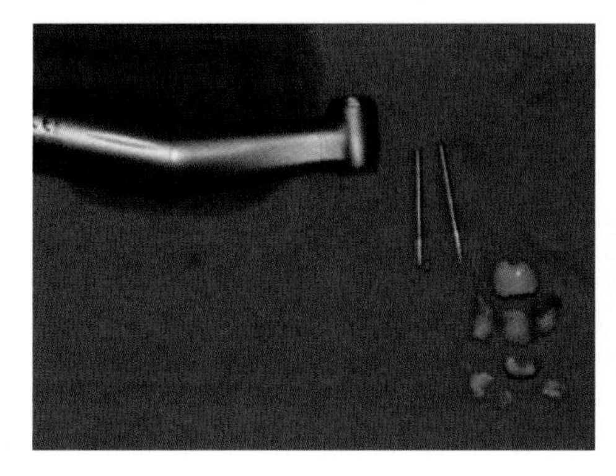

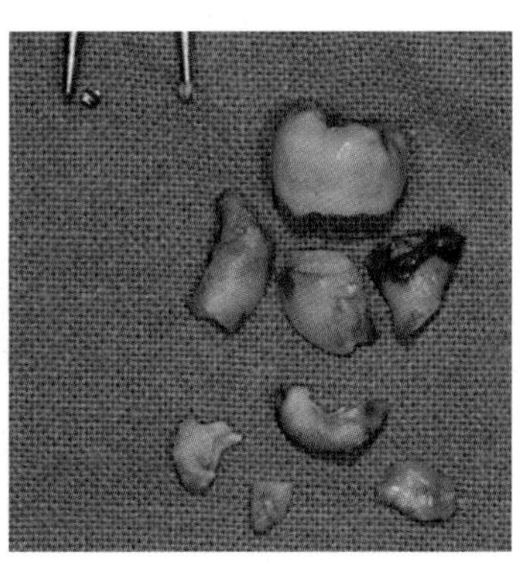

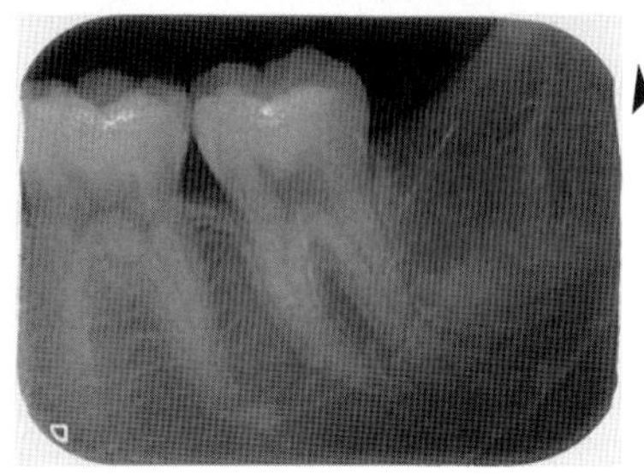

포셉을 사용할까 하다가 엘리베이터가 훨씬 힘이 더 크게 걸리기 때문에 처음부터 엘리베이터를 사용하였다. EL3C 엘리베이터가 헛돌아서 EL5C 엘리베이터로 바꿔서 힘을 줬더니 치관이 파절되었다. 엘리베이터가 엄마나 큰 힘으로 작용하는지를 알 수 있다. 그래서 치관절제술을 시행하려다가 오기가 발동하여 두 치근을 나눠서 발치를 하기 위해서 5배속 로스피드 핸드피스에 4번 서지컬라운드 버를 연결하여 치아를 삭제하는데 라운드 버가 파절되었다. 다른 버를 사용하여 파절된 라운드 버를 제거하고 발치를 진행하는데 계속 치근이 파절되고 치근은 나오지 않아서 치근을 남겨두고 발치를 종결하였다. 이 경우는 환자가 치근이 조금이라도 움직이면 통증을 심하게 호소하였기 때문에 신경관과 근접한 것으로 간주하여 이대로 마무리하였다. 피셔 버에 비하면 좀처럼 파절되지 않는 서지컬 라운드 버가 이렇게 파절된 데에는 아무리 5배속이라도 로스피드 핸드피스는 진동이 있고, 4번 서지컬 라운드 버는 버와 연결된 목 부위가 얇아서 파절된 듯하다. 필자가 최근 몇 년 동안에도 수 천 개의 사랑니를 발치하였지만 라운드 버의 사용빈도가 피셔 버보다 훨씬 많아도 파절된 기억이 거의 없다. 그저 작은 참고요소가 되었으면 한다.

04 기타 이물질의 파절★

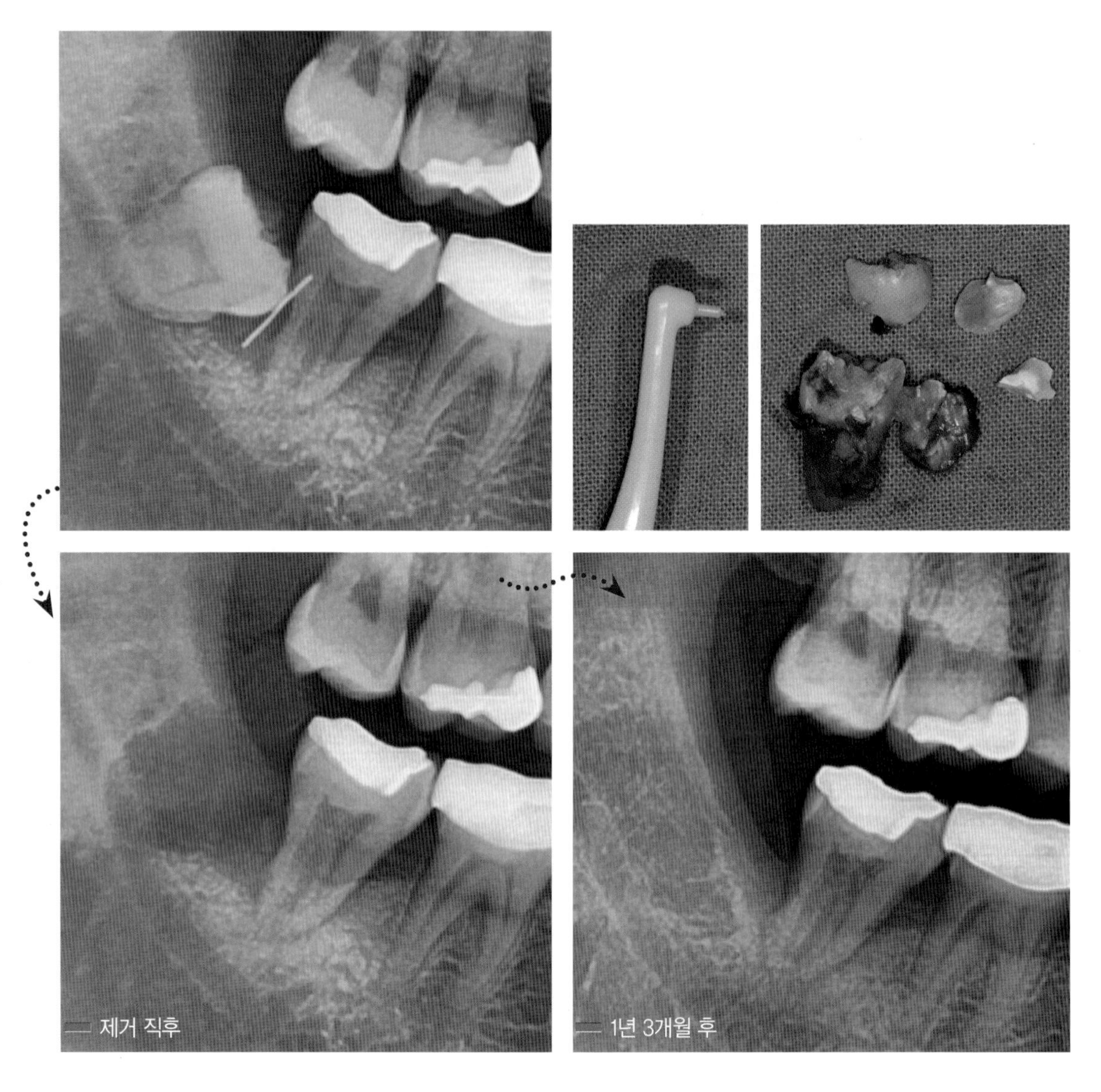

40대 후반의 남성 환자가 사랑니에 치간칫솔이 박혔다고 하여 내원하여 사랑니 발치와 함께 치간칫솔을 제거하였다. 치간칫솔은 석션에 빨려 들어간 듯 찾을 수가 없었다.

05
한냉 손상 (냉동화상) ★

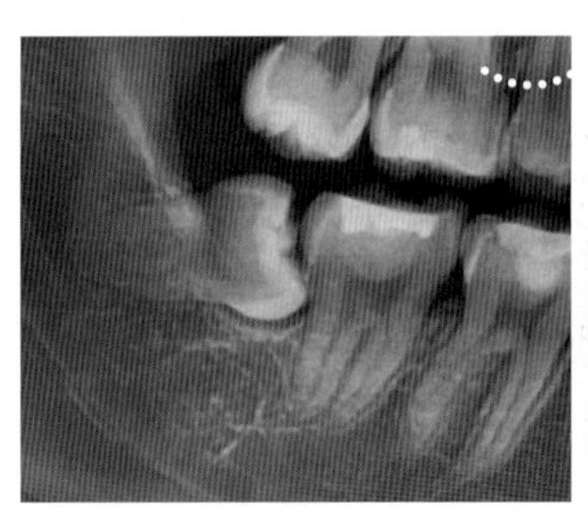
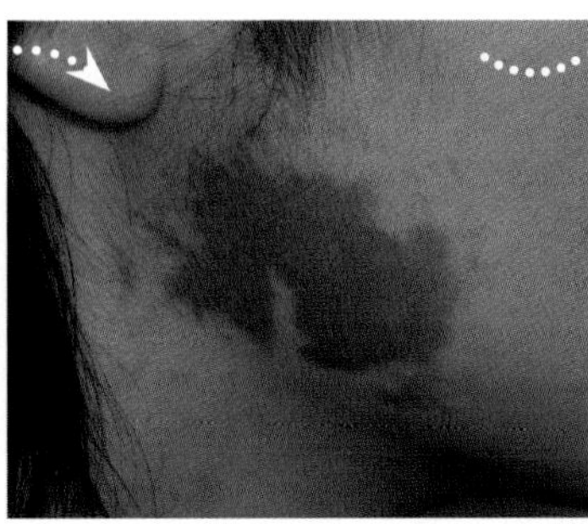
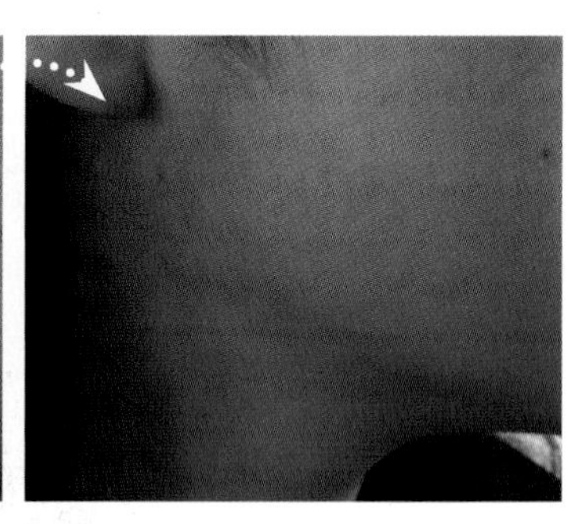

#48번 발치 후 다음날 소독 차 내원하였으나 피부가 사진과 같이 변색되어 피부과에 다녀왔다고 한다. 환자가 스스로 찾아간 피부과에서 냉동화상으로 의심된다고 하였으며, 괜찮을거라고 진단을 받고 기다렸다. 본인은 절대 시킨대로만 냉찜질하였으며, 지속적으로 하지는 않았다고 주장하였다. 8일 후 환자로부터 회복되었다며 위와 같은 사진을 직접 촬영하여 보내왔다.

일반적으로 지속적인 냉찜질이 원인이며, 충분한 휴지기를 두면서 찜질하는 것이 좋다. 주로 여성에게 호발하며, 얼음팩과 함께 잠들었을 경우에 드물게 발생한다고 한다. 너무 과도한 냉찜질도 주의해야 한다. 연간 몇 천 개를 발치하지만 처음 있는 경우이기 때문에 굳이 너무 염려할 필요는 없을 듯하다.

냉동화상이란?

피부과적으로 정식 진단은 없고 한냉손상의 일종으로 환자들에게 편하게 설명하기 위해서 종종사용하는 용어라고 한다. 그래도 필자가 피부과 전문의에게 치과의사들을 위해 전문적인 설명을 해달라고 하였다.

위 케이스에 대한 피부과 전문의의 해설 (Dr. 박성현 (익산 드림21 피부과 원장) - 필자의 고교 친구)
병명 - 동상(냉찜질에 의한).
영하 2~10℃ 정도의 심한 한랭에 노출되어서 연조직이 얼어버려 국소 혈액공급이 없어진 경우이다. 얼어버린 부위는 창백하고 밀랍같이 되며 통증 등의 자각증상이 거의 없으나 일단 따뜻하게 해주면 조직손상의 정도에 따라 증상과 병변이 나타난다. 손상의 정도는 한랭의 온도와 얼어있던 시간과 직접적인 관계가 있다, 경미한 경우는 홍반과 불쾌감이 생기지만 수 시간 내 정상으로 회복된다. 심한 경우는 조직의 괴사와 물집이 발생하는데, 그 정도에 따라 침범하는 깊이가 다르며 괴저도 생길 수 있다. 조직손상이 발생하지 않은 곳에서도 혈관이나 교감신경의 이상으로 인하여 지각이상이나 다한증, 한랭과민증 및 조직의 이상증 등이 수개월 이상 지속될 수 있다. 냉찜질을 20분 이상 하는 경우 표피의 괴사로 인해 가피가 생길 수도 있으며, 진피까지 손상되면 궤양이 발생할 수 있다. 반드시 냉찜질은 20분 이내로 해야 하며, 얇은 천으로 얼음주머니를 감싸서 주머니가 직접 피부에 닿지 않게 하면 동상을 예방하는데 도움이 될 수 있다.

06
발치와의 염증 1 ★★★

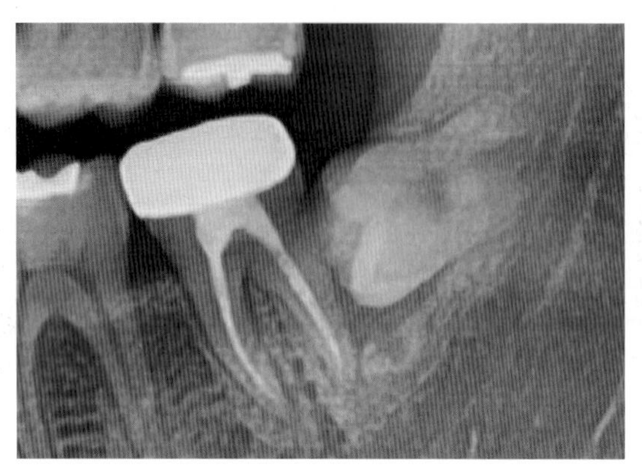

발치 후 50일만에 환자가 통증과 부종을 주소로 내원하여 배농을 실시하였다. 20일 이후 완벽하게 염증이 사라졌다. 의외로 이런 염증은 발치 후 언제든 발생할 수 있다. 사랑니 발치 후 퍼스 상태는 대부분 음식물 압입이 원인으로 보인다. 배농 과정에서 음식물 잔사나 잘 부패하지 않는 고춧가루 등이 보이는 경우도 많다.

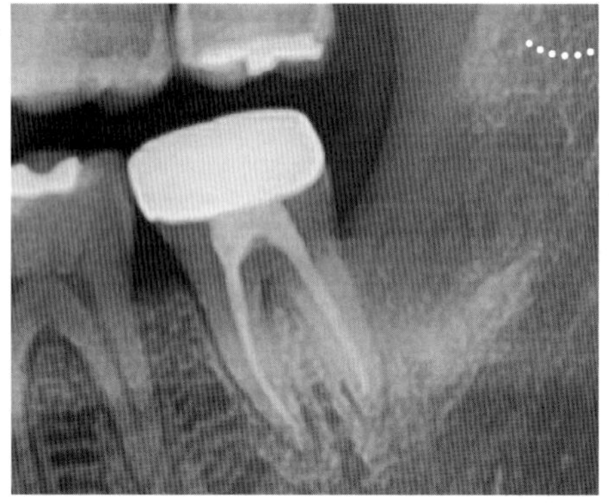

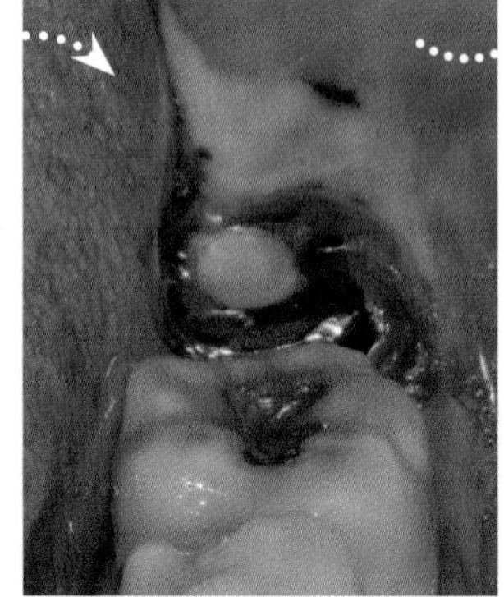

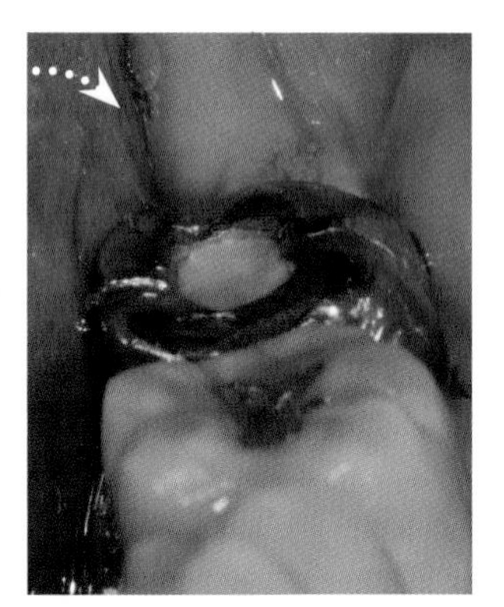

발치 후 50일 경과 뒤 통증과 부종을 주소로 내원하였을 때, 방사선 사진과 배농을 시행한 후 임상사진

20일 후에 완치된 모습

발치와의 염증 2★★

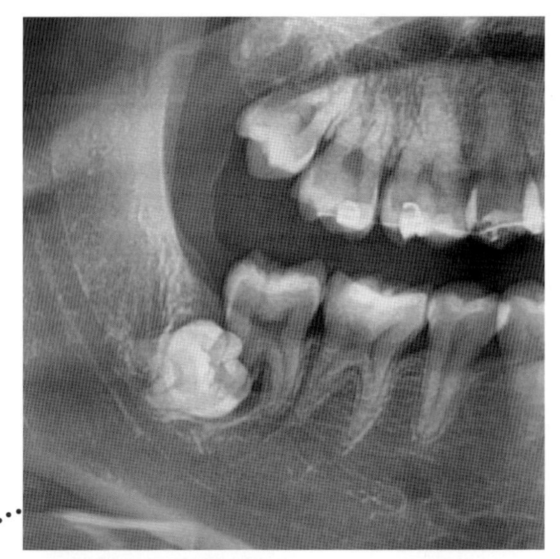

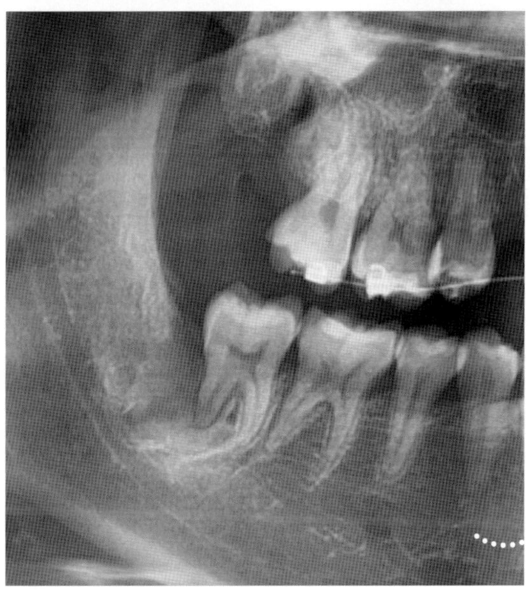

아무래도 교정치료 중이기 때문에 구강위생관리가 쉽지 않은 것도 이러한 발치와 염증의 원인일 수 있다고 생각된다. 실제로 사진에 나오는 것보다 훨씬 더 많은 고름이 배농되었다.

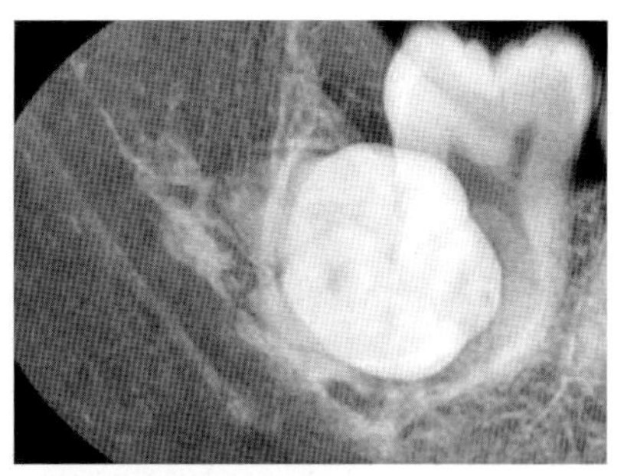

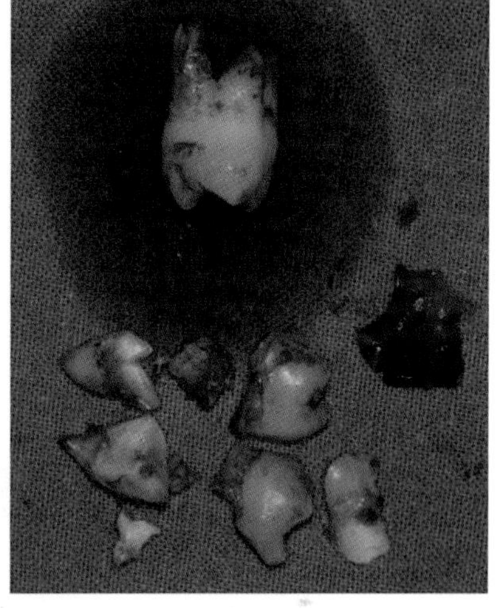

23세 남성 환자로 사랑니 발치를 주소로 내원하였다. 아주 힘들게 사랑니 발치를 하였으나 2개월 뒤에 사랑니 발치한 곳의 통증과 부종을 주소로 내원하였다.

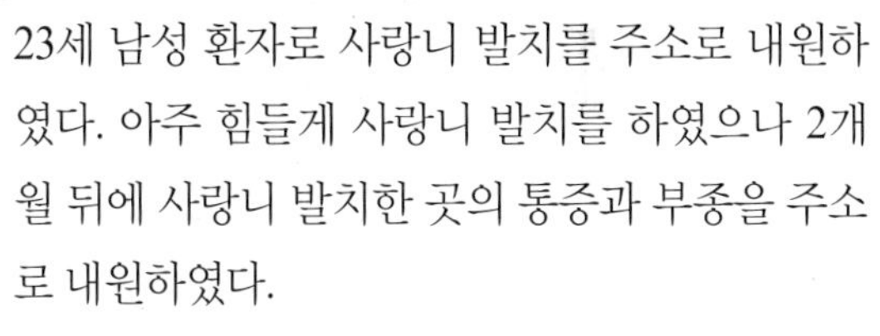

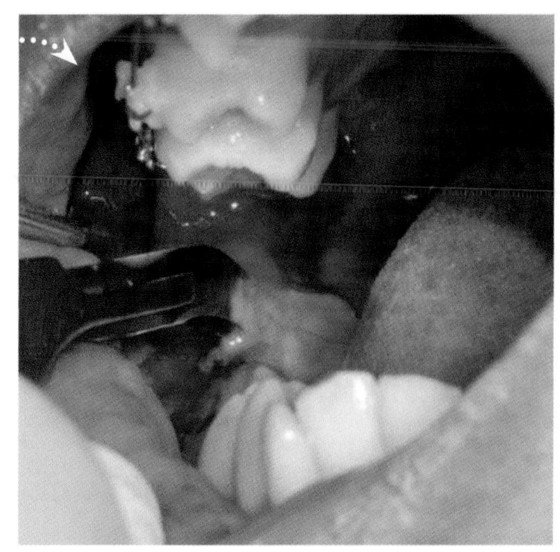

07
지속적인 배농이 필요하면 드레인을...★

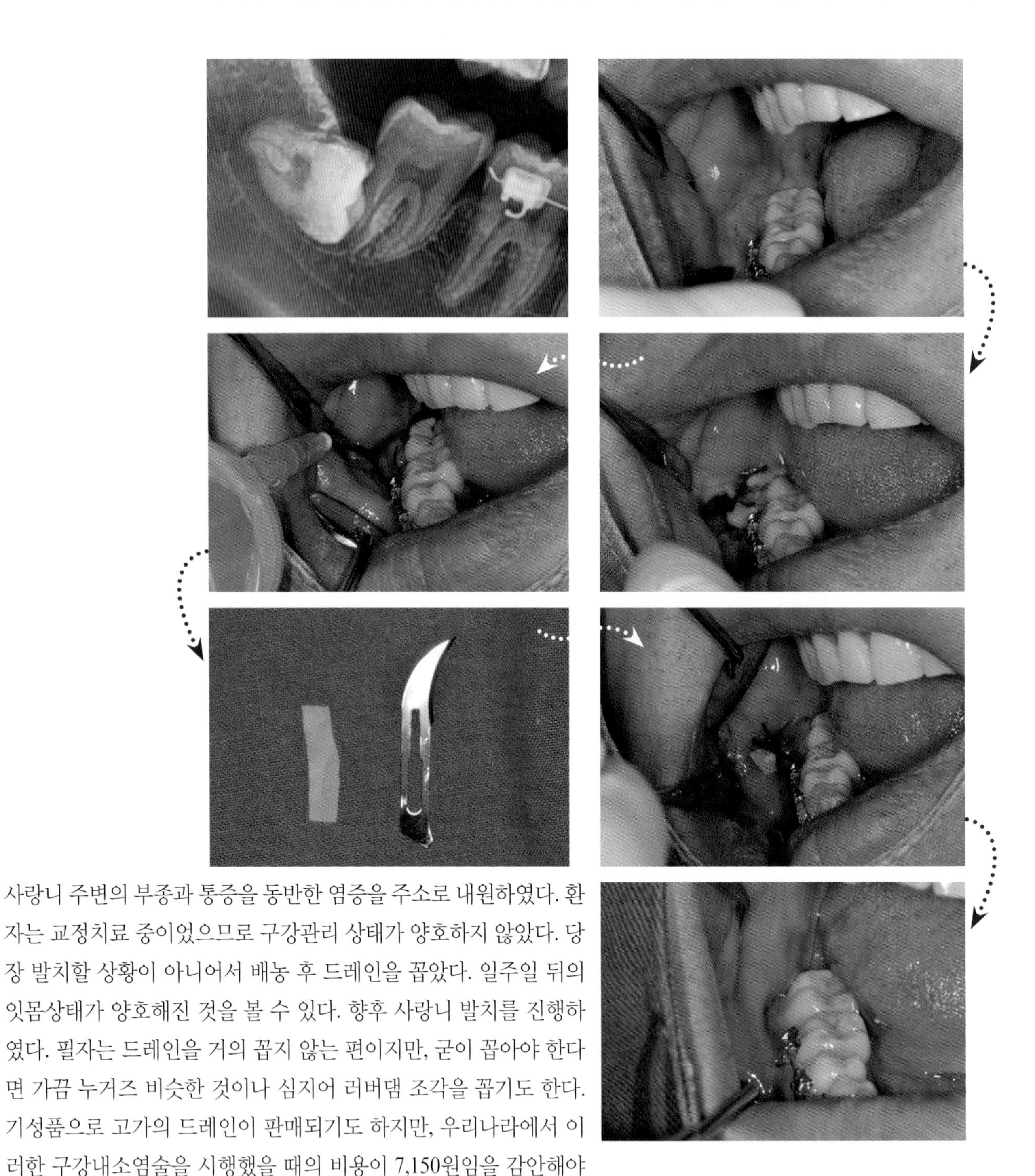

사랑니 주변의 부종과 통증을 동반한 염증을 주소로 내원하였다. 환자는 교정치료 중이었으므로 구강관리 상태가 양호하지 않았다. 당장 발치할 상황이 아니어서 배농 후 드레인을 꼽았다. 일주일 뒤의 잇몸상태가 양호해진 것을 볼 수 있다. 향후 사랑니 발치를 진행하였다. 필자는 드레인을 거의 꼽지 않는 편이지만, 굳이 꼽아야 한다면 가끔 누거즈 비슷한 것이나 심지어 러버댐 조각을 꼽기도 한다. 기성품으로 고가의 드레인이 판매되기도 하지만, 우리나라에서 이러한 구강내소염술을 시행했을 때의 비용이 7,150원임을 감안해야 한다.

Dr. 김대용 Comment.

일반 거즈를 잘라서 쓰면 안 됨!. 섬유가 떨어져 나가서 몸 속에 남을 수 있다. 러버댐이 없으면 소독된 글러브를 잘라서 사용해도 된다. 봉합은 drain이 안으로 들어가지 말라고 하는 것이다.

08
고름이 차는 이유 ★★

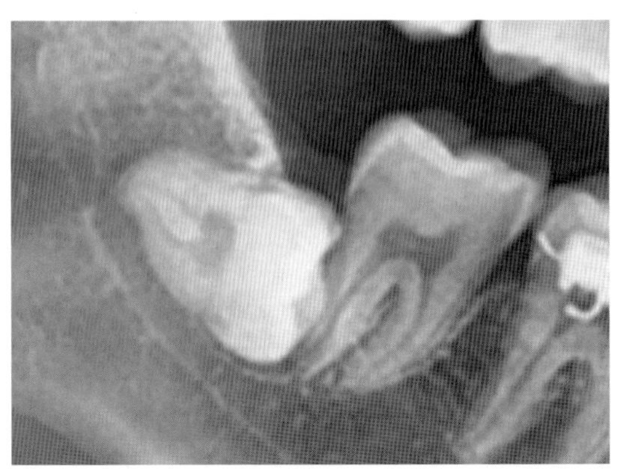

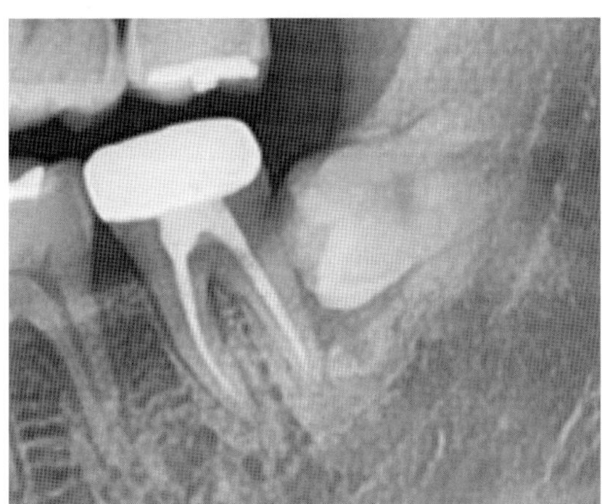

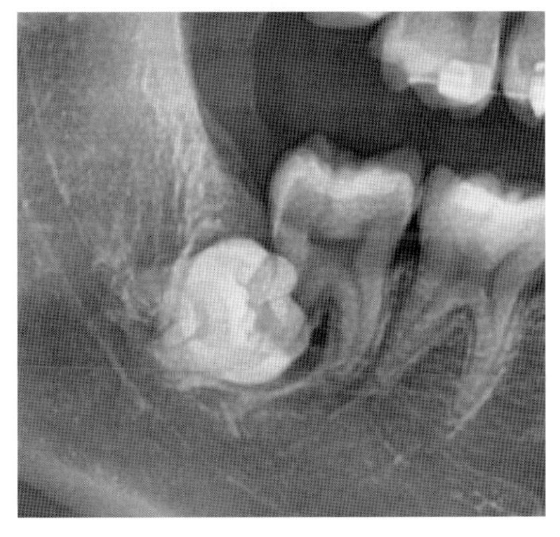

앞서 언급한 발치 후 고름(Pus)이 나온 케이스들이다. 굳이 공통점을 찾자면 발치와의 입구가 좁다는 것이다. 오히려 정상 맹출한 사랑니에서는 발치와가 오목하게 파여 있기는 하더라도 이렇게 고름이 차는 경우는 매우 드물다. 이렇게 발치와의 입구가 좁은 경우라도 고름이 차는 경우는 매우 드물지만, 고름이 차는 경우는 대부분이 이러한 경우이다. 발치와 내부가 정상적인 치유과정을 거치기 전에 발치와 입구의 상피가 먼저 정상화되기 때문일 것이다. 이렇게 되면 발치와 내부의 빈 공간 등에 음식물이 끼게 되고 빠지지 않기 때문에 고름으로 변하게 되는 것일 것이다. 이렇게 고름이 형성되어 오는 환자들에게 이유를 설명할 때 필자도 이와 같이 파노라마 사진을 띄워놓고 입구가 좁아서 음식물이 끼어서 안 빠져서 그런 거라고 설명한다. 예를 들어서 입구가 넓은 양동이는 언제든지 내부를 깨끗하게 할 수 있지만 입구가 좁은 맥주 캔은 내부에 음식물이 끼게 되면 쉽게 빠지지 않기 때문에 안에서 부패해서 이렇게 고름이 나오는 것이라고 설명한다.

필자의 경우는 1,000개 중에 하나 비율도 안 된다고 생각하고, 그나마도 단 한 번의 배농과 처방으로 회복되지 않는 경우는 거의 없다.

잠깐!

건조성 치조염 Alveolar Osteitis

필자는 학창시절부터 건조성 치조염이라는 표현이 익숙하여 그렇게 부르지만 보통 건성 치조와 또는 건성 발치와, 건조와(Dry socket)라고도 한다. 대략 발치 후 3일에서 5일 사이에 발생하며, 5~10일 정도 지속된다. 발생 원인에 대해서는 아직 명확하지는 않지만 혈병(blood clot)의 섬유소 성분이 조기 용해되면서(fibrinolytic activity) 정상적인 치유가 되지 않는 것이 설득력을 얻고 있다. 그래서 영어로는 Alveolar osteitis or Dry socket 말고도 드물게 fibrinolytic alveolitis라고 부르기도 한다. 발생기전을 좀 찾아보면 혈병 내부의 plasminogen이 plasmin으로 변화하는데, 단백질 분해효소의 일종인 이 Plasmin이 혈병을 용해시키는 역할을 하고, 혈병이 용해되면서 혈병 내부의 kininogen에서 통증을 유발하는 Kinin이 유리되어 심한 통증을 나타낸다고 한다.

Alveolar osteitis의 유병율은 모든 발치창에서 대략 0.5~5% 사이라고 하기도 하고, 1~3%라고 하기도 한다. 매복된 하악 제3대구치에서는 20% 이상 심지어 25~30%까지 발생한다고 한다.

이러한 유병율이 보고되는 곳들이 대부분 대학병원이다보니 미숙한 수련의들에 의해 발치가 많이 시행되기 때문에 높게 보고된 듯하다. 필자 뿐만 아니라 능숙하게 사랑니를 발치하는 많은 치과의사들에게는 거의 발생하지 않는다. 굳이 발생하는 부위를 순서대로 나열한다면 하악 소구치, 상악 소구치, 대구치, 견치, 전치 순으로 알려졌다. 아직도 무엇인지 명확하지 않고 필자의 경우는 거의 발생하지 않기 때문에 항간에 떠도는 이야기들을 정리해 보았다.

- 악취와 함께 심한 통증이 발생한다. 본인도 견디기 어려울 만큼 악취와 역한 맛과 귀 주위까지 넓게 멍하거나(dull) 쑤시는(aching) 통증이 격렬하게 나타날 수 있다.
- 증상은 주로 초기에 심하다.
- 일반적으로 Vital sign은 정상이고 열(fever)을 동반하지 않는다.
- 화농의 발생은 없다. 실제로는 감염이 아니기 때문이다.
- Lamina dura에 국한된다.
- 일반적인 alveolar osteitis에서 lab 검사는 필요 없다.
- 경부 임파선의 부종을 동반하지 않는다.
- 박테리아가 중요한 역할을 하지만 명백한 작용은 밝혀지지 않은 듯하다.
- Alveolar osteitis의 발생에 영향을 주는 요소들을 나열해보면 흡연, 기존의 치관 주위염(pericoronitis), 고령(older age), 발치 시 부적절한 irrigation 등이 있다. 필자가 개원하고 나서 사랑니 발치를 시행하였지만, 학창시절에 보던 것만큼 붓거나 기타 이런 후유증이 거의 발생하지 않았다. 개원 초반에는 하이스피드 핸드피스에서 뿌려지는 물(water)의 영향이라고 생각했었다. 당시만해도 대학병원은 일반 수돗물을 사용하였고, 필자는 개원 초기부터 정수시스템을 이용한 증류수를 사용하였기 때문이다. 그러나 요즘은 대부분 모두 이런 정수시스템을 사용하고 있기 때문에 그 차이는 없을 거라고 생각한다. 결국은 누가 어떻게 발치하느냐가 중요하다. 굳이 문헌 등에 traumatic extraction이라고 표현하는 것은 앞서 필자가 언급했듯이 술자의 숙련도를 말하는 것이다. 필자는 이 중에서도 Atraumatic extraction 영역만큼이나 발치 시간을 중요 요소로 보고 있다. 그렇기 때문에 필자는 그렇게 많은 사랑니를 발치하면서도 거의 발생하지 않는 것이 아닌가 생각해본다.
- 경구피임약(oral contraceptive pill)은 건조성 치조염 발생률을 높일 수 있다. 몇몇 연구결과에 따르면 경구피임약에 포함된 에스트로겐 성분이 섬유소용해과정에서 plasminogen에 영향을 주어 그 작용을 활성화하는 역할을 하기 때문이라고 한다. 대략 2배 정도 증가한다고 하나 이견도 많고 별다른 방법이 없기 때문에 조금더 세심한 주의가 필요하다는 정도로만 간주한다. 필자는 이러한 질문을 하는 여성 환자들에게 그래봐야 너무 미미하기 때문에 무시해도 좋다고 안심시키고 발치를 시행하고 있다.

- 예상외로 에피네프린 등 혈관수축제의 사용, 계절적 요인, socket 내의 bacteria의 정도, flap design, clot을 제거시키는 음압의 발생(straw 또는 spitting의 사용)은 dry socket의 유병율을 증가시키지 않는 것으로 보고되고 있다. 다시 말해서 이러한 것은 무시해도 좋다는 뜻이다.
- 예방적으로나 alveolar osteitis의 발생 후에나 국소적으로 발치와에 항쟁제를 사용하는 것은(intraalveolar antibiotics) 논란이 있지만, 거의 소용이 없다고 보고되고 있다. 심지어 술전 항생제를 전신적으로 투약하는 것도 전혀 건조성 치조염의 발생을 억제하는 데는 효과가 없는 것으로 나오고 있다.
- 여러 연구에 의하면 술후 chlorhexidine rinsing과 saline으로 발치창을 세척만 해줘도 alveolar osteitis의 발생을 50%까지 감소시킨다고 한다.

Dr. 김대용 Comment. 발치 후 과도한 가글 또한 원인이 될 수 있다.

건조성 치조염의 치료

예전에는 건조성 치조염의 치료에 발치와 재소파술을 시행하였다. Socket의 curettage가 bleeding을 유발해서 치유를 촉진시킨다고 생각했기 때문인데 현재는 거의 받아들여지지 않고 있다. 건조성 치조염의 치료에 대해서도 몇가지를 정리해보았다.

- 현재 가장 많이 시행되는 치료는 주로 eugenol 거즈를 발치와에 삽입하는 것인데, 지연된 치유를 통하여 발생한 동통의 안정화를 위해서이다. 매일 또는 이틀에 한 번씩 동통이 해소될 때까지 대략 3일에서 6일간 적용되어야 한다. 일반 통증이 사라지면 foreign body reaction을 피하기 위해 제거한다.

Dr. 김대용 Comment. 차라리 유지놀 대신에 도포마취제를 면봉으로 바르는 것을 추천

- eugenol-based medication의 적용 전에는 발치와와 하치조신경관의 근접도를 평가하는데, 이는 eugenol이 neurotoxic effect의 가능성이 있기 때문이다. 신경과 가까운 경우에 신경이 손상될 수 있다는 뜻이다.
- 필자는 이러한 건조성 치조염이나 발치와 내의 통증에는 주로 콜라겐플러그(Teruplug) 등을 삽입하는 하는 것을 권한다. eugenol의 냄새가 심하고 요즘 젊은 치과의사들은 eugenol 자체를 구비하고 있지 않은 경우도 많기 때문이다. 또한 효과면에서도 매우 뛰어나기 때문이다. 실제로 뒤에서 사례로 언급하기도 하지만, 타 치과에서 발치하고 발생한 이러한 건조성 치조염에 콜라겐플러그를 넣는 것만으로도 매우 빠르게 회복되었다.
- 콜라겐플러그를 집어넣기 전에 발치와를 재소파하는 것이 꼭 필요한가에 대해 고민해볼 필요는 있지만, 필자는 발치와를 최대한 깨끗하게 한다는 정도의 소파는 시행하고 콜라겐플러그를 넣는 편이다.
- 대부분 마취 여부와 무관하게 곧바로 통증이 사라진다. 항생제를 투여할 것인가에 대한 논란은 많지만, 환자가 원하면 환자 관리 차원에서라도 필자는 투약을 하고 있다.
- 건조성 치조염의 치유는 잘되는 편이고 추가적인 치료는 필요하지 않는 경우가 많다.
- 그러나 골수염 등의 가능성이 높은 환자군(diabetes 또는 chronic steroid use)과 외과적 술식에 방사선 골괴사의 기왕력이 있는 환자는 주의해야 한다.
- 일반적인 dry socket의 치료에 반응하지 않는 환자는 다른 pathological process를 평가하기 위해 상급기관에 의뢰하는 것을 추천한다.

09
타 치과에서 #38번 뽑고 너무 아프다고...★★

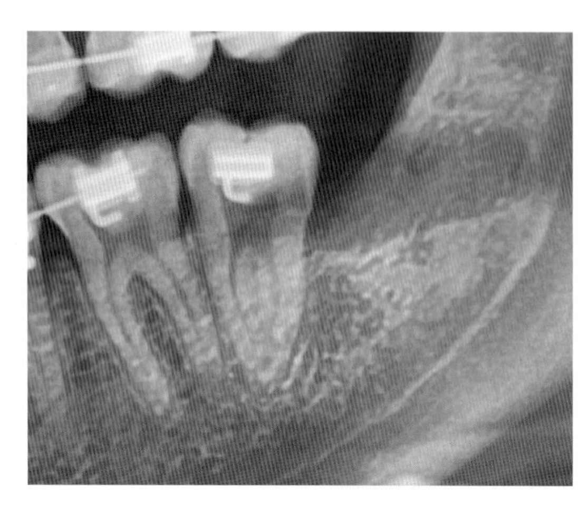

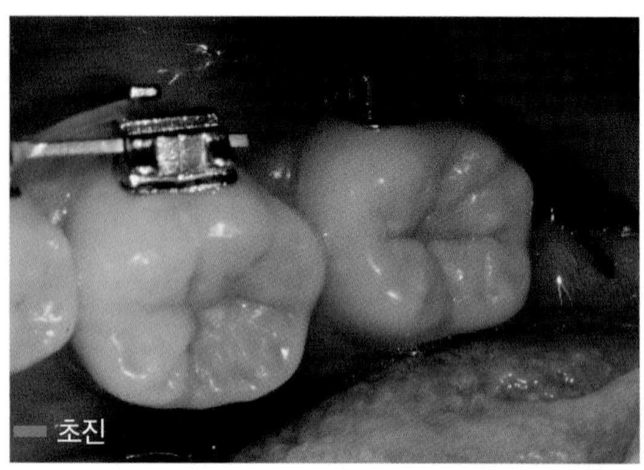

초진

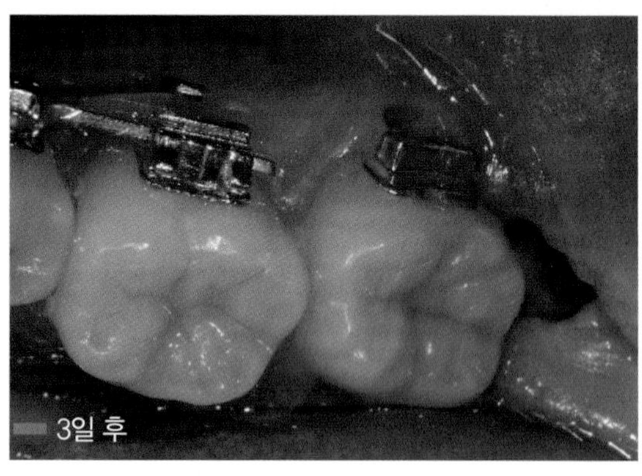

3일 후

타 치과에서 #38번 발치를 시행하고 너무 통증이 심하다고 내원한 환자이다. 사진은 초진 사진이며, 건조성 치조염이 의심되어 봉합사를 제거하고 마취 후에 발치와를 간단히 소파하고 Teruplug를 사용하였다. 3일 후 내원하였는데, 통증이 완전히 사라져서 명의가 되는 순간이었다. 물론 감수해주신 고승오 교수님의 경우에는 통증 조절만하고 irrigation하면 충분하다고 하신다. 유지놀은 30분에서 1시간 정도 적용해주고 제거한 후에 깨끗하게 irrigation해서 청소해주기만 해도 된다고... 발치와에 무엇인가를 집어 넣으려면 믿을 수 있는 제품에 충분한 임상자료를 갖춘 다음에 하라고 당부하신다.

10
타 치과에서 발치 후 너무 심한 통증과 악취로 내원한 환자 ★★★

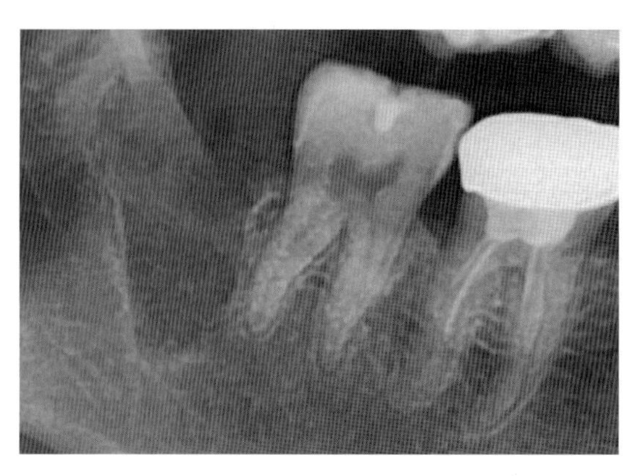

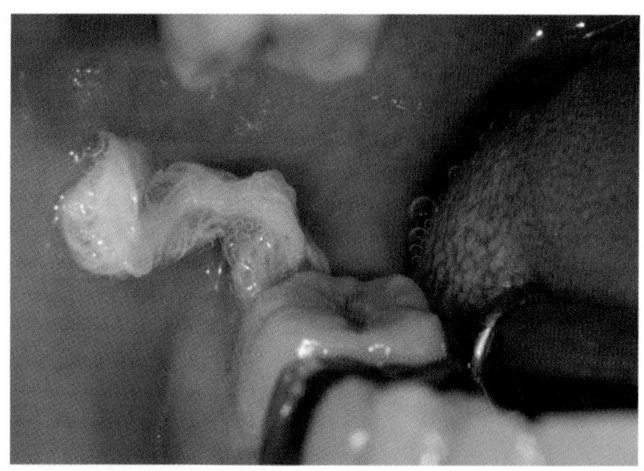

사랑니 발치 후 지속적인 통증으로 해당치과에서 계속 치료를 받고 계신 환자분이 필자의 치과에 내원한 경우이다. 건조성 치조염이 의심된다며 바셀린 거즈를 삽입하였다고 한다. 필자가 냄새를 맡아보니 약간 유지놀인 듯한 느낌도 들었다. 어쨌든 통상적으로 마취를 시행하고 거즈를 제거한 뒤에 간단한 소파와 함께 Teruplug(일본 올림푸스 테루모 사)를 삽입하였다.

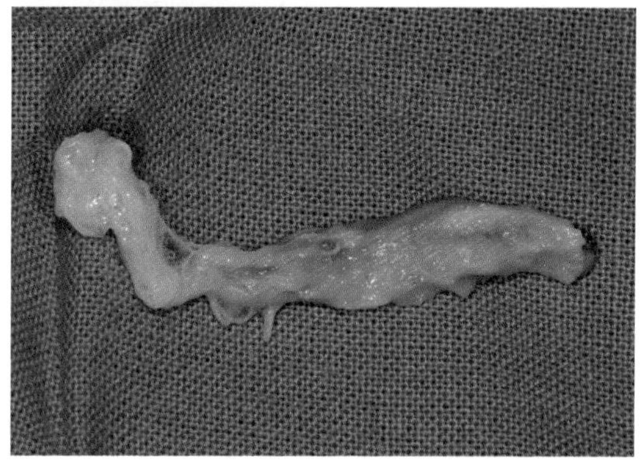

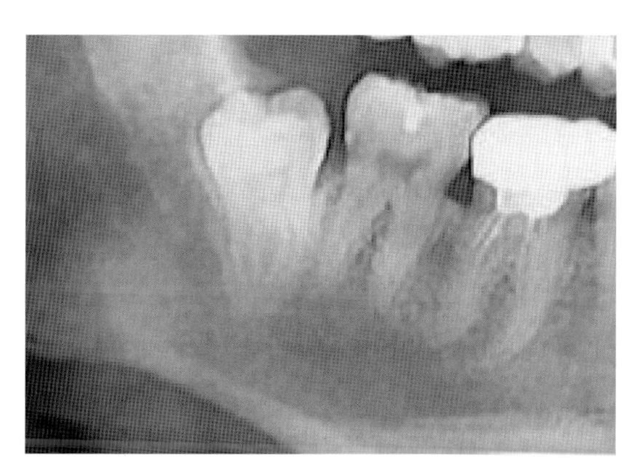

환자분이 바로 통증이 없어지고, 그 다음부터는 하나도 안 아프다고 하셨으며, 발치 전 사진을 선물로 주셔서 올려본다. 그리고 너무 감사하다며, 치과 홈페이지에 후기도 올려주셨다.
감사하는 마음에 첨부를 할까말까 고민하다가 후기는 그냥 안 올리기로 하였다.
어쨌든 확실히 바로 통증이 없어졌다고 한다.

Dr. 김대용 Comment.

발치 후 창싱에 바셀린 기즈를 쓰면 안 된다고 한다. 바셀린은 본왁스처럼 지혈을 통해 힐링이 방해된다고 한다.

발치와재소파술 ★

대한민국 건강보험 규정에서 발치와재소파술을 보면 아래와 같다.

(김영삼 원장의 [치과건강보험 달인되기] 2017년도 9판에서 발췌)

■ 발치와재소파 (Recurettage of extracted socket)

진료비 : 8,080원 (2017년 기준)

- 발치 후, 발치와에 염증이 생긴 경우로 발치와 내부를 소파하여 염증의 원인이 될만한 요인들을 제거하는 술식이다.
- 건조성 치조염(건성 발치와)의 소파도 해당된다.
- 발치 후 1회만 산정 가능하며, 발치 당일은 인정되지 않는다.
- 타 기관에서 발치한 환자의 경우도 산정 가능하다.
- 유치는 인정되지 않는다.

위의 설명은 발치 후에 치조골을 조금 삭제하거나 틀니 등을 만들기 위해서 광범위하게 치조골을 삭제하는 행위 모두를 포함하고 있다. 여기서는 발치 후에 뾰족하게 잇몸을 뚫고 나온 치조골에 대한 이야기를 해본다.

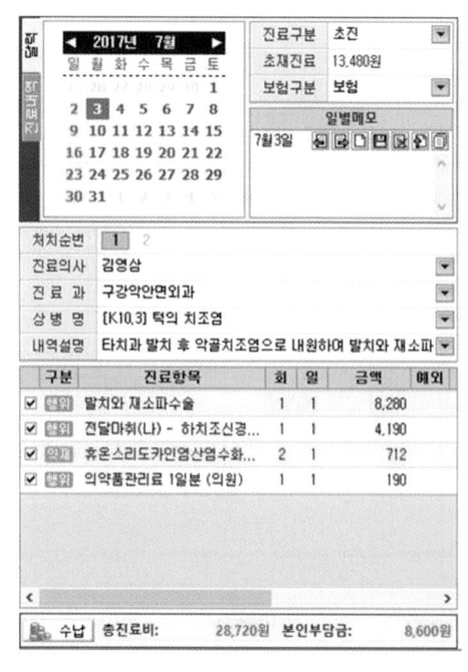

■ 다른 치료 없이 마취와 발치와재소파술만 시행하면 위와 같은 청구화면이 나온다. 비용은 매우 저렴하다.

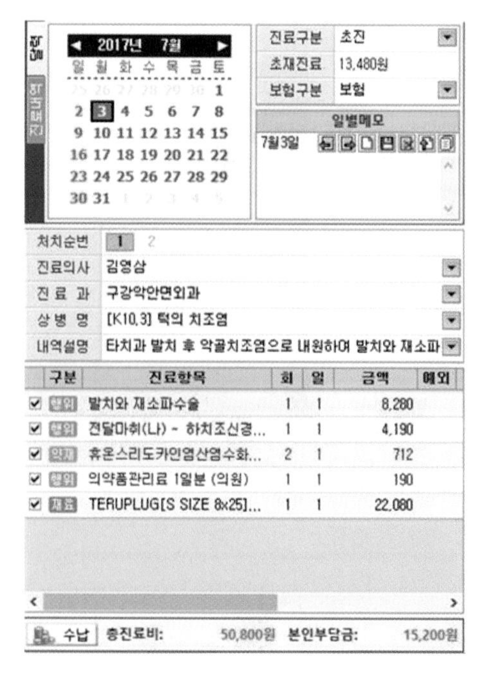

■ 실제로 발치와재소파술은 거의 의미가 없기 때문에 발치와를 깨끗하게 하는 정도로만 시행하고 콜라겐(Teruplug)을 넣는다. 그 청구화면이다.

콜라겐플러그(Teruplug 인정기준)

Teruplug 관련 고시가 최근에 변경되어 올려본다. 관련 내용은 아래와 같다.

■ TERUPLUG 등의 급여기준

1. 창상 보호 및 육아 형성을 촉진하는 마개(Plug) 형태의 치료재료(Teruplug, Ateloplug, Rapiderm Plug)는 다음과 같은 발치의 경우에 요양급여를 인정함.

- 다 음 -

가. 혈액질환 등으로 인한 환자의 발치 후 치유부전이 예상되는 경우

나. 발치 후 출혈이 계속될 경우

다. 구강 상악동 누공

2. 상기 1항의 급여대상 이외 사용한 치료재료비용은「요양급여비용의 100분의 100 미만의 범위에서 본인부담률을 달리 적용하는 항목 및 부담률의 결정 등에 관한 기준」에 따라 본인부담률을 80%로 적용함.

관련근거 – 보건복지부 고시 제2016–147호

그렇게 되어서 위 인정기준에 맞지 않으면, 발치 직후나 재소파술 시행 시에 환자는 본인부담금 80%를 부담해야 한다. 필자의 경우는 지속적인 출혈이나 건조성 치조염, 상악동 천공의 경우는 본래 급여 기준(30% 본인 부담)으로 하고 있으며, 그 외 기준으로는 최근 변경기준 본인부담금 80%로 시행하고 있다.

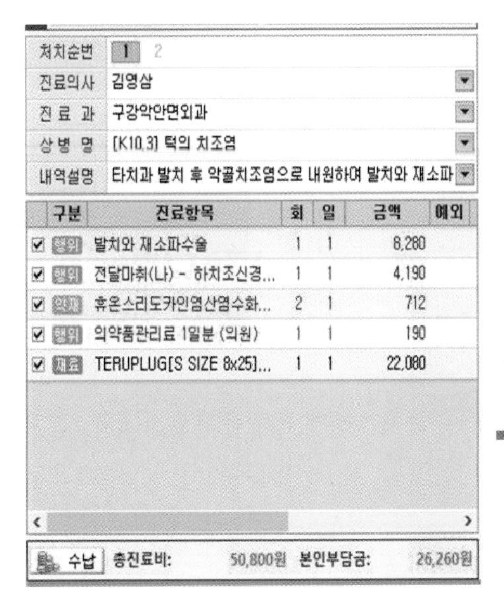

처치순번	1 2
진료의사	김영삼
진 료 과	구강악안면외과
상 병 명	[K10.3] 턱의 치조염
내역설명	타치과 발치 후 악골치조염으로 내원하여 발치와 재소파

구분	진료항목	회	일	금액	예외
행위	발치와 재소파수술	1	1	8,280	
행위	전달마취(나) - 하치조신경...	1	1	4,190	
약제	휴온스리도카인염산염수화...	2	1	712	
행위	의약품관리료 1일분 (의원)	1	1	190	
재료	TERUPLUG[S SIZE 8x25]...	1	1	22,080	

수납 총진료비: 50,800원 본인부담금: 26,260원

■ 본인부담금 80%로 적용하여 청구한 경우로 치과는 아무런 금전적 이익은 없이, 구매한 비용을 전액 청구하는 것이므로 손해가 아닌 것만으로 만족해야 할 듯하다.

11 다양한 지혈제나 콜라겐 젤라틴 제품들... ★

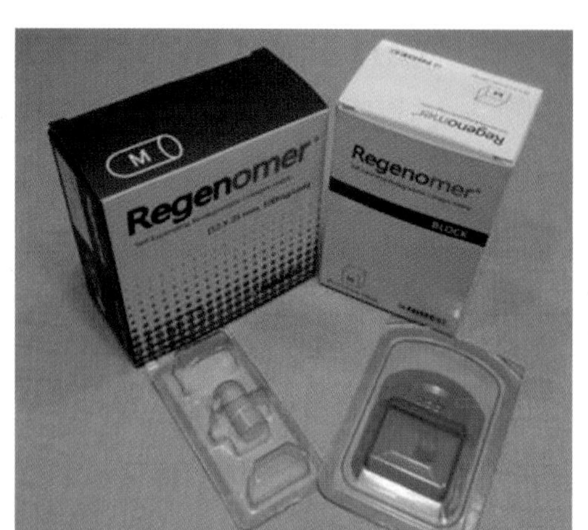

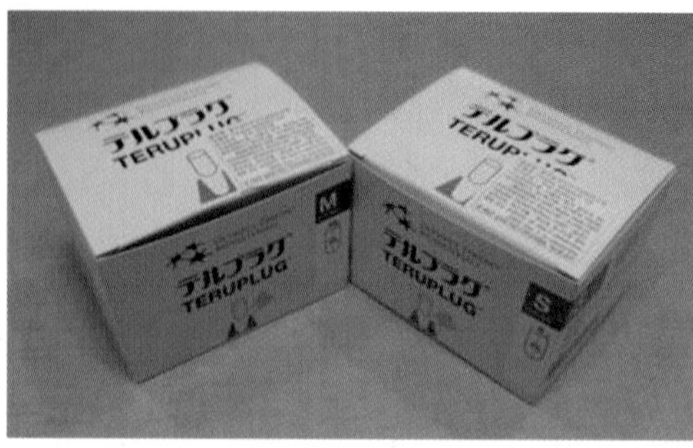

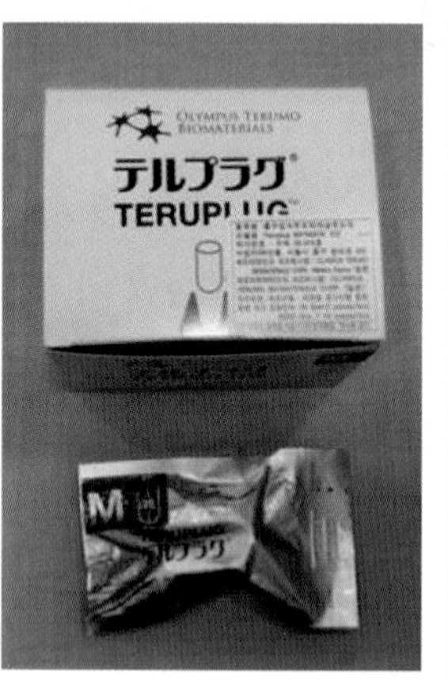

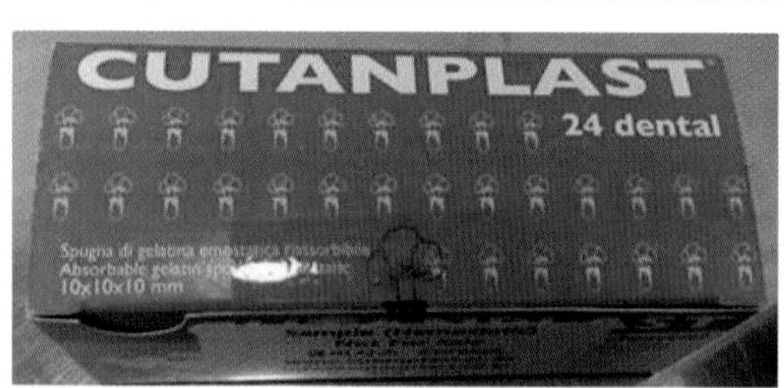

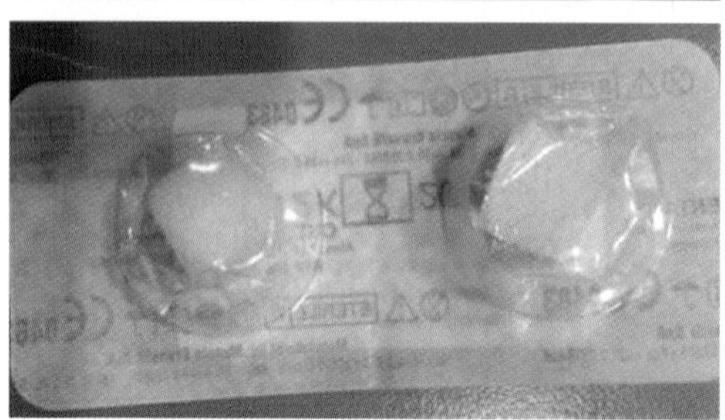

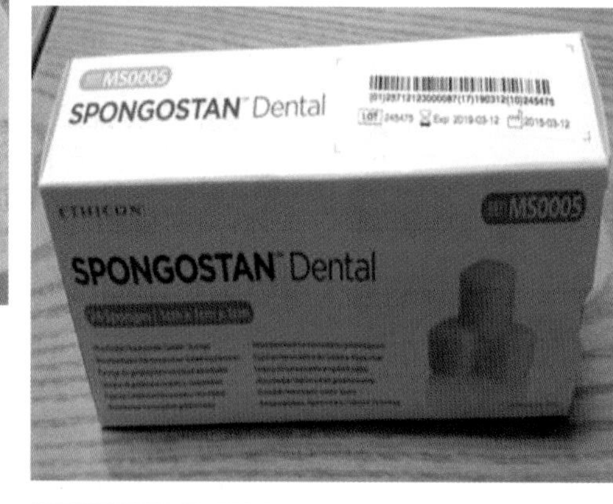

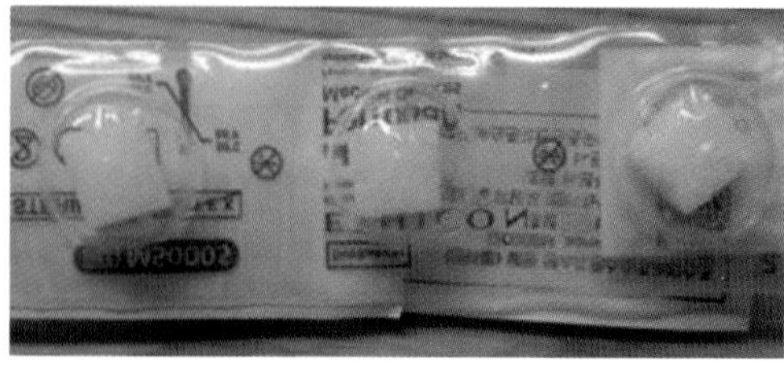

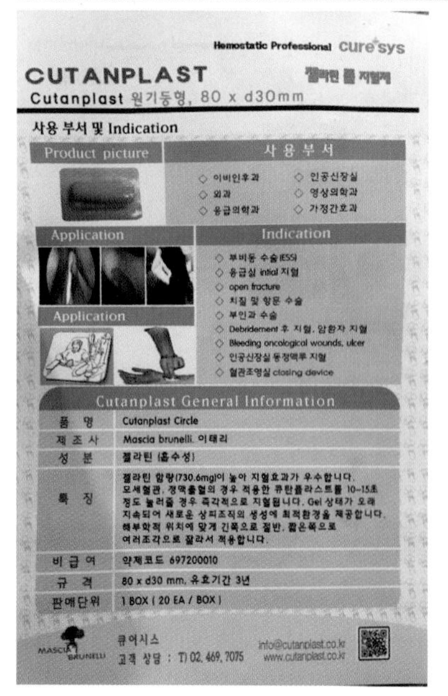

현재 국내에서 spongostan은 판매하지 않고 있고, 테루플러그는 선별급여, 큐탄플라스트는 비급여로 등재되어 있다. 재료 구입은 첫 장의 업체에 문의하시면 편리하다

Teruplug가 가장 효과가 좋은 듯...★★

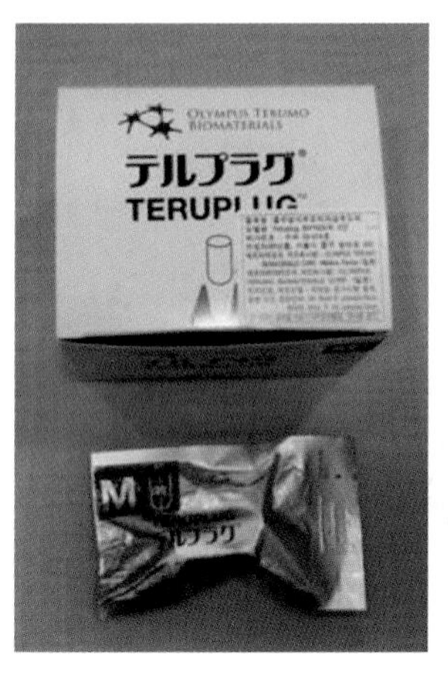

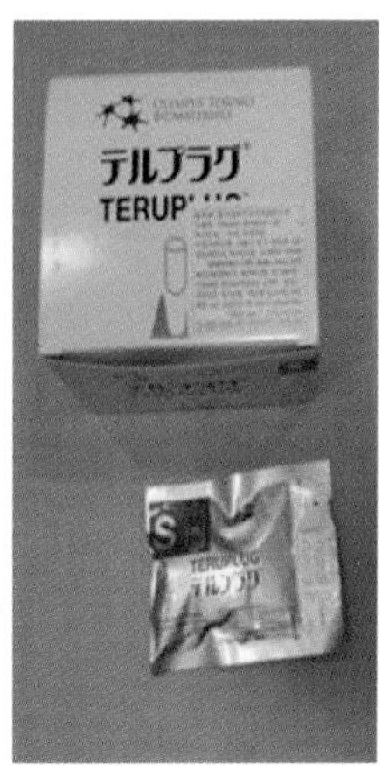

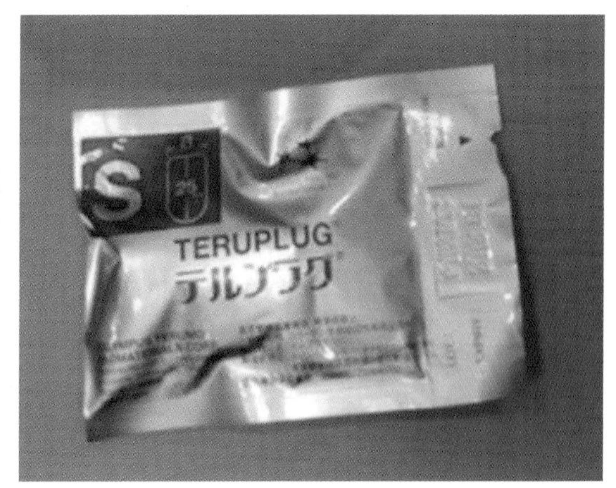

Teruplug는 주로 M과 S 사이즈를 구비하고 있는데, 상악동 천공 등을 제외하면 거의 S 사이즈 위주로 사용하고 있다. 물론 필자에게 상악동 천공은 몇 천 건에 한 건도 안 나올만큼 매우 드물다.

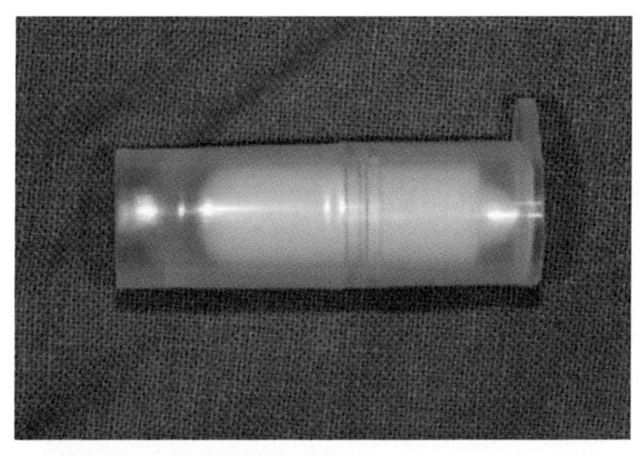

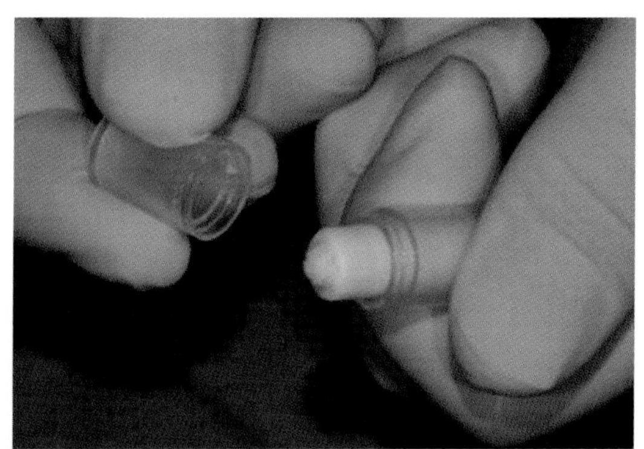

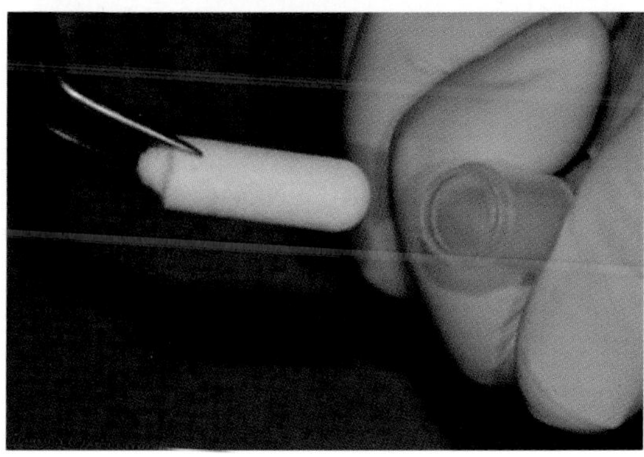

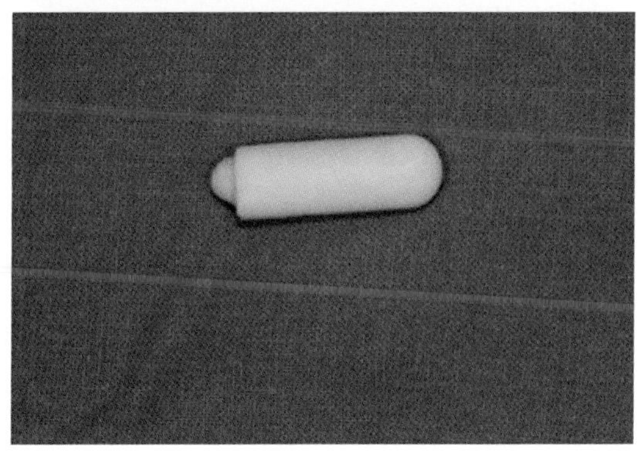

위와 같이 포장되어 있어서 발치와에 바로 넣기도 하고 식염수에 적셔서 넣기도 하는데, 젖는 순간 바로 흐물렁해지기 때문에 견고한 느낌은 거의 없다. 그래서 상악동 천공에는 단독으로 사용하기는 적절하지 않다는 느낌도 들고, 굳이 단독으로 사용해야 한다면 M 사이즈를 사용하고, 타이트한 봉합 등도 고려하며, 환자에게 심하게 코를 풀지 않게 하는 등의 상악동 수술 시에 준한 주의사항도 필요할 듯하다.

12 상악동의 천공 ★★

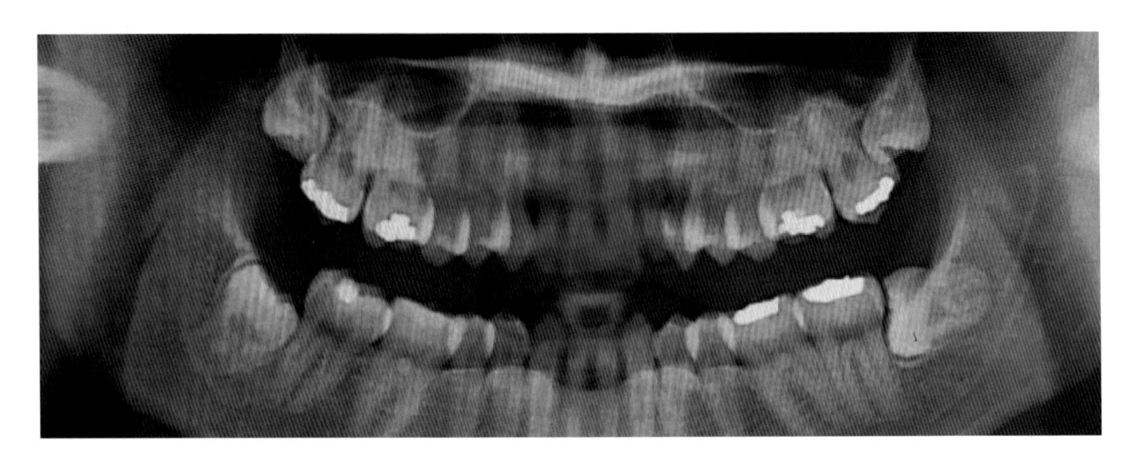

필자의 경우는 상악동이 천공된 케이스가 거의 없다. 아예 없지는 않겠지만 딱히 떠오르는 사람이 없을 정도이다. 그래서 발치 후 상악동 천공되었다는 진단을 받고 고민하는 환자의 질문을 받고 그 환자가 첨부한 사진을 올려본다. #28번 사랑니가 상악동 천공이 발생한 경우이다. 필자의 경험상으로도 이렇게 치관부터 치근까지 모두 상악동 하연에 붙어 있는 경우였던 것 같다. 아마도 근심 협측에 엘리베이터를 넣고 힘을 주다 보니 치근단 부분이 아니라 오히려 근심 협측에서 상악동 하연의 파절이 일어나서 천공이 발생한 듯하다.

Dr. 임종환 Comment.

상악동 천공 확인법 – Valsalva maneuver
발치 직후 환자 코를 한 손으로 쥐어 막고 코로 숨을 내쉬게 하여 발치와로 공기가 나오는지 확인하는 방법, 일반적으로 즉시 처치 시 90% 이상의 케이스에서 바로 해결되며, Collaplug 또는 TeruPlug 등을 추천.

아마도 대부분의 사람들이 임종환 원장님 추천대로 하고 있을 것이다. 어찌 보면 생소할 수도 있는 방법이지만, 우리가 이미 임플란트 때문에 상악동이 뚫린 경우에 대한 대처 등 여기저기서 다양한 방법 등을 접했다. 필자는 다만, 콜라겐 등으로 막는 것보다도 코를 풀지 않는 등의 주의사항을 더 잘 지키도록 하는 것이 중요하다고 생각한다. 그리고 이렇게 해서도 해결되지 않는다면 반드시 플랩을 형성해서 막든지 콜라겐에 작은 블럭본 등을 활용하여 확실하게 강한 공기의 힘에 의해 며칠만이라도 그곳이 다시 뚫리지 않도록 잡아줄 수 있는 물리적인 폐쇄가 더 중요하다고 생각한다.

Dr. 김대용 Comment.

Valsalva하다가 확실하게 터지는 경우가 있어서 저는 그냥 식염수 뿌려서 코로 넘어가나 봅니다.

Dr. 이재욱 Comment.

무엇보다 blood clotting 유지가 중요한데, 이를 위해서 열십자(+) 봉합을 추천한다.

13
설신경의 손상 ★

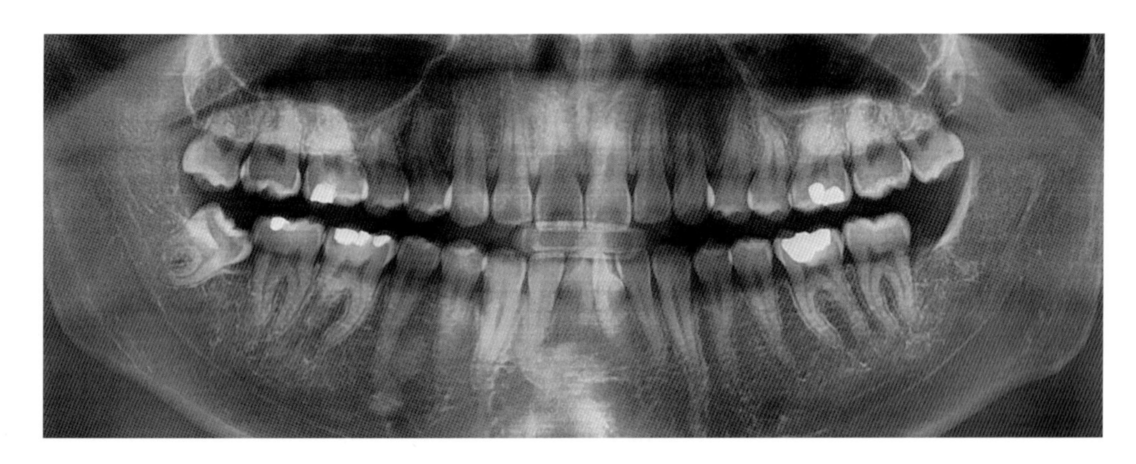

필자에게 #18, 48번 발치를 위해 내원한 환자이다. 환자분의 진술에 의하면 5년 전에 타 치과에서 #38번 발치 후 설신경 손상이 있었으나 6개월 이상 지속된 후 자연 회복되었다고 한다. 의외로 설신경 손상은 잘 돌아오지 않는 경우가 많다고 하는데... 지금은 본인 스스로는 감각이상을 못 느낀다고 한다. 사실 설신경은 누구도 어디에 있는지 모르기 때문에 늘 조심해야 하는 신경이다. 위 방사선 사진을 왜 보여주나 싶은 생각이 들 수도 있지만... 신경손상이 특이한 케이스에서 발생하는 것이 아니라는 뜻에서 보여주는 것이다.

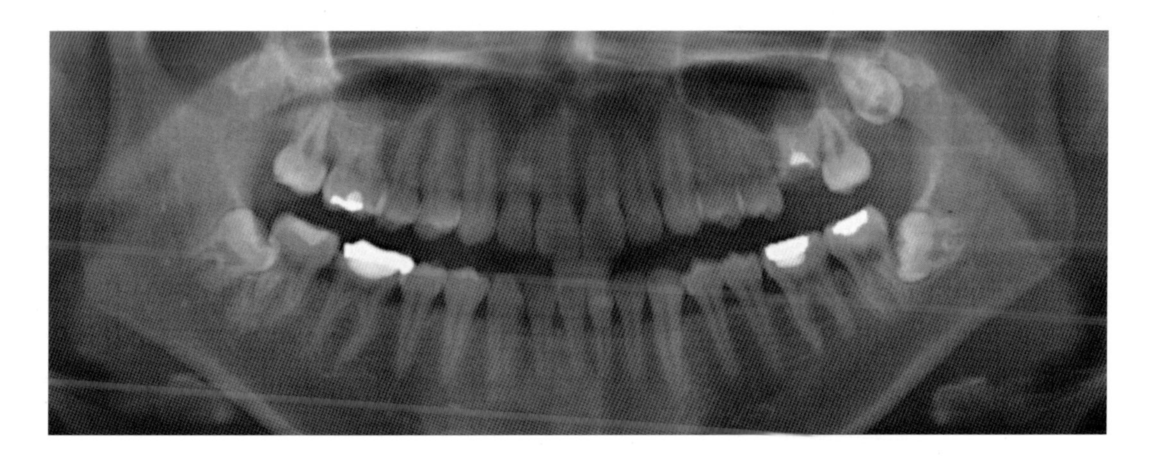

필자 고교 친구의 부인으로 5년 전 타 치과에서 #48번 사랑니를 발치한 후 설신경 이상을 호소하며 필자에게 자문을 구한 케이스이다. 환자로부터 발치 전 방사선 사진을 받아봤지만, 하치조신경과 치근이 접해 있지만 설신경 손상을 의심할만한 특이소견은 없다. 아직도 환자 본인은 불편함을 느끼고 있다고 한다. 발치 전 사진을 보면 아마도 절개나 박리 과정에서 설측을 건드린 것으로 보인다. 꼭 명심하자. 설신경은 아무도 어디 있는지 명확히 알 수 없다. 그래서 설측은 절대 건드리지 않아야 한다.

14
하치조신경의 손상★

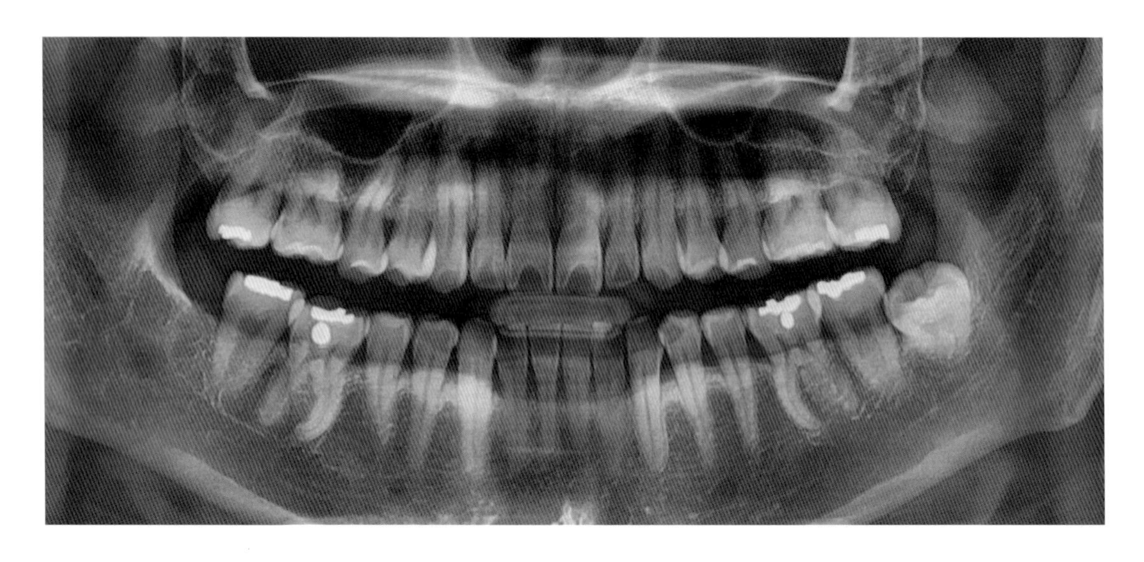

50세 여성 환자로 필자에게 #38번 발치를 위하여 내원하였다. 20년 전 서울의 모병원에서 #48번 사랑니를 발치하였으며, 그후 하치조신경이 손상되었으며 지금도 불편하다고 한다.

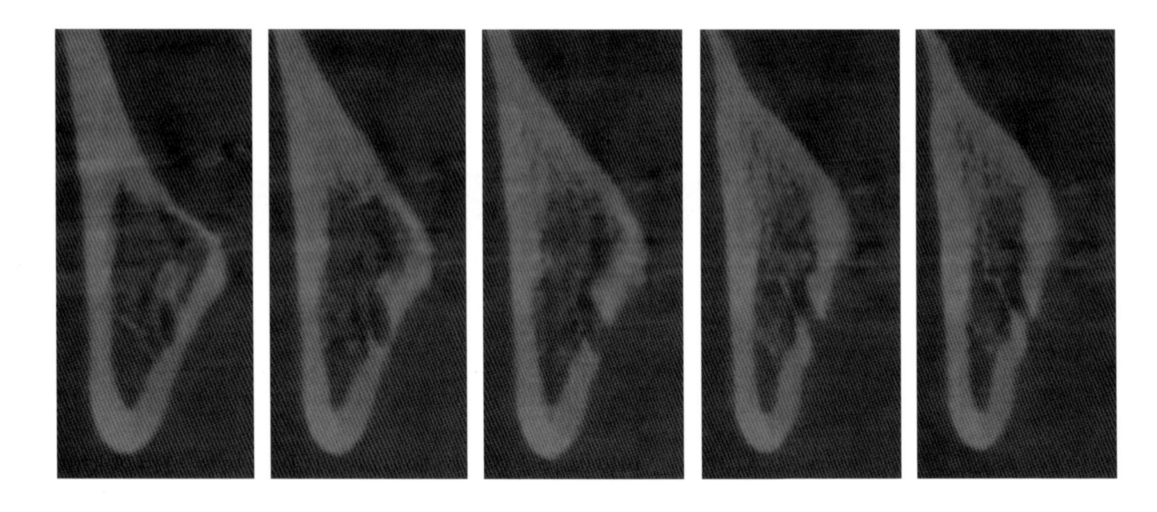

이번에는 안전하게 발치하길 원하신다고 CBCT 촬영을 원하셔서 촬영하였다. 겸사겸사 찍은 CT로 #48번 부분을 보니 20년이 지났지만 잔존 치근이 남아 있는 듯한 느낌이 들고, 설측 피질골이 하치조신경에 의해서 뚫린 것으로 보인다. 발치 전 사진을 볼 수 없어서 알 수는 없지만 치근이 설측 피질골을 뚫고 있거나 최소한 접한 상태에서 설측에 하치조신경이 위치하고 있어서 발치 과정에서 치근이 하치조신경을 압박하거나 설측 피질골을 뚫은 듯해 보이기도 한다. 처절했을 그날을 생각하며 그저 필자의 상상일 뿐이다.

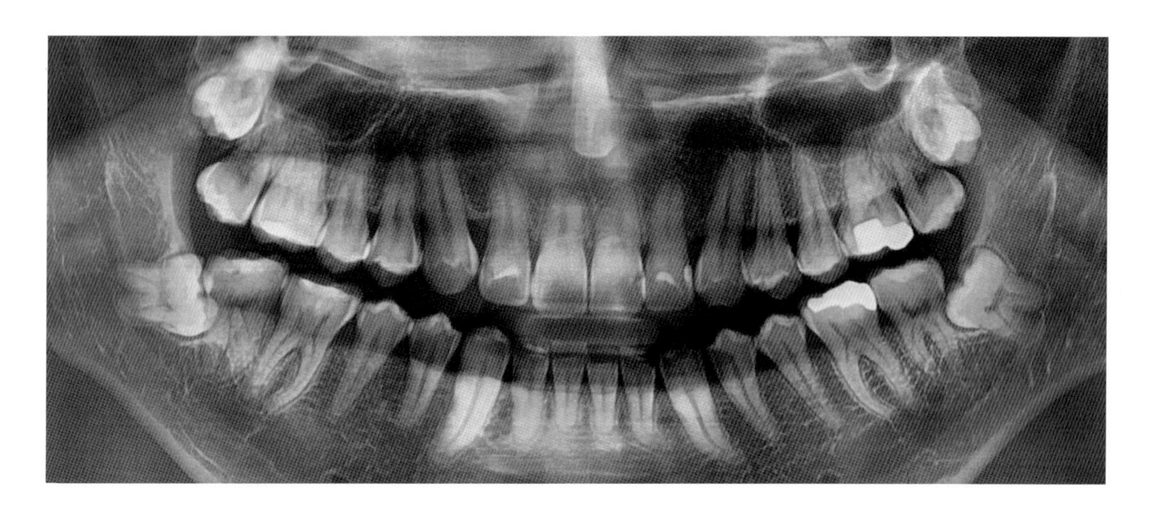

필자의 치과에서 페이닥터(구강외과 전문의)가 #48번 사랑니를 발치하였다. 마취가 풀리면서부터 하치조신경관의 손상을 호소하였으며, 1개월 후까지는 지속적으로 감각이상을 호소하였다. 신경관의 하방에 Youngsam's sign이 보이고 치근에는 다크 밴드가 명확하게 보인다. 치근의 설측에 신경관이 접하여 위치하고 있고 설측 치조골에 매우 근접해 있는 것을 알 수 있다. 페이닥터 선생님은 로스피드만을 이용하여 발치하였는데, 아무래도 두 치근을 분리하다가 치근 사이로 버가 밀려 들어가서 설측의 신경관을 손상시킨 듯하다. 환자는 채념한 듯 그 뒤 연락이 되지 않고 있다.

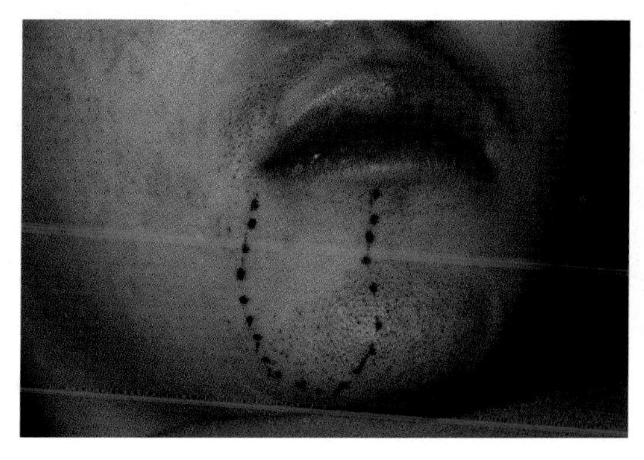

하치조신경관 손상에 따른 감각이상 부위를 표시한 그림이다. 대부분 명백한 하치조신경관의 손상이라면 대부분 이와 같은 부위의 감각이상을 호소한다.

15
최근의 필자 케이스★★

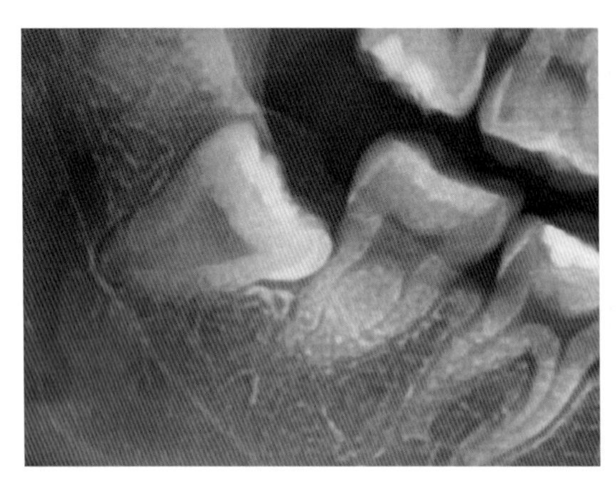

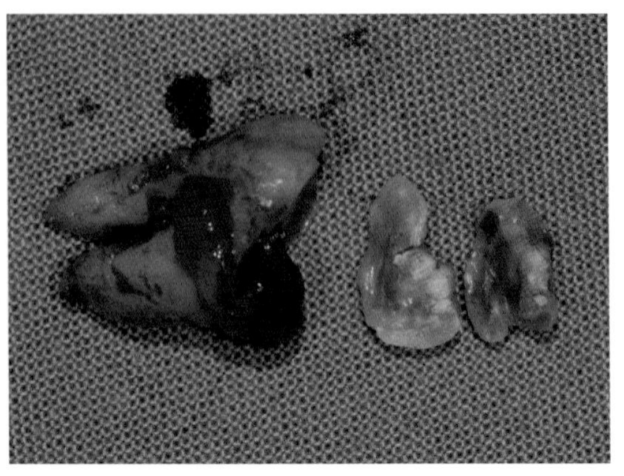

필자가 진행하는 세미나의 라이브 서저리에서 수강생이 발치를 진행하였다. 당연히 필자의 세미나이므로 필자와 같은 치아 삭제 방식으로 발치한 것을 볼 수 있다. 앞머리치기한 뒤에 혀쪽치기 또는 사선치기를 한 뒤에 발치를 시행하였다. 물론 아직 능숙하지 않았기 때문에 발치 과정의 시간이 30분 정도 경과하였다. 환자는 소독 차 다음날 내원하여 입술 부위의 감각이상을 호소하였다. 치근단에 다크 밴드 및 Youngsam's sign이 보이는 것을 볼 수 있다.

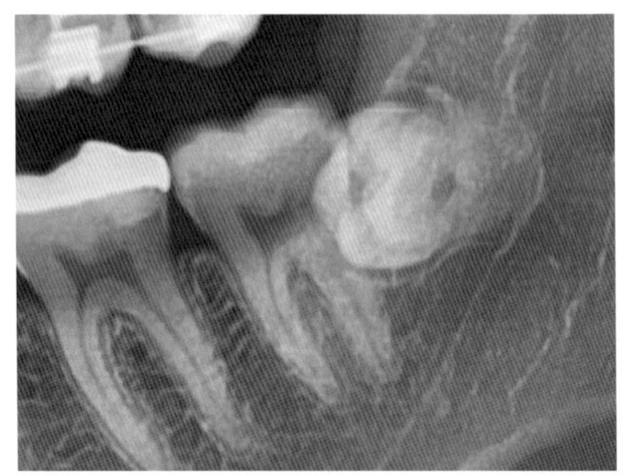

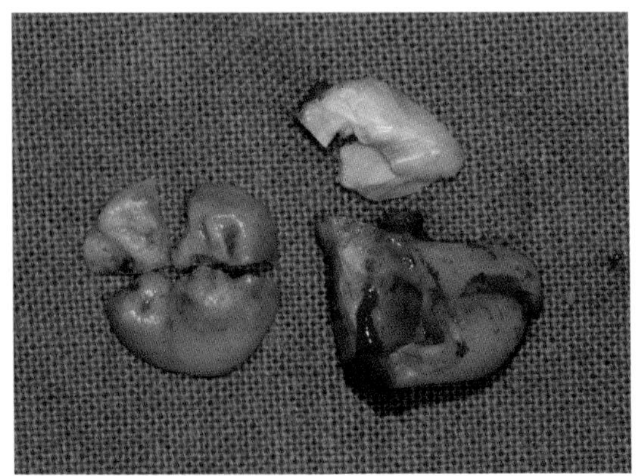

필자가 얼마 전에 발치한 케이스이다. 하치조신경관과 치근이 겹쳐 있지만, 치아 자체가 회전 및 경사져 있어서 다크 밴드는 명확히 보이지 않고 있다. 치관절제술 가능성을 설명하였고, 치관 제거 후 치근이 탈구되는 과정에서 입술에 전기가 오는 듯한 신경관을 건드리는 듯한 약간의 통증 및 감각이상을 호소하였다. 치아가 탈구된 이후에 구강 내로 나오는 과정에서 7번 원심면에 걸려서 들어치기를 시행하여 발치하였다. 치아가 90도 회전하여 치아의 근심면이 협측을 향하고 협측이 교합면 쪽에 위치한 상태로 매복되어 있어서 옆면이 잘린 듯하게 보인다. 발치 직후까지 감각이상을 호소하였으며, 다음날 소독 차 내원하여 감각이상이 사라졌다고 말하였다. 필자의 신경손상 무패의 신화가 깨질뻔한 날이라 필자가 명확히 기억한다.

16 치근단 염증에 의한 신경손상 의심환자 ★

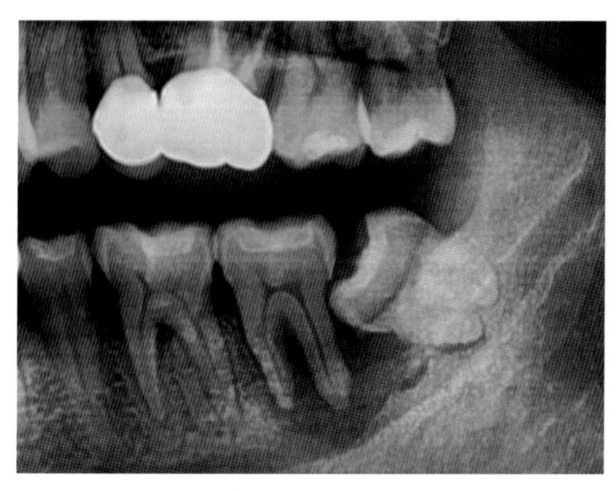

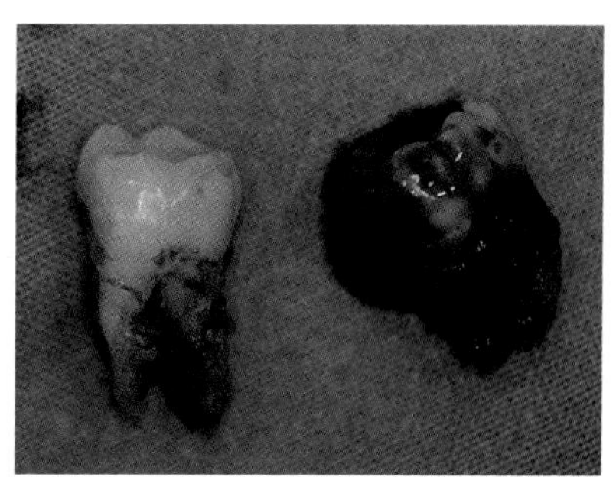

얼마 전에 50세 남성 환자로 사랑니가 아프다는 주소로 내원하였으나, 실제 통증의 원인은 사랑니 앞 제2대구치였다. 이미 치근단 염증이 신경관 근처까지 퍼져 있는 것을 볼 수 있다. 발치 후에 신경손상을 우려하여 발치와 소파는 시행하지 않았으나 환자는 약간은 신경이 저리거나 신경손상된 듯한 느낌을 받고 있다고 하여 지속적인 체크를 하고 있다. 예전에도 이런 비슷한 케이스가 있었는데...

잠깐!

신경손상 시 처방 ★★★

신경손상이 의심되는 환자에게 처방이 무슨 의미가 있느냐는 의견들이 있다. 각각의 약들에 대해서도 이견들이 많다. 필자는 아직까지 한 번도 이런 경험을 한 적이 없고, 신경손상은 저절로 회복된다고 자신하지만, 수강생분들에게는 이런 케이스가 생기면 처방을 하라고 한다. 혹시라도 나중에 법적인 문제가 발생하였을 때, 사고 발생 이후에 최선을 다했으냐에 대한 책임이 생길 수 있기 때문이다. 일반적으로 스테로이드 성분과 비타민, 뉴론틴(가바펜틴 성분)을 처방한다. 특히나 뉴론틴에 대해서는 효과와 부작용에 대한 논란이 많고, 필자는 개인적으로 척추질환 때문에 이미 많이 복용을 해보기도 하였지만 언제나 의구심이 드는 약이기도 하다. 그러나 우선은 책임소재 때문에라도 사고 발생 후 최선을 다했느냐에 대한 문제가 있으므로 신경손상 정도에 따라서 적극적인 처방을 고려해보는 것이 좋을 듯하다. 초기 대처를 잘하고 구강내과로 리퍼하는 것도 적극적으로 검토해볼 필요가 있다.

17
신경손상 환자의 임상노트 – 서민교 원장 케이스 ★★

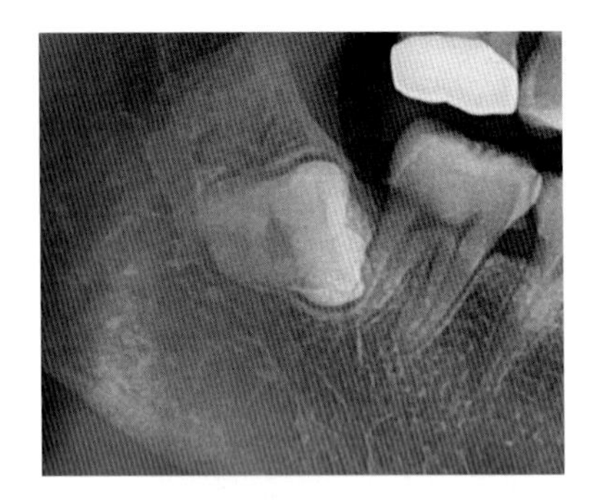

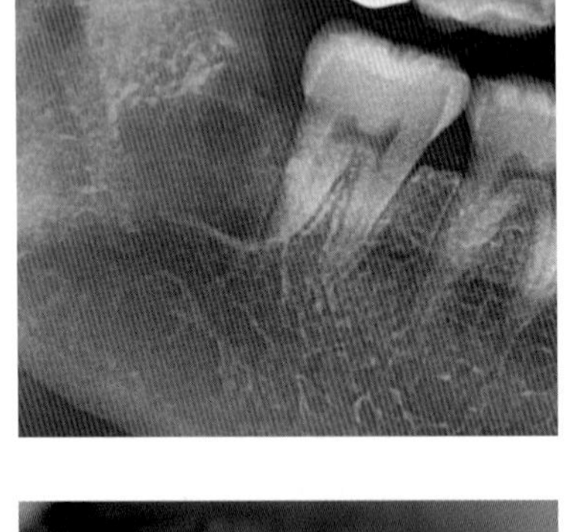

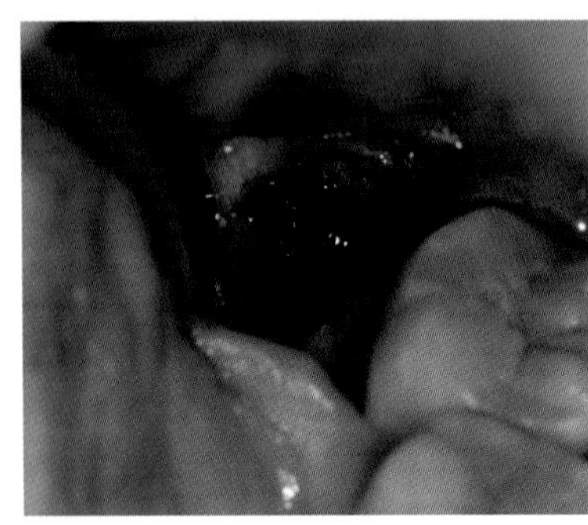

스테로이드 – Prednisolone : 신경손상 초기 신경염증에 가장 빠르고 효과적인 도움을 줄 수 있음.
사용 예) 사랑니 발치 후 감각이상 시 12ts #3 t.i.d sig po for 5 days (최대 성인 용량을 적용한 예)
5 mg/Tab 5~60 mg/day 여러 상품명이 존재

2016년 1월 27일
44세 여성
C.C : 오른쪽 아래 맨끝의 잇몸이 붓고 아팠어요.
하치조신경 노출
덱사메타손 1앰플 5분 발치와 소킹, 덱사메타손 1앰플 근주
소론도 첫째날 6ts 하루 세번, 둘째날 6ts 하루 세번, 셋째날 3ts 하루 세번
세파클러(2세대 세팔로스포린 계열 항생제), 알마겔 하루 세번 3일분

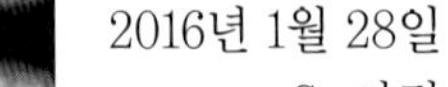

2016년 1월 28일
S : 아직 마취된 느낌이 약간 남아 있어요.
우측 하순 및 이부에 감각저하
좌측과 비교해 큰 차이 없으나 멍멍한 느낌이라고 함.
덱사메타손 1앰플 근주
셀라룩스 레이저 자극요법 15분 시행
내일부터 온찜질하도록 지시

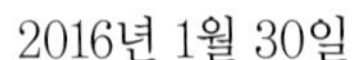

2016년 1월 30일

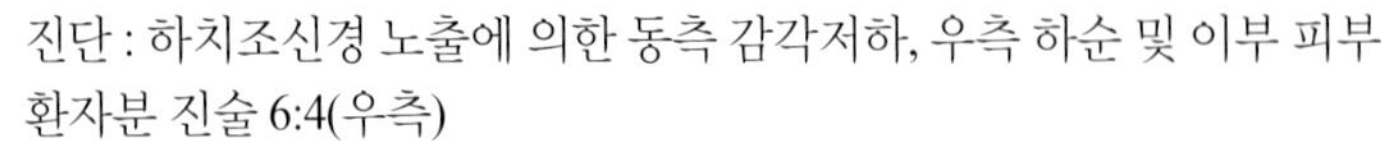

진단 : 하치조신경 노출에 의한 동측 감각저하, 우측 하순 및 이부 피부
환자분 진술 6:4(우측)
– 현재 우측 이환부 피부 감각은 좌측 정상 대비 70% 정도 감각저하 존재함.
– 통각에 둔하게 반응함.
– 기넥신에프정(SK 케미칼, 코드 : 644700130) 40 mg 아침, 저녁 1t 씩 복용 14일분
– 삐콤씨정(비타민 B복합체, 유한양행), 아침, 저녁 1t 씩 복용 14일분
– 타이레놀 ER 1t씩 하루 두번 4일분
– 온찜질 지시

2016년 3월 8일 (pod 6wks)
S 괜찮았습니다.
O & P
감각 90% 이상 돌아 옴.
앞니 조이는 느낌 없음.
기넥신에프정 40 mg, 1t 씩 하루 두번 14일분 처방
n : 3주 후 체크

2016년 3월 29일
S : 이젠 괜찮은 것 같아요.
O : 우측 하순 및 이부(chin) 감각 좌측 대비 100% 돌아옴.
#48 발치와 식편 압입되나 본인이 제거 가능.

Dr. 서민교 Comment.

뉴론틴은 찬반 양론과 무관하게 로컬에서 처방하기에는 무리가 있고, 삭감이 자주 되기 때문에 구강내과에 의뢰하여 처방받도록 하는 것이 좋을 듯하여 처방하지 않았다.

18
상악 사랑니 발치에서 치조골 파절편★★★

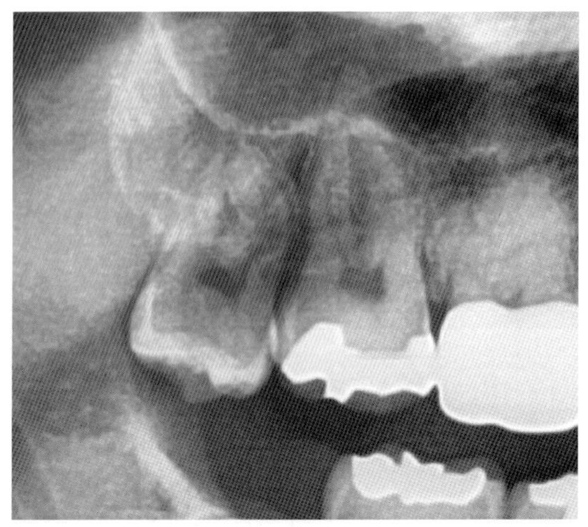

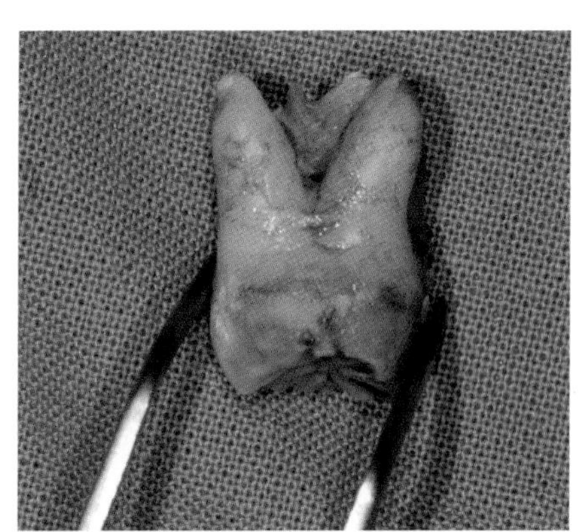

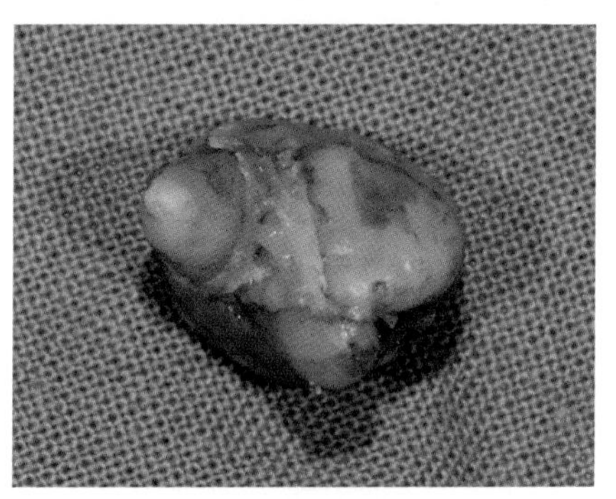

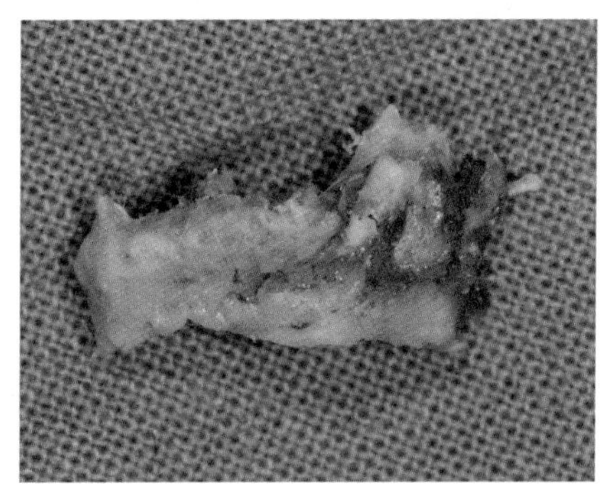

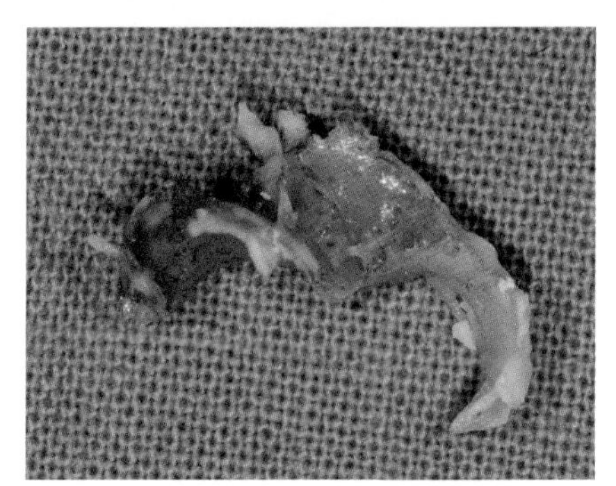

이런 치조골 파절편은 상하악 모두에서 종종 발생한다. 상악에서 좀 더 발생 빈도가 높은 듯하며, 특히 상악에서 포셉이 아니라 엘리베이터로 발치한 경우에 좀 더 빈도가 높은 듯하다.

중년 이상의 남성한테서도 흔하고, 골다공증이 있는 여성 환자들에서도 매우 흔하게 나타날 수 있다(필자 경험).

특별히 예후에서의 차이점은 특별히 느끼지 못하였으며, 약간의 과잉 출혈이 예상될 것으로 생각되나 이 또한 큰 차이점을 느끼지는 못하였다. 초보 치과의사들이라고 해도 치조골이 조금 딸려 나왔다고 해서 크게 걱정할 사항은 아니라는 것이다. 사진이 없을 뿐 위 케이스보다 훨씬 더 큰 치조골이 딸려 나온 경우도 매우 흔하게 발생하였다. 또한 이런 케이스에서 얻을 수 있는 것은 상악 매복치를 로스피드 핸드피스를 이용하여 발치할 때 협측 치조골을 삭제하는 것에 대해 너무 두려워하지 말라는 것이다.

19
흔한 상악 사랑니와 함께 딸려온 치조골★★

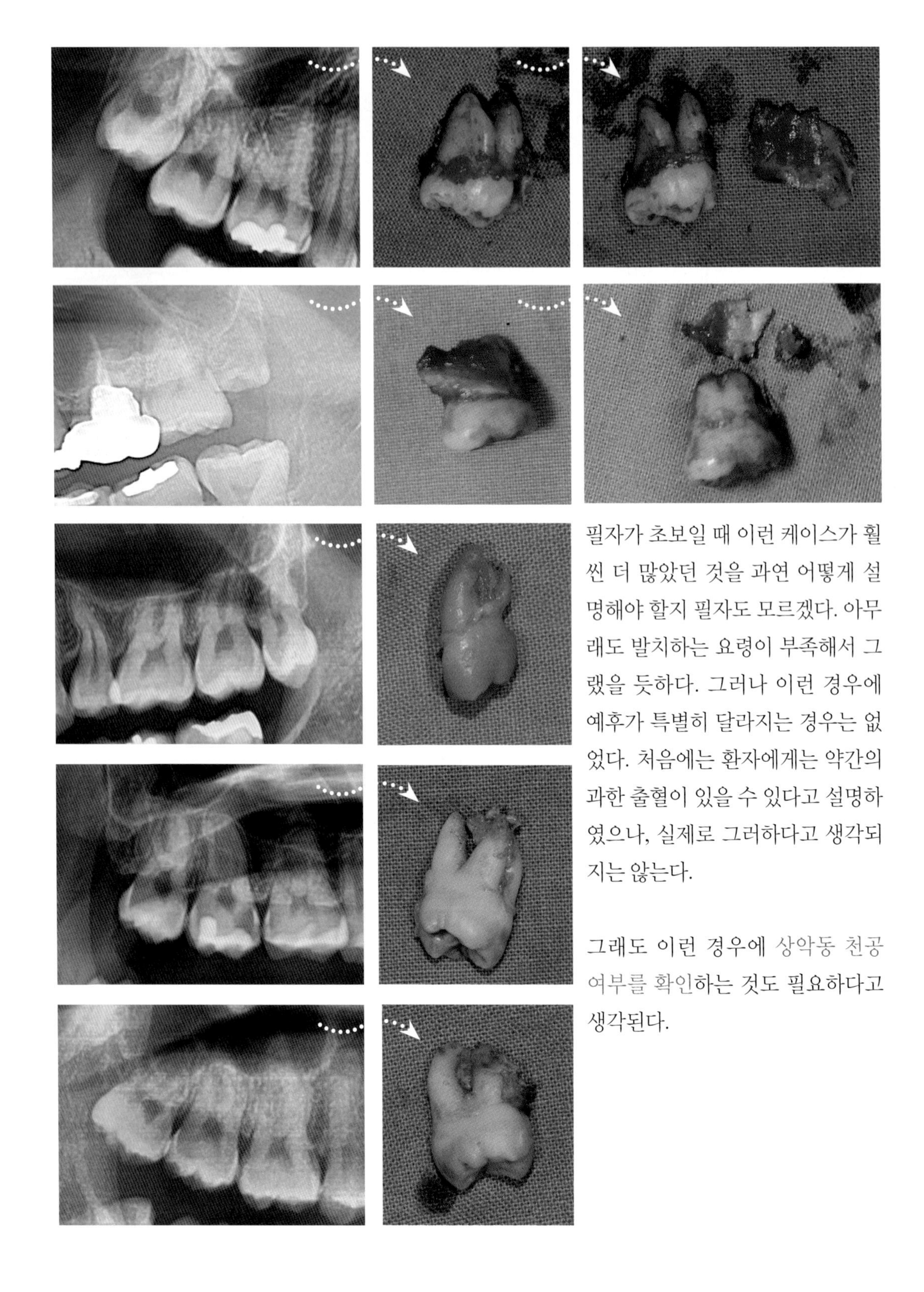

필자가 초보일 때 이런 케이스가 훨씬 더 많았던 것을 과연 어떻게 설명해야 할지 필자도 모르겠다. 아무래도 발치하는 요령이 부족해서 그랬을 듯하다. 그러나 이런 경우에 예후가 특별히 달라지는 경우는 없었다. 처음에는 환자에게는 약간의 과한 출혈이 있을 수 있다고 설명하였으나, 실제로 그러하다고 생각되지는 않는다.

그래도 이런 경우에 상악동 천공 여부를 확인하는 것도 필요하다고 생각된다.

20
하악 사랑니 치근 사이 치조골의 파절★★★

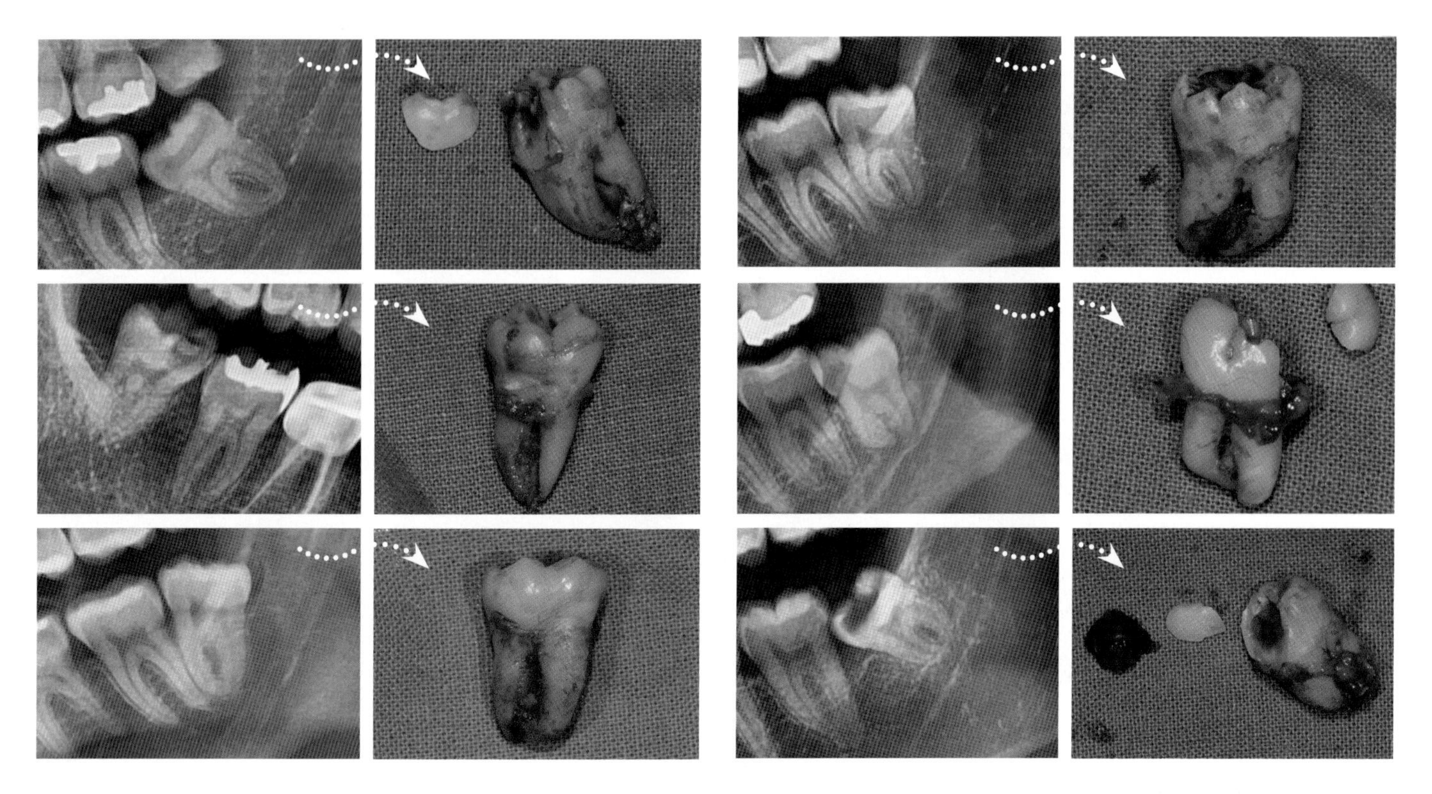

발치 후 치조골이 파절되는 경우는 매우 흔하다. 대부분 그린스틱 파절로 우리가 인지하기 어려운 경우가 많겠지만, 치근 만곡이 심한 경우에 위와 같이 두 치근 사이에 치조골이 딸려 나오기도 한다. 엘리베이터로 당기는 힘이나 포셉으로 당기는 힘이 매우 세기 때문이다. 이러한 정도는 크게 걱정할 부분이 아니며 특별히 출혈이 심하다는 차이점을 느끼지 못하였다.

Dr. 임종환 Comment.

그건 김영삼 원장님처럼 쉽게 잘 뽑는 사람들에게나 해당되구요... 일반치의라면 손가락으로 원위치시킨 후 tight suture가 추천됩니다. 또한 침 삼킬 때 불편함 등 후유증에 대한 사전 고지가 필요합니다.

Dr. 김대용 Comment.

만곡된 치근 사이로 명확한 lamina dura가 보이면 치근을 2분할하면 예방은 좀 더 될 것 같습니다.

21
설측 피질골의 파절 1 ★★★

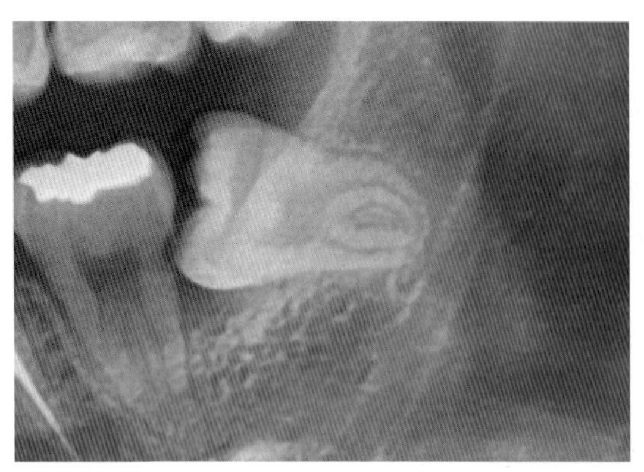
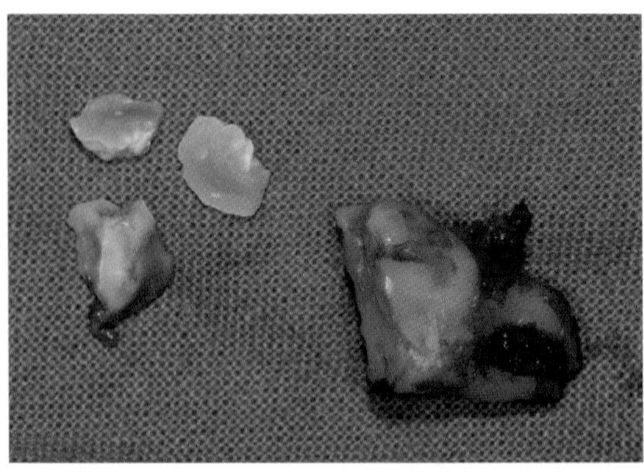
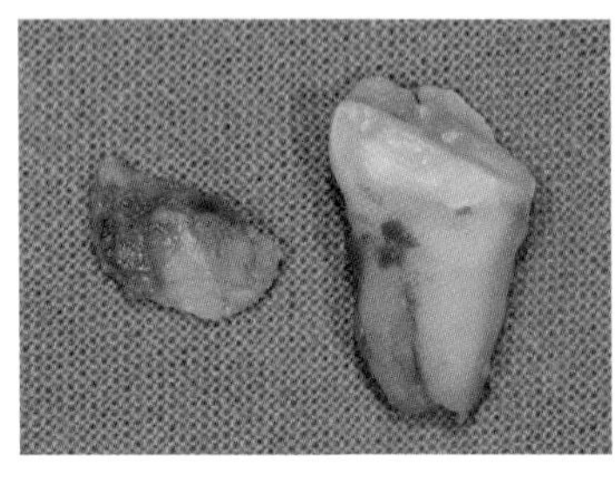
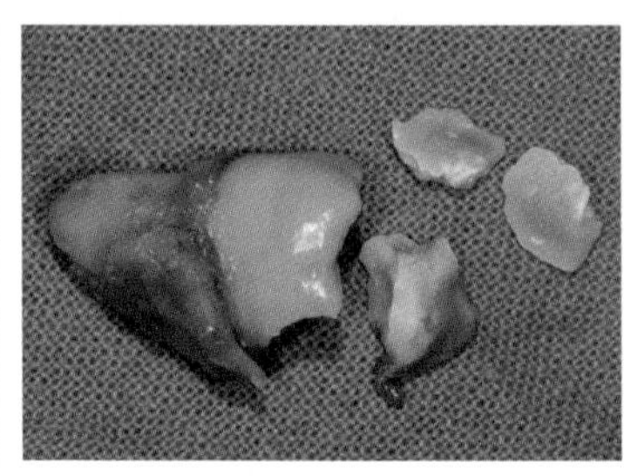
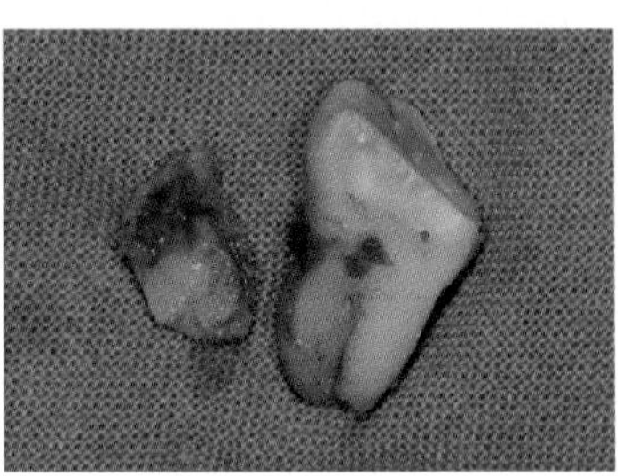

하악 사랑니의 발치 시에 설측의 피질골이 파절되는 경우는 매우 흔하다. 대부분의 경우 사랑니의 협측과 설측골의 두께의 차이를 본다면 9대 1로 협측골이 더 두꺼울 것이다. 그런데 그나마도 발치 시에는 협측에서 엘리베이터로 사랑니를 밀어서 들어올리는 방식으로 발치를 하다보니 설측골이 파절될 수 밖에 없는 것이다. 설측골이 치아와 유착되어 있거나 충분한 치주인대 공간이 없는 등의 이유로 설측골이 사랑니에 딸려 나오기도 한다. 여기도 Youngsam's sign이 매우 중요하다. Youngsam's sign이 있는 경우가 당연히 설측골 파절이 많다.

필자도 바쁘다보니 중요한 사진들이지만 남기지 못해서 그렇지 사랑니 만큼 크게 떨어져 나온 경우도 있고 매우 다양하다. 결론은 너무 걱정하지 말라는 것이다. 이런 경우도 발치 후 예후에서 특별한 차이점을 느끼지 못하였다. 간혹 설측골이 너무 크게 파절되어 사랑니와 동시에 제거하기 어려운 경우에는 사랑니와 설측 피질골을 분리한후 사랑니만 제거하고 피질골은 그대로 두기도 하는데, 예후에 큰 차이를 느끼지는 못하지만, 최선을 다해서 조직의 안정을 꾀하는 것이 좋을 듯하다.

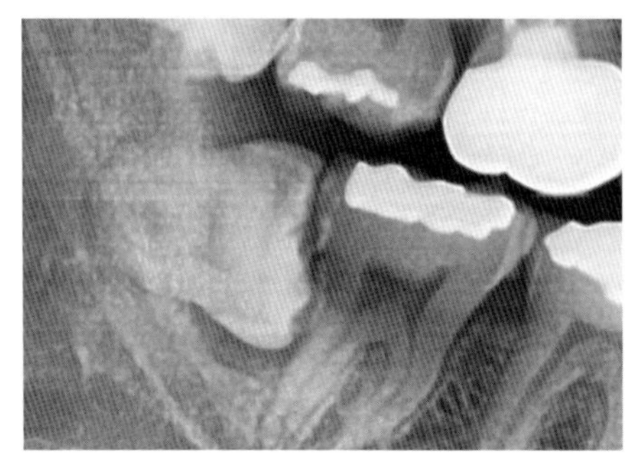
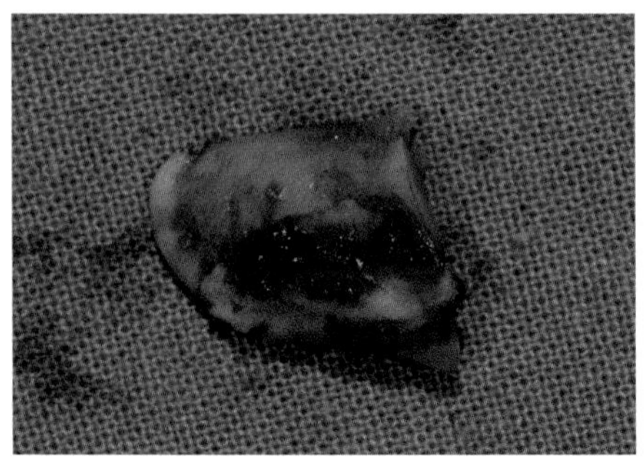

사랑니의 치근 전반에 걸쳐서 Youngsam's sign이 보이고 두 치근 사이에 치조골도 있어서 설측 피질골이 크게 파절될 가능성이 많다.

설측 피질골의 파절 2★

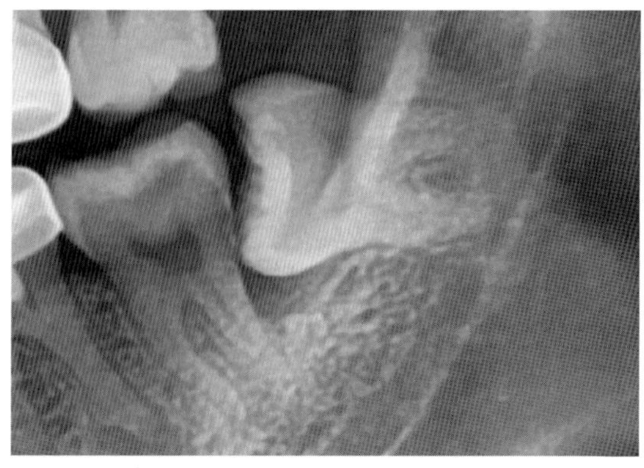

필자는 사선치기를 하고, 발치하는 스타일이고 이미 발치에 능숙하다 보니 다른 사람들보다 설측 피질골 파절이 덜한 편이다. 그러나 초보일수록 발치 시간이 오래 걸리고 협측에 비정상적인 힘을 많이 쓰기 때문에 설측 피질골 파절이 더 많이 발생할 수 있다.

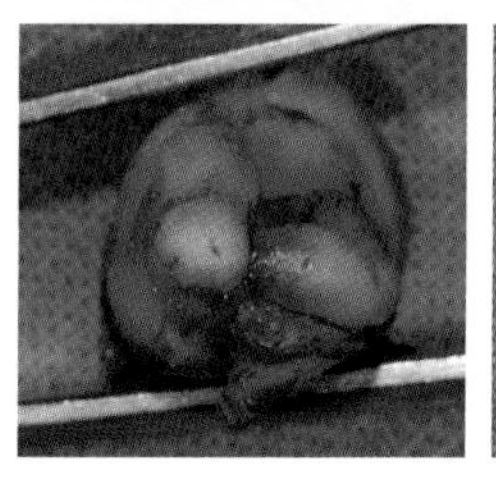

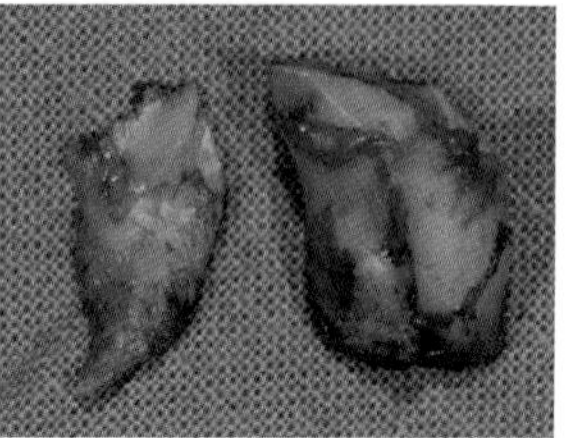

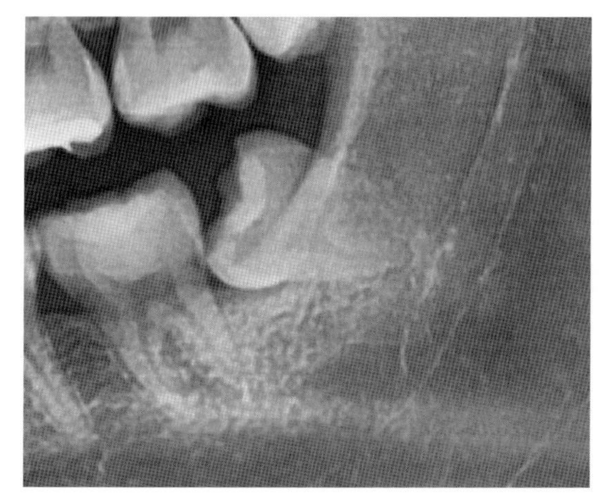

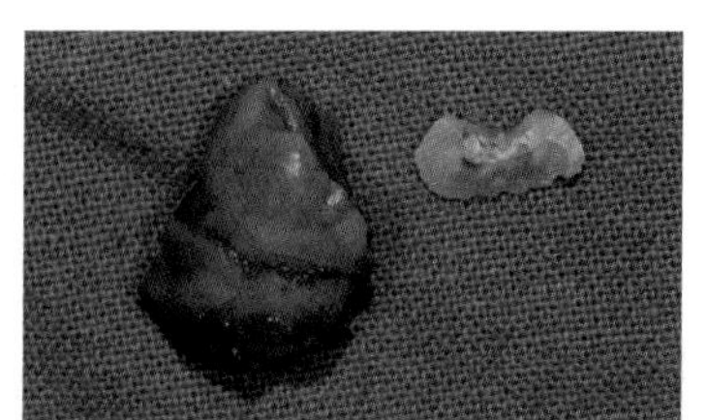

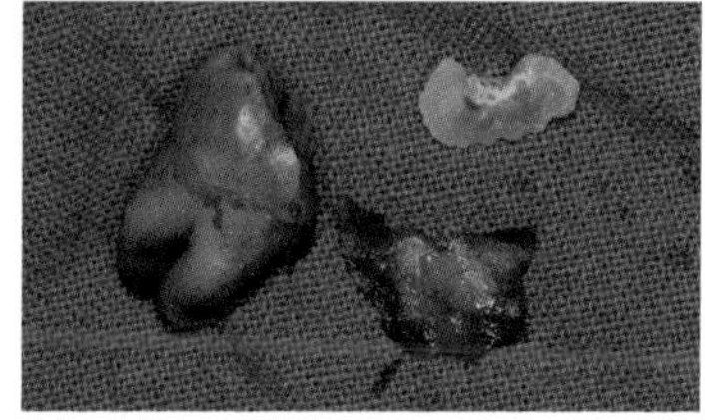

사랑니와 함께 설측골이 파절되어 동시에 제거 하는 과정에서 Mylohyoid muscle을 종종 볼 수 있다. 필자도 처음에는 많이 긴장하였지만, 메스나 씨저로 잘라내고 발치를 마무리하였다. Mylohyoid muscle은 하악골 설측 mylohyoid ridge에 매우 길게 부착되어 있기 때문에 사랑니 부분에서 살짝 잘린다고 해서 큰 문제가 발생하지 않는다. 발치 후 며칠 정도 가끔 침 삼킬 때 아프다는 정도의 불편감 정도이다. 미루지 말고 지금 당장 Mylohyoid muscle을 검색해보자.

Dr. 김대용 Comment.

Mylohyoid muscle은 덴처 제작할 때도 늘 말썽입니다. 날카로운 치조골인 mylohyoid ridge만 다듬어줘도 환자분들이 많이 편안해 합니다.

22
Mylohyoid muscle의 노출 ★★

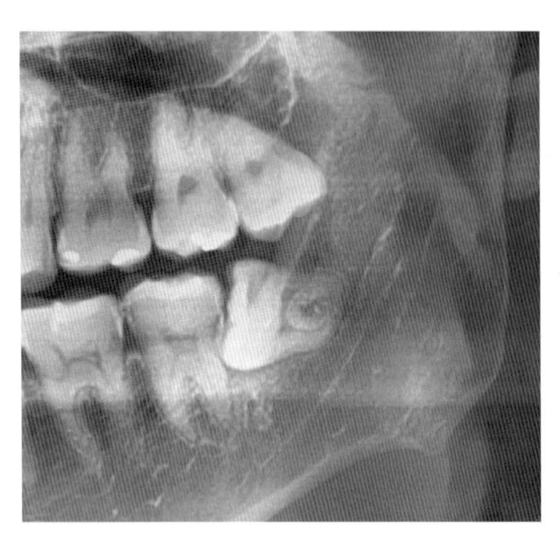
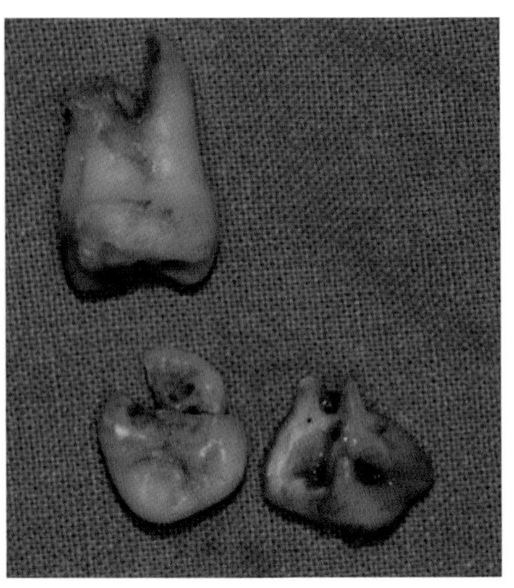

33세 남성 환자의 평범한 수평 매복치이다. 치근이 벌어졌다가 치근단부에서 합쳐지지만 크게 별다른 특이소견을 보이지는 않는다. 통상적인 방법으로 치관부를 제거하고 엘리베이터를 남은 사랑니 치근부의 협측에 적용하였으나 쉽게 발치되지 않았다. 사선치기를 할까 고민하다가 치아가 작고 버는 6번 버여서 뒷목치기를 시행하고 발치하였다.

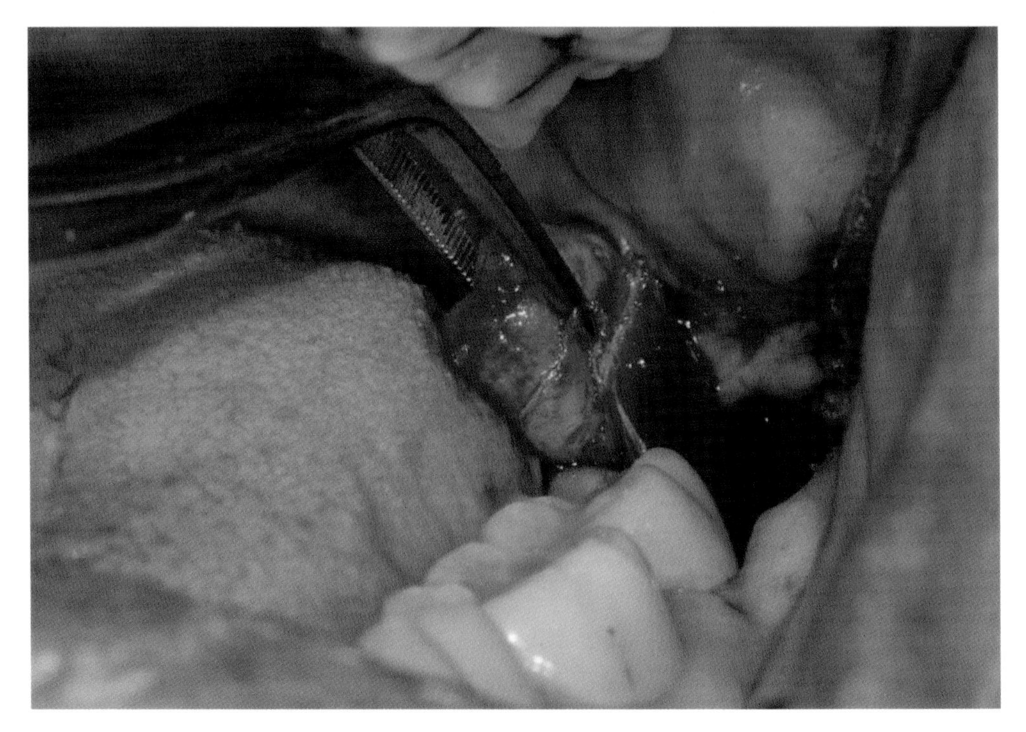

사랑니가 탈구되었지만 밖으로 튕겨나오지 않아서 핀셋으로 집어보니 Mylohyoid muscle이 보였다. 사진촬영을 위하여 사랑니가 설측으로 가도록 뒤집었다. 지금 상부에 보이는 부분은 사랑니의 치근단부이다.

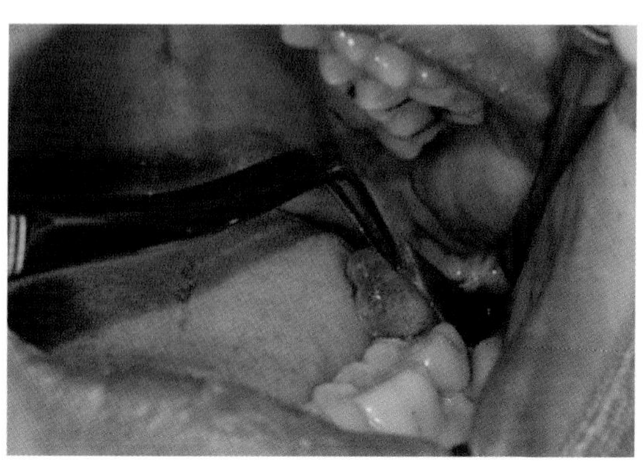
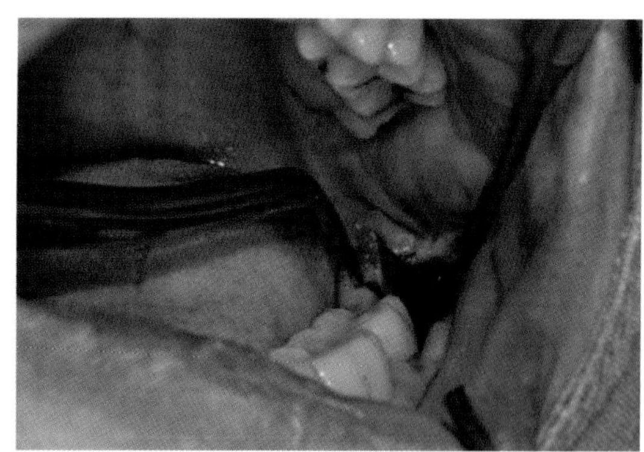

보통 근육부분이 작으면 가위나 메스로 근육 말단부를 잘라버리고 치조골과 사랑니를 함께 제거하지만 이 경우는 비교적 muscle이 크게 보여서 사랑니와 설측 피질골부분을 분리하였다. 쉽게 분리되어 오른쪽에 사랑니가 제거되고 남은 설측 치조골을 볼 수 있다.

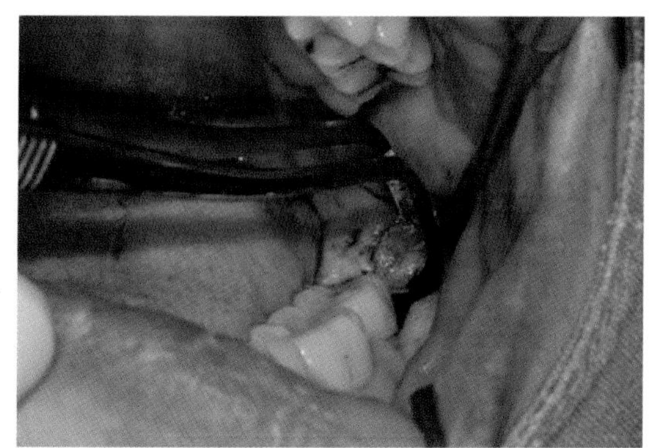
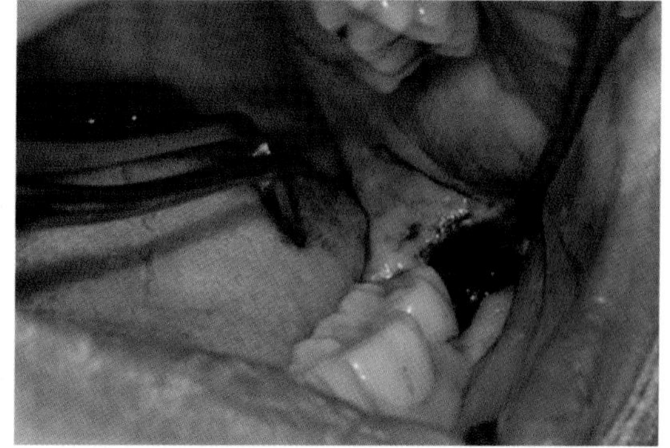

치조골을 얹어서 원래 있던 위치로 근육부착부가 설측으로 가도록 위치시킨 모습니다. 이후에는 통상적인 방법으로 봉합을 실시하였다. 환자는 특별히 다른 증상을 호소하지는 않았다. 보통의 경우 이보다 작고 얇게 나오는 경우가 많다. 딸려 나온 muscle의 크기와 파절된 치조골 크기, 사랑니와 파절된 치조골이 쉽게 분리되는지 등을 고려하여 대처하면 된다. 아직까지는 mylohyoid muscle이 딸려 나왔다고 해서 그 뒤에 어떻게 조치를 취하든 문제는 없었다.

Dr. 이재욱 Comment.

기본적으로 mylohyoid muscle을 잘라낸다는 표현보다는 설측 치조골을 재위치시키든, 제거하든 상관 없이 dissection해서 분리시킨다고 하는 게 맞을 듯...

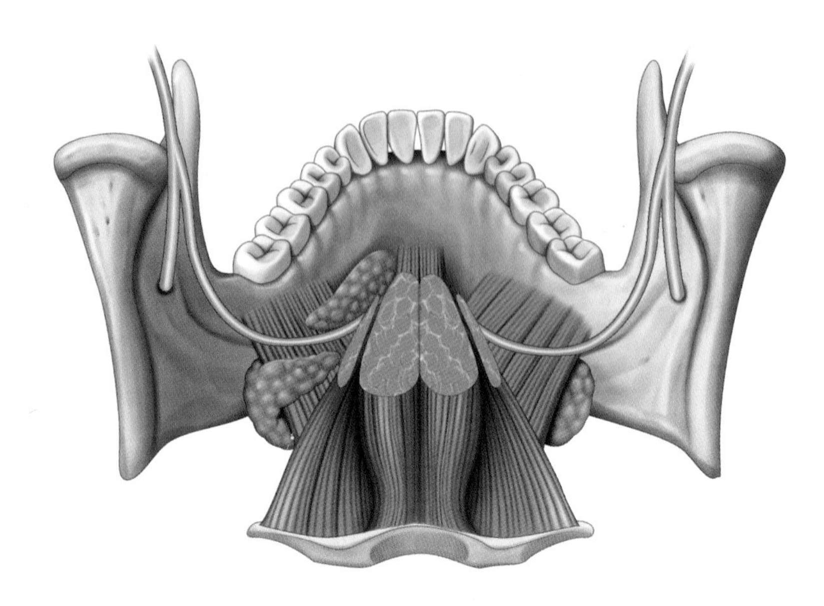

그러나 과도하게 치아를 당겨서는 안 된다. 필자는 사진을 찍기 위해서 조금은 과도하게 당겼지만 이 이상으로 치아를 당겨서는 안 된다고 생각한다. 일반적으로 설신경이 mylohyoid muscle 위로 지나가기 때문이다. 필자는 사진을 찍기 위해서 이만큼 꺼냈지만 대부분은 mylohyoid muscle이 피질골과 함께 딸려나오면 대부분 그 소켓 내에서 치아와 분리를 시도하든지 muscle을 잘라내든지 하는 경우가 대부분이다. 필자의 후배 구강외과의사는 이러한 경우에 만일의 경우에 대비하여 메스의 제대로 쓰지 않고 뒷날로 살살 muscle과 골을 분리하기도 한다고 한다.

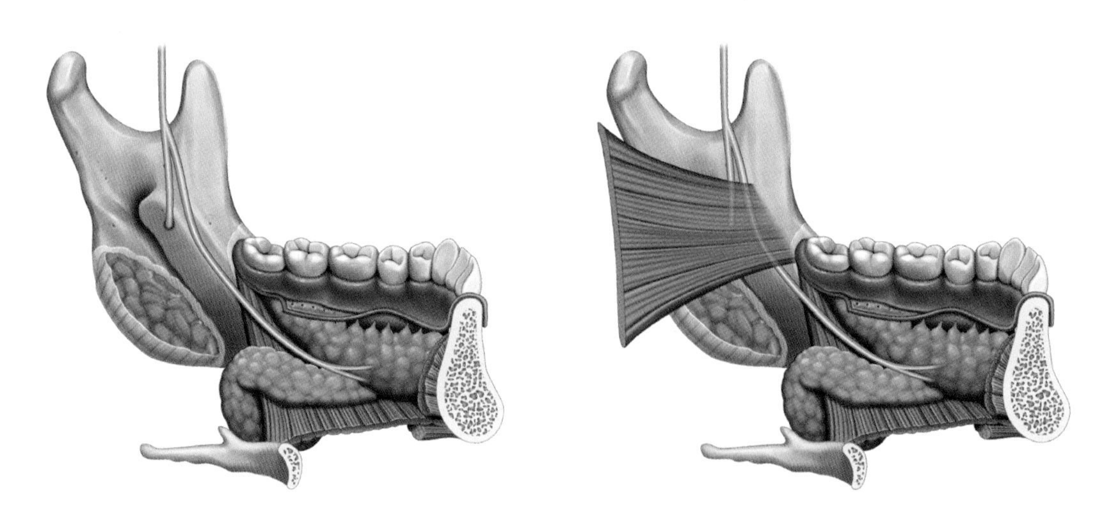

Mylohyoid muscle과 Lingual nerve의 관계를 보여주는 그림이다. 굳이 일부러 센 힘으로 당기는 사람은 없겠지만 설신경과도 매우 관계가 깊기 때문에 근육을 자를 때도 조심해서 잘라야 한다.

23
인터넷에 올라온 질문에 이런 사진이 종종 있다. ★★

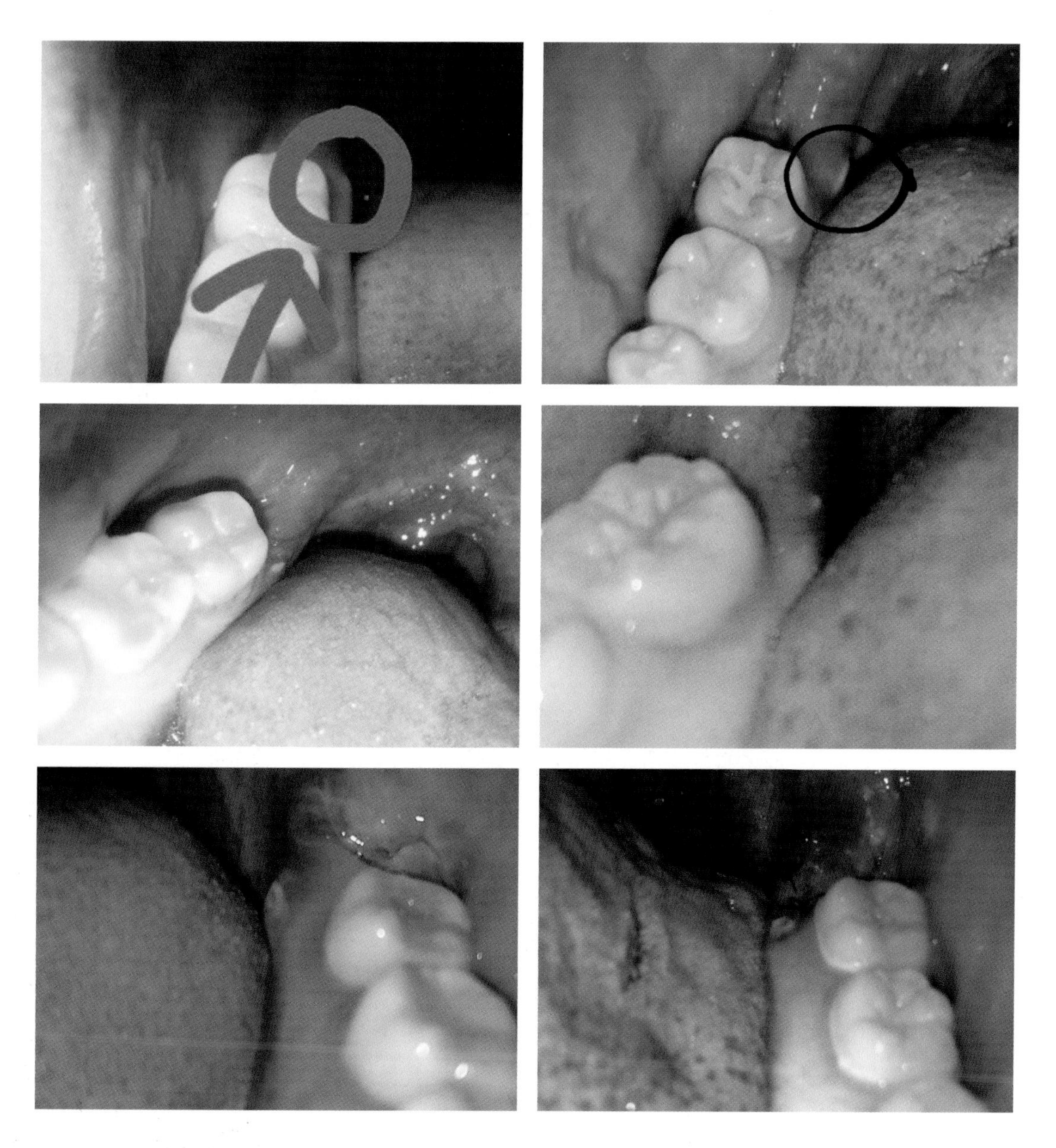

인디넷 치과상담 게시판에 사랑니 발치 후 혀 쪽에 치아 뿌리가 남아 있다거나 사랑니가 또 나기 시작한다는 등의 표현과 함께 위와 같은 사진을 첨부하고 질문하는 경우가 많다. 생각보다 의외로 흔하다. 최근에 사랑니 발치한 흔적이 없다고 해도 물어보면 몇 달 전에 사랑니를 뽑은 경우가 대부분이다. 과연 이것이 무엇일까?

24
사랑니 발치 후 설측 피질골 돌기 형성 ★★

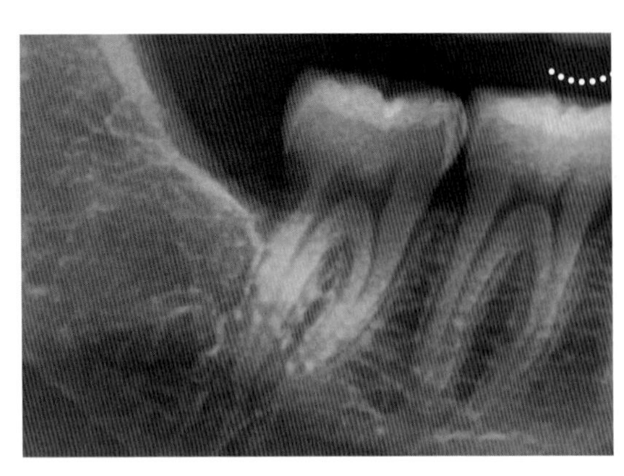

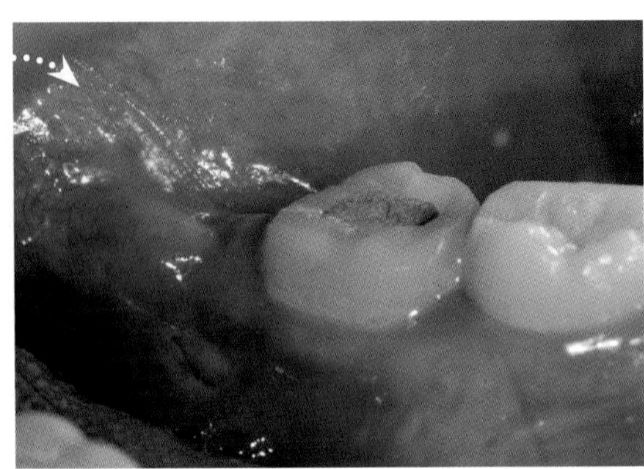

필자의 치과에 내원한 환자인데 보존과 의사가 근관치료를 하면서도 설측에 있는 저것이 무엇 때문인지 모르고 있었다. 옆에 있는 보철과 선생님과 상의해보고도 결론을 못 얻어서 필자한테 물어본 케이스이다. 필자는 환자에게 사랑니를 언제 뺐냐고 물어 봤고, 사랑니는 1년 전 쯤에 뺐으며 그 뒤부터 이렇게 되었다는 답변을 받았다.

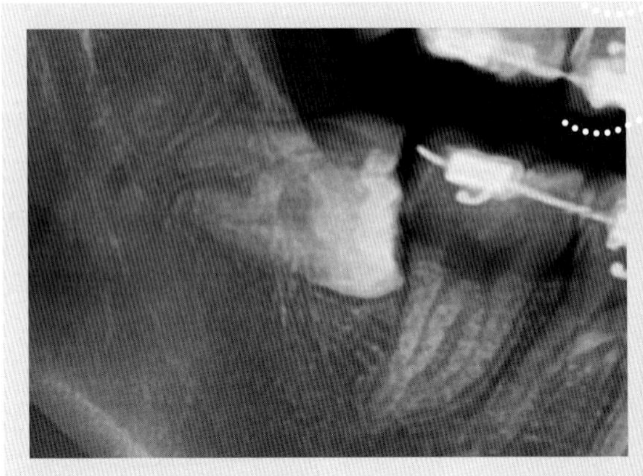

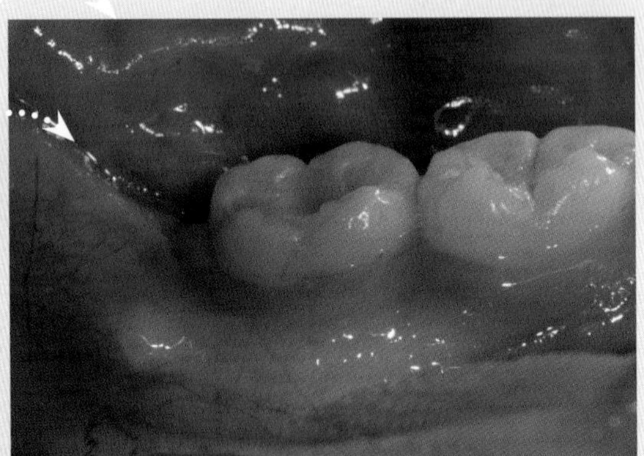

교정을 하고 있는 환자이다 보니 8번 치관부와 7번 원심면 사이에 공간이 생겨서 치관을 쉽게 제거하였다. 아무래도 치관이 대부분 치조골 위에 올라와 있기 때문에 협측에 엘리베이터가 잘 걸리지는 않아서 뒷목치기를 시행하여 발치한 듯하다. 아무래도 협측에서 발치를 시도하거나 뒷목치기 후 ㄴ발치를 하면서 매우 강한 힘으로 치아를 당겨서 설측 피질골이 파절된 듯하다. 환자는 한 달 정도 경과한 후에 사랑니가 또 날 수도 있냐는 주소로 내원하였다. 치료는 매우 다양한 방법이 있겠지만, 필자의 경우는 의외로 간단하게 해당 부위를 마취한 후 하이스피드를 이용하여 살짝 삭제해주는 방식으로 하고 있다.

25 발치 후 설측 치조골이 잇몸을 뚫고 나오는 이유 ★

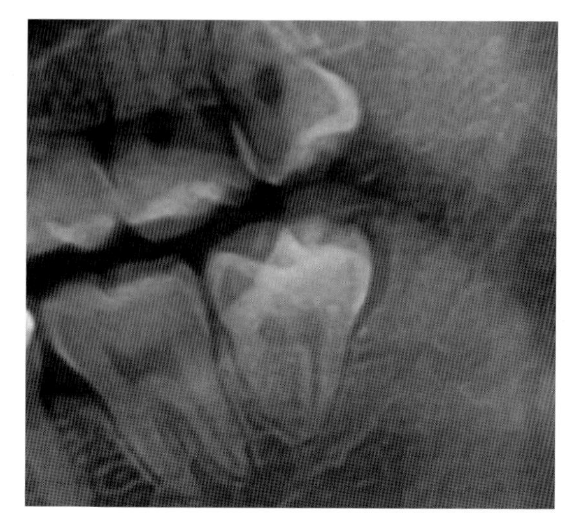

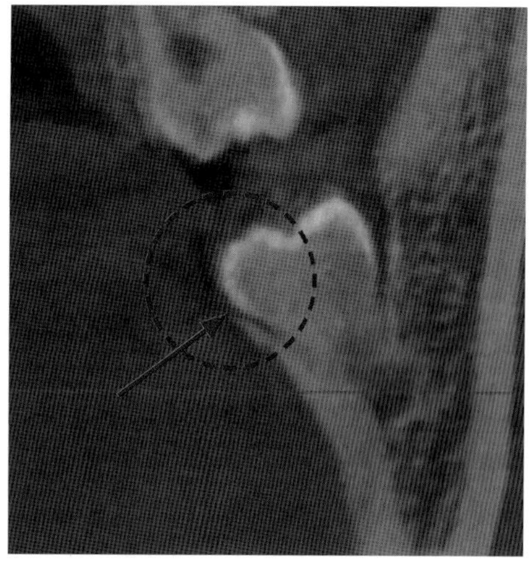

사랑니 환자의 파노라마 사진과 CBCT로 coronal 절단면을 본 것이다. 필자가 이러한 증상을 호소하는 환자들에게 보여주는 사진이다. 지금 이 사진상에서는 설측 피질골이 뾰족해도 사랑니 때문에 전혀 뾰족한 것을 알 수는 없지만, 사랑니 발치 후에는 치조골의 뾰족한 면이 그대로 노출되게 된다. 이러한 골 부위가 잇몸을 뚫고 나와서 불편하게 된 것이라고 설명한다. 물론 사랑니를 협측에서 설측으로 밀어서 발치하기 때문에 설측 피질골은 더욱 더 설측으로 밀리거나, 심지어는 파절되면서 파절된 근원심 조각 모두가 잇몸 쪽으로 더 깊이 들어갈 수도 있다.

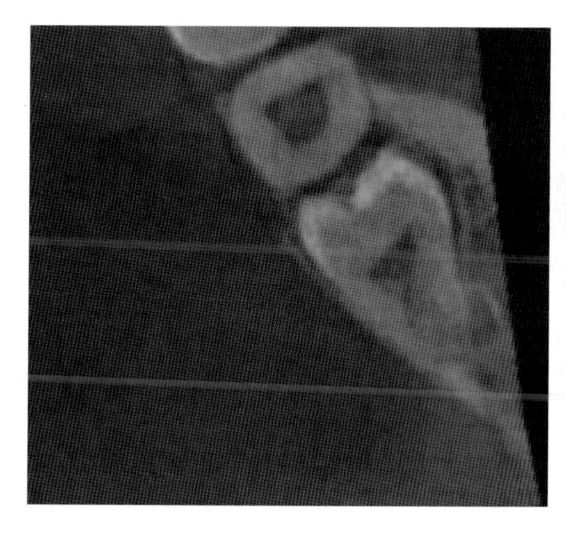

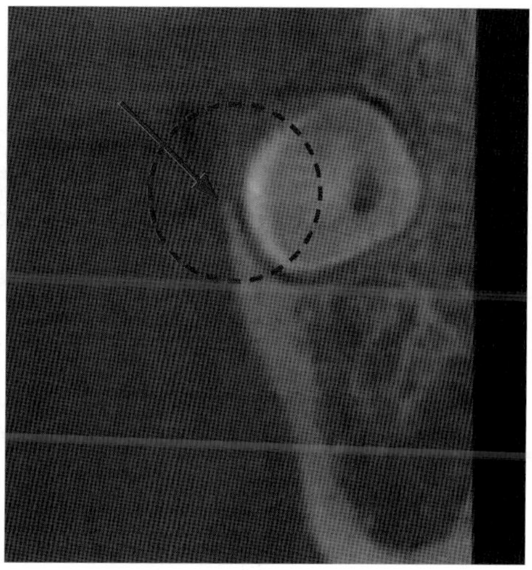

수평으로 매복된 사랑니의 CBCT 영상을 횡단면과 관상면을 캡처한 사진이다. 이 사진에서도 위와 같은 날카로운 설측골을 볼 수 있다.

특별한 케이스가 아니라 아무 CT나 띄워 놓고 보면 5~6개 정도는 위 두 케이스를 골라 넣을 만큼 흔하다. 이런 케이스에서 모두 설측골이 발치 후에 문제가 되는 것은 아니다. 그저 문제가 되는 경우에 환자에게 설명하기 위해서 필요한 사진일 뿐이다. 문제가 발생해도 쉽게 해결할 수 있다.

26
설측 치조골은 깨지기 쉽다.★★★

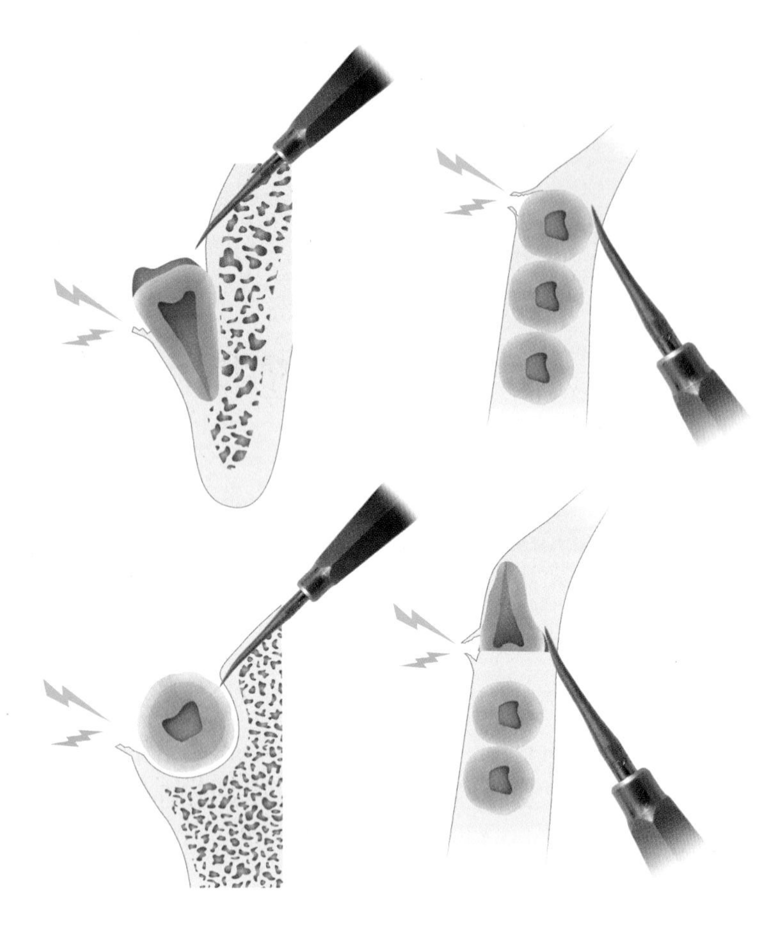

수직 매복이나 수평 매복이나 결국은 사랑니를 치조골 바깥으로 들어올리기 위해서 엘리베이터를 사용할 때 결국 협측에서 접근하기 때문에 자연스럽게 얇은 설측 치조골이 깨질 수 있다.

Dr. 임종환 Comment.

3~4% 환자에서 발생하고 "골 생성 시 과잉반응"이라 환자에게 설명한다(Torus 발생 기전과 비슷하나 연조직 뚫고 나오는 것만 차이).

사랑니 발치를 당근이나 무를 뽑는 것과 비교한다면 결국은 평평한 평지에서 뽑는 게 아니라 낭떨어지에 붙어 있는 것을 뽑는 것과 다름 없다. 그나마도 뿌리의 끝 부분은 절벽 밖으로 나가 있는 경우도 있다. 늘 한쪽 벽은 형식적으로 종이장처럼 얇게 붙어 있는 정도라고 가정하고 무리한 힘을 사용하지 말아야 한다.

27
의외로 흔하지만 처치는 간단 ★★

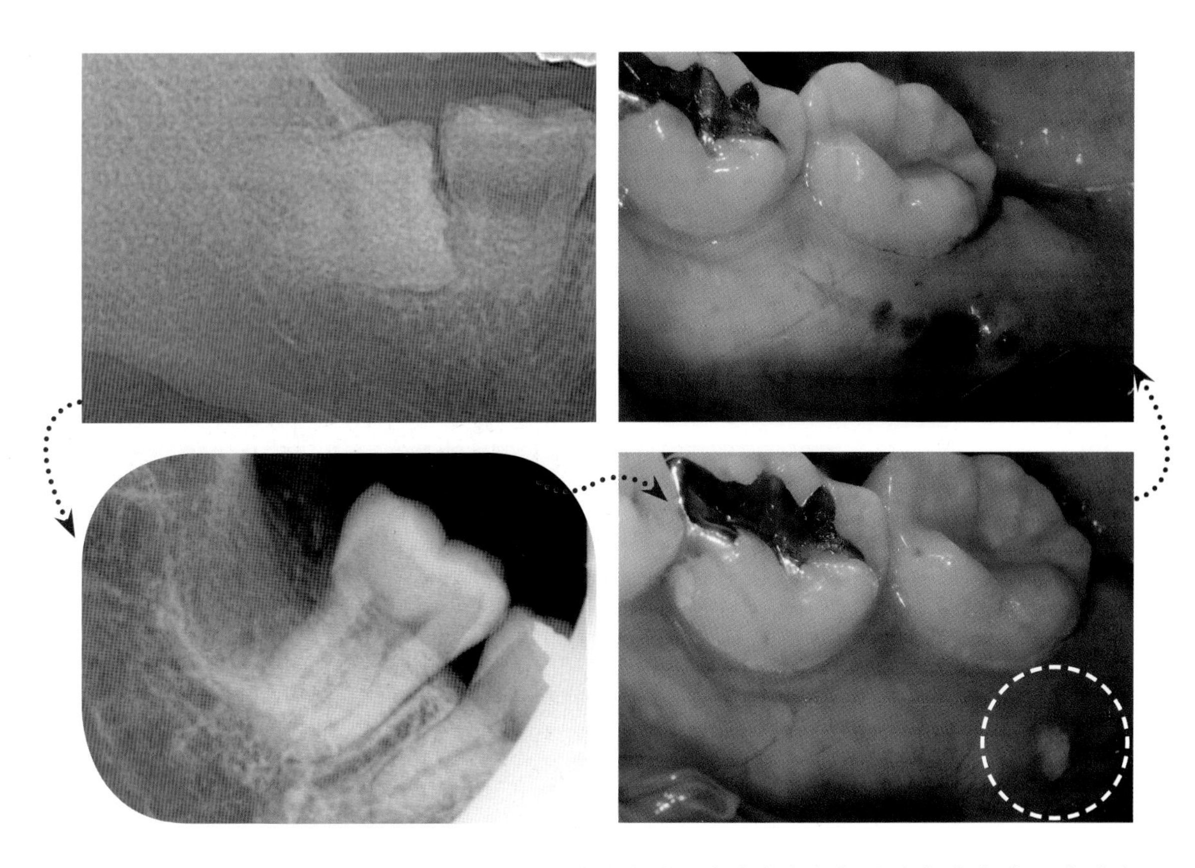

필자의 환자이다. 대부분 이런 경우 안쪽에서 치아가 새롭게 자란다거나, 뿌리가 남아 있는 것 같다는 말을 하면서 치과에 오게 되는데… 이런 경우에는 하이스피드 핸드피스와 서지컬 라운드 버로 살짝 구멍 뚫듯이 삭제한다. 이후 별다른 처치는 하지 않으며, 시술 과정에서 구강저 연조직이 방해되지 않도록 꼭 연조직 하방 부분을 눌러주며 시행해야 한다. 이 점이 핵심포인트이다. 막상 시술 과정은 몇 초 안 걸린다. 생각보다 케이스가 종종 있지만 설측에서 피가 나기 때문에 사진촬영이 용이하지 않아서 임상 사진은 별로 없다.

28
사랑니와 제2대구치를 같이 발치한 케이스에서도 ★

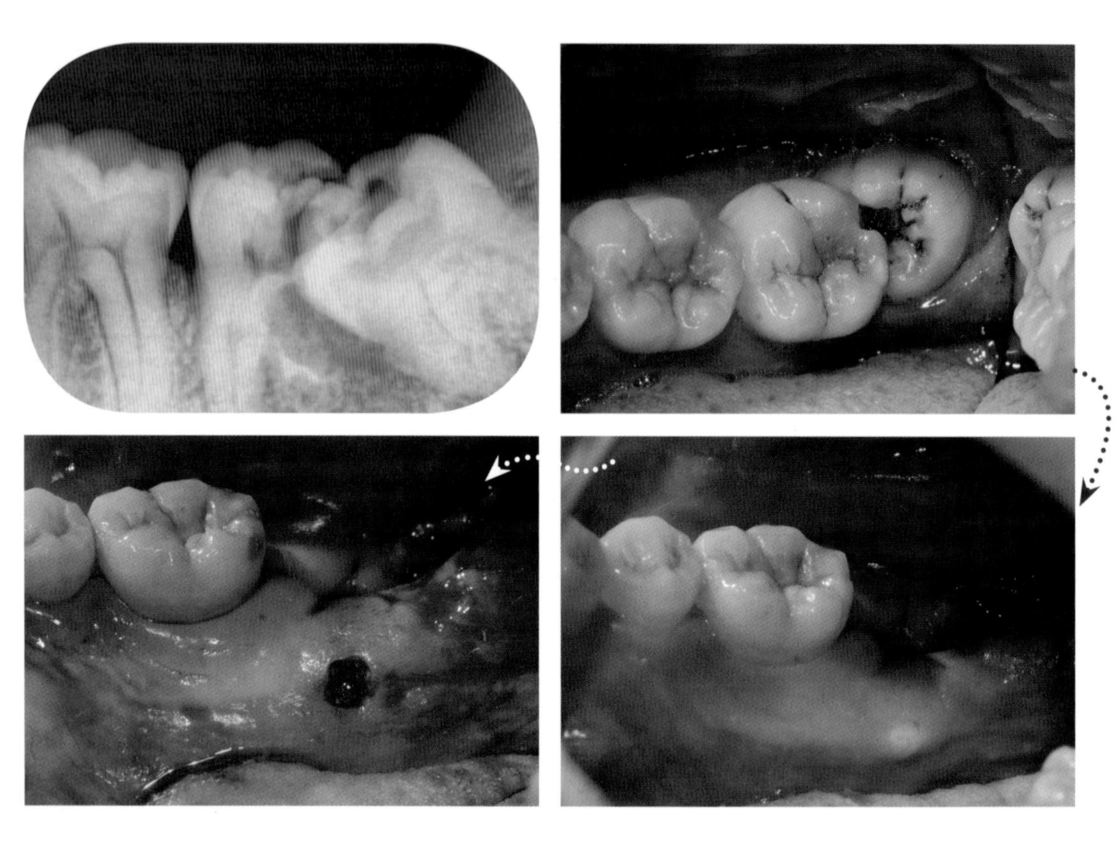

7, 8번을 모두 발치한 케이스로 처치 방법은 동일하다. 굳이 플랩을 형성하지 않고, 하방 연조직만 움직이지 않도록 미러로 눌러주고 살짝만 갈아준다.

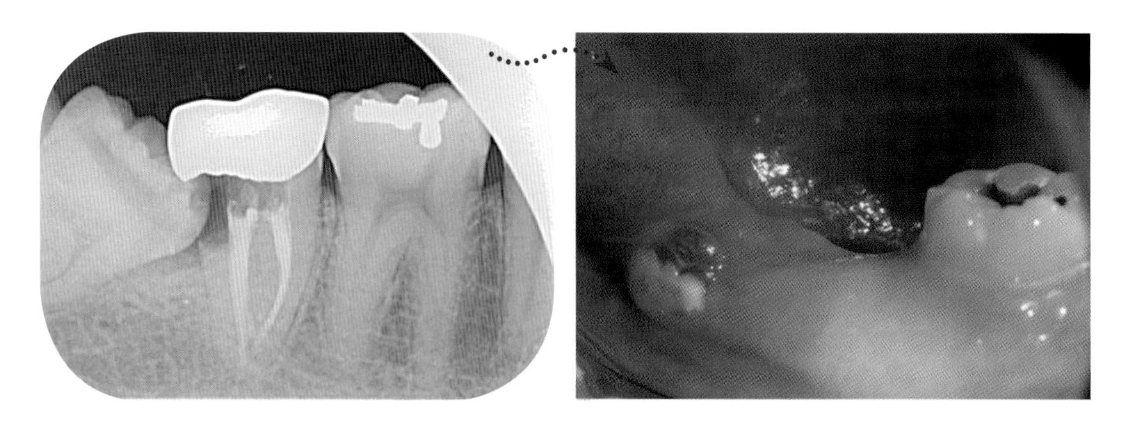

위 케이스와 마찬가지로 7, 8번을 동시에 제거한 경우로 부위는 조금 다르지만 비슷한 양상이 나타난다. 처치 후 출혈 등의 문제로 촬영은 실시하지 못했다.

29
설측으로 경사된 케이스에 흔하게 발생 ★

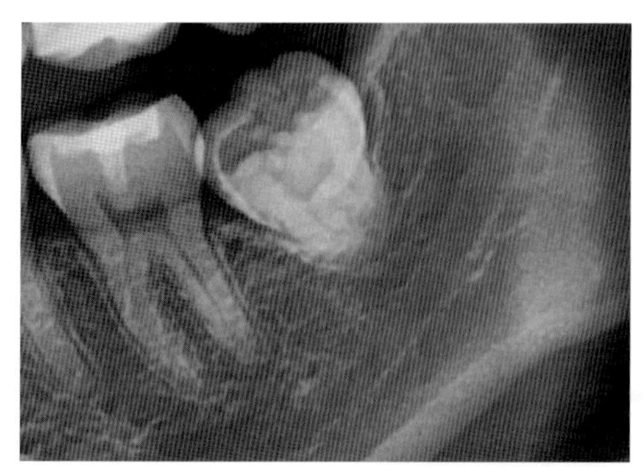

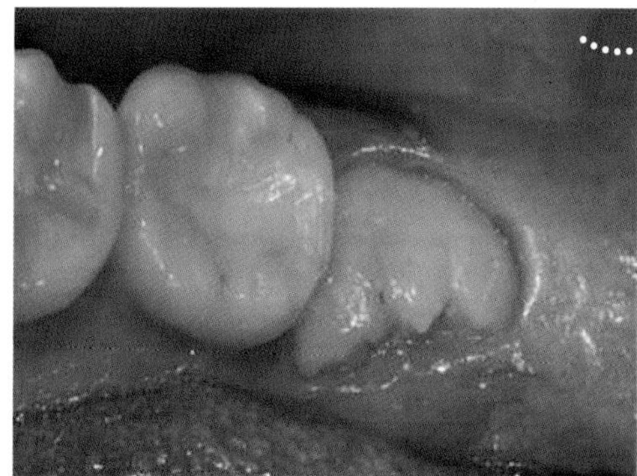

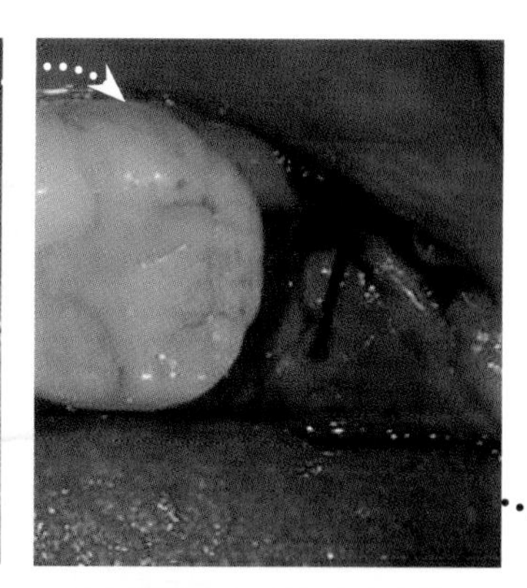

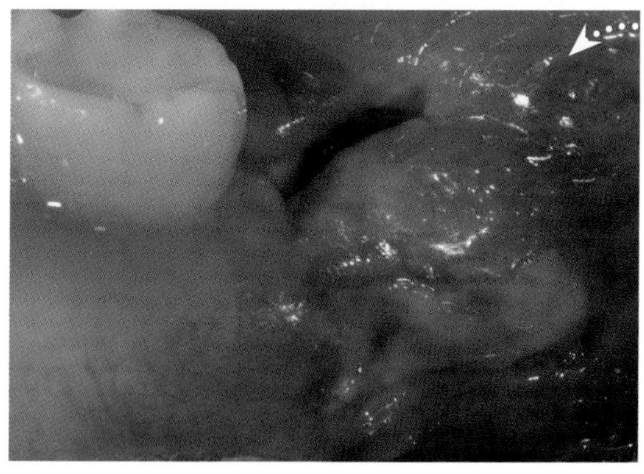

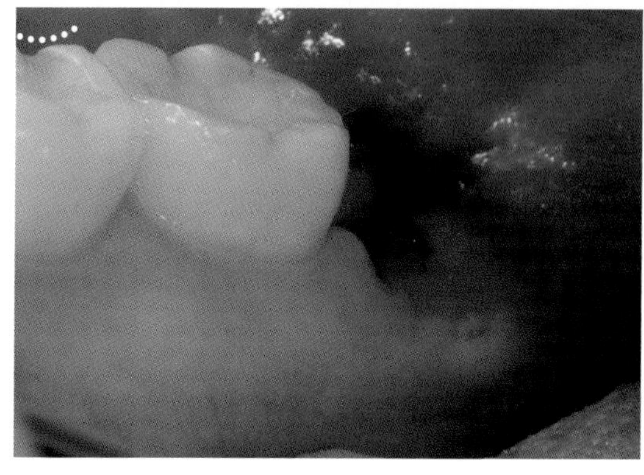

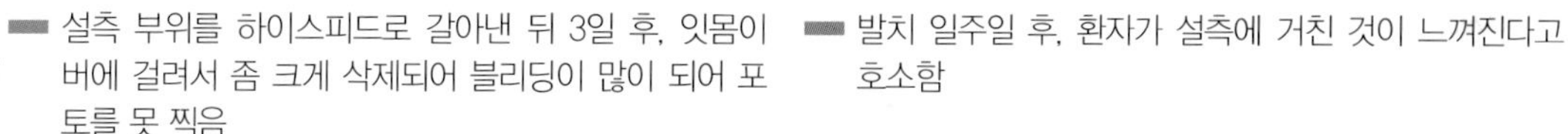

설측 부위를 하이스피드로 갈아낸 뒤 3일 후, 잇몸이 버에 걸려서 좀 크게 삭제되어 블리딩이 많이 되어 포토를 못 찍음

발치 일주일 후, 환자가 설측에 거친 것이 느껴진다고 호소함

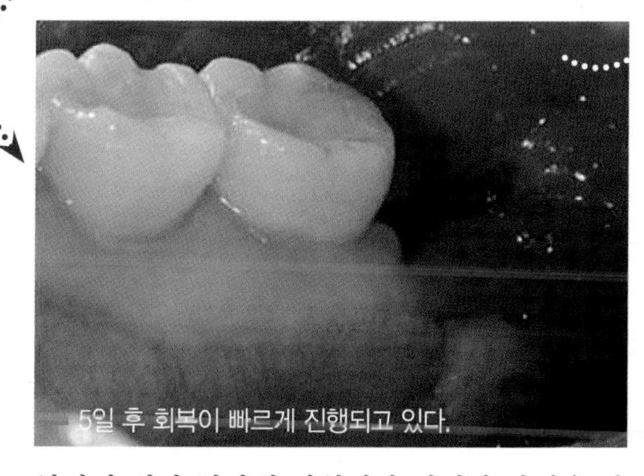

5일 후 회복이 빠르게 진행되고 있다.

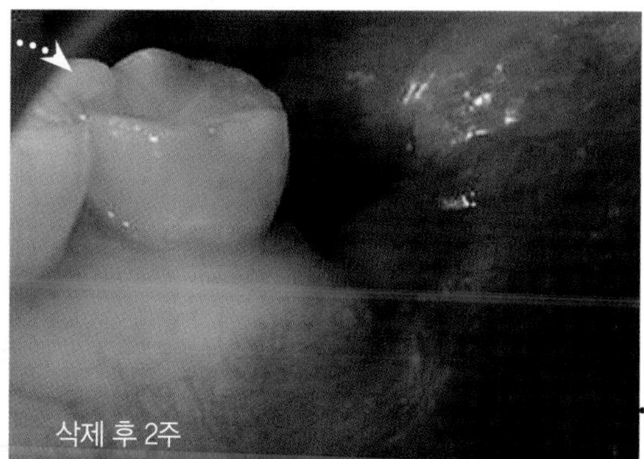

삭제 후 2주

환자가 필자 치과의 직원이라 이러한 과정을 사진에 담을 수 있었다. 일반 환자들의 경우는 대부분 설측골 삭제 후에는 거의 내원하지 않는다. 필자가 함께 근무했던 구강외과의사의 경우는 설측에 플랩을 형성하고 다양한 기구로 설측 피질골 돌기를 제거하는 경우도 많았다.

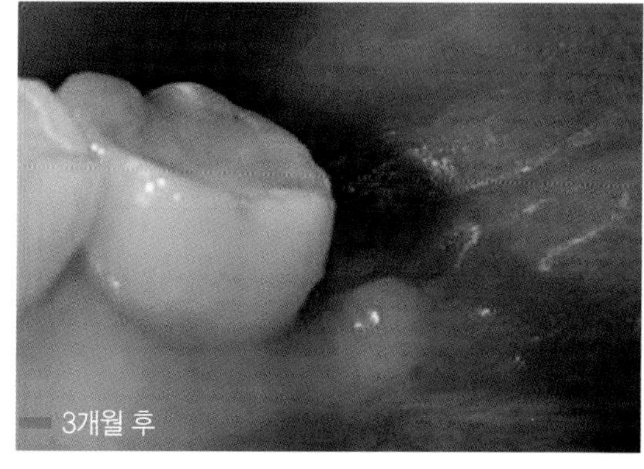

3개월 후

30
설측 피질골 조각을 제거한 경우 ★

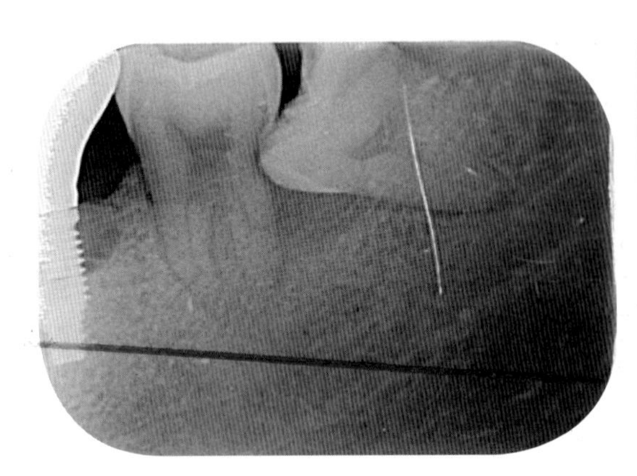

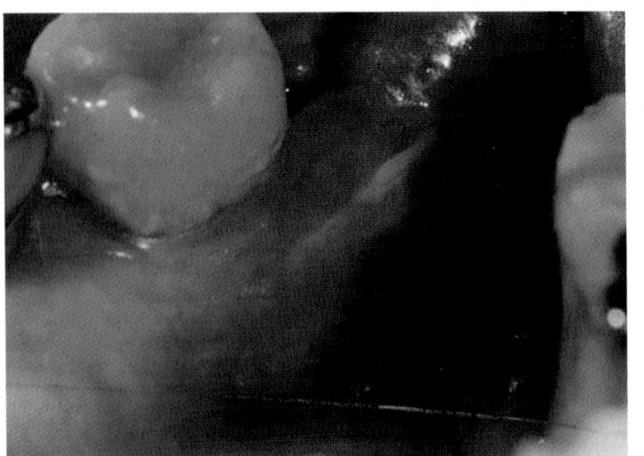

발치 후 설측 피질골이 잇몸을 뚫고 나온 경우를 본 론저로 파절시켜서 제거한 경우이다. 필자는 주로 플랩을 형성하지 않고 하는 스타일인데, 다른 구강외과의사들 보면 플랩을 시원하게 열고 제거하는 경우도 종종 보았다.

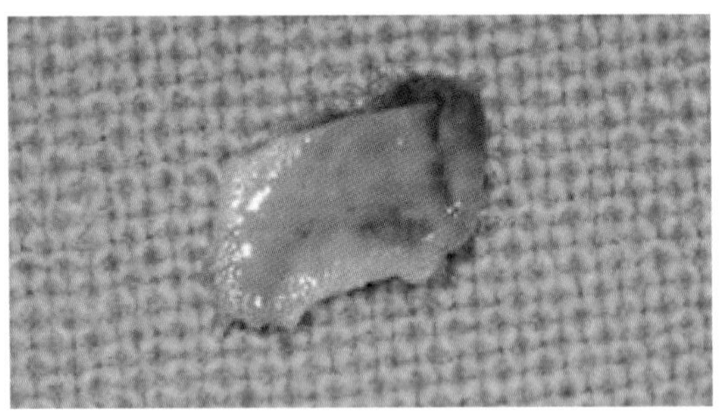

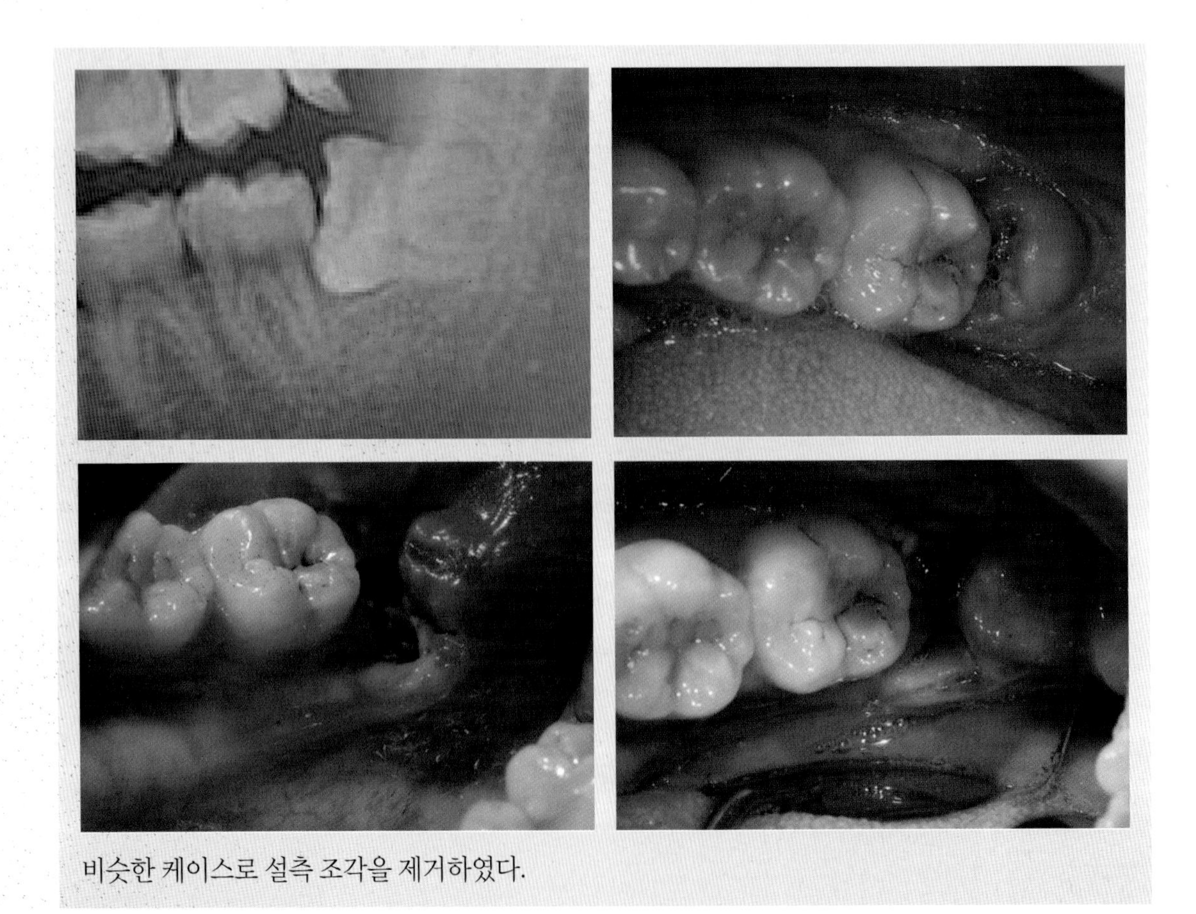

비슷한 케이스로 설측 조각을 제거하였다.

31
설측 피질골의 파절★

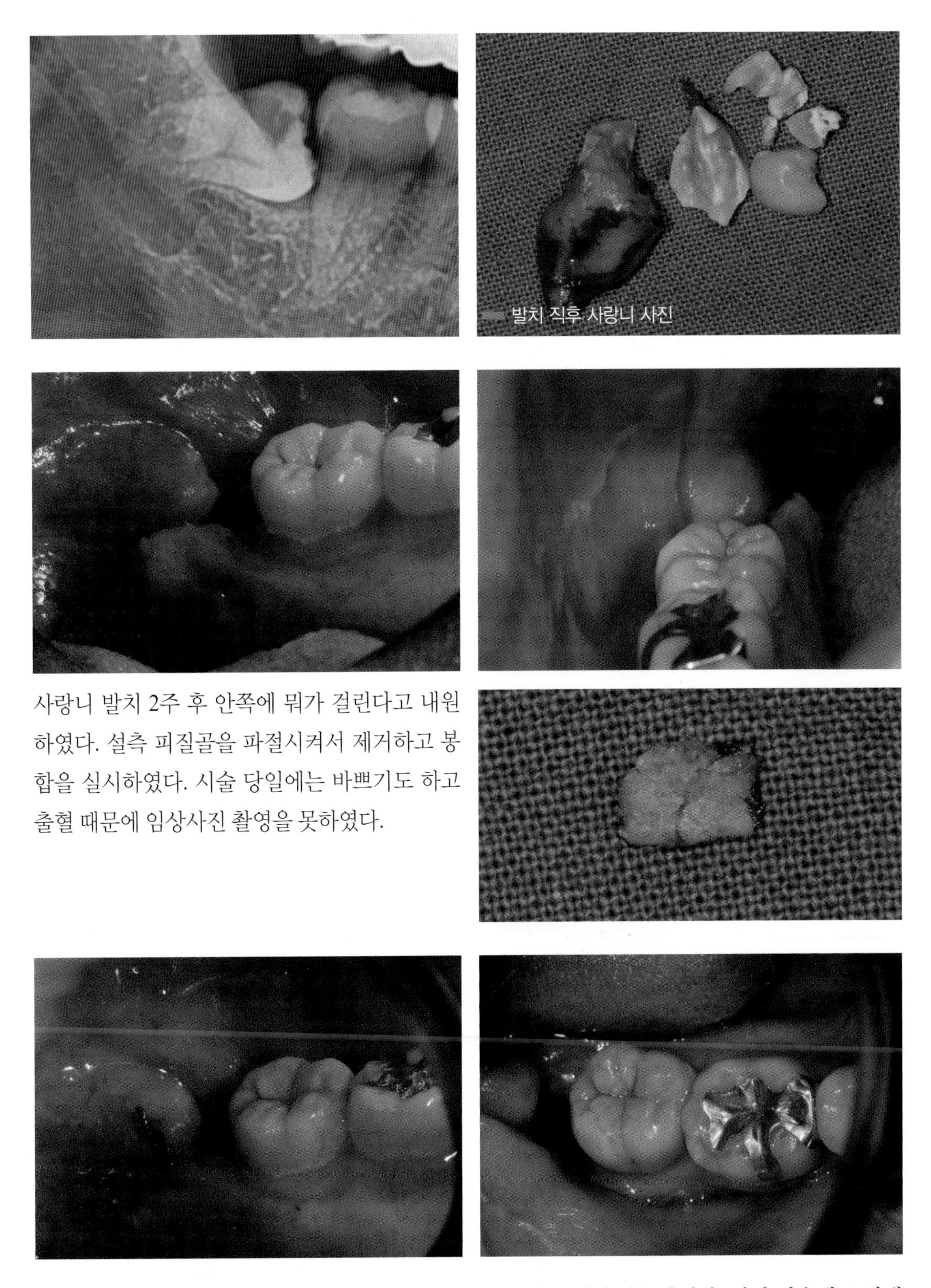

발치 직후 사랑니 사진

사랑니 발치 2주 후 안쪽에 뭐가 걸린다고 내원하였다. 설측 피질골을 파절시켜서 제거하고 봉합을 실시하였다. 시술 당일에는 바쁘기도 하고 출혈 때문에 임상사진 촬영을 못하였다.

5일 후 봉합사 제거를 위해 내원하셨고, 이후 follow up 체크 결과 양호하였다. 이런 경우에도 언제나 설신경을 주의해야 한다.

치조골성형술 ★

대한민국 건강보험 규정에서 발치와재소파술을 보면 아래와 같다.

(김영삼 원장의 [치과건강보험 달인되기] 2017년도 9판에서 발췌)

■ 치조골성형수술 (Alveoloplasty)

진료비 : 8,720원

발치 후 발치와는 잔존 치조골에 의해 둘러싸여 지는데, 잔존 치조골이 너무 뾰족하게 형성되거나 하여 수술 후 불편을 야기할 수 있다. 발치와 동시에 시행하거나 발치 후 환자가 불편감을 호소하는 경우에 시행한다.

임플란트의 발달 등으로 일반적인 구치부의 경우 개념이 약간 바뀐 듯하다.

- 발치와 동시에 시행 시 낮은 수가는 50%만 산정한다.
- 치주판막술과 동시에 시행했을 경우는 산정할 수 없다.

위의 설명은 발치 후에 치조골을 조금 삭제하거나 틀니 등을 만들기 위해서 광범위하게 치조골을 삭제하는 행위 모두를 포함하고 있다. 여기서는 발치 후에 뾰족하게 잇몸을 뚫고 나온 치조골에 대한 이야기를 해본다.

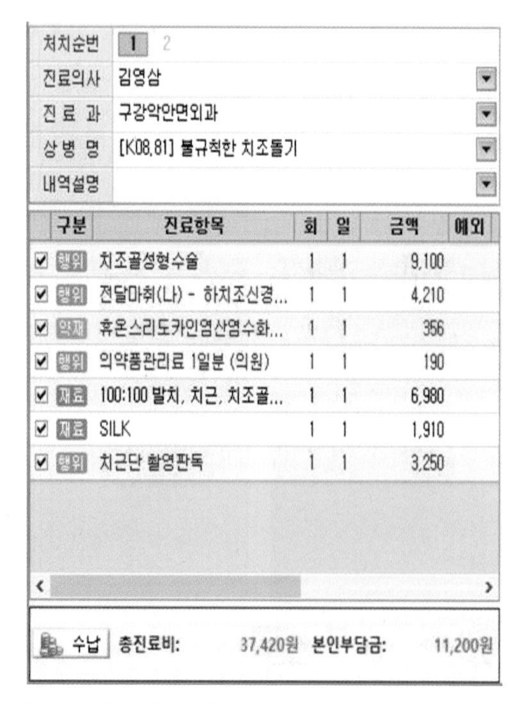

처치순번 1 2
진료의사 김영삼
진 료 과 구강악안면외과
상 병 명 [K08.81] 불규칙한 치조돌기
내역설명

구분	진료항목	회	일	금액	예외
행위	치조골성형수술	1	1	9,100	
행위	전달마취(나) - 하치조신경...	1	1	4,210	
약제	휴온스리도카인염산염수화...	1	1	356	
행위	의약품관리료 1일분 (의원)	1	1	190	
재료	100:100 발치, 치근, 치조골...	1	1	6,980	
재료	SILK	1	1	1,910	
행위	치근단 촬영판독	1	1	3,250	

수납 총진료비: 37,420원 본인부담금: 11,200원

처치순번 1 2
진료의사 김영삼
진 료 과 구강악안면외과
상 병 명 [K10.3] 턱의 치조염
내역설명

구분	진료항목	회	일	금액	예외
행위	치조골성형수술	1	1	9,100	
행위	전달마취(나) - 하치조신경...	1	1	4,210	
약제	휴온스리도카인염산염수화...	1	1	356	
행위	의약품관리료 1일분 (의원)	1	1	190	
재료	100:100 발치, 치근, 치조골...	1	1	6,980	
재료	SILK	1	1	1,910	
행위	치근단 촬영판독	1	1	3,250	
행위	발치와 재소파수술	1	1	8,280	

수납 총진료비: 46,940원 본인부담금: 14,000원

〈치과의원 수가 기준〉

32
사랑니 발치 후 설측에 생긴 Mucocele ★

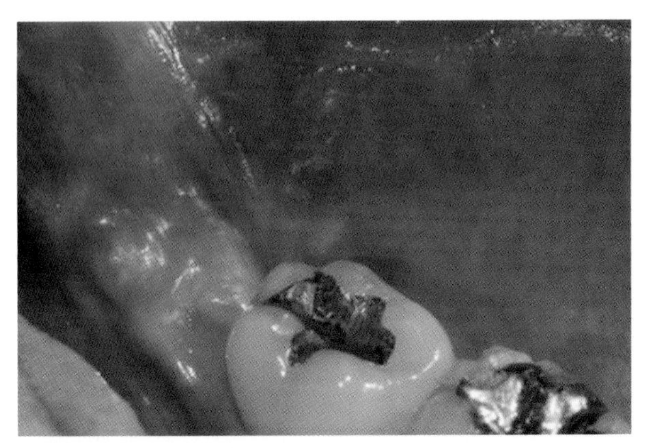

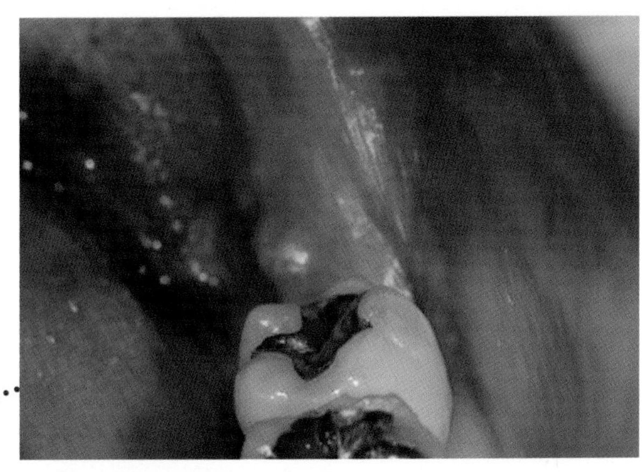

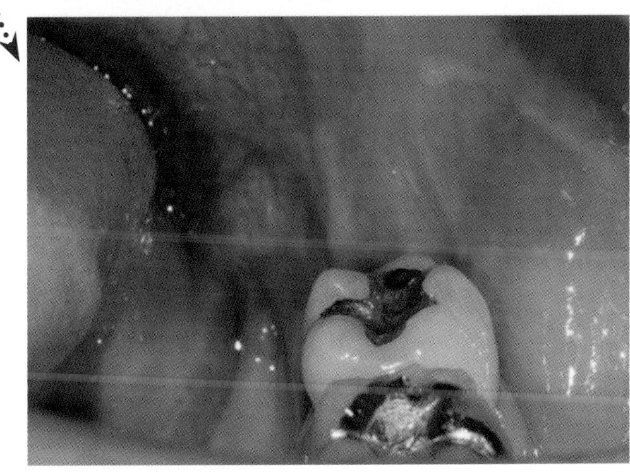

제거 후 완치된 사진

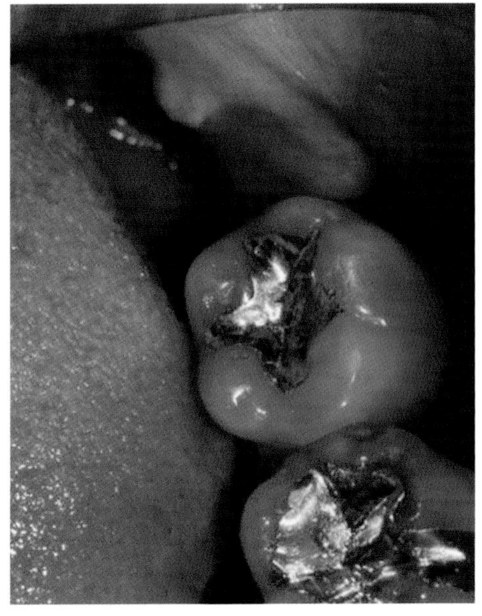

26세 남성 환자로 발치 후 2개월 뒤에 사랑니 발치한 곳에 혹이 났다는 주소로 재내원하였다. 평소에 좀 걸리적 거리지만, 식사할 때 특히 더 부풀어 오른다고 하였다. 모양이나 증상으로 보아 Mucocele로 간주하고 침윤마취 후에 전기메스를 이용하여 제거하였다. 조직검사를 의뢰하였으며, 결과는 예상했던대로 mucocele였다.
사랑니 발치 과정에서 설측 침윤마취나 플랩형성 등 과정에서 생긴 것으로 생각되며, 필자는 처음 겪는 일이고 주변에 발치 많이 하는 치과의사들도 한 번도 경험해본 적은 없나고 하지만, 주변에서 한두 번 정도 경험한 적이 있다는 말을 들어본적은 있다.
입술의 mucocele이 재발이 잘되는 것과 달리 이 부위는 주변에 소타액선이 별로 없기 때문에 재발되지 않을 듯하다.

사랑니 발치에서 가장 좋은 매니지는? ★★

사랑니 발치에서 가장 좋은 환자 매니지는 수술과정과 수술 후에 통증이 없는 것이다. 아무리 친절하게 잘 설명하고 잘 뽑아도 마취 풀리고 통증이 참을 수 없을 만큼 있다면 실패한 것이다. 필자는 상악 사랑니는 결손이고, 아래 사랑니만 두 개가 있었다. 하나는 수직으로 거의 정상 맹출했는데 선배들 실습용으로 뽑혔고, 반대쪽은 수평 매복치였는데 그것도 선배에게 뽑혔다. 먼저 뽑았던 수직 사랑니 발치 도중에 너무 아파서 고생을 했다. 선배들도 사람을 여러 명 바꿔가면서 발치를 시도했고, 내 인생의 최악의 순간 중에 하나였다. 그러나 마취가 풀리고는 아무렇지도 않았다. 반대쪽 수평 매복치는 몇 년 뒤에 수련의 선배에게 뽑혔는데 마취가 잘 되었는지 뽑는 동안은 하나도 안 아팠다. 그러나 마취가 풀리고 집에 가서 눈물 흘릴 정도로 많이 아팠다. 전에 뽑았던 사랑니와는 전혀 달랐다.

이제 필자가 사랑니 발치를 많이 해보고 나서는 왜 그때 그랬었는지를 알게 되었다. 수직으로 정상 맹출한 사랑니는 마취가 잘 안 된다. 7번 치아 근관치료할 때처럼 마취제가 두꺼운 피질골을 뚫고 치근단에 작용해야 하니까 마취도 잘 안 되고, 당연히 수직 맹출한 건장한 남성의 사랑니는 오히려 학생이 실습을 하기에는 가장 힘든 케이스이다. 학생이라 케이스 선택도 잘못한 것이다.

그리고 반대쪽 수평 사랑니는 오히려 치근단부의 피질골이 얇기 때문에 마취도 잘 되고, 여느 수평 사랑니처럼 발치를 했을 것이다. 그러나 수련의 교육용 발치스타일이었으니, 충분한 골막 박리와 골 삭제를 했을 것이고, 집에 가서 내 생에 가장 고통스러운 시간을 보냈다. 잠을 잘 수도 없고 그 순간이 빨리 지나가기만을 바라면서 보냈던 그 순간...

필자가 안 아픈 사랑니 발치를 중요하게 생각하는 것은 사랑니 발치로 돈을 벌 수 없는 우리나라 환경에서는 아프면 그것으로 그 환자와의 인연이 끝나기 때문인 것이다. 본인이 지금까지 들었던, 기대했던 통증보다 덜 아프게 뽑았을 경우에는 그 환자가 다른 치료도 나에게 맡기게 되고, 세월이 흘러서 다른 치료가 필요할 경우에 연어떼처럼 내 치과를 고향으로 생각하고 돌아오게 된다. 그래서 사랑니를 아프게 뽑을 거면 뽑지 말고, 최대한 안 아프게 뽑는 방식으로 실력을 키워야 한다.

Dr. 김영삼이 생각하는 안 아픈 사랑니 발치의 팁!

- 절개와 박리를 최소화한다. 특히 골막 박리...
- 되도록 치아를 삭제하여, 골 삭제를 최소화한다.
- 노출된 치조골에 증류수의 사용을 최소화한다.
- 최종 치근 발치 전 식염수로 충분히 헹궈낸다.
- 마취를 충분히 한다. 특히 사랑니 주변 침윤마취...
- 반드시 전처방을 한다.
- 액티브한 처방전을 낸다. 특히 울트라셋 (아세트아미노펜 + 트리마돌)을 잘 활용한다.
- 염증이 있다면 주사제를 병행한다(부종이나 통증이 예상되는 경우도).
- 가능하다면 치주조직재생유도제(Teruplug)를 사용한다.
- 마지막으로... 실력을 길러서 빨리 뽑는다. ^^ 절대 힘으로 빼려고만 하지 마라.

발치한 뒤에 주의사항을 설명하고 꼭 SNS로도 보내줍니다.★

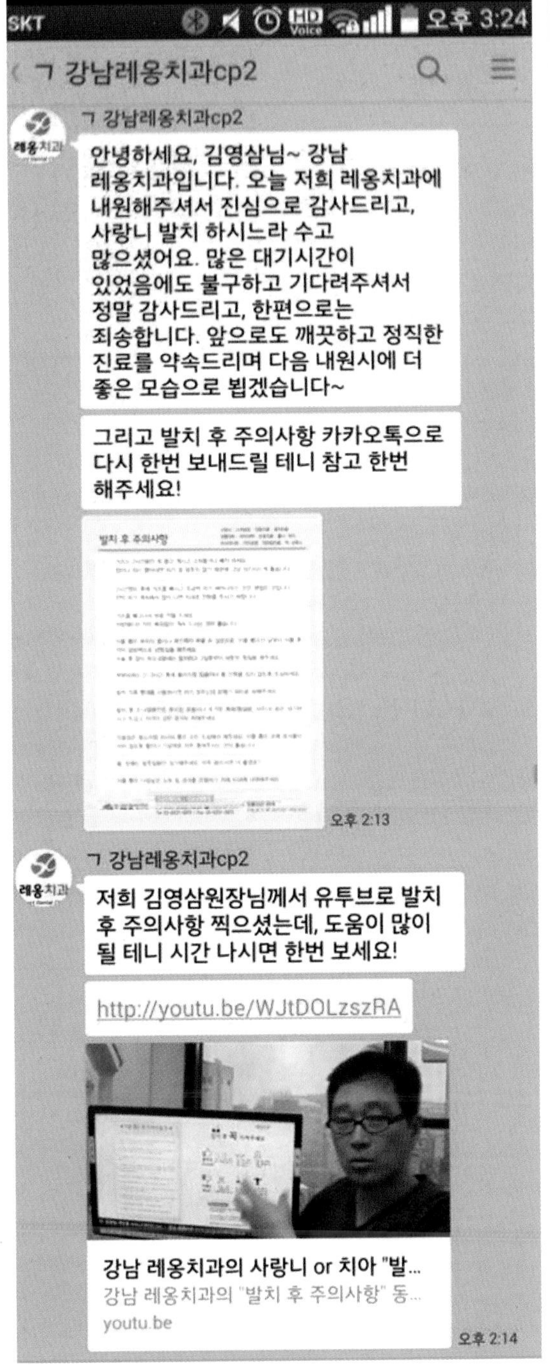

사랑니 발치 후 주의사항을 유튜브에 검색하면 여러 치과에서 올려놓은 것이 나온다. 본인만의 발치 후 주의사항을 스마트폰으로 잘 찍어서 유튜브에 한 번 올려보는 것도 나쁘지 않을 듯하다.

사랑니 발치 후 주의사항 (강남 레옹치과에서 녹화)

종이로도 드리고... 카톡으로도 보내드리는 내용★

발치 후 주의사항

사랑니 | 스케일링 | 잇몸치료 | 충치치료
임플란트 | 치아미백 | 보철치료 | 틀니·의치
라미네이트 | 치아성형 | 턱관절치료 | 턱·보톡스

1. 거즈는 2시간동안 꼭 물고 계시고 고쳐물거나 빼지 마세요.
   침이나 피는 뱉어내면 피가 잘 멈추지 않기 때문에 그냥 삼키시는게 좋습니다.
2. 2시간정도 후에 거즈를 빼시고 조금씩 피가 베어나오는 것은 괜찮은 것입니다.
   만약 피가 계속해서 많이 나면 치과로 전화를 주시기 바랍니다.
3. 거즈를 빼고나서 바로 약을 드세요.
   처방해드린 약은 빠짐없이 계속 드시는 것이 좋습니다.
4. 이를 뽑은 부위의 볼이나 목안쪽이 부을 수 있으므로, 이를 뽑으신 날부터 이틀 후까지 얼음팩으로 냉찜질을 해주세요.
   수술 후 많이 부으셨을때는 발치하고 3일후부터 따뜻한 찜질을 해주세요.
5. 부분마취는 2~3시간 후에 풀리므로 입술이나 볼 안쪽을 씹지 않도록 조심하세요.
6. 발치 직후 빨대를 사용하시면 피가 멈추는데 방해가 되므로 피해주세요.
7. 발치 후 3~4일동안은 무리한 운동이나 뜨거운 목욕(찜질방, 사우나) 등은 삼가하시고 뜨겁고 자극이 강한 음식도 피해주세요.
8. 잇솔질은 평소처럼 하시되 뽑은 곳은 조심해서 해주세요. 이를 뽑은 곳에 음식물이 끼지 않도록 물이나 가글제로 자주 헹궈주시는 것이 좋습니다.
9. 술, 담배는 일주일동안 삼가해주세요. 아주 끊으시면 더 좋겠죠?
10. 이를 뽑은 다음날은 소독 및 경과를 관찰하기 위해 치과에 내원해주세요.

건강보험진료 | 진료상담환영

강남레옹치과
Gangnam Leon Dental Clinic

H.P 010-4569-1848 (카카오톡 가능)
H.P 010-2804-1848 (보존,보철전용)
서울시 서초구 강남대로 415 대동빌딩 8층
Tel 02-535-2119 Fax 02-591-2119

진료시간 안내
평 일 AM 10:00~PM 7:00
토 요 일 AM 10:00~PM 5:00
점심시간 PM 1:00~PM 2:00
※월,화,수,목 야간진료~PM 9:00

필자가 처방하는 대표 약★

항생제 - 오구멘틴 375 mg 3T per day 아모크라, 크라목신 등 수많은 카피약 있음
- 염증이 심할 경우나 페니실린 알러지 있다면 로도질 (Metronidazole 메트로니다졸 125 mg Spiramycin 스피라마이신 234.375 mg)
(이 약이 좋은 약이라는 뜻이 아님. 필자도 타성에 젖어서 쓰는 약임.)

진통제 - 이부프로펜 400 mg 3T per day
(실제 복용은 발치 당일 4~6시간 간격으로 5~6T까지 먹으라고 함. 참고 최대복용량 8T 3200 mg)
- 통증이 심할 경우나 예상되면 추가적으로 타이레놀 or 울트라셋

제산제 - 알마겔

스테로이드 - 소론도(부신피질호르몬제)

가글제 - 헥사메딘

■ 항생제

필자도 원래는 아목시실린 500 mg을 하루 세 번 1차 선택약으로 처방하였다. 왜냐하면 그게 전 세계 치과의사들의 가이드라인이기 때문이다. 구강 내에 특히 잇몸에는 통성혐기성균으로 그람양성균인 Streptococcus mutans가 가장 많고 아목시실린이 이 균에 효과가 좋기 때문이다. 학창시절에 배운 것처럼 치료 과정 중에서 혈액 내로 세균이 들어가서 심내막염을 일으킬 수 있는데, 이를 예방하기 위해서도 아목시실린이 유리하다. 일반적으로 2차적으로는 오구멘틴이나 클린다마이신, 세파계통의 약 등이 추천되는데, 필자가 아이를 데리고 소아과에 가보니 아직 우리나라 소아과에서는 오구멘틴을 기본적인 약으로 주로 사용하고 있었다. 아무래도 소아과에서는 처방을 안 할거면 안 할지언정, 특히나 그람양성균에 효과가 좋은 아목시실린에만 의존하는 것은 불안하기 때문이라고 했다. 그래서 안 할 거면 안 하지만 할 거면 오구멘틴 이상을 한다고 한다. 오구멘틴이 다른 항생제에 비해 광범위한 스펙트럼에 내성이 잘 안 생기기 때문에 며칠 정도 단위의 1차 처방에 주로 사용한다는 것이다. 물론 필자가 모든 소아과의사에게 물어본 건 아니고 몇몇이라 일반화하기는 어렵지만, 어릴 때 감기 걸렸을 때마다 오구멘틴을 먹고 자란 애들이 커서 사랑니 뽑을 때 그거보다 약한 약을 쓰는게 좀 아닌 듯해서 필자도 오구멘틴을 1차 처방약으로 하기로 했다. 미국치과의사협회에서도 아목시실린 용량을 늘리는 것보다는 오구멘틴으로 바꾸는 것을 권장하고 있다고 한다.

세파계 항생제는 치과 영역의 감염에 많은 혐기성균에 대한 효과가 떨어지기 때문에 아목시실린보다 후순위로 밀린다. 또한 페니실린 알러지가 있는 환자에게 있어서 세파계통 알러지가 있을 확률이 높기 때문에 굳이 두 가지를 모두 옵션에 둘 필요가 없다. 우리나라에서는 구강외과를

포함하여 전신마취를 시행하고 하는 큰 외과적 수술에 주로 사용하는 듯하다. 테트라사이클린 관련된 내용은 이미 치과의사들이 다 잘 알고 있으니 넘어가고, 클린다마이신도 1차에서 피하는 이유는 (위막성 대장염을 잘 일으킨다고도 하고) 2차적으로 사용하기 위해서이다. 그러나 우리나라 치과계에서는 일반적이지 않아서 몰려다니기 좋아하는 우리나라 치과의사들은 거의 처방하지 않는 듯하다. 아미노글리코사이드 계통은 주로 주사제(린코마이신 등)로만 사용된다. 메트로니다졸은 절대(obligate) 혐기성균에 효과가 좋아서 아목시실린이 작용하지 못하는 세균에도 효과가 좋고, 스피라마이신과 메트로니다졸이 함께 있는 로도질 정은 잇몸 깊숙한 곳에 있는 혐기성균을 제거하는 데 월등하다. 그래서 필자도 구내 염증이 잇몸이나 치조골을 벗어난 듯하면 (목이나 얼굴이 부으면) 로도질을 처방한다. 또한 페니실린 알러지가 있는 환자에게서 알러지가 있을 확률이 낮아서 오구멘틴과 두 가지를 기본적인 약으로 세팅하고 있다. 물론 로도질이 전세계적으로 듣보잡(?) 약이다보니 여기저기서 근본업는 약이라고 욕을먹고 있기도 하다. 차라리 메트로니다졸 단일 제제인 후라시닐 같은 약을 처방하라고도 한다. 그러나 필자는 그 동안 오랫동안 사용해온 경험도 무시 못하는 것이기 때문에 로도질을 사용하고 있다.

■ 진통제

진통제는 항생제보다 부작용 빈도가 너무 높아서 부작용이 가장 적은 이부프로펜을 1차적으로 사용하고 있다. 우선 작용시간이 빠르다. 다시 말해서 복용하면 30분이면 효과가 나타나고 1~2시간에 최고조에 달하고 4~6시간 작용한다. 그래서 필자는 발치 직전에 약을 복용하게 한다. 발치 후 통증의 대부분은 길게 가지 않고 발치 당일 마취가 풀리는 시간에 집중되기 때문에 하루 정도를 집중해서 먹을 수 있는 약을 처방해야 한다. 그래서 이부프로펜을 언제든지 쉽게 구입할 수 있는 미국의 경우에는 치과치료 직전에 환자에게 800~1,000 mg 복용시킨다. 주로 상품명이 애드빌(주로 한 알에 200 mg)로 유명한 그 약이다. 통증에 대한 효과도 타이레놀보다 높고 해열, 소염 등 모든 면에서 비교적 효과가 좋다. 최근에 이부프로펜에서 약효가 발휘되는 부분만을 축출해서 효과는 같고 부작용만 줄였다는 덱시부프르펜을 일정 기간 사용해봤는데, 오히려 부작용 빈도가 좀 더 늘었다. 그래서 다시 원점으로 돌아갔다. 다만 약을 하루 세 번이 아니라 몸무게에 비례해서 발치 당일은 4~5회까지 먹으라고 하는 편이다. 어쨌든 NSAID는 본인에게 적절한 양만큼 반감기를 고려하여 충분히 먹되, 복용량이 증가한다고 효과가 나아지는 것이 아님을 알아야 한다. 그래서 NSAID에 추가 복용해도 시너지 효과를 낼 수 있는 타이레놀을 병용하게 하는 것이 좋다. 통증이 심할 것으로 예상되는 경우에 예전에는 타라신을 주사하였는데 요즘은 통증은 울트라셋으로 조절하고 굳이 주사를 해야 한다면 붓기 등을 억제하기 위해서 스테로이트 계통의 덱사메타손을 주사하고 있다.

그러나 일반적인 진통소염제에 부작용이 있거나 임신, 수유 중이라면 타이레놀(아세트아미노펜)을 일차적으로 고려해볼 수 있다. 소염진통제를 먹으면 위산으로부터 위를 보호해주는 위벽이 약해진다. 하지만 타이레놀 성분은 위벽을 건드리거나 위에 있는 보호막을 없애는 부작용이 없어 위장 출혈, 위궤양이나 십이지장궤양을 일으킬 수 있는 소염진통제의 기본적인 위험성이 거의 없다. 그렇기 때문에 소염진통제를 공복에 복용하는 것은 좋지 않지만, 아세트아미노펜 단일성분 진통제는 공복에도 가능하다. 진통제는 성분에 따라 구분되기도 하지만, 더 쉽게는 통증 완화에 효과적인지, 혹은 염증 완화에 효과적인지 여부로도 구분해야 한다. 아스피린, 이부프로펜과 같은 비스테로이드성 소염진통제(NSAIDs) 성분은 진통과 더불어 말초 조직에서 프로스타글란딘을 차단해 염증을 없애주는 '소염 작용'을 하는데, 이 프로스타글란딘은 위벽 보호 역할도 해 소염진통제를 복용하면 프로스타글란딘이 억제되면서 위점막 및 위장관 손상의 위험이 높아진다. 다만 소염진통제는 염증을 억제하거나 조절하는 과정에서 신체의 다른 부분에도 영향을 주기 때문에, 기타 다양한 부작용 발생 가능성도 있다. 타이레놀로 대표되는 아세트아미노펜 성분은 소염 효과가 없는 일반진통제(해열진통제)이다. 즉, 아세트아미노펜 성분은 염증을 줄여주는 효과는 미미하다. 이는 곧 아세트아미노펜은 소염 작용이 없어 소염진통제가 일으킬 수 있는 위장장애 부작용도 적다는 뜻이기도 하다. 또한 아세트아미노펜(타이레놀)은 늘 간 독성에 대한 논란이 있다. 성인 하루 4,000 mg을 최대 용량이라고 하는데 2,400 mg 정도로 보수적으로 잡아야 한다고 하는 견해도 많다. 특히 음주와 관련해서는 그 독성에 대한 우려가 많지만, 이에 대한 반론도 만만치 않다. 필자는 늘 누가 누가 싸우면 나는 끼어들지 말고, 나에게 유리한 것으로 받아들이고 피해가자는 주의이기 때문에 술을 많이 마시는 분들에게는 피하고 과량처방하지 않는다. 다만 필자가 좋아하는 이부프로펜에 시너지 효과를 낼 수 있는 약이기 때문에 추가적으로 처방하는 약으로 가장 많이 사용한다.

일반적으로 치통에는 나프록센 제제가 효과가 좋다고 믿는 사람들이 많다. 그 사실 자체로만은 인정하지만 약간의 오해가 있는 내용이다. 우선 나프록센은 12세 이하 어린이에게 사용할 수 없고, 부작용 빈도가 매우 높다. 그래서 사랑니 뽑고 이 약을 처방하면 필자처럼 한 달에도 수백깨씩 빼는 치과의사는 환자들에게 시달려서 살지 못한다. 일반적인 사랑니 발치 후에 환자는 입안에서는 피가 나고 아프고 속도 쓰리게 되어 있다. 그런데 여기에 구토반응까지 생긴다면 통증은 더 심해질 것이고... 발치와가 깨끗할 수 있겠는가? 더구나 환자는 이런 경우에 같이 처방된 항생제까지 먹지 않아 버리는 경우가 많다. 그렇다면 왜 나프록센이 치통에 좋다는 말이 정설로 받아들여질까?? 나프록센은 반감기가 14시간으로 이부프로펜의 2시간보다 훨씬 길다. 만약 미국에서 어떤 사람이 돈이 없어서 이가 아파도 치과에 못간다고 생각해보자. 그 환자가 사랑니 발치한 환자처럼 몇 시간 정도만 통증을 억제하면 되나? 매일 4~6회 식사와 함께 이부프로펜을 먹을 수 있을까? 이런 경우에는 반감기가 길어서 하루에 두 번만 먹어도 되는 나프록센을 며칠 먹는 것으로 통증을 조절하는게 유리할 것이나. 또한 턱관절통증의 경우도 비교적 길게 약을 먹기 때문에 매일 여러 번 먹어야 하는 이부프로펜보다는 두 번 먹는 나프록센 제제를 처방하는게 맞을 것이다. 요즘은 에어탈(아세클로페낙)이라는 약도 하루 2번 먹는 약이라고 편하다고 많이 처방하는데, 사랑니 발치 후에는 발치 당일 집중적인 통증치료가 필요하므로 큰 의미는 없을 것이다. 만약 마취 풀리고 이차적인 염증 등에 의한 2차적인 통증이라면 그때 다른 옵션으로 고려해봐도 충분할 것이라고 생각한다. 최근에는 이부프로펜과 비슷한 록소프로펜도 치과계에서 많이 처방하고 있는 듯하다. 치과계 약처방과 관련하여 이름있는 연자이신 손영휘 원장님은 록소프로펜을 일차적인 소염진통제로 권하고 있다.

필자는 강직성 척추염 환자이다. 진통제라면 이골이 날 정도로 다양하게 많이 먹어왔고, 현재도 먹고 있다. 그래서 특히 진통제에 대한 지식과 경험은 믿어도 좋다. 그러나 이거 하나는 꼭 명심해야 한다. 다른 약에 비해서 진통제는 개인차가 너무 심하다는 것이다. 의사나 약사들도 상투적으로 전신 통증에는 무난한 이부프로펜, 목의 염증은 록소프로펜, 인대-관절 통증은 반감기가 긴 아클로페낙이나 나프록센, 자궁통은 메페남산, 만성적인 관절염엔 장기간 복용해도 위장장애가 적은 멜록시캄이나 세레콕시브 등으로 구분하기도 하지만, 이러한 약들이 서로의 공통적인 기능은 차이가 별로 없고 개인차에 의한 효과가 더 영향을 미친다는 것은 모두가 인정하고 있다. 그래서 너무 일반화해서는 안 된다.

마지막으로 필자는 심한 통증이 예상되는 환자나 강한 진통제 처방을 원하는 환자에게는 아세트아미노펜에 트리마돌 성분이 추가된 울트라셋을 이부프로펜에 추가적으로 처방한다. 다만 울트라셋은 일반적인 진통제에서 나오는 위장장애성 속쓰림이 아니라 약간은 정신적인 것과 민감하게 매스껍다는 반응을 보이는 경우가 있다. 필자는 반드시 이부프로펜에 울트라셋을 추가로 처방하는 경우에는 필자는 환자에게 다음과 같이 이야기한다. <이 약이 진통제로서는 마약성 진통제 바로 밑에 있는 효과 좋은 약인데, 10명에 한 명 정도는 매스꺼움 등의 부작용이 있으니까 그런 증상이 있으면 드시지 마세요. 다만 그런 부작용이 없다면 이약이랑 잘 맞는 약이니까, 이름이라도 알아두세요. 나중에 아프실 때 효과는 정말 좋습니다.> 어차피 이 책을 읽고 필자의 사랑니 발치 방법을 배워볼 거라면 이왕이면 처방 스타일도 따라해보길 권한다. 다만 진통제를 울트라셋 하나만 처방하는 것은 여러 가지 면에서 절대 주의해야 한다. 반드시 이부프로펜에 부가적으로 사용하길 바란다.

■ 가글제 처방 방법

필자도 환자가 원하는 경우에는 가글제를 함께 처방해주기도 한다. 큰 효과는 없다고 보지만, 굳이 원하는 사람에게 하지 말라고 강요할 필요도 없기 때문이다. 다만 가글제만 단독으로 처방하는 경우는 없어야 한다.

* 가글제 관련 처방 규정

가글용제 (헥사덴트 가글액 등)

① 입원환자 및 암환자의 경우: 허가사항(용법 · 용량) 범위 내에서 투여 시

② 외래환자의 경우

- 인정용량: 100 ml 오키펜액 (성분명: ketoprofen lysine은 50 ml)
- 다만, 상기 인정 용량을 초과한 경우에는 초과한 용량의 약값 전액을 환자가 부담
- 가글제의 경우 1일 처방만 가능하며, 1일 최대용량 100 mg까지만 인정 (현재 헥사덴트는 생산되지 않는 것으로 알고 있음)

그러므로 헥사메딘 100 mg을 단독으로 처방하면 환자는 약국에 1,500원(약가 800원 + 조제료 4,300원의 30%)을 내야 함. 그냥 사면 1,000원 정도...

부록

ASY
IMPLE
AFE
XTRACTION
of
wisdom
tooth

GANGNAM STYLE

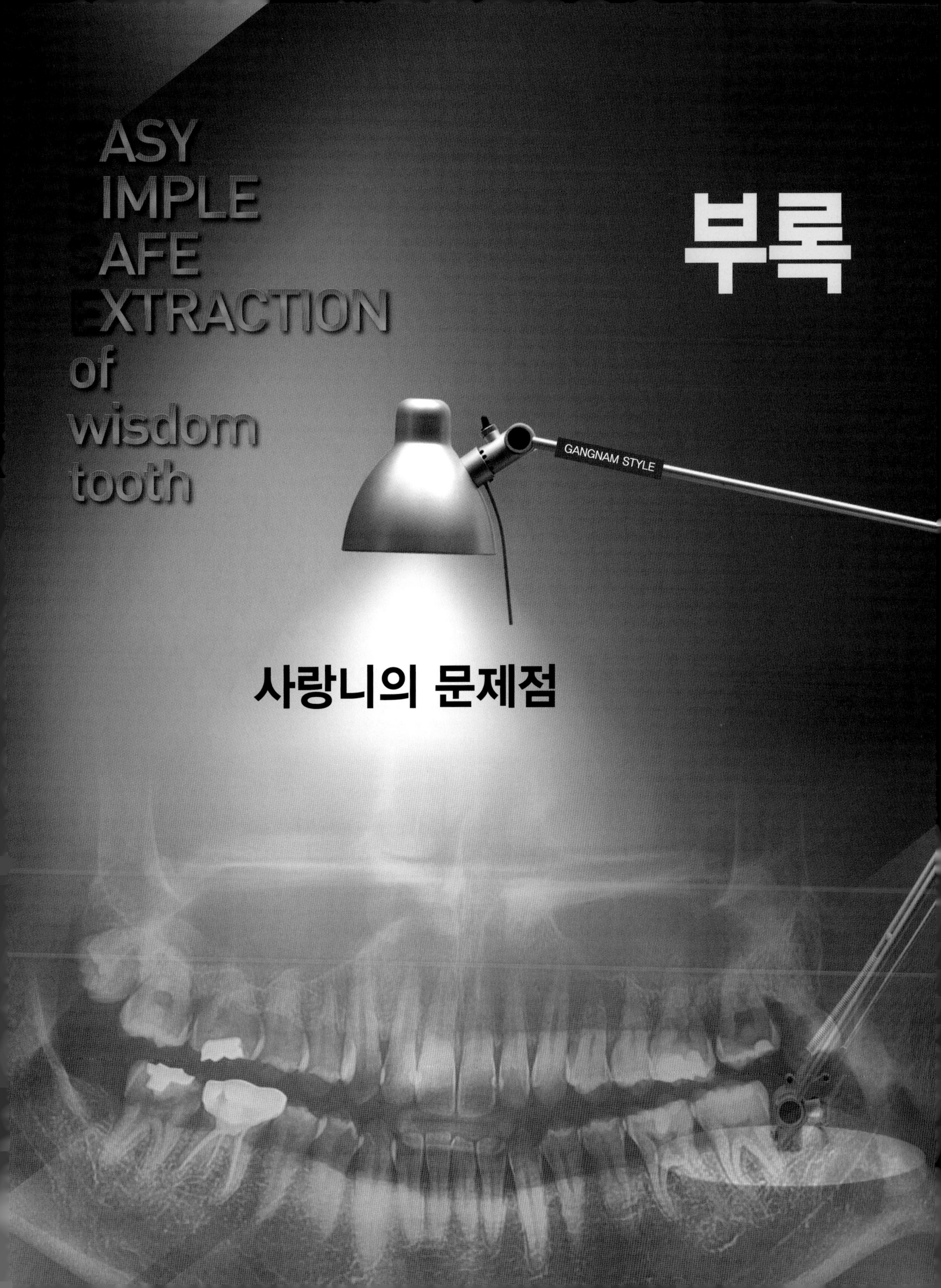

사랑니의 문제점

사랑니의 문제점

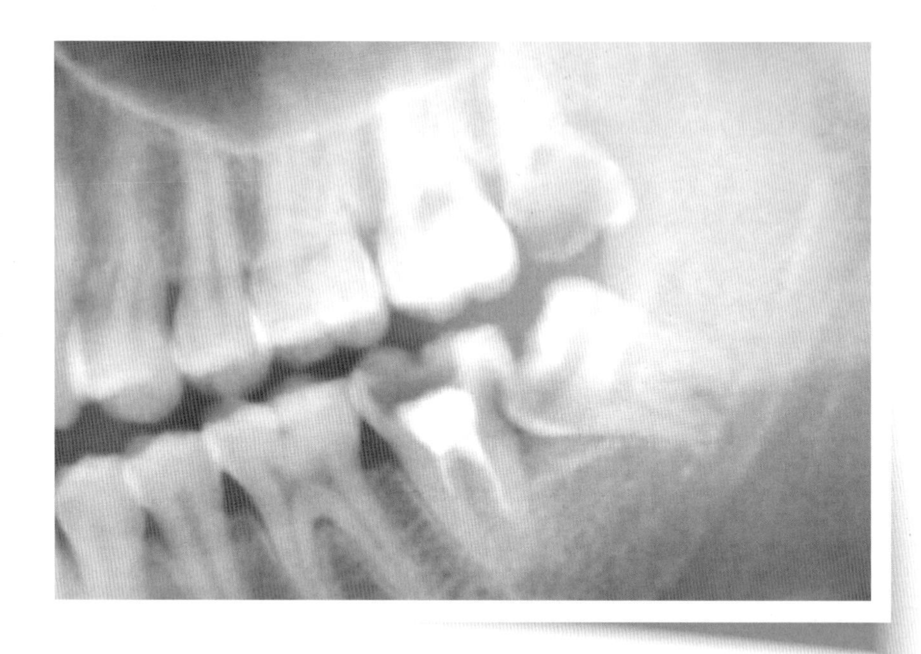

위 사진을 보면 사랑니와 인접치에 모두 충치가 생긴 것을 볼 수 있다. 전형적인 사랑니의 문제점이 모두 보이는 경우라 할 수 있다. 요즘은 이보다 훨씬 더 좋은 케이스가 많지만, 필자가 2002년부터 환자 상담용으로 사용하던 사진이라, 필자 개인적인 의미를 부여하여 이 책에 사랑니의 문제점을 나타내는 사진으로 첫 번째로 넣어봤다.

아마도 독자들은 전문가(치과의사)들이 보는 이 책에 <사랑니의 문제점에 대하여 왜 이렇게 많은 케이스를 넣었을까?> 하는 의문점이 들 것이다. 필자는 이 책을 사랑니를 잘 빼기 위한 방법 전하는 책이기도 하지만, 그에 앞서서 치과의사와 환자 모두에게 왜 사랑니 발치가 왜 중요하고 필요한지를 알게 하는 책으로 만들고 싶기도 하였다. 그래서 원래는 책 내용에 들어가 있던 이 chapter를 부록으로 별도로 분리하였다. 치과의사와 환자 모두 보고 사랑니를 왜 뽑아야 하는지를 알아보고, 심지어 환자에게 설명하는 용도로도 사용하도록 만든 것이다. 필자도 이 책이 출판된 이후에는 이 내용으로 환자에게 사랑니 발치가 왜 필요한지를 설명하는데 사용할 것이다. 어쨌든 사랑니를 사랑해서 사랑니를 빼는 필자와 함께 사랑니의 문제점을 함께 돌아보자.

사랑니를 정말 빼야 할까?

사랑니는 과연 빼야 할까요? 멀쩡한 사랑니도 빼야 하나요? 치과의사라면 이런 질문을 환자들에게서 많이 받는다. 이러한 질문에 좀 더 근거 있는 해법을 찾도록 다같이 아래의 글을 읽고 생각해보자.

영국에서는 국가 의료시스템 구조상 사랑니 발치를 전국민에게 공짜로 사랑니를 뽑아주고 있다. 우리나라는 저렴하게라도 약간의 비용이 있지만, 아무 이익 없이 사랑니를 빼야 하는 영국의 치과의사들에게 동정이 가기도 한다. 상상만해도 영국의 치과의사들이 얼마나 사랑니를 뽑기 싫을까 생각도 해본다... 그래서 그런지 1990년대 중후반부터 국가적으로 사랑니 발치에 따른 문제점을 다룬 연구결과들과 예방적으로 사랑니를 뽑을 필요가 없다는 연구결과들을 인용하며 사랑니 발치에 대한 부정적인 견해를 보였다. 급기야는 2000년 5월 27일 NICE (National institute for health and care excellence), 우리나라로 따지면 보건복지부의 산하 연구소 같은 곳에서 사랑니 발치에 대한 가이드라인(Guidance on the extraction of wisdom teeth)을 발표한다. 발표한 기관의 이름을 따서 NICE guideline이라고 불리는 이 지침에 따르면 치료할 수 없을 만큼 심한 충치나 낭종이나 종양 등 큰 병이 동반된 경우에만 사랑니를 발치해야 한다는 것이다. 이러한 정책은 시행초기에는 성공하는 듯 해 보였지만, 5년이 경과하면서부터는 수많은 문제점들이 발생하기 시작하였다. 시행 이후 10년을 평가한 연구결과가 2012년 5월에 British Dental Journal에 발표되었고, 그 밖에도 이 가이드라인이 미친 영향에 대한 많은 논문이 발표되었다. 그런 연구결과들을 종합해보면 10년만에 사랑니 발치 평균연령은 25세에서 32세로 증가하였으며, 사랑니 발치의 시기가 늦춰짐으로써 사랑니의 충치는 200% 이상 증가하였다. 가이드라인 발표 후 초기에는 사랑니 발치 건수가 30% 정도 감소하였으나, 시행 3년 후부터는 상급기관에서 뽑는 사랑니 발치(어려운 사랑니 발치)가 97%까지 증가하였다. 시행초기에 국가예산은 많이 절감되었지만 현재는 오히려 엄청나게 증가하고 있다. 이와 관련된 기타 여러 연구결과에 의하면 문제가 예상되는 사랑니의 경우는 예방적으로 조기에 발치하는 것이 건강적으로나 비용적으로 훨씬 더 유리함을 보여주고 있다. 여기에는 사랑니에 의한 주변치아의 손상은 고려하지 않은 것으로, 이것까지 고려하면 비용적으로도 유리함이 훨씬 증가하게 된다. 심지어 사랑니를 적절한 시기에 뽑지 않아서 사랑니에 의해서 주변치아를 신경치료하거나 발치하는 경우도 확연하게 증가하였다. 최신 사랑니에 대한 연구결과들에 따르면 한 번 병적 증상이 발생한 사랑니의 경우는 사랑니를 발치하지 않고 좋아지는 경우는 대단히 드물었고, 실제로 증상이 전혀 없는 사랑니의 경우도 70% 이상에서 이미 병적으로 진행하여 결국 발치가 필요하다고 보고되었다. 특히 38세가 넘으면 사랑니 발치에 따른 후유증이 좀 더 뚜렷하게 증가하는 것으로 나타났다.

사랑니를 정말 빼야 할까?– 계속

사랑니도 꼭 필요해서 나는 치아이기 때문에 막연하게 뽑지 말라는 사람들도 있는데, 이 부분에 대해서도 논의해볼 필요가 있다. 사람의 영구치는 6살부터 입안에 나기 시작하여 보통 12살 전후로 모두 나오게 된다. 사랑니는 평균적으로 마지막 어금니가 나오고 나서 6년 후, 처음 영구치가 나기 시작하는 시기보다는 평균적으로 12년이나 지나서 입안에 나오게 된다. 예전에는 사람들의 구강상태가 좋지 않아서 사랑니가 나기 이전에 어금니들이 상해서 빠지는 경우가 많았다. 어금니가 빠지면 남은 어금니들이 앞으로 조금씩 이동하는데 이는 사랑니가 나는 시기에 맞춰서 사랑니를 위한 공간을 만들어주는 역할도 하게 된다. 그러나 21세기 현대인들은 대부분이 구강건강상태가 양호해짐으로써 사랑니가 나는 시기까지 기존의 치아가 빠지는 경우가 줄어들어, 사랑니가 정상적으로 나올 공간이 부족한 경우도 증가하고 있다. 이는 여러 연구결과에서 명확하게 증명되고 있다.

또한 가끔 예전의 보철치료 방식에 익숙한 치과의사나 일반 환자들의 경우에 사랑니를 지대치로 사용하기 위해서라도 절대 미리 빼서는 안 된다고 하는 경우도 있지만, 이미 시대가 많이 변했고 임플란트도 매우 발달하였고 치료방식도 많이 바뀌었다. 지금은 사랑니가 있다고 해서 사랑니를 기능하도록 치료계획에 포함시키는 경우는 매우 드물다. 매우 특이한 경우가 아니라면 이러한 치료계획은 오히려 치과의사를 시대에 뒤떨어진 사람으로 만들 뿐이다. 또한 사랑니를 나중에 다른 치아가 빠져서 임플란트를 해야 할 경우에 골이식에 사용하기 위해서 보존해야 한다고 주장하는 사람도 있지만, 오히려 남아 있는 사랑니가 다른 치아들을 손상시켜서 임플란트의 필요성만 더 키울 뿐이다. 이미 골이식에 사용할 골대체물질(인공뼈)은 충분히 넘쳐나고 있고, 말썽투성이 사랑니를 보존하고자 다른 치아를 보존하지 못하는 우를 범하지 말아야 한다.

이제 사랑니를 뽑아야 할지 말아야 할지를 혼자 고민하지 말고 치과의사와 상의해보자. 현재 증상이 있거나 치과의사가 판단할 때 향후 문제가 예상된다면 가능한 빠른 시간 내에 뽑자.

원문 조금 수정(강남 마이다스치과 김기용 원장)

01
사랑니의 충치

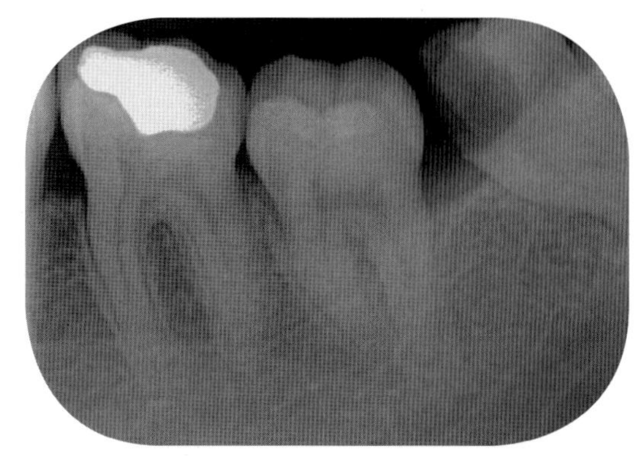
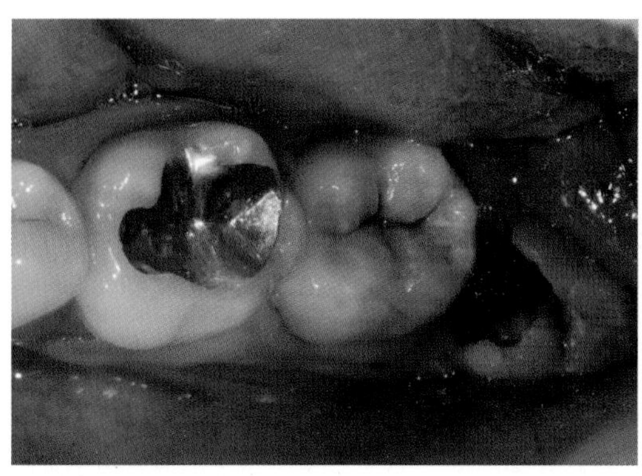
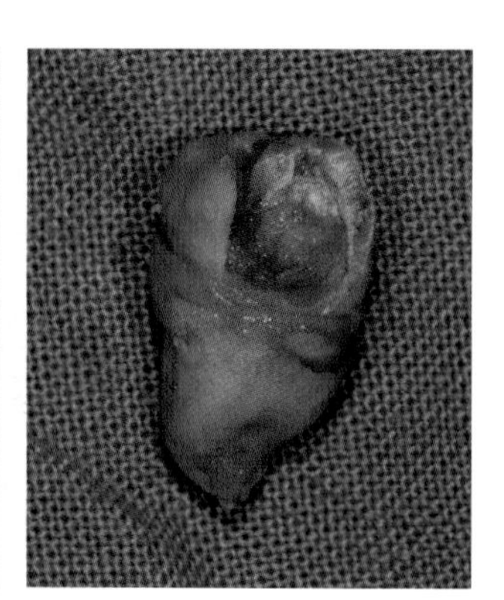

충치가 심한 아래 사랑니이다. 앞부분이 썩어서 반 이상 깨지고 음식물이 많이 끼어 있다. 이런 경우 심한 악취가 나는데 환자 스스로 못 느끼는 경우가 많다.

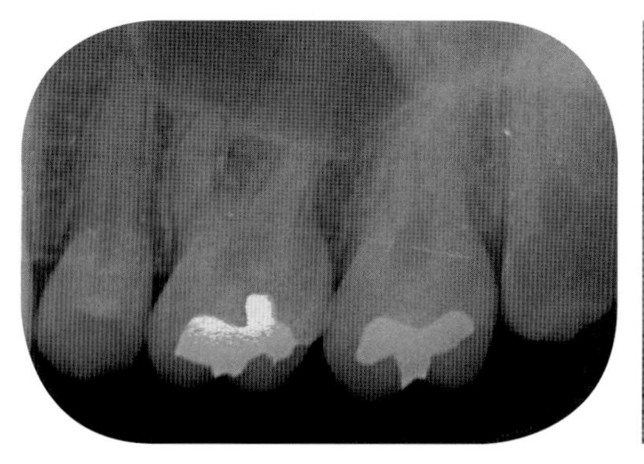
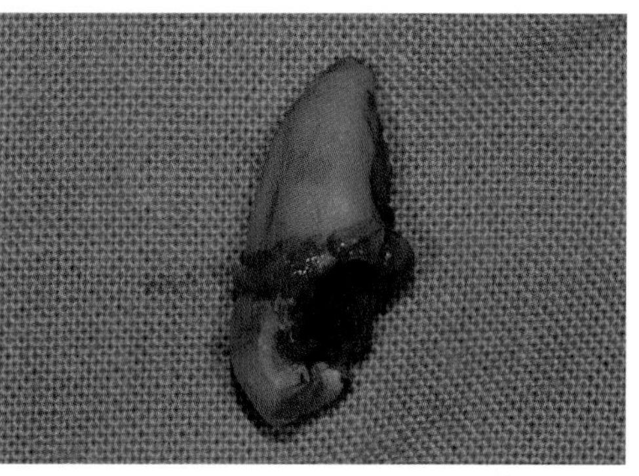

충치가 심한 윗 사랑니이다. 치아 머리 부분은 거의 다 썩어서 달갈껍질처럼 바깥 부분만 남아 있다. 이런 경우도 양치 후 1시간만 지나도 상상할 수 없을 만큼 악취가 날 수 있다.

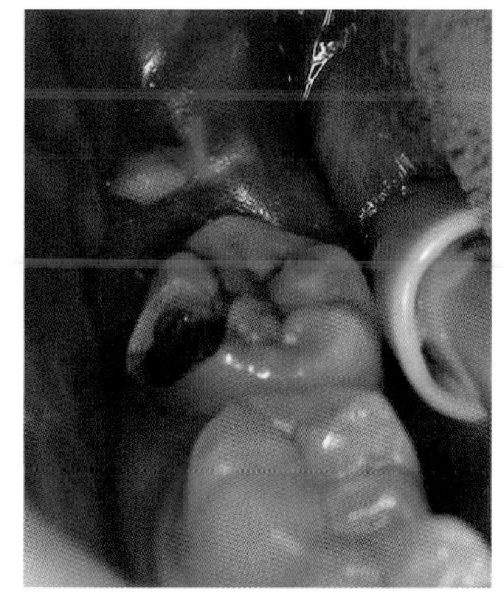

위와 같이 다른 치아는 깨끗하지만 오로지 사랑니에만 충치가 생긴 경우를 흔하게 볼 수 있다.

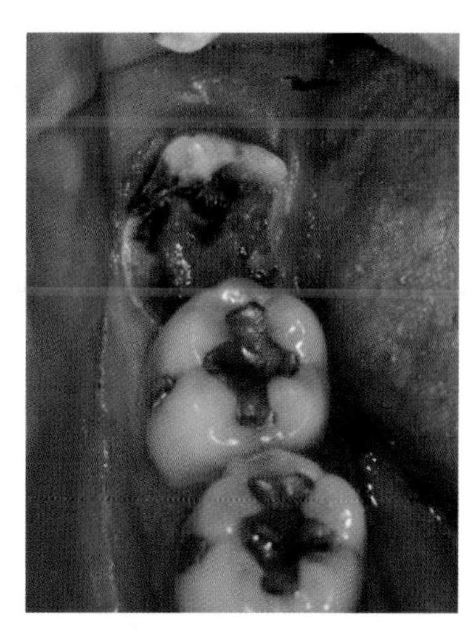

충치가 심해서 거의 뿌리만 남은 사랑니로 치수 폴립이 생긴 걸 봐서 어린 나이에 오랫동안 천천히 진행했음을 알 수 있다.

02
사랑니가 인접치 충치 유발

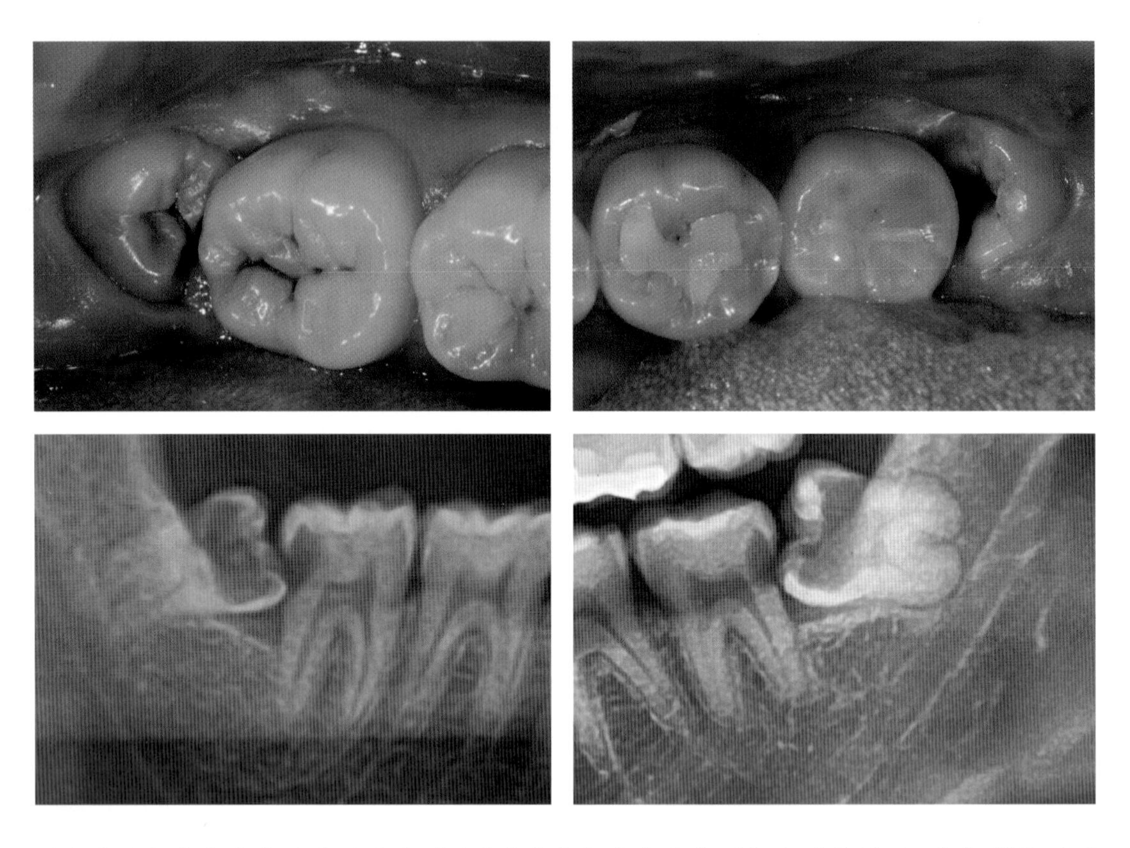

사랑니만 충치가 생긴 것이 아니라 인접치아까지 충치가 생긴 것을 흔하게 볼 수 있다. 위와 같이 45도 정도 수평으로 매복된 사랑니의 경우가 가장 인접 치아의 충치를 잘 일으키므로 젊은 나이에 발견되면 반드시 바로 발치하는 것이 좋다. 인접면 충치는 아래뿐만 아니라 윗 사랑니에서도 흔하게 볼 수 있다. 방사선 사진상에서 뚜렷이 보이지 않더라도 좀 더 다양한 형태로 나타난다.

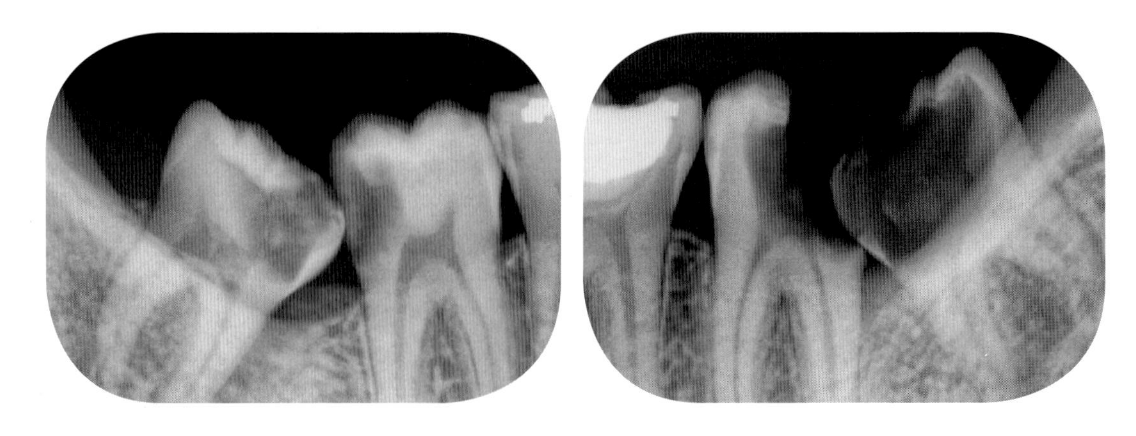

같은 환자의 양쪽 사랑니가 인접치와 함께 심하게 충치가 생겨 있다. 최대한 빨리 발견하여 사랑니를 발치하고 인접치아를 치료하는 것이 소중한 어금니를 살릴 수 있는 유일한 방법이다.

03
윗 사랑니와 인접치아의 충치

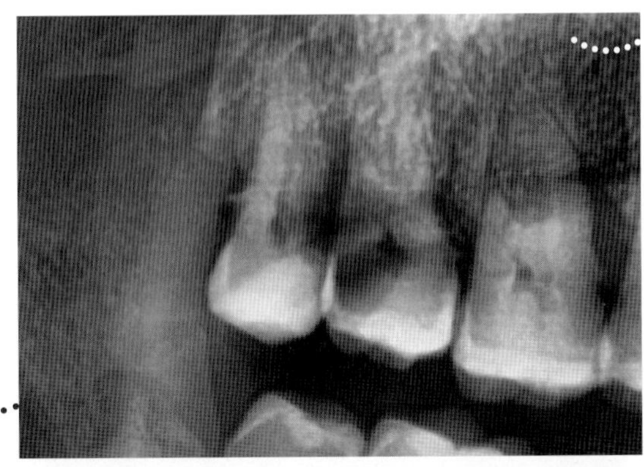

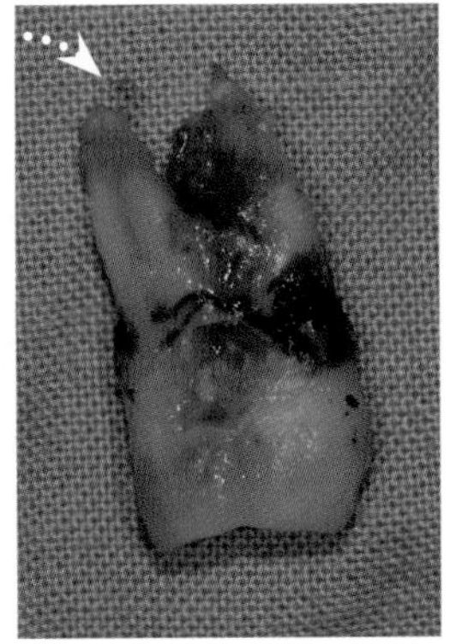

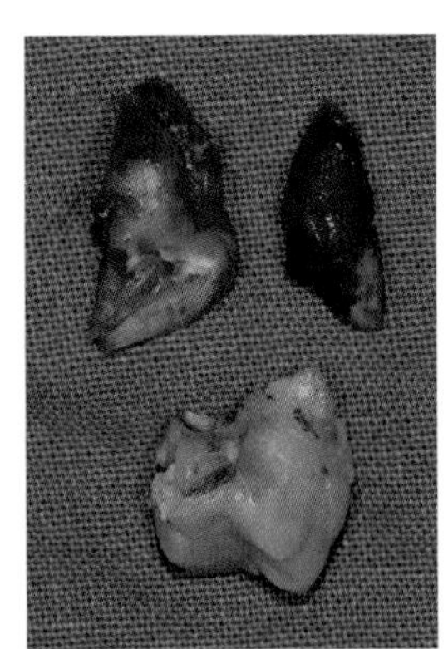

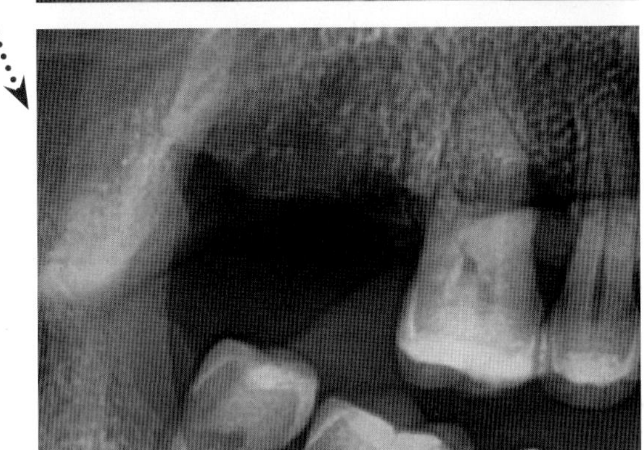

59세 남성 환자로 사랑니와 앞 어금니 사이가 심하게 충치가 진행된 것을 볼 수 있다. 상악의 경우는 7, 8번 사이에 심하게 음식물이 끼면서 충치가 진행된 경우를 흔하게 볼 수 있다. 대부분 매우 시리다는 표현을 하는 경우가 많다. 대부분 사랑니가 먼저 진행되어 사랑니를 발치하고 앞 어금니는 치료하는 경우가 많지만, 심각하게 많이 진행되면 위와 같이 두 치아 모두를 발치하는 경우도 있다. 적절한 시기에 불필요한 사랑니를 조기 발치하는 것이 필수이다.

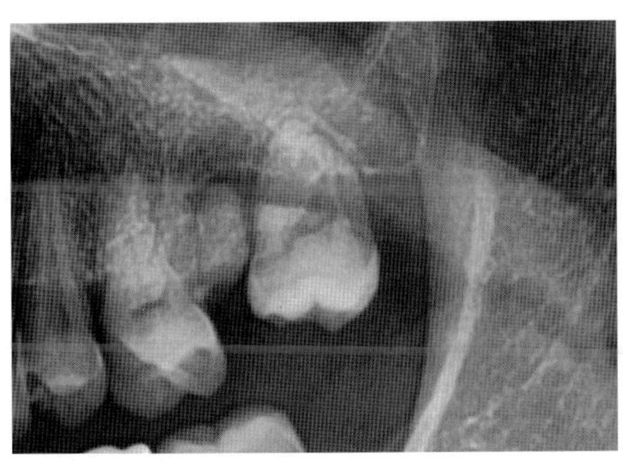

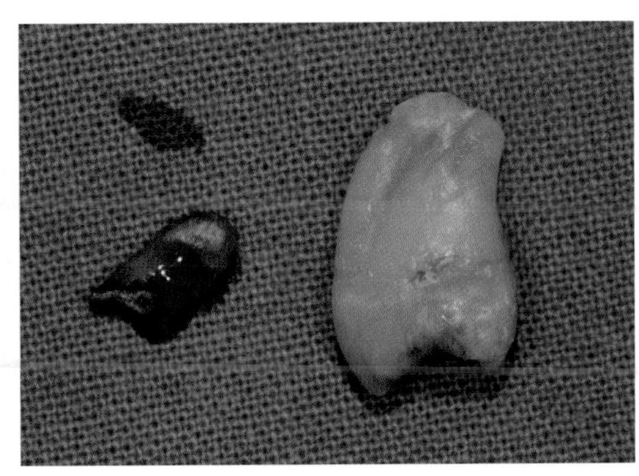

55세 남성 환자로 근심 경사된 사랑니에 의해 앞 어금니가 거의 남아 있지 않을 만큼 충치가 생겼다. 젊었을 때 치과에서 사랑니 때문에 어금니가 썩고 있으니까 사랑니를 빼고 앞 어금니를 치료라고 하였는데 겁이 나서 하지 않았다고 한다. 현재 임플란트 치료를 진행 중이다.

04
다양한 형태의 사랑니의 충치

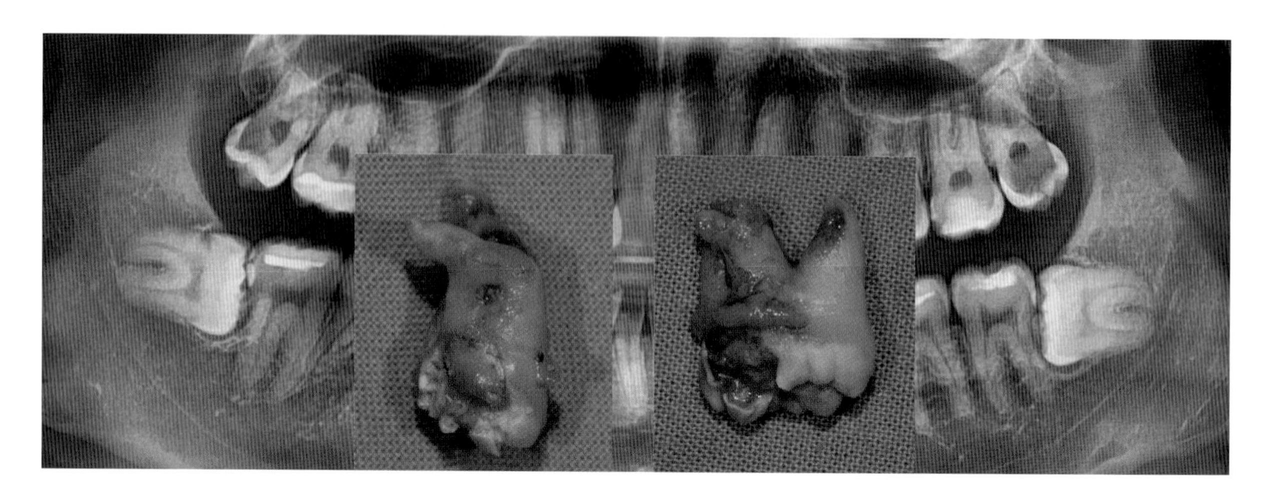

양쪽 윗 사랑니가 모두 충치가 심하게 진행되어 발치한 케이스이다.

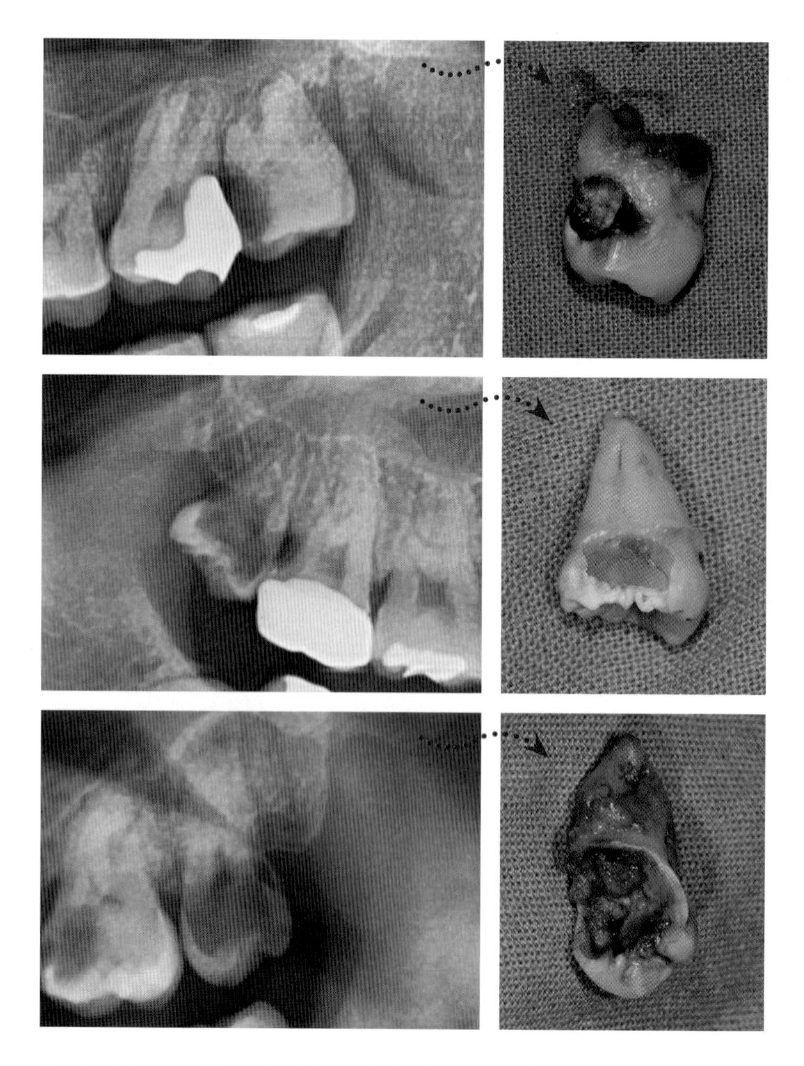

윗 사랑니의 충치도 다양하게 여러 면에서 발생할 수 있다.

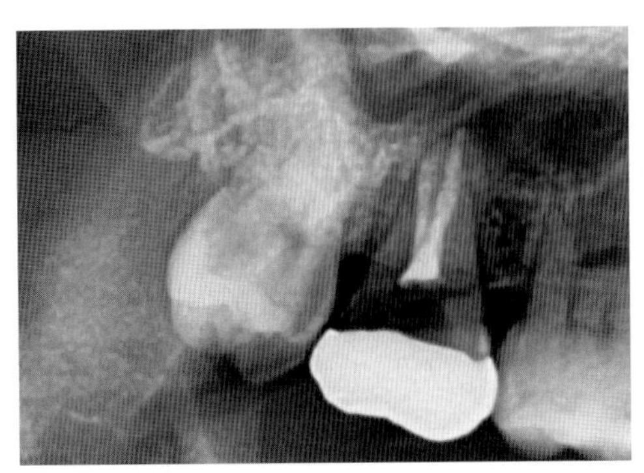
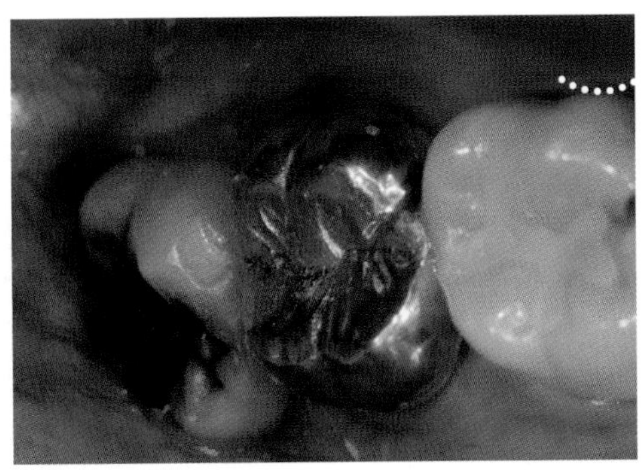
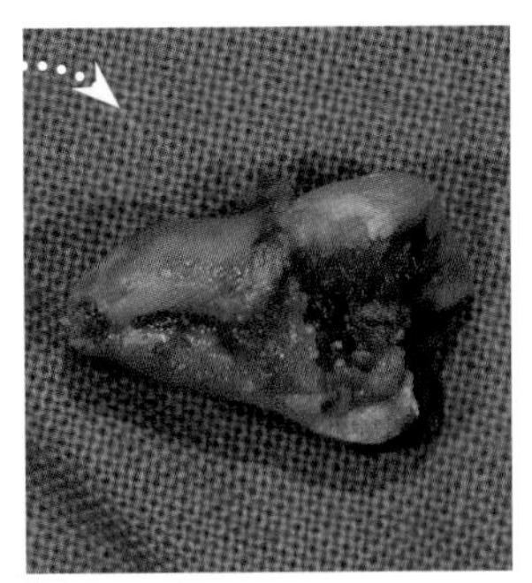

사랑니와 사랑니 앞에 금으로 씌운 어금니 뒷면이 심하게 썩은 것을 볼 수 있다. 사랑니와 사랑니 앞 어금니 사이에는 음식물이 많이 끼어서 충치가 생기기 쉽다.

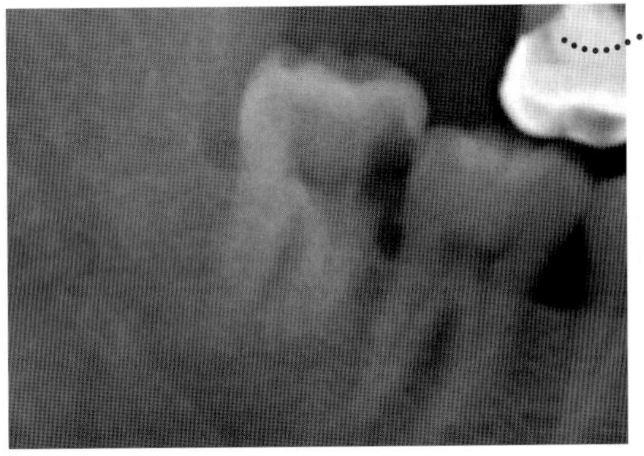
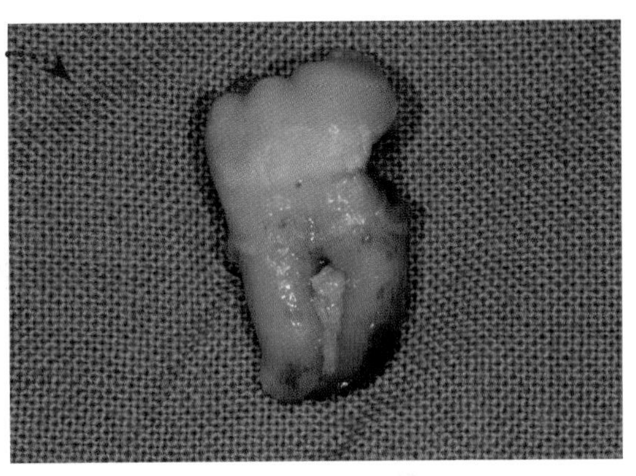

사랑니의 앞쪽이 심하게 충치가 생겼다. 사랑니를 뽑아서 같은 위치로 놓고 찍은 사진이다. 이렇게 사랑니가 썩으면서 앞 어금니까지 같이 썩는 경우가 많다. 이런 경우에 중간에 음식물이 끼었다가 빠지면서 심한 악취가 발생할 수 있다.

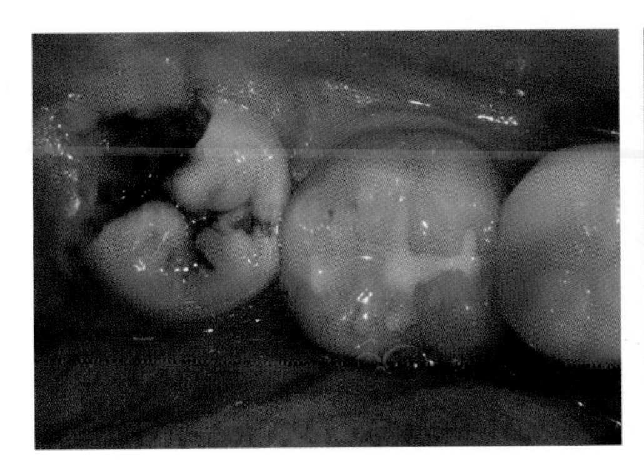
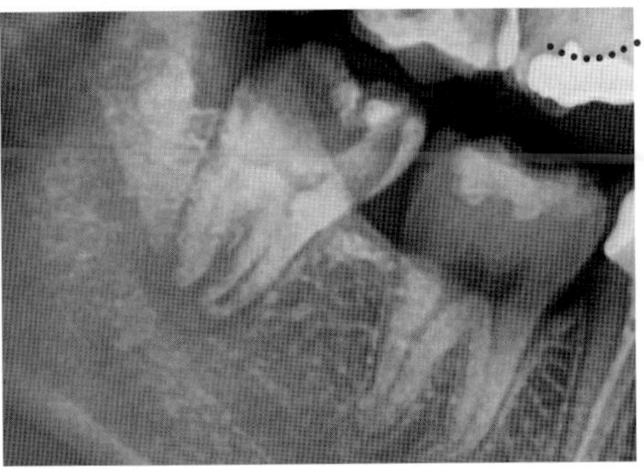
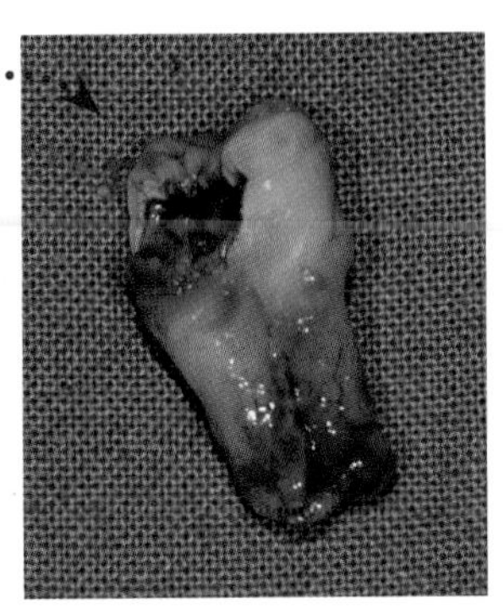

사랑니의 뒤쪽이 많이 썩은 케이스이다. 사랑니의 뒤쪽은 아무래도 칫솔이 잘 닿지 않기 때문에 충치가 생기기 쉽다. 윗 사랑니와의 강하게 부딪치는 문제도 충치가 심하게 생기는 이유가 된다. 이런 경우에도 심한 악취가 지속적으로 날 수 있다.

05
음식물이 끼어서 충치 유발

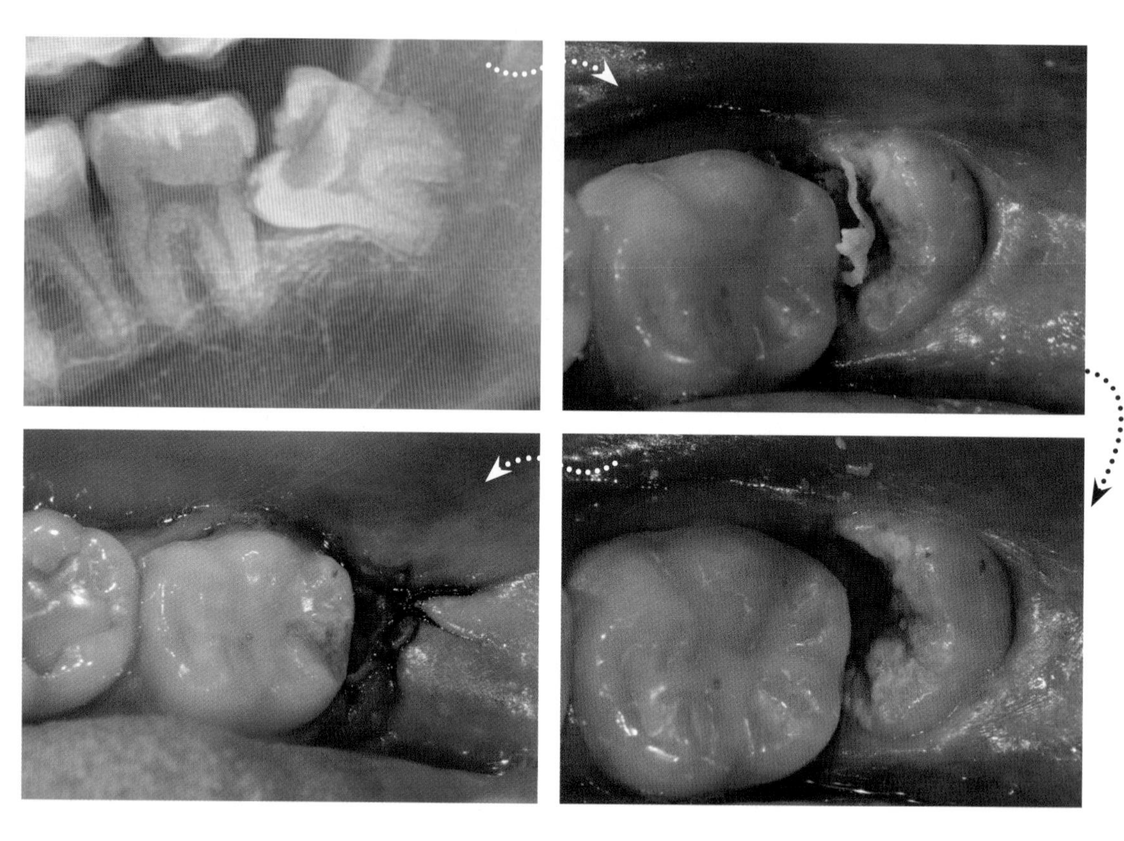

충치가 심한 환자이지만, 충치보다는 치아 사이에 음식물이 끼는 것이 불편하다고 내원한 환자이다. 사랑니와 앞 어금니 사이에는 음식물이 매우 잘 끼고, 구조적으로 제거하기가 매우 어렵기 때문에 이와 같이 충치가 생기기 쉽다. 또한 충치뿐만 아니라 잇몸질환이나 염증이 생기기 쉽다. 실제로 사랑니와 앞 어금니 사이에는 각종 채소와 고춧가루, 고기류 등 음식물이 끼어 있는 경우가 매우 흔하다.

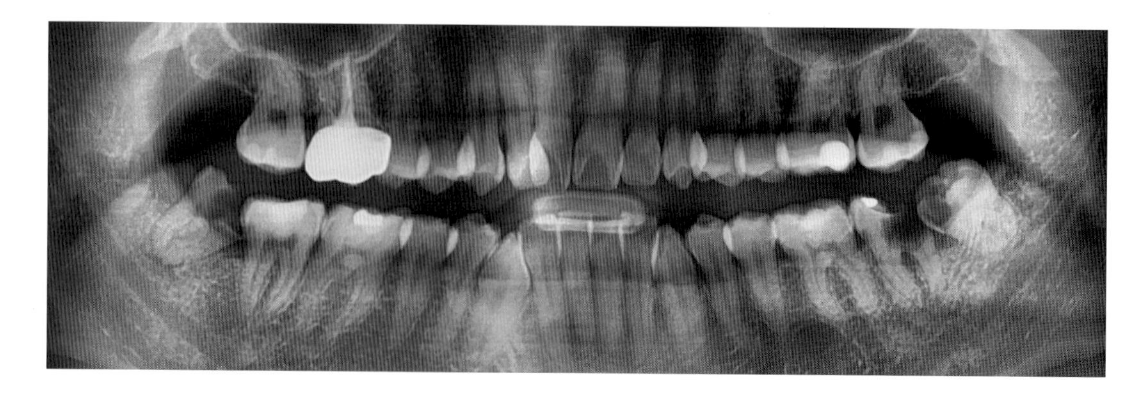

20대 초반의 여성 환자임에도 불구하고 이렇게 충치가 진행된 케이스이다. 이렇게 두 치아가 모두 썩는 경우는 음식물이 잘 끼는 것도 중요한 원인이 된다. 충치로만 본다면 매우 심각한 케이스는 아니지만, 환자 나이가 매우 어린 걸 감안하면 사랑니를 뽑는데 이른 나이라는 것은 없는 듯하다.

06
사랑니에 의한 인접치의 충치를 치료한 케이스

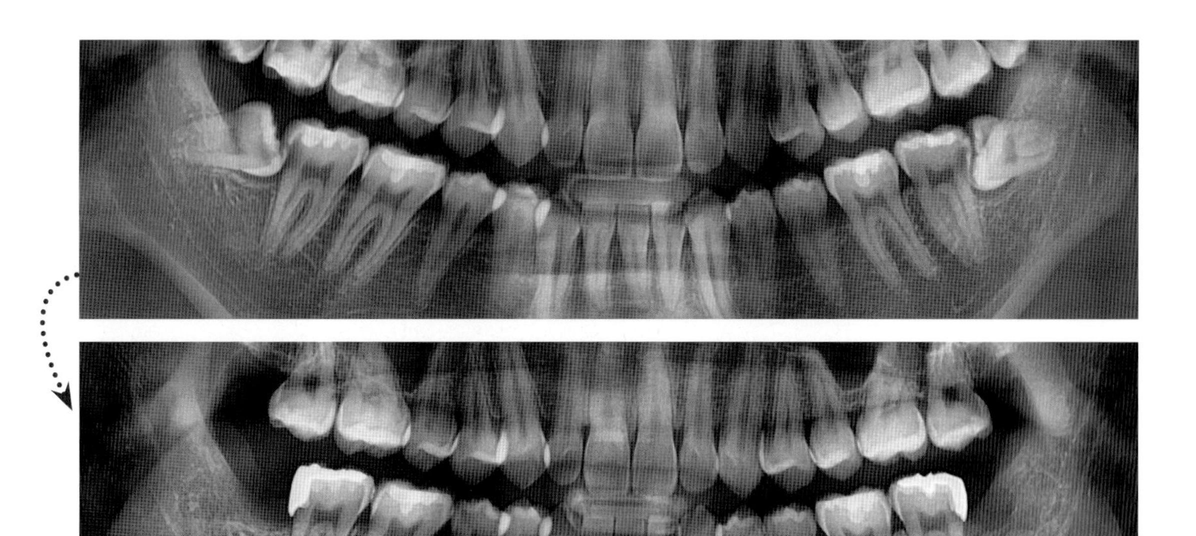

사랑니에 의해서 앞 어금니의 뒷면에 충치가 생겨서 치료한 케이스이다. 사랑니만 없었다면, 아니 빨리 발치하였다면 바로 앞 어금니의 뒷면에 위와 같은 충치가 발생하지는 않았을 것이다.

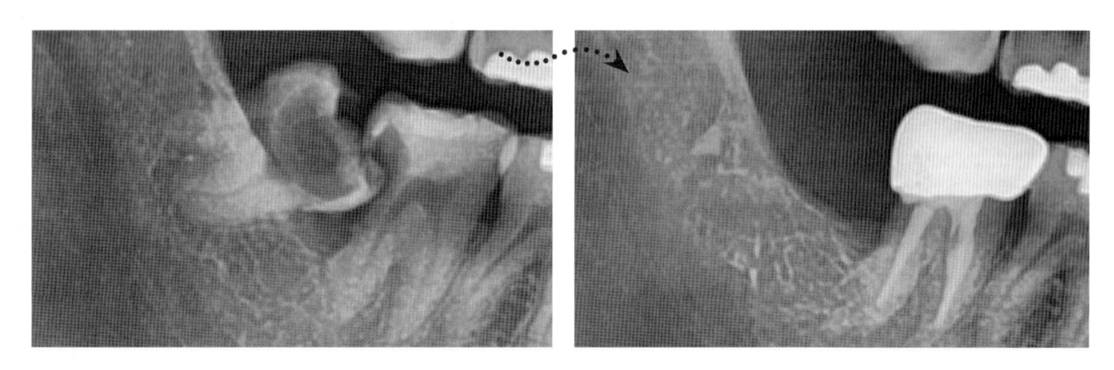

사랑니 때문에 앞 어금니의 뒷면에 충치가 생겨서 신경치료하고 씌운 경우이다. 사랑니가 아니었다면 전혀 충치가 생길 이유가 없는 치아이다.

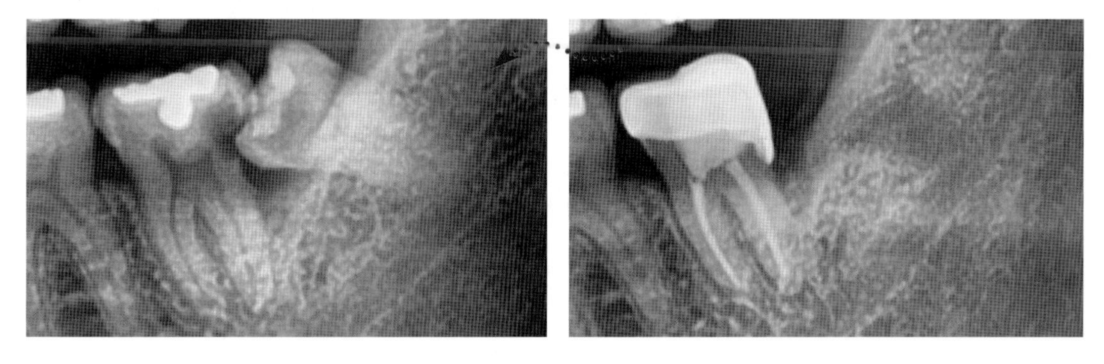

마찬가지로 사랑니 때문에 앞 어금니의 뒷면에 충치가 생겨서 신경치료하고 씌운 경우이다. 충치의 양보다는 얼마나 뿌리 아래까지 썩었느냐가 치아를 살릴 수 있느냐 없느냐의 중요 포인트이다.

07
사랑니에 의한 충치로 앞 어금니를 발치한 경우

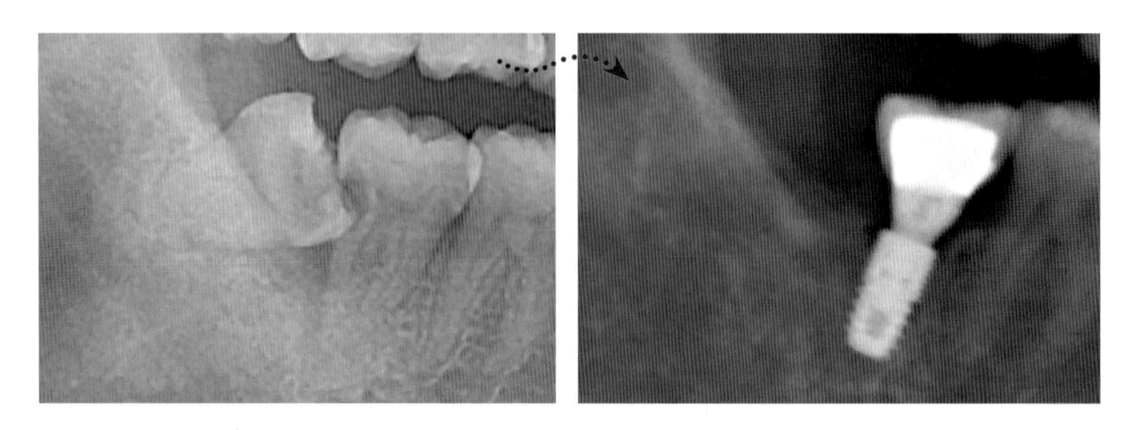

40대 초반의 여성 환자로 사랑니와 앞 어금니를 발치하고 임플란트를 시행한 케이스이다. 필자의 사촌누나로 초진 시 #47 원심면의 우식이 치근부까지 진행되었고, 치근단 염증이 원심면을 타고 퍼져 있다. 보존과에 의뢰를 하였으나, 근관치료가 실패하여 발치하고 임플란트를 시행하였다. 10년 이상된 케이스로 현재까지 임플란트는 튼튼하게 잘 사용하고 있다.

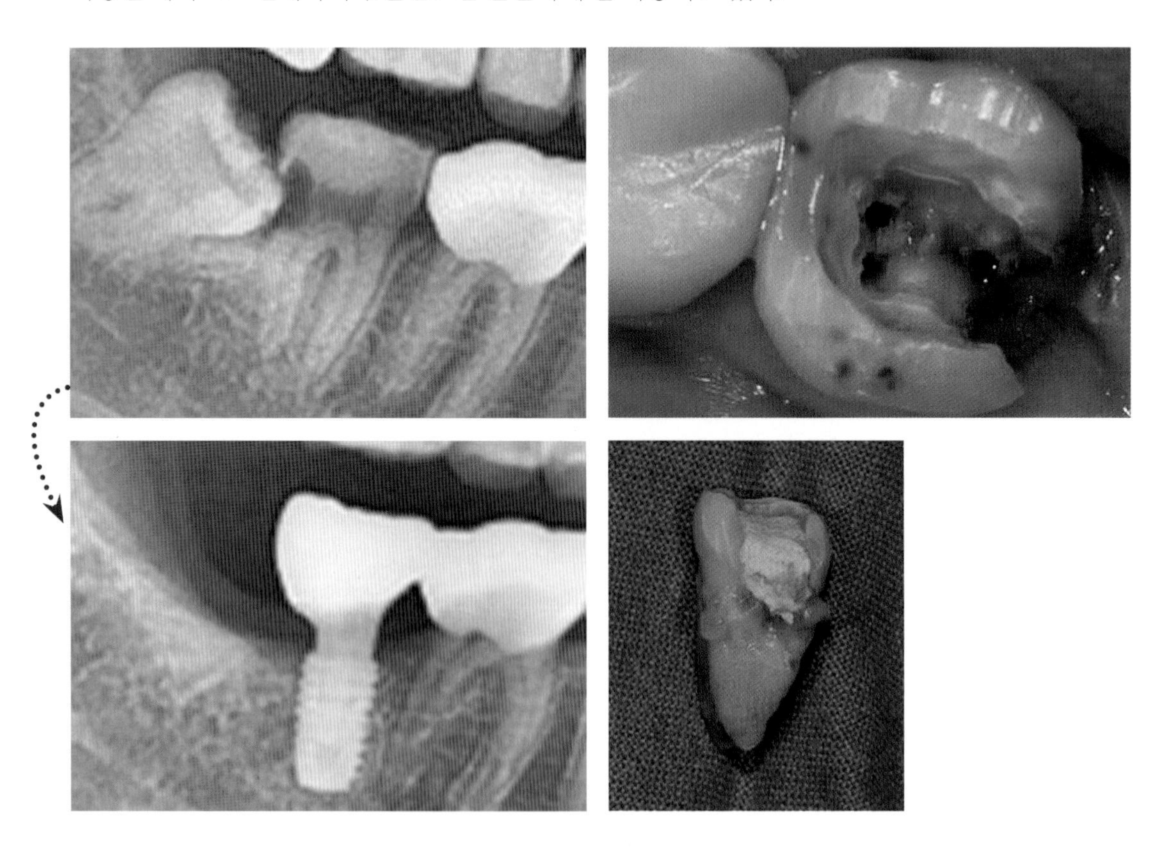

28세 여성 환자로 사랑니 주변의 통증을 주소로 내원하였다. 이러한 경우에 실제 통증의 원인은 사랑니가 아니라 사랑니 앞 어금니의 충치에 의한 경우가 많다. 사랑니 발치 후 #47 치아의 근관치료를 시행하였으나, 치근 하방부까지 우식이 진행되어 보존과의사가 발치를 결정하였다. 발치 후 임플란트를 시행하였다.

08 사랑니 주변 염증

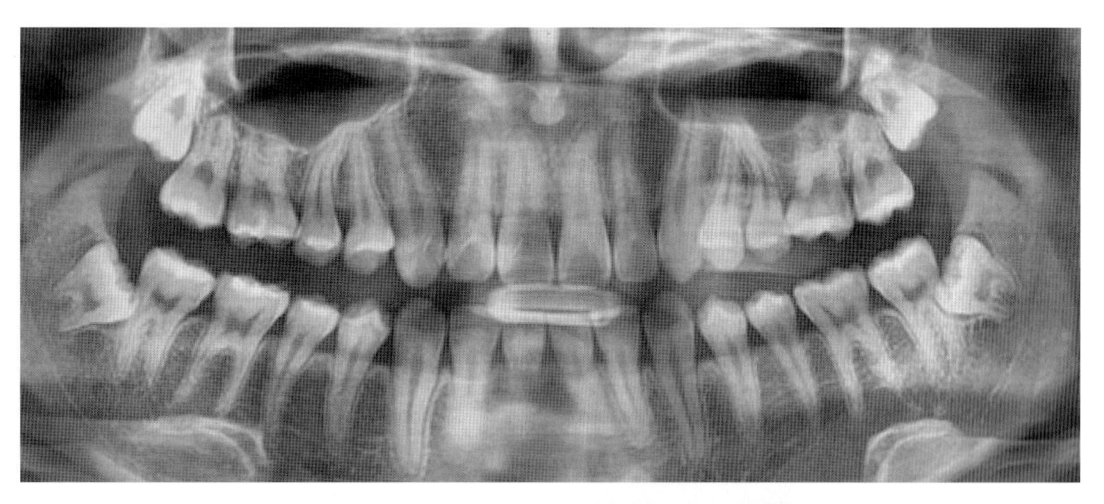

사랑니 주변의 잇몸의 부종과 통증으로 내원하였다. 얼굴도 많이 부었으며 입안도 많이 붓고 통증이 심하여 우선 배농을 실시하였다. 입 안에 흥건하게 고름이 고인 것을 확인할 수 있다. 이러한 배농을 여러 차례 시행하고 나서야 고름이 나오는 것이 멈추었다. 사랑니 때문에 해외 출국했다가 급히 귀국하는 사람들 중에 이런 경우가 많다. 수능이나 중요한 시험을 앞두고 심지어는 임신 중에 이렇게 잇몸이 아파서 큰 문제가 되는 경우가 있다.

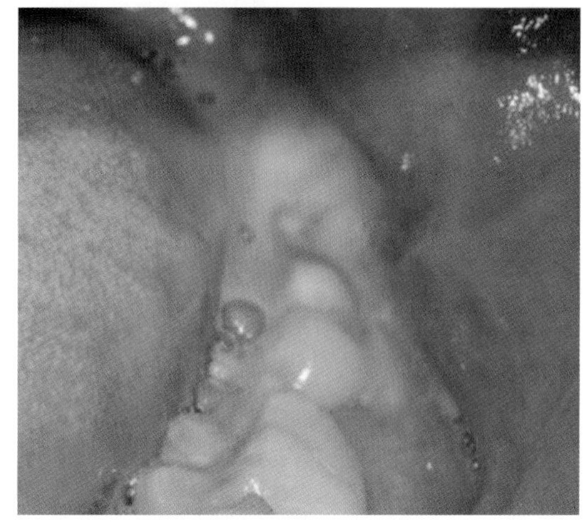

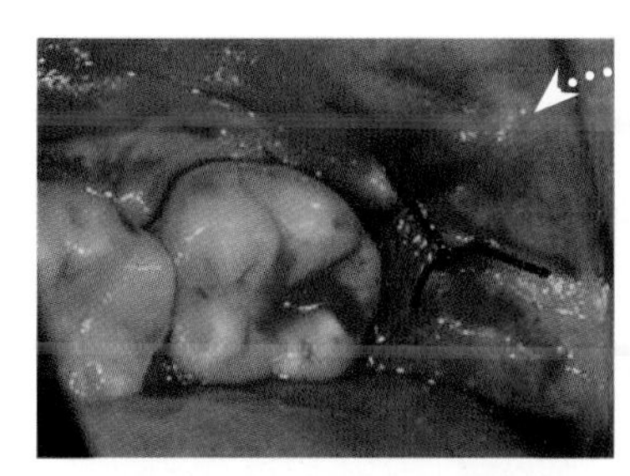

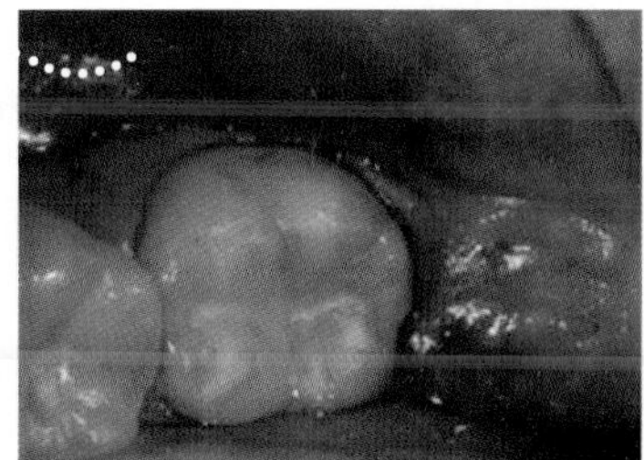

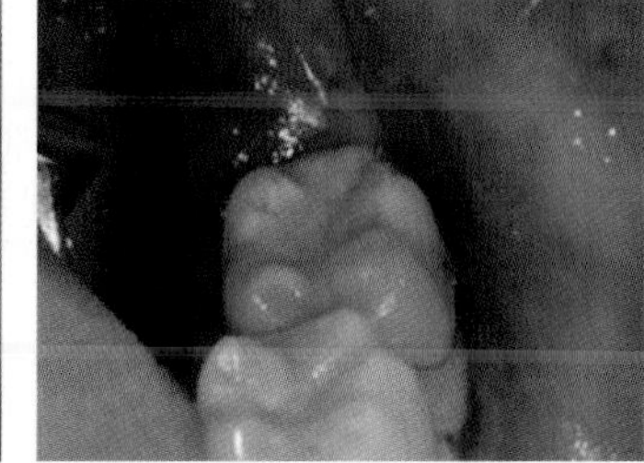

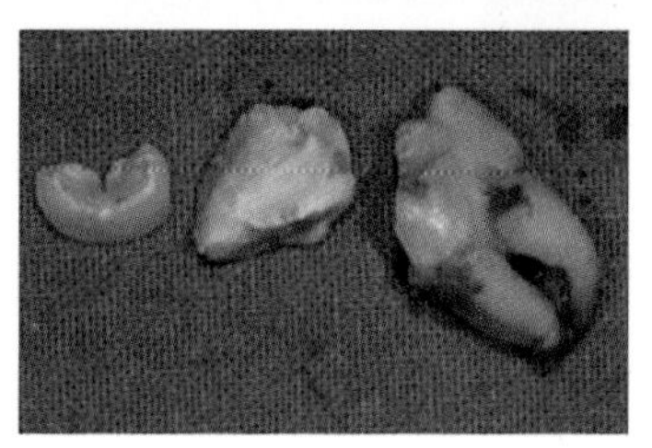

염증이 사라진 상태에서 통상적인 발치 방법대로 앞머리치기 후 혀쪽치기 후 발치하였다.

09 치석 및 잇몸질환

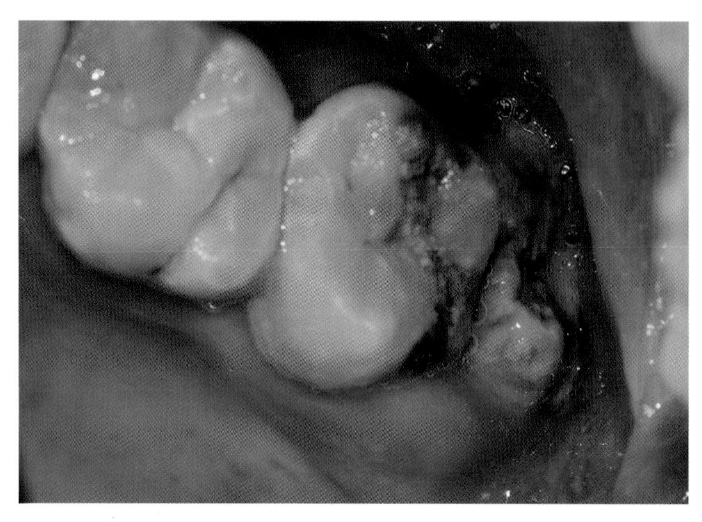

왼쪽 윗 사랑니를 찍은 사진이다. 사랑니는 턱 깊숙이 안쪽에 위치하고 있어서 칫솔이 잘 닿지 않는다. 아무리 환자 스스로 잘 닦으려고 해도 잘 닦이지 않는다. 또한 일반적인 씹는 작용으로도 치아가 깨끗해지기도 하는데 사랑니는 위치가 똑바로 나지 않아서 마주치는 치아와 씹는 기능을 못하기 때문에 자정작용도 없다. 그렇기 때문에 이와 같이 치아 주변에 치석이 많은 경우가 많다. 입냄새와 잇몸질환의 가장 흔한 원인이 된다.

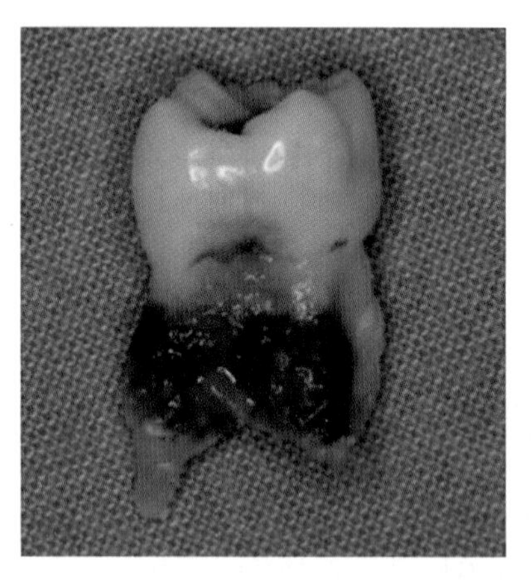

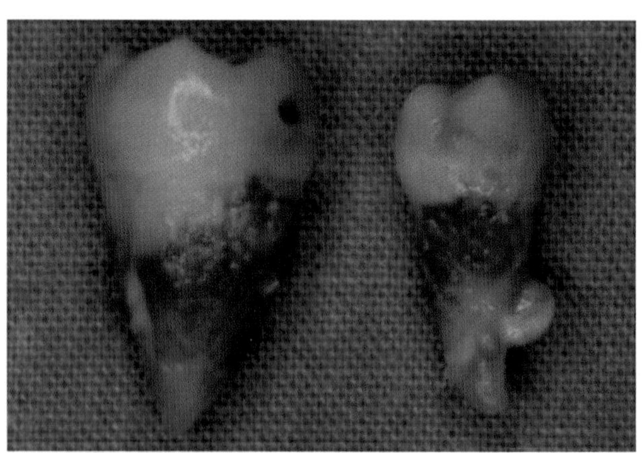

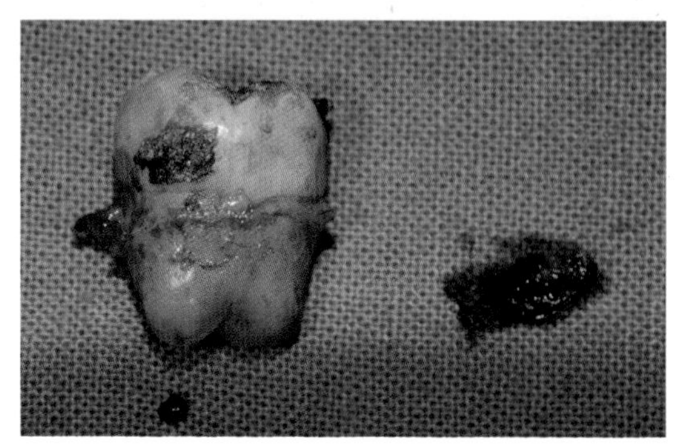

사랑니를 뽑아보면 사랑니 뿌리 끝까지 치석이 많이 내려가 있는 것을 볼 수 있다. 이 정도면 이미 주변 치아까지도 심한 잇몸질환이 걸려있을 수도 있다.

사랑니 크라운 주변에도 치석이 많이 붙어 있는 경우가 있다. 이런 경우는 대부분 잇몸이 심하게 부어있고, 만성적인 입냄새와 잇몸질환이 있는 경우가 많다.

10
이건 무엇일까요?

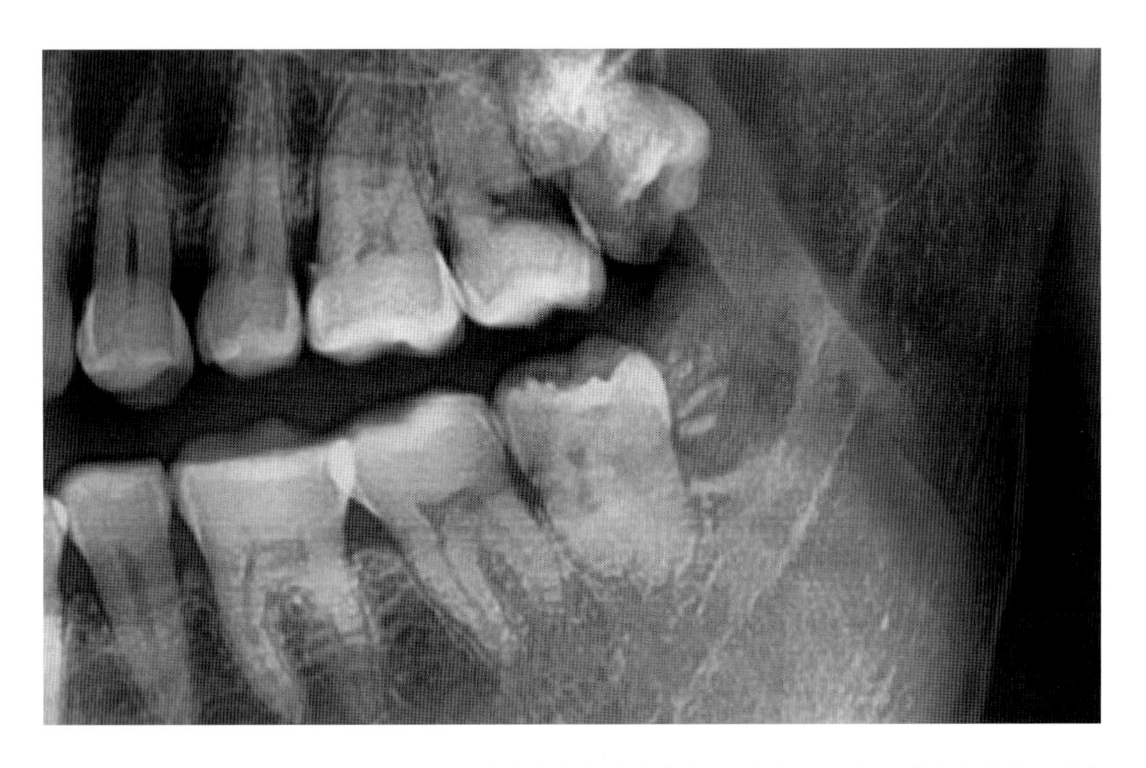

46세 남성 환자로 현직 의과대학교수로 영상의학과 의사이다. 본인이 근무하는 대학병원에도 치과가 있는데, 미덥지 못하다고 직접 찾아서 우리 치과에 오셨다. 사랑니 원심면의 저 검은 건 무엇일까? 그 안에 하얗게 박혀 있는 방사선 불투과성 물체는?? 방사선과 교수가 무엇인지 모른다니... 필자 혼자 많은 고민을 했다. OKC(Odontogenic keratocyst)나 기타 석회화되는 낭종이나 종양 등...

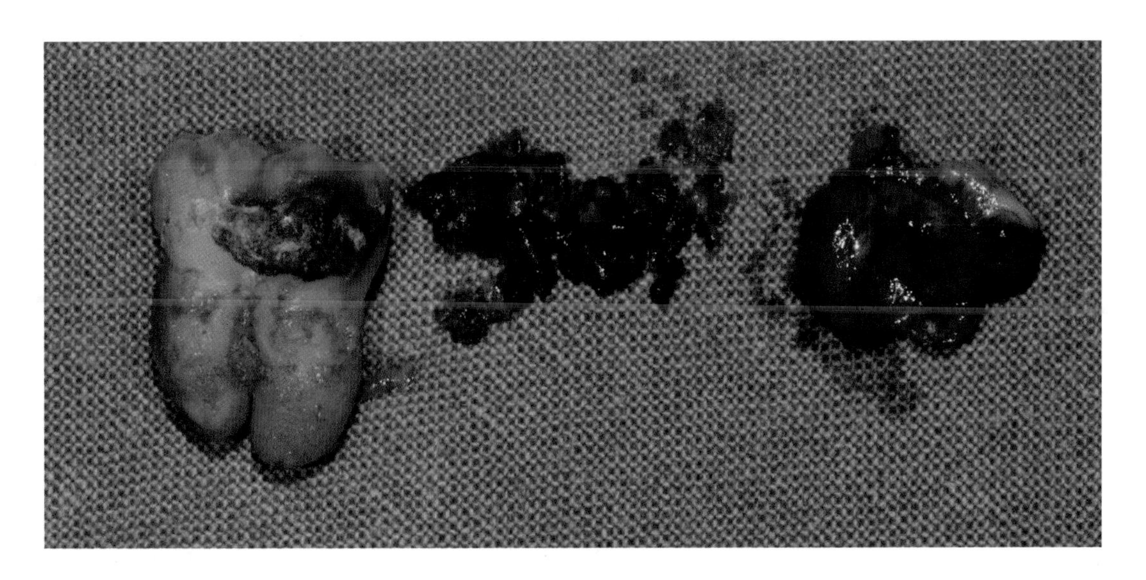

결과는 치석이었다. 함께 제거한 조직도 조직검사 결과는 그냥 만성 염증이었다. 만성 염증으로도 충분히 골 흡수가 되고 치아를 변위시킨다는 것이다.

11
인접치아의 잇몸질환에 의한 골 소실

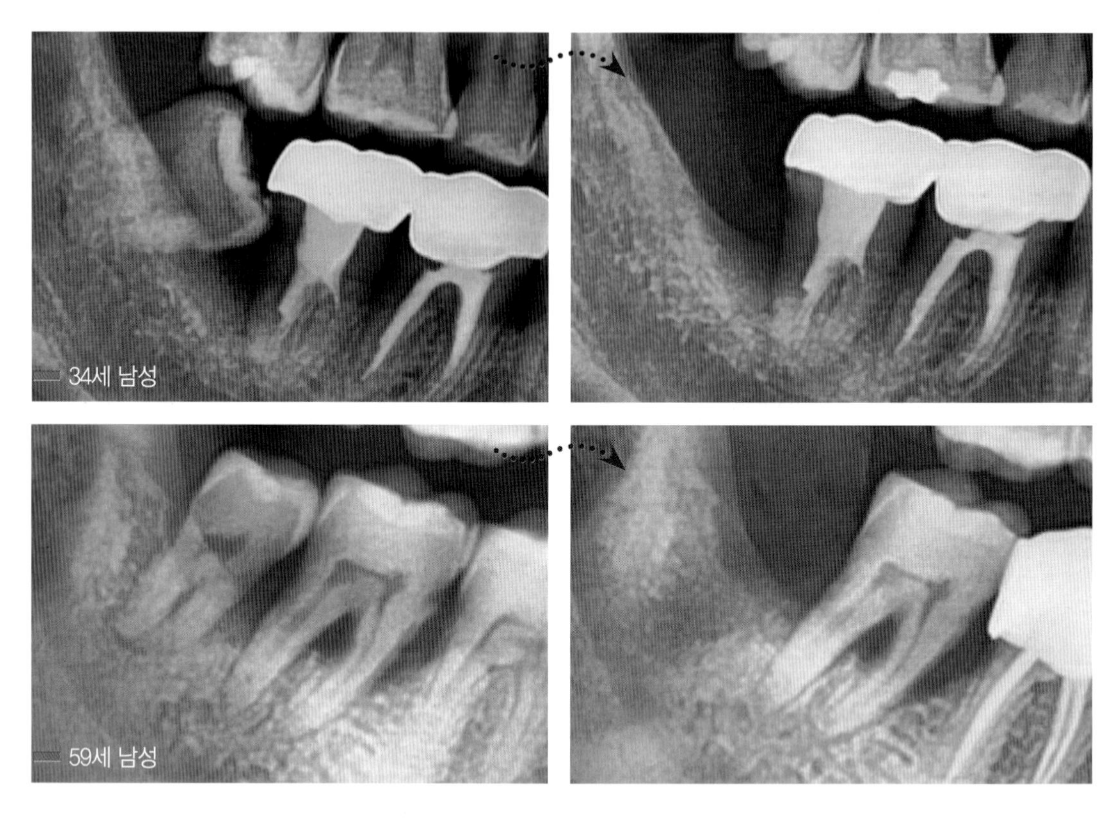

각각 34세 남성, 59세 남성 환자로 사랑니에 의한 잇몸 주변 잇몸질환이 심화되어 사랑니 발치 후 지속적으로 잇몸치료를 시행하여 비교적 잘 유지되는 케이스이다.

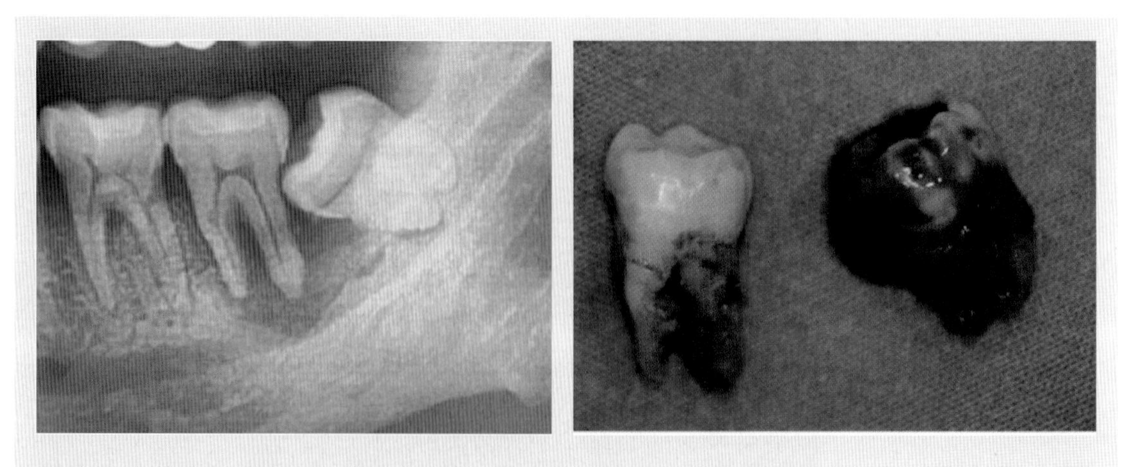

50세 남성 환자로 사랑니가 아프다는 주소로 내원하였으나 실제 통증의 원인은 사랑니 앞 어금니였다. #37, 38 두 치아를 모두 발치하였다.

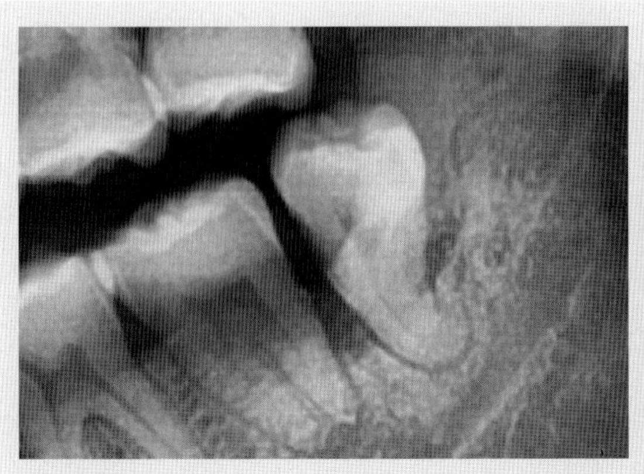

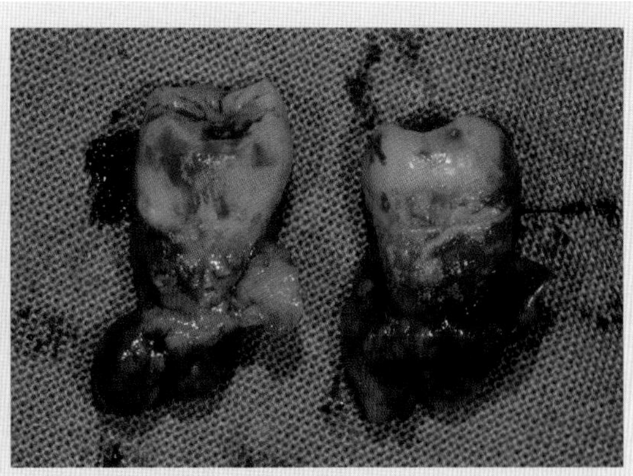

41세 여성 환자로 사랑니와 주변 잇몸이 불편하다는 주소로 내원하였다. 진단 결과 #37, 38 모두 염증이 매우 심하고 동요도가 심하여 포셉을 이용하여 발치하였다. 발치 후 #37, 38 치아 주변에 만성적인 염증 조직이 붙어 있는 것을 볼 수 있다.

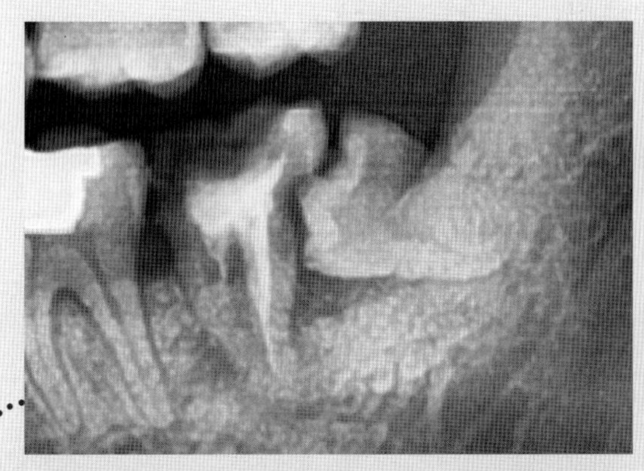

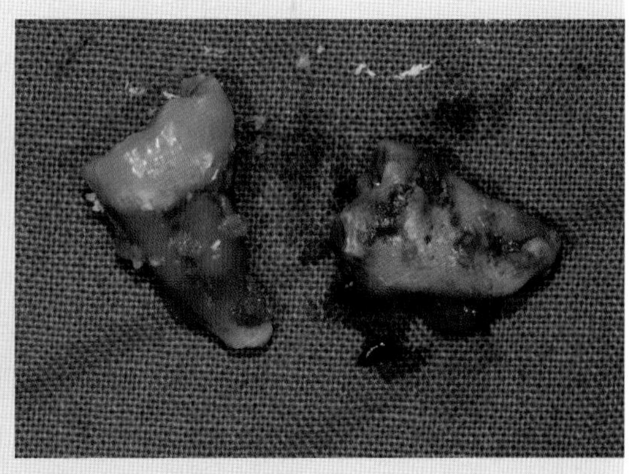

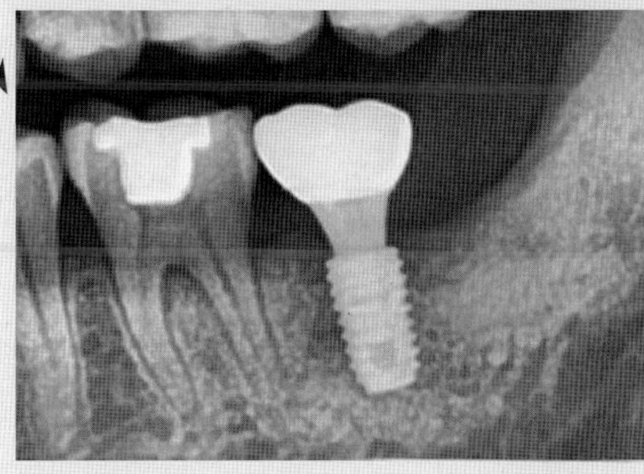

35세 남성 환자로 사랑니 앞 어금니의 염증으로 인하여 발치하고 임플란트를 시행하였다. 앞 어금니는 발치 전 사진에서 사랑니에 의한 충치나 치아 흡수뿐만 아니라 잇몸질환까지도 심하게 진행되어 있는 모습을 볼 수 있다. 의외로 질환이 진행하다 보면 사랑니와 주변 치아들은 이런 형태의 복합적인 병소의 모습을 띄기도 한다.

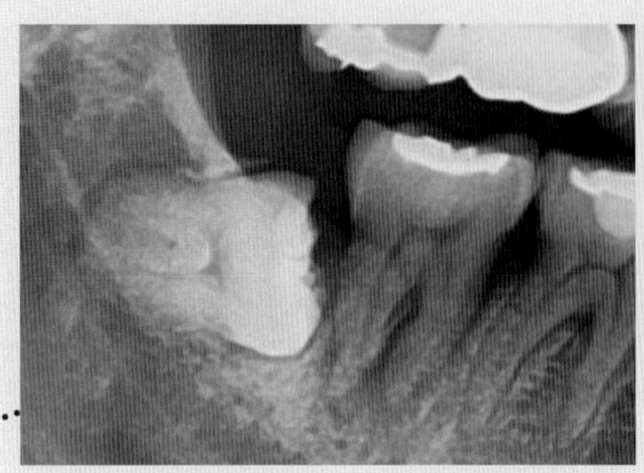

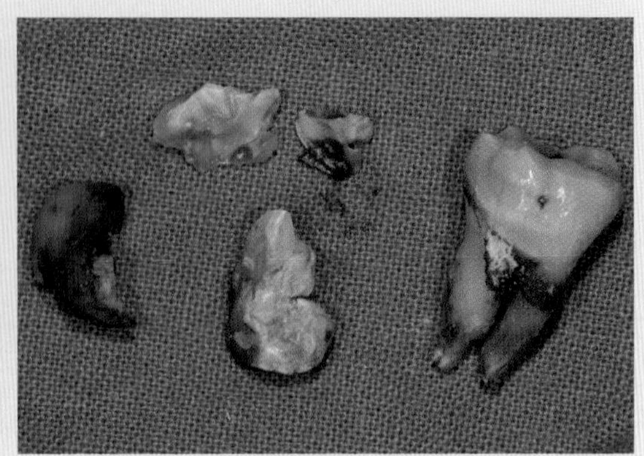

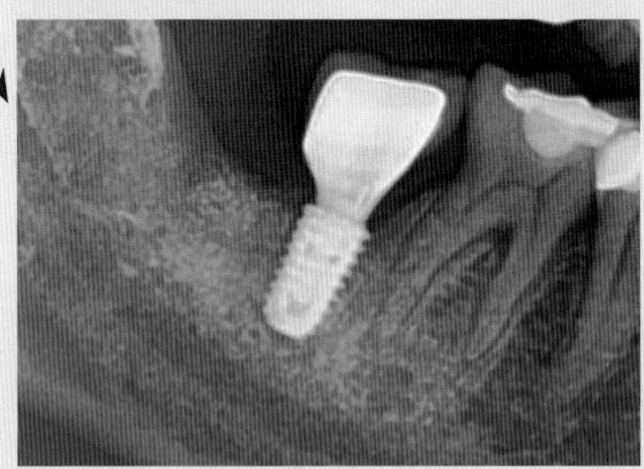

50세 남성 환자로 사랑니가 아프다고 내원한 환자이다. 그러나 실제 염증의 원인은 사랑니 앞 치아이다. 사랑니와 앞 어금니 사이에 음식물 찌꺼기나 치석, 염증산물 등이 다량 존재하여 제거 후에 #47, 48 모두를 발치하였다.

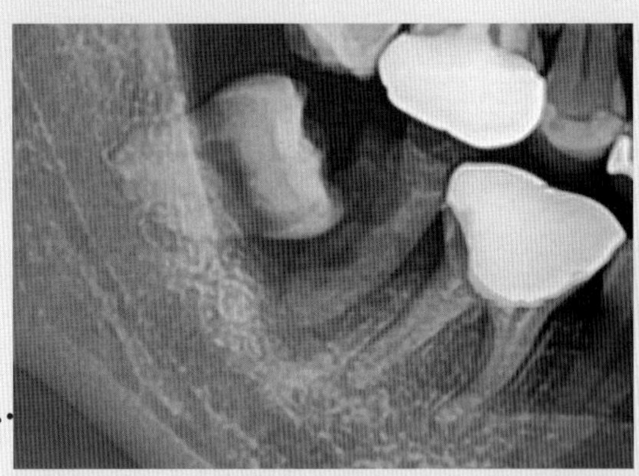

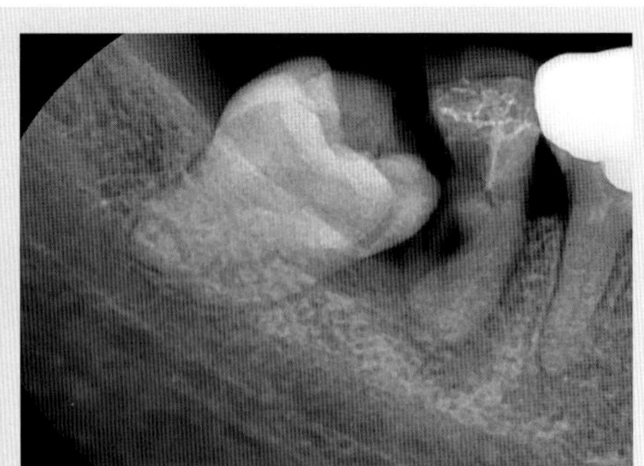

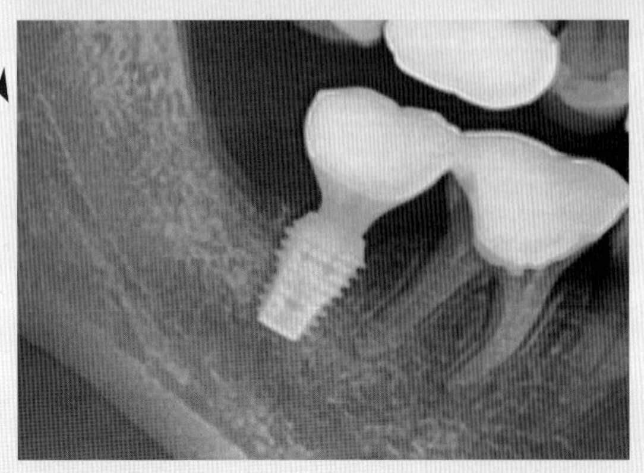

30대 여성 환자로 사랑니에 의한 사랑니 앞 어금니의 충치와 잇몸질환의 복합적인 병소로 발치하고 임플란트를 시행하였다. 사랑니가 없었다면 저 치아가 저렇게 상했을 리가 없다는 것은 모든 치과의사들이 인정할 것이다.

12
윗 사랑니가 아래 잇몸을 씹어서 상처(염증) 생김

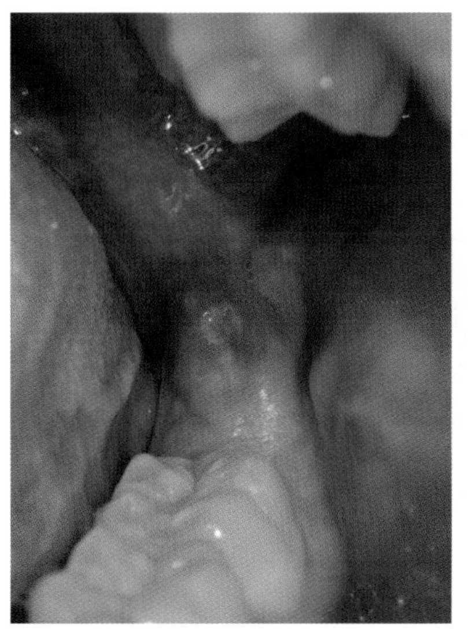
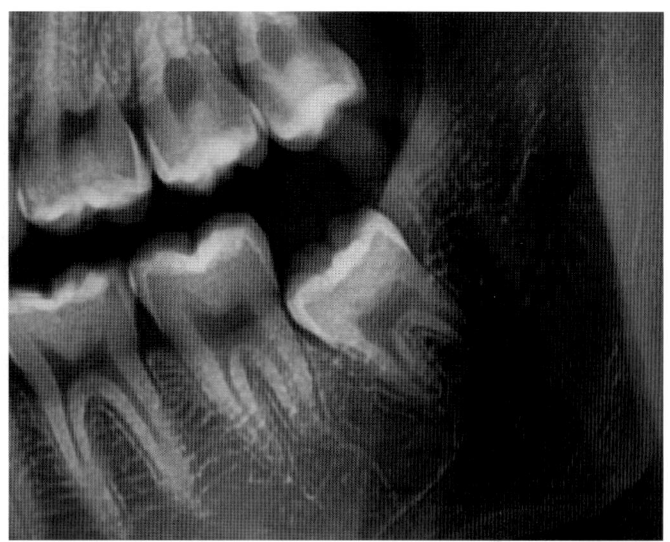

윗 사랑니가 아래 잇몸을 찍어서 아래 잇몸에 염증 생긴 케이스이다. 대부분 이런 염증은 처음에는 구내염처럼 발생하다가 치관 주위염으로 이행되기도 하고, 다시 구내염이 생기기도 하면서 비슷한 과정을 반복하는 경우가 많다. 위와 같이 명확한 케이스가 아니라도 아래 사랑니 주변 잇몸 염증이 윗 사랑니 때문에 발생하는 경우가 많다. 일반 치과인들 중에서도 이러한 기본적인 사실을 모른 채 환자에게 급하게 아래 사랑니를 빼라고 권유하는 경우가 많다. 보통 윗 사랑니의 발치가 아래 사랑니에 비해서 매우 쉬운 것을 감안하여 이런 급성 염증의 경우에는 윗 사랑니를 먼저 간단히 빼주는 것도 고민해 볼 수 있다.

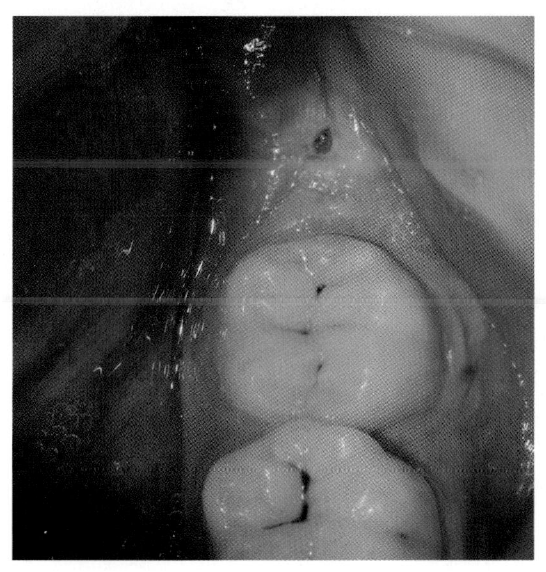
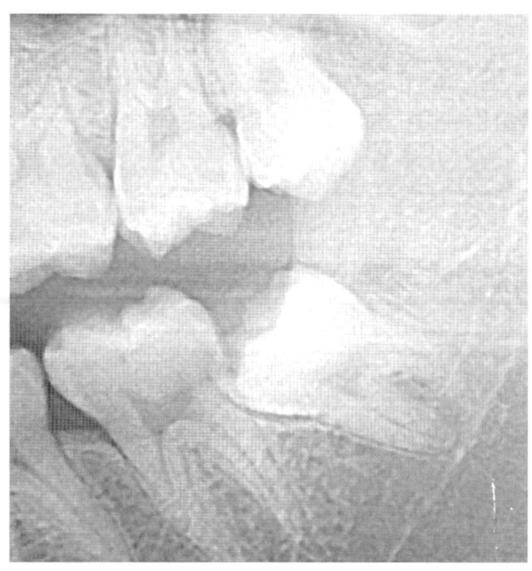

윗 사랑니가 아래 잇몸에 구멍을 만들었다. 이런 경우도 구내염과 치관 주위염이 주기적으로 발생하는 원인이 된다. 당장 아래 사랑니를 발치할 상황이 아니라면 간단하게 윗 사랑니를 빼는 것도 좋은 방법이다.

13
윗 사랑니가 볼을 씹어서 염증 생김

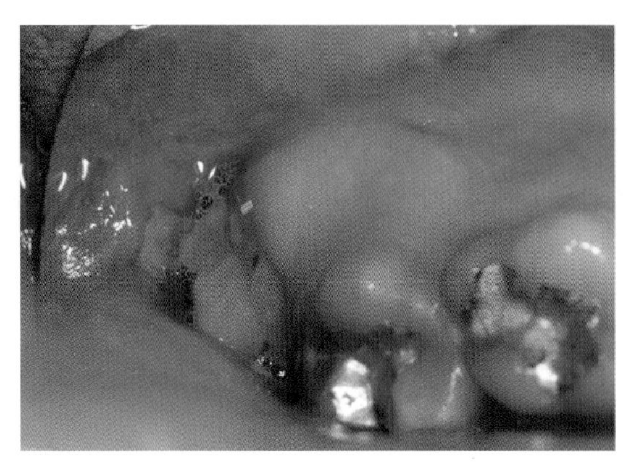
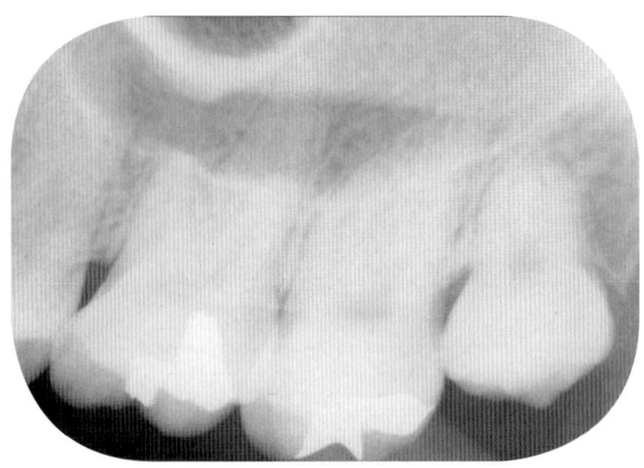

사랑니가 협점막을 찍어서 염증을 유발하는 경우도 많다. 윗 사랑니가 주로 바깥쪽으로 위치해 있는 경우가 많기 때문이다. 대부분은 구내염의 형태로 나타나서 심한 통증을 유발하기도 한다. 다른 구내염과 달리 사랑니가 구내염 부위를 지속적으로 자극하기 때문에 통증이 좀 더 심한 경우가 많다.

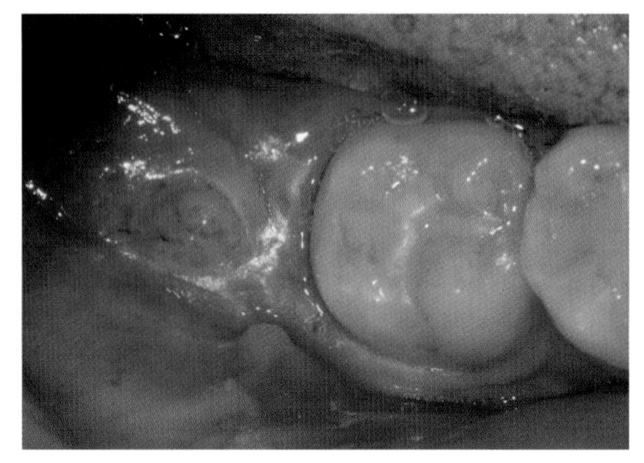
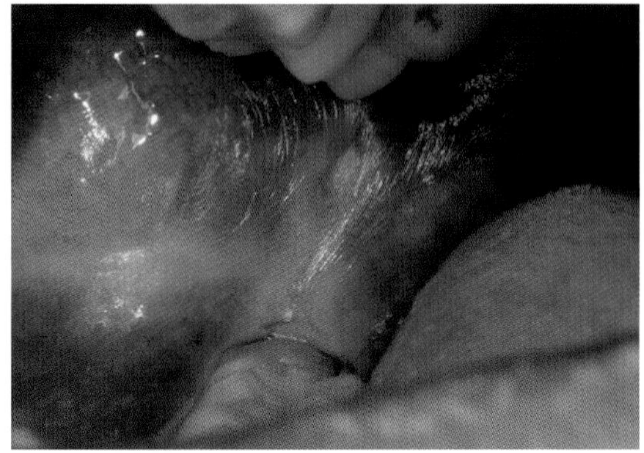

사랑니 주변에서는 이러한 형태의 외상성 구내염이 많이 발생한다.

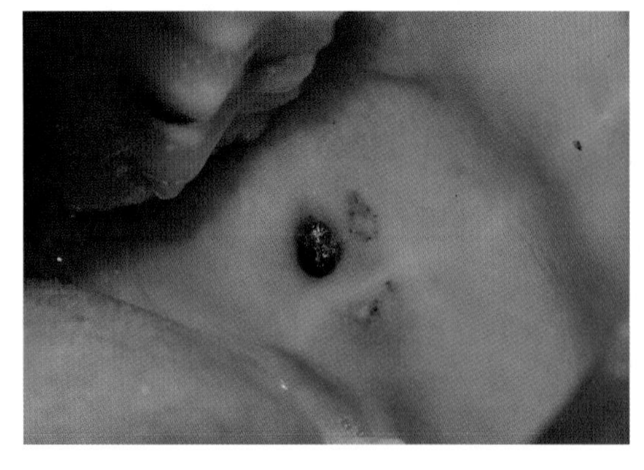
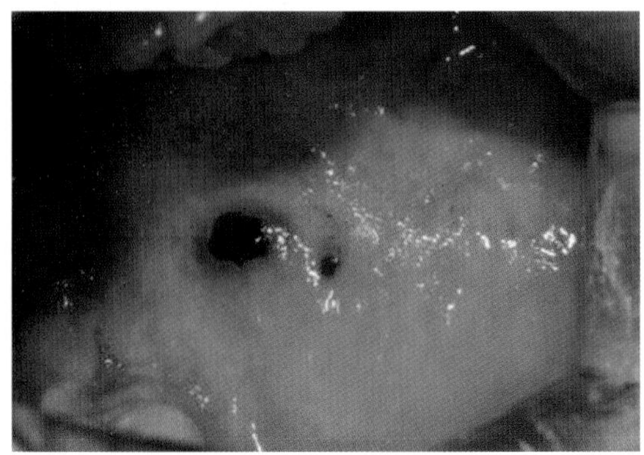

볼을 자주 씹어서 혈종이 유발된 케이스이다. 사랑니에만 있는 건 아니지만 사랑니 주변에 더 흔하게 나타나며, 지름이 1 cm이 넘는 큰 형태도 자주 보게 된다.

아래 사랑니만 뽑으면 안되나요?

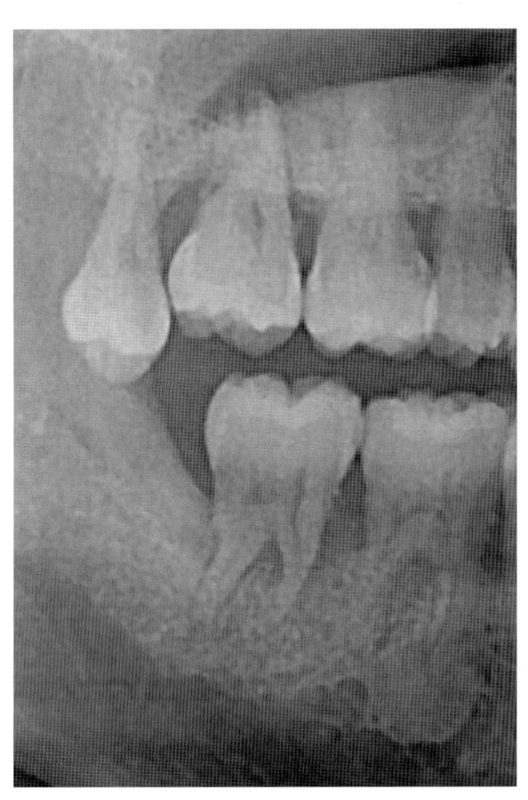

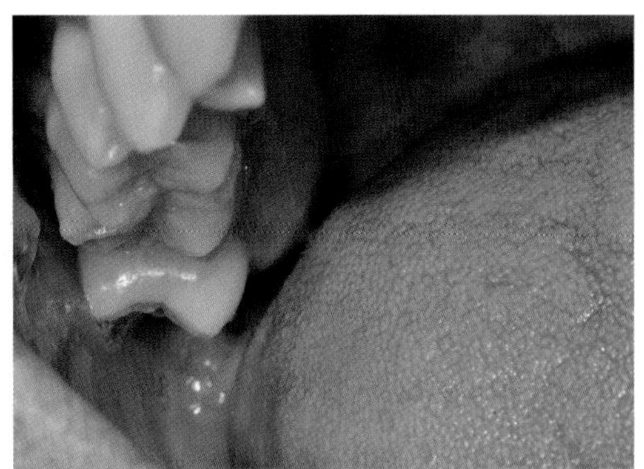

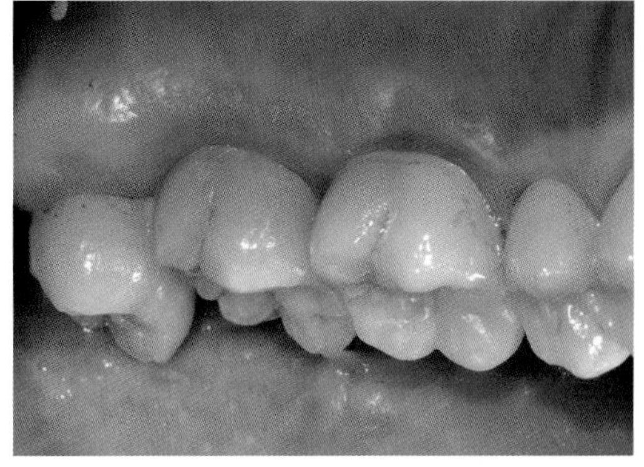

사랑니를 주소로 내원하는 환자들 중에는 아래 사랑니만 뽑고 윗 사랑니는 안 뽑는다는 환자들도 종종 있다. 아직 아무런 문제가 없기에 뽑기를 원하지 않는다고 한다. 그러나 윗 사랑니는 마주치는 사랑니가 없으면 과도하게 내려와서 앞서 언급한 아래 잇몸이나 볼을 씹기도 한다. 또한 때에 따라서 아래턱이 움직일 때 교합간섭을 일으켜서 다른 모든 치아에 해롭게 되기도 한다.

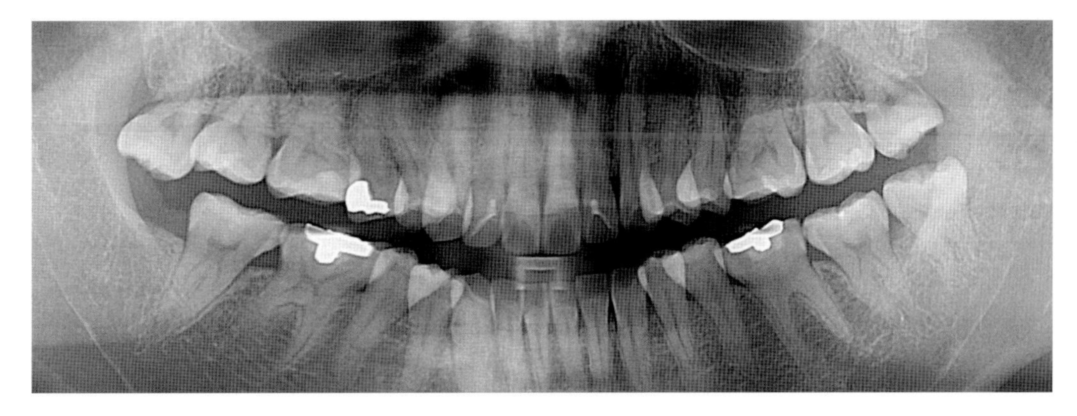

상악 좌우측 사랑니의 높이가 다르다. #48 발치 후 #18번 사랑니가 내려와서 반대측 사랑니와 확연히 다른 위치에 있다.

잠깐!

아래 사랑니만 뽑으면 안되나요? -계속

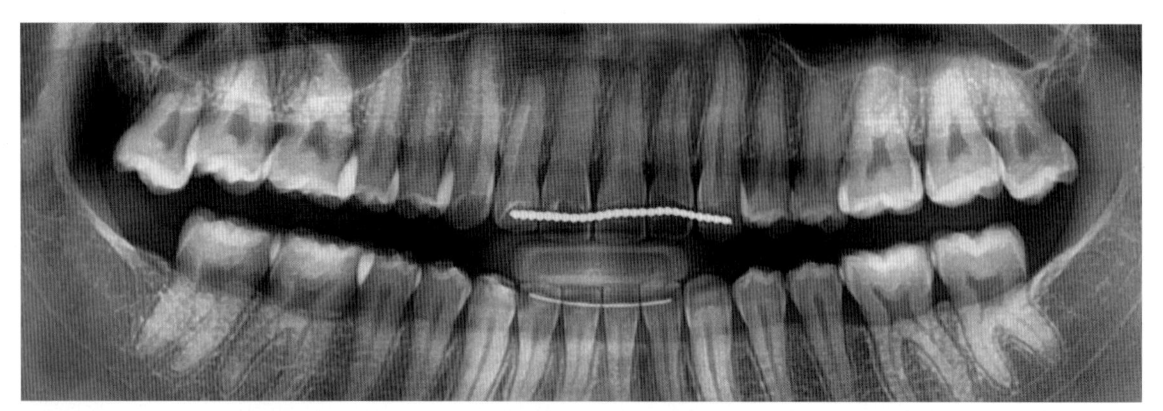

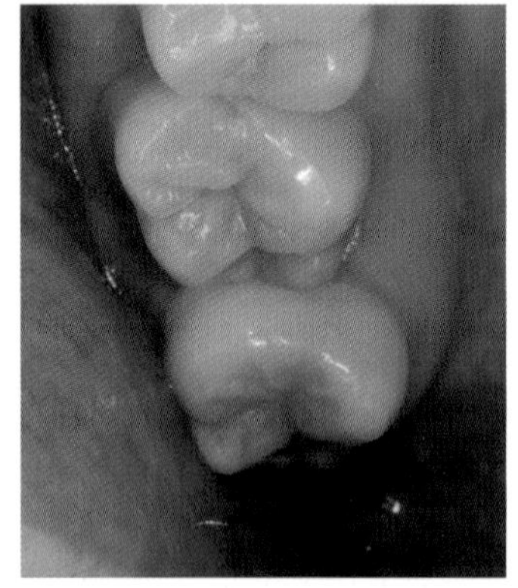

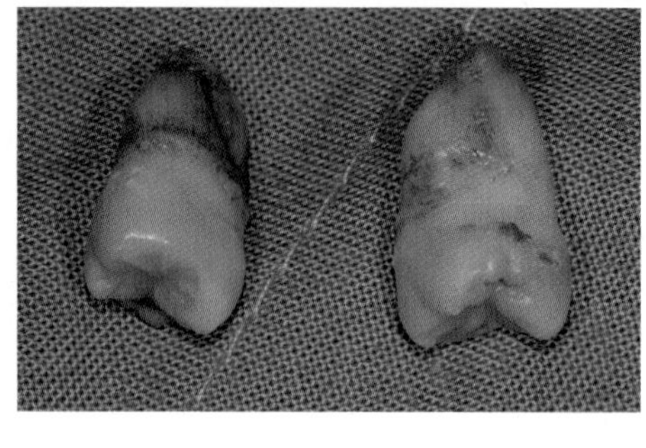

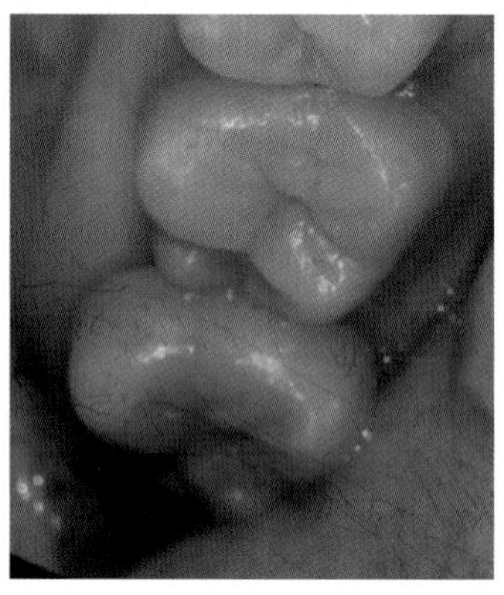

25세 여성 환자로 젊은 나이에도 불구하고 윗 사랑니가 많이 정출된 것을 볼 수 있다. 나이와 상관 없이 기능하지 못하는 윗 사랑니는 아래 사랑니를 발치할 때 함께 발치하는 것이 좋다. 어차피 사랑니 자체가 충치가 생기거나, 앞 치아와의 사이에 음식물이 많이 끼어서 두 치아 모두 충치가 생기는 경우도 많기 때문이다.

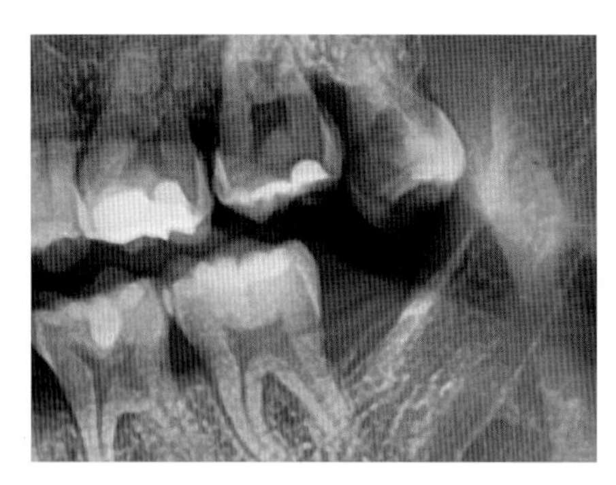

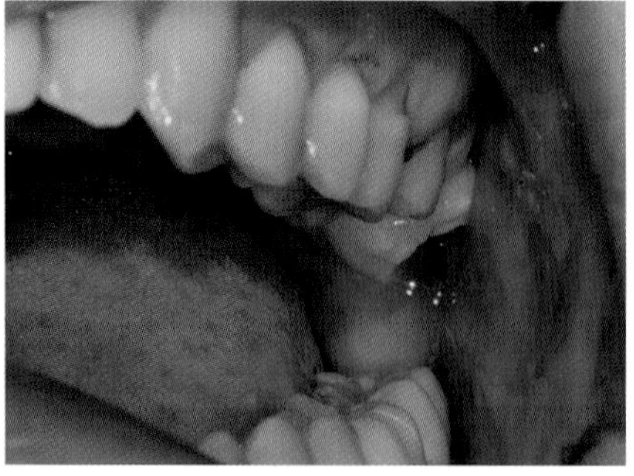

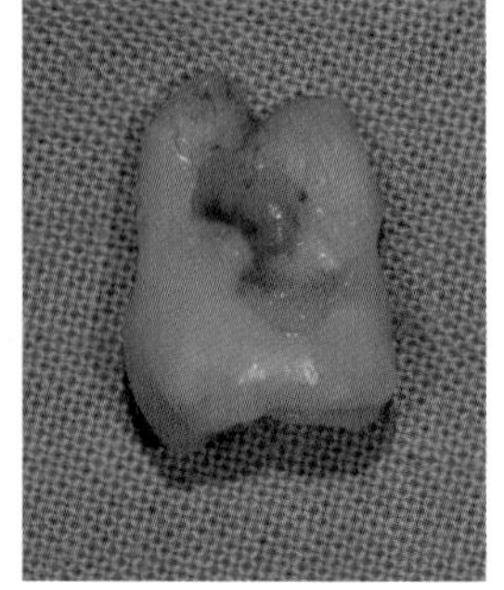

27세 남성 환자로 아래 사랑니를 뽑은 지 얼마 되지 않은 상태에 윗 사랑니가 이렇게 많이 자라났다고 발치를 원하였다. 생각보다 윗 사랑니는 중력 때문인지 쉽게 내려오는 경향이 있다. 중력이라는 말이 처음에는 거짓말처럼 느껴졌지만 점점 경험이 많아질수록 충분히 그럴 수 있겠다는 생각을 해본다. ^^ 어쨌든 윗 사랑니가 아래 사랑니보다 더 많이 정출되는 것은 사실이니...

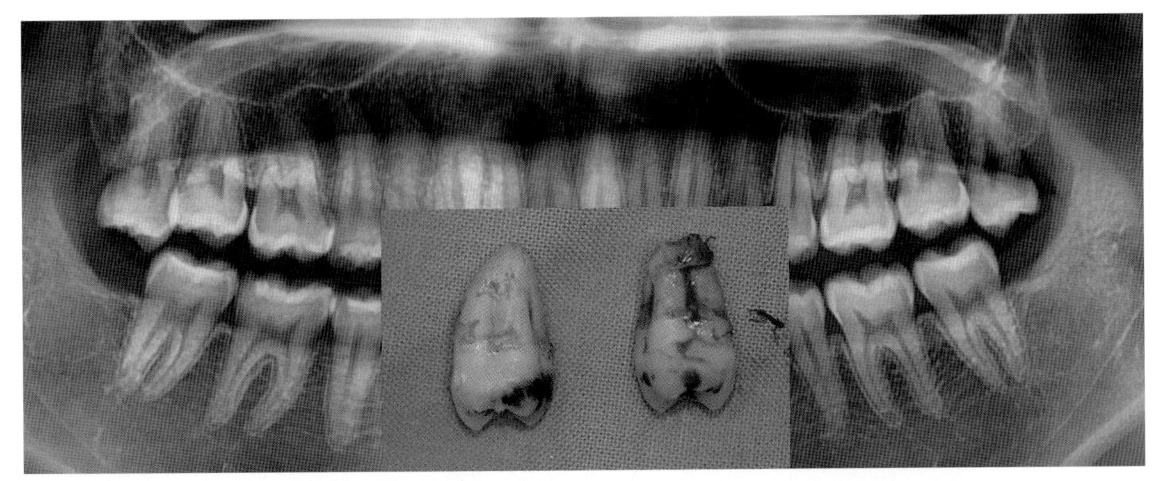

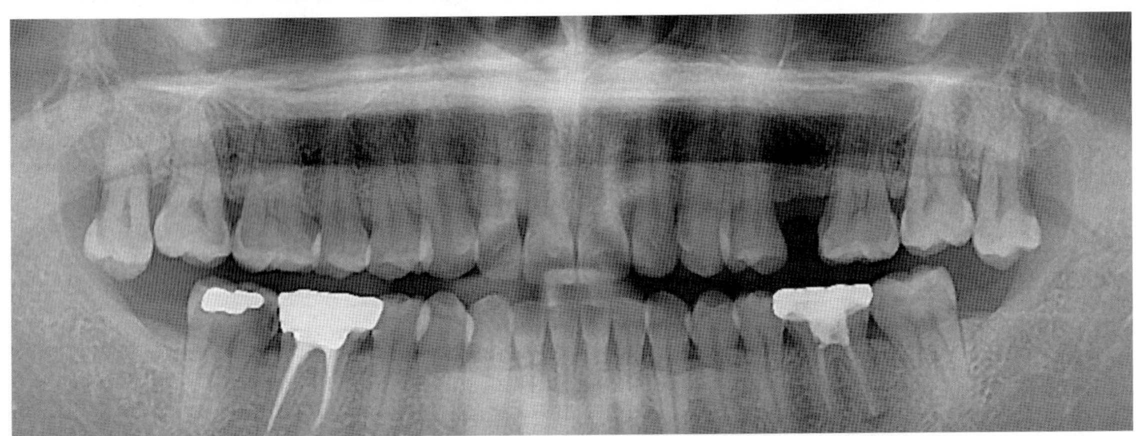

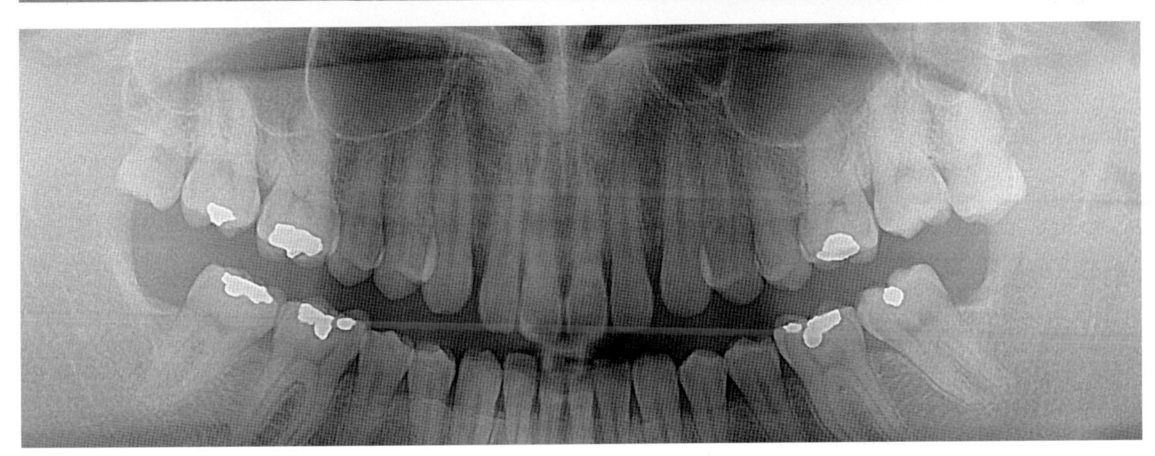

이런 경우를 미연에 방지하기 위하여 사랑니의 위아래 교합을 잘 판단하여 아래 사랑니를 발치하면서 같이 발치하는 것이 좋다. 다만 교정치료 중이거나 교정치료를 시행할 예정인 경우는 교정과의사와 상의한 후에 결정하는 것이 좋다. 필자는 윗 사랑니는 발치시간이 매우 짧고, 아래는 비교적 위보다 길기 때문에 매우 특별한 경우가 아니면 아래 사랑니를 발치한 후에 윗 사랑니를 뽑는다.

14
아래 사랑니 정출

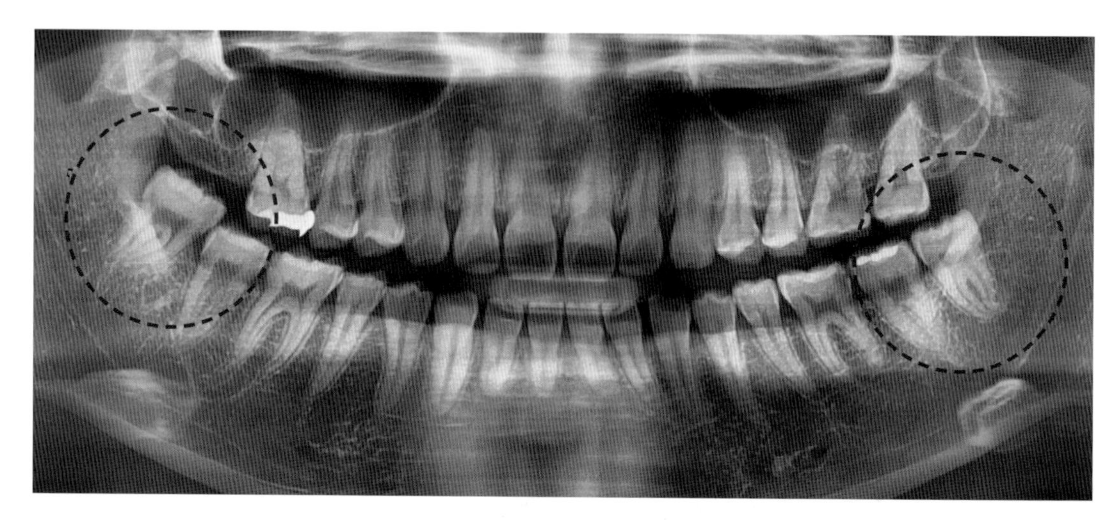

21세 여성 환자로 충치로 인하여 오른쪽 위의 사랑니와 어금니를 동시에 뽑고 얼마 안 된 상태라고 하였다. #48 정출이 심하여 발치가 필요하고 나중에 왼쪽 아래 #38번도 발치를 하라고 권장하였다.

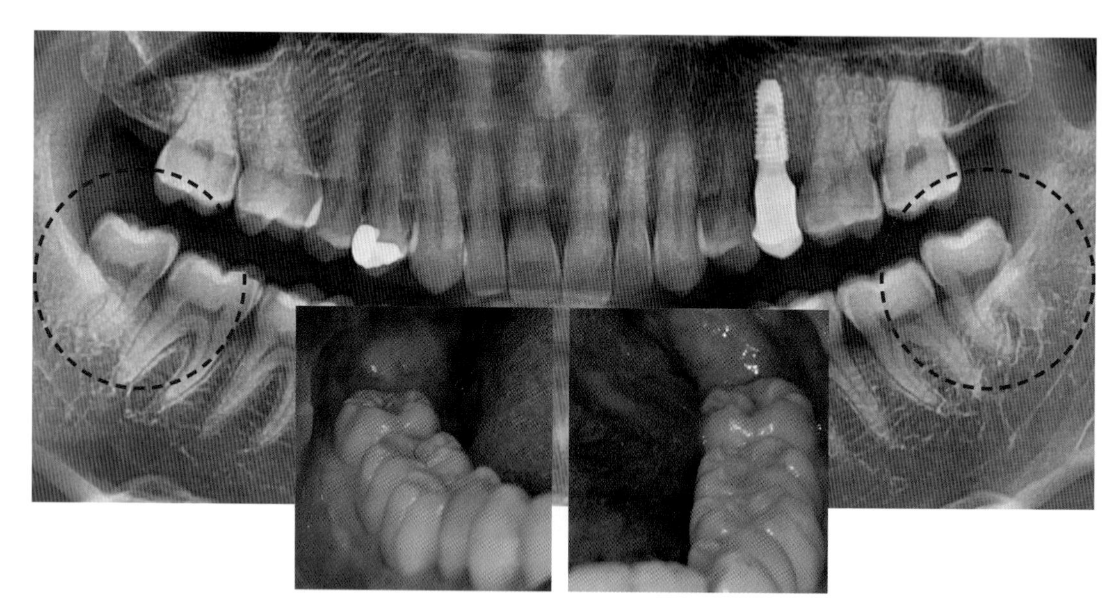

38세 남성 환자로 임플란트를 주소로 내원하였다. 환자 진술에 의하면 몇 년 전 위 사랑니만 발치하고 아래 사랑니는 발치하지 않았다고 한다. 파노라마 사진상에서는 약간만 정출된 듯하지만 육안으로는 매우 많이 정출되어 보인다. 환자가 약간 2급 부정교합이어서 파노라마 방사선 촬영을 위하여 아래턱을 앞으로 많이 내민 걸 감안하면 교합이 거의 되지 않는 것을 알 수 있다.

15
아래턱 뼈의 골절

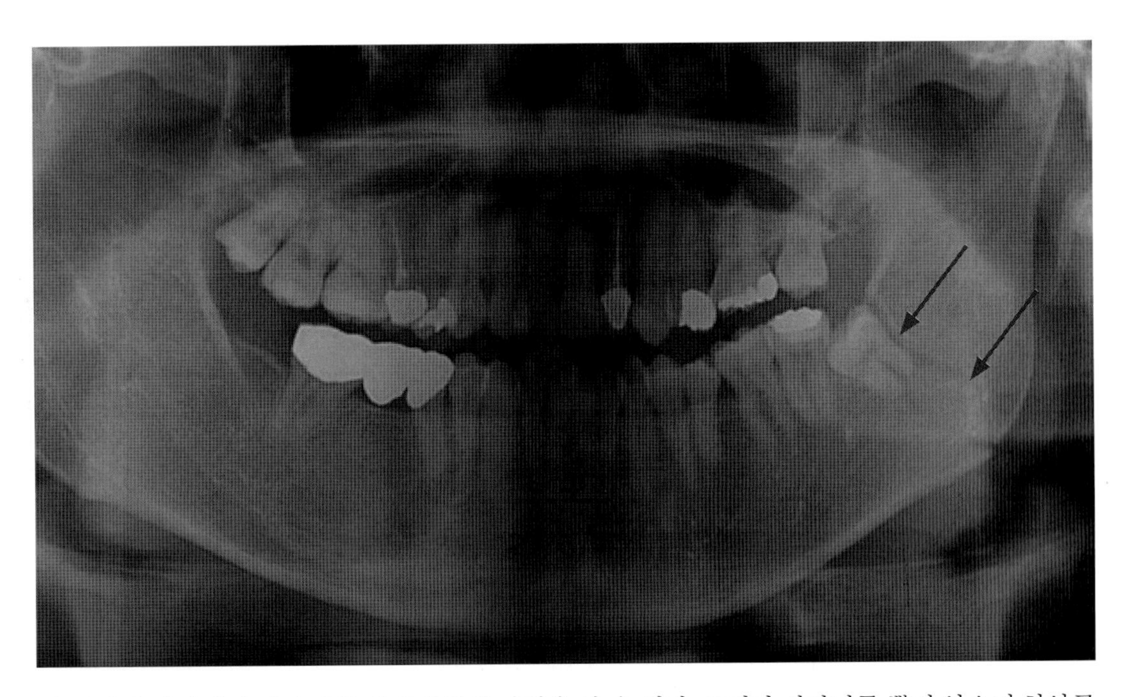

위 방사선 사진에서 사랑니 주변 하악골의 파절을 볼 수 있다. 그러나 사랑니를 뽑지 않으면 하악골이 약해서 하악골이 쉽게 부러질 수 있다고 보기는 어렵다. 실제로 사랑니가 없는 경우에는 과두 부분이 파절되는 경우가 흔하다. 결국 어차피 파절될 만한 강한 힘에 의해서 약한 곳이 부러진다고 볼 수 있다. 그러므로 하악골 파절을 막기 위해서 사랑니를 뽑아야 한다는 말은 설득력이 없긴 하지만, 그래도 이런 이야기들이 세상에 돌고 있다는 정도는 알고 있는 것이 어떨까 하는 의미로 올려본다.

16
옆 치아의 치근(뿌리) 흡수

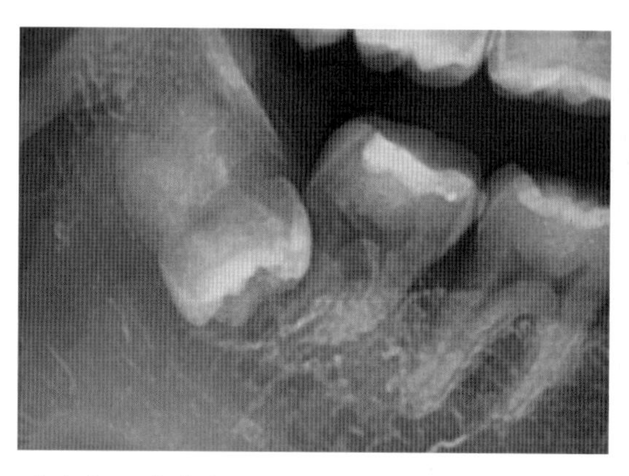
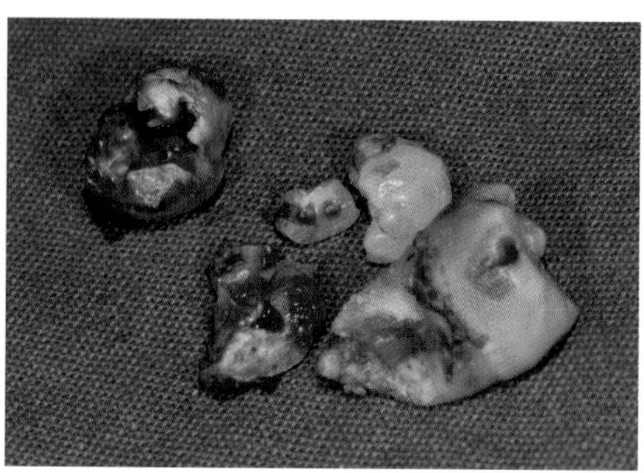

사랑니는 인접치아를 흡수시키는 경우가 종종 있다. 매우 흔하다고는 볼 수 없지만, 심심치 않게 볼 수 있다. 이런 경우는 대부분 치근 부분을 흡수시키기 때문에 결국 #7, 8번을 같이 뽑게 되는데 매우 안타깝다.

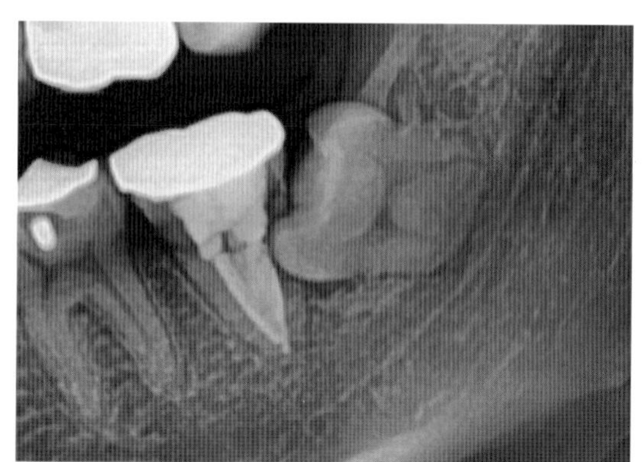
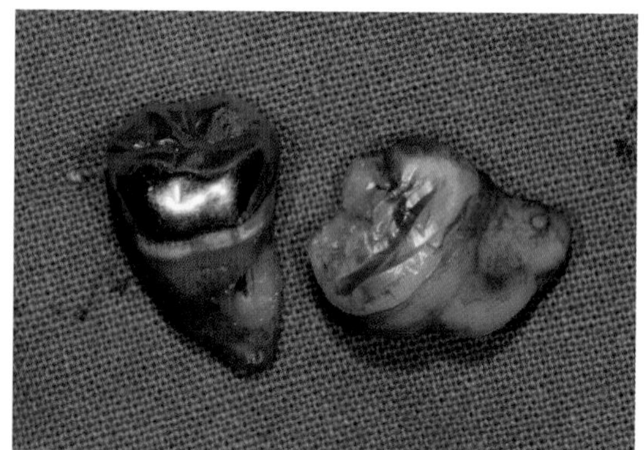

이미 근관치료와 크라운치료를 받았지만, 사랑니에 의한 치근 흡수는 막을 수가 없다.

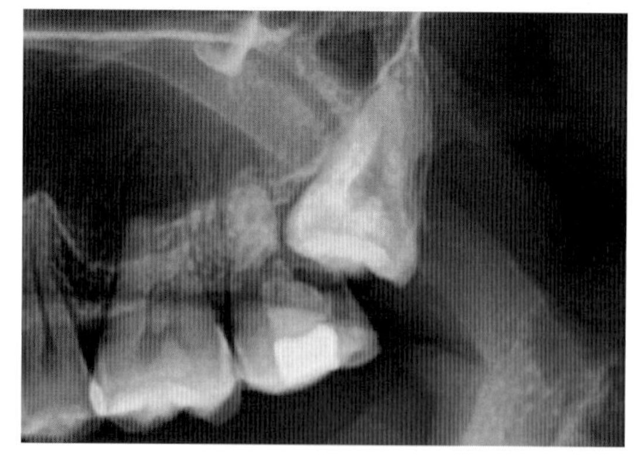
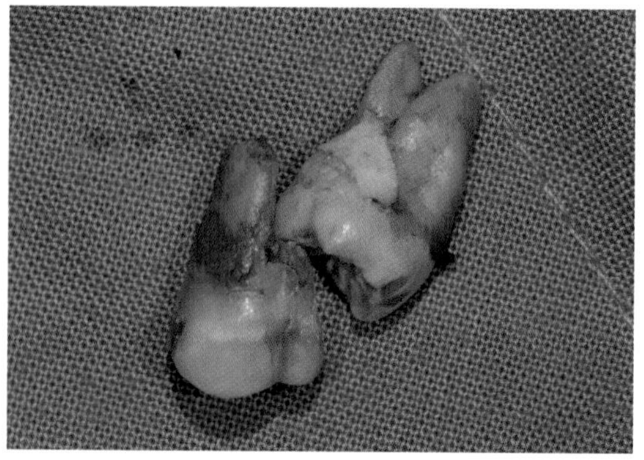

윗 사랑니 인접치 흡수 케이스이다. 인접치의 충치를 유발하는 경우는 아래 사랑니가 훨씬 자주 발생하지만, 치근 흡수는 윗 사랑니도 빈도가 매우 높다. 이런 경우 선택적으로 7번 어금니를 발치하고, 사랑니를 교정으로 당겨서 어금니로 사용하기도 한다. 그러나 환자의 나이, 치아의 위치나 모양 등 고려해야 할 사항이 많고, 임플란트와 장단점을 비교해야 한다.

17
사랑니 치관 주변의 낭종이나 종양

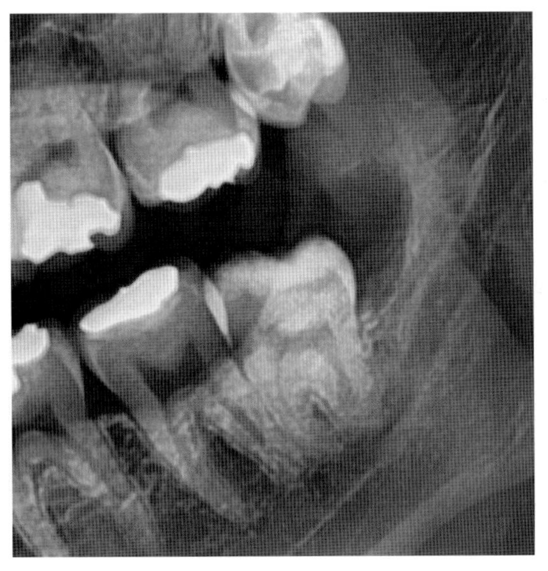

원심면에 뭔가가 있어서 발치 후 조직검사 의뢰했는데 결과는 낭종이 아니라 일반 염증인 것으로 나왔다.

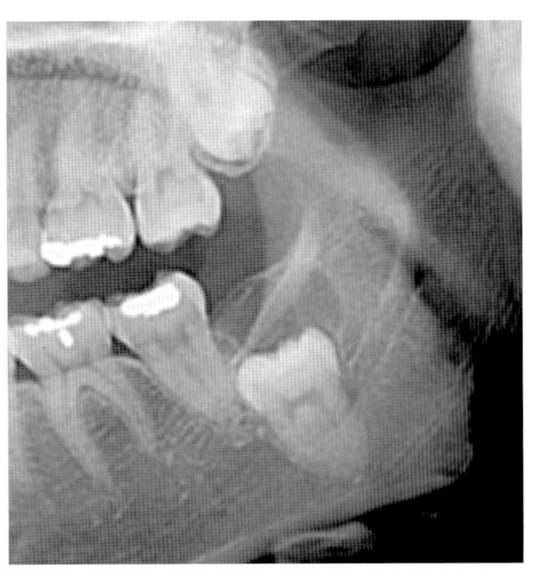

치관 주위에 낭종이 생기면서 사랑니가 골 속 깊숙이 밀려 들어간 것이라고도 볼 수 있다.

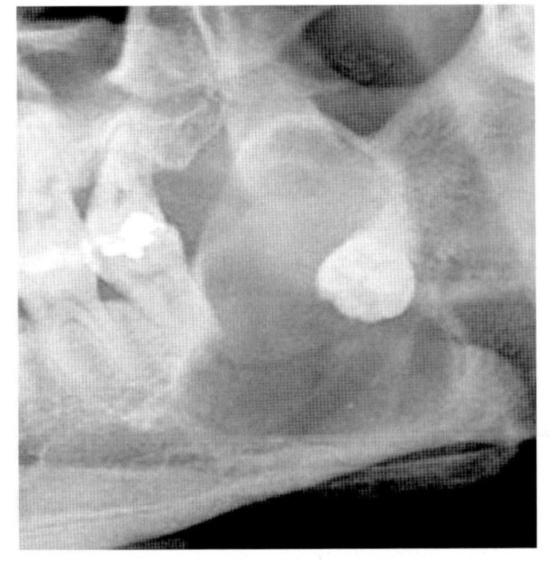

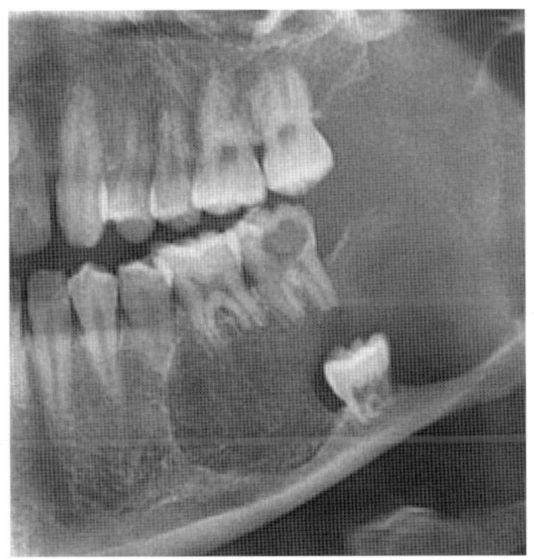

사랑니 발치를 많이 하다 보면 이런 심각한 낭종이나 종양을 종종 볼 수 있다.

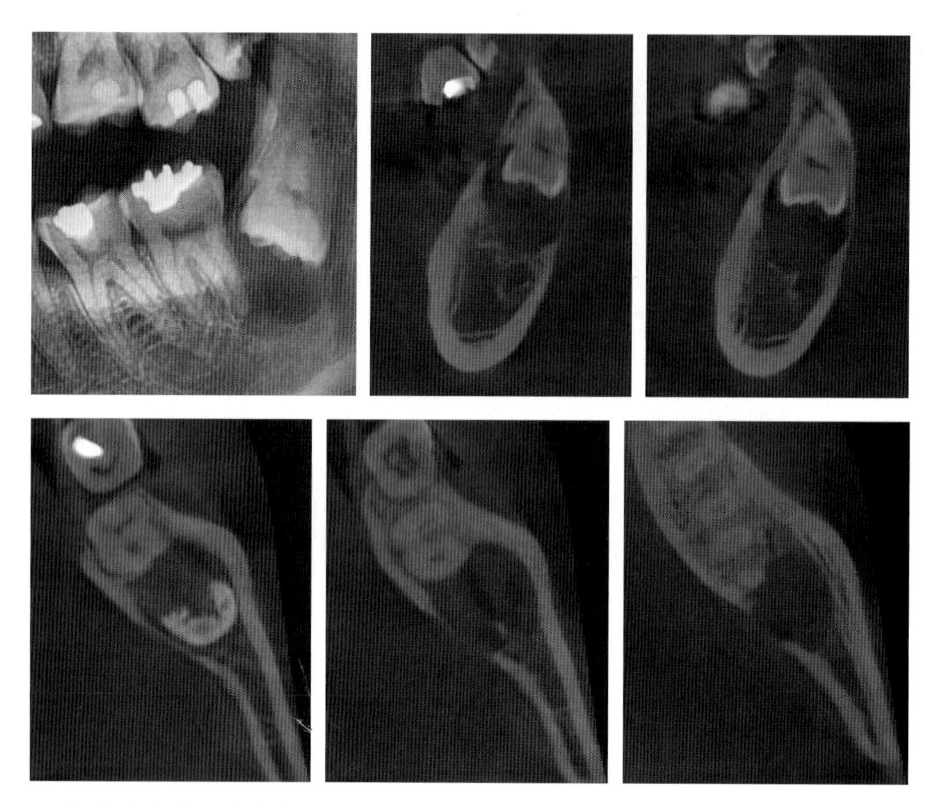

30세 남성 환자로 사랑니를 주소로 내원한 환자이나 파노라마 방사선 사진 상에서 낭종이 관찰되어 CBCT를 촬영하였다. 낭종의 압력으로 사랑니는 상방으로 밀렸으며, 낭종의 최대풍융부에서는 피질골이 거의 남지 않을 만큼 흡수된 것을 볼 수 있다. 이러한 낭종을 주로 함치성 낭종(Dentigerous cyst)라고 하는데 매우 드물게 악성(암)으로 변이가 될 수도 있기 때문에 제거한 후에는 조직검사(biopsy)를 하는 것을 원칙으로 한다.

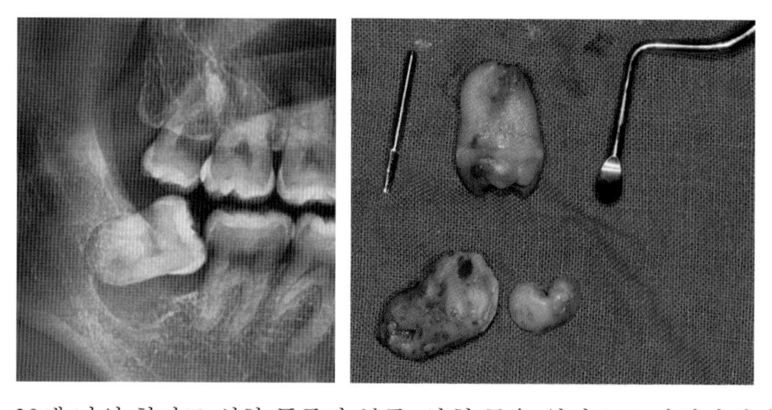

39세 남성 환자로 심한 통증과 부종, 악취 등을 원인으로 타치과에서 대학병원으로 의뢰하였는데 필자에게 내원하였다. 치근부위에 생긴 낭종이라 약간은 우려하였으나 발치 후 조직검사 결과 Paradental cyst로 진단되었다. 발치된 사랑니의 치근 하방에도 치석이 붙어 있는 것을 볼 수 있고, 하방의 염증 조직이 잘 제거되지 않았다. 신경손상을 우려하여 낭종 하방을 큐렛할 수가 없어서 톱날이 달린 서지컬 큐렛을 이용하여 치근 중간부분에서 끌어올리듯이 낭종을 제거하였다.

18 평범한 사랑니인줄 알았는데...

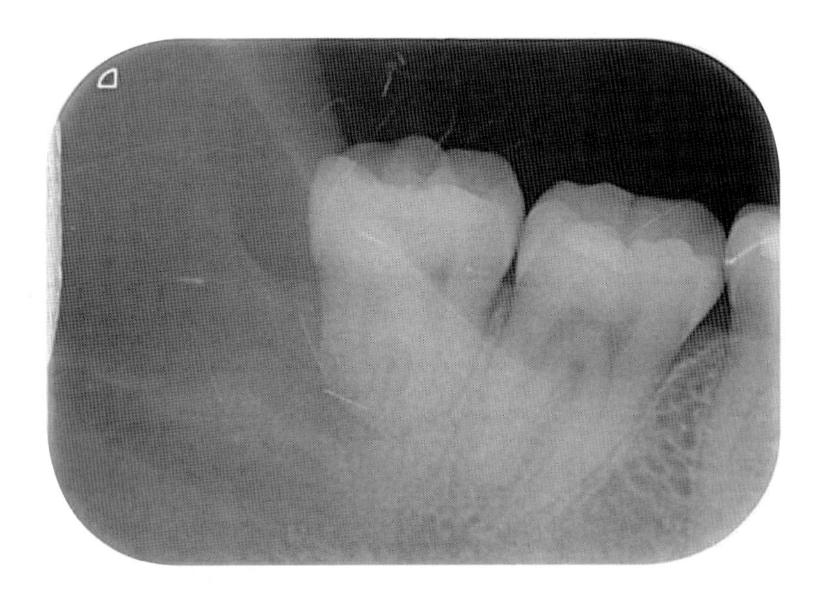

20대 중반 여성 환자가 평범한 사랑니 발치를 위하여 내원하였다. 당시 심평원에서 초진 파노라마 촬영 빈도를 줄이라고 하던 시기라 초진에 무조건 파노라마를 먼저 찍지 않고 표준촬영을 먼저 실시하였다. 표준촬영 결과 느낌이 좋지 않아서 파노라마 촬영을 실시하였다.

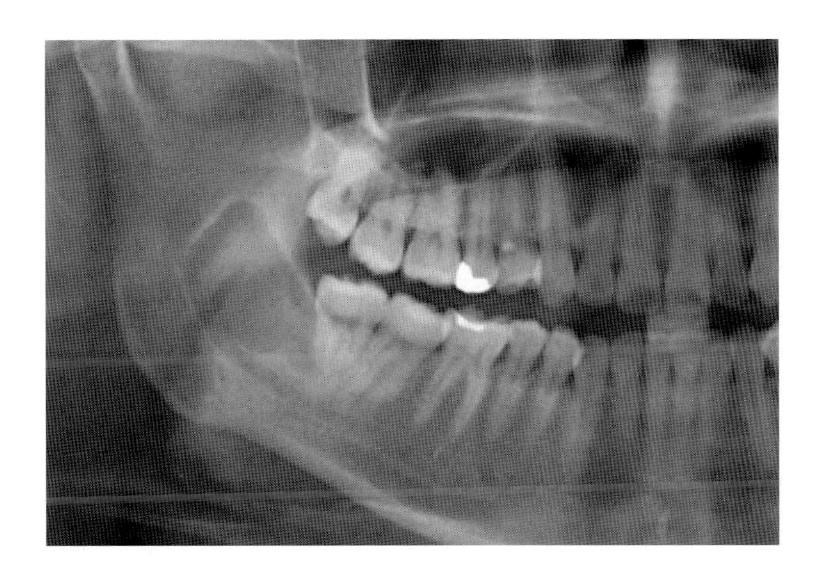

단순한 함치성 낭종으로 보이지는 않아서 대학병원에 의뢰한 결과 법랑아세포종이었다. 한 사람의 운명이 걱정되는 순간이었고, 좀 더 일찍 검진하면 좋지 않았을까 하는 아쉬움이 있다. 법랑아세포종이 궁금한 사람은 구글에 <법랑아세포종> 또는 <Ameloblastoma>를 검색해보기를 바란다.

DR. YOUNG SAM KIM'S CLINICAL NOTES

EASY SIMPLE SAFE EXTRACTION OF WISDOM TOOTH

GANGNAM STYLE 쉽고 빠르고 안전한 **사랑니 발치**